KB156457

4th edition

TEXTBOOK OF VOIDING DYSFUNCTION AND FEMALE UROLOGY

배뇨장애와 요실금

배뇨장애와 요실금 4th

Textbook of Voiding Dysfunction and Female Urology

첫째판 1쇄 발행 | 2003년 11월 20일
넷째판 1쇄 인쇄 | 2021년 05월 18일
넷째판 1쇄 발행 | 2021년 06월 01일

지 은 이 대한배뇨장애요실금학회
발 행 인 장주연
출 판 기 획 최준호
책 임 편 집 권혜지
편집디자인 주은미
표지디자인 김재욱
일 러 스 트 김경열
제 작 담 당 이순호
발 행 처 군자출판사(주)
등록 제4-139호(1991. 6. 24)
본사 (10881) **파주출판단지** 경기도 파주시 회동길 338(서패동 474-1)
전화 (031) 943-1888 팩스 (031) 955-9545
홈페이지 | www.koonja.co.kr

ISBN 979-11-5955-711-8
정가 100,000원

배뇨장애와 요실금 4th

Textbook of Voiding Dysfunction and Female Urology

발간사

대한배뇨장애요실금학회는 1991년에 설립된 이후 국내 최대의 관련 분야 학술단체로서 학문적 발전 뿐 아니라 임상적으로도 다양한 배뇨장애 환자들과 요실금 환자들의 치료와 삶의 질 개선에 있어 주도적인 역할을 수행해 왔습니다. 또한 학회 사업으로서 다양한 전문서적의 발간사업을 통해 배뇨장애와 요실금 분야의 전문지식을 보급하고 실용적 지식을 표준화하는 활동에도 힘써 왔습니다.

이러한 활동의 중심에는 2003년에 처음 발간된 "배뇨장애와 요실금" 교과서가 자리하고 있습니다. 당시 학회의 역량과 화합의 결실이었던 "배뇨장애와 요실금" 초판 교과서는 탄탄한 내용을 바탕으로 체계적으로 잘 정리되어 관련 지식의 습득은 물론이고 실제 임상에서도 많은 도움이 받았다는 찬사를 받은 바 있습니다. 초판이 나온 이후 새로운 지식과 술기를 반영하여 2009년 발간된 "배뇨장애와 요실금" 제 2판, 그리고 2015년 발간된 제 3판 교과서 역시 배뇨장애와 요실금, 그리고 여성 비뇨의학에 관한 모든 분야를 망라하는 국내 최고의 교과서로서 그 자리를 이어왔습니다.

의학 분야에서 새로운 지식과 기술은 계속해서 출현하여 기존 지식체계를 보강하기도 하고 일부의 경우 기존 지식을 폐기하게 되기도 합니다. 또한 근거 기반 임상지식들이 더욱 축적됨에 따라 표준진료지침의 변화가 뒤따르기도 합니다. 이에 대한배뇨장애요실금학회에서는 그동안 축적된 관련 분야의 학술적 성과를 정리하여 기존 내용을 보완하고 새로운 내용을 추가한 개정판인 "배뇨장애와 요실금" 제 4판 교과서를 발간하게 되었습니다.

힘든 과정을 거쳐 본 교과서 개정판이 빛을 볼 수 있도록 애써주신 모든 분들께 감사드립니다. 특히 흔쾌히 저자로 참여해 주시고 정성껏 원고를 작성해 주신 집필진 여러분들께 진심 가득한 감사의 말씀을 전합니다. 그리고 저자 분들께서 보내주신 원고를 잘 빚어서 훌륭한 책자로 정리해 주신 이성호 교과서편찬위원장님 이하 편찬위원님 한분 한분의 노고와 헌신에 깊이 감사드립니다.

많은 분들의 정성과 노력으로 완성된 이 교과서가 학회 회원들을 비롯하여 배뇨장애와 요실금 분야에 대한 체계적인 지식을 찾는 의료인, 연구자 및 후학들에게 훌륭한 길잡이 역할을 해주리라 확신하며 교과서 개정판 발간의 기쁨을 학회의 전체 회원들과 함께 하고자 합니다.

2020년 12월
대한배뇨장애요실금학회
회장 **김 대 경**

머리말

배뇨장애와 요실금 교과서는 2003년 초판이 발행된 이후 계속해서 관련 분야에 대한 새로운 지식의 등장에 맞추어 개정판을 발간하여 왔고 이를 통해 배뇨장애와 요실금 분야에 대해서 진료 및 연구에 종사하는 의사들뿐만 아니라 간호사 등 관련 의료인과 기초연구자들에게 훌륭한 지침서로 역할을 다해왔습니다.

2015년 배뇨장애와 요실금 교과서 3판이 발간된 이후에도 새로운 지식은 계속해서 쏟아지고 있고 어느덧 이러한 지식이 추가된 된 새로운 교과서 발행의 필요성이 제시되어 4판 교과서 발간을 준비하게 되었습니다.

금번 배뇨장애와 요실금 교과서 4판에서는 기존의 내용에 새로운 내용을 추가하여 교과서 내용을 계속 늘리는 것보다는 그동안의 내용을 효율적으로 정리하고 새로운 내용을 추가하여 양적인 추가보다는 질적인 개선이 되도록 노력하였고 3판이 63장의 주제로 구성된 것에 비해 비슷한 내용의 주제를 합치고 교과서 본연의 내용에 충실하고자 3판에 실렸던 하부요로기능이상에 대한 기초연구 및 임상연구에 대한 내용과 여성성기능에 대한 내용을 제외하여 56장으로 축소하여 교과서 내용에 대한 질적 향상에 중점을 두었습니다.

또한 저자선정에 있어서 나이나 경력에 상관없이 해당분야에서 활발히 연구성과를 내고 있는 많은 교수님들을 새롭게 저자로 위촉하여 새로운 의학지식이나 기술에 대한 내용이 적절히 추가될 수 있도록 하였습니다.

제1부 '정상 하부요로의 이해'에서는 하부요로의 육안적·기능적 해부, 신경지배, 약리, 하부요로의 정상 기능과 그 기전, 그리고 소아의 하부요로에 대해 기술하였습니다.

제2부 '하부요로기능이상 총론'에서는 하부요로기능이상의 병태생리, 분류, 표준용어를 다루며 배뇨장애의 평가와 치료에 대한 총론적인 내용, 그리고 이외에도 남성, 여성건강, 노인의 하부요로에 대한 내용 및 장을 이용한 하부요로의 재건에 대한 내용을 추가하였습니다.

제3부 '하부요로기능이상과 여성비뇨기질환 각론'에서는 이 분야의 대표적인 증상·질환군을 주제별로 체계적으로 묶어 모두 7편으로 편성하였습니다. 각각의 내용은 신경인성방광, 저장증상·소변저장기능이상, 소변배출기능이상, 전립선비대증, 골반통증·골반통증후군, 골반장기탈출증, 여성 요로 생식기누공·요도게실에 대해 심도있게 다루었습니다.

그동안 발간되었던 초판, 2판, 3판 교과서가 그러하였듯이 금번 4판 교과서 역시 배뇨장애와 요실금 분야를 전공하고 있거나 새롭게 관심을 가지고 입문하시는 여러분들에게 좋은 지침서가 되기를 바라며 교과서를 집필해 주신 모든 저자분들, 원고의 수집 및 편집, 그리고 구성을 위해 많은 시간과 노력을 헌신해주신 정현철 편찬팀장을 비롯한 모든 편찬위원 여러분들, 그리고 교과서 발간을 위해 물심양면으로 많은 지원을 아끼지 않으신 김대경 회장님과 조성태 총무이사님께 감사의 말씀을 전합니다.

2020년 12월

대한배뇨장애요실금학회 간행이사/교과서 편찬위원장

이 성 호

집필진

편찬위원회

편찬위원장 | 이성호

편 찬 팀 장 | 정현철

편 찬 위 원 | 권휘안, 김수진, 김형지, 문홍상, 박형근, 여정균, 유은상, 이상욱, 조강준, 조원진, 한지연

저 자

고광진 성균관대학교 의과대학
권준범 대구파티마병원
김계환 충남대학교 의과대학
김대경 을지대학교 의과대학
김덕윤 대구가톨릭대학교 의과대학
김명기 전북대학교 의과대학
김선옥 전남대학교 의과대학
김수웅 서울대학교 의과대학
김수진 연세대학교 의과대학
김영호 순천향대학교 의과대학
김용태 한양대학교 의과대학
김장환 연세대학교 의과대학
김준철 가톨릭대학교 의과대학
김현우 가톨릭대학교 의과대학
김형곤 건국대학교 의과대학
김형지 단국대학교 의과대학
나용길 충남대학교 의과대학
노준화 광주기독병원
문경현 울산대학교 의과대학
문홍상 한양대학교 의과대학
민권식 인제대학교 의과대학
박형근 건국대학교 의과대학
배재현 고려대학교 의과대학
서영진 동국대학교 의과대학

저자

저 자

서주태 JTS urology center

송윤섭 순천향대학교 의과대학

신동길 부산대학교 의과대학

신주현 충남대학교 의과대학

신정현 울산대학교 의과대학

여정균 인제대학교 의과대학

오미미 고려대학교 의과대학

오승준 서울대학교 의과대학

오철영 한림대학교 의과대학

유은상 경북대학교 의과대학

윤하나 이화여자대학교 의과대학

이건철 인제대학교 의과대학

이규성 성균관대학교 의과대학

이규원 가톨릭대학교 의과대학

이상욱 강원대학교 의과대학

이성호 한림대학교 의과대학

이영숙 성균관대학교 의과대학

이용석 가톨릭대학교 의과대학

이정주 부산대학교 의과대학

이창호 순천향대학교 의과대학

이 택 인하대학교 의과대학

이하나 성균관대학교 의과대학

장영섭 건양대학교 의과대학

정두용 인하대학교 의과대학

정성진 서울대학교 의과대학

정현철 한림대학교 의과대학

정 홍 건국대학교 의과대학

조강준 가톨릭대학교 의과대학

조성용 서울대학교 의과대학

조성태 한림대학교 의과대학

조영삼 성균관대학교 의과대학

조원진 조선대학교 의과대학

주명수 울산대학교 의과대학

최종보 아주대학교 의과대학

최 훈 고려대학교 의과대학

추민수 서울대학교 의과대학

한지연 성남시의료원

"배뇨장애와 요실금" 제 4판 교과서의 구성과 내용의 특징, 참고문헌 목록의 확인 방법, 용어 사용의 기준에 대해 간단히 알려드리고자 합니다.

01

제 4판에서는 제 3판과 조금 다른 구성을 취하여 56장의 주제로 축소되어 모두 3부로 나누어 편성하였습니다. 제1부 '정상 하부요로의 이해'와 제2부 '하부요로기능이상 총론'에서 기본적이고 총론적인 내용을 다루었고 개별적인 증상군이나 질환군에 대해서는 제3부 '하부요로기능이상과 여성비뇨기질환 각론'에 담았습니다.

02

제 4판에서 새로이 추가되거나 변경된 주제들은 다음과 같습니다. 제1부 '정상 하부요로의 이해'에는 제 3판에 독립적으로 구성되었던 소아 관련 챕터들이 소아의 정상 하부요로기능과 그 발달로 통합되어 총 5개의 장으로 편성하였습니다. 하부요로기능 이상 총론을 담은 제2부에서는 적응증에 따라 효과적이고 영구적인 치료법이나 최근 악성종양이 아닌 하부요로 증상에서는 빈도가 많이 줄어들은 장을 이용한 하부요로 재건수술에 대한 내용을 담아 "장을 이용한 하부요로의 재건(제21장)"을 추가 편성하였습니다. 제3부에서는 새로이 편성된 챕터는 없지만 많은 챕터가 추가되었던 제 3판의 구성을 조금 변경하여 통일성을 주고자 하였고 "배뇨장애와 요실금" 이라는 본연의 주제에 맞게 여성 성기능에 대한 내용은 제외되었음을 알려드립니다. 새로이 편성된 장이 많지는 않지만 최신 지견들로 내용을 세세하게 업데이트하여 학생이나 전공의뿐 아니라 이미 임상 지식이 풍부하신 여러 임상의, 교수님들께도 많은 도움이 될 것으로 생각됩니다.

03

제 4판에서는 참고문헌 목록을 본 책에 싣지 않고, 별도의 웹사이트에서 확인할 수 있도록 하였습니다. 모든 장(chapter)마다 마지막 페이지에 웹사이트 주소를 기술하여 두었습니다.

04

제 4판에서의 용어는 책 전반에 걸쳐 통일성을 유지하려고 하였습니다. 가급적 모든 용어를 한글 표기로 하기 위해 2020년 대한의사협회에서 발간된 의학용어집 제 6판을 참고하여 교정하였습니다. 다만 보편적으로 국문화되지 않은 용어는 영어 그대로 실었고, 사람 이름은 가급적 원어 그대로 표기하였습니다.

2020년 12월

대한배뇨장애요실금학회 교과서 편찬팀장 **정 현 철**

목차

발간사 v
머리말 vi
집필진, 저자 viii

정상 하부요로의 이해
Basic concepts of normal lower urinary tract 1

제 01 장 하부요로의 육안적, 기능적 해부
Gross and functional anatomy of the lower urinary tract 3
제 02 장 하부요로의 신경지배
Neural control of the lower urinary tract 25
제 03 장 하부요로의 약리
Pharmacology of the lower urinary tract 51
제 04 장 하부요로의 정상 기능 및 그 기전
Normal lower urinary tract function and underlying mechanisms 71
제 05 장 소아의 정상 하부요로기능과 그 발달
Normal bladder function in infants and children 77

목차

하부요로기능이상 총론

The general of lower urinary tract dysfunction 93

제 06 장 하부요로기능이상의 병태생리: 개관

Pathophysiology of lower urinary tract dysfunction: Overview ······ 95

제 07 장 하부요로기능이상의 분류

Classification system of lower urinary tract dysfunction ······ 99

제 08 장 하부요로의 기능 및 기능이상과 연관된 증상, 징후, 그리고 요역동학검사 결과들에 대한 표준용어

The standardized terminology of symptoms, signs, urodynamic observations, and conditions associated with lower urinary tract function and dysfunction ······ 109

제 09 장 하부요로기능이상의 평가

Evaluation of patients with lower urinary tract dysfunction (or symptoms) ··· 135

제 10 장 요역동학검사

Urodynamics: Urodynamic and video-urodynamic evaluation of the lower urinary tract ······ 145

제 11 장 하부요로기능이상의 치료: 개관

Treatment of lower urinary tract dysfunction: Overview ······ 171

제 12 장 하부요로건강을 위한 생활습관과 식이

Lifestyle and diet recommendations for lower urinary tract health ······ 177

제 13 장 하부요로기능이상의 보존적 치료

Conservative treatment for lower urinary tract dysfunction ······ 187

제 14 장 하부요로기능이상의 약물치료

Pharmacologic treatment for lower urinary tract dysfunction ······ 197

목차

제 15 장 하부요로기능이상의 수술적 치료

Surgical treatment for lower urinary tract dysfunction ········· 201

제 16 장 전기자극과 신경조정술

Electrical stimulation and neuromodulation in storage and emptying failure ··· 211

제 17 장 배변기능이상

Defecatory function and dysfunction ········· 225

제 18 장 남성 건강과 하부요로 증상

Men's health and LUTS ········· 235

제 19 장 여성 호르몬과 하부요로

Influences of hormone and pregnancy on the female lower urinary tract ····· 243

제 20 장 노인의 하부요로기능 이상

Geriatric lower urinary tract dysfunction ········· 257

제 21 장 장을 이용한 하부요로의 재건

lower urinary tract reconstruction using bowel ········· 265

제 3 부 하부요로기능이상과 여성비뇨기질환 각론

The particular of lower urinary tract dysfunction and female urology 281

제 22 장 신경인성방광: 개괸

Neuropathic lower urinary tract dysfunction (Neurogenic bladder): Overview ·· 283

제 23 장 신경인성방광: 뇌간 또는 뇌간 상부의 질환

Neurogenic lower urinary tract dysfunction: Diseases at or above the brainstem 297

목차

제 24 장 신경인성방광: 척수 질환
Neurogenic lower urinary tract dysfunction: Diseases primarily involving the spinal cord 307

제 25 장 신경인성방광: 말초의 질환
Neurogenic lower urinary tract dysfunction: Diseases distal to the spinal cord, miscellaenous 325

제 26 장 과민성방광의 정의, 용어, 역학
Overactive bladder-Terminology and epidemiology 339

제 27 장 과민성방광의 병태생리
Overactive bladder-Pathophysiology and etiology 341

제 28 장 과민성방광의 평가와 진단
Overactive bladder-Clinical assessment 345

제 29 장 과민성방광의 치료
Overactive bladder-Treatment 351

제 30 장 요실금: 개관
Urinary incontinence: Overview 373

제 31 장 여성 복압성요실금의 병태생리
Female stress urinary incontinence-Pathophysiology 381

제 32 장 여성 복압성요실금의 평가와 진단
Female stress urinary incontinence-Diagnostic evaluation 395

제 33 장 여성 복압성요실금의 요역동학적 평가
Female stress urinary incontinence-Urodynamic evaluation 405

제 34 장 여성 복압성요실금의 보존적, 내과적 치료
Female stress urinary incontinence-Conservative and medical treatment 413

제 35 장 여성 복압성요실금의 수술적 치료
Female stress urinary incontinence-Surgical treatment 419

목차

제 36 장 여성 복압성요실금의 수술 합병증과 그 치료
Female stress urinary incontinence
-Surgical complications and their management ······ 439

제 37 장 남성 복압성요실금
Male stress urinary incontinence ······ 453

제 38 장 야간뇨
Nocturia ······ 477

제 39 장 방광출구폐색
Bladder outlet obstruction ······ 493

제 40 장 배뇨근저활동성
Detrusor underactivity ······ 503

제 41 장 요도협착
Urethral stricture ······ 509

제 42 장 요폐
Urinary retention ······ 527

제 43 장 전립선비대증의 개관, 용어, 병태생리
Benign prostatic hyperplasia
-Overview, terminology, etiology, and pathophysiology ······ 539

제 44 장 전립선비대증의 역학, 자연경과
Benign prostatic hyperplasia-Epidemiology and natural history ······ 551

제 45 장 전립선비대증의 진단
Benign prostatic hyperplasia-Diagnosis ······ 557

제 46 장 전립선비대증의 치료 개관, 대기요법, 내과적 치료
Benign prostatic hyperplasia - Treatment overview, watchful waiting,
and medical treatment with lower urinary tract function and dysfunction ······ 571

목차

제 47 장 전립선비대증의 수술적 치료
Benign prostatic hyperplasia-Surgical treatment ········ 583
제 48 장 골반통증의 개관
Chronic pelvic pain: overview ········ 603
제 49 장 만성전립선염/만성골반통증후군
Chronic prostatitis/Chronic pelvic pain syndrome ········ 607
제 50 장 방광통증후군/간질성방광염
Bladder pain syndrome/Interstitial cystitis ········ 615
제 51 장 골반장기탈출증의 분류, 병태생리, 역학
Pelvic organ prolapse-Classification, pathophysiology, and epidemiology ···· 629
제 52 장 골반장기탈출증의 진단
Pelvic organ prolapse-Clinical presentation and diagnosis ········ 633
제 53 장 골반장기탈출증의 치료 개관 및 비침습적치료
Pelvic organ prolapse-Treatment overview and devices for vaginal support ··· 641
제 54 장 골반장기탈출증의 수술적 치료
Pelvic organ prolapse-Surgical treatment ········ 645
제 55 장 요생식기누공
Urogynecological fistulae ········ 657
제 56 장 여성요도게실
Female urethral diverticula ········ 673

찾아보기 ········ 685

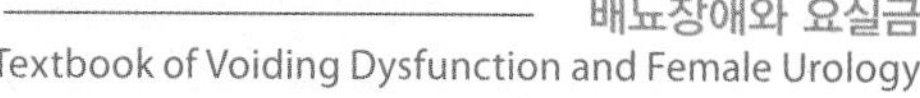

제 1 부

정상 하부요로의 이해

Basic concepts of normal lower urinary tract

제 01 장 하부요로의 육안적, 기능적 해부
제 02 장 하부요로의 신경지배
제 03 장 하부요로의 약리
제 04 장 하부요로의 정상 기능 및 그 기전
제 05 장 소아의 정상 하부요로기능과 그 발달

하부요로의 육안적, 기능적 해부

Gross and functional anatomy of the lower urinary tract

이용석

I. 방광의 구조와 기능

1) 방광과 주위구조물과의 관계

방광은 비뇨생식동(urogenital sinus)에서 발생한 기관으로, 소변을 저장하고 배출하는 역할을 한다. 방광은 크게 두 부위로 나뉘는데, 요관구 위쪽 부위의 체부(body)와, 방광삼각부와 방광경부로 구성된 기저부(base)가 있다(Elbadawi and Schenk, 1974).

방광이 비어 있을 때에는 상방(superior), 양쪽의 전측방(anterolateral), 방광경부로 이어지는 후하방(posteroinferior)으로 네 방향이 있다. 방광이 채워지면 기저부만 고정되어 있고, 전체적으로 팽창하면서 좀 더 구에 가까워진다. 상방은 복막에 덮여 있고, 전측방은 복횡근 근막(transversalis fascia)과 맞닿아 있다.

방광체부는 요막관에 의해 전복벽과 연결되어 있다. 방광경부는 치골결합부 정중앙에서 뒤쪽 3~4 cm 부위에 있는데, 남성에서는 전립선과 골반근막에 의해, 여성에서는 질벽 앞부분으로 항문거근에 의해 단단히 고정되어 있다.

요관은 방광에 가까이 올수록 나선형(spiral) 평활근배열이 종근배열로 바뀌며, 방광에서 2~3 cm 전에 Waldeyer 집이 세로로 뻗어 방광삼각부로 연결된다(Tanagho, 1992). 요관은 방광벽을 1.5~2 cm 길이로 비스듬히 뚫고 지나가는데, 이 부위의 뒤편 방광근층이 튼튼하게 받치고 있어 방광충만 시 수동적으로 폐쇄되어 방광요관역류가 방지된다.

방광삼각부는 뚜렷한 3개 근육층으로 구성되어 있는데, 요관의 내종근에서 기원하여 요도의 정구까지 연결되는 표재층, Waldeyer 집과 연속되어 방광경부로 연결되는 심부층, 방광벽의 중간환상근과 외종근으로 이루어진 방광근층이 있다.

2) 방광의 기능적 구조

방광벽은 요로상피세포로 이루어진 점막층, 점막고유층, 3개 층으로 이루어진 근육층, 맨 바깥을 싸고 있는 장막층으로 구성되어 있다.

방광의 중요한 세 가지 기능은 다음과 같다. 첫째, 유순도가 좋아 충분한 양의 소변을 방광내압 상승 없이 유지할 수 있어야 하고, 둘째, 방광평활근이나 방광 내 신경세포들이 소변에 직접 노출되지 않도록 요로상피세포가 보호막 역할을 하여야 하며, 셋째, 소변을 원활하게 배출할 수 있도록 전체 방광평활근들이 조화롭게 수축하여야 한다.

방광체부는 상대적으로 큰 근육섬유들의 층이 불분명하게 섞여 있는데, 이것이 방광에서 소변을 비우는 데 유리하다.

(1) 요로상피

요로상피는 단순한 보호막 역할 이외에 방광의 요저장, 성분 유지, 요배출 등에 중요한 생리적 기능을 담당하고 있다. 근래에 요로상피의 여러 시그널 분자(signalling molecules)들이 요로상피 내에서 상호 작용하고, 구심성신경 활동과 방광평활근의 기능에 영향을 준다고 알려져 있다(Winder et al, 2014).

① 요로상피의 구조

요로상피세포는 신장의 사구체 기저막에서부터 요관, 방광, 요도까지 분포한다. 요로상피는 여러 세포로 이루어진 뚜렷한 3개 층으로 구분된다.

가장 바닥에 있는 기저세포(basal cell)는 새로운 세포가 돋아나는 5~10 μm의 세포층이며, 중간세포(intermediate cell)는 그 위에 있는 20 μm 두께의 층이다. 우산세포(umbrella cell)는 표면을 덮고 있는 세포로, 사람 몸에서 가장 큰 상피세포이며 직경이 100~

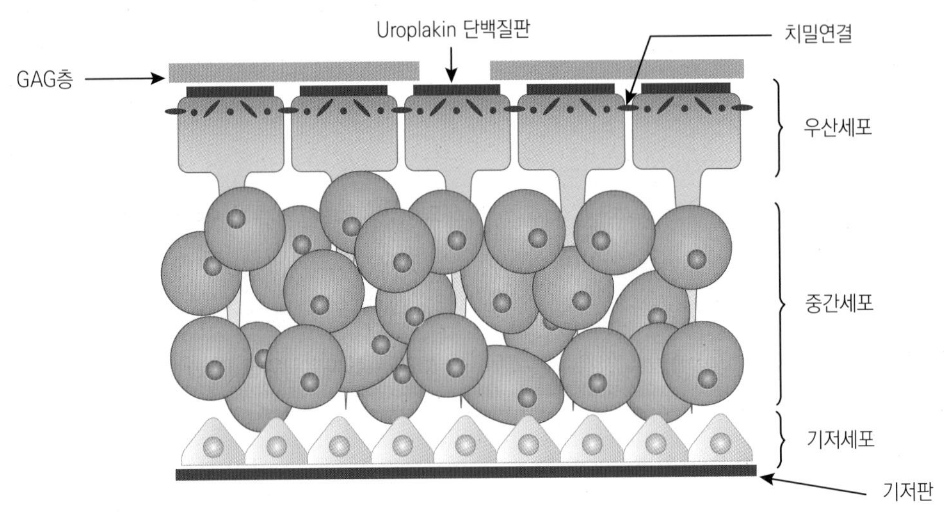

그림 1-1. **사람의 방광요로상피 모식도**

200 μm이다(Lewis, 2000; Apodaca, 2004). 흔히 육각형이나 신전(stretch) 시 편편해지면서 표면적이 넓어진다. 이 세포의 표면은 glycosaminoglycan (GAG)층으로 덮혀 있다(그림 1-1).

GAG층은 요로상피의 방어막 역할을 하는 것으로 생각되어 왔으나(Parsons et al, 1990), 현재는 세균부착을 방어하는 것과 거대분자(macro-molecule)에 의한 요로상피세포의 손상을 예방하는 것으로 생각된다.

우산세포는 중간세포를 우산처럼 덮고 있는 모양 때문에 명명되었고, 일차적인 소변-혈장 장벽(urine-plasma barrier) 역할을 하면서 몇 가지 독특한 특징을 가지고 있다. 첫째, 첨부(apical) 표면적이 방광 부피에 따라 증가와 감소를 반복할 수 있다. 둘째, 다핵세포인 경우도 존재한다. 셋째, 특이한 첨부 표면막을 가지고 있는데, 비대칭적인 단위 세포막으로 바깥쪽은 단백질판과 지질로, 안쪽은 지질로 구성되어 있다. 넷째, 물, 요소, 칼륨, 삼투압, pH 등이 혈장과 소변 사이에 매우 높은 기울기(gradient)를 유지한다.

Uroplakin 단백질판은 우산세포의 세포막 관강(luminal) 쪽 70~90%의 표면을 덮고 있는 독특한 구조물로, 두께가 0.5 μm~12 μm이며 uroplakin이라는 몇 종류의 단백질로 구성되어 있다. 현재 UP1a, UP1b, UP2, UP3가 알려졌다(Sun et al, 1999). Uroplakin 단백질의 일차 기능은 소변-혈장 장벽의 일부분으로 생각된다. Type 1 pili 대장균의 일차적 부착 부위이기도 하다. 또한 우산세포 사이는 치밀연결(tight junction)로 고정되어 있는데, 이것도 소변-혈장 장벽의 역할을 하는 것으로 생각된다.

② 요로상피의 시그널(signal) 분자들

요로상피의 중요 기능 중 하나는 기계적 감각(mechanosensory) 전도체(conductor)의 역할이다. 방광이 팽창함에 따라 요로상피가 신전(stretch)되고, 이것이 ATP를 비롯하여 아세틸콜린과 산화질소의 분비를 유발한다(Olsen et al, 2011; Yoshida et al, 2006; Andersson et al, 1994). 이런 시그널 분자들과 감각 신경섬유의 상호작용은 상피하 간질세포도 관여할 것으로 생각되고 있다.

i) ATP(아데노신삼인산)

ATP는 생명체 내 어디에나 존재하는 다양한 기능을 가진 물질로 세포 내에서 일차 에너지원이며 세포 밖에서는 시그널 분자역할을 한다. 요로상피에서는 방광충만으로 인한 요로상피의 첨부 표면의 장력 증가로 신전 활성화(stretch activated) ATP 분비가 일어나고(Dunning-Davies et al, 2013), uridine triphosphate (UTP)매개 칼슘의존성 ATP 분비와 carbachol 매개 칼슘비의존성 ATP 분비도 가능하여, 자가분비(autocrine)와 주변분비(paracrine)의 매개체(mediator)로 작용할 수 있다(Sui et al, 2014). 퓨린성 P2 수용체에 ATP가 결합하여 작용하는데 7 종류의 P2X와 8 종류의 P2Y 아종이 현재 알려져 있다. 요로상피의 첨부 및 기저외측(basolateral) 표면에서 ATP가 분비되면 $P2X_2$와 $P2X_3$ 수용체를 통하여 신전 유도 세포내섭취(endocytosis)나 세포외배출(exocytosis)을 자극하고 세포외 ATP는 방광평활근의 수축을 초래할 수 있다(Wang et al, 2005). 또한 요로상피 아래의 감각신경 세포의 $P2X_3$를 통하여 방광의 충만 정도를 중추신경계로 전달하는 역할을 할 것으로 추정되고 있다(Cockayne et al, 2000). ATP 분비나 퓨린성 수용체의 발현이상은 방광통증후군/간질성방광염, 요절박요실금, 척수손상에서의 신경인성방광, 방광출구폐색 다양한 병적 상황

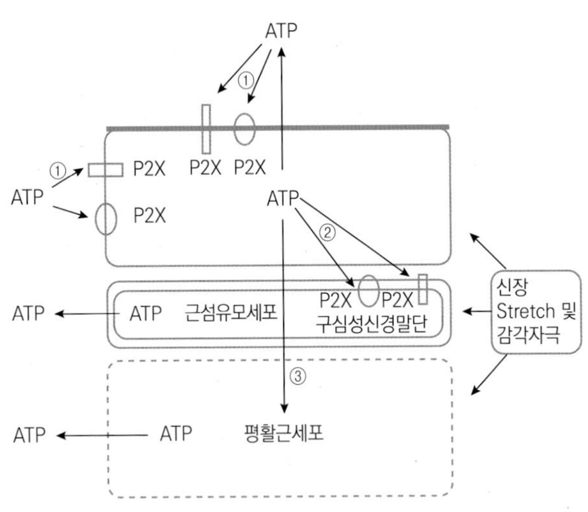

그림 1-2. 요로상피에서 APT의 분비와 효과. 요로상피뿐 아니라 근섬유모세포와 방광평활근 세포에서 APT가 분비된다. ① 세포밖의 ATP는 P2X, P2Y 수용체를 통해 우산세포에 영향을 주고, ② 방광의 충만 신호를 중추신경계로 전달하며, ③ 평활근의 수축을 유발시킨다.

에서 보고되었다. 또한 방광암이나 방광출구폐색 환자의 방광평활근에서 세포외 ATP의 가수분해가 감소했다는 보고(Harvey et al, 2002)와 더불어 세포외 ATP가 $P2X_7$수용체를 통해 염증유발(proinflammatory) 작용과 직접적인 세포독성작용으로 암세포 억제효과를 보여주기도 하였으나, 아직 상반된 결과도 있기에 이에 대한 더 많은 연구가 필요하다(Stagg and Smith, 2010; Wei et al, 2008)(그림 1-2).

ii) 아세틸콜린

요로상피의 비신경인성 콜린성 시그널이 최근 많이 연구되고 있다. 요로상피에서는 미토콘드리아 효소인 carnitine acetyltransferase (CarAT)이 아세틸콜린의 주 생성효소이고, 분해는 아세틸콜린에스테라제(acetylcholinesterase; AChE)와 부티릴콜린에스테라제(butyrylcholinesterase; BuChE)가 관여할 것으로 본다(En-Nosse et al, 2009). 요로상피에서의 아세틸콜린 분비는 신경말단과 달리 유기 양이온 수송체(organic cation transporters ; OCT1 과 OCT3)에 의한 비소포체(non-vesicular) 분비를 한다. 요로상피에서 분비한 아세틸콜린은 주위요로상피를 비롯하여 구심성 신경말단, 근섬유모세포(myofibroblast), 방광평활근 세포 등의 니코틴성수용체와 무스카린성수용체에 모두 작용한다. 자극의 강도에 따라 M1, M2, M3 수용체를 통한 흥분성 자극이나 M2, M4 수용체를 통한 억제성 콜린 자극을 유발한다. 그리고 ATP, 산화질소, 프로스타글란딘 등에 의해 간접적으로 아세틸콜린 효과가 나타나기도 한다(Nile et al, 2012). 요로상피에도 5종류의 무스카린 수용체가 모두 분포하는데, M1 아형은 주로 기저세포에, M2 아형은 우산세포에, M3, M4는 비교적 균등하게, M5 아형은 요로상피의 아래쪽으로 갈수록 감소하는 경향을 보인다(Bschleipfer et al, 2007). 배양된 요로상피 세포주의 M1, M2, M3 수용체의 활성화는 ATP의 분비를 자극한 연구 결과와 더불어, 무스카린 수용체 자극으로 니코틴수용체를 통해 ATP 분비의 억제를 보고한 연구도 있다. 또한 무스카린수용체 자극으로 산화질소의 분비를 유발한 결과도 있기에 요로상피의 아세틸콜린의 기능은 매우 복잡할 것으로 생각된다(Sui et al, 2014; Beckel et al, 2012; Andersson et al, 2012). 요로상피의 아세틸콜린은 구심성신경 신호를 촉진 혹은 억제할 수 있는데 어떤 상황에서 바뀌는지 정확한 기전은 아직 밝혀지지 않았고, 하부요로의 병적 상황에서 이러한 콜린성 시스템도 변화할 것으로 생각된다(그림 1-3).

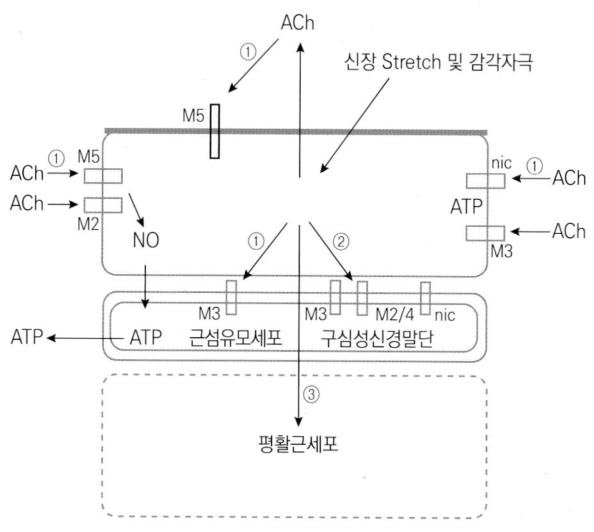

그림 1-3. **요로상피에서 아세틸콜린의 분비와 효과.** ① 요로상피에서 분비된 아세틸콜린은 무스카린수용체를 통하여 ATP, 산화질소 등의 분비를 조절하고, ② M2/4, M3, 니코틴성수용체(nic)를 통하여 구심성신경의 감각신호를 조절한다. ③ 그리고 직접적으로 평활근의 수축을 유발시키기도 한다.

iii) 아데노신

ATP의 분해물질인 아데노신은 DNA, RNA의 구성성분일 뿐 아니라 세포 밖에서는 전달물질(transmitter)의 역할을 한다. 세포 밖에서의 아데노신의 주 생성기전은 ectonucleotidases에 의한 ATP의 가수분해이지만, 요로상피는 신전자극에 의해 아데노신이 분비되기도 한다. 아데노신 수용체는 A1, A2a, A2b, A3의 네 가지 아형이 알려져 있고, 토끼와 쥐의 요로상피에서는 네 가지가 모두 발현되었는데(Yu et al, 2006), 사람의 요로상피와 방광암 세포주에서는 A3 아형은 확인되지 않았다. 배뇨기 후에 ectonucleotidase에 의해 ATP가 빠르게 분해되면서 생성된 아데노신은 P2X1-매개 배뇨근 수축을 중단시키고 A2b 수용체를 통해 근이완을 유발한다. 또한 시냅스전 부위의 A1 수용체를 통하여 배뇨근수축력을 감소시킨다(Kitta et al, 2013). 이러한 관점에서 아데노신은 배뇨근 과활동성 치료제 개발의 한 방향이 될 수 있다.

iv) 산화질소

산화질소는 반감기가 6초 이하로 매우 짧은 기체형 신경전달물질로 세포내에서 산화질소합성효소에 의해 생성된다. 산화질소는 일반적으로 구심성신경 억제작용을 주로 한다고 알려져 있다. 요로상피에서는 유도성 산화질소합성효소(inducible nitric oxide synthase; iNOS)와 신경성 산화질소합성효소(neuronal nitric oxide synthase; nNOS)에 의해 산화질소가 생성된다. 염증성 질환에서는 산화질소의 발현이 심하게 변화하는데, 방광통증후군/간질성방광염 환자의 소변에서는 산화질소의 증가가 보고된다(Logadottir et al, 2004). 요로상피 외에도 방광의 기질의 간질세포와 신경들에서도 산화질소가 생성된다. 바닐로이드(vanilloid) 수용체, 무스카린성수용체, 노르아드레날린 수용체 등 다양한 세포표면의 수용체가 산화질소의 분비에 관련이 있을 것으로 추정하고 있다. 요로상피 배양세포에서 베타아드레날린 수용체의 활성화가 칼슘 의존적 산화질소의 분비를 촉진시켰는데, 이는 베타3작용제의 배뇨근 이완효과와 일부 연관될 것으로 본다(Birder et al, 2002). 산화질소의 방광에 대한 효과는 주로 평활근 수축력 억제나 이완 작용이지만, 반대로 근절편 연구에서 수축력을 증가시킨다는 보고도 있다. 최근 연구에서는 유도성 산화질소합성효소에서 생성된 경우는 방광의 원심성 신경을 감작시켜 수축력을 증가시키고, 신경성 산화질소합성효소에서 생성된 경우는 반대로 수축력을 감소시킴을 보여주었다(Lee et al, 2012).

③ 요로상피의 투과도

상피 투과성은 수동적 확산, 삼투압에 의한 확산, 능동적 이동, 세포막의 중립성 등 여러 가지 요인에 의해 좌우된다. 사람 방광의 수분에 대한 투과도는 6.5×10^{-5} cm/sec 정도였다(Fellows and Marshal, 1972). 방광염 동물 모델에서 우산세포가 파괴되면 수분과 요투과성이 증대되었는데, 조직 사이로 소변이 유입되면 방광염 증상의 원인이 될 수 있다. 이러한 방광염 증상은 방광이 충만되면 더욱 악화된다.

요로상피는 혈장과 소변 사이의 삼투 기울기를 높게 유지한다. 정상 방광에서는 이러한 삼투압의 차이를 전혀 느끼지 못하지만 방광통증후군/간질성방광염처럼 방광에 염증성 변화가 있으면 여러 가지 증상을 유발하는 원인이 될 수 있다(Gao et al, 1994).

척수손상 환자나 척수수막류에서 세균뇨에 의해 만성방광염 상태가 되어 치료약제가 방광벽을 쉽게 통과할 수 있어 흡수가 촉진된다. 이것이 oxybutynin과 같은 항콜린제의 방광내주입법에 대한 이론적 배경이다. 또한 간질성방광염의 칼륨민감성검사에서도 염증 상태의 요로상피 투과도가 증가하여 칼륨이 방광내로 들어가서 방광 구심성신경을 활성화시켜 통증을 유발한다(Parsons, 1996).

④ 이온의 이동

요로상피의 첨부 세포막은 주위의 기저외측 세포막보다 전기적 저항이 크지만, 능동적 이온의 이동 수단인 나트륨통로가 존재한다(Wickham, 1964; Lewis and Dia-mond, 1976). 세포 내로 들어온 나트륨은 Na^+–N^+ 교환으로 세포에서 제거된다. 기저외측 세포막에는 칼륨통로, 염소이온통로, Na^+–H^+ 교환자, Cl^-–$HCO3^-$ 교환자 등이 있어서 삼투압 변화 등에 의한 세포의 부피 회복에 중요한 역할을 한다(Donalson and Lewis, 1993).

(2) 기질(stroma)

방광벽 기질의 주성분은 proteoglycan으로 구성된 매트릭스(matrix)에 있는 콜라겐과 엘라스틴이고, 주요 세포는 근섬유모세포이다.

① 간질세포

방광의 간질세포는 근섬유모세포, Cajal유사간질세포(Cajal–like interstitial cell), telocyte가 있고, 요로상피하의 고유층(lamina propria)을 비롯하여, 배뇨근다발 사이, 배뇨근다발 속, 혈관 주위 등 방광의 전반에 걸쳐 분포한다. 각 위치에서 간질세포들은 평활근이나 신경 말단의 활성도를 조절하는데 일부분 관여한다. 고유층에 있는 간질세포는 근육층의 간질세포와 달리 아세틸콜린에는 반응하지 않고 ATP에 주로 반응하는데, 이는 고유층 간질세포가 요로상피의 시그널을 근육층으로 전달하는 역할을 하기 때문으로 이해되고 있다(Kanai et al, 2014). 고유층과 평활근층의 간질세포는 connexin으로 서로 연결되어 있는데, connexin 43이 대표적이다. 이런 연결이 전기 신호를 세포들 사이와 간질세포의 네트워크로 흐르게 하여 방광을 기능적 융합체(functional syncytium) 로 작동하게 한다. 배뇨근과활동성의 경우는 간질세포들이 더욱 증가하는데, 이로 인해 전기신호의 전달과 파급이 향상될 것이다(Fry et al, 2012).

② 방광벽의 콜라겐

대부분의 방광 콜라겐은 근육다발의 바깥, 즉 근육다발 사이에 있는 결체조직 내에서 발견된다. 가장 많은 I형 콜라겐과 III형, IV형 콜라겐이 주로 발견된다(Macarak et al, 1995; Andersson and Arner, 2004).

유순도가 나쁜 방광은 정상 방광에 비해 평활근에 대한 결체조직의 비가 증가하고, I형에 비해 III형 콜라겐이 증가한다(Landau et al, 1994). 노화 역시 남녀에서 모두 콜라겐에 대한 평활근의 비를 감소시키고(Susset et al, 1978; Lepor et al, 1992), 폐색방광의 실험에서도 폐색기간이 길어질수록 I형에 비해 III형 콜라겐이 증가한다(Landau et al, 1994).

이외에도 유순도를 결정하는 변수들은 콜라겐의 교차결합(cross linking), 콜라겐과 세포 간의 상호작용, 엘라스틴과 다른 결체조직 단백질의 존재 등이다.

③ 방광벽의 엘라스틴과 매트릭스

탄력섬유(elastic fiber)는 무정형(amorphous)의 구조로, 엘라스틴과 미세원섬유(microfibril)로 구성되어 있다(Rosenbloom et al, 1995).

엘라스틴은 콜라겐에 비해 방광에서 매우 희소하나 방광 대부분의 모든 층에서 발견된다(Murakumo et al, 1995). 척수손상 흰쥐의 무반사방광 동물실험에서 엘라스틴의 발현 증가가 방광유순도 증가나 방광과팽창과 연관이 있음을 보여주었다(Nagatomy et al, 2005).

비섬유성 조직인 매트릭스는 주로 proteoglycan과 물의 겔(gel)로 이루어져 있다.

(3) 혈관

방광은 여러 층의 혈관총(vascular plexus)을 가지고 있는데, 주로 결합조직 사이에 분포한다. 요로상피의 하층에는 모세혈관의 그물조직이 채우고 있는 수많은 굴곡이 존재하는데, 이 굴곡들이 모세혈관을 요로상피 바로 아래 10분의 1 μ 이하로 매우 가깝게 주행할 수 있게 한다. 요로상피하 모세혈관총은 요로상피의 방어막 역할이나 대사기능에 관여할 것으로 생각된다(Hossler and Monson, 1995).

많은 연구에서 방광이 충만해지면 혈류가 감소하였다(Batista et al, 1996; Greenland and Brading, 1996). 방광벽 혈액공급의 주요 결정인자는 방광벽 내(bladder intramural) 긴장도이다. 정상적인 방광충만에서는 표면적이 증가함에 따라 혈류도 적응하지만 유순도가 저하된 방광에서는 방광내압이 상승하여 방광 혈류가 심각하게 감소한다(Ohnish et al, 1994). 허혈이 발생하여 산소나 영양공급이 감소하면 수축력이 급격히 떨어진다(Levin et al, 1983, 2003). 허혈과 재관류에 따라 방광벽의 내인성신경이 손상되고, 결국은 평활근기능의 변화가 일어나는 것이 과민성방광의 한 기전으로 추론된다(Brading, 1997).

(4) 평활근

① 평활근의 구조

방광평활근은 늘어나면 장경이 수백 μm이고 직경이 5~6 μm인 작은 방추형(spindle) 세포로, 핵은 중앙에 위치한다. 모든 평활근은 특정 접합부로 연결된 수많은 방추형 세포의 판으로 구성되어 있는데, 골격근에 비해 길이 적응도가 매우 크다. 평활근은 현미경으로 보면 횡문(cross striation)이 관찰되지 않지만 골격근처럼 액틴(actin)과 미오신(myosin)을 가지고 있고, 이와 더불어 수축 시 주위세포들과 결체조직에 수축력을 선납하는 네 도움이 되는 세포골격중간미세섬유(cytoskeletal intermediate filament)들도 함유하고 있다. 평활근에는 Z선이 없으나 세포질 내에 분포하는 치밀소체(dense body)가 중간미세섬유와 박층미세섬유

표 1-1. **골격근과 평활근의 성질 비교**

성질	골격근	평활근
핵 수	다핵	단핵
세포 모양	긴 실린더형	방추형
세포 크기 (길이×직경)	30 cm × 100 μm	200 μm × 5 μm
횡문	있음	없음
근육원섬유마디형태 (sarcomere)	있음	없음
중간미세섬유	없음	있음
운동신경지배	체성신경	자율신경
수축형태	위상성	긴장성
수축활동	트로포미오신 (tropomyosin)의 탈억제	활성 인산화 미오신
칼슘조절	T tubule로부터 빠른 칼슘 유입	막전압 작동/수용체 작동 칼슘통로와 세포 내 저장고
호르몬에 의한 조절	없음	있음

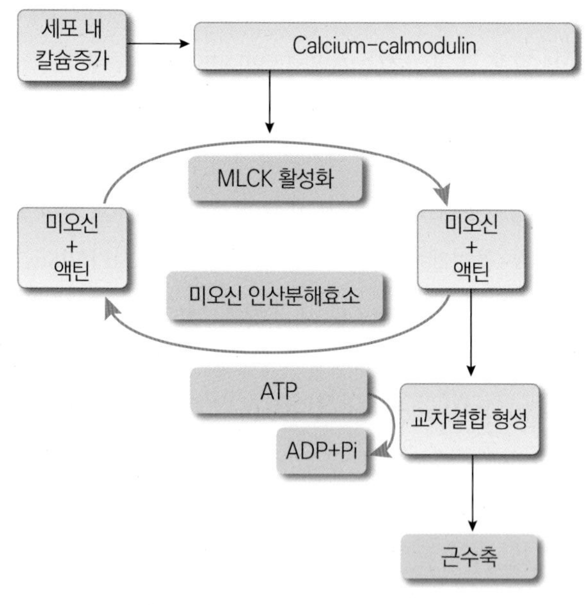

그림 1-4. **미오신활성화체계에 의한 수축미세기전.** 세포 내 칼슘증가에 의해 calcium-calmodulin 복합체가 형성되고 myosin light chain kinase (MLCK)의 활성화로 MLC 2개가 인산화되면서 교차결합이 형성된다.

(thin filament)인 액틴을 서로 연결하여 Z선의 기능을 대체하고 있다. 골격근과 평활근의 성질을 비교하면 표 1-1과 같다.

② 평활근세포 역학

방광근육은 박층미세섬유와 후층미세섬유(thick filament)의 상호작용에 의해 수축한다. 박층미세섬유인 액틴은 세포막과 세포질 내에 있는 치밀소체에 부착되어 있는데, 그곳에서 서로 구조단백질에 의해 연결되어 있다. 미오신 미세섬유의 두부(head)로 형성된 교차결합(cross bridge)을 통해 액틴 미세섬유와 상호작용을 한다. 이것은 미오신이 액틴을 한쪽에서 한 방향으로 잡아당길 때 다른 쪽에서 반대 방향으로 액틴 미세섬유를 잡아당길 수 있게 하여 원래 길이의 80% 이상 수축할 수 있게 한다. 구체적인 수축기전은 세포 내 칼슘 증가에 의해 calcium-calmodulin 복합체가 형성되고 이에 의해 활성화된 myosin light chain kinase (MLCK) 효소에 의해 교차결합의 경쇄(light chain) 2개가 인산화 되면서 이루어진다(그림 1-4). 이것은 미오신 두부의 ATPase에 의해 촉발되는 미오신활성화체계(myosin-activated system)라고 할 수 있다(Hai and Murphy, 1989; Gunst et al, 1995; Andersson and Arner, 2004).

수축단백은 방광 발육과정뿐 아니라 방광비후 등 병적 상황에서는 본질적인 변화를 보인다(Wang et al, 1995b; Wu et al, 1995).

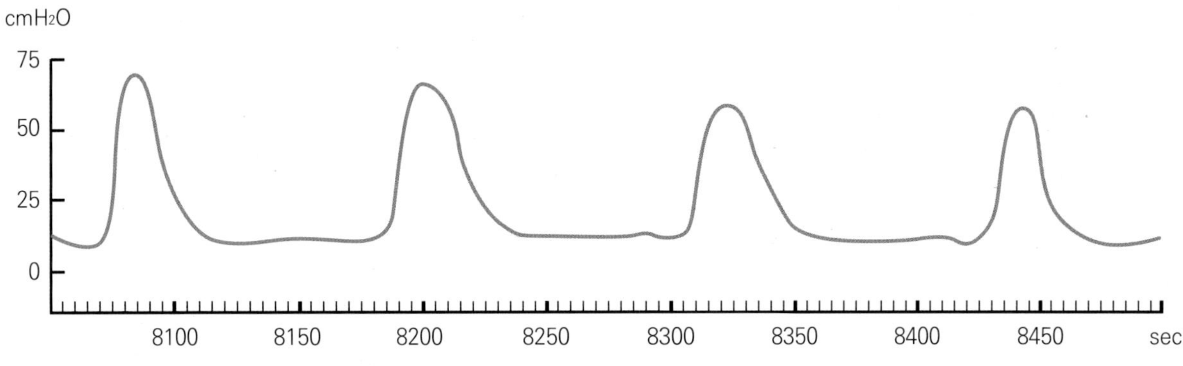

그림 1-5. 흰쥐의 방광근 절편에서 보이는 자발수축 양상. 융합된 강직수축형태를 보인다. 그러나 사람의 방광근 절편에서는 이러한 자발수축이 거의 관찰되지 않는다.

한편 방광 절편의 자발수축은 작은 포유류에서는 흔히 관찰되나 사람의 방광에서는 잘 관찰되지 않는다(그림 1-5). 위장관이나 자궁평활근처럼 융합된 강직수축(tetanic contraction)형태는 사람의 방광에서는 관찰하기 어렵다.

i) 세포 진기 특성과 이온통로

방광평활근은 안정 상태의 막 전압 값이 -50~-60 ㎷이다. 활동전압은 안정막전압보다 더 과분극이 되는 현상, 즉 후과분극(after-hyperpolarization)을 보인다. 여기에는 delayed rectifier, transient outward channel, large·small Ca^{2+}-activated K^+ channel 등 다른 칼륨통로들이 관여하는 것으로 알려졌다(Fujii et al, 1990; Brading and Turner, 1996; Heppner et al, 1997; Andersson and Arner, 2004). 활동전압의 탈분극과정(depolarization (upstroke))은 L형 칼슘통로의 전도도가 급격하게 증가되면서 일어난다(Rivera et al, 1998). 이때 유입되는 칼슘은 수축반응의 유발에 중요하며, 칼슘 증가에 뒤따르는 Ca^{2+}-activated K^+ channel의 활성화는 재분극에 일부 기여한다. P2X수용체와 연관된 비특이성 양이온통로나 신전활성 양이온통로(stretch-activated cation channel) 등이 방광평활근에서 발견되었다(Inoue and Brading, 1990; Wellner and Isenberg, 1993).

부교감신경에서 나온 아세틸콜린의 무스카린성 M3 수용체 자극으로 유발되는 방광평활근수축은 nifedipine-sensitive L형 칼슘통로가 관여한다(Andersson and Arner, 2004; Andersson and Wein, 2004; Schneider et al, 2004a, b). 또한 phospholipase C를 활성화하여 inositol triphosphate (IP3)를 생성하며, 이것은 근형질세망(sacroplasmic reticulum)의 IP3수용체에 결합하여 이를 통한 칼슘유리와 강한 수축반응을 유발한다(Iacovou et al, 1990; Eglen et al, 1994; Harriss et al, 1995; Hashitani et al, 2000; Fry et al, 2002).

무스카린성 자극은 여러 종류의 동물에서 방광의 흥분성 신경자극을 매개하는 가장 중요한 신경전달물질이며, 그 외에 퓨린성, 프로스타글란딘, gamma-aminobutyric acid (GABA), 세로토닌, 혈관작용성장

폴리펩티드(vasoactive intestinal polypeptide; VIP), 신경펩티드 Y, cholecystokinin, enkephalin, 소마토스타틴(somatostatin), substance P, 칼시토닌유전자관련펩티드(calcitonin gene−related peptide; CGRP) 등을 위시한 펩티드로 이루어진 신경전달물질들이 존재한다고 알려졌는데, 이 중 무스카린성 자극을 제외하면 아트로핀저항성 성분의 수축으로는 퓨린성 자극이 가장 잘 알려져 있다.

ii) 흥분-수축 결합과 칼슘동원

평활근수축에는 골격근과 마찬가지로 세포질 내 칼슘 증가가 필수이며 방광평활근의 경우에도 다르지 않다. 평활근은 골격근의 T tubule 체계가 없으므로 평활근수축에 동원되는 칼슘의 근원은 그림 1-6에 도시된 대로 다섯 가지 기전을 통해 세포 내 칼슘을 증가시킴으로써 근수축을 유도한다고 알려졌다(Karaki et al, 1997).

무스카린수용체 자극은 일반적으로 phosphatidyl−inositol−phospholipase C계를 통해 세포질 내 IP3 농도 증가를 유발한다. 이는 근형질세망(sarcoplasmic reticulum; SR)에서 IP3 유도 칼슘유리기전(IP3−induced Ca^{2+} release; IICR)을 활성화시켜 세포질 내 칼슘 농도를 증가시킨다. 이외에도 칼슘 유도 칼슘유리기전(Ca^{2+}−induced Ca^{2+} release, CICR)이 거론되었다.

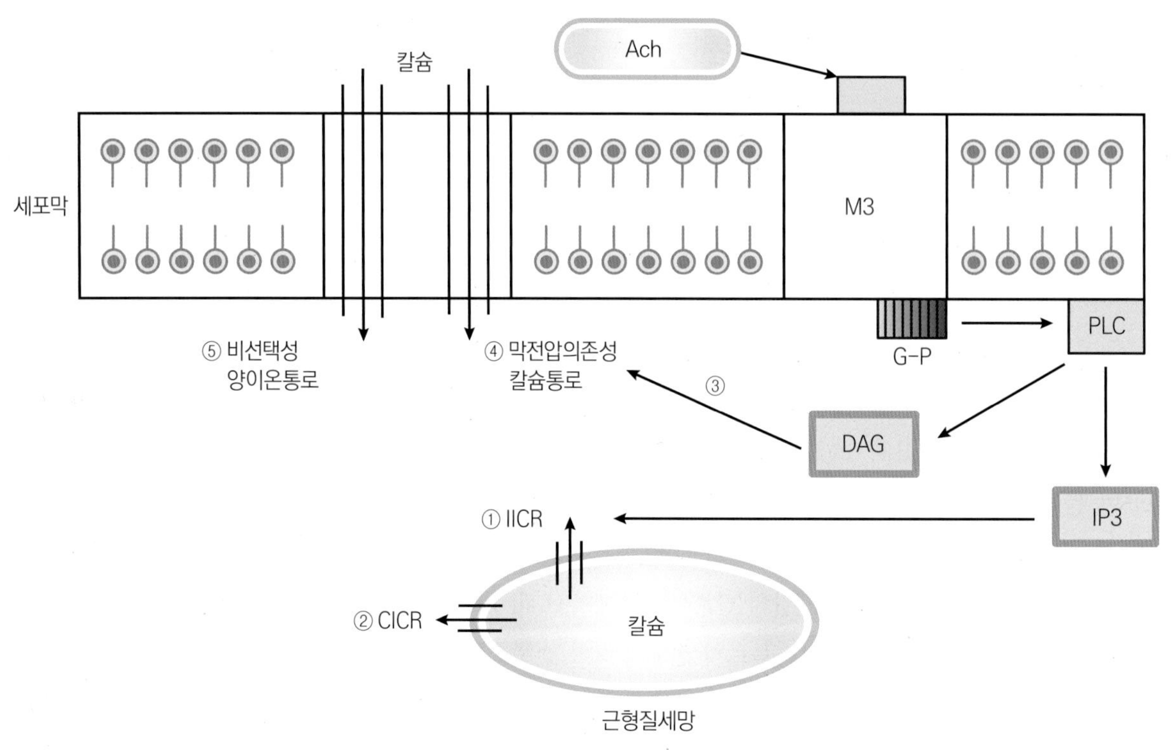

그림 1-6. **부교감신경 아세틸콜린 자극에 의한 방광평활근의 칼슘동원기전.** ① IP3유도 칼슘유리기전, ② 칼슘유도 칼슘유리기전, ③ diacylglycerol (DAG)에 의한 직접적 L형 칼슘통로 개방. ④ 막전압 탈분극을 통한 간접적 칼슘통로 개방. ⑤ 비선택성 양이온통로 등이 관여한다.

이러한 세포내 저장고의 유리기전들 외에도 세포 외 칼슘 유입이 있는데, 막전압의존성 칼슘통로(voltage-operated Ca^{2+} channel; VOCC)와 비선택성 양이온통로의 활성화를 통한 칼슘 유입 등이 중요한 것으로 알려져 있다. 이렇게 두 가지 칼슘이온 증가 경로가 동시에 존재함으로써 서로 상가효과(additive effect)를 나타내며 세포 내 칼슘 유입은 더욱 증폭된다.

한편 수축요소의 칼슘에 대한 민감도 증가를 무시할 수 없다. 민감도 조절은 myosin light chain (MLC) phosphatase의 조정을 포함한 수축단백의 인산화와 탈인산화 사이의 균형에 의해 매개된다.

iii) 전기반응의 전파

방광평활근의 융합된 강직수축이 없다는 사실은 배뇨근세포 간 coupling이 미약하다는 것을 의미하는데, 이는 정상적으로 방광충만 시 방광근세포 사이의 동시활성을 막는 데 유용할 것으로 생각된다(Brading and Mostwin, 1989; Parekh et al, 1990). 이러한 특징은 현미경적으로 간극연결(gap junction) 등이 적다는 사실로 증명된다. 고령이거나 과활동성방광에서 비억제성배뇨근수축의 형성은 세포 간 coupling의 변화와 연관 있을 것이라고 한다(Seki et al, 1992; Brading, 1997).

iv) 충만기의 평활근

충만 시 방광평활근세포는 어느 정도 신전되면 비선택성 양이온통로가 활성화되어 급격한 나트륨 유입이 허용된다. 나트륨 등의 양이온 유입은 방광평활근 막전압을 탈분극시킨다. 신전 정도가 약하면 활성도가 적고 막전압이 덜 탈분극된 상태로 기저치를 이루나 신전 정도가 크면 세포를 탈분극시켜 활동전위와 흥분을 유발한다. 이러한 개개 세포의 자발수축이 가능하지만, 방광 전체가 수축하려면 부교감신경의 자극이 필요하다(Andersson, 1993).

v) 평활근긴장도

배뇨근은 일정한 수준의 수축과 긴장도를 유지한다. 긴장도는 방광용적을 유지하는 데 매우 중요한데 여기에는 많은 요인이 관여된다. 외인적으로는 자율신경과 순환 호르몬들이 필요하며, 내인적으로는 신전, 국소대사물, 산화질소 등 국소분비물질이나 온도 등에 대해 반응한다.

평활근의 근수축반응은 골격근에 비해서 느리고 오래 지속되는데, 이러한 특성은 상대적으로 에너지를 적게 소모하며 장력을 유지할 수 있게 한다. 평활근은 골격근에 비해 수축과 이완에 30배나 많은 시간이 소요되나 동일한 수축장력을 유지하는 데에는 1% 미만의 에너지만 필요하다.

vi) 길이-장력 관계

배뇨근은 넓은 길이-장력 관계를 보이기 때문에 큰 점탄성(viscoelasticity)을 가진다고 할 수 있다. 평활근은 신전되면 즉시 장력이 생성되고, 신전 이후에는 처음 기저치의 장력을 향해 점차 이완되는데, 이러한 평활근의 고유한 반응을 부하-이완(stress-relaxation)이라고 말한다(Chancellor et al, 1996).

골격근에 비해 평활근은 훨씬 더 길이가 짧아질 수 있다. 이는 세포의 후층미세섬유와 박층미세섬유의 느슨한 조직 구성 때문이며, 이로써 방광은 큰 용적 변이를 쉽게 할 수 있다.

2. 방광의 생역학

프랑스의 천문학자이자 수학자인 Laplace의 이론을 방광에 적용해보면, 방광벽 장력(T)은 주어진 방광내압(P_{ves})에서는 방광 반경(R)에 비례함으로 T = P_{ves}R/2d로 표시할 수 있다. 여기서 d는 방광벽의 두께이다(그림 1-7). 방광이 충만되는 동안 방광내압은 상대적으로 일정하고, 방광벽은 얇아지기 때문에 d는 다른 변수에 비해 무시할 정도가 된다.

1) 충만기(충전기)의 역학

방광의 점탄성은 신경근육 특성과 역학적 특성에 좌우되는데, 역학적 특성은 방광충만으로 신전뿐 아니라 조직의 구조와 성분에 매우 민감하게 변화한다. 사람의 방광은 평활근 이외에도 약 50%의 콜라겐과 2%의 엘라스틴(elastin)으로 구성되어 있는데, 손상이나 폐색, 탈신경 등에서는 콜라겐이 증가한다(Macarak and Howard, 1999). 콜라겐이 증가하면 신전성 또는 유순도가 감소하고, 수축단백 함량이 증가하면 유순도가 증가한다. 유순도가 감소하면 방광벽 긴장도에 변화가 오고 결과적으로 구심성신경의 활성화로 방광감각의 변화와 배뇨 시작 역치용적의 감소를 초래한다.

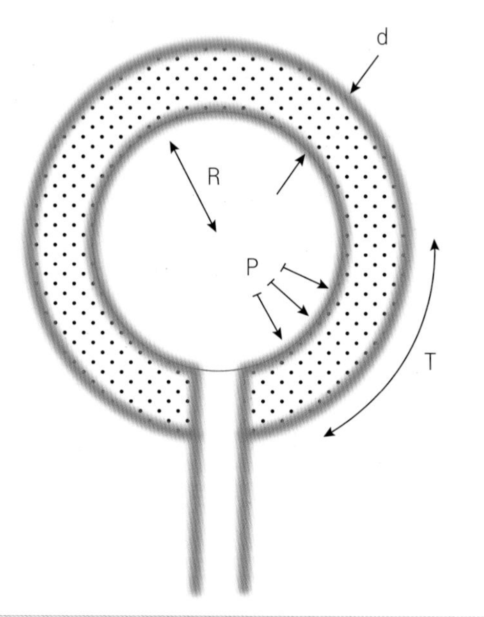

그림 1-7. **충만기 방광의 생역학**

방광충만 시 표면적은 비웠을 때와 비교하면 엄청나게 증가하는 것인데, 이것은 요로상피뿐 아니라 방광벽의 평활근과 결체조직에서 기인한다. 방광이 충만되면서 늘어나면 방광벽이 얇아지는데, 이것은 근육다발의 재배열과 콜라겐 코일 구조의 변화 때문이라고 추측된다(Macarak and Howard, 1999). 이러한 변화로 방광내압이 낮게 유지될 수 있다.

2) 배뇨기의 역학

방광내압(P_{ves})은 복압(P_{abd})과 배뇨근압(P_{det})의 합이다. 배뇨는 신경의 신호전달에 의한 배뇨근수축이지만, 배뇨근수축의 강도를 평가하는 데 배뇨근압 하나만으로는 충분하지 않다. 근육은 에너지를 사용하여 힘을 만들어낼 수도 있지만, 근육 길이를 줄일 수도 있다. 방광에 적용하면 힘은 배뇨근압과 관련이 있고, 근육 길이의 축소는 요속(Q)과 연관된다. 여성은 흔히 배뇨근압이 낮아도 정상적인 요속을 가지는 경우가 많다. 이는 이때 요도가 넓게 열려 요속 형성이 커지기 때문이며 배뇨근수축력이 손상된 것은 아니다. 이는 W (mechanical power) = P_{det} × Q의 공식에서 W가 일정하면 방광내압과 속도가 역관계를 이루는 것으로 이해할 수 있다.

Watts factor는 방광수축력을 측정하는 데 가장 널리 쓰이는 방법이며 방광압, 방광용적(근육 길이), 요속을 계산하여 결정한다. 정상적으로 watts factor는 배뇨 시작 시점에 급격히 증가하기 시작하여 서서히 증가하고 요배출이 거의 끝나갈 때 최고에 이른다.

3. 하부요로계의 혈관분포

총장골동맥(common iliac artery)은 복부대동맥에서 좌우로 나뉘는 마지막 분지로, 네 번째 요추 부위에서 기시하여 천장관절(sacroiliac joint) 부위에서 외장골동맥과 내장골동맥으로 나뉜다.

외장골동맥은 총장골동맥과 일직선으로 연결되며 주로 하지에 혈액을 공급하고, 내장골동맥은 주로 골반강 내에 혈액을 공급한다. 내장골동맥은 앞과 뒤 줄기로 나뉘는데, 앞 줄기에서는 3개의 벽측 분지인 폐쇄동맥, 내음부동맥, 하둔동맥이 허벅지와 회음부로 간다. 나머지 분지들은 골반강 내 장기들로 가는데 상방광동맥, 하방광동맥, 중직장동맥과 여성의 자궁동맥 등이 있다. 뒤 줄기는 벽측 분지로 골반벽과 둔부로 가는 상방요추동맥, 외천골동맥, 상둔동맥 등이 있다. 기시부에 따른 동맥 이름과 혈액공급 부위는 표 1-2와 같다.

음경배부정맥은 치골궁과 횡문요도괄약근 사이를 지나 골반으로 들어와 중앙 표재 분지와 2개 외측 정맥총으로 나뉜다. 표재 분지는 치골전립선인대 사이의 내골반근막을 관통하여 후복막지방층, 방광의 앞부분,

표 1-2. **반강내 동맥들의 기시부와 혈관분포**

기시부		동맥이름	혈액공급 부위
대동맥		정중천골동맥	천수신경과 천골
외장골동맥		하복벽동맥	복직근과 상방피부
하복벽동맥		심부장골회선동맥	서혜인대와 그 외측
		치골동맥	서혜인대와 그 내측
		거고근동맥	정관과 고환
내장골 동맥	뒤 줄기	상둔동맥	둔근과 상방피부
		상방요추동맥	요근과 요방형근
		외천골동맥	천수신경과 천골
	앞 줄기	상방광동맥	방광, 요관, 정관, 정낭
		중직장동맥	직장, 요관, 방광
		하방광동맥	방광, 정낭, 전립선, 요관, 혈관다발 내
		자궁동맥	자궁, 방광, 요관
		내음부동맥	직장, 회음부, 외성기
		폐쇄동맥	내전근과 상방피부
		하둔동맥	둔근과 상방피부

전립선의 앞부분에서 정맥혈을 받는다. 외측 분지는 전립선의 옆을 지나면서 그 부위와 직장의 정맥혈을 받고 방광기저부의 방광총(vesical plexus)과 연결되어 교통된다. 이후 3~5개 하방광정맥에 모여 내장골정맥으로 빠져나간다.

내장골정맥은 앞서 언급한 여러 동맥 분지에 상응하는 정맥들에서 모인 정맥혈이 내장골동맥의 내측 후방에서 위로 올라간다. 외장골정맥은 동맥의 내측 하방에서 주행하다가 내장골정맥과 만나서 총장골정맥이 된다.

4. 하부요로계의 신경지배

요천수신경근(L4, 5)에서 유래한 신경섬유는 요배근 뒤에서 골반으로 들어와 천수가지의 신경들과 만나 천수신경총을 형성한다. 천수신경총은 내장골혈관의 후방에 이상근(piriformis)의 골반 쪽에 있다. 이 신경총의 골반과 회음부 분지에는 회음부와 음낭 뒷부분에 감각신경을 분지하는 후대퇴피부신경(S2, 3), 음부신경(S2~4), 자율신경총으로 향하는 골반내장신경(S2~4), 골반 체성 원심성신경(S2~4) 등이 있다. 골반 체성 원심성신경은 직장과 전립선과 가까이 붙어 항문거근의 골반 표면을 주행하면서 항문거근과 횡문괄약근을 지배하는데, 내골반근막에 의해 골반자율신경총과 구분된다(Lawson, 1974; Zvara et al, 1994).

절전교감신경세포는 T10~L2 척수의 회색질에 존재하며, 아래로 뻗은 신경줄기가 골반자율신경총을 형성한다. 상부하복신경총(superior hypogastric plexus)은 복강신경총(celiac plexus)에서 유래한 교감신경섬유들과 L1~4 내장신경의 신경섬유들이 합쳐져 형성되는데, 대동맥 분지 앞에서 2개 하복신경으로 나뉘어 골반 내로 들어간다.

절전부교감신경은 천수부 척수의 중간외측세포체(intermediolateral cell body)에서 기원하고 S2~4 척수신경에서 유래하여 골반내장신경으로 불리며, 하복신경과 천수교감신경절에서 나온 분지들과 합하여 흔히 골반신경총이라고 불리는 하하복신경총(inferior hypogastric plexus)을 형성한다. 골반신경총은 4~5 cm 길이의 사각형을 이루는데 정낭 끝에 그 중심부가 위치

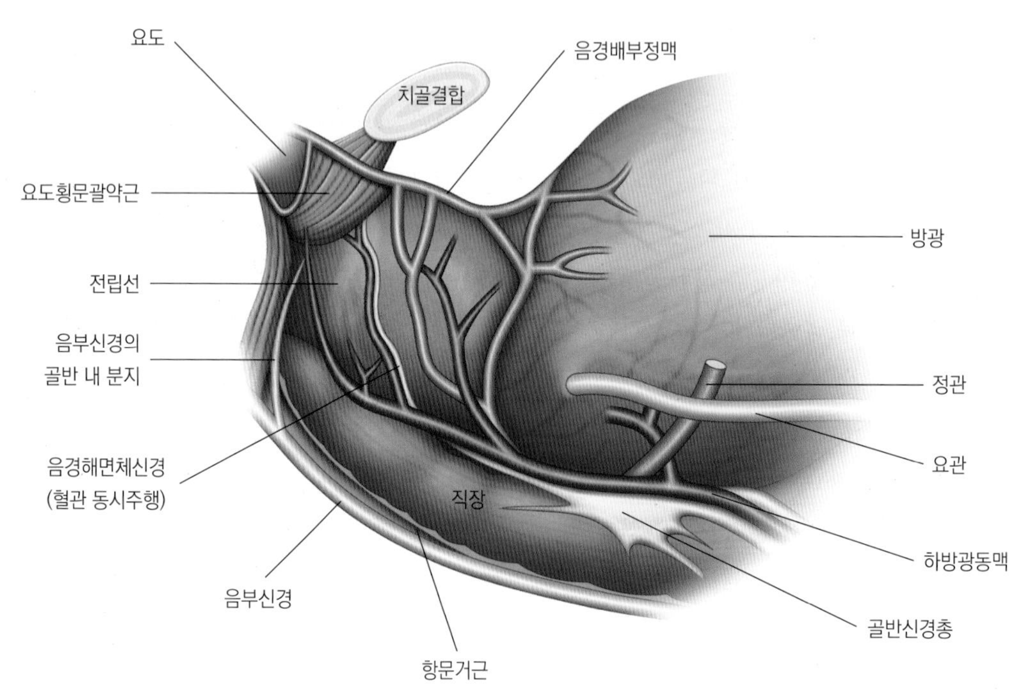

그림 1-8. **남성 하부요로의 신경지배.** 골반신경총의 미부 끝부분에서 전립선을 지배하고, 발기에 중요한 음경해면체신경이 나온다.

한다(Schlegel and Walsh, 1987). 직장 양옆에 위치하며 방광, 정낭, 전립선, 직장의 동정맥 혈관들과 섞여 그물구조를 형성한다. 이 골반신경총의 미부 끝부분에서 전립선을 지배하고, 발기에 중요한 음경해면체신경이 나온다(Walsh and Donker, 1982)(그림 1-8).

방광을 지배하는 자율신경의 원심성신경은 골반신경총의 앞부분에서 나온다. 방광벽은 대부분 콜린성부교감신경에 의해 지배되며 절후신경체도 매우 풍부하게 분포한다. 드물게 교감신경이 있어 방광이완에 관여한다고 생각되나 기능적 중요성은 적을 것으로 생각된다. 또한 비아드레날린비콜린성 자율신경도 관여할 것으로 생각되나 신경전달물질은 아직 확실하지 않다(Burnett, 1995).

남성의 방광경부는 교감신경이 풍부하나 여성의 경우는 비교적 적다. 방광삼각부에는 교감신경뿐 아니라 산화질소합성효소를 함유한 신경이 있다. 방광으로부터 구심성신경은 교감신경과 부교감신경을 통해 들어간다.

5. 전립선

1) 전립선의 해부학

전립선은 방광 바로 아래에 위치하며, 정상 전립선은 무게 18 gm, 길이 3 cm, 폭 4 cm, 깊이 2 cm 정도로 달걀형이다. 일반적으로 전면, 후면, 측면과 아래로 좁은 첨부와 위로 넓은 기저부가 있으며, 콜라겐과 엘라스틴 그리고 다량의 평활근으로 이루어진 피막에 싸여 있다. 전립선피막은 후외측으로 평균 0.5 cm의 두께인데 현미경적으로는 평활근의 미세 띠가 후측 표면에서 Denonvilliers근막과 융합하고, 전립선의 전면과 전측면에서 내골반근막과 연속면을 이룬다.

전립선첨부는 치골전립선인대가 전면으로 확장되어 치골에 전립선을 고정한다. 외측으로는 항문거근 중 치골미골근에 의해 지지되며 내골반근막에 직접 덮여 있다. 전립선첨부는 횡문괄약근과 연속되어 있다. 전립선기저부에서는 배뇨근의 외측 종근섬유가 전립선피막의 섬유근조직과 합치면서 섞이고, 중간층인 환상근과 내측 종근층은 전립선요도를 따라 내려오면서 확장되어 전립선전괄약근을 형성한다. 전립선첨부와 마찬가지로 기저부도 전립선과 배뇨근을 분리하는, 해부학적으로 구분되는 진정한 피막은 존재하지 않는다(Epstein, 1989).

2) 전립선의 구조

전립선은 약 70%의 선조직과 30%의 섬유근기질로 이루어져 있다. 기질은 콜라겐과 다량의 평활근으로 되어 있는데, 피막과 연속성이 있으면서 현미경적으로는 선조직을 둘러싸고 있어 사정 시 평활근이 수축하면 전립선액이 요도로 배출된다.

요도는 전립선의 전면에 가깝게 있으면서 전립선을 세로로 길게 관통하는데, 내면이 요로상피층으로 덮여 있다. 요로상피층은 전립선관까지 확장되어 있다. 요도능선(urethral crest)은 요도 내부 후중앙부에서 전립선요도를 세로로 지나가며 횡문괄약근까지 관철된다. 요도능선 양옆으로 전립선 선조직의 분비물의 배출구가 있다. 요도능선의 가운데 부근에서 요도는 앞쪽으로 약 35° 구부러지며, 사람에 따라 0~90°까지 정도의 차이가 있다. 이 부위에서 전립선요도는 기능적·해부학적 구분이 뚜렷한 근위부(전전립선)와 원위부(전립선)로 나뉜다(McNeal, 1972, 1988). 근위부에서는 환상의 평활근섬유가 두터워져 불수의적 내요도괄약근인 전전립선괄약근을 형성한다.

평활근으로 둘러싸이지 않은 작은 요도주위선들은 선조직의 1% 이하를 차지할 정도로 작으나 전립선비대증일 때는 전립선 용적의 상당 부분을 형성한다. 요도능선이 넓어지면서 튀어나온 부위가 정구(verumontanum)이며 양옆으로 2개 사정관 구멍이 있다.

전립선 선조직은 적은 분지를 가진 세관꽈리(tubulo-alveolar) 모양으로, 상피세포는 단순 입방세포(cuboidal cell)나 원주세포로 되어 있다. 분비세포주위로 신경내분비세포가 간간이 발견되는데, 그 기능은 아직 밝혀지지 않았다. 맨 아래쪽에 납작한 모양의 기저세포가 분비세포로 분화하는 줄기세포 역할을 할 것으로 여겨진다. 선조직 부분은 분비관의 위치나 병리학적인 병변의 차이에 따라 이행대, 중심대, 말초대 등으로 구분된다.

총 전립선 용적의 30%는 선조직이 없는 전부섬유근기질(anterior fibromuscular stroma)로, 방광경부에서 횡문괄약근까지 확장되어 있다. 이것은 콜라겐, 엘라스틴, 평활근과 횡문근으로 구성되어 있는데, 전립선비대증이 선증식 할 때는 상당부분 선조직으로 대체되기도 한다.

3) 전립선의 혈관과 신경지배

전립선을 공급하는 동맥혈은 주로 하방광동맥에서 유래한 전립선동맥이다. 전립선으로 접근하면서 요도동맥과 피막동맥(capsular artery)으로 나뉜다.

요도동맥은 방광전립선 연접부를 후외측에서 관통한 후 방광경부를 향하여 1, 5, 7, 11시 방향으로 접근하는데, 5시와 7시 방향의 혈관이 훨씬 크다. 일부 혈관은 요도와 수평을 이루면서 전립선첨부로 향하여 요도뿐 아니라 요도주위선과 이행대에 혈액을 공급한다. 따라서 전립선비대증일 때는 이들이 선종에 혈액을 공급하는 가장 중요한 혈관이다. 피막동맥은 앞쪽으로 몇 개의 작은 분지를 내어 전립선피막으로 미세하게 분포한다. 이 동맥의 대부분은 음경해면체신경과 함께 전립선의 후외측으로 주행하는데, 흔히 신경혈관다발로 불리며 골반횡격막에서 끝난다. 전립선정맥은 매우 많은데 주로 전립선주위총으로 흘러들어 간다. 림프액은 주로 폐쇄림프절과 내장골림프절로 간다.

골반신경총에서 나온 교감신경섬유와 부교감신경섬유는 음경해면체신경을 통해 전립선으로 주행한다. 피막동맥과 동행한 부교감신경은 선조직의 선방(acini)에서 분비를 촉진한다. 교감신경섬유는 기질과 피막의 평활근을 수축시킨다. 펩티드성과 산화질소합성효소를 함유한 신경도 일부 발견되며 평활근이완에 영향을 미친다(Burnett, 1995). 전립선에서 나온 구심성신경은 골반신경총을 통과하여 골반과 흉요추에 있는 중추신경으로 올라간다.

6. 요도

요도에는 단순하고 뚜렷하게 구분되는 괄약근이 있다기보다는 평활근, 횡문근, 기질 등의 여러 조직들의 역할로 요자제를 유지한다. 조직학적으로는 방광기저부 종근이 요도까지 확장되어 요도의 내종근층을 형성하고 있으나, 태생학적으로는 방광과 요도의 근원은 서로 다르다(Zaderic et al, 1996). 방광과 근위부요도는 신경지배나 세포 크기, 콜라겐의 비율 등에서도 차이가 있다.

과거에는 방광경부 부근의 평활근인 내요도괄약근과 횡문근인 외요도괄약근으로 단순하게 설명되었으나, 현재는 방광과 요도 사이의 경계가 명확하지 않고, 또한 해부학적으로 구분되는 독립적인 평활괄약근이 없다는 것이 공통된 견해이다. 그래서 방광기저부와 방광요도접합부(방광경부), 근위부요도를 모두 통틀어 평활괄약근기전이라 하고, 이런 개념을 더욱 확장하여 요관주위집(periureteral sheath)과 평활괄약근기전을 하나의 통합구조로 보아 urinary lissosphincter라고 부르기도 한다. 이는 이 구조물들의 해부학적 연속성과 교감신경, 부교감신경의 이중지배를 받는 점에 근거하고 있다(Elbadawi, 1982).

1) 요도의 조직학적 구조

(1) 요도근

요도벽의 평활근다발은 배뇨근과 비교하여 더 얇고 근배열이 분명하게 구분된다. 사람에서는 내종근이 외환상근보다 더 두껍다. 내종근의 수축속도는 외환상근에 비해 3배 정도 빠르기 때문에 외환상근은 방광충만 시 긴장도를 유지하는 역할을 하고, 내종근은 배뇨 시 요도가 능동적으로 열리게 하는 역할을 할 것으로 추측된다(Arner et al, 1998).

횡문근은 남녀 요도벽에서 횡문괄약근을 형성하는데 이는 더 바깥쪽에 위치하는 골반저의 요도주위 골격근과 구분된다. 횡문근은 남성에서는 방광기저부와 전립선 전엽에서 시작하여 막양부요도 끝까지 이어지고, 여성에서는 근위부요도에서 원위부까지 펼쳐진다.

(2) 요도횡문근의 근섬유 종류

연축형(twitch-type) 근섬유는 기능적·대사적 특성에 따라 저속연축섬유(1형)와 고속연축섬유(2형)로 나뉜다. 고속연축섬유는 갑자기 복압이 상승하는 상황에서 빠르게 괄약근긴장도를 올려 요자제를 유지하는 데 필요하다. 빠른 근섬유의 동원이 가능하지만 쉽게 피로를 느끼는 단점이 있다. 고속연축섬유는 미오신 ATPase가 풍부하고, 빠른 Ca^{2+}-ATPase 아형이 있어 세포 내 칼슘이 세포질세망으로 빠르게 이동한다(Markwardt and Isenberg, 1992). 반면 저속연축섬유는 지속적인 긴장도를 유지하여야 하는 근육에 많이 분포되어 있는데, 근섬유의 동원속도와 근육의 피로를 느끼는 시간이 모두 늦다.

조직면역학적 연구에 의하면, 원위부요도횡문근은 주로 저속연축섬유로 되어 있고, 골반저의 요도주위횡문근은 저속연축섬유와 고속연축섬유로 되어 있다(Gosling et al, 2000). 남성의 횡문괄약근은 저속연축섬유가 65%를 차지하고, 여성의 경우는 87%를 차지한다(Pdykula and Gauthier, 1970).

(3) 요도점막고유층

점막고유층은 평활근층에서 요도상피세포층까지며, 혈관총들이 풍부한 광범위한 기질로 채워 있다. 요도 기질은 주로 세로로 배열된 콜라겐과 엘라스틴을 포함하고 있고, 이 부위 혈관계의 충만이 요자제에 중요하다고 알려져 있다(Hickey et al, 1982; Huisman, 1983). 동맥혈의 공급 부족이 요도내압을 감소시키는

데(Rud et al, 1980). 이는 감소된 혈관계의 충만 정도와 요도평활근의 조직저산소증에 의한 영향으로 추정된다(Greenland and Brading, 1996).

2) 남성 요도괄약근

(1) 괄약근의 구조

요도괄약근은 두 가지로, 기능적으로 수동적 요자제와 능동적 요자제를 각각 담당한다. 그러나, 형태학적으로는 연관이 있고, 하나의 연속적인 층을 이루는데, 평활근으로 안쪽에 위치하는 lissosphincter와 횡문근으로 바깥쪽에 위치하는 횡문괄약근이 있다. 안쪽의 평활괄약근은 방광경부에 주로 분포하고 원위부요도로 갈수록 얇아지고, 바깥쪽의 횡문괄약근은 막양부요도에서 가장 뚜렷하고 두터운데 방광쪽으로 갈수록 불분명해진다.

요도괄약근에 대한 현재의 개념은 과거에 비해 평활괄약근은 더 아래쪽까지 분포하고 횡문괄약근은 더 위쪽까지도 분포한다는 점이다. 평활괄약근은 요도를 완전히 둘러싸는 원형을 이루는데 비해, 환상형의 횡문괄약근은 전립선첨부에서 말굽모양으로 후방이 열려있는 형태이다(Koraitim, 2008)(그림 1-9).

외요도괄약근이 비뇨생식격막(urogenital diaphragm)의 일부라는 개념은 잘못된 것으로 횡문괄약근은 실제 더 관상형(tubular)이고 전립선첨부에 있는 근막에 넓게 부착되어 있다.

횡문괄약근은 방광경부 근처에서는 근육이 주로 후측부를 둘러싸면서 방광경부와 방광삼각부와 연결되어 있고, 방광경부와 전립선첨부 사이에서는 가로로

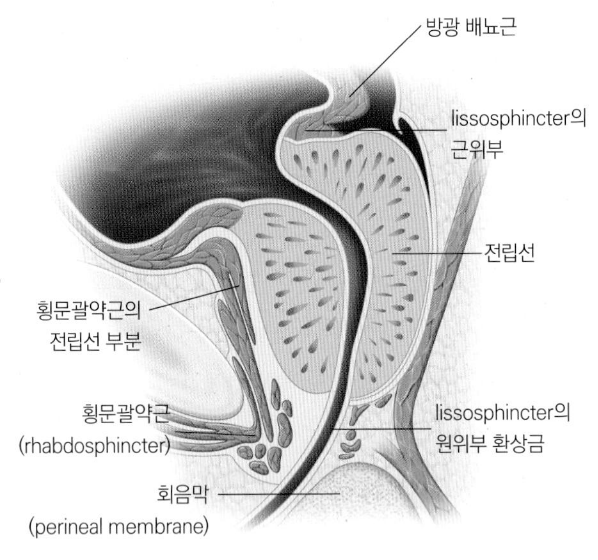

그림 1-9. **남성 요도괄약근의 분포에 대한 모식도**

배열되고, 전립선의 앞부분을 둘러싸며 피막을 형성한다. 더 원위부는 후부를 제외하고는 거의 완전히 전립선첨부를 싸고 있고, 이보다 아래쪽으로는 막양부요도와 합쳐진다.

전체적으로 보면, 태생기에는 완전한 반지 모양이었으나 전립선이 발달함에 따라 전립선조직이 요도를 침범함으로써 괄약근의 두께가 얇아지고 일부 괄약근조직은 위축되면서 전립선첨부의 근섬유가 막양부요도를 둘러싸며 뒤쪽이 열린 말굽 모양을 이룬다(Oelrich, 1980).

(2) 괄약근의 기능적 역할

수동적 요자제는 주로 평활괄약근에 의해 유지된다. 이를 뒷받침하는 증거로는 첫째, 소변은 정상적으로 방광출구 수준(level)에서 요자제가 유지되는데 이

곳이 평활괄약근이 존재하는 부위이다. 둘째, 전립선 절제술 후 요실금은 정구 아래쪽을 몇 밀리미터 깊이로만 절제해도 발생하는데, 이는 lissosphincter의 손상에 기인한 것이지만 이런 환자에서 횡문괄약근은 손상되지 않았다는 것이 요역동학검사의 최대요도내압으로 증명되고 있다. 셋째, 후부요도의 단단연결 요도성형술에서 횡문괄약근의 주요 부분이 절제되었음에도 요자제 기전이 유지되는데, 이는 방광경부를 비롯한 평활괄약근이 보존되었기 때문이다. 넷째, curare 주사로 횡문괄약근을 마비시켜도 수동적 요자제는 유지됨이 증명되었다(Koraitim, 2008).

요자제를 위해서는 평활괄약근의 전장이 다 보존되어야 하는 것은 아니다. 요자제에 필요한 길이 이상이 손상되면 요실금이 발생하기에, 근치적전립선절제술에서 첨부의 박리에 더욱 주의를 기울여야 하는 이유이기도 하다.

횡문괄약근은 두 가지 비뇨생식계 역할을 한다. 더 원위부의 횡문근은 수축으로 앞쪽 요도벽을 뒤쪽에서 당겨서 협착시킨다. 이는 요도후부의 Denonvilliers근막과 직장요도근(rectourethralis)이 함께 상대적으로 단단한 벽을 만들어 주므로 요도내면의 넓은 부위가 접합(coaptation) 될 수 있다. 이러한 강력한 요도 폐색이 능동적 요자제의 기전이다. 이런 현상은 막양부요도에서 일어난다.

더 근위부인 전립선부위의 횡문괄약근은 성인에서는 뚜렷하지 않고 흩어진 근섬유로 이루어져 요자제에는 큰 역할을 하지 못한다, 그러나 방광출구를 막아 정액을 앞으로 배출되게 함으로 성기능에 주요한 역할을 한다.

(3) 괄약근의 신경지배

요도괄약근은 자율신경과 체성신경의 지배를 받고 있다. 평활괄약근은 교감신경계인 L2, 3에서 나온 하복신경의 지배를 받고, 횡문괄약근은 척수 S2, 3에서 기원하여 골반신경총을 통해 골반신경의 지배를 받는다. 반면 치골미골근을 위시한 요도주위횡문괄약근은 S2에서 기시한 음부신경의 지배를 받는다.

이러한 기본 개념은 이후 약간 수정되어 더욱 복잡한 신경지배이론으로 발전되었다. 즉 골반신경과 하복신경에서 각각 기원한 원심성 부교감신경섬유와 교감신경섬유가 골반신경총을 통해 일부 횡문괄약근으로 연결되어 있다는 주장이 동물실험에서 제기되었다(Gosling, 1979). 이 중 자율신경지배와 체성신경지배를 가지는 소위 삼중 신경지배설은 고양이를 대상으로 한 면역조직학염색(Elbadawi and Schenk, 1974)과 전자현미경연구(Elbadawi and Atta, 1985)에서는 증명되었으나 사람에서는 증거가 아직 부족하다.

3) 여성 요도와 괄약근

여성 요도는 방광경부에서 질전정(vestibule)까지 평균 4 cm이며 전질벽의 원위부 1/3에 위치한다. 내상피세포층은 요로상피에서 점진적으로 비각질중층편평상피(nonkeratinized stratified squamous epithelium)로 전환되고, 작은 점액선들이 요도 내로 개구되어 있다. 두텁고 혈관이 풍부한 점막하조직이 상피세포층과 점액선들을 지지하는데, 점막과 점막하조직이 요도폐쇄에 중요한 쿠션 역할을 한다(Raz et al, 1972). 이들은

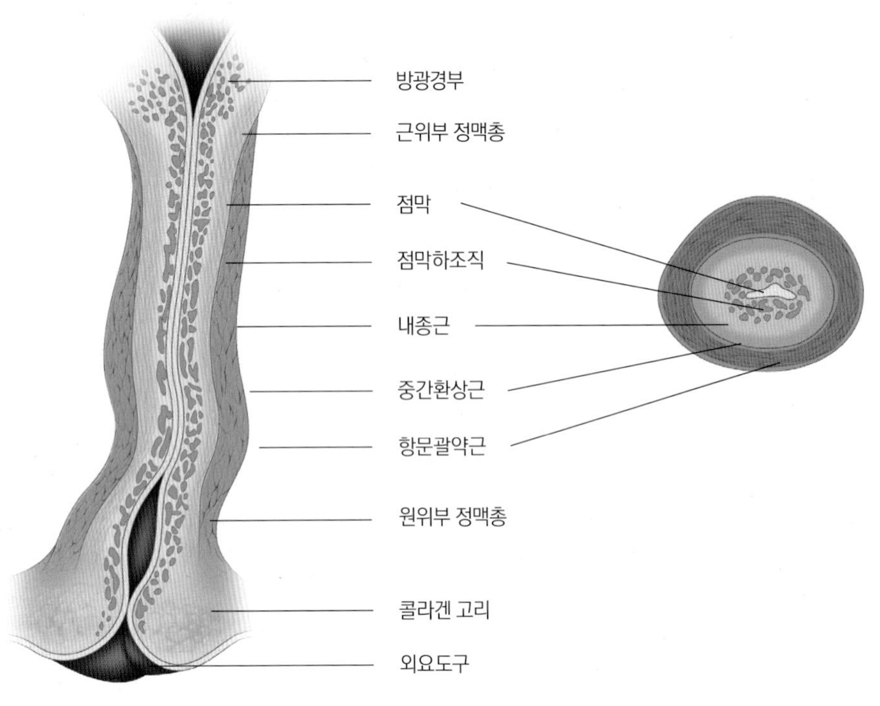

그림 1-10. **여성 요도의 단면 모식도.** 두텁고, 혈관이 풍부한 점막하조직, 두꺼운 내종근과 얇은 환상근이 관찰된다.

에스트로젠에 의존적이어서 폐경기 후에는 위축이 오고 이것이 복압성요실금의 한 원인이 된다. 두꺼운 내종근이 방광부터 외요도구까지 이어지며, 얇은 환상근이 내종근을 둘러싸고 있다(그림 1-10).

해부학적으로 여성 요도가 남성 요도와 다른 점은 다음과 같다. 첫째, 여성의 방광경부에서 내종근 근다발은 요도벽으로 가면서 비스듬히 또는 세로로 배열되어 있고 중간환상근은 풍부하지 않다. 둘째, 방광경부에 교감신경지배가 드물고 주로 콜린성신경이 지배하는 것으로 생각된다. 셋째, 방광경부의 괄약근기능은 제한적이기 때문에 요자제를 하는 여성의 50% 정도에서 기침할 때 근위부요도로 소변이 샌다. 넷째, 원위부 괄약근이 약화되므로 방광경부에 작은 손상이 있더라도 쉽게 요실금이 생길 수 있다. 다섯째, 남성과 마찬가지로 횡문괄약근의 후벽이 다른 부위에 비해 상대적으로 약화되어 있지만, 남성에게 없는 요도압박근(compressor urethrae)과 요도질괄약근(urethrovaginal sphincter)이 있다(그림 1-11).

횡문괄약근은 여성 요도의 원위부 2/3를 싸고 있는데 거의 대부분 지속연축섬유와 풍부한 콜라겐으로 구성되어 있다. 근위부 횡문괄약근과 원위부 아치형 근육군(요도압박근과 요도질괄약근)으로 나눌 수 있는데, 근위부는 완전한 환상구조로 가장 높은 요도폐쇄압을 보여준다. 요도압박근은 좌골치골가지(ischio-pubic ramus) 부근의 외측에서 기시하며, 이 근육이 수축하면 앞부분에 있는 고정된 질벽으로 요도를 압

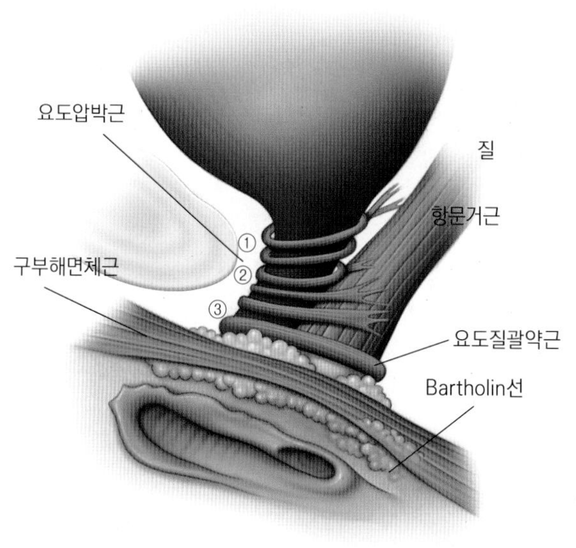

그림 1-11. **여성 횡문괄약근의 모식도.** ① 근위부 1/3은 요도를 전체적으로 싸고 있다. ② 가운데 부분은 요도의 앞쪽에서 양옆으로 지나가면서 질벽근육과 합쳐진다. ③ 원위부 1/3은 요도와 질을 동시에 둘러싸며 요도질괄약근을 형성한다.

박하면서 요도를 폐쇄시킨다. 더 원위부에 있는 요도질괄약근은 질전정 근처에서 요도와 질을 완전히 둘러싸고 있고, 수축 시 구부해면체근(bulbospongiosus muscle)과 함께 요생식열공(urogenital hiatus)을 좁혀준다. 음핵걸이인대(전부 요도인대)와 치골요도인대(후부 요도인대)가 치골 밑에서 요도를 지지하는 슬링 역할을 한다(Zacharin, 1963).

횡문괄약근은 남성에서처럼 음부신경과 골반신경으로부터 양쪽 체성신경의 지배를 받는다. 평활근은 교감신경의 지배는 거의 받지 않고 주로 콜린성부교감신경의 지배를 받는다. 기능적으로 여성 방광경부와 근위부요도의 요자제 기능은 해부학적 괄약구조 개념을 배제한 전적인 평활근의 활동이라고 보기 어렵다. 또한 신경지배와 대부분의 근섬유들이 세로로 배열되어 있다는 점을 감안하면 여성의 요도평활근은 배뇨기에 요도 구경을 넓히고 요도 길이를 짧게 하는 능동적인 기능을 가지며 방광과 협조하는 것으로 추측된다.

7. 요도주위 골반근육계

골반횡격막은 항문거근과 그것들을 덮는 근막으로 구성되어 있다. 항문거근 중 가장 뒤쪽에 있는 좌골미골근을 따로 미골근(coccygeus muscle)이라고 부르기도 한다. 미골근은 첨부가 좌골극(ischial spine)에 위치하는 삼각형으로 동물에서는 꼬리를 움직이게 한다.

항문거근은 일반적으로 세 부분으로 나뉘는데, 좌골미골근(ischiococcygeus muscle)과 장골미골근(iliococcygeus muscle) 그리고 치골미골근(pubococcygeus muscle)이 있다. 이는 근섬유의 방향과 접합부 등에 의한 임의적인 구분으로 실제로는 구분하기 어렵다. 치골미골근은 연결된 내부 장기에 따라 치골요도근(pubourethralis muscle)과 치골직장근(puborectalis muscle), 여성에서는 치골질근(pubovaginalis muscle)으로 나눌 수 있다. 이외에도 골반강 내에는 내폐쇄근(internal obturator muscle)과 이상근(piriformis muscle)이 있다(그림 1-12). 골반횡격막의 위아래를 덮는 근막과 내폐쇄근막, 항문거근의 근섬유 등이 합쳐지면서 두꺼워져 활처럼 된 부분을 건궁(tendinous arc)이라고 한다. 이것은 치골 아랫부분에서 좌골극까지 연결되어 있고, 항문거근의 시작점이라고 할 수 있다.

능동적 요자제는 막양부요도와 전립선첨부를 둘러싸고 있는 항문거근의 수의적 수축에 의해 이루어진

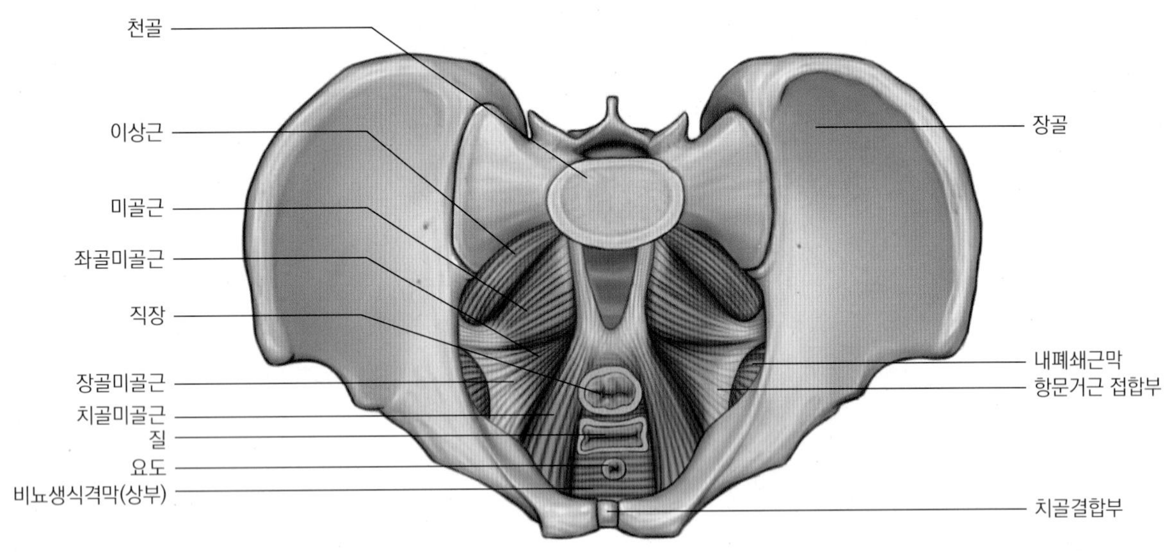

그림 1-12. **여성 골반저의 내부 모습**

다. 음부신경이 횡문괄약근과 항문거근의 주요 신경지배를 맡고 있다. 골반저근이 수축하면 방광경부가 상승하여 요도가 늘어나고, 막양부요도 부분을 압박하며, 반사적으로 배뇨근 운동핵을 억제하여 방광수축을 차단한다. 기침으로 복압이 급격히 상승할 때에 골반저근이 수축하면 방광경부가 상승하며 앞쪽으로 당겨지고, 요도가 치골 후면에서 압박당하여 요실금이 생기지 않는다.

전체 참고문헌 목록은
배뇨장애와 요실금 웹사이트 자료실
(http://www.kcsoffice.org)에서
확인할 수 있습니다.

제 02 장

하부요로의 신경지배

Neural control of the lower urinary tract

김계환

1. 서론

소변의 저장과 주기적인 배출은 소변 저장을 위한 방광과 방광의 출구인 방광목, 요도 그리고 요도괄약근으로 구성된 하부요로, 두 개의 기능적 단위의 조화로운 활동으로 이뤄진다(Fry et al, 2005). 이러한 하부요로 구성 요소들 간의 통합된 협동능력은 뇌, 척수 및 말초 신경절의 복잡한 신경 조절 시스템에 의해 매개된다(de Groat, 2006; Morrison et al, 2005). 따라서 소변의 저장 및 배출은 중추신경계 통로와 밀접한 관련이 있다.

대뇌피질에서 척수를 지나는 축삭(axon다발은 추체로(pyramidal tract)를 형성해 하행하며, 피질척수로(corticospinal tract)를 형성해서 척수 내에서 외측(lateral) 및 앞 또는 배쪽 피질척수로(anterior or ventral corticospinal tract) 2개의 통로로 주행한다. 위운동신경세포(upper motor neuron, UMN)은 신경 세포체(cell body)가 대뇌피질의 운동피질(motor cortex)에 있으면서 축삭이 뇌간(brain stem)을 지나 척수까지 주행하는 신경 또는 신경세포(neuron)들을 일컬으며, 위운동신경세포는 직접 근육에 닿아 있지 않다는 특징이 있다. 아래운동신경세포(lower moter neuron, LMN)는 척수에서 위운동신경세포와 연결되는데, 대부분 사이신경세포(interneuron)가 있어 연결해 주지만 소수에서는 직접 위운동신경세포와 아래운동신경세포가 척수의 앞 또는 배쪽뿔(anterior or ventral horn)에서 시냅스(synapse)를 이룬다. 아래운동신경세포의 축삭은 척수에서 나올 때 운동 및 자율신경이 주행하는 원심성(efferent) 신경근 유출경로(anterior or ventral root)를 지나며 주행의 끝은 신경근 종말 또는 말단(neuromuscular plate or neuromuscular junction)에 있으며 수의근(voluntary muscle)에서 수의적 신경지배(voluntary innervation)를 형성한다. Onuf's 핵(Onuf's nucleus)은 천수부위(sacral spinal cord) 앞뿔(anterior horn)의 배쪽 부위(ventral part)에 위치하는 별도의 신경세포 그룹으로 배뇨(micturition)와 배변(defecation)의 조절(continence)을 유지하고 극치감(orgasm) 시 근육수축을 유발한다. 특히 이 부위는 운동 신경세포(motor neuron)를 포함하는데 음부 신경(pudendal nerve)의 기원을 형성한다. 본 장에서는 하부요로와 관련된 말초신경계 및 중추신경계의 구조 및 소변의 저장과 배출을 위한 신경지배의 작용 기전과 제어체계에 대하여 살펴보고자 한다.

2. 말초신경계

말초신경계는 중추신경계에서 나와 온몸의 조직이나 기관으로 뻗어있는 신경이다. 정보를 전달하는 방향과 기능에 따라 중추신경계의 명령을 반응기로 전달하는 원심성 신경과 감각기의 흥분을 중추신경계로 전달하는 구심성 신경으로 구분된다. 원심성신경은 부교감(parasympathetic) 신경, 교감(sympathetic) 신경으로 구성된 자율신경계와 운동신경인 체성(somatic) 신경계로 나누어진다.

하부요로의 원심성 경로는 부교감, 교감 그리고 체성 신경계통으로 이루어진 세 가지의 말초신경에 의해 지배된다(그림 2-1). 부교감신경은 천수(S2–S4)로부터 나오며 방광을 수축시키고 요도를 이완시키는 작용을 하며 교감신경은 흉요수(T11–L2)로부터 나와 방광을 이완시키고 방광기저부와 요도를 수축시키는 역할을 한다. 또한 체성신경은 천수(S2–S4)로부터 나오는 음부신경을 통하여 전달되며 외요도괄약근(External urethral sphincter; EUS)을 지배하게 된다.

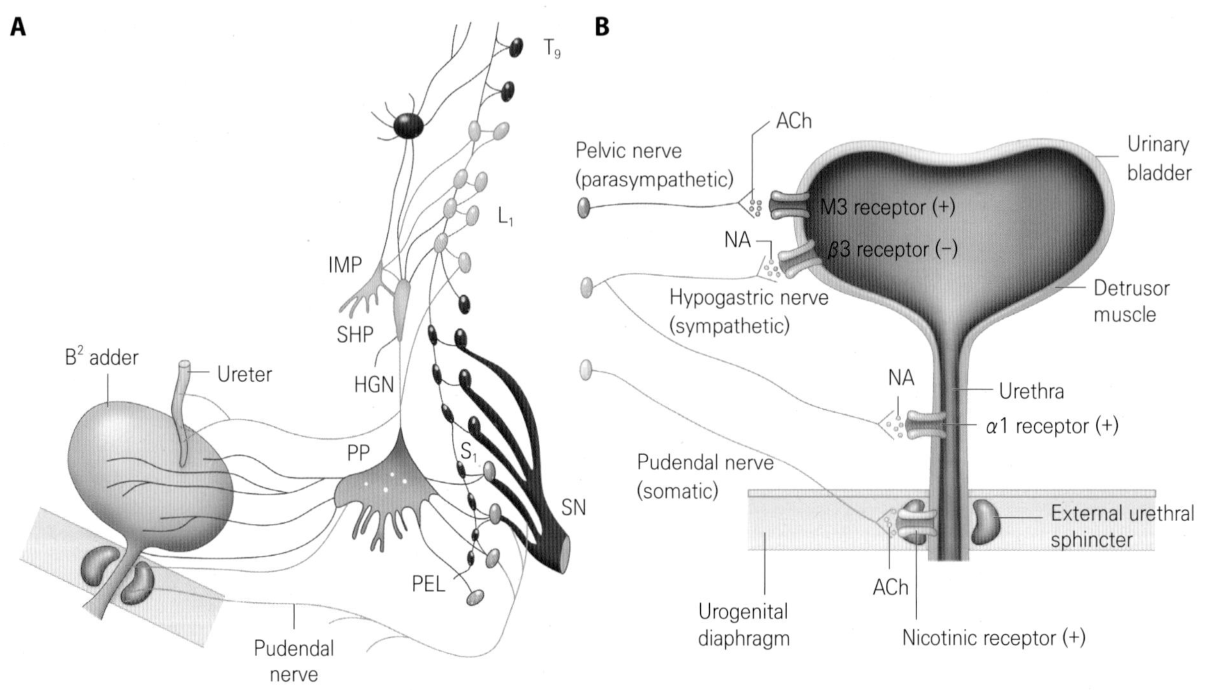

그림 2-1. **여성 하부요로의 원심성 경로**

부교감신경(녹색) 경로는 천수(S2−S4)로부터 나오며 골반신경(pelvic nerve)을 지나 골반신경얼기(pelvic plexus)의 신경절세포를 거쳐 방광벽과 요도의 말단신경절로 들어간다. 신경 말단에서 아세틸콜린을 분비하여 주로 방광의 M3 무스카린 수용체에 작용하여 방광을 수축시키는 작용을 한다. 교감신경(파란색) 경로는 흉요수(T11−L2)로부터 나오며 장간막사이신경얼기(intermesenteric plexus) 및 하복신경(hypogastric nerve)을 거쳐 골반신경얼기 비뇨생식기로 들어간다. 신경 말단에서 노르아드레날린을 분비하여 방광의 β3 아드레날린 수용체에 작용하여 방광을 이완시키고 방광기저부와 요도의 α1 아드레날린 수용체에 작용하여 요도를 수축시키는 작용을 한다. 체성신경(노란색) 경로는 천수(S2−S4)로부터 나오며 음부신경을 거쳐 외요도괄약근에 작용한다. 신경 말단에서 아세틸콜린을 분비하여 외요도괄약근의 니코틴수용체에 작용하여 외요도괄약근을 수축시키는 작용을 한다(Fowler et al, 2008).

1) 부교감신경

하부요로를 지배하는 부교감 신경계는 배뇨근의 수축과 요도를 이완시키는 작용을 한다. 부교감신경절이전신경세포(parasympathetic preganglionic neurons)는 천수(S2−S4)의 천수중간회색질(sacral intermediate gray matter)의 외측에 천수부교감핵(sacral parasympathetic nucleus; SPN)이라 불리는 부위에 위치한다(Nadelhaft et al, 1980; de Groat et al, 1996). 배쪽뿌리(ventral root)를 통해 축삭을 내며 신경전달물질인 아세틸콜린을 분비하는데 이는 골반신경을 지나 골반신경얼기, 방광 표면의 신경절 또는 방광과 요도의 벽 내에서 신경절이후신경과 연결되어 정상적인 방광의 수축을 유도한다(Andersson, 1993; Andersson KE and Arner, 2004; Matsui et al, 2002; Matsui et al, 2000). 그러나 배뇨근 과활동성, 요도출구폐색 또는 방광통증후군/간질성방광염 등 형태학적 기능적으로 변화된 사람의 방광 조직에서는 무스카린 수용체 차단제에 내성이 있는 비아드레날린성 비콜린성(nonadrenergic, noncholinergic; NANC) 방광수축이 유발될 수도 있으며 이때는 Adenosine triphosphate(ATP)가 주요 매개체로 작용한다(Andersson and Wein, 2004; Burnstock, 2001; Palea et al, 1993). 사람에서 부교감신경절이후신경세포가 골반신경얼기뿐 아니라 배뇨근층에도 위치하고 있다는 사실은 말총(cauda equina)이나 골반신경얼기 손상을 가진 환자가 신경학적으로 신경중추격리(decentralized) 되어있다 하더라도 완전히 탈신경화되지 않을 수 있다는 점에서 의미가 있다. 말총의 손상이 있다하더라도 배뇨근 내의 신경절 부위에서 구심성과 원심성신경세포의 연결을 가능하게 한다(de Groat et al, 1996).

2) 교감신경

흉요수(T11−L2)로부터 나오는 교감신경은 교감신경줄기신경절(sympathetic chain ganglia)로 주행하며 다소 복잡한 신경로를 가진다. 척수에서 나온 축삭은 하내장신경(inferior splanchnic nerve)을 통하여 하장간막신경절과 하복신경을 주행하여 골반신경절로 들어가게 된다. 교감신경은 방광과 요도로 노르아드레날린을 분비하여 흥분과 억제신호를 내 방광의 β3아드레날린

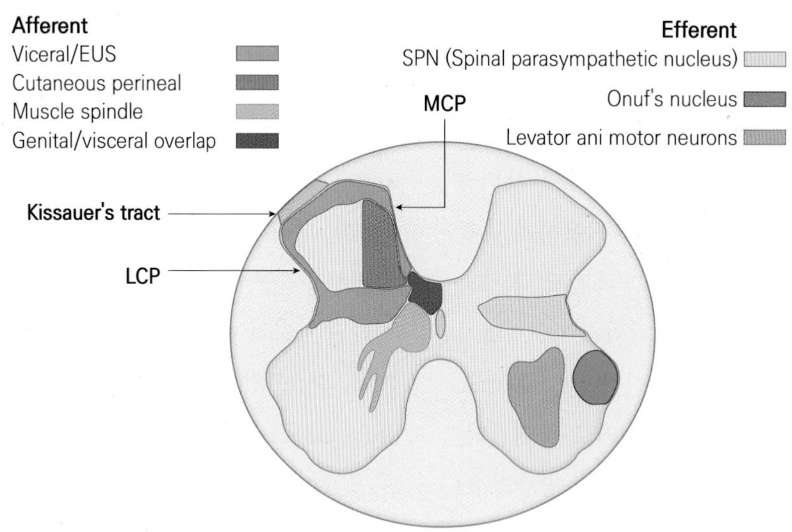

그림 2-2. **천수의 단면도**

수용체에 작용하여 방광을 이완시키고 방광기저부와 요도의 α1 아드레날린 수용체에 작용하여 부교감신경 경로의 억제를 통해 내요도괄약근의 수축을 유도하여 방광에 요저장을 가능하도록 한다(Andersson, 1993; Andersson and Arner, 2004; Keast et al, 1990).

3) 체성신경

외요도괄약근의 운동신경세포는 천수(S2–S4)의 배쪽뿔 ventral horn의 외측부를 따라 Onuf핵(Onuf's (Onufrowicz's) nucleus)라고 불리는 부위에 위치한다(Thor and de Groat, 2010; Thor and Donatucci, 2004). 또한 다양한 방향으로 수상돌기(dendritic bundles)를 내는데 외측으로는 외측섬유단(lateral funiculus) 및 후측으로는 중간회색질 그리고 후내측으로는 중심관(central canal)로 향해 있다. 음부신경의 가지뿐만 아니라 일부 골반저근에도 신경자극을 전달한다(Barber et al, 2002; de Groat et al, 2001; Morrison et al, 2002; Pierce et al, 2003; Thor and de Groat, 2010).

요저장과 배뇨반사의 구심성 및 원심성 구성 성분의 신경해부학적 분포도. 좌측은 구심성 구성성분을 나타내며 우측은 원심성 구성성분을 나타낸다. 이 두 가지 구성성분은 양측에 위치하여 서로 중복되게 된다. 내장구심성 구성성분(viceral afferent component)은 골반신경 및 음부신경에 포함되는 방광요도 그리고 생식기의 구심성신경섬유를 포함한다. 피부회음부구심성 구성성분(cutaneous perineal afferent component)은 음부신경에 포함되는 회음부 피부에 분포하는 구심성신경섬유를 포함하며 근육방추구심성 구성성분(muscle spindle afferent component)은 항문거근(levator ani)에 존재하는 근육방추를 지배하는 항문거근신경에 포함된 Ia/b 구심성신경섬유를 포함한다.

4) 구심성 신경지배

골반신경, 하복신경, 그리고 음부신경에 존재하는 구심성신경의 축삭은 하부요로계로부터의 감각정보를 요천수(lumbosacral spinal cord)에 있는 2차 신경세포로 전달한다(de Groat, 1986; Jänig and Jänig and Morrison, 1986; Yoshimura, 1997). 골반신경 및 음부신경의 일차 구심성신경세포는 천수의 후근신경절(dorsal root ganglia; DRG)에서 유래하며 척수로 들어가 Lissauer's tract내에서 상하로 주행하며 하복신경의 구심성신경분포는 요수의 후근신경절로부터 유래된다(Nadelhaft et al, 1980; Thor et al, 1989).

방광 구심성신경섬유는 유수축삭을 가진 Aδ 신경섬유와 무수축삭을 가진 C 신경섬유로 이루어진다. Aδ 신경섬유는 평활근에 위치하고, C 신경섬유는 점막 및 점막 근층에 위치하며 이들은 방광의 용적과 방광수축의 진폭을 모니터 하게 된다. 평활근에 위치한 Aδ 신경섬유는 방광의 압력 변화를 민감하게 감지하고 점막에 위치한 C 신경섬유는 방광의 용적 변화에 쉽게 반응하며 점막 근층에 위치한 C 신경섬유는 방광팽창에 대한 통각수용성이 잠재된 구심성신경섬유이다.

방광의 평활근에 위치한 구심성 Aδ 신경섬유는 방광의 팽창과 수축에 반응하여 방광충만에 대한 정보를 전달한다. Aδ 신경섬유가 활성화되는 임계값은 5~15 mmH_2O 이며, 이것은 인간이 방광충전에 대한 첫 번째 감각을 느끼는 방광내압이다. 방광용적에 대한 감각은 특히 방광충만을 감지하는 방광장력수용체이다. 방광수축 중에 일어나는 구심성 자극은 중요한 반사기능을 가지며 배뇨근수축을 유지하는 기능을 강화시킨다. 방광의 팽창과 수축에 반응하는 구심성 신경 즉, 일련의 장력수용체('in series' tension receptors)가 고양이와 쥐의 골반신경 및 하복신경에서 발견되었다(Iggo, 1995; Floyd et al, 1976; Morrison, 1997). 방광의 구심성 신경섬유의 특성에 차이가 있는 것은 종의 차이뿐만 아니라 용어(명명법)의 차이에도 기인한다.

방광의 점막에 위치한 구심성 C 신경섬유는 방광충만에 반응하는 방광 용적수용체(volume receptor)이다. 쥐에서 많은 C 방광 구심성신경섬유가 장력수용체와는 구별되는 성질을 가진 방광수축에는 반응하지 않고 방광점막의 신장(stretch에 민감한 용적수용체 로 알려져 있다(Wen and Morrison, 1994).

방광의 점막근층에 위치한 구심성 C 신경섬유는

표 2-1. **방광 구심성 심경섬유의 성질**

신경섬유	위치	기능	염증 시 변화
Aδ 신경섬유 (유수축삭)	평활근	방광충만을 감지 (방광장력 수용체)	압력에 대한 역치 감소 : 작은 압력 변화에 반응증가
C 신경섬유 (무수축삭)	점막	방광충만에 반응 (방광용적수용체)	용적 변화에 대한 역치감소 : 작은 용적 변화에 반응증가
C 신경섬유 (무수축삭)	점막근층	방광팽창에 대한 통각수용성 잠재된 구심성신경섬유	염증반응에 의해 민감한 기계수용성으로 변해 새로운 기능의 구심성 경로 형성

Aδ 신경섬유와 달리 일반적으로 정상상황에서는 활성이 없어 기계적무감응(Mechanoinsensitive), silent C fiber로도 불린다(Häbler et al, 1990). C 신경섬유는 방광팽창에 대한 통각수용성이 잠재되어 있으며, 높은 농도의 칼륨, 낮은 pH 높은 삼투압 그리고 캅사이신 같은 자극제나 화학적 유해자극에 반응하는 것으로 알려져 있다(Fall et al, 1990; Häbler et al, 1990; Maggi, 1993; McMahon and Abel, 1987). 이러한 물질에 노출되면 방광팽창에 대한 방광의 기계적 수용체의 민감도가 증가되며 일부 잠재된 구심성신경섬유는 기계적 수용성으로 변하게 되어 새로운 기능을 가진 구심성 신경회로를 형성하게 된다. 즉 신경학적인 이상 또는 염증 등 어떠한 병리학적 상태에서 절박성요실금이나 방광통을 일으킬 수 있는 새로운 기능을 가진 구심성 신경로를 형성하는 C 신경섬유가 동원될 수 있다. 따라서 유해 자극에 의해 유도된 방광 과잉 활성을 감소시키는 C 신경섬유 신경독소인 캅사이신의 효능은 C 신경섬유 구심질이 병리학적 조건에서 하부요로 기능 장애에 중요한 역할을 한다는 것을 나타낸다(Cheng et al, 1995; de Groat and Yoshimura, 2006; de Groat and Yoshimura, 2012; Kanai, 2011).

요도에 이어진 구심성신경섬유들은 요로상피, 요로상피하 신경총 및 근섬유들 사이 혈관주위까지 요도의 모든 부위에 분포되어 하부요로의 기능을 조절한다(Hökfelt et al, 1978; Warburton and Santer, 1994). 몇몇 종의 경우 구심성 신경들이 요로상피의 강표면(luminal surface)까지 확장되어 있다. 요도를 둘러싸고 있는 횡문괄약근은 근육다발들 사이를 지나는 신경다발에 주로 국한된 매우 드문 구심성신경 지배를 받는다. 대부분의 횡문근에서 현저하게 특화된 장력수용체들(근육방추들)의 지배를 받는 반면 횡문괄약근들에서 이들이 없거나 저밀도로 존재하고 큰 직경의 유수 IA군 구심성신경들의 지배를 받는다.

요도구심성신경섬유에 대한 연구결과가 여러 종의 동물에서 확인되었다. 개에서 골반신경보다 음부신경의 요도구심성신경섬유에서 액체의 흐름에 대하여 민감하게 반응함이 밝혀졌고(Talaat, 1937이는 고양이에서도 동일자극에 대하여 음부신경의 전도속도가 약 2배 빠르게 반응하는 것으로 나타났다(Todd, 1964). 쥐의 골반신경의 요도구심성신경섬유는 높은요도내압에 의해 활성화됨이 알려졌는데(Feber et al, 1998요도 내 식염수 주입에 의한 요도구심성신경자극이 쥐의 부피 유발반사 방광수축을 향상시킨다. 또한 고양이에서 요도구심성 전기자극이 방광의 수축반응을 유발함이 증명되었다(Jung et al, 1999). 요도의 통각수용성 C 신경섬유는 골반신경의 요도구심성신경섬유에 풍부한데 캡사이신 등으로 활성시 쥐의 반사방광수축을 억제하는 것으로 알려졌다(Jung et al, 1999; Yang et al, 2010).

축삭 추적 연구들은 쥐/생쥐의 배근신경절 내 구심성 신경세포의 6~20%는 여러골반기관들을 신경지배할 수 있음을 확인하였다(Keast and de Groat, 1992; Christianson and Liang, 2007). 쥐의 경우 이러한 신경세포들의 대부분이 흉요수 후근신경절 내에 존재한다. 반면에 생쥐의 경우, 이러한 신경세포들은 대부분 요천수 후근신경절 내에 있다. 다른 연구들은 한 기관(방광 또는 대장)의 화학적 자극이 다른 기관의 활성을 촉진시키거나 민감하게 만들 수 있음을 제시하였다(Pezzone et al, 2005). 전기생리적 실험들은 급성 대장자극이 방광내 구심성 C 신경섬유들을 기계적 화학적 자극에 감작시킬 수 있고(Ustinova et al, 2006; Ustinova and Fraser, 2007방광으로부터 구심성 자극을 받아들이는 요천수 중간신경세포의 점화(firing)를 증진시킬 수 있음을 보여주었다(Qin and Malykhina, 2005). 쥐에서 대장과 방광 모두를 신경지배하는 L6–S2배근 신경절내의 요천수 수렴성신경세포들(convergent neurons)은 trinitrobenzene sulfonic acid (TNBS)로 대장자극 후 3일 뒤 활동전위 점화 에 대한 전압과 전류 역치가 감소되었다(Qin and Malykhina, 2005). 이러한 영향은 분명한 대장염증이 없어도 30일간 지속되었다. 대장염은 또한 캡사이신에 대한 반응을 향상시켰고 L6–S2배근신경절에서 분리된 방광구심성신경세포들에서 tetrodotoxin–resistant Na^+ 전류의 최고 진폭을 증가시켰다. 대장염증 후 방광기능의 변화는 또한 방광으로의 콜린성 원심성 경로의 변화에 의한 것으로 보인다(Noronha and Akbarali, 2007). 활동성 대장염증이 있는 동안 대장으로 TNBS 주입 3일 후 방광에는 염증이 발생하지 않았다 그러나 전기장자극 또는 cabachol에 의하여 유도된 수축에는 별다른 변화가 없었다. 대장 염증의 회복 중 그리고 이후(15~30일) 방광의 수축반응은 정상으로 회복되었다. 방광기능 이상은 방광과 대장 모두를 신경지배하는 구심성신경 일부의 감작에 의하여 유도되는 내장장기의 혼선에 의하여 발생하였음을 나타낸다.

5) 요로상피와 구심성신경과의 상호작용

요로상피(urothelium)는 일차적인 장벽으로 여겨졌으나, 최근 연구에서는 요로상피 세포가 통각수용기나 기계수용기 같은 감각신경과 유사한 특성 있고 다양한 사용을 통하여 요로상피가 수동적인 장벽의 역할 뿐만 아니라 특수한 감각과 신호전달 단위로도 작용할 수 있음이 알려졌다(Birder L, Andersson, 2013). 요로상피세포에서 다양한 종류의 신경과 관련된 수용체 및 이온통로가 발현되어 있는데 브래디키닌(Chopra et al, 2005), 뉴로트로핀(TrkA 및 p75), 퓨린(P2X, P2Y) (Chopra et al, 2008; Tempest et al, 2004), 노르에피네프린(α,β)(Birder et al, 2002; Kullmann et al, 2011), 아세틸콜린(무스카린성, 니코틴성)(Kullmann et al, 2008; Beckel and Birder, 2012), 프로스타글란딘E2 수용체가 있으며, 아밀로라이드/ 기계적–감응(mechano–sensitive) 나트륨 이온통로와(Wang et al, 2003; Araki et al, 2004), TRP (Transient receptor potential; TRPA, TRPV, TRPM) 이온통로(Mochizuki et al, 2009; Stein et al, 2004; Yamada et al, 2009)등이 확인되었다. 요로상피 세포가 낮은 pH, 높은 K^+, 증가된 삼투압 및 낮은 온도 등 기계적 또는 화학적 자극에 반응하여 이러한 수용체 및 이온통로를 통해 활성화되면 NO, ATP, 아세틸콜린, 프로스타글란딘 및 substance P 등 구심성신경에 대한 흥분성 및 억제작용이 있는 화학매개체를 차례로 방출할 수 있다(Burnstock, 2001; Birder and Andersson, 2013; Birder et al, 2003). 따라서, 요로상피는 국소적인 화학적 및 기계적 자극에 반응하고 중추신경계에 정보를 전달하는 방광의 구심성신경에 화학신호를 전송하여 방광 감각에 대한 구심성신경에서의 활동을 조절할 수 있다.

사람의 요로상피 하부 및 배뇨근 내에는 Cx43을 함유한 간극연결(gap junction)로 광범위하게 연결된 간질세포 네트워크가 있으며 이는 방광 벽에서 신호와 반응을 통합하는 기능적 통합체로 작동한다(Brading and McCloskey, 2005; Sui et al, 2002; Sui et al, 2004). 이 간질세포 네트워크는 요로상피에서 분비되는 여러 화학매개체의 의하여 구심성 신경발화가 변형

될 수 있다. NO는 염증이 있을 때 요로상피에서 방출되며, 요로상피를 제거하면 NO의 방출이 85%까지 감소하는 것으로 알려졌다(Birder et al, 2001). NO는 배뇨근에서 칼슘이온통로를 억제하여 구심성 반사활동을 저해한다(Masuda et al, 2007; Ozawa et al, 1999; Pandita et al, 2000; Yu and de Groat, 2013). 이러한 NO의 작용은 간질성방광염/방광 통증 증후군(interstitial cystitis/bladder pain syndrome; IC/BPS), 특히 Hunner 병변을 가진 사람들에서 입증이 되었다(Hosseini et al, 2004; Koskela et al, 2008; Logadottir et al, 388). 방광이 신전되는 동안 요로상피에서 방출된 ATP는 $P2X_2$ 및 $P2X_3$ 수용체를 발현하는 요로상피하 구심체를 활성화시키며, 방광충만 및 통증의 변화를 신호화한다. 방광내 ATP는 의식이 있는 쥐에서 배뇨근과활성을 유도하며(Pandita and Andersson, 2002) $P2X_3$ 수용체가 결여된 쥐는 저 활동성방광을 갖는 것으로 나타났다(Cockayne et al, 2000; Vlaskovska et al, 2001). 무스카린 수용체는 요로상피에 고밀도로 발현되어 있으며, 요로상피와 구심성신경의 상호작용에서 아세틸콜린이 방출되면 배뇨근의 수축력은 증대된

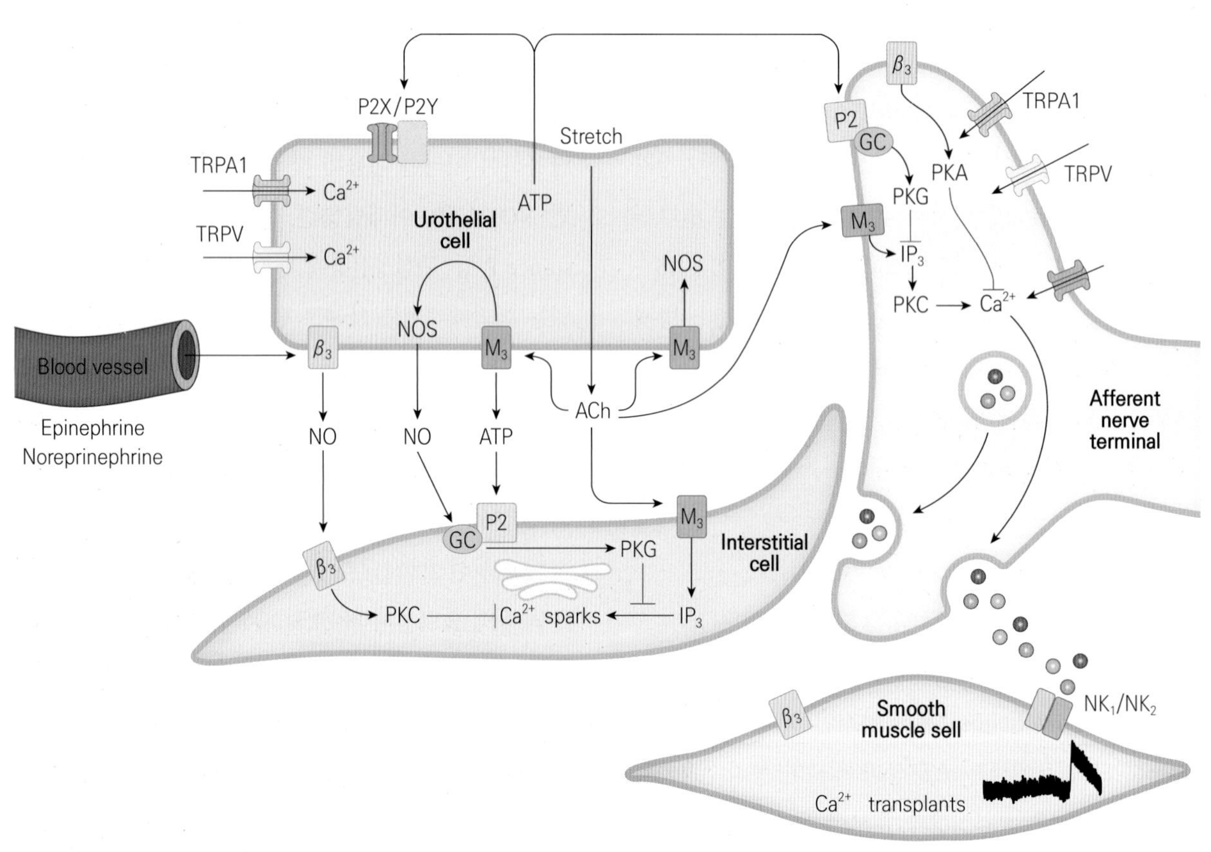

그림 2-3. **방광의 요로상피세포와 구심성신경, 간질세포, 평활근세포 혈관세포 사이의 상호작용**

다(Hawthorn et al, 2000; Yoshida et al, 2003). 이는 스트레칭과 노화에 의해 증가된다. 무스카린성 수용체의 활성화는 ATP 등의 방출을 유발하여 구심성신경과 평활근 활동을 조절한다(Birder and Andersson 2013; de Groat, 2004; Hawthorn et al, 2000; Kullmann et al, 2008). 방광의 아세틸콜린 방출은 성호르몬 수준에 좌우될 수 있으며, 난소가 절제된 성인암컷 쥐에서 아세틸콜린 방출이 현저히 감소함이 밝혀졌다. 폐경 후 여성노인의 배뇨근수축력 감소에 대한 원인이 될 수 있다(Yoshida et al, 2003). 요로상피에서 분비되는 프로스타글란딘은 배뇨근 활성의 조절과 출혈성 방광염에서 요로상피를 보호하는 역할을 하며, 인간의 요로상피에서는 프로스타글란딘E2가 우세한 것으로 알려졌다(Jeremy et al, 1987). EP1 수용체가 발현된 쥐의 요로상피에서 분비된 PGE2는 ATP 분비를 유발하는 것으로 알려졌으나 EP1 수용체가 결여된 쥐에서는 PGE2가 방광의 과활동성이 유도되었다(Wang et al, 2008). 그 외 방광 기능에 영향을 미칠 수 있는 다른 미확인 인자들이 있다(Andersson and Wein, 2004). 이러한 기전이 예를 들어 과민성방광의 병리 생리학에 관여 할 수 있다고 하더라도, 그 기능적 중요성은 여전히 확립되어야 한다.

요로상피 세포는 자가분비(autocrine) 또는 주변분비(paracrine) 기전에 의해 활성화될 수 있다. 방광의 신전은 구심성신경 말단 또는 간질세포 및 요로상피 세포의 P2수용체에 작용하는 ATP를 방출한다. 또한 방광의 신전은 이들 세포의 무스카린성 수용체(M3)에 작용하는 ACh를 방출하면 NO가 생성될 수 있다. 에피네프린 또는 노르에피네프린은 또한 β3: c수용체를 활성화시켜 요로상피에서 NO를 방출한다(Birder and Andersson, 2013).

3. 중추신경계

중추신경계는 뇌와 척수로 이루어져 있으며, 하부요로기능에 관여하는 2개의 배뇨신경중추과 3개의 신경핵들이 위치하고 있다. 척수를 살펴보면 천수에는 1차배뇨중추 및 앞에서 언급한 천수부교감핵(sacral parasympathetic nucleus; SPN)과, 횡문괄약근을 조절하는 Onuf핵(Onuf's nucleus)이 있다. 흉요수에는 소변저장에 관여하는 또 다른 신경핵(교감신경계)이 있으며 이 신경핵이 자극되면 방광은 이완되고 방광경부는 닫히게 된다. 뇌에서 가장 아래쪽에 위치하는 뇌간(brainstem)은 중뇌(midbrain), 교뇌(pons), 연수(medula oblongata) 부위를 통칭하여 일컬으며, 이중 뇌교에는 교뇌배뇨중추(Pontine micturition center, PMC)인 2차배뇨중추가 있어 배뇨기가 되면 방광이완을 중지시키는 신호와 괄약근을 이완시키는 신호를 아래로 보낸다. 가장 상부인 대뇌에서는 배뇨반사를 억제하는 신호를 보내는 것으로 알려져 있으며 인간의 기능적 뇌 영상검사의 발달로 배뇨와 관련한 뇌영역의 연구가 활발하게 진행되었다. 또한 Pseudorabies 바이러스 같은 신경친화성(neurotropic) 바이러스를 장기에 주입하여 말초신경계에서 중추신경계로의 이동에 대한 연구를 통해 배뇨조절에 관여하는 척수와 뇌영역 사이의 연결이 밝혀졌다. 그림 2-4와 같이 배뇨를 조절하는 회로에는 일차구심성신경, 척수원심성신경, 척수중간신경 및 척수반사를 활성화하거나 조절하는 뇌신경의 신경세포 이렇게 네 가지 기본구성 요소가 있다.

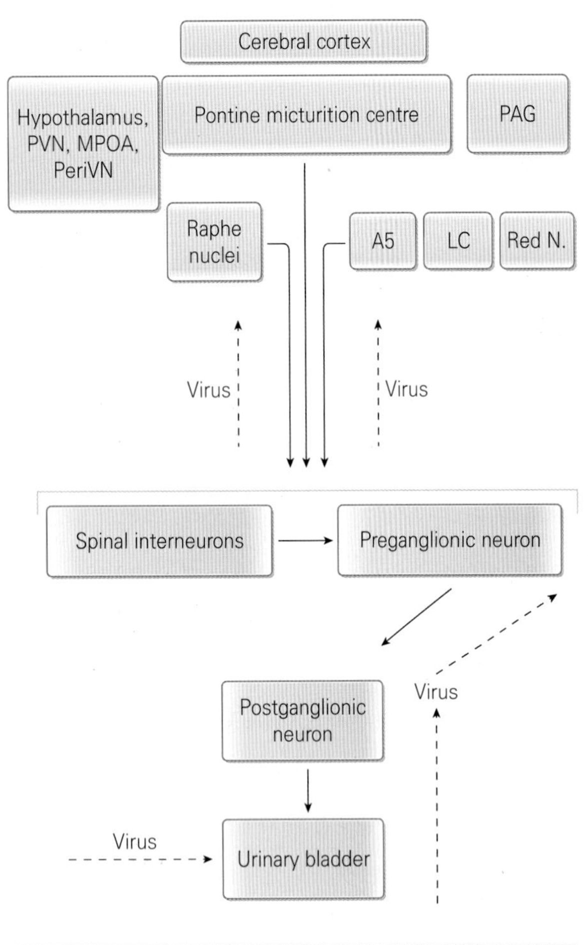

그림 2-4. **배뇨 조절에 관여하는 척수와 뇌영역 사이의 연결**

신경친화성 바이러스를 방광에 주입하여 중추신경으로의 역행성 수송 경로를 연구를 통해 배뇨를 조절하는 회로에 일차구심성신경, 척수원심성신경, 척수중간신경 및 척수반사를 활성화하거나 조절하는 뇌신경의 뉴런 이렇게 네 가지 기본구성 요소가 있음이 밝혀졌다. 바이러스 수송에 의해 표지된 뇌부위는 교뇌배뇨중추, 대뇌피질, 뇌실주위핵(periventricular nucleus), 내측시각교차앞구역(medial preoptic area, MPOA) 및 심실 핵이 포함된다. 시상하부, 수도관주위회색질(periaqueductal gray, PAG), 청반(locus ceruleus) 및 subcoeruleus, 적핵(red nucleus), 봉선핵(raphe nucleus), 및 A5 noradrenergic 세포 그룹, 상부 척수신경세포에서 시냅스 입력은 척수 신경절이전신경세포 또는 척수사이신경세포로 신호를 보낼 수 있다(Fowler et al, 2008).

1) 척수

척수에서의 구심성 경로는 대뇌 혹은 절전신경 그리고 운동신경핵(motor nuclei)을 포함하는 척수의 다른 영역으로 정보를 전달하는 이차사이신경세포(second-order interneuron)에서 끝나게 된다. 신경회로는 방광요도 그리고 괄약근 반사를 중개하기 때문에 사이신경세포기전(interneural mechanism)은 하부요로 기능의 필수적인 역할을 하게 된다. 전기신경학적인 그리고 신경해부학적인 연구는 방광으로부터 구심성 전보를 받아들이는 척수의 동일한 부위에 하부요로의 사이신경세포(interneuron)가 존재함을 확인하였다(Birder and de Groat, 1993; de Groat et al, 1981, 1996; McMahon and Morrison, 1982a, 1982b).

그림 2-2에서 보여지는 것과 같이 외요도괄약근과 항문거근으로부터의 구심성신경섬유는 천수의 서로 다른 지역에 투사된다. 또한 외요도괄약근의 구심성 신경섬유는 방광과 요도를 신경지배하는 골반신경의 구심성신경섬유의 투사지역과 매우 근접하게 중복된다. 외요도괄약근 운동신경세포와 신경절 이전 부교감 신경세포의 수상돌기는 서로 비슷하며 약리학적실험결과 글루탐산이 이러한 경로에 흥분신경전달물질로 작용

한다는 것이 밝혀졌다. 또한 5번판(laminae V)에서 7번판(laminae VII)에 있는 천수부 교감 신경핵의 내측에 존재하는 사이신경세포의 약 15%는 신경절 이전 부교감 신경세포와 억제성의 신경연결을 형성하며(de Groat et al, 1996) 이러한 억제성 신경세포는 감마아미노부티르산(GABA)와 glycine을 분비한다. 외요도괄약근을 조절하는 반사경로는 또한 글루타메이트성 흥분기전과 가바글라이신 억제기전을 이용한다. 방광에 주입한 Pseudorabies의 이동에 의해 밝혀진 사이신경세포는 천수의 부교감신경핵과 등쪽연결부(dorsal commissure; DCM) 뒷뿔(dorsal horn)의 바깥쪽판(laminae)에 위치해 있다(Morgan et al, 1981; Nadelhaft and Booth 1984; Nadelhaft et al, 1983). 요도나 외요도괄약근에 바이러스를 주입한 후에도 비슷한 곳의 중간신경세포들에 바이러스가 분포하는 것을 관찰하였는데 이는 하부요로의 다양한 목적 장기를 통제하는 중간신경세포 경로가 현저하게 중복됨을 설명해준다(Vizzard et al, 1995; Nadelhaft and Vera; 1995, 2001).

배뇨반사는 피부와 횡문근으로부터 나오는 구심성 자극에 의해 활성화된 중간신경세포 기전에 의해 척수 부위에서 변화될 수 있으며, 또한 내장장기로부터의 신경전달에 의해 변화될 수 있다(de Groat, 1975, 1978; de Groat et al, 1981, 1993; McMahon and Morrison, 1982; Torrens and Morrison, 1987; Morrison et al, 1995; Yoshimura and de Groat, 1997). 여러 부위(항문, 대장지장진 자궁경부음경히음부음부신경)으로부터의 구심성신경섬유의 자극은 방광팽창에 의하여 유발되는 천수중간신경세포의 활성을 억제할 수 있다(de Groat et al, 1981, 1993). 이러한 억제 기전은 일차구심성신경말단에서의 시냅스전 억제 또는 이차신경세포의 시냅스후의 직접적인 억제에 따라 일어날 수 있다. 또한 방광의 절전부교감신경세포의 직접적인 시냅스후 억제는 음부신경의 구심성신경 축삭의 자극에 의하거나 또는 하부내장으로부터의 구심성신경섬유의 자극에 의해 유발될 수 있다(de Groat, 1978). 천수자극에 의한 방광의 과활동성의 억제는 부분적으로 이러한 내장방광(visceral bladder) 그리고 체성방광(somatic bladder) 억제반사의 구심성섬유의 활성화를 반영한다고 할 수 있다(Chancellor and Chartier–Kastler, 2000).

2) 뇌간: 교뇌+PAG

종말장기인 방광과 요도괄약근보다 더 상부로 올라가면 방광과 요도괄약근을 조절하는 중추인 교뇌배뇨중추가 있다. 교뇌배뇨중추의 신경세포는 착수 상부의 여러 개의 신경세포군과 상호 연결되는데 이러한 연결은 배뇨와 다른 장기의 기능을 조화시킬 수 있다. 비록 사람에서의 경로는 확실하지 않지만 뇌의 영상연구는 배뇨시 교뇌에서 이 부위의 혈류증가를 보여주고 있다(Blok and willemsen, 1997). 이러한 변화는 아마도 신경활성의 증가를 반영한다고 볼 수 있으며 따라서 교뇌배뇨중추가 배뇨에 대단히 중요함을 나타낸다고 할 수 있다. 후방교뇌피개(dorsal pontine tegmentum)가 배뇨에 대한 근본적인 제어중심부위로 확고히 확립되었다. 이것은 Barrington(1921)에 이해 처음 기술되었으며 Barrington 핵은 교뇌배뇨중추 또는 내측에 위치한다는 이유로 M region으로 불린다.

동물실험결과 아래둔덕(inferior colliculus) 부위에 있는 뇌간의 신경세포가 배뇨의 부교감신경조절에 중심적인 역할을 하는 것으로 밝혀졌다(de Groat et al, 1993; Yoshimura and de Groat, 1997). 이 부위 상부의 뇌의 제거는 상부로부터의 억제성 입력의 제거에 의하여 일반적으로 배뇨를 촉진시킨다. 그러나 이 부위 아래의 어느 곳이라도 절단하게 되면 배뇨가 소실된다. 교뇌배뇨중추의 신경세포는 천수의 신경절이전부교감신경세포 뿐만 아니라 천수등쪽연결부위 영역의 GABA 신경세포에 직접적인 연결을 하고 있다(Blok·Holstege, 1997; Blok등, 1997a). 전자는 방광으로의 흥분을 전달하는 반면, 후자는 외요도괄약근 운동신경세포에 억제반응을 전달하는데 중요한 것으로 생각된다. 이러한 상호간의 연결의 결과로 교뇌배뇨중추는 방광괄약근 조화를 조장한다. 방광충만으로 교뇌가 자극되면 교뇌는 신호를 아래로 보내어 방광이완을 중단시키고 동시에 요도괄약근들을 이완시키며 방광이 수축하도록 한다. 즉 교뇌는 소변의 배출이 이루어질 수 있도록 요도괄약근 이완과 배뇨근 수축을 조정(coordination) 한다.

축삭을 통해 청반(locus coeruleus)과 천수에 신호를 전달하는 것뿐만 아니라 교뇌배뇨중추의 신경세포는 내장의 작용을 조절하는 변연계와 연관된다고 생각되는 뇌실곁 시상핵(paraventricular thalamic nucleus)에 축삭을 평행하게 전달한다(Ding et al, 1997; Page and valentino, 1994; Rouzade-Dominguez et al, 2001). 교뇌배뇨중추의 어떤 신경세포들은 통증경로뿐만 아니라 많은 내장의 작용을 조절하는 중뇌수도관주위회색질(periaqueductal gray) 영역에 연결되기도 한다(Valentino et al, 1996). 둘 다 두뇌의 더 높은 영역에 방광에 관한 정보를 전달할 수 있고, 방광 충만 또는 배뇨를 억제하거나 강화하기 위하여 대뇌 통제 시스템에서 정보를 다시 수신할 수 있다(Valentino et al, 2011). 중뇌수도관주위회색질은 대뇌와 방광사이에서 중요한 위치를 차지한다. 하부요로에서 소변의 저장과 배뇨 사이의 기능 전환은 배뇨반사는 정상적으로 척수연수척수(spinobulbospinal) 반사에 의해 중계된다(Fowler et al, 2008; Griffiths and Fowler, 2013). 방광이 충전되는 도중, 방광에서의 구심성 신호는 특정 임계값을 초과할 때까지 뇌간 특히 중뇌수도관주위회색질 부위에 활성이 일어난다. 어떠한 통제가 없는 경우에 배뇨반사가 일어난다. 즉 교뇌배뇨중추가 활성화되면, 요도괄약근은 이완되고, 방광의 수축 및 배뇨가 시작된다. 방광이 다 비워지면 소변을 다시 저장하기 시작한다. 쥐를 통한 뇌영상검사에서 방광충만이 일어나는 동안 중뇌수도관주위회백질은 교뇌배뇨중추가 비활성 상태인 동안 방광으로부터의 구심성 입력에 의해 활성화된다(Tie et al, 2004). 방광 부피가 임계값에 도달하면 배뇨가 이루어지는데 이는 중뇌수도관주위회색질 및 교뇌배뇨중추의 활성을 통해 이루어진다.

3) 대뇌: 인간뇌영상연구를 통한 여러 조절기전

배뇨조절에 관여하는 뇌의 부위에 대하여 단일광자방출컴퓨터단층촬영(single photon emission-computed tomography; SPECT), 양전자방출단층촬영(positron emission tomography; PET) 그리고 기능적자기공명영상(functional magnetic resonance imaging; fMRI) 등을 이용한 뇌 영상연구들이 진행되었다(Fukuyama et al, 1996; Lane and Wager, 2009; Torrens and Feneley, 1982). 몇몇 연구들에서는 방광충만의 인지 그리고 방광이 채워지는 동안 배뇨하고 싶은

욕구에 관여하는 뇌의 부분들을 평가하였고, 다른 연구에서는 배뇨하는 동안 배뇨를 자제하기 위해 골반저를 수의적으로 수축하는 동안 또는 방광의 냉자극 동안 뇌활성을 연구하였다. 이러한 영상연구로 배뇨와 관련한 기능적 뇌 영상을 몇 가지 필수 요소로 단순화하여 정상적인 기능과 요실금, 과민성 방광 등 병리학적 조건에서 손상된 방광의 제어에 대한 근거들을 제시했다(Abrams et al, 2002). 기본적으로 가장 상부의 신경체계인 대뇌는 방광수축을 억제시키도록 작용한다. 이는 인간이 가지는 사회화와 관련하여 기본적인 배뇨기전에 더욱 세련되고 고도화된 배뇨조절기능이 부여된 것이다. 건강한 일반인들에서 소변을 저장하는 동안 방광과 요도의 구심성자극은 중뇌수도관주위회색질로 전해지고 대뇌섬에서 감지되어 정상적인 요의의 감각을 형성하게 된다. 이러한 과정은 전방대상회에 의하여 모니터 된다. 그리고 배뇨를 하겠다는 결정이 전두전엽에서 내려질 때까지 배뇨반사는 지속적으로 억제된다. 절박성요실금 환자들은 전두전엽피질 또는 변연계에서 약한 반응성 또는 불활성이 관찰되는데 이것은 척수상부의 방광조절의 결손을 유도하여 절박성요실금을 일으킬 수 있다. 그리고 전방대상회에서 증가된 반응성은 비정상적인 방광 구심성신경자극 또는 다른 뇌부위에서 조절의 상실과 관련될 것이고 요절박과 연관성이 있을 수 있다. 따라서 뇌가 성숙되지 않은 영유아나 퇴행성 신경질환이 있는 노인은 신경계 기능이 떨어져 소변을 잘 참지 못하게 된다(Griffiths and Tadic, 2008; Tadic et al, 2012, 2013).

PET 스캔을 이용한 뇌활성 변화의 연구에서 중뇌수

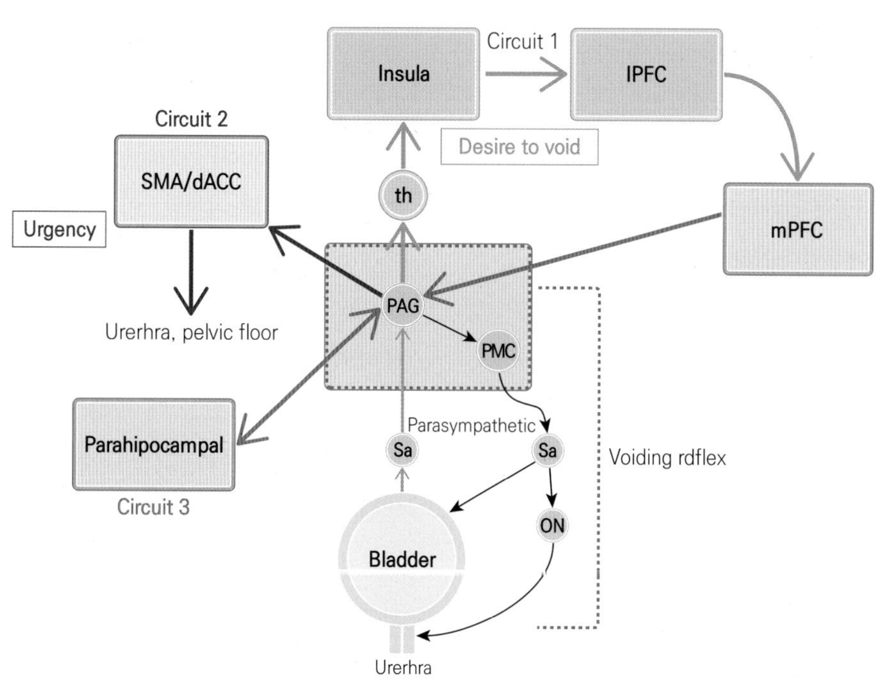

그림 2-5. **하부요로 조절의 간단한 작동 모델 제어 시스템의 간단한 작동 모델.** 배뇨반사(보라색) 및 세 종류 경로(주황, 연보라, 파랑) PAG:중뇌수도관주위회색질, PMC:교뇌배뇨중추, th:시상, mPFC:내측전두엽피질, IPFC:측면전두엽피질, SMA:보조모터영역, dACC:등쪽전방대상피질.

도관주위회색질(PAG)이 방광충만에 관한 정보를 받아들이고, 이러한 정보를 방광저장의 조절에 관여하는 다른 뇌부위로 전달한다는 근거들이 밝혀졌다. 방광이 채워지는 동안 중뇌수도관주위회색질, 중심교뇌 전부 및 중부 대상회, 전부 대뇌섬, 그리고 전두엽의 양측 부위에서 뇌활성이 증가됨을 확인하였다(Athwal and Berkley, 1999, 2001; Matsuura et al, 2002). 정상 성인 남녀를 대상으로 배뇨하는 동안 우측 후외방전두전엽(dorsolateral prefrontal cortex)과 전방대상회(anterior cingulate gyrus) 두 피질부위가 활성화되고, 그 외 시각교차앞구역(preoptic area)을 포함한 시상하부, 교뇌, 그리고 중뇌수도관주위회색질 또한 수의적 배뇨와 관련된 활성을 보여주었다(Blok and Willemsen, 1997; Blok and Maarseveen, 1998). 또 다른 연구에서는 배뇨하는 동안 교뇌, 하전두회(inferior frontal gyrus), 시상하부 그리고 중뇌수도관주위회색질에서 증가된 활성과 관련됨을 확인하였고, 여러 다른 피질부위들인 중심후회(postcentral gyrus), 상전두회(superior frontal gyrus), 시상, 대뇌섬(insula) 그리고 담창구(globus pallidus)과 소뇌충부(cerebella vermis)에서 또한 활성이 증가함을 보여주었다(Nour et al, 2000). 배뇨를 시도했지만 실패한 사람들에서는 내측 전두엽 활동이 덜 뚜렷하였으나, 우측 복측교뇌피개(ventral pontine tegmentum)의 활성화가 관찰되는데 이는 골반저의 운동신경을 조절하는 곳이 이 부위라는 개념과 일치하는 것이다(Blok et al, 1997). 파킨슨병 환자들에서 한 PET 연구는 배뇨근과활동성이 나타나는 동안 중뇌수도관주위회색질 보조운동영역, 기저핵 그리고 소뇌의 활성화를 보고하였다(Kitta and Kakizaki, 2006).

최근 기능자기공명영상법(functional magnetic resonance imaging, fMRI)연구는 상대적으로 저렴하고 방사능이 필요하지 않아 배뇨와 관련한 뇌활성 연구에 있어 각광받고 있다. 다소 시끄러운 fMRI 신호로부터 신뢰도 높은 데이터를 얻기 위해 긴 시간 동안 방광의 충만 및 배뇨와 관련된 동작을 수없이 반복 및 평균화하게 된다(Krhut et al, 2005, 2012; Seseke et al, 2006). 남성과 여성에서 시행한 fMRI연구들의 경우, 소변을 저장하는 동안 활성은 보조운동영역(supplementary motor area), 중부대상회 피질, 대뇌섬 그리고 우측 전두전엽(prefrontal lobe) 에서 확인되었고 우측 전부 대뇌섬 그리고 중뇌수도관주위회색질은 작은 방광용적(상태)에서보다 좀 더 큰 방광용적에서 좀 더 활성이 증가함이 발견되었다. 다른 fMRI 연구들은 또한 가득 찬 방광에서 골반저부 수축의 영향을 평가하였으며 두정부피질, 소뇌, 피각 그리고 보조운동영역 또는 전두부피질 기저핵 그리고 소뇌의 활성화를 보고하였다. 또한 다른 영상학적인 연구들과 상호 보완적인 결과를 도출할 수 있다. 예를 들어, SPECT (Yin et al, 2008) 및 PET (Blok et al, 1997) 연구에 따르면 하전두회(inferior frontal gyrus)는 방광을 용량으로 채운 후 양측으로 활성화되지만, 이 부위는 fMRI에서 덜 분명하게 보이는 이 부위는 외측전두전엽(lateral prefrontal cortex; LPFC) 라고 통합하여 명명되었다. fMRI를 이용하여 건강한 일반인들과 배뇨근과활동성이 확인된 환자들과 비교하였을 때 방광충만은 중뇌수도관주위회색질, 시상, 대뇌섬 그리고 전방대상회에서의 활성과 연관된다. 그러나 큰 방광용적(상태)에서 전두전엽피질 또는 변연계에서의 약한 반응 또는 불활성화뿐만 아니라 전방대상회에서의 두드러진 반응들이 요절박요실금 환자들에서 관찰되었다(Griffiths et al, 2005, 2007; Fowler et al, 2008).

하부요로의 조절과 조절장애와 관련된 중추신경계

의 영상학적 연구는 흥미로운 연구분야이다. 그러나 아직 이와 관련된 연구결과들은 예비단계의 결과이다. 한편 이러한 연구의 대상 환자들은 실험동안 그들의 방광에 대하여 생각하고 의식할 것이고, 또 실험에 따라 도뇨관을 유치할 수도 있는데 이는 자연적으로 또는 인공적으로 활성화 되어지는 뇌의 부분을 변화시킬 수도 있어 영상학적 연구결과에 영향을 미칠 수 있다.

4. 배뇨조절의 반사회로

인간과 동물 둘 다에서 방광이 채워지는 동안 배뇨를 유도하기 위한 임계 부피가 될 때까지 방광의 압력은 상대적으로 낮고 일정한 수준을 유지한다. 방광이 충만되지 않은 동안에는 방광에서 나오는 낮은 수준의 구심성 신호가 지속적으로 교감신경계와 천수를 자극하여 소변이 계속 저장되도록 한다. 따라서 방광은 능동적으로 이완되고 요도괄약근들은 수축된 상태로 유지된다. 방광이 가득 충만되면 방광의 강한 구심성 신호가 2차배뇨중추인 교뇌로 도달된다. 교뇌는 1차배뇨중추의 부교감 신경계를 자극하여 방광을 수축하게 하면서 체성신경계를 통해 횡문괄약근의 수축을 멈추게 만든다. 또한 교감신경계의 자극을 풀어 방광이완을 멈추게 하고 방광경부(평활요도괄약근)를 열게 한다. 이러한 방식으로 기본적인 방광과 요도괄약근의 수축과 이완이 이루어진다. 종합하면 요로계는 소변을 저장할 때는 교감신경위주로 배출할 때는 부교감신경위주로 작동된다.

하부요로의 기능을 조절을 위하여 뇌와 척수에 형성된 많은 반사경로가 방광과 요도 사이의 상호관계를 조화를 유지하는 간단한 on–off 스위치회로로 구성되어 있다(그림 2-6, 표2-2). 어떤 반사는 배뇨를 촉진시키는 역할을 하며 개개의 반사가 복잡한 피드백 기전을 형성하기 위하여 서로 연결되어 있을 수 있다. 예를 들면 방광충만 시에 괄약근 수축을 일으키는 방광외요도괄약근 보호반사(guarding reflex)는 방광으로 들어가는 부교감 경로의 억제를 일으키는 괄약근 구심성신경섬유를 활성화 시킬 수 있다. 따라서 이러한 반사기전의 변화는 신경인성하부요로기능 이상을 일으킬 수 있다. 천수 신경근의 전기적 자극에 의한 이러한 반사의 직접적인 자극은 천수신경근 조절을 통한 치료적인 효과에 기여하게 된다(de Groat et al, 2001; Kavia et al, 2010).

1) 요저장기를 조절하는 반사회로

소변의 저장기에는 방광에서 낮은 수준의 방광구심성 신호가 지속적으로 발생된다. 이 신호는 고위까지 올라가지 않고 척수 수준에서 머무르면서 흉요수의 교감신경을 자극하여 내요도괄약근을 수축시키고 방광이 능동적으로 이완되게 한다. 또한 체성신경을 통해 음부신경을 자극하여 외요도괄약근을 수축시켜 소변이 저장될 수 있도록 한다. 방광용적의 증가에 따른 방광의 적응은 일차적으로 방광평활근의 내인성 성질에 따른 수동적 현상과 부교감 원심성 경로의 활성 정지에 따른다(Torrens and Morrison, 1987; de Groat et al, 1993; Yoshimura and de Groat, 1997). 방광교감신경(bladder to sympathetic) 반사는 음성피드백(negative feedback)으로서 작용하고 요도출구의 폐쇄를 일으키고 방광충만 중에 방광의 수축을 억제하는 저장

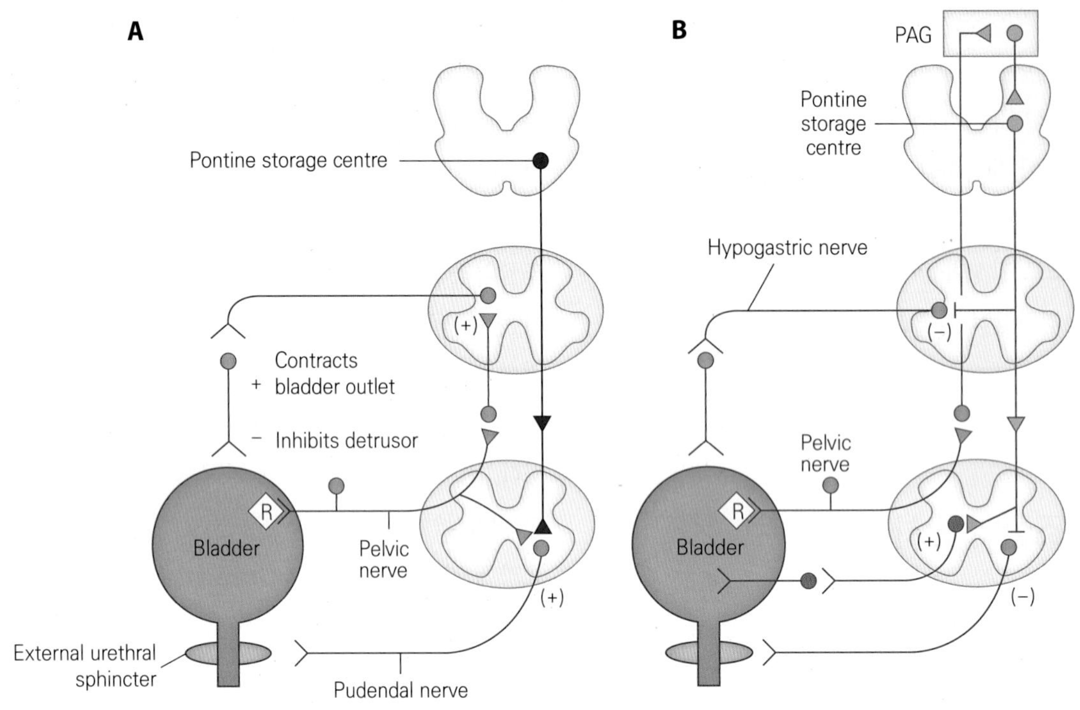

그림 2-6. **배뇨반사의 종류.** (A) 요저장반사. 소변의 충만중에 방광의 팽창은 낮은 수준의 방광구심성신경을 활성화시킨다. 이것은 방광출구(방광기저부와 요도)로의 교감신경과 외요도괄약근으로의 음부신경을 자극한다. 척수반사경로에 의하여 일어나는 이러한 반응은 '보호반사'라 불리며 요자제를 가능하게 한다. 또한 교감신경은 배뇨근과 방광신경절에서의 신경전도를 억제한다. (B) 요배출반사. 배뇨가 시작될 때 방광의 구심성신경의 활성은 뇌간의 배뇨중추를 자극하여 척수보호반사를 억제한다. 또한 교뇌배뇨중추는 방광과 내요도괄약근으로 가는 부교감 신경을 자극한다. 배뇨반사의 유지는 교뇌배뇨중추에 이르기 전에 중뇌수도관주위회색질을 통하는 척수로부터의 구심성자극의 입력에 따른다(Fowler et al, 2008).

표 2-2. **하부요로의 반사**

구심성경로		원심성경로	중추경로
요저장	낮은 수준의 방광구심성신경의 활성화(골반신경)	외요도괄약근수축(체성신경)	척수반사
		내요도괄약근수축(교감신경)	
		배뇨근억제(교감신경)	
		방광신경절 전도억제(교감신경)	
		천수의 부교감경로 불활성화	
요배출	높은 수준의 방광구심성 신경의 활성화(골반신경)	외요도괄약근 활성화 억제	척수연수척수반사
		교감경로 억제	
		방광의 부교감경로 활성화	
		요도의 부교감경로 활성화	

기전에 기여하게 된다(de Groat and Theobald, 1976)(표 2-2). 하부요로로의 교감신경반사의 활성은 방광의 팽창에 의해 유도되는 구심성신경의 활성에 의해 야기되어진다(de Groat et al, 1993, 1996). 이러한 반사반응은 요천수에서 형성되어지며 만약 흉수 부위에 손상이 있다 하더라도 계속 유지될 수 있다. 그러나 양측 후복막 림프절절제술을 시행해서 교감신경절이 손상되면 요저장기에 방광의 수축을 억제하는 방광교감신경기전이 약해지게 된다.

방광충만중에 괄약근 근전도의 활성은 증가되는데 이는 음부신경의 원심성 활성의 증가를 반영하며 출구저항을 증가시켜 요자제를 유지하는데 기여하게 된다. 음부신경의 운동신경세포는 방광의 구심성 신호입력에 의해 활성화되며(보호반사) 반면에 배뇨중에는 운동신경세포가 반대로 억제된다. 또한 외요도괄약근의 운동신경세포는 음부신경에 존재하는 요도회음부 구심성신경섬유에 의해 활성화되며 이러한 괄약근 반사는 척수에서 형성되어 진다. 배뇨중 외요도괄약근 반사 활성의 억제는 부분적으로 천수상부의 기전에 따른다. 따라서 장기적인 척수장애가 있는 경우 이러한 억제기전이 약하거나 없어서 결과적으로 배뇨근괄약근 협동장애(detrusor sphincter dyssynergia)처럼 방광과 괄약근이 수축하는 현상이 나타나게 된다(Rossier and Ott, 1976; Blaivas, 1982).

(1) 요도괄약근 저장반사

방광의 충만중에 외요도괄약근의 수축을 조절하는 운동신경세포는 방광의 구심성 신호입력에 의해 활성화된다(Thor and de Groat, 2010). 요천수로 들어가는 음부신경의 구심성 경로의 자극은 배뇨기능을 억제할 수 있다. 이러한 억제는 음경 질 직장 회음부 요도괄약근 및 항문괄약근과 같은 여러 부위로부터 들어오는 구심성 신경자극의 활성화에 의해 일어날 수 있다. 외요도괄약근의 반사수축은 요실금에 기여하며 척수의 중간신경의 활성화를 억제하여 음부신경에서 구심성 축삭을 자극한다(de Groat et al. 2001; Mcguire et al, 1983). 고양이를 대상으로 한 전기생리학적 실험에서 배뇨의 억제가 천수의 사이신경세포들 또는 부교감신경절 이전 신경세포로부터 직접적으로 매개됨이 밝혀졌다(Holstege et al, 1986; Holstege and Mouton, 2003; Kuru, 1965; Kuru and Iwanaga, 1966). 외요도괄약근의 수축 그리고 다른 골반횡문근의 수축은 근육의 고유감각(proprioceptive) 구심성신경을 활성화하여 배뇨반사를 억제하기 위한 기전을 활성화시킨다.

(2) 교감저장반사

하부요로에 대한 교감신호의 입력은 배뇨에는 필수적이지 않지만 방광의 저장기능에 기여한다. 교감신경의 외과적 절단 또는 약리학적인 차단은 요도 유출 저항을 감소시키고 방광용량을 줄여 일정한 부피 조건하에서 방광수축의 빈도와 진폭을 증가시킬 수 있다(de Groat and Booth, 1980). 교감반사 활동은 골반신경에 있는 방광구심성 신호에의해 시작되는 요천수 사이 척수반사경로에 의해 유발된다(de Groat and Lalley, 1972). 방광내압이 배뇨를 하기위한 임계값으로 도달하기 전까지는 반사경로가 억제된다. 방광교감반사는 방광이 충전 도중 더 큰 양을 수용할 수 있도록 억제성 되먹임 장치로 역할하나 배뇨 중에는 방광을 완전히 비울 수 있도록 꺼져있다.

(3) 뇌간-척수 저장기전

교뇌배뇨중추에 위치한 교뇌소변저장센터(pontine

urine storage center; PUSC)의 전기 자극은 외요도괄약근을 자극하고, 반사방광활동을 억제하여 방광 용량을 증가시키고 교뇌배뇨중추 자극의 방광 흥분 효과를 억제한다(Sugaya et al, 2005). 교뇌소변저장센터 프로젝트의 영역에서 뉴런은 차례로 요추 척수에 투영하는 신경세포를 포함하는 수질(nucleus raphe magnus; NRM)에서 전기(de Groat, 2002; McMahon and Spillane, 1982; Morrison and Spillane, 1986; Sugaya et al, 1998)또는 화학적 자극(Chen et al, 1993) 반사방광 활동의 세로토닌 억제를 유도한다. 따라서 PUSC 내의 신경세포는 흐름을 따라 천골 부교감 핵(Sugaya et al, 2005) 억제 경로를 활성화시킬 수 있다.

2) 요배출기를 조절하는 반사회로

방광의 저장기는 불수의적(반사적)또는 수의적으로 요배출기로 전환될 수 있다. 소변량이 배뇨역치를 초과하였을 때 방광에 존재하는 장력수용체로부터의 구심성활성이 강력하게 증가하고, 곧장 교뇌의 배뇨중추로 전달된다. 교뇌배뇨중추가 자극되면 교감신경과 체성신경의 활성을 둘 다 억제시키고, 부교감신경로를 활성시켜 배뇨근을 수축시킨다. 소변의 배출 시는 먼저 요도괄약근의 이완이 있은 후 수초 내에 방광의 수축 방광압력의 증가, 그리고 소변의 배출이 이루어진다. 배뇨 중 요도평활근의 이완은 부교감신경의 활성화에 의해 요도에서 억제성 신경전달물질인 산화질소(Nitric oxide; NO) 의 분비를 일으키고 요도로 들어가는 흥분성 신호입력의 제거에 의하여 이루어진다(Andersson, 1993; Bennett et al, 1995). 또한 요도를 통한 소변의 요류에 의한 2차적 반사가 소변의 배출을 더욱 촉진시키게 된다(Torrens and Morrison, 1987; de Groat et al, 1993; Jung et al, 1999). 이 반사들은 신경축의 다양한 부위에서 신경들의 통합작용을 필요로 한다. 방광근육과 요도로의 부교감신경의 흐름은 더 복잡하게 중심부로 조직화되어 있으며 교뇌배뇨중추를 지나가는 척수와 척수연수척수경로(spinobulbospinal pathway)와 관계된다. 그 외 국소적으로 작동하는 신경회로들이 있다. 소변이 마려울 때 의식적으로 골반저근을 수축하고 있으면 방광수축을 억제할 수 있다 (guarding reflex). 이렇게 방광수축이 사라지는 현상은 바로 국소 반사궁(local reflex arc) 작동에 의한 것이다.

(1) 요도방광반사

Barrington(1931, 1941)은 소변의 배출 또는 카테터에 의한 요도의 기계적인 자극은 구심성신경을 자극하여 마취된 고양이에서 반사적인 방광수축을 촉진시킨다고 보고하였다. 그는 이러한 촉진적인 요도방광반사가 방광의 배출을 완전히 이루어지도록 만든다고 하였다. 이러한 반사에는 두가지 요소가 관여하는데 한가지는 음부신경에 있는 체성 구심성신경경로에 의해 활성화되며 교뇌배뇨중추를 포함하는 척수상부기전에 의해 촉진을 일으킨다. 다른 한 요소는 골반신경에 있는 내장 구심성신경경로에 의해 활성화되며 척수반사기전의 촉진으로 이루어진다.

쥐에 대한 연구에서 Barrington의 보고를 뒷받침해주는 경로들이 나왔다(Jung et al, 1999). 요도를 통해 관류(0.075 ml/min)를 지속적으로 시행하며 방광수축반사를 측정하였더니 관류를 멈추거나 1% 리도카인을 요도에 주입하였을 때 배뇨반사의 빈도가 감소하는 것을 관찰할 수 있었다. 또한 요도내 Nitroprusside 1 to 2mM 또는 산화질소 공여체(nitric oxide donor (S–nitroso–N–acetylpenicillamine; SNAP))을 주입하였을 때 요도관류압은 30% 정도 크게 감소하였으며 반사성 방광수축의 빈도도 45% 에서 70%까지 감소하였으나 방광수축의 정도는 변화하지 않았다. 요도로 캡사이신을 주입하여 요도의 구심성신경을 탈감작시키면 배뇨반사가 극적으로 변화한다.

결론적으로 요도내 관류 중 요도 구심성신경의 활성은 배뇨반사를 변화시킬 수 있으며 이러한 것은 복압성 및 요절박요실금이 여성에서 왜 같이 존재하는지를 설명해 준다고 하겠다. Chancellor는 복합성요실금(mixed urinary incontinence)을 가진 여성에서 요도내로의 소변누출이 구심성신경을 자극하여 배뇨근불안정을 증가시킨다고 하였다. 이러한 이론이 복압성요실금이 요절박요실금을 유발할 수 있다는 가설이 된다(Lavelle and Chancellor, 2000). 따라서 복합성요실금을 가진 여성에 대한 복압성요실금의 수술적인 치료는 환자의 반수 이상에서 요절박요실금의 회복을 나타내게 된다.

(2) 방광연수방광 배뇨반사(Vesico–Bulbo–vesical Micturition Reflex)

고양이와 쥐의 전기생리학적 실험은 교뇌배뇨중추(PMC)를 구성하는 교뇌(pons)의 신경 회로를 포함하는 방광연수방광(vesico–bulbo–vesical) 경로를 통해 배뇨반사가 일어난다는 증거를 제공한다. 시상하부와 대뇌피질은 배뇨에 중요한 대뇌부위이다(Fowler et al, 2008; Griffiths, 2004; Griffiths et al, 2005; Holstege, 2005). 방광충만은 방광벽 내 장력 수용체의 활성화를 증가시키고 Aδ 섬유에서 구심성 활동을 증가시킨다. 이 섬유들은 척수 신경에 저장반응을 증가시키기 위해 증가된 교감신경을 매개하는 척수신경에 작용한다(저장 반사). 또한, 척수신경은 구심성신경 활동을 척수 및 뇌의 보다 상위 영역으로 전달한다(Blok and Holstege, 2000). 방광으로부터의 구심성 정보가 전달되는 주요 부위는 수도관주위회색질이다(Fowler et al, 2008; Holstege, 2005; Kuipers et al, 2006). 수도관주위회색질은 방광의 구심성신경세포와 대뇌 피질과 시상 하부의 정보를 모두 받게 된다. 이 정보는 수도관주위회색질과 교뇌배뇨중추의 중간부분에 통합되어 있으며, 이는 배뇨반사의 하부경로를 통제하게 된다. 따라서 교뇌배뇨중추는 구심성 섬유에서 낮은 활성이 특정 임계값에 도달할 때 부교감 경로를 활성화할 때 하강 경로를 통해 부교감성 활동을 억제하여 배뇨반사를 전환하게 된다. 이는 방광충전의 임계값에 이르면 뇌에서 더 많은 지역의 정보가 입력되어 이루어지는 것으로 여겨진다.

고양이의 경우, 척수 상부를 손상시키면 더 많은 뇌줄기 부위에서 억제성 입력을 제거하여 배뇨가 촉진되나 척수 하부의 손상은 배뇨를 억제한다(cheng et al, 1999; de Groat et al, 1990). 따라서, 교뇌배뇨중추에 대한 억제 입력의 변형은 방광 용량의 변화를 초래한다. 예를 들어 쥐를 대상으로 한 실험에서 배뇨 역치는 교뇌배뇨중추 신경세포에서 감마아미노부티르산–효소 저해 기전에 의해 조절된다는 것을 보여준다(Miyazato et al, 2008; Pehrson and Andersson, 2002).

(3) 방광척수방광 배뇨반사(Vesico spinal vesical micturition reflex)

요천추 수준에서 머리쪽 척수 병변은 방광연수방광(vesico–bulbo–vesical) 경로를 방해하고 상부척수 기능과 배뇨의 수의적인 조절을 방해한다(Anderson and Wein, 2004). 이 결과로 반사반응이 없는 방광에서 처음에 요정체에 이르게 된다. 자동으로 방광척수방광 배뇨반사가 천천히 발생하여 방광과 요도의 동시 수축하는 방광 괄약근 운동 장애로 인해 배뇨가 일반적으로 불충분하게된다. 만성 척추손상 고양이 모델에서 이 반사의 구심성 사지는 방광 팽창에 일반적으로 반응하지 않는 무수화 C 섬유를 통해 전달되어 방광에서 구심성 수용체의 변화된 성질을 시사한다는 것이 증명되었다.

5. 배뇨반사를 조절하는 중추경로

배뇨기능에 대한 대뇌의 영향은 여러가지 경로에 의하여 조절된다. 신경친화성이 있는 Pseudorabies 바이러스를 이용한 연구를 통해 하부요로와 관련한 다양한 피질의 영역들이 밝혀졌다(Vizzard et al, 1995; Nadelhaft·Vera, 1996; Marson, 1997; Sugaya et al, 1997b). 배뇨작용에 대한 피질의 영향은 전두전엽피질(prefrontal cortex)과 대뇌섬피질(insular cortex)에서 교뇌배뇨중추로 투사되는 경로들 혹은 시상하부나 추체외로계로 투사되는 경로들에 의해 조절된다. 그 외 배뇨의 수의적인 조절이 전두엽과 시상하부의 중격(septal) 시각교차앞(preoptic) 영역 사이의 연결뿐만 아니라 중심주위소엽(paracentral lobule)과 뇌간사이의 연결을 통해 이루어짐이 밝혀졌다(De Groat et al, 1993). 대뇌피질에 이러한 영역에 병변이 생기면 대뇌로부터의 억제조절 제거되어 직접적으로 방광의 활성이 증가한다. 사람에서의 대뇌에 대한 영상연구는 배뇨의 조절에 전두엽과 대상회(cingulate gyrus)의 앞부분이 관련되어 있으며, 배뇨가 현저하게 뇌의 우측에 의해 조절되고 있음을 보여준다(Fukutama et al, 1996; Blok, 1997).

배뇨에 실패했을 때 우측하전두회의 혈류가 증가하였고, 소변을 참는 동안에는 우측 전대상회의 혈류가 감소하였다. 이 결과는 사람의 뇌간이 배뇨조절을 담당하는 특별한 핵을 가지고 있고, 배뇨와 관련된 대뇌피질과 교뇌의 영역이 주로 우측에 존재함을 시사한다. 이 결과는 134명의 만성 반신마비 환자를 대상으로 빈뇨와 요절박 등에 대한 임상적 분석을 시행한 결과와 일치한다. 24시간 중 8회 이상의 빈뇨를 가진 환자들은 우측 마비보다도 좌측 마비에서 더 많이 발견되었다. 또한 좌측 마비 환자들은 또한 우측마비 환자들보다 요절박을 더 많이 호소했다.

다음과 같은 4가지 조건 즉 휴식기/ 반복적인 골반저의 긴장상태/ 지속적인골반저의 긴장상태/ 지속적인 복부의 긴장상태 하에 여성을 대상으로 한 PET 연구를 통해서 골반저의 운동 지배를 담당하는 뇌의 부위를 확인하였다. 이 연구결과를 통해 운동피질의 제일 내측에 있는 상내측 중심전회(superomedial precentral gyrus)는 골반저가 수축하는 동안 활성화되고 상회측 중심전회(superolateral precentral gyrus)는 복근이 수축하는 동안 활성화됨이 밝혀졌다. 이러한 조절들 하에서 소뇌, 보조운동피질(supplementary motor cortex), 시상(thalamus) 들에서의 저명한 활성화가 관찰되었다.

일반적으로 기저핵(basal ganglia)이나 시상에만 병변이 있는 환자는 정상적인 요도괄약근 기능을 가지게 된다. 이러한 환자들은 수의적으로 횡문괄약근을 수축시키고 비억제성배뇨근수축이 일어날 때 비정상적인 배뇨반사가 없어지거나 상당히 감소될 수 있다. 그러나 뇌졸중 등으로 인해 대뇌피질이나 내섬유막(internal capsule)에 병변이 있는 환자들은 횡문괄약근의 수의적 조절을 위해 필요한 대뇌 피질척수(cerebral to corticospinal) 회로에 심각한 이상이 생겨 횡문괄약근을 강력히 수축시킬 수 없다.

1) 경로1: 전두전엽피질(prefrontal cortex)과 대뇌섬피질(insular cortex) 경로

대뇌섬(insula)은 내장 감각을 등록하는 시간성 구심성 피질로 여겨진다(Craig, 2003a; Kuhtz-Buschbeck el al, 2005). 시상에 중계된 척수의 라미나1에서 작은 직경섬유에서 구심성신호를 통해 내장을 포함한 전신의 생리적 상태의 감각정보를 수신한다(Craig, 2003b). 배뇨에서 중요한 것은 방광충만정도에 대한 감각정보이다. 건강한 일반인에서 방광충만에 대하여 배뇨에 대한 욕구가 증가하며 대뇌섬의 활성화가 관찰된다(Griffiths et al, 2005; Kuhtz-Buschbeck el al, 2005). PET스캔 연구에 따르면 배뇨 중에는 내측전두전엽(medial prefrontal cortex; mPFC) 영역이 활성화되는 것으로 나타난다. 배뇨에 있어 전두전엽피질의 중요성은 여러 연구에서 증명되었으며, 방광 기능에 장기적인 영향을 미치며, 임상적으로 입증된 병변의 위치가 내측전두엽 부위의 백색 물질 에 있었다는 것을 강조했다 내측 전두전엽(medial prefrontal cortex) 회백질부위 병변은 상대적으로 단기요실금으로 이어지게 된다(Ueki, 1960; Andrew and Nathan, 1964; Fowler and Griffiths, 2010). 소변을 참거나 방광이 차있는 동안 특히 요절박요실금에서는 내측전두전엽피질 부분이 방광 충만에 반응하여 비활성화된다(Athwal et al, 2001; Griffiths and Tadic, 2008; Tadic et al, 2012).

내측전두전엽 비활성화가 기능 장애인지, 요실금의 원인인지, 또는 배뇨반사가 억제되고 있다는 징후, 요실금을 촉진하는 기전인지는 아직 명확하지 않지만, 후자의 해석이 맞다면 요실금 기전을 다음과 같이 제안할 수 있다. 무의식적 배뇨 또는 요실금이 있을 경우, 대뇌섬 및 전두전엽피질의 입력을 감소시켜 반활경로를 통하여 내측전두전엽으로, 수도관주위회색질에 대한 입력을 감소시키면, 배뇨반사를 안정화시킨다. 수도관주위회색질 활성감소에 따른 요실금 유지경로는 일반적인 기전에서는 활성화되지 않는 바 이는 부적당한 방광수축을 피하기 위하여 필요로 하는 사람들에 의해서만 이용되는 요실금의 경로인 것처럼 보인다. 대뇌섬이 정상적인 노인 여성과 행동치료에 반응하는 요절박요실금을 가진 여성에서 활성화됨이 확인되었다. 또한 불응성 요절박요실금 환자에서 대뇌섬의 활성화의 부족이 나타났다(Blok et al, 1997; Griffiths et al, 2005).

2) 경로2: 등쪽전방대상피질(Dorsal anterior cingulate cortex; dACC) 및 보조운동영역(Supplementary motor area; SMA)

방광에 소변이 가득 차서 정확한 시간과 장소가 자발적인 통제 하에 있더라도 배뇨를 하기까지 점점 불쾌한 느낌이 지속된다. 등쪽전방대상피질은 동기부여 및 이러한 신체 각성 상태를 감지하는 변연 모터 피질로 간주될 수 있다(Critchley et al, 2003; Devinsky et al,

1994). 일반적으로 등쪽전방대상피질은 인접한 보조운동영역과 함께 활성화되며, 이 부위의 활성화는 골반저근육 및 횡문괄약근의 수축을 유발한다(Kuhtz-Buschbeck et al, 2007; Schrum et al, 2011; Seseke el al, 2006). 등쪽전방대상피질의 활성화는 심박수의 교감조절과 연관되며(Wager et al, 2009), 각각 α 및 β 아드레날린 수용체를 통해 방광수축을 억제하고 요도평활근을 수축하는 교감 활동을 통해 배뇨를 억제하는데 도움이 될 수 있다. 따라서 급성 요절박요실금이 있을 때 등쪽전방대상피질과 보조운동영역은 긴급한 감각과 요도괄약근의 수축을 모두 생성하여 배뇨가 될 때까지 연기할 수 있는 능력을 강화하며 화장실에 도달하게 한다. 즉 이 회로는 요절박요실금 또는 과민성방광을 환자에서 보이는 경로로 생각된다.

3) 경로3: 해마곁피질(Parahippocampal cortex) 경로

정상인의 방광충전시간은 대부분 긴 시간동안 천천히 채워지며, 방광이 충만되기까지 느껴지는 감각은 거의 없다. 그러나 뇌에서는 무의식적인 모니터링이 지속적으로 이루어지고 있어, 방광충전이 되는 과정에서 방광 부피가 작고 약간의 감각이 있을 때에 PAG 및 중간하부 측두엽인 해마곁피질의 활성화가 이루어지며 이 상황에서는 앞서 기술한 피질 영역과는 관련이 없는 것처럼 보인다(Tadic et al, 2013). 방광충만이나 방광을 비우는 능력이 없는 파울러증후군(Fowler's syndrome) 여성의 연구에서 천수의 신경조절에 의한 방광감각의 회복은 뇌간 및 해마곁 경로와 유사한 변화를 유발한다(Kavia et al, 2010). 즉 중뇌수도관주위회색질이 일반적으로 방광변화를 모니터링하고 뇌의 나머지 부분과 방광 관련 신호를 교환하는 경로일 수 있음을 시사한다. 해마곁피질은 편도체에 가깝기 때문에, 배뇨와 관련한여 '안전'한 감정적인 측면과 연관이 있을 것으로 생각된다. 작은 방광부피에서 무의식적으로 해마곁피질 경로가 작동하며 이는 방광이 충만되었더라도 배뇨하고자 하는 욕구는 감정적으로 안정하고 사회적으로 적절한 상황에 이르지 않는 한 배뇨에 이르지 않는 것으로 추정된다. 해마곁피질(Parahippocampal cortex) 경로에 대한 연구는 다른 두 경로에 비하여 연구가 조금 더 진행되어야 할 것이다.

6. 요약

1) 하부요로계의 신경지배의 요약 (Summary of innervation of lower urinary tract)

척추의 경추, 흉추, 요추, 천추로 구분하고, 26-30개의 척추골로 구성된다. T10-L2의 흉요수부위와 S2-S4의 천수부위로 구분할 수 있고 각각 교감신경, 부교감신경, 그리고 체성신경의 특수한 부위인 Onuf's 핵으로 구성되는데 이 핵의 운동뉴런은 수의적으로 조절하는 요도의 횡문근(external rhabdosphincter)을 지배한다. 또한 발기와 사정에 관여하는 좌골해면체근(ischiocavernosus) 과 구면해면체근(bulbocavernosus muscles) 들을 조절하는데 여기의 뉴런은 신호를 전달하는 시냅스 전달방법에 있어 특징이 있는데, 시냅스전 뉴런이 신경전달물질(neurotransmitter)을 분비, 확산시켜서 시냅스 후 수용체에 결합하는 방식으로 신호를 전달하는 과정에서 앞 뉴런의 시냅스를 같이 받아도 축삭말단(axon terminal)에 자율신경에서와 같은 치밀소포들(dense core vesicles)이나 분비과립들(secretory granules)이 부족한 것으로 알려져 있다. 이 핵의 운동뉴런에는 세로토닌(serotonin, 5-HT), 노르에피네프린(norepinephrine, NE)의 수용체가 풍부하며 신경전달물질인 글루타메이트(anion of glutamic acid, L-Glutamate)에 의해 활성화된다. 이렇게 5-HT, NE으로 활성화되면 배뇨를 억제하는 보호반사(guarding reflex)가 일어나 갑작스런 복압의 상승시 배뇨를 방지한다. 요실금에 관련해서는 요도의 요류(urine flow)와 요자제(continence)에 관여하는 세층의 근육이 있는데; 가장 내측의 세로모양의 평활근섬유(inner band of longitudinal smooth muscle), 중간층의 원형모양의 평활근섬유(middle band of circular smooth muscle), 가장외측의 횡문괄약근(rhabdosphincter)으로 불리는 횡문근 로 구성되며, 교감, 부교감 및 말초신경의 체성신경 분지(somatic branch)의 지배를 받는다. 우선 교감신경은 상부 요추척수부위의(upper lumbar spinal cord)에 있는 교감 신경절전 뉴런(sympathetic preganglionic neurons)에서 하복신경(hypogastric nerve)을 따라 주행하여 세로모양과 원형모양의 평활근층(longitudinal and circular smooth muscle layer)에 분포한다. 부교감 신경은 천추 척수부위(sacral spinal cord)에 있는 부교감 신경절전 뉴런(parasympathetic preganglionic neurons)에서 오며 역시 세로모양과 원형모양의 평활근층(longitudinal and circular smooth muscle layers)에 분포한다. 체성신경(somatic nerve)은 Onuf's 핵으로 알려져 있는 천수의 복측 또는 배쪽 전각(ventral or anterior horn)에 있는 운동뉴런(motor neuron)에서 기원한다. 회음부신경(pudendal nerve)도 Onuf's 핵에서 분지(extension) 해서 직접 외요도괄약근(rhabdosphincter muscle)을 지배한다. 교감신경성 요저장반사(sympathetic storage reflex)는 골반신경-하복신경 상호반사(pelvic-to-hypogastric reflex)라 하며, 방광이 신장(stretching)되면서 NE이 분비되면서 시작된다. 체성신경성 요저장반사(somatic storage reflex)는 골반신경-회음부신경 상호반사 또는 배뇨억제보호반사(pelvic to pudendal or guarding reflex)라고 알려져 있고 복압(abdominal pressure)이나 배뇨근압력(detrusor pressure)이 올라가서 발생하는 방광압(vesical pressure)상승을 유발하는 웃음, 재채기, 기침 등의 상황에서 시작된다. L-Glutamate가 반사의 주된 흥분성 신경전달물질(primary excitatory transmitter)로 NMDA (N-methyl-D-aspartate), AMPA (α-amino-3-hydroxy-5-methyl-4-isoxazolepropionic acid) 세포막관통(transmenbrane) 이온수용체(ionotropic receptor)를 자극해서 활동전위(action potential) 을 올리고, 이렇게 올라간 세포막의 활동전위가 아세틸콜린(acetylcholine) 분비를 자극해서 외요도횡문괄약근(rhabdosphincter muscle fibers)을 수축시킨다. 이러한 보호반사(guarding reflex)가 제대로 기능을 못하면 복압성요실금이 발생한다고 본다.

하부 요로의 신경학적 조절을 운동뉴런(motor neuron)과 감각뉴런(sensory neuron)의 관점에서 나누어 볼 수도 있다. 우선 감각신경의 방광, 요도의 수용체에서 중뇌(midbrain)의 수도관주위회색질(Periaqueductal gray, PAG)를 통해 대뇌피질로 감각을 전달하고 대뇌에서 전달된 감각을 인지하고 의사결정(decision-making)의 과정을 거치게 된다. 운동신경세포는 위운동신경세포(upper motor neuron, UMN)와 아래운동신경세포(lower motor neuron, LMN)로 구분하고 위운동신경세포는 뇌간(brain stem)에서 저장과 배뇨를 조절(coordination) 해서 조화된 배뇨(synergic voiding)가 이루어지도록 한다. 아래운동신경세포는 척수에서 근육의 수축이 이루어지도록 하는데 그 신경세포들은 천수에 있고, 특히, Onuf's 핵이라는 특이한 뉴런 그룹에서 외요도괄약근의 수축을 담당해서 수의적인 괄약근 수축을 통해 방광압이 오르는 상황에서 요자제를 유지하게 해준다. 부교감신경은 S2-S4에서 기원해서 방광근육의 수축을 담당하고, 교감신경은 방광목을 포함하는 요도평활근의 수축을 담당해서 보호반사시 수축을 담당한다.

2) 임상적 고찰의 요약 (Summary of clinical significance)

일반적으로 정상의 상황에서는 위운동신경세포가 아래운동신경세포를 억제하고 있는 신경생리적 상태를 유지한다. 따라서 아래운동신경세포에 장애가 생기는 하부척수손상(Lower spinal cord injury) 또는 말초신경손상(peripheral nerve injury)에서는 요폐/복압성요실금/불량한 방광순응도(Poor compliance) 상태가 생길 수 있으며, 위운동신경세포의 장애를 유발하는 상부척수손상, 대뇌손상 등에서는 배뇨근괄약근협동장애(detrusor-sphincter dyssynyergia, DSD), 자율신경반사기능장애(autonomic dysreflexia, AD), 배뇨근과활동성(detrusor overactivity, DO) 등이 발생할 수 있다. 감각뉴런에 장애가 생기는 대뇌손상에서는 방광의 충만(bladder filling)과 요도 내 소변의 흐름(urine flow)을 인지하지 못하는 감각 장애(unawareness)와 의사결정 장애로 인해 외요도괄약근을 이완하지 못해 배뇨를 시작하지 못해서 발생하는 요폐와 배뇨의 시간과 장소를 결정하지 못해서 발생하는 유뇨증(enuresis), 야간뇨(nocturia) 그리고 요절박요실금 등의 문제가 생길 수 있다. 이렇게 하부요로계의 신경지배를 몇가지 관점에서 요약할 수 있으며 우리가 준수해야할 일반신경비뇨기(neurourology) 질환의 진료와 치료원칙은 신장기능의 보존, 자율신경반사기능장애의 예방이 우선이며, 그다음 저장증상, 배뇨증상 의 개선 순으로 이루어진다.

3) 신경비뇨의학 연구의 방향(Direction of neurourological research)

노화 과정이나 신경학적 장애를 동반하는 질병상태에서는 불필요한 배뇨중추의 활성으로 대뇌의 억제성 조절이 약해진다. 이에 동반되는 야뇨증이나, 하부요로증상은 대부분 대뇌에서 억제 조절되지 않는 척수반사에 의한 것으로 추론하기도 한다. 따라서 뇌의 배뇨중추가 병적으로 활성화 되는 것에 영향을 미치는 외부적인 요인들(external local effects) 을 제어할 수 있다면 이러한 병적 활성화를 조절할 수 있으며 치료의 표적이 될 수 있을 것이다. 향후 이러한 가능성의 증명은 노화, 퇴행성 뇌질환 등과 같이, 배뇨장애를 동반하는 질환의 이해와 치료제의 개발에 도움이 될 것으로 기대된다. 현재 신경인성(neurogenic)을 포함한 하부요로장애(lower urinary tract dysfunction)를 동반하는 환자들을 진단하고 치료할 때 장애 원인의 표현형(phenotype)을 결정하는데 최종적으로 요역동학검사가 이용된다. 이를 통해 근원성(myogenic, urotheliogenic), 신경인성(neurogenic)을 결정하고 신경인성에서도 손상의 부위를 탐색할 수 있다. 이어서 여기에 연관되는 제어 가능한 병태생리적인 요소들을 찾아서 그것들을 조절함으로써 치료를 진행한다. 이러한 기존의 치료방식은 말초의 치료표적(peripheral treatment targets)들을 대상으로 이루지는 한계를 가진다. 따라서 향후 위에서 언급한대로 뇌의 배뇨중추에서의 중추성 억제(central inhibition)를 방해하는 요인들을 탐색할 수 있는 통합적인 연구방법이 있다면 이를 통해서 방해 요인들에 대한 여러 가지 조절 방법을 찾을 수 있을 것이다. 또한 신경인성 방광 질환들의 표현형을 구별할 수 있는 방법도 찾을 수 있을 것이다.

4) 신경비뇨의학 연구의 전망 (Neurourological research perspectives)

현재 여러 가지 기능적 영상연구들을 포함한 선행 연구들을 통해 배뇨와 연관된 뇌의 특정영역(배뇨중추), 특정 신경세포 또는 신경세포군들이 특정되어 있고 동물실험을 통해 특정영역의 활성과 비활성의 상태가 정상배뇨와 배뇨장애에 어떻게 연관되어 있다는 것이 밝혀지고 있다. 그러나 어떻게 그런 일이 벌어지는지 기초적인 기전을 알지 못하는 실정이다. 그러다 보니 이런 변화를 조절할 수 있는 방법을 구체적으로 찾지 못하는 것이다. 신경비뇨기과학적으로 대뇌에서 배뇨의 조절에 특정 신경전달물질들(neurotransmiters, neuropeptides)이 시냅스 연결의 활성과 억제에 어떤 역할을 하는지 관찰하고 테스트하는 것이 기초적인 기전 연구에 필수적인 신경비뇨의학 연구이다. 또한 특정 신경세포가 배뇨상태와 어떻게 연동되는지 실시간으로 모니터링할 수 있어야 하며 특정 생리적 상태(노화, 수면, 학습) 또는 특정 병리적 상태(척수손상, 대뇌손상, 퇴행성 뇌질환)에서 특정영역의 신경세포를 활성화 또는 비활성화 함으로써 실제배뇨에 어떤 영향을 미치는지 실시간으로 확인할 수 있으며, 특정 치료가 신경세포의 활성도에 영향을 미치는지 그리고 이러한 영향이 배뇨의 변화와 어떻게 연동이 되는지를 탐색할 수 있어야 한다.

선체 참고문헌 목록은
배뇨장애와 요실금 웹사이트 자료실
(http://www.kcsoffice.org)에서
확인할 수 있습니다.

하부요로의 약리

Pharmacology of the lower urinary tract

배재현

1. 말초신경계의 약리작용

1) 콜린성기전

인체의 방광에는 콜린성 무스카린수용체가 존재 하며 수축작용에 주로 관여한다(Sibley, 1984). 무스카린 수용체는 5개의 아형(M1–5)들이 존재하며(Caulfield, 1993; Somogyi et al, 1994; Eglen et al, 1996), 사람의 방광에서는 M3와 함께 M1, M2수용체의 존재가 밝혀졌다. 이 중 M2수용체가 가장 풍부하게 분포하지만 콜린성 수축을 주도하는 것은 M3수용체이다(Kondo et al, 1995). 그러나 신경인성방광 등의 병적인 상황에서는(Pontari et al, 2004) 무스카린수용체 아형에 매개되는 배뇨근수축이 M3에서 M2수용체 아형으로 변형되며(Braverman·Ruggieri, 2003; Braverman et al, 2006). 배뇨기전에 있어 성별에 따른 차이가 있다(Matsui et al, 2002; Igawa et al, 2004).

M2와 M3수용체는 배뇨근수축뿐 아니라 타액분비, 동공수축에도 중요한 역할을 담당한다(Matsui et al, 2000, 2002; Igawa et al, 2004). M3 관련 신호는 소화기계와 생식기계에서는 중요한 역할을 하지 않는다(Matsui et al, 2000).

아세틸콜린에 의한 M3수용체의 자극은 이노시톨삼가인산(inositol triphosphate; IP3)을 발생시키고, IP3는 세포 내 근육세포질세망(sarcoplasmic reticulum)에 있는 칼슘을 유리시킴으로써 세포 내 칼슘 농도를 상승시켜 평활근수축을 일으킨다(Andersson·Arner, 2004; Andersson·Wein, 2004; Schneider et al, 2004). 포스포리파아제 C 또한 M3수용체에 의한 배뇨근수축을 매개하여 L형 칼슘통로 활성화에 관여한다(Braverman et al, 2006; Fry et al, 2002; Hashitani et al, 2000).

M2수용체는 M3 자극에 대한 반응을 강화한다(Hegde et al, 1997). M2수용체는 ① 아데닐레이트사이클라아제(adenylate cyclase)를 억제하여 교감신경을

통한 방광배뇨근이완을 방해하고, ② 칼륨통로를 비활성화하거나, ③ 비특이성 양이온통로의 활성화를 통해 간접적으로 배뇨근수축에 관여한다.

무스카린수용체의 활성은 또한 Rho kinase 경로를 자극하여 미오신 인산분해효소(myosin phosphatase)를 직접적으로 억제함으로써 칼슘에 대해 민감하게 만들고, 이는 낮은 세포 내 칼슘 농도에서도 동일한 수축력을 가지도록 근력을 항진시킨다(Andersson·Wein, 2004; Schneider et al, 2004). Rho kinase작용에는 M2 및 M3수용체가 관여한다.

무스카린길항제(표 3-1)는 요실금의 치료에 가장 많이 사용되는 약물이다. 무스카린길항제는 방광 선택적이지 않기 때문에 다른 장기에 영향을 미쳐 부작용이 발생한다. 가장 흔한 부작용은 구갈인데, 이는 침샘 분비가 억제되어 발생한다.

무스카린수용체는 방광의 신경근접합 근위부인 콜린성신경말단에도 존재한다(D'Agostino et al, 1986; Somogyi·de Groat, 1992; Somogyi et al, 1996; D'Agostino et al, 1997; Braver-man et al, 1998; D'Agostino et al, 2000). 신경근접합 근위부에 존재하는 M1수용체의 활성화는 아세틸콜린의 분비를 촉진하고(Somogyi·de Groat, 1992; Somogyi et al, 1996), M2와 M4수용체의 활성화는 아세틸콜린의 분비를 억제한다(D'Agostino et al, 1997; Braverman et al, 1998). 이 억제성 M2와 M4수용체는 낮은 강도 신경활성의 자동되먹임기전에 의해 우선적으로 활성화되기 때문에 요저장기에 활성화되어 콜린작용을 억제한다(Somogyi·de Groat, 1992).

반면 M1수용체들은 배뇨 시와 같이 지속적인 신경전달이 진행되는 동안 활성화되기 때문에 배뇨 시 콜린작용을 증대시켜 완전한 요배출을 유발한다. 억제성

표 3-1. 방광에 작용하는 약물과 작용기전

분류	약리학적 적용
항콜린제 Atropine Glycopyrrolate Oxybutynin Propantheline Tolterodine	무스카린수용체를 억제하여 콜린성 자극에 대한 반응을 감소시킨다. 방광저장기 압력을 감소시키고 배뇨근과반사의 치료에 사용된다.
평활근이완제 Dicyclomine Flavoxate	직접 평활근을 이완시켜 요저장 시 내광내압을 감소시키고 배뇨근과반사의 정도와 빈도를 감소시킨다. 대부분이 항콜린작용을 동반한다.
칼슘통로차단제 Diltiazem Nifedipine Verapamil	배뇨근과활동성의 치료에 사용하며 활동전위 시 칼슘이온의 세포 내 이동을 감소시킨다.
칼륨통로개방제 Cromakalim Prinacidil	막전위를 증가시킴으로써 불안정 방광수축의 근원성 시작을 감소시킨다.
프로스타글라딘 합성억제제 Flurbiprofen	프로스타글란딘은 배뇨근의 자발적 활성과 긴장도를 증가시킨다. 프로스타글란딘합성억제제는 요저장 시 방광이완을 촉진하고 방광의 자팔수축을 감소시킨다.
베타아드레날린작용제 Isoproterenol Terbutaline Mirabegron	베타수용체의 자극은 방광이완을 유도하여 요저장 시 방광내압을 감소시킨다.
삼환계항우울제 Amitriptyline Imipramine	항콜린성 효과, 직접적인 평활근 이완작용, 노르에피네프린재흡수 억제효과가 있다.
알파아드레날린작용제 Ephedrine Phenylpropanolamine Midodrine Pseudoephedrine	알파아드레날린수용체를 직접 자극하여 요도긴장도와 폐쇄압을 증가시킨다.
구심성신경억제제 DMSO Capsaicin Resiniferatoxin	방광에서의 감각자극을 감소시켜서 방광용적을 증가시키고 배뇨근과반사를 감소시킨다.
에스트로젠 Estradiol	경질 또는 경구치료는 요도상피점막을 비후시켜 요도 접합력을 향상시킨다. 요도에 대한 아드레날린성효과와 혈류증가 등의 부수적 효과도 있다.

그리고 촉진성 무스카린수용체들은 중추신경계에서도 관찰되고, 니코틴성 신경전달을 조절하는 방광의 부교감신경절에도 존재한다. 이러한 신경근접합 근위부에 존재하는 무스카린수용체의 선택적 활성과 억제를 통한 신경전달의 조절은 향후 하부요로기능장애의 새로운 약물치료로 이어질 것이다.

(1) 무스카린길항제의 선택성

약리학적으로 정의된 무스카린수용체의 아형에 선택적으로 작용하는 약물들이 개발되었다. darifenacin과 vamicamide는 M3수용체에 선택적으로 작용한다(Newgreen et al, 1995; Yamamoto et al, 1995; Andersson, 1997). 그러나 타액선과 다른 조직에서도 무스카린성 M3수용체들이 존재하기 때문에 방광 선택적이라고 할 수 없다. 현재 여러 가지 약물의 방광 선택성이 연구되고 있다.

Tolterodine은 선택적 M3길항제라고 할 수 없는데도 타액선에 비해 매우 선택적으로 방광에 작용한다(Nilvebrant et al, 1997; Andersson, 1998). 최근 solifenacin이 타액선보다 방광에 선택적으로 작용한다는 사실이 알려졌다. M2수용체보다 M3수용체에 대한 solifenacin의 선택성이 oxybutynin과 유사하게 10배 높다(Ikeda et al, 2002; Ohtake et al, 2004). 치료 면에서는 수용체 아형 선택성보다는 조직 선택성이 더 중요하다(Nilvebrant et al, 1997; Andersson, 1998). 실제 구갈 없이 방광에 선택적으로 작용하는 항무스카린제는 배뇨근과반사이 이상적인 치료약물이라고 할 수 있다.

2) 퓨린성기전

삼인산 아데노신(ATP)은 두 가지 퓨린수용체(P2X: 이온통로군, P2Y: G단백질결합수용체군)에 작용한다(Inoue·Brading, 1990). 7개 P2X 아형과 8개 P2Y 아형이 밝혀졌다. 퓨린성기전은 쥐, 토끼, 기니피그의 방광수축에 관여하지만(Burnstock et al, 1972; Chancellor et al, 1992; Burnstock, 1996), 정상적인 사람의 방광수축에서 퓨린성기전은 거의 역할을 하지 못한다.

아트로핀저항성 비아드레날린비콜린성(NANC) 수축은 정상적인 사람의 배뇨근에 관찰되며, 삼인산 아데노신에 의해 야기되지만 정상 방광에서 이 기전은 미미하여 방광수축에 거의 관여하지 않는다. 그러나 형태학적·기능적으로 변화된 방광(방광출구폐색으로 비후된 방광, 간질성방광염, 신경인성방광, 노화방광 등)에서는 아트로핀저항성 방광수축의 비중이 높아진다(Palea et al, 1993; Burnstock·Williams, 2000).

사람의 폐색방광에서는 50% 가까이 아트로핀저항성 수축 활동이 관찰되는데 세포의 칼슘통로에 작용하여 세포 내 칼슘을 증가시켜서 근육을 수축시킨다.

사람의 방광에서는 P2X1과 P2X4 수용체가 존재하는데 주로 P2X1이 발현되어 있다(Valera et al, 1995). P2X1수용체는 정상방광에 비해 방광출구폐색에 의한 과민성방광에서 퓨린성기전이 상향조절(upregulation)되어 증가한다(O'Reilly et al, 2001). 또한 삼인산 아데노신은 평활근 내에서 P2Y수용체를 통해 콜린성과 퓨린성 수축을 억제하는 작용을 한다(Burnstock·Williams, 2000; Lee et al, 2000).

퓨린성신경은 삼인산 아데노신에 대한 흥분성 수용체가 부교감신경절, 구심성신경말단, 요로상피세포에 존재하기 때문에 하부요로에서 다양한 기능을 담당할 것으로 생각된다(Theobald·de Groat, 1989; Dmitrieva·McMahon, 1996; Nishimura·Tokimasa, 1996; Zhong et al, 1998; Namasivayam et al, 1999; Burnstock·Williams, 2000; Lee et al, 2000; Vlasko-vska et al, 2001).

3) 아드레날린성기전

(1) 베타아드레날린성

하부요로의 교감신경계는 알파1아드레날린수용체를 통해 방광경부와 요도를 수축시킨다. 반면 방광체부에는 베타아드레날린수용체가 주로 분포하고 있으며 노르아드레날린은 이 수용체를 통해 배뇨근을 이완시킨다. 따라서 베타아드레날린수용체 작용제는 배뇨근수축을 억제하며, 아데닐싸이클라아제의 자극과 cAMP의 증가를 통해 방광용적을 증가시킨다(Andersson, 1993).

베타아드레날린수용체 아형의 분포는 종에 따라 다르다. 고양이의 경우에는 베타1아드레날린수용체(Nergardh et al, 1977)가, 토끼의 경우에는 베타2 (Oshita et al, 1997)가 주로 분포한다. 사람의 배뇨근에는 베타1, 베타2, 베타3아드레날린수용체가 모두 존재하지만 베타3가 주로 분포한다(Igawa et al, 1999). 베타3아드레날린작용제는 정상 배뇨근에서뿐 아니라 신경질환에 의해 유순도가 감소하였거나 배뇨근과반사가 있는 배뇨근을 이완시키므로 과민성방광의 효과적인 치료방법으로 사용되고 있다.

cAMP 농도를 증가시키는 또 하나의 방법은 포스포디에스테라아제(phosphodiesterase; PDE)억제제를 사용하는 것이다. PDE는 cAMP를 AMP로 변환시키는데 촉매 역할을 하여 cAMP의 활성을 제한하는 효소이다(Andersson, 1997; Longhurst et al, 1997). PDE는 기질 친화력과 고유의 종, 조직 분포, 약리학적인 선택도 등에 따라 여러 종류가 존재한다(Truss et al, 1996; Longhurst et al, 1997). 이미 알려진 음경에서 확인된 것과 별개로 방광에 존재하는 PDE 아형을 밝히기 위해 계속 연구하고 있다(Truss et al, 1996). 현재까지 방광에서 5개 아형이 발견되었고, PDE1이 가장 중요한 역할을 하는 것으로 알려졌다(Truss et al, 2001). 방광에 있는 PDE의 선택적인 억제는 cAMP의 기저치를 상승시키고 베타아드레날린작용제의 민감도와 효용도를 상승시킬 것으로 기대된다.

(2) 알파아드레날린성

알파1아드레날린길항제는 전립선평활근수축을 방해하여 방광출구폐색의 역동적(dynamic) 요소를 교정할 수 있기 때문에 주로 전립선비대증의 치료에 사용되고 있다. 이러한 작용기전으로 방광출구폐색 환자에서 요배출과 관계되는 배뇨증상(요속 감소, 소변주저, 간헐뇨 등)을 호전시킬 수 있다. 실제 임상결과를 보면 배뇨 증상뿐만 아니라 저장증상(빈뇨, 야간뇨, 요절박 등)도 호전되며, 방광출구폐색 정도와 저장증상의 정도가 명확히 비례하지 않는다. 방광출구폐색을 교정하면 잔뇨량과 배뇨 시 방광압을 줄일 수 있기 때문에 하부요로증상의 개선을 일부 설명할 수 있다. 그러나 알파1아드레날린길항제는 유의한 방광출구폐색이 없는 환자에서도 증상을 개선한다. 더구나 방광출구폐색을 제거하는 경요도전립선절제술 같은 수술방법은 저장증상에 대해 효과가 크지 않다. 반면 알파1아드레날린길항제는 최대요속을 크게 증가시키지는 않지만 전체적인 증상을 감소시킨다. 그러므로 전립선 외부 즉 방광, 척추 및 중추신경계를 통한 추가적인 작용이 있을 것으로 생각된다.

알파아드레날린성 자극은 정상 방광에는 그다지 주도적이지 못하지만, 과민성방광 등의 병적 상태에서는 알파아드레날린수용체의 밀도가 충분히 증가하여 방광의 노르에피네프린 유발반응이 이완에서 수축으로 바뀔 수 있다. 이러한 수용체와 방광기능의 변화는 방광출구폐색과 같은 병적 상태에서 발생하는 배뇨근과 반사의 원인으로 추정된다(Andersson, 1997; Lepor , 1989).

알파1아드레날린길항제는 여성에서도 빈뇨나 요절박 증상을 호전시키기 때문에(Lepor · Machi, 1993; Serels · Stein, 1998) 알파1아드레날린길항제가 전립선에 대한 효과와 더불어 방광기능에 직접 작용하는 것으로 생각된다(Sch−winn · Price, 1999).

알파1아드레날린수용체에는 알파1A, 알파1B, 알파1D 아형이 존재한다(Kohane et al, 1999). 알파1아드레날린길항제의 치료효과에서 방광출구폐색에 대한 작용은 알파1A수용체에 의해 매개되고 저장증상에 대한 효과는 알파1D수용체에 의해 매개된다(Schwinn · Price, 1999).

알파1D아드레날린수용체는 방광자체에서뿐만 아니라 척수나 중추신경계에도 존재하여 하부요로 기능 조절에 관여한다(Ishizuka et al, 1996; Smith et al, 1999). 그러나, 알파1아드레날린수용체 아형의 분포가 종에 따라 다르기 때문에 동물실험 결과를 가지고 사람에게 나타나는 현상을 단순히 해석하기 어렵다.

알파아드레날린성기전은 방광보다 요도기능에서 더욱 중요하다. 요도에는 알파1과 알파2아드레날린수용체가 존재하며(Yamaguchi et al, 1993) 알파아드레날린작용제에 수축반응을 보인다(Yalla et al, 1977; Awad et al, 1978; Mattiasson et al, 1984). 알파1아드레날린길항제는 이러한 수축을 억제한다. 마찬가지로 하복신경의 자극과 알파아드레날린작용제는 요도내압을 상승시키고, 이것은 알파1아드레날린길항제에 의해 차단된다(Awad et al, 1976; Yalla et al, 1977). 이러한 소견은 복압성요실금 환자에서 알파아드레날린작용제를 사용하여 요도저항을 상승시킴으로써 요저장을 증진시키는 치료방법의 이론적 근거를 제공한다.

반면 알파아드레날린길항제들은 전립선비대증과 같이 기능적으로 요도저항이 증가된 상황에서 요배출을 촉진한다. 하지만 심혈관계의 알파1수용체를 차단함으로써 생기는 어지럼증 등의 부작용으로 이러한 약제들의 사용이 제한되고 있다. 혈관에는 알파1수용체의 3개 아형(알파1A, 알파1B, 알파1D)이 모두 존재하는 반면, 전립선과 요도에는 주로 알파1A수용체가 존재하기 때문에 알파1A수용체길항제는 전립선비대증 환자에서 기립성저혈압의 부작용을 줄일 수 있다(Steers, 2000).

교감신경계는 여성요도에서 안정시 요도긴장도(resting urethral tonus)를 유지하는 데 주도적인 역할을 하며, 이는 주로 알파1아드레날린수용체를 통해 이루어진다(Taki et al, 1999). 서로 다른 적어도 세 가지 이상의 알파1아드레날린수용체 아형이 발견됨에 따라 복압성요실금의 치료약제로서 요도에 선택성을 가지는 아드레날린작용제를 개발할 수 있을 것으로 생각된다.

4) 산화질소

산화질소(nitric oxide; NO)는 배뇨 중 요도평활근을 이완시키는 억제성 신경전달물질이다(van Waalwijk et al, 1991). 산화질소는 주 골반신경절에서 기시하는 절후신경세포에서 분비되며(Fraser, 1995), 이 신경세포들은 산화질소를 합성하는 효소인 산화질소합성효소(nitric oxide synthase; NOS)와 산화질소합성효소의 표지자인 nicotina-mide adenine dinucleotide phosphate (NADPH)-diaphorase를 가지고 있다(Vizzard et al, 1994).

산화질소는 또한 방광의 구심성신경작용의 조절에도 관여한다. 방광-요도반사기전에서 방광배뇨근의 구심성신경 자극은 ① 외요도괄약근으로 향하는 체성콜린성신경, ② 요도평활근으로 향하는 교감아드레날린성신경, ③ 요도평활근으로 향하는 콜린성과 nitrergic 신경의 척수반사기전을 활성화한다. 그러나 이러한 요도로 향하는 부교감신경신호는 종별, 성별간 차이가 있으며, 남성에서 더 확실하게 관찰된다(Kakizaki et al, 1997).

산화질소 매개성 평활근이완은 세포 내 cyclic guanosine monophosphate (cGMP)의 생산 증가에 기인한다. 이차전령인 cAMP와 cGMP는 nucleotide triphosphates에서 각각의 세포막에 부착된 혹은 수용성인 아데닐레이트사이클라아제 혹은 구아닐레이트사이클라아제에 의해 합성된다. cAMP와 cGMP는 PDE에 의해 3-ribose-phosphate bond가 단절되어 활성화되지 못한다. 그러므로 세포 내 이차전령의 양은 PDE 동종효소에 의해 조절된다.

PDE는 평활근긴장도 조절을 주도적으로 조절하는 기능이 있고, 종과 조직에 따라 PDE 동종효소의 변이가 다양하기 때문에 배뇨장애의 치료제를 개발하는데 관심 대상이 되고 있다. 지금까지 7개의 PDE군, 16개의 유전자, 33개의 개별 효소단백이 발견되었다. 방광 특이적인 PDE가 개발된다면 획기적인 치료제가 될 가능성이 있다. 사람의 방광에는 PDE1~5까지 다섯 종류가 존재하는 것으로 알려져 있다(Truss et al, 1996).

5) 구심성신경의 신경펩티드

면역세포화학적 연구를 통해 방광 구심성신경에는 substance P, neurokinin A, 칼시토닌유전자관련펩티드(CGRP), 혈관작용성장폴리펩티드(VIP), pituitary adenylate cyclase activating peptide (PACAP), 엔케팔린 등의 다양한 신경펩티드가 존재한다는 사실이 알려졌다(de Groat et al, 1993; Yoshimura·de Groat, 1997). 캅사이신 민감성, 구심성 C 신경섬유에 포함된 많은 수의 신경펩티드는 유해자극에 의해 방광 내에서 방출되고 혈장의 혈관외 유출, 혈관확장, 방광평활근 활성의 변화를 유발하여 염증반응에 관여한다. 이러한 인자들은 또한 척수의 구심성신경말단에서 신경전달물질기능을 한다.

(1) 타키키닌

타키키닌(tachykinin)은 substance P, neurokinin A, neurokinin B로 대표되는 작은 펩티드군이다. 타키키닌은 중추신경계와 말초신경계에서 모두 발견된다. 말초신경에서는 특히 무수섬유인 C 감각신경섬유의 말단에 주로 위치한다. 타키키닌의 다양한 생물학적 효과들은 G단백질결합수용체군에 속하는 3개 수용체인 NK1, NK2, NK3를 통해 일어난다(Khawaja·Rogers, 1996).

substance P는 NK1수용체에 대한 가장 강력한 타키키닌이다. 반면 neuorokinin A는 NK2수용체에, neurokinin B는 NK3수용체에 대해 강한 친화력을 보여준다.

캡사이신 민감성 C 감각신경섬유에서 방광 내로 유리된 타키키닌은 ① 혈관에 있는 NK1수용체에 작용하여 혈장의 혈관외 유출과 혈관확장을 유도하고, ② NK2수용체에 작용하여 방광을 수축하며, ③ 원발성 구심성신경말단에 있는 NK2수용체에 작용하여 방광의 요저장기와 방광염증 시 신경의 흥분성을 증가시킨다(Andersson·Persson, 1993; Morrison et al, 1995).

캡사이신의 방광내주입 또는 L–dopa의 정맥내주사에 의해 유발된 배뇨근과활동성은 NK1길항제의 경막내주사로써 억제된다(Ishizuka, 1994, 1995; Lecci, 1994). 캡사이신에 의해 유도된 배뇨근과활동성은 정상배뇨에는 영향을 끼치지 않는 NK2길항제(SR 48965)에 의해 억제된다(Lecci et al, 1997).

(2) 기타 신경펩티드

다른 구심성신경펩티드들도 하부요로를 조절하는 말초장기와 중추반사경로에 작용한다. 그러나 효과는 종에 따라 다르고 하부요로의 서로 다른 위치에 작용한다. VIP는 절후신경세포와 구심성 C 신경섬유에 존재하며(de Groat et al, 1993), 방광근육의 자발수축을 억제한다. 그러나 VIP는 일반적으로 무스카린작용제나 신경자극에 의해 유도된 방광근육수축에는 효과가 적다. 척수에서 VIP를 포함한 구심성신경전달로는 척수손상 후 배뇨반사의 회복과 관련이 있다.

6) 프로스타글란딘과 기타 호르몬

(1) 프로스타글란딘

프로스타글란딘(prostaglandin; PG)은 하부요로에서 생성되며 방광수축, 염증반응, 신경전달에 관여한다. 사람의 방광점막에는 PGI2, PGE2, PGE2a, 트롬복산 에이(TXA)가 존재한다. 사람의 배뇨근수축능력은 PGF2a, PGE, PGE2의 순으로 강하다(Anderson, 1993). 프로스타글란딘은 조절기능을 담당하는데, 일부 프로스타글란딘은 신경전달물질의 유리에 관여하고, 일부는 아세트콜린 분해효소(acetylcholinesterase)의 활성도를 억제하는 작용을 한다. 이러한 기전들을 통해 프로스타글란딘은 콜린작용에 의한 배뇨근수축력을 증가시킬 수 있다(Borda et al, 1982). 배뇨 촉진을 위한 프로스타글란딘의 효과는 일정하지 않다.

(2) 부갑상선호르몬관련펩티드

국소적으로 유리되는 일부 물질들은 배뇨근을 이완시킨다. 부갑상선호르몬관련펩티드(parathyroid hormone related peptide; PTHrP)는 방광평활근에서 생성된다. 생체내실험(Yamamoto et al, 1992)과 생체외실험(Steers et al, 1998)에서 방광근의 신장은 PTHrP를 증가시킨다. 점차적인 방광팽창은 국소적인 이완물질을 유리함으로써 낮은 저장압이 유지된다.

(3) 성호르몬

여성에서는 흔히 월경주기에 따라 배뇨, 방광통증, 요자제에 변화가 오는 것을 관찰할 수 있다. 여성의 방광삼각부에는 에스트로젠수용체가 존재하며(Iosif et al, 1981). 성호르몬은 직접적으로 방광수축을 변화시키지는 않지만 수용체를 조절하고 방광조직의 성장에 영향을 미친다.

에스트로젠은 또한 요도에서 교감신경수용체를 증가시킨다(Callahan·Creed, 1985). 그러나 이러한 에스트로젠의 병용치료의 임상적 효용성은 아직 의문스럽다(Walter, 1978). 여성 요실금에 대한 에스트로젠의 효과는 아마도 교감신경수용체, 혈관, 요도 형태 등에 대한 다중작용의 효과로 생각된다.

황체호르몬(progesterone)은 방광의 전기적 수축과 콜린성 수축을 증대시킨다. 그러나 복압성요실금이나 요절박요실금의 치료에 에스트로젠 단독사용은 실망스런 결과를 보였으며(Abrams et al, 2005) 에스트로젠이 폐경 이후 여성에서 요실금의 증가와 관련이 있다고 제시하였다(Hendrix et al, 2005).

따라서 하부요로계를 조절하는 경로에서 호르몬 환경의 변화에 미치는 영향에 대한 추가적인 연구가 필요하다.

7) 요로상피와 방광감각

요로상피는 통각수용체, 기계수용체의 특성을 보이며, 이러한 두 가지 형태는 모두 생리적 자극을 감지하기 위해 다양한 신경-전달구조를 사용한다.

요로상피에서 확인된 신경세포와 관련한 분자 단위의 감지기(수용체 또는 이온통로)에는 브라디키닌수용체(Chopra et al, 2005), neurotrophin (TrkA & p75)(Murray et al, 2004), 퓨린수용체(P2X & P2Y)(Lee et al, 2000; Burnstock, 2001; Hu et al, 2002; Birder et al, 2004; Tempest et al, 2004), 노르에피네프린(α & β)(Birder et al, 1998, 2002), 아세틸콜린(Chess-Williams, 2002), 단백분해효소활성수용체(D'Andrea et al, 2003; Datti-lio·Vizzard, 2005), amiloride, 기계적 감수성 나트륨통로(Smith et al, 1998; Wang et al, 2003; Araki et al, 2004) 그리고 상당수의 TRP통로(TRPV1, TRPV2, TRPM8)(Birder et al, 2001, 2002; Stein et al, 2004)를 예로 들 수 있다. 요로상피세포가 기계적 자극이나 화학적 자극에 반응하여 이러한 수용체나 이온통로를 통해 활성화되면 산화질소, 삼인산 아데노신, 아세틸콜린, substance P와 같은 화학물질을 유리한다(Ferguson et al, 1997; Birder et al, 1998, 2003; Burnstock, 2001; Chess-Williams, 2004). 이러한 물질들은 요로상피 내부나 근접한 곳에 위치하는 구심성신경에 흥분작용 또는 억제작용을 하는 것으로 알려졌다(Bean et al, 1990; Yoshimura·de Groat, 1997a; Dmitrieva et al, 1998; Birder et al, 2001). 요로상피는 국소적인 화학적 자극이나 기계적 자극에 반응하여 화학적 신호들을 방광의 구심성신경으로 보냄으로써 중추신경계로 전달하는 역할을 하기 때문에 방광감각에서 중요한 역할을 담당할 것으로 생각된다(Ferguson et al, 1997).

산화질소는 염증반응 시 요로상피에서 유리된다(Birder et al, 1998). 산화질소의 유리는 이온운반체인 A-23187, 노르에피네프린, 캡사이신에 의해 유발되기도 한다. substance P 또한 요로상피세포의 수용체에 작용하여 산화질소를 유리시킨다. 요로상피를 제거한 방광 절편에서 산화질소의 교감신경성 유리는 85%까지 감소된다. 방광의 탈신경화가 캡사이신에 의한 산화질소의 생성을 완전히 차단하지 못하는 것으로 보아 신경 외의 다른 생성 장소가 있을 것으로 생각된다.

만성방광염에서도 구심성신경세포의 산화질소합성효소 발현이 증가한다. 산화질소의 투여는 배뇨근에 많은 영향을 주지 않지만 방광 구심성신경세포의 칼슘통로를 억제한다. 현재까지 요로상피에 있어서 산화질소의 역할은 확실하지 않지만, 염증과 통증 경로에 관여하며 방광의 요로상피에 관련된 감각신호전달에 일부분 기여할 것으로 생각된다.

신장(stretch) 시 요로상피세포에서 분비되는 삼인산 아데노신은 요로상피세포 하부 방광 구심성 집단의 P2X3수용체의 발현을 활성화하며, 방광충만과 통증 변화의 신호를 보낸다(Ferguson et al, 1997; Burnstock, 2001). 요로상피세포와 그 주위조직에서 분비된 삼인산 아데노신은 세포막 신호를 조절하는 데 중요한 역할을 할 것으로 생각된다. 이러한 결과는 요로상피세포가 삼인산 아데노신에 대해 어떻게 감지 또는 반응하는지에 대한 기전과 그 때문에 세포 외 자극을 기능적 과정으로 어떻게 전환시키는지에 대한 내용을 보여준다.

프로스타글란딘도 요로상피에서 유리되며, 배뇨근 활성 조절기능과 더불어 출혈성 방광염을 효과적으로 치료할 수 있다는 점에서 요로상피의 세포보호효과(Jeremy et al, 1987)의 기능도 담당할 것으로 추정된다. 사람의 요로상피에서 발견되는 주된 형태는 6-oxo PGF2α 〉 PFE2 〉 PGF2α 〉 TXB2 (thromboxane B2)이다. PGI2 (prostacyclin)도 생성된다. 프로스타글란딘의 합성은 요관에서도 일어나며 요관연동운동의 조절과 요관 내강의 혈괴 형성을 감소시키는 기능을 할 것으로 추정된다(Ali et al, 1998).

방광기능에서 무스카린수용체가 방광수축에 대해서 뿐 아니라 구심성 감각기능으로 확대된다는 근거도 있다. 무스카린수용체들은 요로상피세포에서 높은 밀도로 발견되며(Hawthorn et al, 2000), 요로상피세포에서 아세틸콜린의 기저 분비량은 신장과 고령화에 따라 증가한다(Yoshida et al, 2006). 따라서 요로상피세포에서 무스카린수용체의 활성화는 구심성신경과 평활근 활동을 조절하는 물질들을 분비한다(Hawthorn et al, 2000; de Groat, 2004). 요로상피세포는 요로상피세포 기원의 억제인자라고 불리는 물질도 역시 분비하는데, 이는 무스카린성 자극에 반응하여 배뇨근수축력을 감소시킨다(Hawthorn et al, 2000; Kumar et al, 2005). 이러한 인자의 분자생물학적 기원은 알려지지 않았지만, 약리학적 연구에서 산화질소는 아니며 프로스타글란딘, 프로스타사이클린, 아데노신, 카테콜아민, 가바 또는 아파민(apamin) 민감성, 작은 전도성 칼륨통로를 통해 작용하는 것 중 하나임이 알려졌다. 방광기능에 있어 이 물질의 역할을 명확하게 규명하는 연구가 더 필요하다.

8) 세로토닌

세로토닌(serotonin; 5HT)은 요도와 전립선에 있는 신경내분비세포에서 존재한다(Hanyu et al, 1987).

사람과 돼지에서 분리된 배뇨근은 농도 의존적으로 세로토닌에 반응하여 수축하는 것으로 알려졌다(Klarskov·Horby-Petersen, 1986). 사람에서 분리 추출된 방광에서 5HT4수용체 아형에 의해 매개되고 전기자극에 의해 유도된 수축이 증강됨을 알 수 있다(Candura et al, 1996; Darblade et al, 2005).

2. 캅사이신, 레시니페라톡신, 바닐로이드 수용체, C 신경섬유에 대한 약물치료

캅사이신(capsaicin)과 레시니페라톡신(resiniferatoxin; RTX)은 바닐로이드(vanilloid)로서, 통증을 유발하고 신경펩티드를 분비하는 무수 C 신경섬유를 자극하여 탈감작시키는 기전을 가지고 있다. 이러한 독특한 성질을 이용하여 방광에서뿐만 아니라 다른 여러 기관의 통증치료제로 바닐로이드 수용체에 대해 대한 연구가 계속되고 있다(Cheng et al, 1995; Chancellor · de Groat, 1999).

정상 방광의 요충만감각은 유수 A 델타 신경섬유에 의해 전달되는 것으로 보인다. 방광이 자극된 상태에서 이 신경들은 유수 A 델타 신경섬유처럼 낮은 방광압에도 반응한다. 즉 C 신경섬유는 정상적으로는 조용한 상태를 나타내지만, 특별한 상태에서는 방광의 염증반응이나 유해자극을 전달하는 특수한 기능을 수행한다(Chancellor · de Groat, 1999).

바닐로이드인 캅사이신과 레시니페라톡신은 TRPV1 수용체의 제1아형이나 VR1으로 알려진 이온통로를 통해 유해자극을 전달한다(Caterina et al, 1997). TRPV1 수용체는 비선택성 양이온통로로 통증을 유발하는 온도 상승과 양이온에 의해 활성화되는데, 이것은 동통성 온도자극과 산성화를 전달하는 역할을 의미한다. 활성화 상태에서 이온통로가 열려 칼슘과 나트륨을 세포 내로 이동시키고 동통 구심성신경섬유말단을 탈분극시킴으로써 신경자극을 중추신경계로 전달한다.

캅사이신의 탈감작은 감각신경 활성의 지속적이고 가역적인 억제를 의미한다(Craft et al, 1995). 얼마나 빨리, 또 얼마나 오랫동안 탈감작되는가는 투여한 캅사이신의 양과 캅사이신에 노출된 시간에 의해 결정되고 투여 간격의 영향도 받는다(Maggi et al, 1988). 세포 내 칼슘이온의 일시적 증가는 세포 내 효소의 활성화, 펩티드전달물질의 분비, 신경의 퇴화를 초래할 수 있다(Kawatani et al, 1989; Szallasi et al, 1999a).

레시니페라톡신은 선인장처럼 생긴 유포르비아(euphorbia)에서 분리한 euphorbium의 주요 구성물질이다. 유포르비아는 약제로 많이 사용되는 등대풀과로 알려진 대극과(euphorbiaceae)에 속한다. 1975년에 euphorbium에서 중요 혼합물질을 추출하여 레시니페라톡신이라고 명명하였다. 1989년에 레시니페라톡신은 캅사이신의 강력한 동종물질로 알려졌고(Szallasi · Blumberg, 1990; Szolcsanyi, 1990) 초기의 흥분작용 없이 탈감작하는 등의 독특한 약리학적 특징을 가지고 있다.

1) 수용체 단계에서 바닐로이드의 약리학적 역할

TRPV1수용체는 칼슘에 대한 제한적 선택성을 지닌 비선택성 양이온통로이다(Caterina et al, 1997). 패치클램프로 측정하였을 때 캅사이신과 레시니페라톡신은 후근신경절신경세포에서 천천히 활성화되지만 지속적인 전류흐름을 발생시킨다. 레시니페라톡신은 구심성신경에서 다양한 전류를 발생시키는데, 캅사이신과는 최고치와 지속시간이 모두 다르다(Liu · Simon, 1996; Oh et al, 1996; Caterina et al, 1997; Szallasi · Blumberg, 1999).

2) 바닐로이드의 흥분과 탈감작효과

(1) 흥분(감각신경펩티드와 다른 신경전달물질의 분비)

캅사이신과 레시니페라톡신은 후근신경절에서 분리배양한 신경세포에서 칼슘 섭취를 증가시킨다(Winter et al, 1990). 이러한 칼슘 유입의 결과로, 캅사이신과 레시니페라톡신은 바닐로이드에 반응하는 신경에 저장된 신경펩티드와 신경전달물질을 용량 의존 형태로 분비한다.

(2) 탈감작

레시니페라톡신은 캅사이신과 비교하여 흥분효과보다 탈감작효과가 훨씬 크다(Winter et al, 1990).

레시니페라톡신에 의한 흥분과 탈감작의 차이는 주로 수용체가 열리는 순서에 의해 결정된다. 레시니페라톡신의 경우 초기에는 지연된 전도도를 보이지만 이후에는 지속적으로 전류를 발생시킨다. 서서히 증가하는 세포 내 칼슘 농도는 세포의 탈분극을 유발할 정도는 아니지만 다양한 칼슘의존성기전(calcineurin)을 활성화할 수 있으며, 결국에는 수용체를 탈감작시킨다.

더구나 레시니페라톡신은 탈분극을 유발하는 테트로도톡신(tetrodotoxin; TTX)-저항성 나트륨통로를 억제한다. 이러한 레시니페라톡신의 효과는 바닐로이드 수용체의 경쟁적 길항제인 capsazepine을 동시에 투여하는 경우 억제되기 때문에 레시니페라톡신은 바닐로이드수용체를 통해 작용하는 것으로 생각된다(Kohane et al, 1999).

3) 바닐로이드에 의한 진통효과기전

바닐로이드는 온도에 의한 동통에 특징적인 두 단계의 효과를 나타낸다. 초기 효과는 TTX-저항성 나트륨통로를 억제하여 신경전도를 방해하기 때문으로 생각된다(Holzer, 1991; Kohane et al, 1999).

레시니페라톡신치료는 감각신경의 발현을 변화시킨다. 펩티드와 수용체는 증가하는 반면, 다른 신경전달물질은 감소한다(Szallasi·Blumberg, 1999). 증가하는 것으로는 galanin, VIP, 산화질소합성효소가 있으며(Farkas-Szallasi et al, 1995) 감소하는 것으로는 substance P (Szallasi et al, 1999a)와 CGRP (Szolcsanyi, 1990)가 있다.

substance P는 동통전달에서 중추 역할을 하는 것으로 오랫동안 신뢰받았다. substance P 발현의 변화는 SP mRNA를 감소시키기 때문이며 가역적이다(Szallasi et al, 1999b). 캅사이신과 레시니페라톡신은 자체 수용체의 발현도 감소시킨다(Goso et al, 1993; Farkas-Szallasi et al, 1995). VR1이 바닐로이드, 양이온, 유해한 열의 공통된 수용체이기 때문에(Goso et al, 1993; Farkas-Szallasi et al, 1995; Caterina et al, 1997; Tominaga et al, 1998) VR1의 감소는 hot plate test에서 관찰되는 바닐로이드 유도성 진통효과에서 중요한 역할을 하는 것으로 생각된다(Xu et al, 1997; Ossipov et al, 1999).

3. 보툴리누스독소

최근 수년간 다양한 요도와 방광기능이상의 치료에 보툴리누스독소(botulinum toxin; BTX)의 효용성에 대한 근거가 많이 알려졌다(Smith·Chancellor, 2004). 보툴리누스독소는 시냅스전 콜린성신경말단에 아세틸콜린의 분비를 억제함으로써 횡문근과 평활근의 수축을 억제한다. 독소는 대략 150kD 의 중량을 가진 단일 사슬 폴리펩티드로 합성되어 있다(DasGupta, 1994). 이 독소의 구조를 보면 아연과 관련된 경쇄(light chain) (대략 50kD)에 이황화물(disulfide)에 의해 결합된 중쇄(heavy chain) (대략 100kD)로 구성된 활성화된 dichain polypeptide 형태로 구성되어 있다(Schiavo et al, 1992).

독소에 의해 유도된 마비에는 네 가지 단계가 필요하다. 아직 인식되지 않은 신경말단수용체와 독소 중쇄의 결합, 신경말단 내에 독소의 내부화, 세포질 내로 경쇄의 전위, 신경전달물질의 분비 억제, 신경전달물질의 분비에는 세포질에서 형질막(plasma membrane)으로의 소포(vesicle)의 삼인산 아데노신 의존성 이동이 관여한다(Barinaga, 1993). 소포가 결합하기 위해서는 다양한 세포질, 소포, 표적 막단백질(target membrane proteins)(sysnaptosome과 연관된 막수용체)의 상호작용이 필요하고, 어떠한 것은 클로스트리듐(clostridial) 신경독소에 특별히 표적화되어 있다. 예를 들면 보툴리누스독소 A는 cytosolic translocation protein SNAP-25를 분열하여 형질막과 소포의 결합을 막는다(Schiavo et al, 1993).

면역학적으로 7개 신경독소가 A형, B형, C형, D형, E형, F형, G형으로 명명된다. 임상적으로 비뇨의학과에서는 배뇨근괄약근협동장애와 배뇨근과활동성이 있는 척수손상 환자를 치료하는 데 보툴리누스독소 A를 사용하였다(Dykstra et al, 1988; Dykstra·Sidi, 1990; Schurch et al, 1996, 2000; Petit et al, 1998). 보툴리누스독소는 기초 연구에서 단지 아세틸콜린의 분비 억제에 의한 원심성신경 활성을 억제할 뿐 아니라 감각신경말단에서의 substance P와 CGRP와 같은 신경전달물질의 분비 억제에 의한 구심성신경 활성도 역시 억제하였다(Chuang et al, 2004; Dressler·Adib Saberi, 2005). 따라서 독소는 비신경인성과민성방광, 간질성방광염뿐 아니라 골반저경직을 가진 여성의 치료에도 적용할 수 있다(Smith et al, 2003, 2004, 2005; Smith·Chancellor, 2004). 또한 전립선비대증 환자에서 보툴리누스독소 A를 전립선 내에 주입한 결과 세포자멸사의 유도, 증식의 억제, 알파1A아드레날린수용체의 하향조절(down regulation)을 유발하여 전립선위축을 유도한다고 알려졌다(Chuang et al, 2006).

4. 방광평활근에 작용하는 약물기전

배뇨근 자체에 작용하여 방광의 자발적 활동(배뇨근과반사)을 억제하는 약물은 두 종류로 나눌 수 있다. diltiazem이나 verapamil 등의 칼슘통로차단제와 cromakalim이나 pinacidil 같은 칼륨통로개방제가 그것이다(표 3-1)(An-dersson, 1993, 1997, 1999b). 삼환계항우울제의 방광에 대한 직접적인 효과에 대해서도 언급하였다.

1) 칼슘통로차단제

방광평활근의 자발적이거나 유발된 수축력은 L형 칼슘통로를 통한 칼슘의 평활근세포 내로의 이동과 세포막의 탈분극에 의해 이루어진다(Andersson, 1993, 1997, 1999b; Brading, 1997; Fry·Wu, 1997). 또한 칼슘통로와 더불어 신장에 의해 유도되는 비선택성 이온통로들이 배뇨평활근에서 발견된다(Brading, 1997; Fry·Wu, 1997; Martin et al, 1997a). 이러한 수축활동은 세포 외 칼슘의 세포 내 이동과 관련되어 있다. 일부 수축반응의 형태는 세포 외 칼슘의 이동과 더불어 근형질세망에서 유리되는 세포 내 칼슘에 의해 매개된다(Brading, 1997; Fry·Wu, 1997; Martin et al, 1997a).

세포 내 칼슘의 이동 억제는 자발적이거나 유발성 방광수축을 억제한다(Levin et al, 1991). nifedi-pine 같은 L형 칼슘통로차단제는 L형 칼슘통로를 통한 세포 외 칼슘의 이동에 주로 의존하는 자발적 근원성 수축력의 정도를 감소시킨다. 신경 매개성 수축은 세포 외 칼슘의 세포 내 이동과 더불어 IP3 매개기전을 통한 근형질세망의 세포 내 칼슘 유리에 의존하기 때문에 칼슘통로차단제의 억제효과는 감소된다(Brading, 1997).

2) 칼륨통로개방제

Cromakalim이나 pinacidil 같은 칼륨통로개방제는 세포 외 칼륨 이동을 촉진하여 세포막을 과분극 상태로 만들고 배뇨근의 자발수축을 감소시킨다(Anders-son, 1997, 1999a).

배뇨근에는 ATP-민감성 KATP, calcium-dependent small conductance (SKCa), calcium-dependent large conductance (BKCa) 등 세 가지 형태의 칼륨통로가 있다(Andersson, 1992; Trivedi et al, 1995; Andersson·Arner, 2004). 이 세 통로와 수축형태(근원성 수축, 신경원성 수축, 배뇨성 수축)의 관계는 분명하지 않지만 칼슘통로와 칼륨통로를 약물로 조절함으로써 자발수축 활성을 감소시킬 수 있다(Levin et al, 1991; Anders-son, 1992; Trivedi et al, 1995; Brading, 1997; Fry·Wu, 1997; Martin et al, 1997; Andersson·Arner, 2004).

그래서 과민성방광의 치료로서 특이성 칼륨통로개방제의 개발에 많은 관심이 집중되고 있다(Pandita·Andersson, 1999; Andersson·Arner, 2004).

3) 삼환계항우울제

Imipramine과 amitriptyline 같은 삼환계항우울제는 일부 배뇨근과반사에서 임상적 효과를 나타낸다(Wein, 1998). 이 약물의 효과는 항무스카린작용, 칼슘 전위의 억제, 직접적인 평활근이완작용 그리고 중추신경계에 대한 작용에 의해 발생한다(Maggi et al, 1989). 이러한 각각의 작용은 방광을 이완시키고 방광의 자발수축 정도를 감소시킬 수 있지만 다양한 작용기전을 가진 비선택적 약물들이므로 방광에 선택적으로 작용하는 삼환계 약물을 개발하기는 쉽지 않을 것으로 생각된다.

5. 척수 신경계의 약리작용

척수신경계에서 글루타메이트는 배뇨를 가능하게 하는 척수의 원심성경로에서 중요한 역할을 한다. 알파1아드레날린수용체에 의해 매개되는 척수의 노르아드레날린성 신경계는 방광에서의 구심성신경 자극을 억제하고 척수배뇨반사 하행각을 촉진하여 방광수축을 증가시키는 배뇨기능조절 역할을 한다. 5-HT, 퓨린, 가바 등의 신경전달물질은 천수에 작용하여 배뇨 시작 역치용적을 선택적으로 조절하는 것으로 보인다. 이러한 기전들은 새로운 약물치료를 개발하는 데 배경이 되고 있다.

1) 글루타민성기전

글루타민성 NMDA 또는 α–amino–3–hydroxy–5–methylisoxazole–4–propionic acid (AMPA)길항제는 척수에서 반사성 방광수축과 외요도괄약근 근전도 활동을 억제한다(Yoshiyama et al, 1994; Yoshimura·de Groat, 1997). 이 결과는 방광과 괄약근기능조절에 관여하는 척수반사회로가 NMDA와 AMPA 글루타민성 신경전달기전을 이용한다는 것을 나타낸다. 척수손상이 있는 경우 글루타민길항제에 대한 반응도는 방광반사보다 외요도괄약근에서 더 민감하기 때문에 두 반사신경로는 서로 다른 글루타민수용체를 가지는 것으로 생각된다(Yoshiyama et al, 1994). 이것은 in situ hybridi–zation 실험에서 확인되었는데, 쥐의 천수 부교감신경세포에서 GluR–A와 GluR–B AMPA수용체와 NR1 NMDA수용체의 mRNA는 높게 발현되지만 NR2 NMDA수용체 아형은 발견되지 않았다(Weese et al, 1993; Shibata et al, 1999).

반면 요도괄약근 신경핵에서 4개 AMPA (GluR–A, –B, –C, –D)수용체와 NR1수용체 아형들이 높게 발현되었을 뿐 아니라 NR2A와 NR2B도 중등도로 발현되었다. 이러한 수용체 발현의 차이로 글루타민길항제에 대해 방광과 괄약근반사가 서로 다른 민감도를 보이는 것으로 생각된다.

글루타메이트는 배뇨반사의 구심성신경에서 흥분성 신경전달물질의 역할을 한다. 방광의 구심성신경 활성에 의한 척수 간신경세포에서의 c–fos 발현은 NMDA와 non–NMDA 글루타민수용체길항제에 의해 억제된다(Birder·de Groat, 1992; Kakizaki et al, 1996; Serels·Stein, 1998).

2) 억제성 아미노산

가바A나 가바B작용제는 척수에 작용하여 방광용적을 증가시키고 배뇨압을 감소시킨다(Birder·de Groat, 1992; Igawa et al, 1993; Kakizaki et al, 1996; Serels·Stein, 1998).

신생 쥐의 척수에서 직접 부교감절전신경세포로 향하는 국소적 억제성 간 신경세포경로에서 글라이신과 가바A의 억제성기전이 확인되었다(Araki, 1994). 가바B수용체작용제인 baclofen을 경막 내에 투여한 임상실험에서 배뇨를 유도하는 역치용적이 증가하였다(Bushman et al, 1993). baclofen의 경막내투여는 또한 캡사이신(substance P 결핍)이나 parachloro–phenylal-anine (5–HT 결핍)을 전처치한 쥐에서 방광팽창에 의한 배뇨반사를 억제하였다. baclofen은 척수배각의 구심성신경말단에서 전기자극에 의한 CGRP의 유리를 억제하기 때문에 척수의 원발성 구심성신경말단에서의 신경전달물질 유리 억제가 작용기전의 하나일 수 있다. 더욱이 만성척수손상에 의한 배뇨근과활동성이 있는 쥐에서 정상 척추를 가진 경우보다 척수 내 글라이신이 50%나 감소되었고(Miyazato et al, 2003, 2005), 식이를 통한 글라이신의 보충으로 척추손상 쥐에서 혈장 내 글라이신 수치의 상승과 함께 방광기능이 회복되었다(Miyazato et al, 2005). 이러한 결과는 척수의 글라이신 생산기전의 하향조절이 척수손상과 연관된 신경인성배뇨근과활동성의 발생에 기여할 수도 있다는 사실을 제시한다.

3) 아드레날린성기전

척수에서 알파아드레날린수용체는 하부요로의 흥분성과 억제성 신경전달을 매개한다. 마취된 고양이에서 알파1아드레날린수용체는 청반(locus coeruleus)에서 천수 부교감신경핵에 이르는 연수-척수 아드레날린성 흥분경로에 위치한다(Espey et al, 1992; Yoshimura et al, 1988). 그러나 의식 있는 고양이실험에서는 확인되지 않았다(Espey et al, 1992).

의식이 있거나 마취된 쥐에게 알파1아드레날린차단제(doxazosin)를 경막 내에 투여하면 방광수축력이 감소된다(de Groat et al, 1999b; Ishizuka et al, 1996). 이러한 알파1아드레날린차단제를 경막 내에 투여하면 방광억제효과는 만성방광출구폐색이 있는 동물에서 더욱 현저하였다. doxazosin의 경막내투여도 spontaneously hypertensive rat (SHR)의 배뇨근과반사를 억제하였다. 비록 마취된 쥐에서 doxazosin의 경막내투여가 반사성 방광수축력을 억제하지만, 등용적성(isovolumetric) 방광수축을 증가시키기 때문에 아드레날린성억제기전도 존재할 가능성이 있다(de Groat et al, 1999b). 알파1아드레날린작용제인 phenylephrine을 경막 내에 투여하면 수축력의 변화 없이 방광수축의 빈도가 감소하였다는 사실이 이를 뒷받침한다(de Groat et al, 1999b). 결국 배뇨반사의 원심성과 구심성 척수 각은 척수의 아드레날린성신경계에서 흥분성뿐 아니라 억제성 신경신호도 받는 것으로 생각된다.

알파2아드레날린수용체는 촉진과 억제작용을 모두 하는 것으로 밝혀져서 배뇨조절 역할에 대해서는 논란이 있다(Ishizuka et al, 1996; de Groat et al, 1999b). 알파2아드레날린길항제인 atipamezole를 경막 내에 투여하였을 때 의식이 있는 쥐에서는 배뇨압이 상승하는데, 이는 긴장성 억제성 조절작용을 시사한다. 그러나 chloralose-urethane으로 마취된 쥐에서 알파2아드레날린길항제인 yohimbine은 배뇨를 억제한다(Kontani et al, 1992). 하지가 마비된 환자에서 알파2아드레날린작용제인 clonidine의 경막내주사는 배뇨근과반사를 억제한다(Denys et al, 1998). 반대로 의식이 있는 고양이에서는 clonidine이 방광압을 상승시키고 배뇨를 촉진한다.

약물실험을 통해 방광-교감신경반사가 중추 노르아드레날린성기전에 의해 조절된다는 것을 알 수 있다(Dan-user·Thor, 1995; de Groat et al, 1999b). chloralose로 마취한 고양이에서 알파1아드레날린수용체길항제인 prazosin과 doxazosin은 구심성 골반신경자극 후 하복신경에서 기록된 신경반응 정도를 억제한다(Danuser·Thor, 1995). 알파2아드레날린작용제의 투여 역시 반사성 교감신경성 활성화를 억제한다(Danuser·Thor, 1995). 이러한 사실은 연수-척수 노르아드레날린성 경로는 척수의 방광-교감신경성반사에서 긴장성 알파1 흥분성 조절작용을 한다는 것을 의미한다. 알파2아드레날린성 억제성기전들은 정상 상태의 마취된 동물에서는 역할을 하지 않고 노르에피네프린재흡수억제제(tomoxetine)에 의해 노르에피네프린이 증가한 상태에서 작용한다(Danuser·Thor, 1995). 이러한 결과들은 요추 교감신경작용이 알파1 흥분성기전, 알파2 억제성기전들에 의해 조절된다는 것을 의미한다.

방광(골반신경)이나 요도/회음부(음부신경) 구심성 신경자극에 의한 요도괄약근 운동신경세포의 활성은 요자제를 유지하기 위한 기전의 일부이다. chloralose로 마취된 고양이의 음부신경에서 운동성 활동으로 측정되는 이러한 반사기전은 알파1아드레날린수용체길항제인 prazosin으로 억제되지만(Gajewski et al, 1984;

Danuser·Thor, 1995; Downie, 1999), 알파2길항제인 idazoxan으로는 억제되지 않는다(Danuser·Thor, 1995). 반대로 알파2아드레날린작용제인 clonidine은 마취된 고양이에서 이 반사를 억제한다(Downie·Bialik, 1988). 노르에피네프린재흡수억제제인 tomoxetine은 단독으로 약한 억제작용을 하며, prazosin을 투여하면 억제작용이 약간 더 강해진다. 그러나 idazoxan을 투여한 후에는 반사가 크게 촉진된다(Danuser·Thor, 1995). 이 결과는 요도괄약근에 대한 알파2아드레날린수용체 매개 억제기능과 알파1아드레날린수용체 매개의 항진기능의 존재를 의미하고, 알파2아드레날린수용체 의존성 억제성기전이 음부신경반사의 주요한 아드레날린성 조절기능임을 의미한다(Thor·Donatucci, 2004).

4) 세로토닌성기전

뇌간의 솔기핵(raphe nucleus)에 있는 세로토닌이 포함된 신경세포는 요천수에 있는 자율신경과 괄약근 운동핵으로뿐 아니라 척수배각으로도 뻗어 있다. 고양이에서 솔기핵의 활성 또는 척수의 세로토닌수용체 활성은 반사성 방광수축과 방광에서의 천수 원심성신경로 활성을 억제하고(McMahon·Spillane, 1982; Chen et al, 1993; de Groat et al, 1993), 골반 구심성신경자극에 의해 유도된 척수배각 신경세포 활성을 억제한다(Fukuda·Koga, 1991).

쥐에게 5HT2C수용체작용제인 m-chloro-phenyl-piperazine (mCPP)을 투여하면 방광신경의 원심성신경 활성화와 반사성 방광수축이 억제된다(Steers·de Groat, 1989). 이러한 효과들은 5HT2수용체길항제인 mesulergine에 의해 차단된다(Steers·de Groat, 1989; Guarneri et al, 1996). 고양이의 경막 내에 5HT1/2길항제인 methysergide 또는 5HT3길항제인 zatosetron을 투여하면 배뇨를 유도하는 역치용적이 감소하며(Espey et al, 1998), 이것은 세로토닌성 하행 경로가 긴장성으로 배뇨반사의 구심성신경을 억제한다는 것을 의미한다. 신생 쥐에게 clomipramine을 2주간 투여하면 이 쥐는 성장한 후에 세로토닌 결핍 상태가 되어 우울증 환자와 유사한 행동을 보인다. 이러한 쥐는 배뇨 횟수가 대조군에 비해 많아지고 배뇨근과반사가 나타나며, 세로토닌재흡수억제제를 투여하면 정상으로 돌아온다(Steers·Lee, 2001). 이러한 결과는 우울증과 과민성방광의 연관성 및 세로토닌이 배뇨반사를 긴장성으로 억제한다는 가설을 입증하는 것이다.

5HT1A작용제인 8-OH-DPAT를 경막 내에 투여하면 정상 쥐와 척수손상 쥐에서 모두 방광활동을 촉진하지만, 태생 직후에 캅사이신을 투여하여 방광의 구심성신경이 손상된 쥐에게는 효과가 없다. 이와 반대로 5HT1A 억제성 자가수용체를 차단하여 솔기핵의 활성을 증가시키는 5HT1A길항제인 WAY 100635를 투여하면 반사성 방광수축이 억제된다(Testa et al, 1999). 이러한 억제현상은 5HT2수용체길항제인 mesulergine의 전처치에 의해 차단되기 때문에 5HT2수용체가 하행 raphe/척수 억제기전에 관련될 것으로 추정된다(Testa et al, 1999).

괄약근 운동신경핵과 교감자율신경핵도 솔기핵에서 기시하는 세로토닌성 신경조절을 받는다(Downie, 1999). 5HT2와 5HT3수용체를 통한 세로토닌작용은 괄약근반사를 촉진하여 요저장기능을 향상시킨다(Danuser·Thor, 1996; Espey et al, 1998).

노르에피네프린과 세로토닌재흡수억제제인 duloxetine은 불안정 방광 동물 모델에서 요도괄약근과 방광의 신경활성을 증가시킨다(Fowler et al, 1992; Thor·Katofiasc, 1995; Sharma et al, 2000). duloxetine은 방광과 괄약근기능에 모두 영향을 미치기 때문에 복압성요실금과 절박성요실금에 치료효과가 있을 것으로 기대된다(Cannon et al, 2003; Thor·Donatucci, 2004). 임상 시험에서 복압성요실금의 치료제로서 duloxetine의 효용성은 알려졌으며, 비록 미국 식약청FDA 승인과정에서 탈락되었으나 유럽에서는 승인되었고 몇몇 국가에서 치료약제로 사용되고 있다(Castro-Diaz·Amoros, 2005).

5) 아편유사펩티드

아편유사펩티드(opioid peptides)는 척수반사회로를 억제한다. 고양이 척수에서 반사성 방광 활성 억제는 δ수용체에 의해 매개되는 반면, 괄약근 활성 억제는 κ 수용체를 통해 이루어진다(de Groat et al, 1993; Yoshimura·de Groat, 1997). 쥐에서는 μ수용체와 δ수용체가 방광 활성 억제를 매개한다(Dray·Metsch, 1984).

6) 퓨린성기전

의식이 있는 쥐에서 작용제를 경막 내에 투여하여 아데노신A1(그리고 아마도 A2)수용체를 활성화하면 배뇨 시작 역치용적이 증가한다. 지금까지 알려진 척수의 아데노신수용체 분포에 의하면, 아데노신A1작용제는 흥분성 중간신경세포들에 작용하여 방광억제작용을 나타낸다(Sosnowski et al, 1989).

6. 뇌간 배뇨중추와 척수상부기전

글루타메이트는 척수상부의 배뇨기전에서 흥분성 전달자의 역할을 하며 척수상부 신경손상 이후의 배뇨근과반사 발생기전에 관여할 것으로 생각된다. 다른 잠재적 흥분성 전달자의 역할은 아직 더 연구되어야 한다.

다양한 신경전달물질들이 척수상부 배뇨반사회로에서 중요한 조절기능을 수행하며 배뇨기능에 영향을 미친다(그림 3-1). 따라서 이러한 인자들의 수용체는 배뇨장애의 치료목표가 될 수 있다.

1) 글루타민성기전

글루탐산(Glutamic acid)은 배뇨반사의 척수상부 위치에서 흥분성 신경전달 역할을 한다. 대뇌를 제거한 쥐에서 전기자극 시 방광수축이 유발되는 장소인 뇌간(청반이나 팔결핵)에 L-glutamine이나 그 유사물질을 주입하면 배뇨가 유발되거나 주기적인 방광수축의 강도가 증가된다(Kruse et al, 1990; Mallory et al, 1991b).

고양이나 쥐의 교뇌배뇨중추에 글루타메이트작용제를 주입하면 배뇨가 유발되거나 방광수축의 빈도와 강도가 증가된다(Mallory et al, 1991b; de Groat et al, 1999a). 반면 배뇨억제기능을 담당하는 다른 부위의 뇌간핵에 글루타메이트작용제를 주입하면 배뇨가 억제

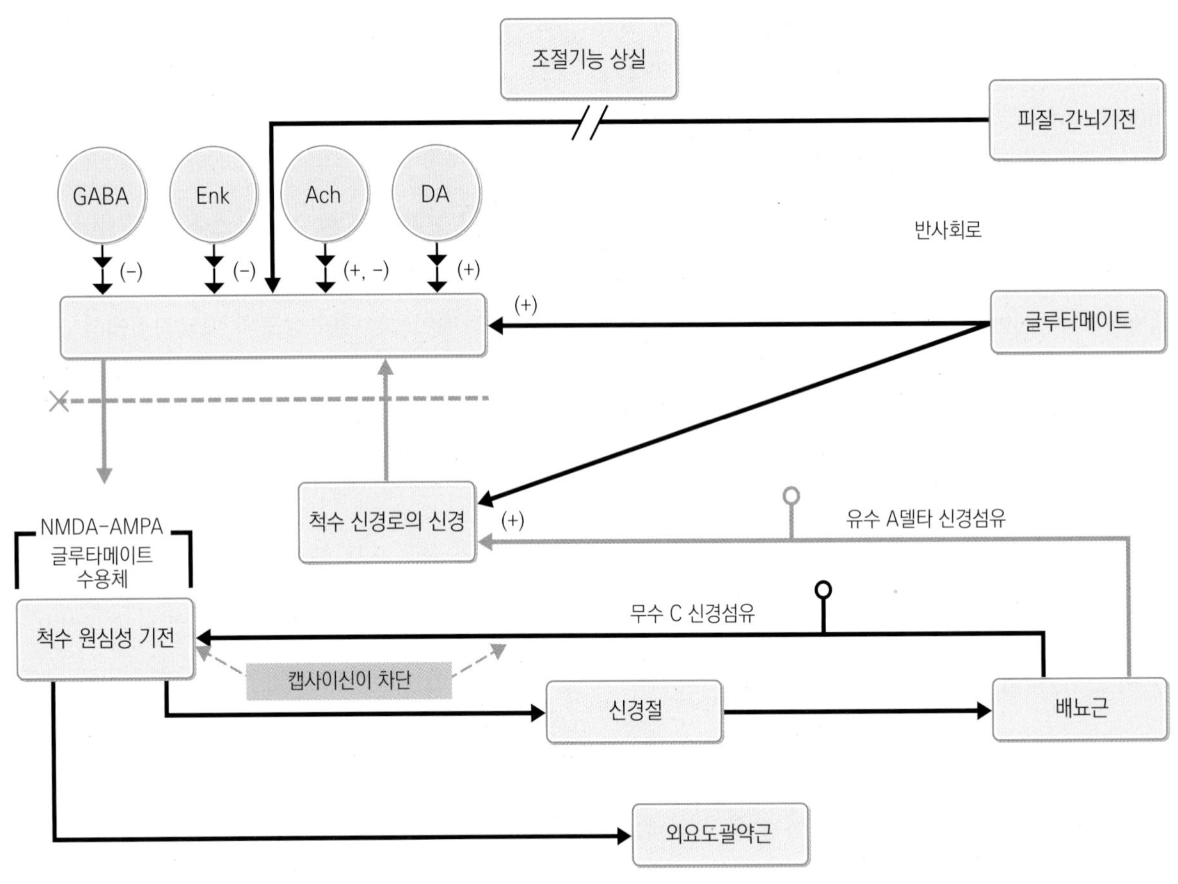

그림 3-1. **고양이에서 배뇨조절을 담당하는 중추 반사회로의 모식도.** 정상배뇨는 뇌간에 있는 교뇌배뇨중추를 통한 척수상부 반사회로에서 시작된다. 이 경로는 방광벽(배뇨근)에 있는 장력수용기와 연결된 유수 구심성 A델타 신경섬유에 의해 촉발되고 척수의 신경세포를 통해 뇌로 정보가 전달된다. 배뇨기에는 교뇌배뇨중추에서의 경로가 방광으로 가는 부교감경로를 활성화하고, 요도괄약근으로 가는 체성신경전달을 억제한다. 척수 절단 동물 모델에서 교뇌와 척수배뇨중추의 경로는 차단되고 정상배뇨는 불가능해진다. 만성척수손상 동물 모델에서는 무수 구심성 C 신경섬유에 의해 매개되는 새로운 척수배뇨반사가 발현된다. 정상적인 동물에서 C 신경섬유 반사회로는 대개 약하거나 드러나지 않는다. 척수손상 환자에서 얼음물을 방광내에 주입하여 구심성 C 신경섬유를 자극하면 배뇨반사가 활성화된다. 캡사이신(20~30 mg/kg 피하주사)은 만성척수손상 고양이 모델에서 C 섬유반사를 차단하지만 척수손상이 없는 고양이의 배뇨반사는 차단하지 못한다. 캡사이신의 방광내 주입은 신경인성방광 환자의 배뇨근과활동성과 얼음물 유발반사도 억제한다. 글루탐산은 배뇨반사회로의 상하행각과 괄약근기능을 조절하는 반사회로의 주요한 흥분성 신경전달물질이다. 글루타메이트는 N-methyl-d-aspartate (NMDA) 글루타메이트수용체와 α-amino-3-hydoxy-5-methylisoxazole-4-propionic acid (AMPA), 글루타메이트수용체 모두에 작용한다. 배뇨반사회로의 신호전달을 조절하는 다른 신경전달물질로는 gamma-aminobutyric acid (GABA), enkephalin (Enk), 아세틸콜린(Ach), 도파민(DA) 등이 있다. Ach는 경로의 흥분성과 억제성 효과를 모두 가지고 있다. (+) 흥분성, (-) 억세성 시냅스.

된다(Chen et al, 1993). 마취한 쥐에서 AMPA 혹은 NMDA수용체길항제를 뇌실 내에 주입하면 반사성 방광수축이 억제되기 때문에 뇌에서의 글루타민성 신경전달이 배뇨기능에 필수적임을 알 수 있다(Yoshiyama · de Groat, 1996, 2005). Yokoyama et al(1999)은 글루타메이트가 중앙대뇌동맥 폐쇄에 의한 배뇨근과반사 발생에 중요한 역할을 한다는 사실을 입증하였다.

2) 콜린성기전

척수상부에서 배뇨경로에 대한 흥분성 콜린성기전이 확인되었다. 개의 척수상부에 무스카린작용제인 베타네콜을 주입하면 배뇨 시작 역치용적이 감소하고 배뇨압이 상승한다(O'Donnell, 1990). 대뇌를 제거한 쥐에서도 콜린작용제가 작용하기 때문에 그 작용 부위는 중뇌-뇌간지역으로 추정된다(Sillen et al, 1982). 쥐의 뇌에서 무스카린수용체에 의한 콜린성기전은 배뇨반사 조절에 있어 억제와 항진 둘 다에 관여할 수 있다. 또한 무스카린 억제성기전은 M1수용체 및 단백활성효소 C의 활성화와 관련이 있다(Yoko-yama et al, 2001; Nakamura et al, 2003). 미세침을 사용하여 고양이의 교뇌배뇨중추에 아세틸콜린을 미세주입 하면 방광반사수축을 유발하는 역치용적이 증가하기도 하고 감소하기도 한다(Sugaya et al, 1987; Yoshimura·de Groat, 1997a). 이러한 효과는 아트로핀에 의해 억제되기 때문에 무스카린수용체에 의한 반응일 것이다. 니코틴작용제인 epibatidine을 쥐의 외측 뇌실 내로 주입하면 배뇨반사가 억제되기 때문에 니코틴수용체는 배뇨기능조절에도 관여하는 것으로 생각된다(Lee et al, 2003).

3) 가바성기전

가바는 척수상부에서 가바A와 가바B수용체에 작용하여 억제작용을 한다(de Groat et al, 1993). 가바나 muscimol 같은 가바A수용체작용제를 대뇌를 제거한 쥐의 교뇌배뇨중추에 주입하면 반사성 방광수축이 억제되고 배뇨를 유도하는 역치용적이 증가한다(Mallory et al, 1991b). 이러한 효과는 가바A수용체길항제인 bicuculline에 의해 정상화된다. bicuculline이 방광활동성을 증가시키고 배뇨를 유도하는 역치용적을 낮추기 때문에 교뇌배뇨중추의 배뇨반사기전은 가바성기전에 의한 긴장성 억제 조절을 받는 것을 알 수 있다. 마취한 쥐에서 baclofen이라는 가바B작용제를 뇌실에 주입하면 배뇨반사가 억제되지만, 이 효과는 가바수용체길항제인 phaclofen으로는 억제되지 않는다(de Groat et al, 1993).

4) 도파민성기전

중추신경계에서 도파민성 경로는 배뇨반사를 억제하고 촉진하는 두 가지 작용을 가지고 있으며, D1유사(D1이나 D5 아형)와 D2유사(D2, D3나 D4 아형) 도파민수용체에 의해 효과를 나타낸다(Albanease et al, 1988; Kontani et al, 1990; Yoshimura et al, 1992, 1993, 1998, 2003; Yokoyama et al, 1999; Seki et al, 2001; Hashimoto et al, 2003).

마취한 고양이에서 흑색질(substantia nigra)의 도파민성 신경세포의 활성화가 D1유사수용체를 통해 반사성 방광수축이 억제되었다. 깨어 있는 쥐에서 D1도파민길항제(SCH 23390)는 배뇨반사를 촉진하는 반면, D1작용제(SKF 38393)는 반사성 방광수축에 영향이 없기 때문에 D1수용체에 의한 방광활동의 억제가 긴장성으로 작용한다는 사실을 알 수 있다(Seki et al, 2001). 원숭이에서 신경독소인 MPTP로 흑질줄무늬경로(nigrostriatal pathway)를 파괴하여 이러한 긴장성

도파민성 억제성기전을 차단하면 파킨슨병과 유사한 증상이 나타나면서 배뇨근과반사가 유발된다(Albanese et al, 1988; Yoshimura et al, 1993). 유사한 예로 흑질줄무늬경로에서 일측의 6-hydroxydopamine 병변에 의해 유발된 쥐의 파킨슨병 모델에서도 역시 배뇨근과활동성이 유발된다(Yoshimura et al, 2003). 배뇨근과반사는 D1유사수용체를 SKF 38393로 자극하면 억제된다(Yoshimura et al, 1993, 1998, 2003).

반대로 쥐, 고양이, 원숭이에서 중추 D2유사도파민 수용체가 quinpirole이나 bromocriptine으로 활성화되면 배뇨반사기전이 촉진된다(Kontani et al, 1990; Yoshimura et al, 1993, 1998, 2003; Yokoyama et al, 1999). 고양이 교뇌배뇨중추에 도파민을 주입하면 배뇨반사가 촉진되고 역치용적이 감소하는 사실로 보아 D2유사수용체에 의한 배뇨반사의 촉진은 뇌간에 작용하는 것으로 보인다(de Groat et al, 1993). 또한 D2유사수용체는 쥐의 중간대뇌동맥 폐쇄에 의한 배뇨근과반사의 발생에 관여한다(Yokoyama et al, 1999). 따라서 중추신경계에서 도파민성 경로는 작용 위치와 수용체에 따라 배뇨기능에 각기 다르게 작용한다.

5) 아편유사펩티드

모르핀morphine을 뇌실에 주입하면 방광수축이 억제되며, 이 효과는 naloxone에 의해 차단된다(Dray·Metsch, 1984). naloxone의 뇌실내주입은 전신투여를 한 모르핀의 효과를 차단하기도 한다. naloxone을 뇌실 내에 주입하거나 직접 교뇌배뇨중추에 주입하면 배뇨반사가 촉진된다(Hisa-mitsu·de Groat, 1984; Downie, 1999; Mallory et al, 1991a). naloxone에 의해 차단되는 모르핀의 배뇨억제효과는 μ와 δ 아편유사수용체에 의해 매개된다(Hisamitsu·de Groat, 1984; Mallory et al, 1991a; Downie, 1999).

전체 참고문헌 목록은
배뇨장애와 요실금 웹사이트 자료실
(http://www.kcsoffice.org)에서
확인할 수 있습니다.

하부요로의 정상 기능 및 그 기전

Normal lower urinary tract function and underlying mechanisms

김명기

하부요로는 방광과 요도로 구성되며 소변의 저장과 배출을 담당한다. 이런 하부요로의 정상적인 기능은 낮은 압력을 유지하는 효과적인 방광의 요저장 및 요자제 그리고 주기적으로 낮은 압력에서의 수의적이고도 완전한 방광으로부터의 요배출이 가능함을 의미하며, 중추신경계, 말초신경계, 방광평활근, 방광간질(bladder stroma), 요로상피하부와 평활근 내 간질세포, 방광요로상피세포, 요도평활근, 골반저횡문근, 외요도괄약근 등의 여러 요소들의 유기적인 기능을 통해 이뤄진다(Fry et al, 2010).

1. 하부요로의 정상 기능

배뇨의 주기는 소변의 저장과 배출의 두 과정으로 나눌 수 있다. 배뇨의 조절은 자율신경과 체성신경 그리고 중추신경의 복잡한 상호조절로 이루어지며 척수는 이러한 조절의 통로 역할을 하고 있다.

정상적인 소변 저장을 위해서는 소변 양 증가에도 낮은 방광압력을 유지하고 적절한 방광의 충만감이 느껴져야 하며, 저장기 동안 불수의적 방광수축은 없어야 하며 복압이 증가해도 방광출구는 닫혀 있어야 한다. 정상적인 소변 배출을 위해서는 배뇨근의 조직적인 수축이 적절한 강도와 시간 동안 일어나야 하며, 요도괄약근에 배뇨근괄약근협동장애 같은 기능적인 폐색이나 방광경부 협착, 요도 협착 같은 해부학적인 폐색이 없어야 한다.

2. 정상 하부요로 기능의 기전

1) 요저장기의 방광기능

방광이 저장기에 낮은 압력이 유지되기 위해서는 배

뇨근의 이완이 필요하며 이에 관련된 기전의 이해가 중요하다.

방광의 저장기에는 교감신경의 활성화로 인한 배뇨근 이완과 방광경부 평활근의 수축이 일어나며, 방광 수축을 일으키는 부교감신경의 활성도는 억압된 상태이다. 그 결과로 배뇨근 세포는 이완되고 길어지며 세포 간격이 넓어지는 형태로 배치가 된다(Andersson·Arner, 2004). 이로 인해 요저장기에 천수 배뇨중추의 반사작용으로 생길 수 있는 불수의적인 요누출이 예방된다(Unger et al,2014).

방광의 높은 유순도는 방광 자체의 탄성(elasticity)과 점탄성(viscoelasticity)의 성질에서 기인한다. 방광의 탄성은 방광벽의 긴장 없이 요가 어느 정도 채워질 수 있도록 해주며, 점탄성은 방광의 충만 후에 방광벽의 긴장도가 높아지고 늘어남으로써 방광을 이완시키게 된다(Wein, 2010). 이완된 배뇨근과 배뇨근 바깥의 방광벽의 점탄성의 성질이 방광 충만 시의 정상적인 유순도를 가능하게 하여 생리적인 속도의 방광 충만 시에 방광의 최고용적 이전에서 방광압의 상승은 보이지 않게 된다.

2) 요저장기의 방광출구 기능

방광경부와 외요도괄약근은 요저장기에 방광출구의 저항을 증가시켜 요실금의 억제에 중추적인 역할을 담당한다.

방광이 충만되면 요도내압은 점차 상승하게 된다. 여기에는 외요도괄약근과 평활근으로 구성된 내요도괄약근 모두 관계하는 것으로 보인다. 방광 충만 시 외요도괄약근의 활성도 증가는 음부신경의 작용으로 내요도괄약근의 활성도 증가는 교감신경의 작용 때문으로 생각된다. 방광삼각부는 요저장과 배뇨에 모두 관여하며 교감신경과 부교감신경 모두의 지배를 받는데 이러한 두 신경의 상호의존적인 작용은 방광출구 저항의 증가와 방광요관역류를 막는데 중요한 역할을 한다(Fry et al, 2010).

요자제에서 요도 벽의 물리적인 특성도 도움을 주는데 요도점막, 근육, 요도벽(콜라겐 섬류, 탄성 섬유, 혈관 등으로 구성) 모두 요도 내 압력의 유지에 영향을 미친다(Wein, 2010).

3) 정상 배뇨

정상적인 배뇨에는 배뇨근의 조직적인 수축과 방광출구와 외요도괄약근 이완이 요구된다.

배뇨의 시작에 많은 요인들이 작용하지만 성인에서는 방광의 충만감을 느끼게 하는 방광내압 상승이 가장 중요하다. 정상 배뇨는 요도괄약근을 지배하는 체성신경의 활성을 억제하는 것과 방광 충만 중에 증가된 척수 교감신경 반사가 억제되는 것이 중요하다. 골반신경을 통한 부교감신경의 활성화는 방광 배뇨근 전체의 조직적인 수축을 유발하여 방광내압을 증가시켜 원활한 배뇨를 유도한다. 일반적으로 평활근의 수축은 위상성(phasic) 형태와 긴장성(tonic) 형태로 분류할 수 있는데 배뇨근은 위상성 형태의 수축 성질을 가진 상대적으로 빠른 수축을 일으킬 수 있는 평활근으로 분류된다(Andersson·Arner, 2004).

이완된 방광경부는 깔때기 모양을 이루어 방광출구의 저항을 감소시키는 역할을 한다. 이러한 과정은 교뇌 배뇨중추(pontine micturition center)의 조절에 의해 이루어진다. 그 외 산화질소(nitric oxide)의 작용을 통한 삼각부, 방광경부 및 요도의 평활괄약근의 이완도 방광출구의 저항 감소에 중요한 역할을 한다(Andersson·Wein, 2004). 이러한 산화질소를 통한 이완작용은 방광저부와 삼각부가 방광출구의 '닫힘' 상태에서 '열림' 상태로 전환되는데 자율신경과 공동으로 작용하는 것으로 알려져 있다(Fry et al, 2010). 배뇨근의 종적인 배열은 배뇨근수축 시 방광경부와 근위부 요도의 내강을 짧고 넓게 만든다(Andersson·Arner, 2004). 이러한 신경계의 다양한 부위에서 기원하는 활성 또는 억제 신호들이 성인의 수의적인 배뇨조절을 가능하게 하는 것이다.

4) 복압 증가 상황에서의 요자제

배뇨 중의 복압상승은 소변이 방광출구를 통해 몸밖으로 나가게 하지만 정상 하부요로에서 방광 충만 중에 운동이나 기침 등과 같은 복압 및 방광내압의 상승을 유발하는 상황에서 요누출은 보이지 않는다. 이렇게 요자제가 되는 기전은 다음과 같다. 첫째, 단순한 복압의 증가는 방광내압의 증가를 유발하지만 정상 배뇨 시와 같은 조직적인 방광의 수축을 유발하지 못한다. 둘째, 증가된 복압은 방광체부뿐 아니라 방광 경부와 근위부 요도에도 영향을 미치게 되어 방광내압의 증가와 함께 요도폐쇄압의 증가가 동반된다(Wein, 2010). 이는 외요도괄약근 활성도의 반사적인 증가와 관련된 활동적인 근육의 기능이나 요도저항을 증가시키는 다른 요소가 있음을 의미한다.

5) 하부요로의 감각신경

수의적인 방광기능의 조절에 있어 적절한 구심성신경의 전달은 필수적이다.

방광과 요도로부터의 구심성 감각은 골반신경과 일부하복신경을 통해 척수신경절(dorsal root ganglia)을 거쳐 척수에 이르며, 외요도괄약근이나 골반저근의 구심성 감각은 체성신경인 음부신경을 통해 천수(S2–S4)에 이른다. 정상 배뇨에 관련된 가장 중요한 구심성신경은 천수에 연결된 골반신경이다. 골반신경은 방광과 요도로부터 방광벽의 긴장도, 충만 정도와 방광과 요도에 분포하는 통각수용기(nociceptive receptor)를 통한 통각들을 전달한다.

반면에 배뇨 시의 감각은 소변이 요도를 통과하는 느낌으로 단순하지만 3가지의 요소로 나누어 생각할 수 있다. 첫째, 외요도괄약근의 열림 감각, 둘째, 요도로 소변이 통과되는 느낌, 셋째, 요도의 소변으로 인한 온도 감각이다(Wyndaele·Wachter, 2008).

3. 배뇨주기

1) 요저장기(그림 4-1)

방광의 정상적인 충만 과정은 방광벽의 탄성과 점탄성 그리고 부교감신경의 비활성화에 의한다. 방광출구 저항의 증가는 체성신경을 통한 외요도괄약근 활성도의 증가로 일어난다. 교감신경도 방광 충만에 일부 작용할 것으로 보이는데 방광출구의 평활근을 활성화시키고, 부교감신경절에 작용하여 방광의 수축을 억압

하며, 방광체부 평활근의 긴장을 줄이는 역할을 한다.

이런 과정에 방광으로부터의 정상적인 감각신경의 전달은 필수적인 요소이다(Wyndaele, 2010).

복압이 증가되는 상황에서의 요자제는 방광경부와 후부 또는 중부요도의 내인성 기능과 증가된 복압이 방광경부와 후부요도로 같이 전달되는 것, 그리고 복압의 증가에 따라 외요도괄약근의 반사적인 수축으로 가능하다(Wein, 2010).

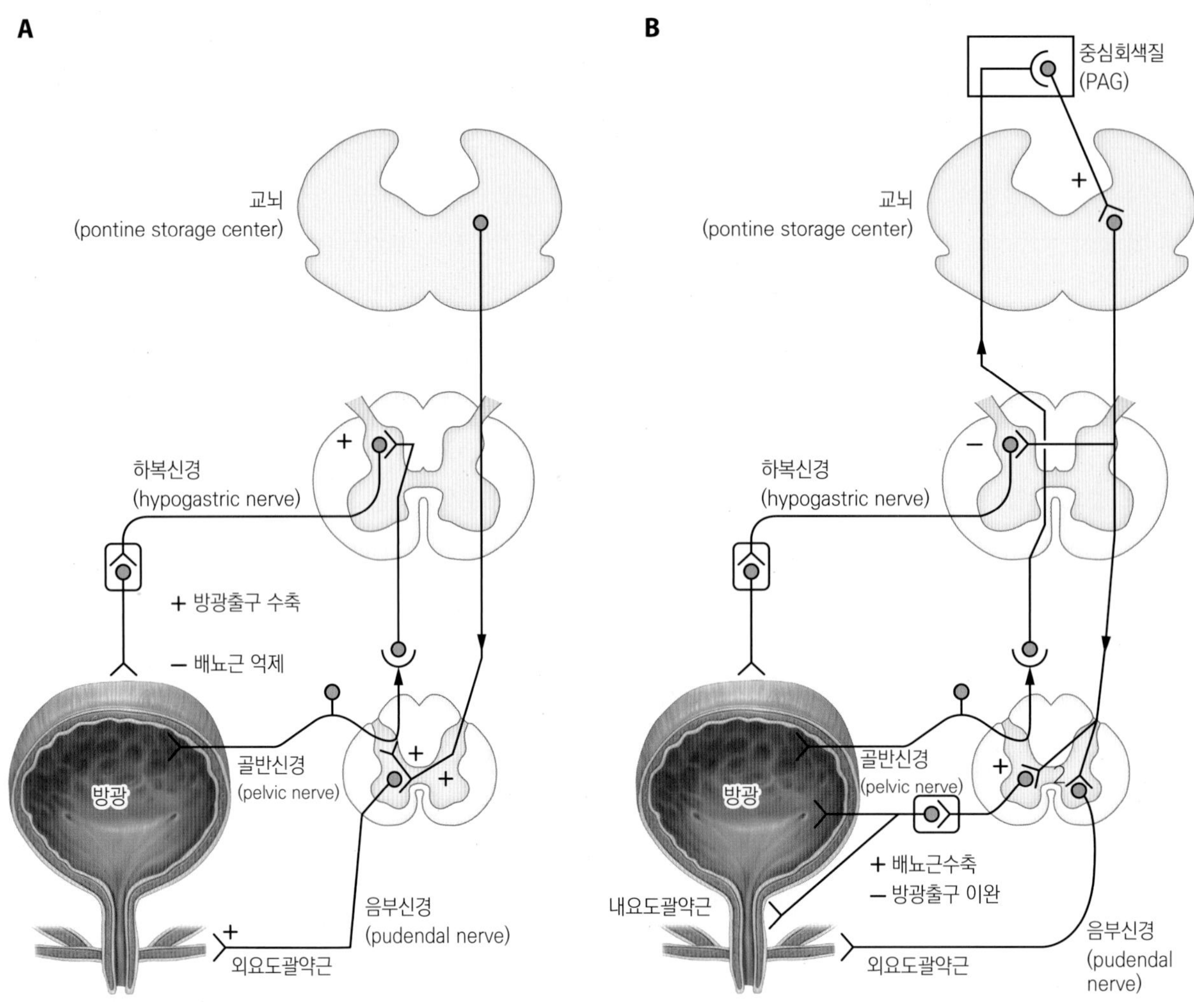

그림 4-1. **요저장과 배뇨반사 기전.** (A) 요저장기. 요저장기 동안 방광이 팽창하면 방광에서 약한 신경신호가 발생하여 방광출구로 가는 교감신경을 자극하고 외요도괄약근으로 가는 음부신경을 자극한다. 이런 반응은 보호반 사(guarding reflexes)라는 척수반사를 통해 일어나서 요자제를 유지하는 역할을 한다. 또한 자극된 교감신경은 배뇨근수축을 억제시킨다. (B) 배뇨기. 배뇨가 시작될 때, 방광으로부터의 강한 신경자극이 뇌간의 배뇨중추를 자극하면 척수의 보호반사를 억제시킨다. 교뇌의 배뇨중추 역시 방광과 내요도괄약근으로 가는 부교감 신경을 자극시킨다. 배뇨기의 유지는 척수를 통해 중심회색질(PAG, periapueductal gray matter)를 통과하는 상행성 구심 자극을 통해 이뤄진다.

2) 배뇨기(그림 4-1)

정상 배뇨는 척수의 체성신경과 교감신경 활성의 억제와 방광으로의 부교감신경계의 활성화로 이루어지며 이러한 조절은 교뇌에서 이루어진다. 배뇨의 시작은 먼저 체성신경과 교감신경의 억제를 통한 방광출구저항의 감소로 시작하며, 부교감신경의 활성화로 조직적인 배뇨의 수축이 뒤따른다. 배뇨근의 수축으로 인해 방광출구는 깔때기 모양이 되어 방광출구의 저항은 더욱 감소한다(Andersson·Arner, 2004). 이후 다른 말초반사나 척수상부 영역으로의 신호로 방광의 수축력은 더 확대된다.

전체 참고문헌 목록은
배뇨장애와 요실금 웹사이트 자료실
(http://www.kcsoffice.org)에서
확인할 수 있습니다.

제 05 장 소아의 정상 하부요로기능과 그 발달

Normal bladder function in infants and children

김선옥

1. 서론

영유아의 하부요로 기능이상의 범위 및 하부요로의 정상 생리를 이해하는 것은 복잡하고 어렵다. 방광이 정상적으로 소변을 저장하고 배출하는 데에는 교감신경계, 부교감신경계 및 체성신경계의 복잡한 신경생리학적 기전이 관여하며, 근본적으로 척수, 뇌간(brainstem)과 고위 피질구조(higher cortical structures)의 복잡한 상호작용의 조절을 받는다(Birder et al, 2009). 배뇨조절 기능을 획득하는 것 역시 단순하지 않으며, 신생아 및 영유아에서의 하부요로 기능과 배뇨조절의 발달 과정은 아직 완전히 밝혀지지 않았다. 소아의 하부요로계의 병태생리와 및 기능이상은 성인과 매우 다를 뿐만 아니라, 소아가 성장하는 동안 정상적인 방광–괄약근 기능 또한 지속적으로 변화한다(Sillen et al, 1996; Holmdahl, 1997). 특히 소아에서 요역동학적 척도들에 대한 연령별, 성별 정상 참고치가 부족하여 이에 대한 이해를 더욱 어렵게 만든다. 그 동안 신생아 또는 영아에서 방광은 불안정하며 배뇨는 단순한 척수 반사에 의해 자동적으로 일어나는 것으로 추정되어 왔으나 최근의 연구들에서는 신생아에서도 배뇨가 대뇌 피질과 연결된 신경 경로의 조절을 받으며 건강한 신생아와 영아에서 배뇨근과활동성(detrusor overactivity)은 드물게 관찰되는 것으로 드러나 기존 인식의 수정이 요구되고 있다(Sillén, 2013; Wen et al, 2014).

2. 영유아 및 소아에서 정상 하부요로계 기능

1) 방광의 해부학적 구조 (Anatomy of bladder)

방광은 하나의 복부 기관으로 영아 및 소아에서는 얕은 골반으로 인해 방광이 차게 되면 손으로 만져질 수 있다. 방광벽은 세 개의 층으로 구성된다; 점막(mucosa), 배뇨근(detrusor), 외막(adventitia). 배뇨근은 연조직섬유들(smooth muscle fibers) 로 구성되며, 이러한 연조직섬유들은 조직탄력을 이끌어내는 기능 구조로 조직되어 있다. 방광의 소변 저장 기능은(reservoir function)은 배뇨근과 방광출구(bladder outlet)의 동시적 활동에 의해 결정되며, 방광출구는 방광목, 근위요도, 골반기저근으로 구성된다(de Groat, 1993).

괄약근(외요도괄약근및 내요도괄약근)은 방광목과 근위요도의 닫힘을 통해 요자제에 주요한 역할을 한다. 외요도괄약근의 해부학적 구조는 원통형 구조로 앞면이 두껍고 뒷면은 얇거나 거의 없는 형태로, 특징적인 말발굽 혹은 횡단면에서 w 형태를 보인다. 외요도괄약근은 연조직의 안층(inner layer)과 가로무늬근의 바깥층(outer layer) 으로 구성되며, 이는 남성에서 전립선의 첨부(apex)에서 뻗어나가 막요도까지 이어진다. 여성에서 외요도괄약근은 다소 덜 발달되어 있으며 방광목에서 중부요도에 이른다. 그러나 내요도괄약근은 해부학적으로 정확하게 설명하기 어렵다. 일반적으로 내요도괄약근은 방광기저부터 시작하여 방광목 아래를 가로질러 근위요도를 향해 뻗어나가는 삼각부로 이어지는 연조직섬유들(smooth muscle fibers)로 구성된다고 알려져 있다. 내요도괄약근은 영상의학적 검사나 요도압측정을 통한 요도의 기능적 연구들에서 보다 잘 기술된다. 배뇨(micturition) 동안에, 방광 기저(bladder base), 방광 목, 그리고 근위요도는 하나의 단위로서 동시에 수축하는 것으로 보이며, 배뇨의 시작과 함께 방광출구를 개방하는 누두효과(funneling effect)를 보인다.

괄약근의 기능 및 구조의 발달과 성숙에 대한 자연경과(natural course) 역시 거의 알려진 바가 없다. 문헌에 따르면, 배뇨근 과수축(detrusor hypercontractility) 과 간헐뇨(intermittency)로 나타나는 미성숙한 배뇨근-괄약근조화(immature detrusor-sphincter coordination)는 흔히 1~2세에 발생하며, 이는 기능적 방광 출구 폐색(functional bladder outlet obstruction)을 일으킨다고 한다(Sillen et al, 1992; Yeung et al, 1998). 태아, 영유아, 소아에서 외요도괄약근의 개체발생학에 대한 해부연구에서, Kokoua 등(1992)은 태아, 영유아, 소아의 괄약근은 성인의 것과 비교하였을 때 조직학적 구조에서 연령과 관련된 중요한 차이가 있음을 발견하였다. 괄약근 섬유들은 발생 20주 무렵에 처음 나타나며, 뒤쪽으로 융합된 닫힌 고리의 형태로, 회음체(perineal body)를 향하는 꼬리와 같은 구조(tail-like structure)를 형성한다. 괄약근의 후면 분할은 1세 동안에 처음에 꼬리에서 시작하여(caudally), 점차적으로 머리쪽으로(cephalad) 향하는 방식으로 발생하며, 동시에 "꼬리"의 점차적인 흡수(gradual resorption)가 발생하여, 결국 성숙한 하나의 w 형태의 구조를 이루게 된다(Kokoua et al, 1992). 괄약근의 완벽한 성숙은 40% 정도에서 1세까지 나타나기 때문에 이는 영유아의 요역동학 연구들에서 흔히 관찰되는 높은 방광내압 및 단속배뇨와 관련이 있다고 추측된다(Sillen et al, 1992; Yeung et al, 1995, 1998).

2) 방광의 신경지배 (Innervation of bladder)

방광-괄약근 복합체(bladder-sphincteric complex)의 활성(activation), 조화(coordination), 그리고 통합

(integration)은 말단신경들의 세 가지 집합들인 ① 천골 부교감신경(골반신경)(sacral parasympathetic, pelvic nerve), ② 흉요추 교감신경(하복부신경 및 교감신경줄기)(thoracolumbar sympathetics, hypogastric nerves and sympathetic chain), ③ 천골 체성신경(주로 음부신경)(sacral somatic nerves, primarily the pudendal nerve)을 통한 중심체성신경계(central somatic nervous system) 및 자율신경계(automatic nervous system)가 관여한다(de Groat, 1993; Mattiasson, 1994)(그림 5-1).

부교감신경섬유들은 골반신경(S2-S4)을 주행하여 방광에 진입하기 전에 골반 및 방광신경총(pelvic and

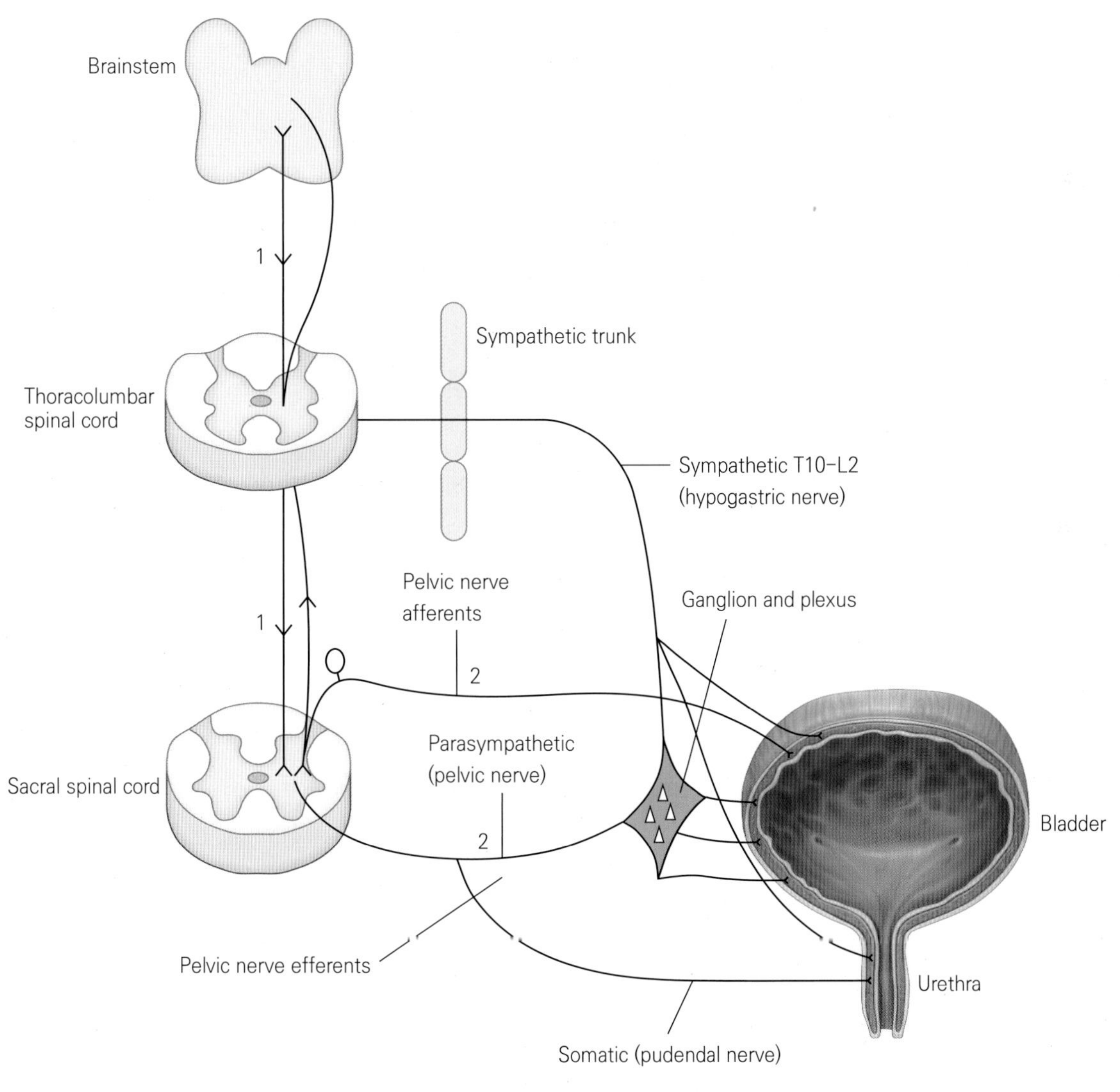

그림 5-1. **Diagram to illustrate the innervation of the bladder-sphincter complex.**

vesical pelxuses) 들을 지배한다. 부교감신경절(parasympathetic ganglia)은 이러한 신경총들뿐 아니라 방광벽에서도 발견된다. 교감신경은 척수 분절 T10에서 L2까지 이르며 교감신경줄기(sympathetic trunk)를 통하여 하장간막신경절(inferior mesenteric ganglion)으로 향한다. 하장간막신경절에서 나간 신경섬유들은 하복부신경(hypogastric nerves)을 통해 골반신경총(pelvic plexus) 및 방광으로 넘어간다. 교감신경지배는 T10에서 L2에서 기인하여 배뇨근과 요도괄약근을 지배하기도 한다. 체성신경계(음부신경)는 요도주위 골반기저 근육들을 지배한다(Mattiasson, 1994). 세 가지 신경들 모두를 통하는 감각 및 운동신경 섬유들은 방광과 요도괄약근 모두를 신경 지배한다. 그것들은 천골부 척수(sacral spinal cord)의 두 번째, 세 번째, 그리고 네 번째 분절에 위치한 부교감신경절들에서 기인한다. 척수 내에서, 방광의 구심성 신경 전달(bladder afferents) 정보는 내장(viscera) 및 체성신경계(somatic) 정보와 통합되며 배뇨 주기(micturition cycle)를 조화시키는 뇌간중심(brainstem centers)으로 전달된다.

3) 정상 하부요로계 기능의 발달 및 배뇨 조절(Development of Normal Lower Urinary Tract Function and Micturition Control)

정상적인 영유아 방광에 대한 요역동학 연구들은 소아의 하부요로계 기능은 성인의 하부요로계 기능과는 매우 다름을 보여준다. 2세에서 3세에 이르는 기간 동안 처음의 무분별한 배뇨 형태를 보이다가 좀 더 사회적으로 인지적이며 수의적인 어른의 배뇨 형태로 점진적 발달을 보인다. 이러한 배뇨의 발달은 아이가 사회적으로 편리한 시간대에 자발적으로 배뇨를 시작하고 멈추는 능력을 얻는 활발한 학습과정을 통해 이뤄진다. 이러한 방광조절의 자연적 변화는 온전한 신경계 발달을 수반하며 세 가지의 주요한 기능적 변화와 관련된다. ① 방광 기능적 저장 용량(bladder functional storage capacity), ② 요도괄약근에 대한 수의적 조절의 성숙, 그리고 아마도 가장 중요한 것은 ③ 배뇨반사를 자발적으로 개시하고 억제할 수 있도록 하는 방광-괄약근 단위에 대한 직접적인 수의적 조절의 발달인데, 이러한 과정은 또한 배변 훈련(toilet training) 동안에 가족구성원들 사이의 용인된 사회적 규범들의 인지에 의하여 영향을 받을 수 있다(Yeung, 2001).

4) 하부요로계 기능 척도들의 변화

(1) 배뇨 빈도(Voiding frequency)

임신 3분기 동안, 태아는 24시간마다 대략 30번 배뇨를 한다. 그러나 출생 직후, 며칠 동안 배뇨 빈도는 극적으로 줄어들었다가, 1주 후에 다시 증가하기 시작하여 2주에서 4주째에 평균적으로 한 시간에 한 번 씩 배뇨를 하는 정점에 달하게 된다. 이후 6~12개월 무렵, 하루에 10~15회 정도로 감소하며 2~3세 무렵에는 8~10회로 감소하게 된다(Yeung et al, 1995; Holmdahl et al, 1996). 생후 몇 년 동안 관찰되는 이러한 배뇨빈도의 감소는 신체의 성장과 더불어 방광 크기의 증가와 가장 연관이 있는 것으로 보이며, 이는 동시에 발생하는 요 생성양의 증가 인자보다 더 큰 영향을 받는다(Koff, 1997). 12세 무렵, 소아의 배뇨 형태는 성인의 형태와 매우 유사하며 대개 하루에 4~6회의 빈도로

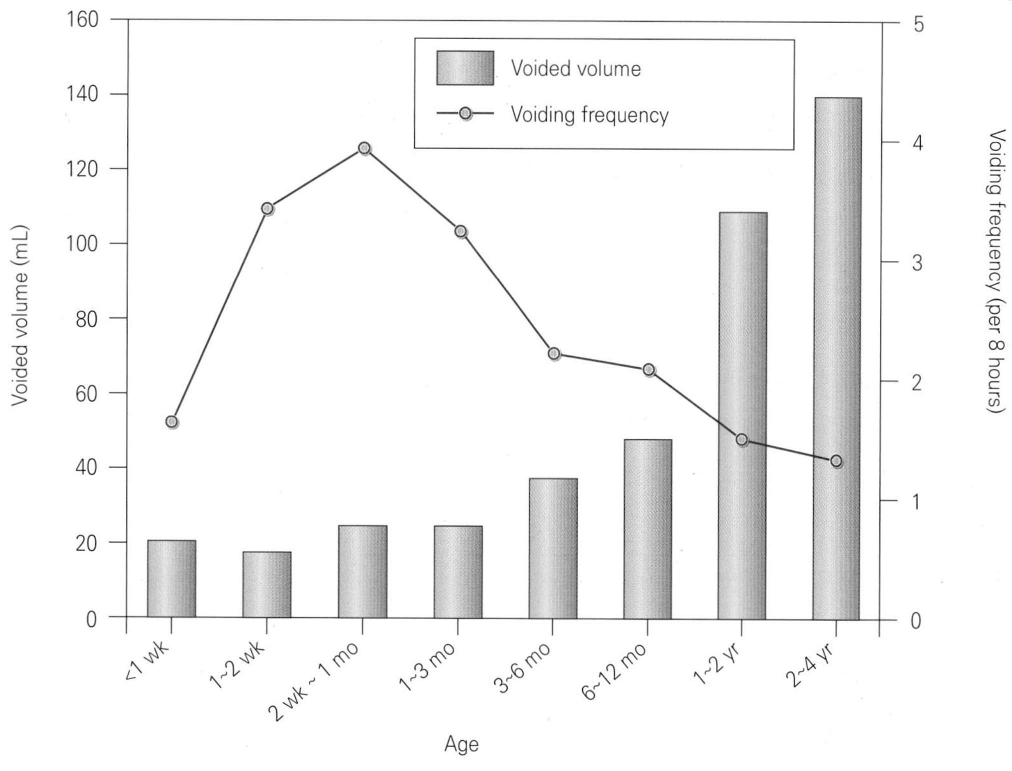

그림 5-2. Changes in voided volume and micturition frequency from neonates to early infancy.

배뇨하게 된다(그림 5-2).

(2) 방광 용적(Bladder volume)

소아의 성장에 따른 방광 용적의 증가는 방광의 기능 변화 및 요자제에 있어 중요한 과정이다. 소아는 성장하면서 소변 생성이 증가하고 배뇨 빈도는 감소하기 때문에 소변 저장을 위한 충분한 저장 기능(reservoir function for urine storage)이 필수적이다. 특정연령에 따른 기능적방광용적을 구하는 공식이 제시된다.

1세 이하 영유아에서 기대 방광 용적은 다음과 같이 표현될 수 있다(Holmdah et al, 1996).

기대 방광용적(mL) = 38 + 2.5 × Age (months)

소아에서, 가장 흔히 사용되는 공식은 Koff's formula이다(Koff, 1983).

기대 방광용적(mL) = {연령(세) + 2} × 30

혹은, 비슷한 것으로는 Hjalmas' formula가 있다(Hjalmas, 1988).

기대 방광용적(mL) = 30 + {연령(세) × 30}

방광용적의 증가와 더불어, 평균 배뇨량 또한 연령과 더불어 증가한다. 흥미롭게도, 요역동한 연구들은 1

세 이전의 배뇨근괄약근협동장애의 불완전한 배뇨기능을 보이는 영유아 중의 상당수가 효율적인 방광 비우기(80% 이상의 효율성)를 할 수 있다(Yeung et al, 1995, 1998; Holmdahl et al, 1996; Sillen et al, 2000).

(3) 배뇨중배뇨근압 (Detrusor Pressure at voiding)

정상 영유아에서 배뇨 중 배뇨근 압력에 대한 연구는 많지 않은데, 이는 영유아에서 요역동한 연구를 수행하는 데에는 기술적 어려움이 따르며, 이러한 연구를 수행하는 데에 있어 고려해야 할 윤리적 사항들이 있기 때문이다. 배뇨방광요도조영술(micturating cystourethrogram) 상 정상 하부요로계를 보이며, 신우요관접합부 폐색에 대하여 절단식 신우성형술을 받거나 이형성 신장에 대하여 신장절제술을 받은 유아들을 대상으로 한 자연 충만 방광내압측정 연구(natrual filling cystometric study)에서, 영유아들의 최대요속 시 배뇨근압($P_{det}Q_{max}$)은 정상 성인들의 것보다 더욱 높게 측정되었다. 배뇨 시, 남자 아이들이 여자 아이들보다 더 높은 압력을 보인다는 것 또한 확인되었다(평균 $P_{det}Q_{max}$ 남 : 여 = 118 : 75 cm H_2O, $P < 0.03$)(Yeunget al, 1995, 1998). 방광요관역류가 없는 건강한, 무증상의 영유아 형제들에 있어서도 비슷한 결과들이 관찰되었다(Bachelard et al, 1999).

연구에 따르며, 오직 생후 1세 이하의 연령 동안 높은 배뇨중배뇨근압이 관찰되고, 연령이 증가함에 따라 이는 점차 감소하였다. 이 기간 동안 절반 이상에서 단속배뇨 혹은 "스타카토" 형태의 요류가 관찰되었다(Yeung et al, 1995, 1998). 높은 배뇨중배뇨근압은 생후 1~2세 동안에 배뇨근-괄약근 조화의 성숙 과정에 있는 영유아 시기에 다양하게 나타날 수 있다고 알려진다(Yeung et al, 1995, 1998; Holmdahl et al, 1996; Bachelard et al, 1999; Sillen et al, 2000).

5) 정상 배뇨 조절의 진화

전통적으로, 신생아 및 영유아의 배뇨는 고위 중추의 중재 없이, 단순한 척수반사에 의해 방광이 충만 되면서 자동적으로 발생하는 것으로 여겨져 왔으며, 아이가 성숙하면서 배뇨반사의 수의적 조절이 성인기에 이뤄지게 된다고 여겨져 왔다. 정상적인 배뇨조절의 성숙 지연은 일차적 야뇨증과 같은 특정한 조건들 탓으로 여겨졌기에 모든 유뇨증은 나이가 듦에 따라 호전된다고 믿었다. 그러나 최근 연구들에 따르면, 심지어 만삭 태아 및 신생아에서도, 배뇨는 고위 중추에 의해 조절된다고 보고된다. Ohel 등에 따르면에 따르면, 자궁내 배뇨는 수면/각성 같은 다양한 행동 동안에 불규칙하게 이루어진다기보다는 거의 대부분이 태아가 깨어있을 때 발생한다(Ohel et al, 1995). 게다가, 만삭 태아의 배뇨는 진동음향자극에 의해 유발됨이 관찰되었으며, 이는 아마도 배뇨반사가 임신 주기에도 하위 신경계의 조절에 의해서도 이루어지고 있음을 시사한다(Zimmer et al, 1993).

출생 후에는 더 복잡한 조절이 이뤄진다. 수면다원검사와 더불어 이동식 방광 감시 기술들을 이용한 정상 신생아들에 대한 연구에 따르면 신생아에서 조차도 수면 중에 배뇨가 이뤄지지 않음을 보여준다(Yeung et al, 1995). 수면 중 방광은 배뇨근수축이 저하되고 안정적으로 조용한 반면에, 깨어있는 동안에 저명한 배뇨근과활동성이 관찰된다. 방광이 충만함에 따른 뇌파 기록에서는, 피질 각성과 함께 실제로 깊은 잠에서 깨어나는 현상이 발생하며, 이때 수면 중이던 영유아는 방광 활성이 돌아오고 배뇨가 발생하기 전에 깨어난다. 그러나 이러한 각성 주기는 종종 일순간이서, 아이들은 울거나 잠깐 움직이거나 배뇨를 한 후 깨어났다는 자각 없이 잠들기 마련이다. 아마도 방광 충만에 대한 이러한 깨어남은 지금까지 이해된 것보다 훨씬 더 복잡한 신경회로 및 고위 중추의 기능을 수반하는 것으로 보인다.

실험 동물을 이용한 대규모 연구들은 출산직후의 방광 기능의 성숙은 아마도 단계별로 이뤄질 것이라고 말한다: ① 배뇨근 성질의 변화; ② 방광 내 말초신경 지배의 성장 및 변화; ③ 방광으로 향하는 부교감신경 반사 회로의 신경가소성 변화 및 중추신경 시냅스회로의 변화가 그것이다.

2~3세 동안에 인지적 자각에 의한 요자제 및 배뇨조절이 가능해져서 어른의 배뇨 조절 형태와 비슷하게 점진적인 발달이 이뤄진다. 아이는 점차 방광이 차면 소변이 마려운 느낌을 알게 되며, 이와 더불어 사회적 규범 및 요실금에 대한 당황스러움을 깨닫게 된다. 학습과정을 통하여, 아이는 사회적으로 편한 시간이 될 때까지 자발적으로 배뇨를 억제 및 연기하는 능력을 습득하며, 심지어 이후 방광이 완전히 충만 되지 않았어도 역동적으로 배뇨를 시작 및 완성할 수 있게 된다. 이러한 배뇨 조절 기전의 자연적 변화는 완전한 신경계의 조절 및 사회적 규범의 인식, 기능적 방광 용적의 점진적 증가, 배뇨근-괄약근 조화의 성숙, 그리고 방광 괄약근 회음부 복합체 전반에 대한 수의적 조절 기능의 발달을 포함한 다양한 요인들이 기여한다.

배뇨조절의 마지막 단계인 3~4세에는 대개 대부분의 아이들이 성인의 배뇨 조절 형태를 습득하고 밤낮으로 오줌을 지리지 않게 된다. 아이는 배뇨반사를 억제하고 배뇨를 연기하며, 사회적으로 용인되고 편안한 시간 및 장소에서 배뇨를 수의적으로 개시하는 것을 배운다. 이러한 배뇨억제 및 수의적 배뇨의 발달 또한 행동 학습에 달려 있으며, 배변 및 배뇨훈련(toilet training)에 영향을 받을 수 있다.

정상 배뇨의 신경학적 조절은 천골 배뇨 중추인 척수에서 뇌교 배뇨 중추인 뇌간, 소뇌, 뇌기저핵, 변연계, 시상 및 시상하부, 그리고 대뇌 피질에 이르는 다양한 수준의 중추신경계에서 발생한다. 방광은 체성신경 및 부교감신경 모두의 조절을 받는다는 점에서 내장 기관들 중에서도 특별한 기관이다.

6) 영유아의 일시적 배뇨근괄약근협동장애

영유아에서 성인의 배뇨조절 형태로 변환 과정에서, 어느 정도의 비정상적인 방광-괄약근을 일시적으로 보일 수 있다(Koff, 1997). 예를 들면, 대다수의 정상 영유아들이 1세에서 2세 동안에 저명한 배뇨근-괄약근협동장애 및 단속배뇨를 보인다(Yeung et al, 1995, 1998). 높은 배뇨압과 단속배뇨는 연관 있으나 전반적인 방광 비우기와는 관련이 없다. 이러한 유형의 기능 이상은 성공적인 배변배뇨훈련 기간 동안 해결이 되며 일시적으로 나타날 수 있다. 그러나 만약 배뇨기능 이상이 배변배뇨훈련기간을 넘어 지속된다면, 특히 재발하는 요폐혈증과 같은 비뇨의학적 합병증과 관련이 있다면, 기저의 해부학적 원인들 및 신경학적 원인들의 가능성에 대해 반드시 고려하고, 적절히 평가되어야 한다.

3. 소아에서 하부요로기능 이상의 역학 및 용어

1) 역학 및 유병

소아의 비신경인성 하부요로계 기능이상은 많은 경우 요로계감염, 방광요관역류, 혹은 요실금이 있을 경우 나타난다. 6세 아이들의 15%에서 비신경인성 하부요로계 기능이상을 보인다(Hoebeke, 2002). 비신경학적 하부요로계 기능이상에 대하여 다양한 조건들이 기술되나, 이러한 조건들은 엄격히 따로 분리된 형태로 이해하기 보다는 서로 연관된 일련의 과정들로 이해해야 한다. 예를 들면, 이상배뇨(dysfunctional voiding)를 보이는 소아는 요도괄약근 및 골반저의 과활동성과 관련된 배뇨근 과활동성으로 시작하여, 점차적으로 배뇨후 잔뇨량(post-void residual)의 증가와 함께 단속배뇨(fractioned voiding) 을 보이는 상태로 변할 수 있으며, 마침내 방광대상기능장애(bladder decompensation) 상태가 되어 태만방광증후군(lazy bladder syndrome)에 이를 수 있다. 비신경학적(non-neuropathic)이라는 용어 역시 어떠한 명백한 신경학적 병변도 관찰될 수 없을 때 사용해야 한다. 그러나, Urofacial syndrome complex (Ochoa syndrome) 및 Hinman syndrome(심각한 방광 및 장의 기능이상) 과 같은 경우들은 특징적인 신경학적 방광-괄약근 기능이상과 거의 동일하게 나타난다. 비록 정확한 신경해부학적 병변은 아직 확인되지 못하였더라도, 위와 같은 조건들은 기질적으로 기저의 신경학적 원인을 갖고 있다고 여겨진다. 그러므로 신경학적 및 비신경학적 방광-괄약근 기능이상의 구별은 전통적으로 인식되어 왔던 것처럼 명확하지 않을 수 있다.

성인의 하부요로계 기능은 1970년대 초 이래로 국제요실금학회(International Continence Society; ICS) 위원회에 의해 용어의 표준화가 이루어졌다. 반대로, 소아의 방광-괄약근에 대한 신경학적 조절은 연령 의존적이며 훨씬 가변적이며 복잡하다. 그러므로 정상 및 비정상 하부요로계 기능에 대한 정의가 표준화되어 있지 않다. 지난 수십년에 걸쳐 소아의 방광 기능이상에 대한 다양한 분류가 기술되었다(Wein, 1998). 혼란을 피하기 위해, 1998년 International Childrens' Continence Society (ICCS)는 다양한 하부요로계 증상 및 기능 이상에 대한 표준화된 용어 및 정의 체계를 제안하였다. 이는 차례로 2006년, 그리고 가장 최근 2014년에 개정되었다(Neveus et al, 2006; Austine et al, 2014).

2) 하부요로 증상들에 대한 용어 (Terminology of Lower Urinary Tract Symptoms)

ICCS는 하부요로계 증상에 대한 참고 연령을 5세로 설정하는데, 이는 DSM-5 (Diagnostic and Statistical Manual Fifth Edition) 및 ICD-10 (International Classification of Disease-10)에서 요실금질환을 설명하는데 사용된 참고치가 바로 5세이기 때문이다(Chase et al, 2010). 아이들 간에 하부요로계 기능이 성숙되는 데에 있어 서로 다른 주요한 변수들이 있을 수 있기에 하부요로계증상에 관한 용어도 5세 이전에 하부요로계 기능을 수의적으로 조절할 수 있는 더 어린 연령의 소아 코호트군에게도 선택적으로 적용될 수 있다. 하부요로계 기능에 영향을 끼칠 수 있는 다른 변수들인 행동 장애뿐만 아니라 아이의 발달 정도도 역시 고려되어야 한다. 방광 및 장 사이의 복잡한 관계 때문에, 방광 및 장의 기능적 이상이 함께 존재하는 것은 매우 흔하며, 이들은 방광 및 장 기능이상(Bladder and bowel dysfunction; BBD)로 명명된다. BBD는 나아가 하부요로계 기능이상(lower urinary tract dysfunction; LUTD) 및 장 기능이상(bowel dysfunction)으로 하부 분류될 수 있는 포괄적 용어이다.

4. 방광 및 장 기능이상(Bladder and Bowel Dysfunction)

BBD는 2014년에 출간된 하부요로계 기능에 관한 용어에 대한 ICCS 표준화 용어이다(Austine et al, 2014). 직장 및 방광은 해부학적으로 매우 가까우며, 부교감신경 S2-S4, 그리고 교감신경 L1-L3 신경근(nerve root)로 부터 신경지배를 받는다. BBD는 발생기전은 아직 명확하게 설명하지 못 하나, 방광 및 장의 동반 기능이상에 아우르는 증상에 대한 좀 더 포괄적으로 사용될 수 있는 용어로서 추천된다.

BBD는 비교적 흔하며, 소아 비뇨의학 전문 치료의 거의 40%가 하부요로계 기능이상이며, 소아 소화기과학 진료의 30%가 장 기능이상과 관련 있다. 소아 비뇨의학과의 50%에 이르는 환자들이 하부요로계 기능이상과 기능성 변비를 동시에 갖고 있다고 알려져 있다(Burgers et al, 2013). BBD를 지닌 환자들은 주의집중 문제 및 행동장애 등, 좀 더 정신의학적인 문제들을 갖고 있는 것으로 알려진다. 이러한 환자들은 비뇨의학, 소화기의학, 그리고 정신심리의학 전문가들을 포함한 다학제적 치료 접근을 통해 접근해야 한다.

5. 배변 배뇨훈련(Toilet training)

대소변 가리기 훈련, 즉 Toilet training은 소아의 발달에 있어 매우 중요한 과정이며, 이를 성공적으로 끝마치는 것은 큰 이정표를 마련하는 것이다. 그러나 이에 대한 체계적인 연구는 매우 드물며, 배변, 배뇨 훈련의 적절한 시작 시기와 효과적인 훈련 방법에 대한 결론적인 답을 내놓기에는 근거가 부족하다(Vermandel et al, 2008; Wu, 2010). 대부분의 소아과의사들은 배변, 배뇨 훈련을 적어도 18개월 이후에(일반적으로는 2세 이후에) 시작할 것을 권장하고 있다. 이러한 권장사항은 미국소아과학회(American Academy of Pediatrics; AAP)의 최근 지침에 기반한 것으로 이 지침은 잘 알려진 Brazelton의 아이 중심 접근의 배변, 배뇨 훈련법을 기본으로 한 것이다(Brazelton et al, 1962; Stadtler et al, 1999). 미국소아과학회의 지침에 아이의 배변, 배뇨 훈련 시기를 정확히 규정하고 있지는 않지만, 배변, 배뇨 훈련을 시작하기 위해 필요한 신체적, 정신적 발달과 준비는 대개 18개월에서 30개월 사이에 이루어지는 것으로 보고 있다(Stadtler et al, 1999).

1) 배뇨 훈련의 시기, 방법과 배뇨 조절의 성숙

배뇨 훈련의 시기가 방광 조절의 성숙에 영향을 미치느냐에 대해 논란이 있어왔다(Vermandel et al, 2008). 그러나 최근의 연구 결과들은 배뇨 훈련을 일찍 시작함으로써 요자제를 일찍 얻을 수 있음을 제시하고 있다. Duong 등의 연구에서는 영아 배뇨 훈련을 통해 소변 배출기능의 성숙(즉, 단속적 배뇨의 소실 및 잔뇨량의 감소)도 촉진되는 것으로 드러났다(Duong et al, 2010). 영아 배뇨 훈련에서 아이의 괄약근의 긴장을 푸는 데 도움이 되는 자세와 분위기의 형성, 그리고 조건 반응의 유발 등이 이러한 하부요로 기능의 성숙에 기여할 것으로 추정된다. 참고로 2009년에 발표된 배변, 배뇨 훈련에 관한 국내 설문 조사 연구(Kim et al, 2009)에 따르면, 훈련 시작 시기의 평균은 남아에서 19개월, 여아에서 18.7개월이었고, 18개월 이전에 시작하는 경우가 32.6%, 18~24개월에 시작하는 경우가 61.0%였다. 낮에 소변을 가리게 된 시기는 남아, 여아 모두 24.8개월이었고, 밤에 소변을 가린 시기는 남아는 32.9개월, 여아는 32.5개월이었다. 배변, 배뇨 훈련의 시작, 완료 시기가 최근 서구의 자료와 비교하여 약간 이른 편이나, 큰 차이는 없는 것으로 보인다.

2) 배뇨 훈련 시작 시기와 소아의 하부요로 기능이상

잘못된 배변, 배뇨 훈련이 방광 기능 이상 또는 장 기능 이상을 초래할 수 있는 것으로 생각되어 왔다(Mota·Barros, 2008). 몇몇 연구에서 배뇨 훈련의 시작 시기가 늦을 경우 하부요로기능이상의 발생이 증가할 수 있음을 제시하고 있다(Barone et al, 2009; Joinson et al, 2009). Joinson 등이 8000명 이상의 4.5~9세의 출생 코호트를 대상으로 한 연구에서는 배뇨 훈련을 24개월 이후에 시행하는 경우에 15~24개월에 시행하는 경우보다 요자제의 획득이 늦을 뿐 아니라, 주간요실금의 지속, 주간요실금의 재발의 위험이 유의하게 높은 것으로 나타났다(Joinson et al, 2009). 그리고 Barone 등은 절박성요실금이 있는 4~12세의 환자군과 대조군에서 배뇨 훈련의 시작 시기를 조사하여, 환자군에서 배뇨 훈련의 시작 시기가 유의하게 늦었음을 보고하기도 하였다(Barone et al, 2009). Bakker 등은 초등학교를 마친 아이들과 그 부모에게 시행한 설문조사연구에서 주간요실금, 야간요실금(야뇨증)의 존재 또는 요로감염의 병력이 배뇨 훈련을 18개월 이후에 시작하는 것과 연관이 있었다고 하였다(Bakkeret al, 2002).

6. 소아의 하부요로에 대한 임상적 평가 (Clinical Assessment of Lower Urinary Tract Conditions in Children)

소아의 하부요로계 상태를 평가할 때에는 자세한 과거력, 배뇨빈도/배뇨일지, 그리고 신체 검진이 반드시 이뤄져야 한다(Neveus et al, 2006). 요속검사 및 초음파, 요역동학 검사가 도움이 될 만한 환자들을 선택할 수 있다.

1) 과거력

하부요로계기능이상을 지닌 아이들의 과거력에 대한 조사는, 신경학적 이상 및 선천적 이상을 배제할 수 있는 적절한 문항들이 포함되어야 한다. 장 기능이상은 유분증(encopresis), 변비(constipation), 분변매복(fecal impaction)의 형태로 함께 존재할 수 있다. 비뇨기계 과거력 조사는 소변의 저장 및 배출, 두 가지 모두에 관련된 증상들에 초점을 맞춰야 한다. 가능하다면, 과거력 조사는 아이와 부모/양육인 둘 모두에게서 행해져야 한다. 그리하여 아이에게서 얻은 정보를 다시 한 번 확인해 볼 수 있다. 일반적으로 비신경성 하부요로계 기능이상을 지닌 아이들의 대다수는 야간 요실금 혹은 주간 요실금 증상은 배뇨훈련 후에 나타난다. 비신경성 하부요로계 기능이상은 요로감염 혹은 방광요관역류에 대한 검사 도중, 더 어린 나이에서도 인지될 수 있다.

태아가사(fetal distress), 산소결핍증(anoxia), 출산외상(birth trauma), 태아기 수신증(prenatal hydronephrosis), 양수과소증(oligohydramnios) 에 대해 묻는 산과적 과거력 조사도 필요하다. 배변과 관련된 어떤 문제든지 신경학적 이상을 의심해 볼 수 있다. 배변배뇨훈련 시기 및 주간 및 야간 배뇨조절이 가능해 진 나이는 하부요로계 기능이상이 가능성이 있는 아이들을 감별 하는데 도움이 될 수 있다. 때때로 이른 배변배뇨훈련 및 이른 배뇨조절은 하부요로기능이상의 위험요인으로 여겨지기도 한다. 추가로 빈뇨, 요실금빈도, 요절박에 대한 반응이 평가되어야 한다. 이러한 정보들은 배뇨일지를 통해 얻을 수 있다.

배뇨행동 습관 및 요류형태에 대한 평가가 필요하다. 요류 형태의 이상을 보이는 많은 여아들은 화장실에서 앞으로 숙인 자세를 취한다. 종종 아이가 너무 오래 참아 화장실을 가지 않는다거나 Vincents' curtsey sign이라 불리는 행동을 하면서 소변을 참는데, 이는 쪼그려 않는다거나 발뒤꿈치를 회음부에 대고 요도를 압박하는 자세를 말한다(그림 5-3).

이전의 요로감염 기왕력 및 그와 관련된 수술 여부를 물어봐야 한다. 월경력, 장 기능(심한 변비, 대변실금)이상도 평가한다. 종종 소아 하부요로계 기능이상에서 나타나는 가족력 또한 함께 평가되어야 한다. 유전과 관련된 조사 또한 신경학적 이상 및 선천적 이상과 관련된 질문들을 포함해야 한다.

이상배뇨(dysfunctional voiding)을 진단하는 데에 있어 좋은 민감도와 특이도를 지닌 설문지가 있으며, 방광장기능이상(BBD) 설문지는 소아 비뇨기계 임상 상황의 진단에 유용한 도구이다.

그림 5-3. Vincent's curtsy sign.

2) 배뇨일지와 배변 일지(Frequency Volume Chart or Voiding Diary and Bowel Diary)

배뇨횟수배뇨량일지는 24시간 동안 수분섭취량과 소변배출량을 기록하는 일지이다. 진단 목적으로, 차트는 적어도 3일간의 기록을 다뤄야 한다.

다양한 정보들이 이러한 차트들로부터 얻어질 수 있으며, 이는 아래와 같다.

(1) 배뇨 빈도
(2) 24시간 총 배뇨량
(3) 평균 배뇨량
(4) 가장 많은 배뇨량 및 가장 적은 배뇨량
(5) 주야간에 걸친 배뇨량의 분포
(6) 요실금
(7) 수분섭취

방광 및 장 기능 사이의 면밀한 관계 때문에, 장 기능에 대해서도 주의 깊은 검사가 필요하며 이를 통해 방광장기능이상(BBD)를 배제할 수 있다. 방광장기능이상, 관점에서 장 기능이상에 대하여 권고되는 추가 검사는 대체로 7일 간의 대장일지가 권고되며 Bristol Stool Form Scale 이 이에 포함되어 있다. 소아에서 기능성 변비의 진단은 Rome-III criteria 가 가장 흔히 사용된다(Rasquin et al, 2006).

3) 신체검진

일반적인 소아검진, 즉 분변매복을 확인하기 위한 복부 촉진에 집중하는 것 이 외에도, 항문주변감각 및 회음부 감각, 괄약근 정도, 구부해면체반사 역시 평가되어야 한다. 회음부는 천골 분지인 S1-S4에 지배받으며, 이들은 또한 방광과 요도괄약근을 부분적으로 지배한다.

기존에 갖고 있는 잠재척추파열증(Occult spinal dysraphism)의 피부 발현(지방종, 피부 색소침착, 체모 성장)에 관하여 특히 주의하여 등(back) 및 하부 요추 부위를 임상적으로 관찰하는 것이 신경학적 원인을 배제하는 데 필수적이다(Mandell et al, 1980). 하지 평가를 통해 요추에 영향을 미치는 신경성 질환들과 부합하는 병변을 확인할 수 있다. 근위축(muscle atrophy), 발 변형(foot deformities) 및 하지 불균형도 확인한다. 여아에서 질구검사를 포함한 생식기 신체검진을 시행할 때에는 특히 요도입구의 위치, 처녀막의 존재 여부를 확인하고, 남아에서는 음경 및 요도 입구에 대한 검사가 이뤄져야 한다(Hoebeke et al, 1999).

4) 요분석 및 기타 실험실 검사

요분석은 임상 평가에서 놓칠 수 있는 정보를 제공할 수 있다. 때때로 무증상 세균뇨가 요실금 환아에서 관찰되기도 한다. 요로감염은 배뇨이상(dysfunctional voiding)의 결과로 나타날 수 있는데 이는 요류가 요도에서 방광까지 세균을 밀어 올릴 수 있기 때문이다. 요로감염은 방광자극 증상들의 원인이 될 수도 있다.

소변 내 당 혹은 단백질의 존재는 방광 기능을 저해하는 사구체 질환 혹은 대사질환이 있을 수 있음을 시사한다.

5) 초음파검사

하부요로증상을 보이는 모든 환아는 초음파 검사가 추천된다. 초음파검사는 비신경인성 배뇨장애 환아에서 시행될 수 있는 간단하고 비침습적인 검사도구로서 해부학적 및 기능적 이상에 대한 정보를 줄 수 있다. 배뇨 후 방광초음파로 배뇨 후 잔뇨량을 측정할 수 있다. 골반저 근육의 움직임, 방광목의 이동에 대한 검사에서 활용되며 방광용적과 방광벽 두께의 관계(bladder volume bladder wall index, BVWI) 측정할 때에도 사용된다. 방광벽의 두께는 하부요로증상과 유의한 연관이 있는 것으로 알려져있다(Yeung et al, 2004). 또한 상부요로계의 해부학적 정보를 줄 수 있으며 방광요관역류 및 신우요관이행부협착에 대한 정보를 줄 수 있다.

6) 기타 영상검사

배뇨중방광요도조영술은 방광요관역류 유무를 진단할 수 있다. 이때 방광의 소변이 충분이 배출되는지, 또는 요도의 위치 및 형태를 확인하고 하부요로계 폐색의 유무에 대한 유추를 가능하게 한다.

7) 요속검사

요속검사(uroflowmetry)는 배뇨양상을 관찰할 수 있어서 소아배뇨장애 진단에 유용한 검사이다. 배뇨시작부터 배뇨 완료까지 배뇨되는 요량과 요압력을 그래프로 표시함으로써 배뇨근의 압력과 요도괄약근의 이완 여부를 짐작할 수 있다. 배뇨량이 연령별 기대방광용적의 50% 미만인 경우는 요류곡선의 모양이 달라질 수 있기 때문에 적절한 양을 배뇨하도록 유도해야한다. 요류검사는 근전도검사와 함께하는 것이 이점이 있으며 배뇨 중 배뇨근과 골반저근의 협조(Synergia) 양상을 함께 평가할 수 있다. International Children's Continence Society (ICCS)는 그래프의 모양에 따라 종형(bell), 탑형(tower), 납작형(plateau) 스타카토형(Staccato), 단속형(interrupted) 곡선으로 나눌 수 있다. 종형 요류곡선을 정상 형태 여긴다(그림 5-4). 단속배뇨(Interrupted flow)는 배뇨 중에 요속이 0에 흔히 도달한다. 이 경우는 배뇨근수축력 저하 또는 배뇨 중 골반저근의 활동성 증가가 의심된다. 납작배뇨(Plateau flow)는 지속적인 낮은 압력의 요속을 나타내는데, 대개 연령 특이 최저 요속보다 낮은 압력을 보이고, 낮은 요류 형태가 4초 이상 지속될 때 진단 할 수 있다. 방광하부폐색이나 괄약근의 이상 수축을 의심할 수 있다. 스타카토(Staccato flow)는 괄약근의 과활동성에 기인하는 것으로 생각되며 최대요속이 불안정한 형태를 보인다. 탑형(tower flow)은 급작스런 요속의 상승을 보이는데 대체로 방광의 과활동성과 연관된다.

연구에 따라 소아에서 약 2.8%에서 37%까지 비정상 요류 형태를 보인다고 보고된다. 그러나 한 번의 검사로 진단하는 것은 위험하며 정상을 비정상으로 오인

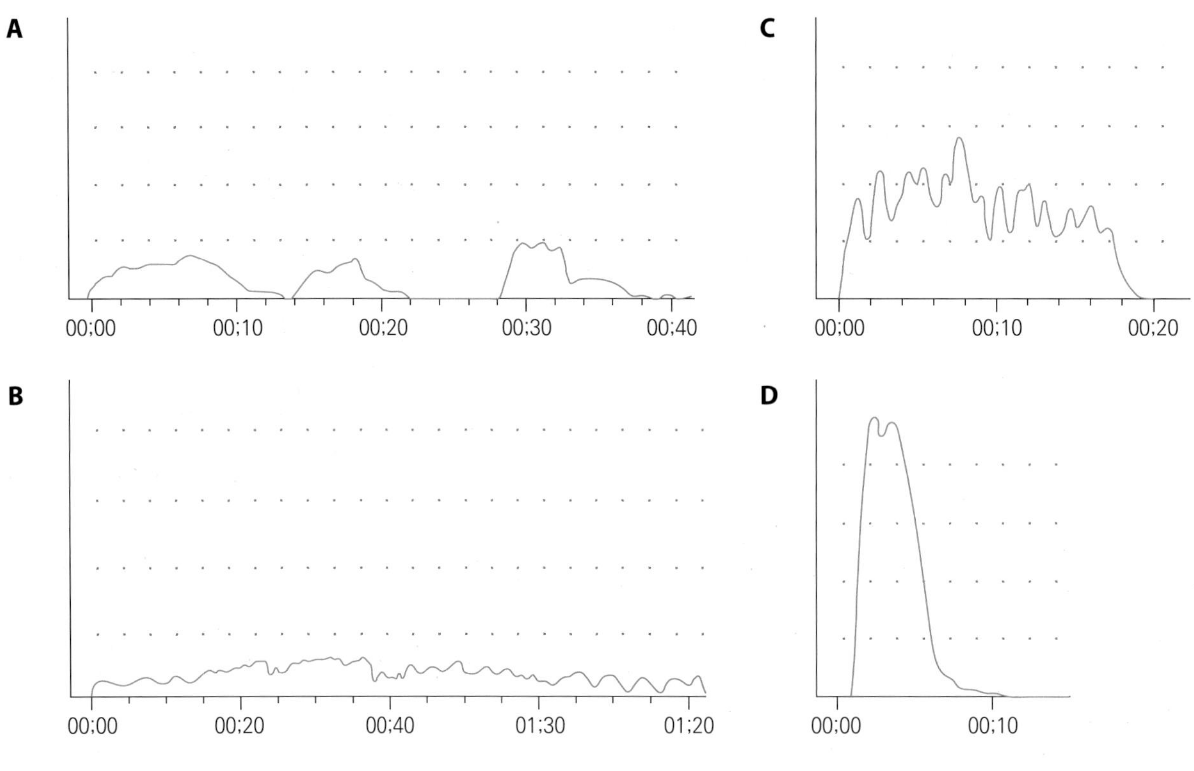

그림 5-4. Pattern of uroflowmetry curves. A, Interrupted curve. B, Plateau curve. C, Staccato curve. D, Tower curve.

할 수 있으니 적어도 2회 이상 반복적 검사를 시행하는 것이 좋다. 스스로 배뇨를 못하는 경우 배뇨 후 잔뇨량으로 유추하는 것이 보통이고 4시간 배뇨관찰(4-Hour voiding observation)이 유용하게 적용된다는 보고도 있다.

8) 배뇨 후 잔뇨검사

배뇨 후 잔뇨량(post void residual)은 배뇨후 방광을 초음파로 검사함으로써 측정할 수 있다. 배뇨 후 잔뇨량은 배뇨 후 5분 이내에 측정하는 것이 좋다. 도뇨관을 통한 측정이 가장 정확하기는 하나 요로감염이 발생하거나 환아에게 불편감을 줄 수 있어 가급적 피하는 것이 좋다. 예상방광용적의 50% 이내 또는 115% 이상으로 방광이 적절하지 않게 채워졌을 때 시행한 배뇨 후 잔뇨량은 정확하지 않을 수 있다. 방광과 요도 기능이 정상이라면 잔뇨는 전혀 없어야 하는데, 배뇨근괄약근협동장애, 배뇨근수축력 저하, 방광하부폐색이 있을 때는 잔뇨가 관찰된다.

2014년 개정된 ICCS의 용어 정의에 따르면 6세 이하와 7세 이상으로 나누어 잔뇨의 의미를 한 번 측정한 것과 반복 측정한 것을 따로 정하고 있다. 아래에서 방광용적(bladder capacity; BC)이란 '배뇨량 + 배뇨 후 잔뇨량' 또는 '예상방광용적'을 의미한다.

(1) 4~6세 이하의 아동

- 한번 측정하였을 때: 배뇨 후 잔뇨량이 30 mL 이상이거나 방광용적의 21% 이상일 때 의미있게 증가되었다고 판단한다.
- 반복 측정하였을 때: 반복측정 배뇨 후 잔뇨량 20 mL 이상이거나 방광용적의 10% 이상이면 의미있게 증가되었다고 판단한다.

(2) 7~12세 이상의 아동

한 번 측정하였을 때: 배뇨 후 잔뇨량이 20 mL 이상이거나 방광용적의 15% 이상일 때 의미있게 증가되었다고 판단한다.

반복 측정하였을 때: 배뇨 후 잔뇨량이 10 mL 이상이거나 방광용적의 6% 이상일 때 의미있게 증가되었다고 판단한다.

9) 요역동학검사

요저장기와 배출기 동안의 방광과 외요도괄약근의 생리학적 활동 범주의 변화를 검사하는 것이 요역동학검사이다. 비침습적인 요속검사, 배뇨 후 잔뇨검사, 괄약근 근전도검사, 4시간 배뇨양상 관찰은 비침습적인 일차적 검사 방법에 해당된다. 소아에서는 대게 6Fr 정도의 가는 도관을 사용하며 미지근한 온도의 생리식염수를 방광 안에 일정한 속도로 채우면서 요저장기와 배출기로 나누어서 검사한다. 방광충전속도가 결과에 영향을 미칠 수 있으므로 기대방광용적의 5~10%에 해당하는 속도가 추천된다(Neveu et al, 2006).

방광을 채우는 방법은 자연적으로 생성된 소변으로 충만되는 것(자연충전방광내압측정술)을 기다리거나 체온과 비슷한 온도의 생리식염수로 방광을 채우는 것이다(Yeung et al, 1995). 자연충전방광내압측정술(natural filling cystometry)은 검사 시행 1~2일 전에 치골상부요로전환술을 한 후 그곳으로 방광내압을 측정하여 적어도 세 차례의 배뇨가 있을 때까지 측정하는 것이 가장 바람직한 방법이다. 그러나 검사 전처치가 번거로워 신생아를 제외하고는 대부분의 기관에서는 치골상부방광루나 요도를 통해 생리식염수를 주입하는 방법을 선택한다.

휴대용 요역동학검사(ambulatory urodynamic study)는 환자가 병원이나 검사실 환경에 도저히 적응할 수 없는 경우 검사기기를 자유롭게 휴대하면서 진행한다. 검사 시에 방출되는 적외선(infrared)을 10 m 이내에 있는 컴퓨터가 감지하여 결과를 기록한다.

직장 내 불규칙한 압력 상승이 방광내압에 미치는 영향을 배제하기 위해 일반적으로 직장내압(rectal pressure)을 함께 측정하여 방광압에서 직장내압을 뺀 값을 배뇨근압(detrusor pressure)이라고 하며, 하부요로기능이상의 진단과 치료에 있어 유용하고 중요한 수치이다. 하지만 방광이 딱딱하게 섬유화되어 있는 경우 직장내압 측정이 오히려 배뇨근압의 정확한 측정을 오도할 수도 있으므로 매번 시행하는 것은 아니다. 배뇨근압의 변화로써 배뇨근의 불수의적 배뇨근활동성, 배뇨근의 유순도, 배뇨 시 배뇨근수축력을 평가할 수 있다. 방광근육 상태를 정확하게 알 수 있는 객관적인 검사라는 것은 분명하지만 침습적인 방법이므로 검사 자체가 배뇨 행태를 비정상으로 만들지 않도록 숙달된

검사자에 의해 진행되어야 한다. 회음부에 표면전극(suface electrode)을 장치하여 괄약근의 근전도를 측정하는 것은 배뇨근괄약근협동장애를 진단하는 데 도움이 된다. 방광요관역류가 있거나 방광경부와 외요도괄약근의 개폐를 함께 관찰하기 위해 비디오요역동학검사(video urodynamic study)를 시행한다. 이는 특히 여아에서 기능이상성배뇨가 의심되거나, 남아에서 요도협착이 의심될 때 방광충만 시 방광경부의 열림, 요도질역류, 구부요도고리의 존재 등을 진단할 수 있으므로 유용하다.

전체 참고문헌 목록은
배뇨장애와 요실금 웹사이트 자료실
(http://www.kcsoffice.org)에서
확인할 수 있습니다.

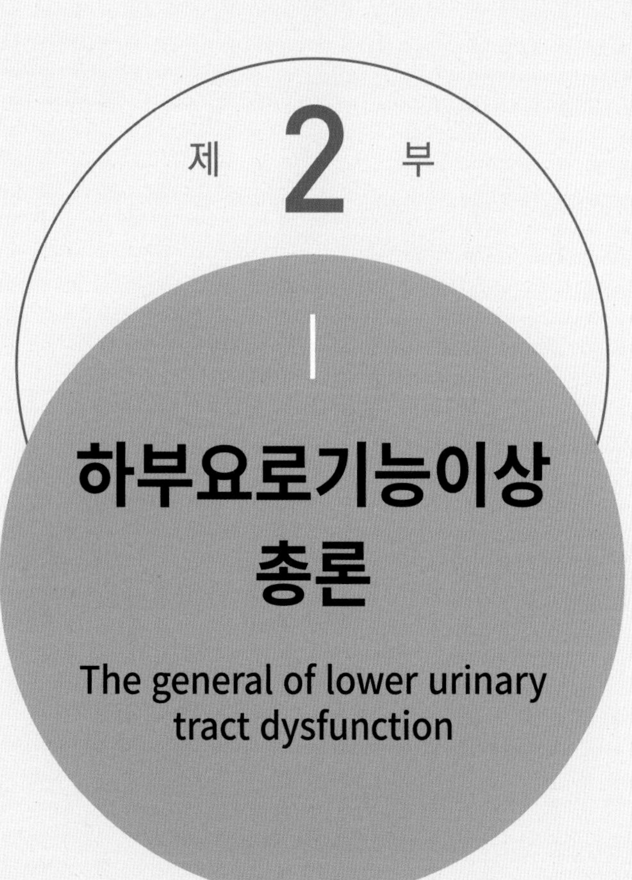

제 2 부

하부요로기능이상 총론

The general of lower urinary tract dysfunction

제 06 장 하부요로기능이상의 병태생리: 개관
제 07 장 하부요로기능이상의 분류
제 08 장 하부요로의 기능 및 기능이상과 연관된 증상, 징후, 그리고 요역동학검사 결과들에 대한 표준용어
제 09 장 하부요로기능이상의 평가
제 10 장 요역동학검사
제 11 장 하부요로기능이상의 치료: 개관
제 12 장 하부요로건강을 위한 생활습관과 식이
제 13 장 하부요로기능이상의 보존적 치료
제 14 장 하부요로기능이상의 약물치료
제 15 장 하부요로기능이상의 수술적 치료
제 16 장 전기자극과 신경조정술
제 17 장 배변기능이상
제 18 장 남성 건강과 하부요로 증상
제 19 장 여성 호르몬과 하부요로
제 20 장 노인의 하부요로기능 이상
제 21 장 장을 이용한 하부요로의 재건

제 06 장

하부요로기능이상의 병태생리: 개관

Pathophysiology of lower urinary tract dysfunction: Overview

조강준

정상 하부요로는 부교감신경, 교감신경 및 체세포 신경으로 이루어진 복잡한 신경망의 적절한 조절을 통해 방광과 출구 기능 사이의 조화로운 관계를 보이고, 이는 방광의 저압충전(low pressure filling) 상태에서 주기적이고 자발적인 소변의 배출을 가능하게 한다. 여기에 이상이 생기면 방광 자체나 출구에 장애가 발생하게 되며, 이로 인한 하부요로기능이상은 요저장장애와 요배출장애로 이어지게 되고, 이 두 가지가 복합적으로 나타날 수도 있다(Wein, 2016).

1. 요저장장애

요저장장애는 방광과활동성, 방광출구저항의 감소, 방광 감각기능의 변화, 또는 이들의 복합으로 발생할 수 있다. 소변이 저장되는 동안 요로상피에서 분비되는 여러 신경전달물질이 구심성신경의 수용체를 활성화시키면 방광과활동성과 같은 방광 감각기능의 변화를 유발할 수 있다.

1) 방광과활동성

방광과활동성은 불수의적 배뇨근수축, 방광유순도 감소, 또는 이들의 복합으로 나타날 수 있다.

(1) 불수의적 배뇨근수축

불수의적 배뇨근수축은 신경학적 질환이나 손상, 방광출구폐색, 복압성요실금, 노화 등과 관련되어 발생하거나 특발성으로 발생할 수 있는데, 이들로 인해 대뇌나 척수와 같은 중추신경의 배뇨억제기능이 감소 또는 소실되거나, 말초신경의 배뇨억제기능 소실, 배뇨반사 항진으로 나타날 수 있다.

(2) 방광유순도 감소

방광유순도 감소는 천수 또는 그 이하의 신경학적 질환이나 손상으로 발생할 수 있으며, 방광출구폐색처럼 방광벽의 탄성력이 손상되는 다른 상황에 의해서 발생하기도 한다.

2) 방광출구저항의 감소

평활요도괄약근 또는 횡문요도괄약근을 지배하는 신경의 손상이나 질환, 또는 괄약근 자체의 손상, 그리고 여성의 경우 방광경부 및 근위부 요도를 지지하는 기전이 정상적으로 작용하지 못하는 경우 방광출구저항이 감소하여 요저장장애가 발생할 수 있다. 이들은 신경학적 질환이나 손상, 수술이나 다른 기계적 외상, 노화와 동반되어 나타날 수 있다.

3) 방광의 감각기능변화

요저장장애는 염증, 자극, 감각항진과 관련된 다른 원인, 통증 등으로 인한 구심신경의 항진과 같은 감각기능변화 때문에 발생할 수도 있다. 이는 화학적 원인, 심리적 원인 또는 특발성으로 발생할 수 있다. 구심신경의 항진은 배뇨근과활동성, 배뇨근과활동성 없는 요절박, 요절박 없이 조기에 방광이 팽만되는 느낌, 그리고 방광충전 시 통증을 일으킬 수 있다.

2. 요배출장애

방광이 정상적으로 소변을 배출하기 위해서는 적절한 배뇨근수축으로 방광내압이 충분히 상승하고 내요도괄약근과 외요도괄약근 같은 출구가 충분히 이완이 되어야 한다. 방광저활동성, 방광감각기능 저하, 방광출구저항 증가가 생길 경우 요배출장애가 발생할 수 있다.

1)방광저활동성

방광저활동성의 병태생리에 대한 가설은 근원성(myogenic)과 신경인성으로 나눌 수 있다. 근원성원인은 배뇨근 자체의 기능저하로 인한 수축력 저하를 의미하며, 평활근세포의 감소, 평활근의 섬유화, 그리고 무스카린성 수용체의 감소 등에 의해 나타날 수 있는데, 노화가 주요 원인 중 하나이다. 신경인성은 배뇨근수축력에 이상이 없다고 하더라도 구심성신경에 문제가 있어 배뇨 중추로 신호가 전달이 되지 않거나, 방광에 대한 원심성신경자극이 불충분하면 방광저활동성이 발생한다는 가설이다(Tyagi et al, 2014). 추가적으로 대뇌나 척수 자체의 기능장애에 의해서도 방광저활동성이 나타날 수 있다(Aizawa and Igawa, 2017).

2) 방광 감각기능 저하

배뇨반사가 시작되기 위해서는 정상적인 방광의 감각기능이 필요하며 당뇨병성방광병증에서와 같이 방광의 감각기능이 저하된 경우 정상적인 배뇨가 어렵다. Aizawa 등(2013)은 방광 구심성 신경의 전도속도가 느려져서 당뇨유발 쥐에서 방광 감각기능저하가 나타났다고 보고하였다. 또한 배뇨 중 배뇨근의 수축이 유지되기 위해서는 요도의 감각기능이 필요하며 요도의 감각기능이 저하된 경우 배뇨를 위한 충분한 배뇨근수축이 일어나지 않음으로써 요배출 장애가 발생할 수 있다(Suskind · Smith, 2009).

3) 방광출구저항 증가

방광출구저항 증가는 구조적 방광출구폐색과 기능적 방광출구폐색으로 구분할 수 있다. 구조적 방광출구폐색은 남성에서는 주로 전립선비대증, 방광경부협착, 요도협착이 원인이 되어 나타나며, 여성에서는 요실금 수술 후 주위 조직의 압박이나 섬유화로 인해 나타나는 경우가 많다. 기능적 방광출구폐색은 방광이 수축하는 동안 평활요도괄약근 또는 횡문요도괄약근이 수축하거나, 정상적으로 이완 되지 않는 경우 나타날 수 있다. 배뇨근괄약근협동장애(detrusor sphincter dyssynergia)는 신경인성 원인이 있는 환자에서 기능적 방광출구폐색의 흔한 원인 중 하나이며, 배뇨시 해부학적으로 정상 구조를 가진 방광경부가 불완전하게 개방되는 방광경부기능이상(bladder neck dysfunction)도 기능적 방광출구폐색에 해당된다.

전체 참고문헌 목록은
배뇨장애와 요실금 웹사이트 자료실
(http://www.kcsoffice.org)에서
확인할 수 있습니다.

제 07 장 하부요로기능이상의 분류

Classification system of lower urinary tract dysfunction

서영진, 오승준

1. 서론

하부요로의 기능은 상부요로로부터 이동되어 온 소변을 저장하였다가 적절한 시기에 몸 밖으로 배출하는 것이다. 소변의 저장과 배출기능에는 방광과 요도뿐만 아니라 신경계의 복잡한 기전이 작용하고 있다. 이러한 기전 중 어느 부분에서든 이상이 발생할 경우 소변의 저장과 배출이 안되어 상부요로가 손상되거나 요실금 또는 배뇨곤란이 발생하게 된다. 환자의 하부요로기능이상 상태를 기술하기 위해서는 일정한 분류체계의 활용이 필요하며, 이 분류체계는 하부요로기능이상에 대한 치료방침을 정하기 위한 진단결과를 요약하여 기술하는 방법이다.

모든 유형의 하부요로기능이상에 이상적인 분류체계는 다음의 3가지 요소를 포함하거나 암시할 수 있어야 하는데 첫째, 요역동학검사를 통해 얻어진 결론, 둘째, 예상되는 임상 증상, 마지막으로 신경 병변의 대략적인 부위 및 유형 또는 결손이다(Wein, 2016). 이상적인 분류 체계는 임상 상황의 본질을 몇 가지 핵심 단어나 짧은 말로 요약 할 수 있어야 하며, 모든 유형의 하부요로기능이상에 적용할 수 있어야 할 것이다. 하부요로기능이상에 대한 대부분의 분류체계는 주로 신경계 질환이나 손상에 따른 이차적인 기능 장애를 설명하기 위한 것들이다. 각 분류체계의 이론적 근거와 장단점에 대한 이해는 하부요로기능과 기능이상에 대한 지식의 큰 향상을 가져올 것이다.

이 장에서는 주요 분류체계들과 현재 사용 중인 분류체계들의 장점과 단점 그리고 하부요로기능이상에의 적용 가능성을 살펴보고자 한다.

2. 신경비뇨의학과적 분류법

이 분류 범주 안에는 Bors-Comarr 분류법과 Hald와 Bradley에 의한 분류법이 있다.

1) Bors-Comarr 분류법

Bors와 Comarr (Bors et al, 1971)는 외상성 척수손상환자에서 관찰된 임상소견에 근거를 두고 병변의 위치, 병변의 완전/불완전성(complete/incomplete), 하부요로의 기능의 균형성(balanced/imbalanced) 여부 등 세 가지 요소를 배합하여 배뇨장애를 분류하였다.

이 분류법에 쓰인 균형성이나 상부운동신경세포병변 또는 하부운동신경세포병변 등의 표현은 최근까지도 재활의학 등에서 간간이 언급되고 있다. 하지만 이 분류법은 중심적인 배뇨중추를 천수라고 잘못 간주하고 이 부위만을 중심으로 기능이상을 분류하였다. 따라서 이 분류법은 주로 신경인성하부요로기능이상에 대해서만 적용될 뿐이지 모든 배뇨이상에 대하여 적용할 수 있는 분류법이 아니다. 신경인성하부요로기능이상 중에서도 척수손상이 완전 손상일 경우 가장 잘 적용될 수 있다. 비신경인성 요인에 의한 하부요로기능이상은 분류할 수 없다. 또한 여러 부위에 신경학적 이상이 있는 다발성 이상에 의한 기능이상에 대해서는 정확한 표현이 힘들다. 신경학적 검사에서 동일한 이상을 보이는 환자에서 나타날 수 있는 요역동학적 변이를 감안할 수 없다는 단점도 있다. 신경학적인 손상이나 질환 후에 생길 수 있는 방광의 만성적인 과팽창, 요로감염, 신경 경로의 재분포(reinnervation) 또는 재구성(reorganization) 등의 변수로 인해 신경학적인 병변의 부위만으로는 하부요로기능이상을 정확하게 예측하기는 불가능하다.

2) Hald-Bradley 분류법

Hald와 Bradley는 1982년 비교적 간단한 신경지형학적(neurotopographic) 분류체계를 제시하였다. 이 분류는 척수상부 병변(supraspinal lesion), 천수상부 척수 병변(suprasacral spinal lesion), 천수하부 병변(infrasacral lesion), 말초 자율신경병증(peripheral autonomic neuropathy) 그리고 근육성병변(muscular lesion)의 다섯 가지로 나눠진다.

이 분류법은 중추신경계병변의 경우 부위를 명시하여 지칭할 수 있도록 하였다는 장점은 있으나 동일한 부위라도 다른 형태의 요역동학적 이상이 나타날 수 있는 가능성을 충분히 고려할 수 없다는 대표적인 단점이 있다. 그 외에 위에서 언급한 Bors-Comarr 분류법에서 지적된 많은 한계점들을 극복하지 못하여, 하부요로기능이상을 이해하는데 별 도움이 되지 않는 분류법이다.

3. 신경학적 분류법

Bradley(1982)는 신경과 의사로서 중추신경계의 하부요로기능 조절이 4개의 loop가 작동하는 기전에 의해서 이루어진다고 생각하고 각각의 loop 손상에 따라 기능이상을 분류하였다.

Loop 1은 대뇌피질과 뇌교배뇨중추를 잇는 연결(cerebral cortex to the pontine micturition center)이다. 흔히 불수의적배뇨근수축이 나타나며 전두엽의 종양, 뇌혈관질환, 파킨슨병, 치매를 동반한 대뇌위축 등이 전형적인 예이다. Loop 2는 배뇨근에서 뇌간배뇨중추에 이르는 구심성 척수 내 경로와 뇌간에서 천수배뇨중추에 도달하는 운동신경자극 경로이다. 병변이 천수상부에 존재할 때에는 배뇨근과반사가, 천수하부에 존재할 때에는 배뇨근반사소실로 불완전한 배뇨가 이루어진다. 척수손상이나 종양, 다발성경화증 등의 질병이 loop 2의 손상과 연관된다. Loop 2의 척수 절단은 척수쇽으로 인한 배뇨근부전과 요정체를 초래하며, 시간이 지나면 불수의적배뇨근수축이 일어난다. Loop 3은 배뇨근에서 천수 내의 음부신경핵으로 가는 구심성 경로를 말하며 이는 횡문괄약근과 시냅스로 연결되어 있다. 이 loop는 배뇨근과 요도괄약근 사이의 상호협조를 위한 기본적인 기전의 일부분을 이루게 되는데 다른 loop의 이상이 동반되어 이 기능에 이상이 생기면 배뇨근괄약근협동장애 또는 불수의적 요도괄약근 이완이 발생한다. Loop 4는 A, B의 두 가지 구성요소로 구분된다. Loop 4A는 대뇌피질의 운동감각 부위와 음부신경핵 사이의 경로로서 원심성 경로와 구심성 경로를 모두 포함한다. Loop 4B는 음부신경핵-외요도괄약근 사이의 구심성 및 원심성 경로를 포함한다. Loop 4는 외요도괄약근의 수의적 조절에 관여한다. Loop 4가 손상되면 loop 2, 3과 연계되어 배뇨근괄약근협조장애가 발생한다.

이 분류법은 신경생리를 이해하는 데에는 유용하나 비뇨의학과에서 사용하기에 어려운 점이 있다. 또한 신경경로를 중심으로 한 분류이므로 비신경인성 하부요로기능이상을 분류하기에 적합하지 않다. 가장 큰 단점은 요역동학검사로 각각의 loop 이상을 검사하기가 극도로 어렵다는 점과 다발성 및 부분적인 병변이 있는 경우 이의 기술이 어렵다는 것이다. 따라서 현재 실제 활용도는 거의 없다.

4 요역동학적 분류법

여기에는 Lapides 분류법과 Krane과 Siroky 분류법이 포함된다.

1) Lapides 분류

Lapides(1970)는 기존에 McLellan(1939)의 분류를 약간 수정하여 신경인성 하부요로기능이상에 사용하였는데, 기존의 이완성 신경인성방광(atonic neurogenic bladder)을 감각성 신경인성방광과 운동성 신경인성방광으로 나누어 분류하였다(표 7-1).

감각성 신경인성방광은 방광과 척수 사이의 감각신경섬유 혹은 대뇌로 가는 구심성 경로를 선택적으로 차단하는 질병, 즉 당뇨, 척수로(tabes dorsalis), 악성빈혈(pernicious anemia)같은 질병에서 나타난다. 임상적 변화는 방광의 팽창에 대한 감각 부전 및 방광대상부전에 의한 잔뇨량 증가이다. 방광내압 곡선은 저압 충전곡선을 보이는 큰 용적의 방광을 나타낸다. 운동마비성방광 혹은 운동성 신경인성방광은 방광의 부교감 운동신경 지배에 손상을 주는 질병이나 광범위한 골반수술 및 외상 등에서 나타난다. 초기증상은

표 7-1. Lapides 분류법

감각성 신경인성방광(Sensory neurogenic bladder)
운동마비성 신경인성방광(Motor paralytic neurogenic bladder, motor neurogenic bladder)
비억제성 신경인성방광(Uninhibited neurogenic bladder)
반사성 신경인성방광(Reflex neurogenic bladder)
자율성 신경인성방광(Autonomous neurogenic bladder)

배뇨의 시작이나 유지가 힘든 경우에서 급성요폐 까지 다양하게 나타날 수 있다. 초기의 방광내압충전은 정상이나 방광용적에 도달해도 자발적인 방광의 수축이 나타나지 않는다. 만성적인 방광의 과팽창 및 대상부전이 일어날 수 있으며, 저압 충전곡선을 보이는 큰 용적의 방광 및 다량의 잔뇨 소견을 나타낸다. 비억제성 신경인성방광은 뇌혈관질환, 뇌종양 및 척수종양, 파킨슨병, 탈수초질환(demyelinating disease) 등 배뇨반사중추를 억제하는 피질조절경로에서 이상이 발생할 때 나타나는 형태이다. 주로 빈뇨, 요절박, 절박성 요실금 등의 저장증상을 보인다. 요역동학적으로는 적은 양의 충만에 대해서도 비억제성배뇨근수축을 나타낸다. 배뇨 후 잔뇨는 많지 않다. 반사성 신경인성방광은 뇌간과 천수배뇨중추 사이의 척수의 완전 연결 중단으로 인한 척수쇽 이후의 상태를 나타내며, 외상성 척수손상, 횡단척수염, 과도한 탈수초질환에서 흔한 것으로 되어 있으나 천수배뇨중추 상부의 척수파괴를 일으키는 어떠한 과정에서도 발생할 수 있다. 전형적으로 배뇨감각이 전혀 없으며 자발적인 배뇨를 시작할 수 없다. 일반적으로 저용적일 때 비억제성배뇨근수축이 발생하여 배뇨감각을 동반하지 않는 요실금이 발생한다. 외요도괄약근협조장애가 동반된다. 자율성 신경인성방광은 천수나 그 이하의 골반신경의 손상을 야기하는 질환 등에 의해 천수로부터 방광에 이르는 완전한 운동신경 및 감각신경이 손상될 경우 발생한다. 자발적인 배뇨 시작이 불가능하고 방광 반사활성이 없으며, 특별한 방광 감각도 없다. 초기에는 큰 방광용적과 낮은 방광 충전 내압을 보인다. 하지만 만성 염증성 변화나 이차적인 신경형태학적 및 신경약리학적 재구성에 의한 탈신경화/신경중추격리(denervation/decentralization)의 효과로 인한 유순도 감소가 나타날 수 있다. 배뇨 능력은 배뇨 시 방광내압의 생성 정도와 요도괄약근으로 인한 저항 정도에 따라 다양하게 나타난다.

Lapides 분류는 쉽게 이해되고 기억된다는 장점이 있어 설득력이 있는 체계였다. 그러나 이 분류는 신경인성방광에만 적용이 국한된다는 단점이 있으며, 환자들이 하나 또는 다른 범주에 정확하게 맞지 않은 경우가 많다. 감각신경성, 운동신경성 등의 이상이 혼재되어 있는 경우도 있어 어느 쪽으로도 분류할 수 없는 경우가 많아 포괄적인 분류법이 되기는 힘들다.

2) Krane과 Siroky의 요역동학적 분류법

요역동학검사 기술이 점점 더 정교해지면서 하부요로기능이상의 분류체계는 객관적인 요역동학 데이터를 기반으로 하여 발전해왔다. Krane과 Siroky(1984) 등이 제시한 분류법은 방광상태를 중심으로 배뇨근과반사(detrusor hyperreflexia)와 배뇨근무반사(detrusor areflexia)로 먼저 분류하고 그 아래 항목에 괄약근의 상태를 부가하여 기술하도록 되어 있다(표 7-2). 배뇨근과반사는 천수상부의 신경학적 병변에서 가장 흔히 나타난다. 배뇨근무반사는 천수부위 척수, 방광신경절 병변 또는 배뇨근대상부전이 발생한 경우 나타난다. 외요도괄약근협조장애는 완전척수손상 이 후 척수쇼크 시기에 뒤따라 나타난다. 내요도괄약근협조장애는 자율신경과반사(autonomic hyperreflexia)에서 볼 수 있으며 배뇨근과반사와 외요도괄약근협조장애가 같이 동반되는 경우가 많다.

이 분류는 요역동학적 소견을 충실히 반영한 분류이다. 또한 배뇨근과반사나 정상 배뇨근반사에서 이

표 7-2. **Krane 과 Siroky 요역동학적 분류법**

배뇨근과반사(또는 정상반사) [Detrusor hyperreflexia(or normoreflexia)]
협조성 괄약근(Coordinated sphincters)
횡문괄약근협조장애(Striated sphincter dyssynergia)
평활괄약근협조장애(Smooth sphincter dyssynergia)
비이완성 평활괄약근(Nonrelaxing smooth sphincter)
배뇨근무반사(Detrusor areflexia)
협조성 괄약근(Coordinated sphincters)
비이완성 횡문괄약근(Nonrelaxing striated sphincter)
탈신경성 횡문괄약근(Denervated striated sphincter)
비이완성 평활괄약근(Nonrelaxing smooth sphincter)

표 7-3. **기능적 분류법**

저장기능부전(Failure to store)
방광원인(Because of the bladder)
방광출구원인(Because of the outlet)
배출기능부전(Failure to empty)
방광원인(Because of the bladder)
방광출구원인(Because of the outlet)

분류가 사용하기 매우 쉽다는 장점이 있다. 그러나 배뇨근 수축이 유발되지 않는 경우 배뇨근괄약근협조장애에 대한 언급이 곤란하고 급성요폐 등을 포함한 모든 상황을 분류법으로 표현하기 힘들며, 또한 방광유순도와 방광감각을 기술하지 못한다는 단점이 있다. 이 분류는 국제요실금학회 분류의 모태가 되었다.

5. 기능적 분류법

이 분류법은 Baylor 대학의 Scott 교수 연구팀이 처음 제안하였고(Quesada et al, 1968), 이후 Wein(1981)이 계승하여 발전시킨 뷴류체계이다. 이는 하부요로기능이상을 저장기능부전(failure to store)과 배출기능부전(failure to empty)이란 매우 간단한 개념으로 크게 나누었다. 각 개념의 아래 범주에 방광원인(because of the bladder) 및 방광출구원인(because of the outlet) 두 가지를 세분해서 두고 있으며 이 네 가지 조합이 함께 기술되도록 하였다(표 7-3). 예를 들어 절박성요실금을 보이는 신경학적으로 안정된 뇌졸중 환자의 경우, 방광원인 저장기능부전(failure to store; because of the bladder)로 기술한다.

Wein(1998)은 이후 이 체계를 더욱 발전시켜 과거의 단순조합을 확장한 분류법(Expanded Functional Classification)을 만들었다(표 7-4). 그는 모든 요역동학적 개념이 포괄적으로 기술될 수 있다고 하였다. 즉 이 분류체계는 원인과 함께 구체적인 요역동학적 소견까지 쉽게 확장하여 다룰 수 있으므로 좀 더 복잡한 기술까지도 가능하다고 주장하였다. 또한 하부요로기능이상의 원인이 방광인지 방광출구인지 구분이 가능하므로 분류를 통하여 치료방침의 설정까지도 개념화시킬 수 있다고 주장하였다. 예를 들면, 전립선비대로 인한 폐색으로 요폐가 발생한 경우 '배출기능부전, 방광출구원인, 해부학적, 전립선 폐색'('failure to empty, because of the outlet, anatomic, prostatic obstruction') 등과 같이 표기할 수 있다. 하지만 이 분류체계를 적절히 사용하기 위해서 일부 환자들은 저장장애와 배출장애를 동반하여 나타낼 수 있다는 것을 생각하여야 한다.

표 7-4. 확장된 기능적 분류법

Ⅰ. 저장기능부전(Failure to store)

i) 방광원인(Because of the bladder)
 (i) 과활동성(Overactivity)
  ① 불수의적수축(Involuntary contractions)
   - 신경질환, 손상 또는 퇴화(Neurologic disease, injury or degeneration)
   - 방광출구폐색(Bladdert outlet obstruction)
   - 복압성요실금(Stress urinary incontinence)
   - 구심성 자극의 증가(Increased afferent input)
    염증(Inflammation)
    신경전달물질 분비의 증가(Increased neurotransmitter release)
   - 특발성(Idiopathic)
  ② 유순도 감소(Decreased compliance)
   - 신경질환 또는 손상(Neurologic disease or injury)
   - 섬유화(Fibrosis)
   - 방광근육 비후(Bladder muscle hypertrophy)
   - 특발성(Idiopathic)
  ③ 복합요인(Combination)
 (ii) 과민성(Hypersensitivity)
  ① 염증/감염(Inflammation/Infection)
  ② 신경학적(Neurologic)
  ③ 신경전달물질 분비의 증가(Increased neurotransmitter release)
  ④ 심리적(Psychologic)
  ⑤ 특발성(Idiopathic)
 (iii) 골반저 활동성 감소(Decreased pelvic floor activity)
 (iv) 복합요인(Combination)
ii) 방광출구원인(Because of the outlet)
 (i) 복합요인(Combination)
  (진성복압성요실금과 내인성요도괄약근기능부전)
 (ii) 진성복압성요실금(Genuine stress urinary incontinence; GSI)
  ① 요도아래 지지 결손(Lack of suburethral support)
  ② 골반저이완, 과운동성(Pelvic floor laxity, hypermobility)
 (iii) 내인성요도괄약근기능부전
  ① 신경질환 또는 손상(Neurologic disease or injury)
  ② 섬유화(Fibrosis)
iii) 복합요인(Combination)

표 7-4. 확장된 기능적 분류법

Ⅱ. 배출기능부전(Failure to empty)

i) 방광원인(Because of the bladder)
 (i) 신경인성(Neurogenic)
 (ii) 근인성(Myogenic)
 (iii) 심인성(Psychogenic)
 (iv) 특발성(Idoipathic)
ii) 방광출구원인(Because of the outlet)
 (i) 해부학적(Anatomic)
  ① 전립선폐쇄(Prostatic obstruction)
  ② 방광경부구축(Bladder neck contracture)
  ③ 요도협착(Urethral stricture)
  ④ 요도압박, 섬유화(Urethral compression, fibrosis)
 (ii) 기능적(Functional)
  ① 횡문괄약근협조장애(Striated sphincter dyssynergia)
  ② 평활괄약근협조장애(Smooth sphincter dyssynergia)
  ③ 기능이상성배뇨(Dysfunctional voiding)
iii) 복합요인(Combination)

이 체계는 간단하고 이해가 쉬우며 치료방침의 설계가 용이하다는 장점이 있다. 또한 저장기능부전과 배출기능부전이 혼재된 중복 병변의 경우에도 개념적으로 치료 접근 설계가 쉽다는 것이 장점이다. 그리고 저장기능부전 또는 배출기능부전으로만 기술하고 원인을 정확히 나타내지 않아도 되므로 요역동학적인 기전이나 원인이 불분명한 경우에도 분류상의 논란을 피할 수 있다는 장점이 있다. 그러나 엄밀한 요역동학적인 기전에 기반을 둔 분류가 아니어서 방광이나 요도의 기능에 대한 표현이 부족하다는 것이 단점이다.

6. 국제요실금학회의 분류법

국제요실금학회(International Continence Society; ICS)의 분류법은 요역동학적 분류의 확장으로서 크게 저장기(storage phase)와 배뇨기(voiding phase)로 나눈 것이 특징이다(Abrams et al, 1988)(표 7-5). 이 분류법에 쓰인 용어는 후에 일부 개정되었다.

이 분류법은 기본적으로 자세한 요역동학적 검사소견에 기초하고 있다. 각종 소견에 대한 자세한 기술은 이 책의 다른 부분에서 언급되므로 여기서는 간단히 언급하기로 한다. 우선 분류를 크게 충전기(저장기)와 배뇨기로 나누고 그 하부에 각각 방광과 요도의 기능 두 가지 세부 분류를 두어 네 개의 부문에서의 특성이 함께 기술되도록 하였다. 충전기에는 방광기능으로 방광감각(bladder sensation), 배뇨근활동성(detrusor activity), 방광유순도(bladder compliance), 방광용적(bladder capacity)의 네 가지, 그리고 요도기능(urethral function)을 평가하여 요역동학검사에서 파악되는 다섯 가지 세부사항이 기술되도록 하였다. 충전기 동안의 정상 방광기능은 뚜렷한 배뇨근압의 상승이 보이지 않음을 의미한다. 배뇨근과활동성(detrusor overactivity)은 방광충전기 동안 유발되거나 또는 저절로 발생한 불수의적배뇨근수축을 말한다. 이 현상이 신경학적인 질환에 의해서 발생하는 경우 신경인성배뇨근과활동성(neurogenic detrusor overactivity)이라고 한다. 신경학적 원인이 없는 경우 특발성배뇨근과활동성(idiopathic detrusor overactivity)이라고 한다. 방광감각은 정성적인(qualitative) 용어로 표시할

표 7-5. 국제요실금학회 분류법

Ⅰ. 저장기(Storage phase)

i) 방광기능(Bladder function)
- (i) 방광감각(Bladder sensation)
  - ① 정상/증가/감소/부재(Normal/Increased/Reduced/Absent)
- (ii) 배뇨근활동성(Detrusor activity)
  - ① 정상(Normal)
  - ② 배뇨근활동성(Detrusor overactivity)
- (iii) 방광유순도(Bladder compliance)
  - ① 정상/높음/낮음(Normal/High/Low)
- (iv) 방광용적(Bladder function)
  - ① 정상/큼/작음(Normal/High/Low)

ii) 요도기능(Urethral function)
- (i) 정상요도폐쇄기전(Normal urethral closure mechanism)
- (ii) 부실요도폐쇄기전(Incompetent urethral closure mechanism)

Ⅱ. 배뇨기(Voiding phase)

i) 방광기능(Bladder function)
- (i) 배뇨근활동성(Detrusor activity)
  - ① 정상(Normal)
  - ② 저활동성(Underactivity)
  - ③ 무수축성(Acontractile)

ii) 요도기능(Urethral function)
- (i) 정상(Normal)
- (ii) 비정상 또는 폐색성(Abnormal or obstructive)
  - ① 기계적(해부학적) 폐색(Mechanical obstruction)
  - ② 과활동성(Overactive)
    - 기능이상성배뇨(Dysfunctional voiding)
    - 배뇨근괄약근협조장애(Detrusor sphincter dyssynergia)
    - 비이완성요도괄약근폐색(Non-relaxing urethral sphincter obstruction)

수 있다. 방광용적은 방광내압측정술상방광용적(cystometric capacity), 방광내압측정술상최대방광용적(maximum cystometric capacity) 또는 마취하방광내압측정술상최대방광용적(maximum anesthetic cystometric capacity) 등으로 구분하여 나타낸다(Abrams et al, 2002). 배뇨기에는 배뇨근수축력을 중심으로 하여 정상(normal), 배뇨근저활동성(detrusor underactivity), 배뇨근무수축(detrusor acontractility)으로 구분한다. 배뇨근저활동성은 배뇨근수축의 크기가 불충분하게 작거나 수축의 기간이 불충분하게 짧거나 두 가지 현상이 모두 나타나는 경우에 사용한다. 배뇨근무수축은 요역동학검사에서 배뇨근수축이 나타나지 않는 경우 사용한다. 과거에 흔히 쓰여 왔던 과반사방광 또는 무반사방광 등의 용어는 더 이상 이 분류법에서는 사용하지 않는다.

요도기능은 충전기와 배뇨기로 기능이 구분되어 별도로 기술된다. 방광충전기의 정상 요도기능은 복압이 증가하는 경우라도 양의 값의 요도폐쇄압(urethral closure pressure)을 보이는 것을 말한다. 반면에 방광충전기의 부실요도폐쇄기전(incompetent urethral closure mechanism)은 배뇨근의 수축 없이 요누출을 보이는 경우를 말한다. 배뇨기의 정상 요도기능은 정상 압력에서 방광이 비워질 수 있도록 지속적인 요도의 이완 및 열림이 유지되는 것이다. 배뇨 시 요도기능의 이상은 기계적 폐색이나 요도의 과활동성에 기인하여 나타난다. 기능이상성배뇨(dysfunctional voiding)는 신경학적으로 정상이나 요도주위 횡문근육의 간헐적인 불수의적수축으로 인하여 요류가 단절되거나 오르내림 형태를 보이는 경우를 가리킨다. 배뇨근괄약근협동장애(detrusor sphincter dyssynergia)는 배뇨근수축 시 요도괄약근의 불수의적 수축이 같이 나타나는 경우이다. 비이완성요도괄약근폐색(non-relaxing urethral sphincter obstruction)은 척수수막류 환자에서 보이는 바와 같이 배뇨기에 이완되지 않는 고정된 요도저항을 나타내어 요류가 감소된 경우가 대표적인 예이다.

이 분류법에 의한 기술은 다소 복잡하다. 예를 들어 요실금과 불완전한 배뇨를 보이는 신경학적으로 안정적인 흉수 4번 이하 하지마비 환자의 경우 국제요실금학회 분류법에 의하면 storage phase–overactive detrusor activity, absent sensation, low capacity, normal compliance, with normal urethral closure mechanism; voiding phase–normal detrusor activity with detrusor sphincter dyssynergia 등과 같이 기술한다.

이 분류법은 현재 신경인성하부요로기능이상을 다루는 거의 모든 문헌에 널리 쓰이고 있다. 이 분류법이 마련되면서 각종 용어에 대한 표준화도 같이 마련되었다. 이 분류는 거의 모든 하부요로기능이상 형태에 대한 기술이 가능하나 분류가 다소 복잡하다는 점이 단점이다. 아직까지는 구체적인 판단기준이 수치화되어 규정되어 있지 못하므로 이 분류는 완전히 객관적이라고 말할 수는 없다. 그러나 향후 좀 더 보완될 것으로 기대한다.

7. EAU-Madersbacher 분류법

Madersbacher(1990)는 배뇨기와 저장기에 방광과 외요도괄약근의 수축 상태에 관한 신경비뇨의학과적 기능을 매우 간단한 모식으로 나타낸 분류법을 주장하였다(표 7-6). 이 분류법은 기본적으로 충전기(저장기) 방광내압의 높고 낮음, 배뇨기의 괄약근 이완 및 비이완성 또는 배뇨근괄약근협동장애 등을 모식적으로 나타내었다. 괄약근 비이완성 또는 배뇨근괄약근 협동장애가 있는 경우 배뇨기에 고압방광이 형성될 수 있다. 이와 같이 이 분류법은 기본적 임상개념에 기초하여 적절한 치료방침을 결정하는 데 초점을 맞추고 있다. 현재 유럽비뇨기과학회(European Urological Association; EAU) 신경인성하부요로기능이상의 진료지침에 주요 분류법으로 소개되고 있다(Stöhrer, 2009).

8. 결론

이상으로 하부요로기능이상에 대한 각종 분류법을 살펴보았다. 각 분류법의 장단점과 특징을 간략히 요약하여 표 7-7에 나타내었다. 지금까지 제시된 분류법들 중에서 국제요실금학회 분류법과 기능적 분류법이 하부요로기능이상을 기술하는 데에 가장 포괄적이다. 분류체계는 학술적인 목적뿐만 아니라 실제 진료현장에서도 유용하여야 한다. 서로 다른 분류법을 사용함에 따라 진료현장에서 야기될 수 있는 혼돈을 방지하여야 한다. 좋은 분류체계를 활용함으로써 의료진 간에 환자 상태에 대한 소통이 쉽게 이루어져 환자관리에 효율을 기할 수 있다. 학술적인 측면으로는 특정상태의 환자에 대한 기술이 명확히 표현됨으로써 학자들 간 학술연구 결과물이 쉽게 확산될 수 있다. 그래서 분류체계는 가능한 한 좀 더 표준화시키고 통일시

표 7-6. EAU- Madersbacher 분류법

배뇨근 (Detrusor)	과활동성 (Overactive)	과활동성 (Overactive)	과활동성 (Overactive)	저활동성 (Underactive)
요도괄약근 (Urethral sphincter)	과활동성 (Overactive)	저활동성 (Underactive)	정상활동성 (Normoactive)	과활동성 (Overactive)
병변 (Lesion)	척수성 (Spinal)	요천수성 (Lumbosacral)	교뇌상부성 (Suprapontione)	요천수성 (Lumbosacral)
배뇨근 (Detrusor)	저활동성 (Underactive)	저활동성 (Underactive)	정상활동성 (Normoactive)	정상활동성 (Normoactive)
요도괄약근 (Urethral sphincter)	저활동성 (Underactive)	정상활동성 (Normoactive)	과활동성 (Overactive)	저활동성 (Underactive)
병변 (Lesion)	천수하부성 (Subsacral)	요천수성 (Lumbosacral)	괄약근 국한성 (Sphincter only)	괄약근 국한성 (Sphincter only)

표 7-7. **각종 분류법들의 특성**

분류법	요역동학검사 소견반영여부	다양한 기능이상 형태에 적용가능 여부			근신경학적 병소 짐작 가능 여부
		다발성 병변	부분적 병변 (불완전병변)	비신경인성 원dls	
Bors-Comarr	어려움	어려움	어려움	안됨	가능(불완전)
Hald-Bradley	어려움	어려움	어려움	안됨	가능(불완전)
Bradley	어려움	어려움	어려움	안됨	가능
Lapides	가능	어려움	어려움	안됨	가능
Krane & Siroky	가능	어려움	어려움	안됨	가능
Functional (original)	어려움	어려움	어려움	가능	어려움
Functional (expanded)	가능	가능	가능	가능	가능
ICS	가능	가능	가능	가능	가능

키는 작업이 필요하다. 현재로서는 모든 요건들을 충족시키는 완전한 분류체계는 없다. 그러나 현시점에서는 국제요실금학회 분류법이 점점 일반화되어 가는 추세이므로 학술 연구물을 출간할 때 국제요실금학회 분류법과 용어 정의를 따르는 것이 무난하다.

전체 참고문헌 목록은
배뇨장애와 요실금 웹사이트 자료실
(http://www.kcsoffice.org)에서
확인할 수 있습니다.

제 08 장

하부요로의 기능 및 기능이상과 연관된 증상, 징후, 그리고 요역동학검사 결과들에 대한 표준용어

The standardized terminology of symptoms, signs, urodynamic observations, and conditions associated with lower urinary tract function and dysfunction

조영삼, 김장환

1. 서론

본 장에서는 최근에 발표가 이뤄진 국제요실금학회(International Continence Society; ICS) 표준화 위원회의 보고서들을 요약하였다.

현재까지 용어의 표준화에 있어서 가장 많이 인용 및 사용되고 있는 보고서는 ICS의 용어 표준화위원회에서 1998년도와 2002년도에 발간한 보고서이다. 하지만, 남녀 모두에서 진단에 있어 특이성 및 복잡성이 증가된 현재 상태에서 어린아이부터 노인들까지 모든 환자들을 하나로 묶어 용어를 설명하는 표준화 보고서를 발간하는 것은 현재 시대에 맞지 않다고 ICS는 최근 설명하고 있다.

이런 이유로 ICS에서는 2002년도에 발간한 "하부요로기능에 대한 용어의 표준화" 이후에 질병 상태에 따라 세분화를 하여 1) 성인 남성의 하부요로 및 골반저부 증상과 기능이상, 2) 야간뇨 및 야간 하부요로기능, 3) 성인 신경인성 하부요로기능이상, 4) 저활동성방광(underactive bladder) 각각에 대해 용어 표준화 관련 보고서를 발간하였다. 또한, ICS는 2010년도에는 국제비뇨부인과학회(International Urogynecological Association; IUGA)와 공동으로 여성 골반저 기능이상에 대한 용어 표준화 보고서를 발간하기도 하였다.

기존에 2002년 발간된 ICS 보고서는 모든 나이층에서 하부요로기능이상과 연관된 증상, 징후, 요역동학검사 소견과 제반 요역동학검사의 정의를 다뤘고, 각 정의는 2001년 출간된 세계보건기구 WHO의 ICFDH-2 (International Classification of Functioning, Disability and Health)와 ICD-10 (International Classification of Disease)에 적합하도록 기술하였다. 하지만 앞에 서술한 것과 같이 ICS에서는 최근 성별 및 성인과 소아를 구분하고 질환에 따라 각각의 용어 표준화 보고서를 발간한 상태로 이번 장에서는 가장 최근이라고 할 수 있는 2019년 2월 발간된 성인 남성의 하부요로 및 골반저부 증상과 기능이상(adult male lower urinary tract and pelvic floor symptoms and dysfunction)에 대한 ICS 용어 표준화 보고서를 기본으로 야간뇨, 성인 신경인성방광, 저활동성방광에 대한 별도의 보고서 내용을 같이 모아서 정리하고자 한다.

2. 증상

- 증상(Symptom): 질병 또는 건강 문제를 나타내는 구조, 기능 또는 감각의 병적 상태와 정상에서 벗어난 상태.
- 호소증상(Complaint): 증상의 설명.
- 주요호소증상(Main [Chief] Complaint): 환자가 의학적 조언을 찾도록 만든 주된 이유라고 설명한 증상.
- 하부요로증상(Lower urinary tract symptom, LUTS): 하부요로와 관련된 증상; 증상은 방광, 전립선, 요도 그리고/또는 근접한 골반저 또는 골반 장기들에서 시작될 수 있고, 때로는 비슷한 해부학적 신경분포를 가지는 하부 요관과 연관되어 생길 수 있다.

1) 저장 증상들(Storage Symptoms)

방광의 저장기 동안에 발생되는 하부요로증상들. 일반적 저장 증상들, 감각 증상들, 요실금 증상들, 저장 증상 증후군으로 구분할 수 있다.

(1) 일반적 저장 증상들(General Storage Symptoms)

① 빈뇨의 증가(Increased urinary frequency)

: 개인 또는 간병인이 배뇨를 정상으로 생각되는 정도보다 더 많이 한다고 호소하는 것. 하루 중 배뇨 시간과 배뇨의 횟수는 특정할 수 없음.

② 주간 빈뇨의 증가(Increased daytime urinary frequency)

: 깨어있는 시간 동안에 개인 또는 간병인이 이전에 정상이라고 생각한 정도보다 더 많이 배뇨를 한다고 호소하는 것.

③ 야간뇨(Nocturia)

: 2010년도 ICS 보고서에는 소변을 볼 필요성에 의해 1번 이상 수면의 중단이 발생되었다고 호소하는 것으로 정의하였고, 배뇨 전과 후에 수면이 선행되고 따라와야 한다고 정의했다. 2018년도 ICS 보고서에서는 주된 수면 시간 동안에 소변을 본 횟수. 처음 소변을 볼 때, 매번 소변을 본 후에는 수면 또는 수면에 들려는 노력이 동반되어야 하고, 야간뇨는 배뇨일지를 통해 정량화가 필요하다고 정의하였다.

④ 다뇨증(Polyuria)

: 지난 24시간 동안 배출한 소변량이 이전의 경험보다 매우 늘었다고 호소하는 것.

i. **주간 다뇨(Diurnal polyuria)**

: 이전 경험한 것과 비교하여 주간에 배출한 소변량이 매우 늘었다고 호소하는 것.

ii. **야간 다뇨(Nocturnal polyuria)**

: 야간에 소변량이 늘었다고 호소하는 것. 주된 수면 시간동안에 많은 양의 소변을 배출하는 것.

(2) 감각 증상들(Sensory symptoms)

① 방광 충만(감각) 증상들(bladder filling [sensory] symptoms)

: 방광이 소변으로 차는 동안 경험하는 비정상적인 감각들

i. **방광 충만 감각의 증가(increased bladder filling sensation)**

: 이전 경험과 비교해서 방광 충만의 느낌이 일찍 시작되거나 또는 더 강하거나 또는 더 지속된다고 호소하는 것. 소변을 보고 싶지만 소변을 참을 수 있다는 점에서 이 증상은 요절박과 다르다.

ii. **요절박(urgency)**

: 갑작스럽게 소변 배출 욕구가 일어나 참을 수 없다고 호소하는 것.

iii. **방광 충만 감각의 감소(Reduced bladder filling sensation)**

: 이전 경험과 비교해서 방광 충만의 감각이 덜하거나 충만 과정에서 늦게 느껴진다고 호소하는 것.

iv. **방광 충만 감각의 소실(Absent bladder filling sensation)**

: 소변을 보고 싶은 욕구와 방광이 가득 찬 느낌이 모두 없어졌다고 호소하는 것.

v. **비특이적(비전형적) 방광 충만 감각(방광 이상감각) Non-specific (atypical) bladder filling sensation(bladder dysesthesia)**

: 모호한 복부 팽만감, 구역, 구토, 실신과 같은 생장증상들(vegetative symptoms) 또는 경직 등과 같은 비정상적인 방광 충만 감각을 호소하는 것. 이 증상은 정상적인 방광 충만 감각 또는 방광의 통증, 압력, 불쾌감과는 다르다.

(3) 요실금 증상들(Incontinence symptoms)

① 요실금 증상들(Urinary incontinence symptoms)

방광 저장기 동안에 경험하는 불수적인 소변의 유출

i. **요실금(증상)(Urinary incontinence symptom)**

: 불수의적인 소변의 유출

ii. **요절박요실금(Urgency urinary incontinence, UUI)**

: 요절박과 관련된 불수의적인 소변의 유출

iii. **복압성요실금(Stress urinary incontinence, SUI)**

: 스포츠 활동을 포함한 노력 또는 신체활동 중 또는 재채기와 기침할 때 불수의적인 소변 유출을 호소하는 것.

iv. **복합성요실금(Mixed urinary incontinence, MUI)**

: 요절박요실금과 복압성요실금을 같이 호소하는 것. 즉, 요절박과 함께 스포츠 활동을 포함한 노력 또는 신체활동 또는 재채기, 기침 시 불수의적인 소변 유출을 호소하는 것.

v **유뇨증(Enuresis)**

: 2010년도 보고서에는 수면 중 발생하는 불수의적인 소변의 유출로 정의했음. 2018년도 보고서에서는 수면동안에 발생되는 간헐적인(비연속적인) 요실금의 호소로 정의했음. 주된 수면 시간동안에 발생되는 경우에는 "야간(nocturnal)" 형용사를 붙여 성질을 표현할 수 있다. 야뇨증이 발생되는 동안 환자는 자고 있어야 하고 일반적으로 야뇨증을 인지하지 못한다. 만약 잠에서 환자가 깬 후 요누출이나 요실금이 발생되었다면 이 증상은 기상 중 요실금의 병태생리에 따라 분류해야 한다(예, 복압성요실금, 요절박요실금, 복합성요실금 등).

vi. **지속성요실금(Continuous urinary incontinence)**

: 지속적인 불수의적 소변 유출을 호소하는 것.

vii. **무감각 요실금(Insensible urinary incontinence)**

: 개인이 소변 유출을 인지하였으나 어떻게 또는 언제 발생이 되었는지는 모르는 경우인 요실금을 호소하는 것.

viii. **체위요실금(Postural urinary incontinence)**

: 앉아 있거나 의자에서 기립하는 동안과 같이 자세 또는 위치의 변화 동안에 요실금 발생을 호소하는 것.

ix. **장애 관련 요실금(Disability associated incontinence)**

: 정형외과적 또는 신경과적 장애와 같은 신체적 장애 그리고/또는 정신적 장애로 인해 적절한 시기에 화장실에 갈 수 없는 기능적 이상이 있는 경우에 요실금 발생을 호소하는 것.

x. **범람요실금(Overflow incontinence)**

: 과도하게 방광이 충만된 증상이 있는 상태에서 요실금을 호소하는 것(확인된 원인이 없는 상태).

xi. **성각성요실금(Sexual arousal incontinence)**

: 성적 흥분, 전희 그리고/또는 자위 동안에 불수의적인 소변의 유출을 호소하는 것.

xii. **절정요실금(Climacturia)**

: 성극치감을 느낄 때에 불수의적인 소변 유출 발생을 호소하는 것.

xiii. **인지장애요실금(Impaired cognition urinary incontinence)**

: 인지장애가 있는 대상자가 본인도 모르게 주기적으로 요실금이 생긴다고 호소하는 것.

xiv. **운동장애요실금(Impaired mobility urinary incontinence)**

: 육체적 또는 의학적 장애로 인해서 배뇨를 위해 적절한 시간에 화장실까지 도달하지 못한다고 호소하는 것.

xv. **성적 활동요실금(sexual activity urinary incontinence)**

: 성적 활동과 연관해서 또는 성적 활동 중 요실금을 호소하는 것.

(4) 저장 증상 증후군(Storage symptom syndrome)

① 과민성방광 증후군(Overactive bladder [OAB, ugeny] syndrome)

: 요로감염 또는 발견 가능한 다른 질환들이 없는 상태에서 요절박을 호소하는 것. 일반적으로 주간 빈뇨의 증가 그리고/또는 야간뇨가 동반되고 요실금은 동반되거나(OAB-wet), 동반되지 않을 수 있다(OAB-dry).

2) 배뇨 증상들(Voiding symptoms): 배뇨기(소변을 보는 동안)의 하부요로증상들

(1) 소변주저(Hesitancy): 소변을 시작할 때(개인이 소변을 보려고 준비가 된 상태에서) 지연을 호소하는 것.

(2) 배뇨공포증(paruresis, "bashful" or "shy bladder"): 개인적인 장소에서는 문제가 없지만 다른 사람이 옆에서 소변을 보는 경우와 같이 공공장소에서는 배뇨을 시작하는 것이 어렵다고 호소하는 경우.

(3) 삽화배뇨불능(Episodic inability to void): 이완 그리고/또는 의도적 노력들(복부 힘주기, 발살바조작, 치골상부 압박)에도 불구하고 가끔 소변 시작을 하지 못하겠다고 호소하는 것.

(4) 배뇨를 위해 힘주기(Straining to void): 소변 또는 요류를 시작, 유지 또는 좋게 하려고 의도적인 노력을 해야 한다고 호소하는 것.

(5) 느린 요류(Slow urinary stream): 다른 사람들과 비교할 때 또는 이전의 경험과 비교하여 소변의 흐름이 전반적으로 느리게 느껴진다고 호소하는 것.

(6) 간헐뇨(Intermittency): 한번 소변을 보는 동안에 때때로 1번 이상 소변 흐름이 멈췄다가 시작한다고 호소하는 것.

(7) 배뇨말지림(terminal dribbling): 소변을 보는 마지막 동안에 인지할 정도로 소변 속도가 늦어져 소변이 떨어지거나 소변 흐름이 흩어지는 증상을 호소하는 것.

(8) 소변 흐름의 분리 또는 분열(Spraying [splitting] of urinary stream): 소변 배출이 한방향의 흐름으로 배출되는 것이 아니라 분리되거나 분열된다고 호소하는 것.

(9) 자세 의존적 배뇨(Position-dependent voiding): 소변을 보기 위해서 앉아야 하는 것과 같이 자발적인 배뇨를 위해서 또는 배뇨를 원활하게 만들려고 특정한 자세를 취해야 한다고 호소하는 것.

(10) 배뇨통 또는 배뇨장애(Dysuria): 배뇨 시 어려움, 통증, 작열감, 기타 불쾌감을 호소하는 것. 불쾌감은 하부요로계 자체로 인해 발생될 수도 있고 외부적 요인 또는 주위에 위치한 하부 요관과 같이 비슷한 신경 분포를 가지는 기관과 연관되어 발생될 수도 있다.

(11) 통증배뇨(Stranguria): 배뇨가 느리고 어렵고 연축성(한 방울씩 소변을 본다)이며 일반적으로 통증이 동반된다고 호소하는 것.

(12) 혈뇨(Hematuria): 피가 섞인 소변이 보인다고 호소하는 것. 혈뇨는 소변의 시작 또는 끝 또는 전체적으로 보일 수 있다.

(13) 공기뇨(Pneumaturia): 배뇨 시 또는 배뇨 후에 가스 또는 공기가 요도에서 배출된다고 호소하

는 것.

(14) 대변뇨(fecaluria): 소변에서 대변의 배출을 호소하는 것.

(15) 암죽뇨(Chyluria, albiduria): 소변을 통해 암죽(유미)의 배출을 호소하는 것.

(16) 요폐(Urinary retention): 방광에서 소변을 완전하게 배출시킬 수 없다고 호소하는 것.

① 급성요폐(Acute urinary retention): 지속적인 노력에도 불구하고 갑작스럽게 발생된 경우로 일반적으로 소변 배출을 못해 가득 찬 방광으로 인한 치골상부의 압통이 동반된다.

② 만성 요페(Chronic urinary retention): 일부 소변을 배출하기는 하지만 만성적이고 반복적인 요배출 장애를 호소하는 것. 만성 요페로 인해 아주 적은 양의 소변을 자주 배출하거나 충만된 방광과 요실금이 생길 수 있다.

3) 배뇨 후 증상(Postvoiding symptom): 배뇨가 끝난 직후에 느끼는 하부요로증상들

(1) 완전히 방광을 비우지 못한 느낌(Feeling of incomplete bladder emptying): 배뇨가 끝난 후 방광이 비워지지 못했다고 느낀다고 호소하는 것.

(2) 바로 다시 배뇨를 해야한다고 느끼는 경우(Need to immediately re-void, 이중배뇨, "double" voiding): 소변을 본 후(요류가 멈춘 직후) 곧 더 소변을 봐야할 필요성을 느낀다고 호소하는 것.

(3) 배뇨 후 요실금(Post-voiding incontinence): 배뇨를 마친 후 이어서 추가적인 불수의적 소변의 유출 또는 소변이 떨어지는 것을 호소하는 것.

(4) 배뇨 후 요절박(Post-micturition urgency): 배뇨 후 지속적인 요절박을 호소하는 것.

(5) 배뇨 증상 증후군(Voiding symptom syndrome) – 저활동성방광 증후군(Underactive bladder syndrome)

소변이 떨어지거나 느린 소변 흐름, 소변 주저, 배뇨를 위해 힘주기 증상들을 호소하며 완전히 방광을 비우지 못한 느낌은 있거나 없을 수도 있고 가끔 저장 증상들의 동반도 호소하는 것; 배뇨근저활동성(detrusor underactivity)를 암시하는 것으로 제안된 증상 그룹

4) 하부요로계 통증 그리고/또는 기타 골반 통증(Lower urinary tract pain and/or other pelvic pain)

(1) 통증(Pain): 다양한 불쾌한 감각. 환자가 압박감 또는 불편감으로 표현할 수 있다. 통증은 부위, 형태, 빈도, 기간, 침전 및 완화 요인들로 특성을 구별해야 한다.

(2) 방광통증(Bladder pain): 방광과 연관된 치골상부 또는 치골 후 통증, 압박감, 또는 불쾌감을 호소하는 것으로 일반적으로 방광의 충만과 관련이 있다. 배뇨 후에는 완화될 수도 있고 지속될 수도 있다.

(3) 요도통증(Urethral pain): 배뇨 전, 중, 그리고/또는 후에 요도에서 느껴지는 통증, 압박감, 불쾌감을 호소하는 것으로 주된 통증 부위를 요도라고 호소하는 것.

(4) 음낭통증(Scrotal pain): 음낭 안 또는 주위에서 통증, 압박감, 불쾌감이 느껴진다고 호소하는 것. 고환, 부고환, 정삭구조물 또는 음낭 피부로 위치가 국한될 수도 있다.

(5) 회음부통증(Perineal pain): 음낭과 항문 사이의 깊은 조직 또는 표면에서 통증, 압박감, 불쾌감이 느껴진다고 호소하는 것.

(6) 골반통증(Pelvic pain): 방광, 요도, 음낭, 또는 회음부와 관련되어 있는지 확실하지는 않으면서 골반과 관련된 통증, 압박감, 불쾌감이 느껴진다고 호소하는 것.

(7) 사정통증(Ejaculatory pain): 사정을 하는 동안에 회음부, 치골상부 부위, 그리고/또는 음경에서 통증, 압박감, 불쾌감이 느껴진다고 호소하는 것. 사정 후에도 증상이 한동안 계속될 수 있다.

(8) 항문직장 통증 증후군(Anorectal pain syndrome): 배변 동안 또는 배변을 위해 힘을 주는 동안에 통증, 압박감, 불쾌감이 느껴진다고 호소하는 것. 하지만 배변과 상관없이 아무 때나 통증이 생긴다고 호소할 수 있다.

① 배변/배변을 위해 힘주는 동안 통증(Pain during straining/defecation): 배변 또는 배변을 위해 힘을 주는 동안 발생되는 통증

② 염증성 항문직장 통증(Inflammatory anorectal pain): 작열감 또는 따가움이 특징적인 통증(염증, 방사선, 패혈증)

③ 비염증성 항문직장 통증(Non inflammatory anorectal pain): 둔화된 항문직장 통증(일과성 직장통증증후군, proctalgia fugax, 항문올림증후군, levator ani syndrome, 음부신경통, pudendal neuralgia)

(9) 꼬리 통증(Coccygeal pain, coccydynia): 꼬리뼈 부위의 통증, 압박감, 불쾌감을 호소하는 것.

(10) 음부통증(신경통)(Pudendal pain, neuralgia): 음부신경에 의해 지배를 받는 부위 중 한군데 이상에서 통증, 압박감, 불쾌감을 호소하는 것.(음부신경 및 음부신경이 관여하는 피부분절의 염증 또는 죄임으로 발생할 수 있다.)

(11) 만성 골반통증 증후군(chronic pelvic pain syndrome): 2002년도에 발간된 ICS 보고서에서 골반통증 증후군은 다음과 같이 정의하였다. 지속적 또는 재발성의 산발적인 골반통증이 나타나며, 하부요로기능장애, 성기능장애, 장기능장애, 부인과적 기능장애를 시사하는 증상과 연관된다. 증명된 감염이나 다른 명백한 병리 상태는 없다. 2017년도에 ICS는 별도로 만성 골반통증 증후군에 대한 표준화 용어 보고서를 발간하였다.

5) 요로감염(Urinary tract infection, UTI)

(1) 급성 요로감염의 증상들(Symptoms of acute urinary tract infection): 방광감각의 증가, 요절박, 빈뇨, 배뇨통, 요절박요실금이 동반되거나 그렇지 않은 하부요로의 통증과 같은 증상들은 하부요로감염을 시사하는 증상일 수 있다. 요로감염의 확진은 임상적으로 의미가 있는 미생물이나 농뇨의 증거가 필요하다.

(2) 재발성 요로감염(Recurrent urinary tract infection): 지난 1년 동안에 적어도 2번 이상의 증상이 있었던 요로감염이 진단된 경우. 이전의 요로

감염은 새롭게 발생된 요로감염이 진단되기 전에 치료가 되었어야 한다.

(3) 요도 분비물(Urethral discharge): 요도 입구에서 점액, 고름, 혈액이 나온 것.

(4) 요도 외 요실금(Extra-urethral incontinence): 샛길(누공)과 같이 요도 입구가 아닌 다른 통로를 통해 소변의 유출이 관찰되는 것.

3. 징후들

징후(Sign): 환자의 검사에서 발견이 가능한 건강 문제 또는 질병을 시사하는 이상들. 질병 또는 건강문제를 보여주는 객관적인 징조들.

1) 요실금 징후들 (Urinary incontinence signs)

요실금에 대한 평가를 위한 모든 검사들은 검사 대상자의 방광이 편하게 충만된 상태에서 하는 것이 가장 좋다.

(1) 요실금(Urinary incontinence): 검사 중 불수의적인 소변의 유출을 관찰하는 것.

(2) 임상적 복압성요실금(Stress urinary incontinence, clinical stress leakage): 노력 또는 신체활동 또는 재채기, 기침 시 동시에 요도 입구에서 불수의적인 소변의 유출이 관찰되는 것.

(3) 요절박요실금(Urgency urinary incontinence): 검사 대상자의 갑작스럽고 강한 배뇨 욕구와 연관되어 요도 입구에서 불수의적인 소변의 유출이 관찰되는 것.

2) 배뇨횟수배뇨량일지(방광일지) (Frequency-Volume Chart/Bladder Diary)

(1) 배뇨횟수배뇨량일지(Frequency-volume chart, FVC): 적어도 1일 동안 매번 배뇨의 시간과 양을 기록하는 것. 이상적으로 적어도 3일간(반드시 연속적일 필요는 없다.) 기록을 하는 것이 좀 더 유용한 임상정보를 제공한다. 낮과 밤의 배뇨를 구분하는 것과 관련이 있다.

(2) 방광일지(Bladder diary): 위에 서술한 배뇨일지에 추가로 수분섭취량, 패드 사용, 요실금 에피소드, 요실금의 정도와 소변 유출 시의 상황들을 추가한 것. 불수의적 소변 유출 직전 또는 동안 활동 내역과 같이 요절박이나 감각의 에피소드도 기록할 수 있다. 방광일지에서 추가로 얻을 수 있는 정보들로는 요누출 에피소드나 패드 사용과 같은 요실금의 중증도도 있다.

① 주간(Daytime): 의도를 갖고 기상한 시간부터 수면에 들어갈 때까지의 시간(깨어있는 시간).

② 야간(Night-time): 개인의 주요 일일 수면 시간. 의도를 갖고 수면을 취할 때 시작되어 다음날 더 이상 자지 않겠다고 결정하여 일어났을 때 끝이 남.

③ 주된 수면 시간(Main sleep period): 잠들 때

부터 다음날 일어나기까지의 기간.

④ 야간(nocturnal): 밤에 발생 또는 활성화. 예를 들면 밤에 발생된 증상과 징후들.

⑤ 주간 배뇨빈도(Daytime urinary frequency): 주간에 배뇨한 횟수(깨어 있는 동안의 배뇨 횟수로, 자기 전 마지막 배뇨와 기상 후 첫 배뇨의 기록이 포함된다.)

⑥ 야간 배뇨빈도(Night-time urniary frequency): 수면과 상관없이 야간에 배뇨한 횟수.

⑦ 야간뇨(Nocturia): 잠자리에 들어서 의도를 갖고 기상한 시간, 즉 주된 수면 시간 동안에 배뇨한 횟수. 배뇨일지를 통해 확인한다.

⑧ 24시간 배뇨빈도(24-hour urinary frequency): 특정일 24시간 동안에 주간과 야간 배뇨 횟수의 합.

⑨ 24시간 소변량(24 hour urine volume): 특정일 24시간 동안의 모든 소변량을 더해서 구한다. 기상 후 첫 소변량은 포함시키지 않고 다음 소변부터 24시간 동안 모아서 계산을 시작하며 측정을 시작한 다음 날 첫 소변을 포함하여 구한다.

⑩ 최대 배뇨량(Maximum voided volume): 평가 기간에 기록된 가장 큰 배뇨량. 이것은 일반적으로 방광용적과 동일하다.

⑪ 평균 배뇨량(Average voided volume): 평가 기간에 전체 배뇨량을 전체 배뇨 횟수로 나눈 값.

⑫ 평균 최대 배뇨량(기능적 방광용적)(Mean maximum voided volume, functional capacity): 일상생활에서 최대 배뇨량의 평균

⑬ 다뇨(Polyuria): 소변이 과도하게 만들어지는 것. 24시간 동안에 체중(kg) 당 40 mL 이상 소변이 생성되거나 70 kg의 남성에서 하루에 2.8 L 이상의 소변이 생성되는 것으로 정의된다.

⑭ 야간 배뇨량(Nocturnal urine volume): 야간에 만들어진 소변량의 합. 2010년도 보고서에서 계산은 취침 전 마지막 소변은 제외하고 그 이후 소변량부터 측정하며 기상 후 첫 배뇨량까지 포함하여 계산한다고 정의하고 있다. 2018년도 보고서에서는 검사 대상자의 주된 수면 시간에 만들어진 전체 소변량으로 정의하며 주된 수면 직후 첫 소변을 포함한다고 정의하고 있다.

⑮ 야간다뇨(Nocturnal polyuria): 24시간 소변량과 비교해서 야간의 소변 생성 비율이 증가된 것. 2010년도 보고서에서는 24시간 전체 소변량에 대한 야간 소변량의 비율이 20~30%를 초과(나이 의존적)하는 경우로 정의하였다. 2018년도 보고서에서는 주된 수면 시간동안에 과도한 소변의 생성으로만 정의를 했다. "과도한(excessive)"을 정량화하기 위해 의료인이 사용하는 정의는 임상적 그리고 연구 환경에서 강조될 필요가 있고 방광일지를 통해 파생되어야 한다. 야간다뇨 지수(nocturnal polyuria index)는 다음의 정의가 흔하게 사용된다.(야간 소변량/24시간 소변량) × 100%. 65세가 넘은 노인들에서는 33%, 젊은 사람들에서는 20% 이상, 중년에서는 20~33%를 야간다뇨로 정의한다.

⑯ 패드 테스트(Pad testing): 요실금이나 변실금이 있는 개인에서 평가 기간 동안에 소변이나 배변 유출의 양을 평가 전과 후의 패드 무게의 증가를 통해 정량적으로 평가하는 것. 이

평가는 요실금의 중증도에 대한 가이드를 제공할 수 있다. 1시간 테스트에서 24시간 그리고 48시간 테스트까지 다양한 평가 기간과 함께 일상생활부터 사전에 정해진 방법 등 다양한 유발 방법들을 이용해서 평가한다.

4. 요역동학검사들 (Urodynamic Investigations)

요역동학(Urodynamics): 하부요로의 기능 및 모든 기능이상과 관련된 모든 생리학적 매개 변수들을 평가하는 것.

검사의 임상적 순서(Clinical sequence of testing): 요역동학검사는 일반적으로 충전방광내압측정술과 압력요류검사 전에 검사 대상자가 편하게 방광이 충만된 상태(카테터가 없는 상태)에서 요속검사와 잔뇨 측정 검사를 받는 것이 포함된다.

1) 요속검사(Uroflowmetry)

(1) 카테터가 없는 자유 요속검사의 이상적 조건 (Ideal conditions for free[no catheter] uroflowmetry): 모든 자유 요속검사는 완벽하게 사적인 요속검사실에서 시행해야 한다. 대부분의 현대 요속검사 기계는 규칙적인 교정(보정)이 중요하긴 하지만 높은 정도의 정확도(+/−5%)를 가지고 있다.

(2) 요류(Urine flow): 요도를 통해 소변이 지나가는 것으로 요류의 형태는 다음과 같을 수 있다.

① 연속적(Continuous): 요류의 끊김이 없는 것.

② 간헐적(Intermittent): 요류가 끊기는 것.

③ 요속(Urine flow rate, UFR 단위: mL/s): 단위 시간당 요도를 통해 배출되는 소변의 양.

④ 배뇨량(Voided volume, VV, 단위: mL): 한번 배뇨 시 요도를 통해 배출되는 전체 소변량.

⑤ 최대 요속(Maximum urine flow rate, MUFR, 단위: mL/s, Qmax): 측정된 요속 중 최대값.

⑥ 요류시간(Flow time, FT, 단위: s): 측정 가능한 요류가 실제로 발생된 전체 시간.

⑦ 평균 요속(Average urine flow rate, AUFR, 단위 mL/s, Qave): 배뇨량을 요류시간으로 나눈 값.

⑧ 배뇨시간(Voiding time, VT, 단위: s): 끊긴 시간을 포함한 배뇨의 전체 시간. 배뇨가 끊기지 않았다면 배뇨시간은 요류시간과 동일하다.

⑨ 최대요속까지 시간(Time to maximum urine flow rate, tQmax, 단위: s): 요류의 시작부터 최대요속까지 경과된 시간.

⑩ 자유 요속검사 정상의 해석(Interpretation of the normality of free uroflowmetry): 남성에서 요속은 배뇨량과 나이에 많은 영향을 받기 때문에 정상의 해석은 정상에 대한 절단치가 결정되고 검증이 된 노모그램(계산도표)을 참조하는 것이 가장 좋다. 검사를 받은 개인은 검사 중 배뇨가 일상적인 생활에서의 요류를 대변할 수 있는지 그리고 요류가 하루 동안 변동이 있었는지 여부를 언급해야 한다.

2) 배뇨 후 잔뇨(소변량)(urine volume, Post-void residual, PVR, 단위: mL)

배뇨를 마친 후 방광에 남아있는 소변의 양.

(1) **잔뇨량 측정을 위한 상태**: 잔뇨 측정은 신장에서 방광으로 분당 1~14 mL의 소변이 계속 만들어져서 흘러가기 때문에 지연되게 측정을 하면 값이 잘못 측정될 수 있다. 초음파 술기를 사용하면 배뇨 후 1분 이내 즉각적으로 측정이 가능하여 이런 오류를 최소화 할 수 있다. 방광의 잔뇨를 비우고 양을 측정하기 위해서 요도를 통해 도관을 즉시 삽입하는 방법도 여전히 효과적이고 정확한 잔뇨 측정의 방법이다. 그러나 모든 요도도관이 동일한 요배출 효율을 가지고 있지는 않을 수 있다. 잔뇨가 남아 있는 경우 초음파를 이용한 잔뇨 측정은 이상적으로 적어도 1회 이상 반복하여 측정해야 한다. 편하게 충만된 것이 아니라 과도하게 충만된 방광상태에서 검사를 한 경우에는 잔뇨가 많이 남는 것으로 잘못 측정될 수 있으므로 반복하여 다시 평가할 필요가 있다.

(2) **잔뇨량 정상의 해석(Assessment of normality of PVR)**: 하부요로증상이 없는 일반 거주지 남성에 있어서 상한치는 나이에 영향을 받는데, 연구에 따르면 절단치로 10~30 mL가 제시되었다. 하지만, 하부요로기능이상이 있는 남성에 있어서 예상할 수 있는 또는 전형적인 잔뇨량이 범위에 대한 자료는 없다. 이런 자료가 없는 상태지만, 반복 배뇨 후에도 초음파로 측정한 잔뇨량이 50 mL 이상이라면 배뇨장애를 즉각적으로 의심해야 한다는 의견에 동의한다고 ICS 보고서는 서술하고 있다.

3) 방광내압측정술(Cystometry)

(1) **요역동학검사(Urodynamic studies)**: 이 검사는 요역동학 검사실과 같이 특별한 임상 검사실에서 시행되고, 특정한 속도로 방광을 액체로 인위적으로 충만시키며 검사를 하는데, ICS에서는 생리식염수 또는 비디오 요역동학검사의 경우에는 조영제를 추천한다.

(2) **방광내압측정술(Cystometry)**: 방광을 충만시키는 동안에 방광의 압력과 부피의 관계를 측정하는 것.

(3) **방광내압측정도(Cystometogram, CMG)**: 시간에 따른 방광 압력과 부피의 그래픽 기록.

(4) **방광내압측정술에 포함되어야 하는 상태들(Conditions for cystometry)**

① 환자의 자세(Position of patient): 누운 자세보다는 앉거나 선 자세가 비정상적인 배뇨근 활동성을 더 잘 유발할 수 있다.

② 충전 속도(Filling rate): 요역동학검사 결과 보고서에서 충전 속도는 검사 중 변화를 포함해서 확인할 수 있어야 한다. 대부분의 보통적인 검사에서 분당 25~50 mL의 중간 충전 속도면 충분하다. 분당 25 mL 이하의 더 느린 충전 속도는 방광일지에서 적은 방광용적을 가지고 있거나 나쁜 유순도가 의심되거나 신

경인성방광 환자들에서 적절한 충전 속도이다. 빠른 충전 속도는 분당 50 mL가 넘는 경우이다.

(5) 방광내압(Intravesical pressure, P_{ves}, 단위: cmH_2O): 방광 안의 도관에 의해 직접 측정된 방광 안의 압력

(6) 복압(Abdominal pressure, P_{abd}, 단위: cmH_2O): 방광을 둘러싸고 있는 복강의 압력. 직장 압력 측정을 통해 평가가 이뤄지나 장루를 통해 대신 측정이 이뤄지기도 한다. 복압의 자극성 측정은 방광내압 추적의 해석에 있어서 필수적이다. 직장 수축이 있는 경우 배뇨근압 측정에서 아티팩트가 생길 수 있다.

(7) 배뇨근압(Detrusor pressure, P_{det}, 단위: cmH_2O): 방광벽에 가해지는 힘(수동적, 역동적)에 의해 생성되는 방광내압의 구성요소이다. 방광내압에서 복압을 빼면 된다($P_{det} = P_{ves} - P_{abd}$).

4) 충전방광내압측정술 (Filling Cystometry)

(1) 충전방광내압측정술(Filling cystometry): 방광을 충전시키는 동안에 방광의 압력과 부피의 관계. 검사는 방광 충전을 시작할 때 시작하여 요역동학 검사자가 검사 대상에게 배뇨를 허락하였을 때 또는 불수의적인 요실금이 발생되었을 때 끝난다.

(2) 충전방광내압측정술의 목표(Aims of filling cytometry): 요누출 상황과 요누출 시의 배뇨근 압력 기록 및 방광의 감각, 방광용적, 배뇨근 활동성, 방광유순도를 평가하기 위해서.

(3) 충전방광내압측정술 시 방광 감각(Bladder sensation during filling cystometry): 일반적으로 방광내압측정술 동안에 방광 충만 상태와 관련하여 검사 대상자에게 질문하여 평가한다. 정상 방광 감각은 ICS가 권고하는 것처럼 사전에 정의된 방광충전의 최초 감각, 최초 배뇨 요의, 강한 배뇨 요의 3가지 지점에서 평가가 이뤄진다. 그리고 환자의 증상 호소와 관련해서 또는 증상 호소 순간에 방광 용적과 관련해서 평가한다.

① 방광충전의 최초 감각(First sensation of bladder filling): 검사 대상자가 처음으로 방광이 충전되고 있음을 느끼는 것.

② 최초 배뇨 요의(First desire to void): 검사 대상자가 처음으로 소변을 보고 싶다고 느끼는 것.

③ 정상 배뇨 요의(Normal desire to void): 다음으로 편한 순간에 검사 대상자가 소변을 보고 싶도록 만드는 느낌. 하지만, 배뇨는 필요한 경우 지연시킬 수 있다.

④ 강한 배뇨 요의(Strong desire to void): 요누출에 대한 걱정이 없는 상태에서 지속적으로 요의를 느끼는 것.

⑤ 요절박(Urgency): 참기가 어려운 갑작스럽고 강한 배뇨 욕구.

⑥ 방광 과감각(Bladder oversensitivity): 방광 충전 동안에 방광 감각의 증가.

- 최초 배뇨 요의가 일찍 생기는 것.
- 강한 배뇨 요의가 일찍 적은 방광 용적에서 생기는 것.

- 최대 방광내압측정술상 방광용적이 적은 것.
- 배뇨근압의 비정상적 증가가 없는 경우.

⑦ 감소된 방광감각(Reduced bladder sensation): 충전방광내압측정술 시 느껴지는 방광감각이 감소된 것.

⑧ 무방광감각(Absent bladder sensation): 충전방광내압측정술 동안에 적어도 500 mL 이상의 예상 용적 상태까지 방광 감각이 없는 것.

⑨ 통증(Pain): 충전방광내압측정술 동안에 통증을 호소하는 것은 비정상이다. 통증의 부위, 양상, 기간을 기록해야 한다.

(4) 충전방광내압측정술 시 방광용적(Bladder capacity during filling cystometry)

① 방광내압측정술상 방광용적(Cystometric capacity, 단위: mL): 보통 요역동학검사자가 배뇨를 하도록 허락하는 충전방광내압측정술이 끝나는 지점의 방광 용적. 끝내게 되는 지점 및 이 말기점에서 검사대상자가 느끼는 방광 감각의 정도(예를 들면 정상 배뇨 요의)는 확인해야 한다. 검사가 끝나는 지점은 감소된 방광 감각을 가지고 있는 남성에서는 정상보다 높을 수 있다.

② 방광내압측정술상 최대 방광용적(Maximum cytometric capacity, 단위: mL): 정상 감각인 검사대상자에서 충전방광내압측정술 동안에 더 이상 배뇨를 지연시키기 어려운 순간의 방광용적.

(5) 충전방광내압측정술 시 배뇨근 기능(Detrusor function during filling cystometry)

① 정상 배뇨근 활동성/기능(Normal detrusor activity/function): 방광충전 시 방광 압력의 변화가 거의 없거나 없는 상태. 자발적인 또는 흐르는 물소리를 듣거나 또는 자세 변화, 기침을 이용해 유발한 상태에서도 배뇨근수축이 없는 것.

② 배뇨근과활동성(Detrusor overactivity, DO): 충전방광내압측정술 시 배뇨근수축(들)이 발생되는 것. 이 수축은 자발적으로 또는 유발적으로 발생될 수 있고, 방광내압측정도에서 파형을 만들고, 다양한 기간과 진폭을 나타낸다. 수축은 phasic 또는 terminal 일 수 있다. 수축은 환자에 의해 억제될 수도 있고 조절이 불가능할 수도 있다. 요절박 또는 요절박요실금과 같은 증상들 또는 수축의 인지는 발생될 수도 발생되지 않을 수도 있다.

i) 특발성(일차성) 배뇨근과활동성(Idiopathic [primary] detrusor overactivity): 불수의적 배뇨근 수축의 원인을 확인할 수 없는 경우.

ii) 신경성(이차성) 배뇨근과활동성(Neurogenic [secondary] detrusor overactivity): 배뇨근 과활동성과 함께 관련된 신경학적 질환의 증거(병력; 보이거나 측정할 수 있는 결손)가 있는 것.

iii) 비신경성(이차성) 배뇨근과활동성(Non-neurogenic [secondary] detrusor overactivity): 방광 충전 동안 생긴 불수의적 배뇨근 수축(들)에 대해 확인이 가능한 비신경성 원인이 있는 경우. 예를 들면, 기능적 폐색, 결석, 종양(방광상피내암), 요로감염.

③ 신경성 배뇨근과활동성은 방광 충전기 중 불수의적인 배뇨근수축을 특징으로 하는 요역동학적 관찰 소견으로 이것은 자발적으로 발생할 수도 있고 임상적으로 관련성이 있는 신경학적 질환들 상황에서 유발될 수도 있다. 다음과 같은 특별한 형태가 포함된다.

i) 위상 배뇨근과활동성(Phasic detrusor overactivity): 특징적 파형으로 정의되는데 요실금을 유발할 수도 그렇지 않을 수도 있다.

ii) 종말 배뇨근과활동성(Terminal detrusor overactivity): 최대 방광내압측정술상 방광용적 시 또는 가까이에서 불수의적인 배뇨근 수축으로 정의하고, 억제될 수 없고 요실금을 일으키거나 또는 반사 방광 비움(반사 배뇨)을 일으킨다.

iii) 지속적 배뇨근과활동성(Sustained detrusor overactivity): 정상 배뇨근 휴지기 압력으로 돌아가지 못하고 지속적으로 배뇨근 수축이 있는 것으로 정의한다.

iv) 복합 배뇨근수축(Compound detrusor contraction): 위상 배뇨근수축과 함께 연속적 수축 시마다 기저압도 올라가면서 연속적으로 배뇨근 압력이 증가하는 것으로 정의한다.

v) 고압 배뇨근과활동성(High pressure detrusor overactivity): 환자의 신기능 그리고/또는 건강에 악영향을 줄 가능성이 매우 높은 위상, 종말성, 지속성 또는 복합성의 높은 배뇨근 압력을 가지는 높은 최대 배뇨근과활동성을 검사자가 확인한 경우로 정의한다. 검사치는 보고서에 기록해야 한다.

vi) 신경성 배뇨근과활동성요실금(Neurogenic detrusor overactivity incontinence): 불수의적 신경성 배뇨근과활동성에 의한 요실금.

(6) 방광(배뇨근) 유순도(Bladder [detrusor] compliance, 단위: mL/cmH_2O)

① 서술(Description): 방광의 확장성을 측정하는 것으로 방광용적 변화와 동시에 이뤄지는 배뇨근압 변화 사이의 상관관계.

② 계산(Calculation): 충전방광내압측정술 동안 이뤄지는 방광용적의 변화(ΔV)를 동시에 발생되는 배뇨근압(ΔP_{det})의 변화로 나눈 것-($C = \Delta V/\Delta P_{det}$). 유순도는 방광 압력을 1 cm$H_2O$ 증가시키는 방광 안의 액체의 양을 반영하고 ml per cmH_2O로 표시된다.

③ 방광 유순도 측정에 영향을 미치는 요인들(Factors affecting the measurement of bladder compliance)

i) 방광충전 속도(Bladder filling speed): 나쁜 방광유순도 상태가 의심되는 경우가 아니라면 분당 50 mL 속도까지 방광을 충전시켜야 한다. 빠르게 방광을 충전시키는 것은 더 유발적 요인으로 작용을 하고 인위적으로 방광유순도를 감소시킬 수도 있다. 이런 아티팩트는 충전을 중단하거나

느린 속도로 반복하여 충전함으로서 안정시킬 수 있다.

ii) 배뇨근수축/이완 속성(유순도 감소)(Contractile/relaxant properties of the detrusor [decreased compliance]): 방광의 과신장(overstretch), 항암치료 또는 골반 방사선 조사와 같이 방광의 속성은 유순도를 감소시킬 수 있다. 방광출구폐색은 배뇨근 비대, 배뇨근 내 콜라겐(아교질), 엘라스틴(탄력소) 침착을 만들 수 있고 이는 방광 유순도 감소에 영향을 줄 수 있다.

iii) 방광유순도에 영향을 주는 다른 요인들(유순도 증가)(Other factors affecting bladder compliance, increased compliance): 방광게실(거짓게실)과 고등급 방광요관역류.

iv) 유순도 계산의 시작점(Starting point for compliance calculations): 방광충전 시점의 배뇨근압과 이때의 방광용적(보통 0점). 측정 시작 시 방광이 완전히 비워진 상태인지 주의를 기울여야 한다; 방광이 완전히 비워지지 않은 경우 방광유순도가 인위적으로 낮아질 수 있다.

v) 유순도 계산의 종말점(End point for compliance calculation): 방광충전이 끝날 때 압력이 안정화 될 시간이 있어야 하며, 방광내압측정술상 방광용적에서 배뇨근압과 이에 따른 방광용적. 배뇨근수축을 제외한 두 지점을 모두 측정한다. 요누출이 있는 배뇨근과활동성의 경우에는 양 지점을 반드시 측정하거나 또는 배뇨근수축(수축하게 되면 방광용적이 줄어들어 유순도 계산에 영향을 준다) 바로 직전 측정한다.

낮은 유순도는 여자의 경우 < 10 mL/cmH_2O(신경성) 또는 <30 mL/cmH_2O(비신경성)으로 정의된다. 정상 유순도는 > 30 mL/cmH_2O(신경성) 또는 > 40 mL/cm$H_2$0(비신경성)으로 정의한다. 남성에서 권고되는 정상값은 아직까지 잘 정의되어 있지 않다.

(7) **ICS 표준 요역동학검사**(ICS standard Urodynamic Test): 요속검사, 배뇨후 잔뇨량 측정, 방광내압측정술, 압력요류검사가 ICS 표준 요역동학검사(ICS-SUT)로 불린다.

5) 요도폐쇄 기전 (Urethral closure mechanism)

(1) **정상 요도폐쇄 기전**(Normal urethral closure mechanism): 배뇨근과활동성에 의해 극복되는 경우가 있기는 하지만, 방광이 충전되는 동안에는 복압이 증가되더라도 양의 요도폐쇄 압력이 유지된다.

(2) **부적격 요도폐쇄 기전**(Incompetent urethral closure mechanism): 배뇨근수축이 없는 상황에서 복강 내 압력을 증가시킬 수 있는 활동 동안에 요누출이 발생되는 것.

① 요역동학적 복압성요실금(Urodynamic stress incontinence, USI): 배뇨근수축이 없으면서

복강 내 압력의 증가와 관련하여 충전방광내압측정술 동안에 불수의적인 소변 유출이 발생되는 것.

② 아형(Subtype): 내인성 요도괄약근기능부전(Intrinsic sphincter deficiency, ISD): 요도폐쇄 기전이 매우 약화된 것.

(3) 요누출압(Leak point pressures): 두 가지 형태의 요누출압 측정 방법이 있다. 요누출 순간에 유출 압력을 측정해야 한다.

① 배뇨근 요누출압(Detrusor leak point pressure, DLPP, 단위: cmH_2O): 정적 검사 방법이다. 복압 증가가 없는 상태에서 충전방광내압측정술 동안에 요누출이 관찰되는 가장 낮은 배뇨근압이다. 배뇨근 요누출압은 방광출구 또는 요도괄약근의 저항을 반영한다. 다발경화증 또는 척수손상 환자와 같이 신경학적 기저 질환을 가지고 있는 환자에서 높은 배뇨근 요누출압(예, 40 cmH_2O)은 상부요로계 악화의 위험 요소가 되며 이차적으로 방광에 손상을 줄 수 있다. 비신경학적 환자들에서 배뇨근 요누출압과 상부요로계 손상과의 상관관계에 대한 자료는 없다.

② 복압성 요누출압(Abdominal leak point pressure, ALPP, 단위: cmH_2O): 동적 검사 방법이다. 배뇨근수축이 없는 상태에서 요누출을 유발하기 위해 의도적으로 증가시킨 복압이다. 환자가 기침(CLPP) 또는 힘주기(발살바 요누출압, VLPP)를 통해 만들 수 있다. 방광압력 또는 복압 측정으로 평가하며 요누출을 일으키는 가장 낮은 압력을 측정할 수 있도록 한다.

③ 배뇨근과활동성 요누출압(Detrusor overactivity leak point pressure, DOLPP): 배뇨근과활동성이 있는 경우에서 수의적 배뇨근수축 또는 복압의 증가가 없는 상태에서 첫 요누출이 발생될 때 상승된 최소 배뇨근압으로 정의한다.

④ 배뇨근 요누출 용적(Detrusor leak point volume, DLPV): 배뇨근과활동성 또는 낮은 유순도 상태에서 처음으로 소변 유출이 발생될 때의 방광 용적으로 정의한다.

6) 압력요류검사 (Pressure-Flow studies)

(1) 압력요류검사(Pressure-Flow studies): 배뇨 중 방광의 압력과 용적(요류)의 상관관계. 요역동학 검사자가 검사 대상자에게 소변을 보라고 설명한 순간부터 검사가 시작되고 검사 대상자가 배뇨가 끝났다고 할 때 검사가 끝난다. 요속과 함께 방광내압(P_{ves}), 복압(P_{abd}) , 그리고 계산된 배뇨근압(P_{det})을 측정하고 기록한다.

(2) 압력요류검사 동안 배뇨근압 등의 측정(Detrusor pressure and other measurements during pressure-flow studies)

① 배뇨근 개방압(Detrusor opening pressure, 단위: cmH_2O): 요류가 시작되기 바로 직전에 측정된 배뇨근압

② 요류지연(Flow delay, 단위: s): 압력이 처음 올라가는 순간부터 요류 시작까지 경과된 시

간. 이것은 배뇨의 초기 등용성 수축(isovolumetric contraction) 기간이다. 이것은 액체가 압력 측정 지점에서 요류변환기(uroflow transducer)를 통과하는데 필요한 시간을 반영한다.

③ 요도 개방압(Urethral opening pressure, $P_{det.uo}$, 단위: 단위: cmH_2O): 요류 측정 시작 시 측정된 배뇨근압(일반적으로 시간 지연을 고려하며 일반적으로 1초 미만이다).

④ 최대 배뇨근압(Maximum detrusor pressure, P_{det_max}, 단위: cmH_2O): 배뇨 중 측정된 최대 배뇨근압.

⑤ 최대요속 시 배뇨근압(Detrusor pressure at maximum flow, $P_{detQmax}$, 단위: cmH_2O): 최대요속 시 측정된 배뇨근압.

⑥ 요류 종말 배뇨근압(Detrusor pressure at end of flow, $P_{det.ef}$, 단위: 단위: cmH_2O): 요류의 끝에 측정된 배뇨근압.

⑦ 배뇨후 배뇨근수축(Postvoiding detrusor contraction): 요류가 멈춘 직후 배뇨근압(P_{det}) 상승이 있는 것.

(3) 배뇨 시 배뇨근기능(Detrusor function during voiding)

① 정상 배뇨근수축 기능(Normal detrusor contractile function): 정상적인 배뇨는 적절한 시간 안에 저당하고 지속적인 배뇨근수축을 통해 방광을 완전히 비우는 것이다. 이것은 중추신경계 시작 신호와 이에 대한 반사작용의 자극을 통해 이뤄진다. 방광을 완전히 비울 때까지 배뇨근수축의 강도(배뇨근수축 강도/힘)는 요도저항의 증가에 반응하여 증가하는 경향을 가진다.

② 배뇨근저활동성(Detrusor underactivity, DU): 일반적으로 느린 요속과 함께 낮은 배뇨근압 또는 짧은 배뇨근수축 시간이 방광 비움 시간의 연장과 함께 그리고/또는 정상 시간 간격 안에 완전히 방광을 비우지 못하게 하는 것(저수축성배뇨근[hypocontractile detrusor] 또는 배뇨근저수축성[detrusor hypocontractility]은 배뇨근수축 강도가 감소한 것으로 정의한다). 배뇨근저활동성은 신경성 또는 비신경성 원인이다.

i) 신경성 배뇨근저활동성(Neurogenic detrusor underactivity): 임상적으로 관련성을 가지는 신경학적 질환이 있으면서 배뇨근수축 강도 감소 그리고/또는 시간 감소로 인해서 방광 비움 시간의 연장 그리고/또는 완전히 방광을 비우는데 실패한 것.

③ 무수축성배뇨근(Acontractile detrusor): 요역동학검사 동안 배뇨근수축이 발생되지 않아서 배뇨에 실패한 것. 힘주기를 통해 제한적인 배뇨가 있을 수 있다. 방광내압측정술 후 이어서 만약 정상적으로 배뇨를 할 수 있었다면 배뇨근수축이 "억제" 되었을 가능성을 고려해야 한다. 무수축성배뇨근은 신경성 또는 비신경성 원인일 수 있다. 신경성 무수축성배뇨근(Neurogenic acontractile detrusor)은 "배뇨근 무반사" 용어로 대체해야 한다. 신경성 무수축성배뇨근은 임상적으로 관련성을 가지는 신경학적 질환이 있는 상황에서 요역동학

검사 동안에 배뇨근수축이 확인되지 않는 것을 의미한다.

④ 균형 방광 비움(Balanced bladder emptying): 검사자가 적은 잔뇨량과 함께 생리적인 배뇨근 압력으로 방광을 비우는 것을 확인한 경우로 보고서에 기록해야 한다.

7) 배뇨 중 요도 기능 (Urethral function during voiding)

비디오 방광요도조영술과 근전도 검사 결과가 있다면 압력요류검사 추적을 통해 동시에 평가할 수 있다.

(1) 배뇨 중 정상 요도기능(Normal urethral function during voiding): 골반저와 횡문 요도괄약근(횡문괄약근)의 자발적 이완을 통해 배뇨를 시작하는 것. 방광은 방광경부와 함께 수축하고 다음으로 방광경부는 근섬유의 나선형 배열로 인해 열리게 된다. 요도가 지속적으로 이완 되어 정상 배뇨압과 정상 요속으로 지체 없이 배뇨가 이뤄져 완전히 방광을 비울 수 있도록 해준다.

(2) 배뇨 중 비정상 요도기능(Abnormal urethral function during voiding): 요도괄약근이 완전히 이완되지 않거나 또는 배뇨 중(일시적) 수축을 해서 배뇨근압을 상승시키는 것. 방광은 완전히 비워지거나 그렇지 않을 수 있다.

① 방광출구폐색(Bladder outlet obstruction, BOO): 배뇨 중 폐색의 일반적 용어다. 감소된 요속과 함께 동시에 배뇨근압이 증가된 것. 방광출구폐색지수(Bladder Outlet Obstruction Index, BOOI = $P_{det.Qmax} - 2Q_{max}$)는 폐색이 있을 가능성에 대해 정보를 제공해 줄 수 있다(BOOI < 20 cmH_2O = 비폐색, BOOI 20–40 cmH_2O = 모호, BOOI > 40 cmH_2O = 폐색).

② 기능장애 배뇨(Dysfunctional voiding): 기능장애 배뇨는 신경학적으로 정상인에서 배뇨 중 요도괄약근의 부적절한 또는 다양한 이완으로 인한 요류의 간헐 그리고/또는 기복 발생을 특징으로 한다. 기능장애 배뇨는 기능적 방광출구폐색을 일으킬 수 있다. 이런 형태의 배뇨는 무수축 또는 저활동성배뇨근의 결과일 수 있다. 일차성 방광경부폐색 그리고/또는 횡문괄약근비협조 진단을 위해서는 비디오 요역동학검사가 필요하다.

③ 배뇨근괄약근협동장애(Detrusor sphincter dyssynergia, DSD): 신경학적 이상들로 인해 배뇨 중 횡문괄약근과 배뇨근 사이의 비협조. 이것은 신경성 배뇨 장애의 특징이므로 신경학적 특징들을 찾아봐야 한다. 진단 확진을 위해 비디오 요역동학검사가 유용하다. 천골 3번 수준 위쪽과 교뇌 아래 사이의 병변에 의해 일반적으로 발생된다. 비디오 요역동학검사 장비가 없는 경우에는 요도괄약근 근전도 검사가 도움이 된다.

④ 일차성 방광경부폐색(비신경성)(Primary bladder neck obstruction, non-neurogenic): 배뇨 중 방광경부 평활근이 적절하게 열리지 못하는 것. 방광경부의 저항을 극복하고 요가 배출될 수 있도록 배뇨근압이 상승된다.

8) 근전도검사 (Electormyography, EMG)

(1) 목적(Purpose): 요도주위, 횡문요도괄약근, 골반저와 같은 횡문 근육조직들의 활성도를 반영한다. 근전도검사는 바늘의 형태, 바늘 또는 패치 사용, 전극의 위치 등이 다양하고 잘 표준화되어 있지 않다. 회음부 패치 전극은 환자 순응도가 좋고 부착이 쉽고 이동성이 커서 선호된다. 그러나 회음부 패치 전극은 위에 서술한 모든 횡문 근육조직을 측정한다. 이와 대조적으로 바늘 전극은 관심을 가지는 부위에 삽입을 할 수 있어서 횡문괄약근과 같이 검사 전 미리 정한 근육 또는 근육 그룹의 활성도를 측정할 수 있다.

(2) 해석(Interpretation): 다른 장비에 의해 유발되는 아티팩트로 해석이 어려울 수 있다. 요역동학검사 준비에서 근전도검사는 환자가 골반저를 조절하는 능력을 대변하기 때문에 유용하다.

(3) 배뇨근괄약근협동장애(Detrusor sphincter dys-synergia, DSD): 신경학적 질환이 있으면서(눈으로 확인이 가능하거나 또는 신경학적 결손 측정이 가능하거나 또는 신경학적 질환의 병력이 있거나) 요도괄약근(횡문괄약근)과 배뇨근이 동시에 수축하는 것. 배뇨근괄약근협동장애 분류는 두 개로 나뉜다(연속 대 간헐). 배뇨근괄약근협동장애 유형과 척수손상의 정도는 연관성이 있다.

① 1형 배뇨근괄약근협동장애(Type 1 DSD): 불완전 신경학적 병변을 가진 환자에서 발생한다. 외부 요로 괄약근(external urinary sphincter, EUS) 수축 활성도가 점진적으로 증가하여 최대 배뇨근수축 시 정점을 이루고 배뇨와 함께 배뇨근압이 떨어지면서 외부 요로 괄약근의 갑작스러운 이완이 따른다.

② 2형 배뇨근괄약근협동장애(Type 2 DSD): 완전한 병변을 가진 환자에서 주로 발생한다. 지속적인 외부 요로 괄약근 수축이 전체 배뇨근수축 동안에 나타나서 요로폐색 또는 배뇨불능의 결과를 가져온다.

(4) 비이완성 요도괄약근(Non-relaxing urethral sphincter): 비이완성, 요도괄약근 폐쇄로 인해 요류가 느려지는 것이 특징이다.

(5) 지연성 요도괄약근 이완(Delayed relaxation of the urethral sphincter): 배뇨 시도 중 괄약근의 이완 장애와 방해로 요류가 느려지는 것이 특징이다.

9) 보행 요역동학검사 (Ambulatory urodynamics)

병원 환경 밖에서 방광 안에 경요도 도관을 위치한 상태(그리고 일부 프로토콜에서는 전형적 요역동학검사처럼 직장에도 다른 관을 위치시킴)로 이뤄지는 하부요로에 대한 기능적 평가 방법으로, 수분 섭취를 통해 자연스럽게 방광을 충천시키고 오랜 시간(예, 12시간) 동안 방광압력(Pves)을 지속적으로 기록한다. 보행 요역동학검사는 검사 대상자의 정상적인 매일 활동 동안에 소변 소실과 방광 기능을 재현할 수 있다.

10) 비침습 요역동학검사 (Non-invasive urodynamics)

압력요류검사의 비침습 대안으로 음경 띠(Penile cuff), 콘돔도관(condom catheter), 요도 기구(urethral device)가 개발되었다. 이런 검사 방법들의 원리는 요류를 방해하여 방광압을 측정하는 것이다. 배뇨근수축이 유지되고 요도괄약근 개방이 된 상태; 요도에서 방광까지의 액체 기둥은 방광 압력을 측정하기에 충분하다(등용성 압력, isovolumetric pressure). 요류를 방해하기 위해 필요한 요도 밖의 압력은 방광의 압력과 동일해야 한다(등용성 압력, Pves.iso). Pves.iso는 배뇨 중 방광 압력에 대한 정보를 제공하고, 요류를 측정할 때 폐색과 비폐색을 구별할 수 있게 해준다.

11) 비디오 요역동학검사(투시 요역동학검사) (Videourodynamics, Fluorourodynamics)

충전방광내압측정술과 압력요류검사와 함께 실시간 하부요로에 대한 영상검사를 결합하여 하부요로에 대한 기능적 평가를 하는 것.

(1) 안정 시 방광경부(Bladder neck at rest): 전립선 절제술 후 상태를 제외하고 기침과 힘주기 시 경부가 닫히고 기능이 있는 것.

(2) 배뇨 중 방광경부(Bladder neck during voiding): 깔때기 모양으로 방광경부가 열린 것.

(3) 배뇨 중 방광경부폐색(Bladder neck obstruction during voiding): 방광경부가 닫혀있는 상태로 남아 있는 것.

5. 흔한 진단들(Diagnoses)

진단은 크게 저장, 배뇨, 저장 및 배뇨 기능이상과 같이 하부요로의 기능을 반영하는 3가지 소집단으로 분류할 수 있다.

1) 저장 기능이상(Storage dysfunction, SD)

충전방광내압측정술 중 방광 감각, 배뇨근압 또는 방광용적의 비정상적 변화와 관련된 진단들.

(1) 방광 요인(Bladder factor)

① 방광 과감각(Bladder oversensitivity, BO): 주간 배뇨 횟수와 야간뇨 증가 증상이 있는 검사 대상자에서 증상과 요역동학검사들로 임상적 진단이 이뤄진다. 배뇨횟수배뇨량일지 상에서 확실한 평균 배뇨량 감소(주간 및 야간)가 관찰된다. 다음과 같은 특별한 방광내압측정술 소견들과 함께 방광 충전 시 인지하는 방광 감각의 증가로 정의할 수 있다. i. 최초 배뇨 요의가 일찍 생기는 것. ii. 강한 배뇨 요의가 일찍 적은 방광 용적에서 생기는 것. iii. 최대 방광내압측정술상 방광용적이 적은 것.

그리고 iv. 배뇨근압의 비정상적 상승이 없는 것. 이런 소견이 발생되는 특정한 방광 용적은 사람마다 다르다.

② 배뇨근과활동성(Detrusor overacivity, DO)

i. 정의(Definition): 하부요로증상(과민성방광 증상이 더 흔하다)이 있는 개인에서 충전방광내압측정술 동안 배뇨근수축이 발생되는 경우에 증상과 요역동학검사들로 진단된다.

ii. 아형(Subtypes)

i) 특발(일차성) 배뇨근과활동성(Idiopathic [primary] DO): 확인 가능한 불수의적 배뇨근수축의 원인이 없는 경우.

ii) 신경성(이차성) 배뇨근과활동성(Neurogenic [secondary] DO): 배뇨근과활동성과 관련이 있는 신경학적 질환의 증거들(병력 또는 평가가 가능한 신경학적 결손)이 있는 경우.

iii) 비신경성(이차성) 배뇨근과활동성(Non-neurogenic [secondary] DO): 방광 충전 동안 발생한 불수의적 배뇨근수축에 대한 비신경성 원인이 확인 가능한 경우.

③ 유순도 감소 저장기 기능이상(Reduced compliance storage dysfunction, RCSD): 저장기 증상이 더 흔하지만 하부요로증상이 있는 검사 대상자에서 증상과 요역동학검사들로 진단이 되며, 유순도 감소를 보여주는 감소된 방광용적이 있으면서 충전방광내압술 중 배뇨근압의 비위상(non-phasic) 상승이 관찰되는 경우.

i. 유순도 감소 요실금(Reduced compliance incontinence): RCSD와 직접적으로 연관된 요실금.

(2) 출구 요인(Outlet factor)(요도/괄약근 기능이상-요도 저항 감소-부전/부족)(Urethra/Sphincter Dysfunction-decreased urethral resistance-incompetence/insufficiency)

① 요역동학적 복압성요실금(Urodynamic stress incontinence, USI)

i. 정의(Definition): 배뇨근수축이 없으면서 복강 내 압력의 증가와 관련하여 충전방광내압측정술 동안에 불수의적인 소변 유출이 발생되는 경우에 증상, 징후 그리고 요역동학검사들을 통해 임상적으로 진단된다.

ii. 아형(Subtype): 내인성 요도괄약근기능부전(Intrinsic sphincter deficiency, ISD): 요도폐쇄 기전이 매우 약화된 것.

2) 배뇨 기능이상 (Voiding Dysfunction, VD)

압력요류검사(관련 영상 검사를 포함)에서 확인이 되는 비정상적으로 증가된 배뇨후 잔뇨량, 비정상적으로 느린 요속으로 나타나는 비정상적으로 느린 그리고/또는 불완전한 방광 비움과 관련된 진단들.

(1) 방광 요인 - 배뇨근 활동성 약화 또는 무활동성 (bladder facotr-poor or absent detrusor activity)

① 배뇨근저활동성(Detrusor underactivity, DU)

i. DU의 정의(Definition of DU): 연관된 증상과 징후와 함께 일반적으로 요역동학검사를 통해 진단된다. 느린 요속과 함께 낮은 배뇨근압 또는 짧은 배뇨근수축 시간이 방광 비움 시간의 연장과 함께 그리고/또는 정상 시간 간격 안에 완전히 방광을 비우지 못하게 하는 것으로 나타나며, 배뇨후 잔뇨량이 많을 수도 그렇지 않을 수도 있다.

② 배뇨근무수축(Detrusor acontractility, DAC)

i. DAC의 정의(Definition of DAC): 일반적으로(항상은 아니지만) 연관된 증상과 징후와 함께 요역동학검사를 통해 진단된다. 배뇨 검사 중 배뇨근수축이 관찰되지 않고 방광 비움이 연장되며 적절한 시간 안에 완전한 방광 비움을 이루지 못하는 것으로 나타난다. DAC가 있는 사람에서 배뇨는 일반적으로 힘주기 또는 방광을 수동 압박하여 이뤄지고 일반적으로 비정상적인 느린 요속 그리고/또는 비정상적으로 많은 배뇨후 잔뇨량 결과를 가져온다.

ii. 아형(Subtypes)

- 신경성 배뇨근무수축(Neurogenic detrusor acontractility)
- 비신경성 배뇨근무수축(Non-neurogenic detrusor acontractility)

(2) 출구 요인(Outlet factor)(요도/괄약근 기능이상) (Urethral/Sphincter dysfunction)

① 방광출구폐색(Bladder outlet obstruction, BOO)

i. BOO의 정의(Definition of BOO): 일반적으로(항상은 아니지만) 관련된 증상 그리고/또는 징후, 요역동학검사들(압력요류검사±영상검사)로 진단된다. 비정상적으로 많은 배뇨후 잔뇨량은 있을 수도 있고 없을 수도 있으며 배뇨 방광내압측정술 동안에 비정상적으로 느린 요류 그리고 비정상적으로 높은 배뇨근 배뇨압의 증거와 함께 비정상적으로 느린 요속으로 나타난다.

ii. BOO의 가능한 위치와 원인들(Possible sites/causes of BOO)

i) 기능적(Functional): 방광경부폐색, 배뇨근 괄약근 기능이상, 골반저 과활동성

ii) 기계적(Mechanical): 양성전립선비대, 요도협착, 요도구협착. 하부요로에 대한 영상검사, 특히 비디오 요역동학검사와 근전도검사가 위치와 원인을 평가하기 위해 필요하다.

② 배뇨 기능이상의 대체 제시들(Alternate presentation of voiding dysfunction)

i. 급성요폐(Acute retention of urine): 방광이 가득 찼음에도 검사 대상자가 소변을 전혀 볼 수 없는 상태로, 검사에서 아프게 방광이 팽창되어있고, 방광을 쉽게 촉지 하거나 그리고/또는 타진할 수 있다.

ii. 만성 요폐(Chronic retention of urine): 만성적으로 많은 배뇨 후 잔뇨량이 있는 일

반적으로(항상은 아니지만) 무통성 방광을 촉진하거나 타진할 수 있는 상태. 환자는 느린 요속과 만성적인 불완전 방광 비움을 경험하지만 무증상일 수 있다. 범람요실금이 발생할 수 있다.

iii. 만성 요폐의 급성기 전환(Acute on chronic retention): 만성 요폐가 있는 사람이 급성요폐로 바뀌어 소변을 보지 못하는 것.

iv. 범람이 동반된 요폐(retention with overflow): 요폐에서 과도하게 충만된 방광과 직접적으로 관련하여 불수의적인 소변 유출이 있는 것.

v. 완전 요폐(Complete urinary retention): 방광을 전혀 비울 수 없는 것(또는 해부학적 또는 기능적 방광출구폐색이나 배뇨근저활동성 또는 두 가지 모두로 인해서 의식적 또는 비의식적 도뇨관 사용이 필요한 경우)

vi. 불완전 요폐(Incomplete urinary retention): 해부학적 또는 기능적 방광출구폐색이나 배뇨근저활동성 또는 두 가지 모두로 인해서 방광 비움에 문제가 있으면서 배뇨량이 배뇨후 잔뇨량보다 적은 경우.

(3) 혼합 저장 그리고 배뇨 기능이상(Mixed storage and voiding dysfunction)

① 방광출구폐색 그리고 배뇨근저활동성(BOO-DU)

i. 정의(Definition): 압력요류검사에서 요역동학적 배뇨근 저활동성과 요역동학적 방광출구폐색이 동시에 관찰되는 것.

② 배뇨근과활동성 그리고 방광출구폐색(DO-BOO)

i. 정의(Definition): 압력요류검사에서 방광출구폐색이 있으면서 충전방광내압측정술에서 요역동학적 배뇨근과활동성이 관찰되는 것.

③ 배뇨근과활동성 및 배뇨근저활동성(DO-DU)

i. 정의(Definition): 압력요류검사에서 요역동학적 배뇨근저활동성과 함께 충전 방광내압측정술에서 요역동학적 배뇨근과활동성이 관찰되는 것. 이 용어는 과거 용어인 "배뇨근 과활동성 및 수축장애(detrusor hyperactivity and impaired contractility, DHIC; detrusor overactivity with impaired contractility, DOIC)"를 대체하기 위한 것이다. 이것은 노인에서 가장 흔하다.

④ 신경성 과민성방광(Neurogenic overactive bladder): 적어도 부분적으로 감각이 남아있는 임상적으로 관련성을 가지는 신경학적 질환이 있으면서, 낮시간 배뇨 및 야간뇨 증가가 일반적으로 있고 요절박요실금은 있거나 없을 수도 있으며 요절박을 특징으로 한다.

⑤ 배뇨 조절이상(Voiding dysregulation): 옷을 모두 입고 있거나 또는 화장실에서 멀리 떨어진 공공장소 환경과 같이 사회적으로 부적절한 상황에서 배뇨를 하는 것으로 정의한다.

⑥ 불수의적 배뇨(Involuntary voiding): 배뇨 의도가 없는데 깨어있는 동안에 산발적인 방광 비움의 증상과 진단 모두를 말한다.

6. 성인 신경성 하부요로기능이상 치료의 정의(Adult neurogenic lower urinary tract dysfunction definitions)

1) 방광 반사 유도 (Bladder reflex triggering)

외수용 자극(방광 외부에서 받은 자극과 관련이 있거나 또는 자극이거나 또는 활성화된 자극)을 이용해 환자 또는 치료자가 반사성 방광 비움을 이끌어내기 위해서 시행하는 다양한 방법을 의미한다.

2) 방광 표현(압박) (Bladder expression)

확실한 방광의 감각이 있거나 없는 상태에서 방광 비움을 촉진시키기 위해 방광내압을 올리려고 시도하는 다양한 압박 방법들을 의미한다.

3) 카테터삽입(도관삽입) (Catheterization)

요저장소 또는 방광 배출을 위해 도관을 이용하여 방광을 비우는 술기.

(1) 유치카테터삽입(Indwelling catheterization): 한번 방광을 비우는 것보다 오랜 시간동안 방광, 요저장소 또는 요통로(urinary conduit)에 유치카테터를 남겨두는 것.

(2) 간헐도뇨(Intermittent catheterization, IC): 방광이나 요저장소의 소변을 도관을 통해 제거한 후 이어서 도관을 제거하는 것으로 대개 규칙적 간격을 두고 시행한다.

① 청결 간헐도뇨(Clean IC, CIC): 청결기법이다. 이것은 일반적인 손과 음부 세척기법과 함께 1회용 또는 청소한 재사용 도관을 사용하는 것을 의미한다.

② 무균 간헐도뇨(Aseptic IC): 지정된 청결 부위에서 음부의 살균 준비과정과 무균(1회용)의 도관과 기구/장갑을 사용하는 방법이다.

③ 살균 간헐도뇨(Sterile IC): 음부 피부의 살균과 함께 무균의 장갑, 겸자, 가운, 마스크를 포함하는 완전한 무균 준비 상태에서 하는 것을 의미한다.

④ 비접촉기법 간헐도뇨(No-touch technique IC): 사용 준비가 바로 되어 있는 도관(일반적으로 친수성 도관, 미리 윤활제 처리가 된 도관)을 이용하여 환자가 좀 더 쉬운 방법으로 자가 간헐도뇨를 시행하기 위해 고안되었다. 친수성 도관의 슬라이딩 표면을 직접적으로 만지지 않고 도관을 다루기 위해 특수 패키지 또는 보조도구(pull-in aid)가 사용된다.

4) 전기자극(Electrostimulation)

(1) 직접 전기 신경자극(Direct electrical neurostimulation): 종말기관의 기능을 작용하도록 하기 위

해서 신경 또는 신경조직을 직접적으로 자극하는 것. 신경 또는 신경조직에 직접 또는 근처에 전극을 삽입(이식)하여 이뤄진다.

(2) **전기 신경조절(Electrical neuromodulation)**: 하부요로의 치료적 반응을 유발하거나 기능을 조절하기 위해서 신경들 또는 신경 조직을 자극하는 것.

(3) **경피전기신경자극(Transcutaneous electrical nerve stimulation, TENS)**: 하부요로의 치료적 반응을 유발하거나 기능을 조절하기 위해서 온전한 피부를 통해 신경에 전기적 자극을 주는 것.

(4) **골반 전기 자극(Pelvic electrical stimulation)**: 골반 내장 또는 지배 신경을 자극하기 위해서 전류를 적용하는 것.

전체 참고문헌 목록은
배뇨장애와 요실금 웹사이트 자료실
(http://www.kcsoffice.org)에서
확인할 수 있습니다.

하부요로기능이상의 평가

Evaluation of patients with lower urinary tract dysfunction (or symptoms)

조성용

1. 서론

하부요로기능이상(lower urinary tract dysfunction) 환자의 평가는 병력청취, 신체검사 및 설문지 등을 이용한 증상평가도구 및 기본 검사실 검사, 요속검사 및 배뇨 후 잔뇨 측정으로 일차 평가를 시행한다. 하지만 상부요로이상 및 신경학적 이상의 병력이 의심되는 경우 추가적으로 영상검사 및 요역동학검사 등 여러 검사를 추가하여야 한다. 본 장에서는 하부요로기능이상에 대한 다양한 평가 방법을 소개하고자 한다.

2. 병력청취

1) 일반병력

하부요로기능이상 환자에 대한 평가의 첫 단계는 병력청취이다. 방광기능은 신경학적 이상의 영향을 받으므로 척수손상, 척추수술력, 파킨슨병, 뇌출혈 및 뇌졸중, 다발성 경화증 등의 신경계 질환에 대한 파악이 우선이다. 신경인성 방광의 경우 신경 손상의 시작 시기, 증상의 변화양상, 척수 손상의 부위 및 범위, 경직 여부 등을 파악한다. 항콜린제, 항우울제, 향정신성 약물, 알파 및 베타 아드레날린 수용체에 대한 약물복용력과 성분명도 파악해두는 것이 좋다.

2) 비뇨생식기 병력

병원을 방문하게 된 가장 주요한 증상을 물어본다. 병원 방문까지의 배뇨습관을 파악하고 야뇨증, 요로감염, 방광요관역류, 요로결석, 과거 비뇨기계 수술력 유무 등도 파악한다. 방광에 소변이 차면 두통이 발생하고 혈압이 오르는 듯한 느낌이 들지 않는지 여부를 확인하여 자율신경반사이상(autonomic dysreflexia)의 유무를 파악하는 것도 치료방침을 정하는데 중요하다.

3. 신체검진

1) 비뇨기계 신체검진

환자의 신체검진 시 신체 노출에 대한 환자의 부담감을 최소화시켜주는 것이 가장 선행되어야 한다. 하복부 팽만의 경우 복부비만이 심한 환자의 경우 구분이 쉽지는 않으나 배뇨곤란 병력이 명확한 경우 만성 요폐를 추정할 수 있으며 환자가 배뇨곤란으로 통증을 극심하게 호소하는 경우 방광천자로 소변의 유무를 확인할 수 있다. 하복부의 생식기 주변을 노출시키고 요로생식기 이상 유무를 확인해야 하며 천수 부위의 피부를 관찰하면 쥐젖(skin tag) 등의 척수형성이상증을 시사하는 소견이 관찰되기도 한다. 남성의 경우 직장수지검사를 통해 전립선의 크기나 악성 종양의 유무를 시사하는 소견을 확인한다. 직장 검사 시 직장 종양 및 분변 매복의 유무와 괄약근의 긴장도를 함께 평가하는 것이 좋다.

여성의 골반검사 시 질벽의 위축 정도를 평가하기 위하여 질주름의 소실, 점막 취약성, 점출혈, 미란 등을 검사하고, 방광류 및 골반장기의 탈출 여부를 확인한다. 복압을 주게 하여 골반장기탈출 정도가 악화되는지도 파악한다. 골반저근의 활동은 손가락이나 일부 초음파 기계로 측정 가능한데 긴장도가 감소하는 경우 천수나 말초신경 질환을 시사하며 긴장도가 정상이상으로 증가되어 수의적 조절이 어려운 경우 천수상부 질환을 시사하나 진단적 가치가 있지는 않다.

요도의 과운동성을 평가하기 위하여 후질벽을 정상위치로 위치시킨 후 기침을 시켜, 요도에 위치시킨 면봉이 30도이상 위쪽으로 움직이면 요도과활동성으로 판단하는 Q-tip검사를 시행하기도 하나 진단의 정확성이 높지는 않다. 방광에 물을 채워넣고 복압을 주게 하는 발살바법이나 기침을 시켜 복압성요실금 유무를 확인하기도 하고, 방광-질 누공 유무를 파악하기 위하여 질 내에 거즈를 넣어놓고 파란색 염색약을 섞은 수액을 방광에 채워 거즈의 색깔 변화를 파악하기도 한다.

직장종물과 분변막힘(fecal impaction)의 유무, 괄약근의 긴장도를 평가하기 위해 직장검사를 시행할 수 있으며 직장류의 근막결손 부위도 함께 평가한다.

2) 일반 신경학적 검진

(1) 정신상태검사

환자의 일반적인 외양과 행동을 관찰하여 평가한다. 추가적으로 의식, 지남력, 지각력, 기억력, 지적수행능력, 통찰력, 언어능력 등을 측정하며 임상연구나 증상을 평가할 경우 본인의 의사판단이 가능한지를 확인한다.

(2) 운동검사

비정상적인 운동이나 탈신경의 징후가 있는지 확인한다. 신경과적인 협진이 필요할 수 있으며 진행성 여부를 파악해두는 것이 좋다. 자가도뇨가 필요한 경우 환자의 손 움직임을 파악하여 화장실을 다니거나 이동하는데 움직임의 제한이 없는지 파악한다. 파킨슨병의 경우 움직임이 감소하며 휠체어를 타는 시기를 wheelchair sign이라 표현하여 질병의 진행 정도를 구분하기도 하므로 일반적인 움직임을 파악하는 것도 유용하다.

(3) 감각검사

감각은 천수신경의 지배영역을 따르기 때문에 신경결손 부위를 정하는데 유용하다. 솜이나 옷핀을 이용하여 검사를 진행하는데 T10피부분절이 배꼽 부위, L3가 무릎의 전부, S3–5가 회음부 및 항문 주위의 피부감각을 담당한다. 음순과 음낭의 전부는 흉요추 천수신경, 음순, 음낭, 회음부 후부는 천수신경의 지배를 받으므로 참고하면 유용하다.

(4) 반사검사

비뇨의학과에서 가장 흔하게 시행하는 피부반사는 구부해면체반사(bulcocavernous reflex)인데 S2–S4 척수신경의 통합성을 평가한다. 직장에 손가락을 넣고 귀두(glans)나 음핵(clitoris)를 자극하거나 도뇨관을 잡아당기면 항문괄약근과 구부해면체근이 수축하는 반사를 의미한다. 신경학적으로 정상인 여성의 30%에서 이 반사의 소실이 관찰되기도 하며, 천수신경손상이 불완전할 경우 이 반사가 유지될 수 있다(Blaivas et al, 1981; Norris–Staskin, 1996).

4. 증상의 평가

1) 하부요로증상의 분류 및 의미

(1) 저장증상, 배뇨증상, 배뇨 후 증상

주간빈뇨(increased daytime urinary frequency), 요절박(urgency), 야간뇨(nocturia) 등의 저장증상은 과민성 방광 유무를 파악하는데 중요한 증상이다. 주간빈뇨증상은 주간에 환자가 지나치게 자주 배뇨한다고 호소하는 것을 기준으로 정하고 있으나 과다한 수분섭취, 작은 방광용적, 배뇨근의 불수의적 수축 등 여러가지 원인으로 발생이 가능하므로 적절한 병력청취와 검사가 필요하다. 야간뇨는 야간에 요의를 느껴 1회 이상 잠에서 깨어나 배뇨를 하는 경우를 의미하여 야간다뇨증, 수면장애 및 방광용적 감소 등 여러가지 원인으로 발생하므로 추가적인 병력 청취가 필요하다. 요절박은 갑작스럽게 요배출 욕구가 생겨 배뇨를 늦출 수 없다고 느끼는 상태이므로 과민성 방광의 필수적인 증상이다. 화장실에 도달하기 전에 요누출이 되는 요절박요실금(urgency urinary incontinence) 유무도 함께 파악해야 한다.

약뇨(slow stream), 요주저(hesitancy), 간헐뇨(intermittency), 분리(splitting), 복압배뇨(straining to void) 등의 배뇨증상은 단순히 전립선 비대에 의한 출구폐색만으로 모두 해석되지 않으며, 배뇨근의 수축 약화, 적은 배뇨량, 요도내 협착 및 방광결석 등의 요로계 이상에 의해서도 발생할 수 있다. 배뇨증상은 저장증상과 일반적으로 함께 존재하므로 환자들이 주로 불편해하는 증상과 그 주변 증상을 구분하여 기록해두는 것이 좋다.

배뇨 후 증상으로는 잔뇨감(feeling of incomplete emptying) 및 배뇨말지림(terminal dribbling)등이 있다. 이들 증상은 배뇨를 마치고 변기에서 떠나려는 시점 이후에 발생한다는 점을 잘 구분해야 하며 배뇨의 자세나 배뇨 후 환자의 행동요법에 대해서도 파악해둔다.

(2) 요실금

요실금은 불수의적으로 요누출이 발생하는 상태를

뜻한다. 심한 요절박 증상에 동반하거나 발생 후 갑작스레 불수의적인 요누출이 발생하는 요절박요실금, 기침, 재채기 및 줄넘기 등의 복압이 상승할 때 발생하는 복압성요실금(stress urinary incontinence), 방광팽만 상태로 소변이 넘쳐흐르는 범람요실금(overflow urinary incontinence) 등이 오래 전부터 정의되어 왔다. 최근 국제요실금학회(International Continence Society; ICS)에서는 상황에 따라 발생하는 요실금의 정의를 많이 추가하였는데 인지장애요실금(impaired cognition urinary incontinence, insensible urinary incontinence), 운동장애요실금(impaired mobility urinary incontinence, postural urinary incontinence), 배뇨 후 요실금(post-micturition incontinence, post-voiding incontinence), 기타 배변 및 성행위 등과 관련한 요실금을 따로 정의하고 있다. 자가도뇨를 시행하는 환자의 경우 자가도뇨 중간에 요실금 유무를 파악하여 자가도뇨 시행간격을 조절하기도 한다.

(3) 기타 주변증상

배뇨에 연관성이 많은 증상으로 장 기능 및 성기능은 같이 파악하는 것이 좋다. 특히 변비, 변실금 등은 배뇨증상을 유발하거나 함께 발생할 수 있어 약물 사용시 함께 고려해야 한다.

5. 증상 평가도구

1) 배뇨일지

ICS에서는 세 가지로 구분하여 배뇨시간일지(micturition time chart)는 최소 24시간 동안의 배뇨시간만을 기록하며, 배뇨횟수배뇨량일지(frequency volume chart)는 최소 24시간 동안의 배뇨시간과 배뇨량을 기록한다. 마지막으로 방광일지(bladder diary)는 과거의 배뇨일지와 유사하게 배뇨량, 요실금 발생, 패드사용여부, 요실금과 요절박의 정도, 수분섭취량을 모두 기록한다.

배뇨일지는 기록의 정확성을 확보하면서 환자의 불편을 최소화하기 위해 3일간 기록하도록 권장된다. 24시간 동안의 요량, 배뇨횟수, 배뇨간격, 배뇨분포, 절박한 정도, 요실금 현황, 최대 배뇨량 및 방광용적 등을 측정하며, 환자의 주관적 증상을 객관적으로 분석하는데 매우 유용하다. 야간뇨가 있는 환자의 경우 야간다뇨 유무를 파악할 수 있으며 환자 스스로 본인의 배뇨패턴을 확인하게 함으로써 치료에 적극 동참하게 하는 효과가 있다.

2) 패드검사

요실금의 양을 측정하기 위해 24시간 동안 사용한 패드의 무게를 재는 검사도 사용된다(Victor et al, 1987). 임상적 관련성 및 재현성이 떨어져 진단기준이 제시되어 있지는 않다.

3) 설문지

하부요로증상을 호소하는 환자들의 주관적인 증상을 수치화하고 전체적인 양상을 빨리 알게 하는데 가장 중요한 도구가 설문지이다. 이를 통해 배뇨증상으로 인해 환자들의 느끼는 불편도와 삶의 질에 미치는 영향을 평가하는 일은 환자들에게 치료방침을 결정하는 데 대단히 중요하다.

설문지는 자체 개발된 설문지를 사용할 수도 있지만 해외에서 개발된 설문지를 과학적인 2단계의 검증과정을 거쳐 사용할 수도 있다. 1단계는 체계적으로 번역하는 과정(linguistic validation)이고 2단계는 이를 실제 임상에 적용하여 유용한지를 판단하기 위하여 정신측정학적으로 검증(psychometric validation)하는 과정인데 이는 International Society for Pharmacoeconomics and Outcomes (ISPOR) 가이드라인에서 확인할 수 있다. 설문지의 소유권을 가진 연구자나 단체에게 승인을 얻은 뒤 체계적인 번역과정을 거쳐 언어타당도를 입증한 설문지 중 하부요로증상 및 신경인성방광과 관련한 설문지는 2019년 현재 국내 약 30개정도이며 설문지의 목적과 내용에 따라 ① 환자의 불편감(bothersome), ② 절박뇨, ③ 삶의 질이나 만족도 등으로 구분할 수 있다. 초기에는 증상의 발생 횟수에 기반한 설문지들이 주로 개발되었으나 시간이 지나면서 절박뇨 및 삶의 질과 만족도 등의 주관적인 항목들을 평가하는 여러 도구들이 개발되고 있다. 이들 설문지는 대한배뇨장애요실금학회 홈페이지 내 소개되어 학회회원들은 자유롭게 임상연구시 활용할 수 있도록 배포되고 있으며, 국제적인 공동연구에서도 유용하게 사용할 수 있다.

(1) 설문지 해석의 유의점

언어타당도를 확보하기 위한 번역과정은 순번역(forward translation) → 절충(reconciliation) → 역번역(backward translation) → 절충(retranslation) → 인지적 확인(cognitive debriefing) → 최종 교정(final proofreading) 과정으로 구성되며, 원어로 된 설문지의 문화권에서 5년이상 거주하여 양국 언어에 능숙한 사람 2인 이상이 독립적으로 번역하고 회의를 거쳐 절충하는 과정으로 이루어진다. 번역본은 실제 환자에게 적용시켜 그들의 반응을 심층 인터뷰를 통해 파악되고 수정된다. 다음 단계는 안면타당도(face validity), 수렴타당도(convergent validity), 판별타당도(discriminant validity), 반응성(responsiveness), 검사-재검사(test-retest), 내적 일치도(internal consistency)등을 평가하여 설문지에 대한 응답의 용이성, 환자의 증상과 연관성이 높은지 여부, 기존에 사용하고 있는 표준 설문지와 점수 분포가 잘 일치하는지, 환자군과 비교군의 점수 차이가 유의한지, 특정 질환의 증상 변화를 잘 반영하는지, 재현성이 있는지, 비슷한 질문간 대답이 일치하는지 등을 평가한다. 이런 과정이 모두 진행된 경우 완전히 평가되었다고 말할 수 있다.

일부 설문지 중 바닥효과(floor effect) 및 천장효과(ceiling effect)를 고려하여 분석해야 하는 경우가 있다. 이는 Likert 척도로 평가시 점수분포가 너무 낮거나 높게 치우쳐져 있어 단계별로 객관적인 평가가 어려운 경우를 의미하므로 해당항목은 제외 후 분석해야 한다. 설문지 점수와 요역동학검사 결과를 비교한 여러 연구에서 배뇨근과활동성이나 방광출구폐색과는 낮은 상관관계를 보이고 있어 설문지 결과의 해석에 주의를 요한다(Sirls et al, 1996; Madersbacher et al, 1999; Chancellor et al, 1994, Groutz et al, 2000, Donovan et al, 1996; de la Rossette et al, 1998).

치료효과를 판정하기 위해 연구자들은 배뇨일지, 검사실 검사, 요역동학검사 등의 객관적 지표들을 많이 사용해왔다. 하지만 환자들의 주관적인 증상은 이러한 객관적 지표들과 연관성이 떨어지는 경우도 많아 객관적 지표가 호전되었음에도 불구하고 환자들의 불만족을 표현하는 경우도 종종 있다. 하부요로증상의 치료효과는 환자의 주관적 증상의 변화를 평가해야 한다는 측면에서 환자가 보고한 결과(patient-reported outcomes, PRO) 및 그 측정과정(patient-reported outcomes measure, PROM)의 중요성이 부각되고 있다.

(2) 설문지 소개

모든 설문지를 소개하기에는 지면의 한계로 어렵지만 설문지의 특징을 파악하여 흔히 사용할 수 있는 일부 설문지를 아래와 같이 소개하고자 한다.

① International prostate symptom score (IPSS)

현재 임상에서 많이 사용되고 있는 이 설문지는 언어타당도가 비록 확보되지 않았으나 하부요로증상을 호소하는 남녀환자 모두에서 임상적으로 많은 연구가 이루어져 있다. 7개 증상에 대해 0–5점으로 총점을 계산하여 증상의 심한 정도를 경도(mild)(0–7점), 중등도(moderate)(8–19점), 중증(severe)(20–35점)으로 평가한다. 삶의 질 항목을 추가하여 0–6점으로 평가한다. 이것은 남성의 전립선비대증 환자를 대상으로 개발되었으나 최근에는 여성환자에게도 사용되고 있다(Chancellor·Rivas, 1993).

② Bristol Female Lower Urinary Tract Symptom (BFLUTS)

4영역의 34질문으로 이루어진 자가기술형 측정도구이다. 증상의 심한 정도를 묻고 항목마다 얼마나 일상생활 및 삶의 질에 영향을 주는가를 평가한다. 치료 전후의 증상변화를 평가하는데 유용하다(Jackson et al, 1996).

③ King's Health Questionnaire (KHQ)

여성의 요실금 증상을 평가하기 위해 개발하였다. 증상에 대한 인지 수준, 사회적/신체적 제약, 구체적인 증상의 총 3개 영역, 21개 질문으로 구성되며 각각 4단계로 응답한다. 0–100점 또는 0–30점으로 환산되며 점수가 높을수록 증상이 심하고 삶의 질이 낮다(Shripad et al, 2015).

④ Incontinence Quality of Life Instrument (I-QOL)

22개의 문항, 3개 영역으로 구분되며 행동의 제약과 회피(Avoidance and limiting behavior) 8개, 사회적 난처함(Social embarrassment) 5개, 심리적인 영향(Psychological impact) 9개로 구분된다(Patrick et al, 1999). 요실금 및 과민성 방광 환자에게 유효하다(Patrick et al, 2013).

⑤ Overactive Bladder Questionnaire (OABq)

총 8개의 증상관련 질문과 4개의 영역(Coping, Concern, Sleep, Social interaction), 25개의 건강 관련 삶의 질 항목으로 구성된다(Coyne et al, 2015). 증상 관련 6개, 건강 관련 삶의 질 13개 문항으로 간추린 OABq-SF (Short Form)도 사용된다(Groenendijk et al, 2019).

⑥ Overactive bladder symptom score (OABSS)

2006년에 개발되어(Homma et al, 2006; Jeong et al, 2011) 주간빈뇨, 야간뇨, 절박뇨, 요절박요실금의 4가지 점수를 합산한다. 각 점수는 2, 3, 5, 5점으로 총점은 0에서 15점까지 가능하며(Homma et al, 2014) 설문이 짧고 계산이 단순하여 유용하다.

⑦ Benefit, Satisfaction, and Willingness to Continue (BSW)

과민성 방광 치료의 PRO (Patient reported outcome)를 평가하기 위한 설문지로 개발되었다(Pleil et al, 2005). 환자는 치료에 의한 증상호전 정도와 만족도, 치료를 지속할 의향에 관해 답하며 의사는 증상이 일상생활에 영향을 미치는 정도나 치료 부작용을 정량화한다. 약물순응도를 높이는데 도움이 된다(Cho et al, 2016).

⑧ Patient Perception of Bladder Condition measure (PPBC)

환자 자신의 방광상태에 대한 일반적인 평가를 묻는 단일 문항이다. 환자는 1점 "아무 문제도 없다" 부터 6점 "여러가지 문제가 있다" 범위에서 답할 수 있다(Coyne et al, 2006). European Medicine Evaluation Association (EMEA)에서는 요실금 환자에 대해 사용할 것을 권고하며 과민성 방광 환자에서도 재현성이 있다(Matza et al, 2005). 그 외 치료만족도 평가를 위해 Treatment Satisfaction–Visual Analogue Scale (TS–VAS) 및 Overactive–Satisfaction Questionnaire (OAB–Sat–q)도 사용된다.

⑨ The Patient Perception of Intensity of Urgency Scale (PPIUS)

요절박(Urgency) 증상 평가를 위해 사용되는 단일 문항 설문지로서, 각각의 배뇨 또는 요실금 증상마다 환자가 느끼는 요절박의 수준을 0–4점의 5단계로 기록한다. 전체 Urgency scale 점수의 평균, Urgency, Incontinence event의 횟수, 3점 이상 Event의 총 횟수, 4점 Event (Urge incontinence)의 총 횟수 등 6가지 지표로 계산되어 요절박 증상을 정량화한다(Notte et al, 2012). PPIUS는 과민성 방광이 있는 성인 여성에서 재현성과 타당도가 입증되었다(Cartwright et al, 2010).

⑩ Urgency Perception Scale (UPS)

항무스카린제 사용에 따른 절박뇨의 호전을 평가하기 위한 설문지로 요절박 증상에 대해 1점부터 3점까지 3단계로 응답한다. 과민성방광 환자에서 요실금의 횟수와 패드 사용량, PPBC score와 상관관계가 있다(Cardozo et al, 2005). 그 외 요절박 평가를 위해 Indevus Urgency Severity Scale (IUSS), Urgency Severity Scale (USS) 등도 사용된다.

⑪ Intermittent Self–Catheterization Questionnaire (ISC–Q)

신경인성 방광환자에서 자가도뇨에 대한 평가를 위해 Pinder B 등에 의해 개발되고 최근 국내에서 검증되어 사용되고 있다(Pinder et al, 2012; Kang et al, 2019). 사용편의성 8문항, 편리성 4문항, 분별성 6문항, 심리적 행복 6문항의 총 24문항이며 5점 척도로 동의 정도에 대해 묻는 도구이다.

6. 요류와 방광기능의 평가

1) 요류검사

요류검사는 소변의 흐름 및 방광과 요도의 기능을 평가하기 위하여 시행하는 가장 덜 침습적이며 경제적으로 간단하게 시행할 수 있는 검사이다. 가장 흔하게는 깔때기 모양의 구조물에 소변을 보고 그 깔때기 밑에 소변을 모으는 통을 설치하여 요속 및 배뇨량을 측정하는 방법을 이용한다. 150 mL 이상의 배뇨량이 되어야 검사 결과가 정확하며 카테터를 통해 방광을 채워서 검사하는 것은 오류 발생 가능성이 있어 권장되지 않는다. 1회 측정으로 검사 결과가 정확하지 않다면 2회 측정하여 더 좋은 결과를 기록하여야 하며 일반적으로 최대 요속(maximum urine flow rate, Qmax), 배뇨량(voided volume) 및 배뇨패턴을 기록한다. 요속(urine flow rate)은 단위시간당 용적(mL/sec)으로 측정하며 요류곡선에서 y축은 요속(mL/sec), x축은 시간(sec) 축으로 표현된다. 최대 요속은 요속의 최대측정치를 나타내며 배뇨량은 요도를 통해 배출된 전체 소변량을 가리킨다.

자세한 판독은 요역동학검사에서 다룰 예정이지만 정상적으로는 요속이 증가하였다가 감소하는 종 모양의 패턴을 정상 배뇨패턴으로 판독한다. 해석 시 유의할 점은 요류검사 결과는 배뇨근의 수축력과 방광출구폐색 및 요도의 이상 유무에 따라 결정된다는 점이다. 방광출구폐색이 있더라도 배뇨근의 수축력이 충분할 경우 최대 요속값은 정상을 보일 수 있으며 방광출구폐색이 전혀 없더라도 배뇨근의 수축력이 떨어져 있을 경우 최대 요속값은 매우 낮은 소견을 보일 수 있다. 일반적으로 최대 요속의 정상치는 남성의 경우 20~25 mL/sec이고 여성의 경우 25~30 mL/sec이지만 나이에 따라 최대치가 감소할 수 있고, 복압성요실금이 있는 환자의 경우 배뇨근수축이 감소되어 있어도 정상치를 보일 수 있다. 배뇨근의 이상이 없다면 최대 요속이 15 mL/sec 이하일 경우 하부요로폐색을 의심하며, 10 mL/sec 미만이라면 명백한 폐색을 시사하는 소견이다(Lemack et al, 2002).

요류검사를 시행할 때 근전도를 붙이고 시행하는 요류근전도검사는 환자의 배뇨근수축과 요도괄약근 이완이 조화롭게 일어나는지를 파악하는데 매우 유용하며 복압배뇨시 근전도가 조화롭게 움직이지 않으므로 비정상 배뇨패턴을 파악하는데 유용하다.

2) 배뇨 후 잔뇨량 측정

잔뇨량 측정은 카테터를 삽입하여 배뇨 후 남은 소변의 양을 측정한다. 정확한 기준은 없으나 50 mL 이하 혹은 배뇨량의 10%이하를 정상으로 판단하며, 100 mL 이상을 다량의 잔뇨량으로 평가하기도 한다. 카테터를 통한 잔뇨의 측정이 다소 침습적이며 반복적인 잔뇨량 측정이 필요한 경우가 많아 최근 들어 초음파를 이용한 잔뇨량 측정이 일반적으로 시행되고 있다. 잔뇨량만으로 질병의 유무를 파악하기는 어려우나 전후값을 비교하여 치료의 효과를 평가하거나 약물복용 후 안전성을 평가하는데 유용하다. 복부에 자궁, 난소, 낭종 등을 잔뇨로 잘못 평가할 가능성이 있으므로 임상적인 소견과 일치하지 않는 경우 카테터를 통한 정확한 잔뇨량 측정이 도움이 될 수 있다.

3) 요역동학검사

요역동학검사는 모든 하부요로기능이상 환자에서 시행되지 않는다. 배뇨근의 기능을 평가하고 방광과 요도의 기능이상 및 병태생리가 존재하는지 판단하는 검사로 신경인성방광 환자에서 방광내 압력측정, 배뇨근괄약근협동장애의 유무, 방광유순도의 측정, 방광출구폐색이나 방광요관역류 유무 등의 상부요로이상에 대한 위험인자를 평가하기 위해 선택적으로 수행한다. 최근 비디오요역동학검사를 통해 방광압력의 누출, 방광의 해부학적 이상, 상부요로이상에 대한 평가를 좀더 정확하게 쉽게 평가할 수 있게 되었다. 전립선비대증이나 요실금 수술 전 요역동학검사의 필요성에 대해서는 다양한 논의거리가 있어 이는 다른 챕터에서 더 다루기로 한다.

7. 실험실 검사

1) 요검사

요검사는 요로감염 유무를 파악하는데 가장 기본적인 선별검사로 소변 내 적혈구, 백혈구, 단백질, 산성도, 초자양원주(hyaline cast), 과립원주(granular cast) 등을 평가한다. 자가도뇨나 카테터를 유치하는 환자에게 소변내 백혈구 및 세균은 임상적인 의미를 갖지 못하는 경우가 많다. 소변이 탁한 경우는 요로감염뿐만이 아니라 무정형인산(amorphous phosphate)때문일 수 있으므로 소변검사 결과와 임상적인 증상을 함께 고려해 요로감염 여부를 판정하고 약물 치료를 고려한다. 단백뇨가 있는 경우 신장 질환의 초기 징후이거나 일시적으로 발생하는 기능성 단백뇨일 수 있으므로 24시간 요검사 등을 추가할 수 있다.

신부전이 발생하는 경우 소변을 희석시키는 기능이 저하되며 소변이 1.010의 비중 이상으로 농축될 수 없다면 농축능력의 심각한 이상을 시사한다. 요독증 환자일지라도 요비중은 1.002-1.004까지도 유지될 수 있기 때문이다.

2) 신기능검사

방광기능이상은 장기적으로 신기능 이상을 유발할 수 있으며 혈중 크레아티닌 검사를 통해 심한 정도의 신기능이상을 선별할 수 있다. 크레아티닌은 골격근 대사의 부산물로서 음식이나 수분섭취량에 영향을 적게 받으므로 하루동안 상대적으로 일정 양이 생성되는데 정상 성인의 경우 0.8~1.2 mg/dL, 소아에서는 0.4~0.8 mg/dL 정도가 배출된다. 상부요로의 이상을 의심할만한 병력이 있는 경우 혈액검사를 선별적으로 시행할 것을 권유하고 있다. 크레아티닌 결과가 정상이어도 신사구체여과율은 많이 감소되어 있을 수 있으므로 사구체여과율을 함께 평가하는 것이 필요하다.

8. 영상검사

1) 상부요로

상부요로검사의 가장 중요한 목적은 신장기능의 이상을 확인하고자 하는 것이다. 신경인성 방광이 의심되거나 고저장압, 고배뇨압, 배뇨근괄약근협동장애, 방광요관역류 등이 위험인자가 있는 경우 등에서 영상검사가 필요하다. 콩팥 내 수신증 여부를 파악하기 위하여 경정맥요로조영술, 콩팥초음파, 비조영 콩팥CT 등을 시행할 수 있다. 경정맥요로조영술을 통해 수신증 여부, 신우신배구조, 요관 및 방광의 기본적인 음영 등을 관찰할 수 있다. 최근 들어 신장의 크기, 신반흔, 신종물 및 수신증, 방광벽 비후, 방광결석, 전립선 등을 함께 평가할 수 있는 콩팥초음파나 비조영 콩팥CT를 흔히 사용하는 추세이다. 혈뇨가 동반된 경우 조영 CT를 촬영하면 추가 정보를 얻을 수 있다. 상기 검사들은 6개월-1년 간격으로 추적관찰하며 요로감염이나 증상의 변화가 감지되면 영상검사를 신속히 수행한다.

신기능의 평가를 위해 방사성동위원소를 이용한 영상검사가 일부 이용된다. 신사구체여과율 및 폐색유무를 평가하기 위한 ^{99m}Tc DTPA, 신질내 tubule에 대한 동위원소의 양을 평가하여 신반흔 등을 평가하는 ^{99m}Tc DMSA, 실질내 tubule의 분비량을 평가하여 요폐색 유무에 유용한 ^{99m}Tc MAG3 등을 이용한다. 방광요관역류 등이 있어 신실질에 영향이 있는지를 예민하게 평가하는데 활용될 수 있고 방사선노출량이 상대적으로 적어 치료 후 추적관찰에 이용되기도 한다.

2) 하부요로

과거 카테터를 거치하거나 요도 시술을 시행한 병력이 있는 경우 선별적으로 역행성요도조영술(retrograde urethrography)을 시행할 수 있으며 요도협착의 유무나 전립선수술 상황, 방광경부의 상태를 파악하는데 도움이 된다. 배뇨중방광요도조영술(voiding cystourethrography)의 경우 방광, 방광경부, 요도의 구조뿐만 아니라 방광내 결석, 게실, 방광요관역류, 소변 누출 등을 평가하는데 유용하다. 비디오를 이용한 요역동학검사를 시행하면 더 간단하게 검사를 시행할 수 있다.

9. 방광내시경 검사

방광내시경 검사는 일차로 권유되는 검사는 아니나 방광, 전립선 및 요도의 해부학적 이상을 평가하는데 매우 유용한 검사이다. 요도협착, 방광게실, 방광결석 및 종물, 방광육주화, 전립선비대증, 방광경부거상 등의 해부학적 정보를 파악하는데 도움이 된다.

전체 참고문헌 목록은
배뇨장애와 요실금 웹사이트 자료실
(http://www.kcsoffice.org)에서
확인할 수 있습니다.

제 10 장

요역동학검사

Urodynamics: Urodynamic and video-urodynamic evaluation of the lower urinary tract

정성진

1. 서론

요역동학검사(urodynamic study)는 방광과 요도를 포함한 하부요로의 저장과 배뇨기능을 평가하는 검사방법으로, 배뇨라는 매우 복잡하고 순간적으로 지나가는 현상을 선택된 세부검사들과 규정된 지표들을 통해 객관적으로 평가하는 검사이다. 세부검사에는 요속검사(uroflowmetry) 같은 단순한 검사부터 충전방광내압측정술(filling cystometry), 요도내압검사(urethral pressure profile), 그리고 비디오요역동학검사(video urodynamic study)처럼 좀 더 총체적인 검사방법까지 다양하다(표 10-1). 요속검사는 넓은 의미에서 요역동학검사에 속하기는 하지만, 보통 요역동학검사를 말할 때는 대개 방광내압측정술을 포함한 경우를 지칭한다. 실제로 환자에게 적용하여 검사할 때에는 여러가지 세부검사 중 필수적으로 시행하는 세부검사와 필요한 경우에 한 해 시행하는 세부검사를 구분하여야 한다.

요역동학검사를 이해하기 위해서는 먼저 기본적 측면, 즉 물리기계적 측면에 대한 이해가 필요하며, 다음으로 검사의 임상적 측면에 대한 이해가 필요하다. 본 장에서는 크게 이 두 가지 측면으로 나누어 기술하고자 한다.

표 10-1. 요역동학검사의 세부검사

필수적인 세부검사	필요시 시행하는 세부검사
요류검사	근전도검사
배뇨 후 잔뇨량 측정	요도기능검사
충전방광내압측정술	비디오요역동학검사
압력요류검사	이동식 요역동학검사

2. 요역동학검사의 기본적 측면

1) 요역동학검사의 이론적 배경

요역동학검사에서 가장 핵심인 충전방광내압측정술은 국제요실금학회(International Continence Society: ICS)의 정의에 의하면, 방광에 물을 충전하여 방광저장기 동안에 방광내압과 방광용적의 상호관계를 측정하는 방법이라고 할 수 있다(Abrams et al, 2002). 여기서 측정하는 변수들은 크게 두 가지로 나뉘는 데, 압력변수에는 방광내압(intravesical pressure), 복압 abdominal pressure), 그리고 배뇨근압(detrusor pressure)이 있으며, 용적변수에는 요속(urine flow rate)과 방광용적(intravesical volume) 등이 있다.

요역동학검사에서 본질적으로 측정하고자 하는 압력변수는 방광 배뇨근육에 의해서 순수하게 발생된 압력인 배뇨근압이지만, 현재로서는 이 압력변수를 직접적으로 측정할 수 있는 기술이 없기 때문에, 직접 잴 수 있는 방광내압과 방광주위압(perivesical pressure)을 동시에 측정하여 실시간으로 이 두 압력의 차이로 배뇨근압을 간접적으로 측정한다(그림 10-1). 방광주위압도 현실적으로 직접 잴 수 있는 방법이 아직 없기 때문에, 방광주위압 대신 사람에서 어느 정도 대체할 수 있는 직장내압을 복압으로 대체하여 사용한다.

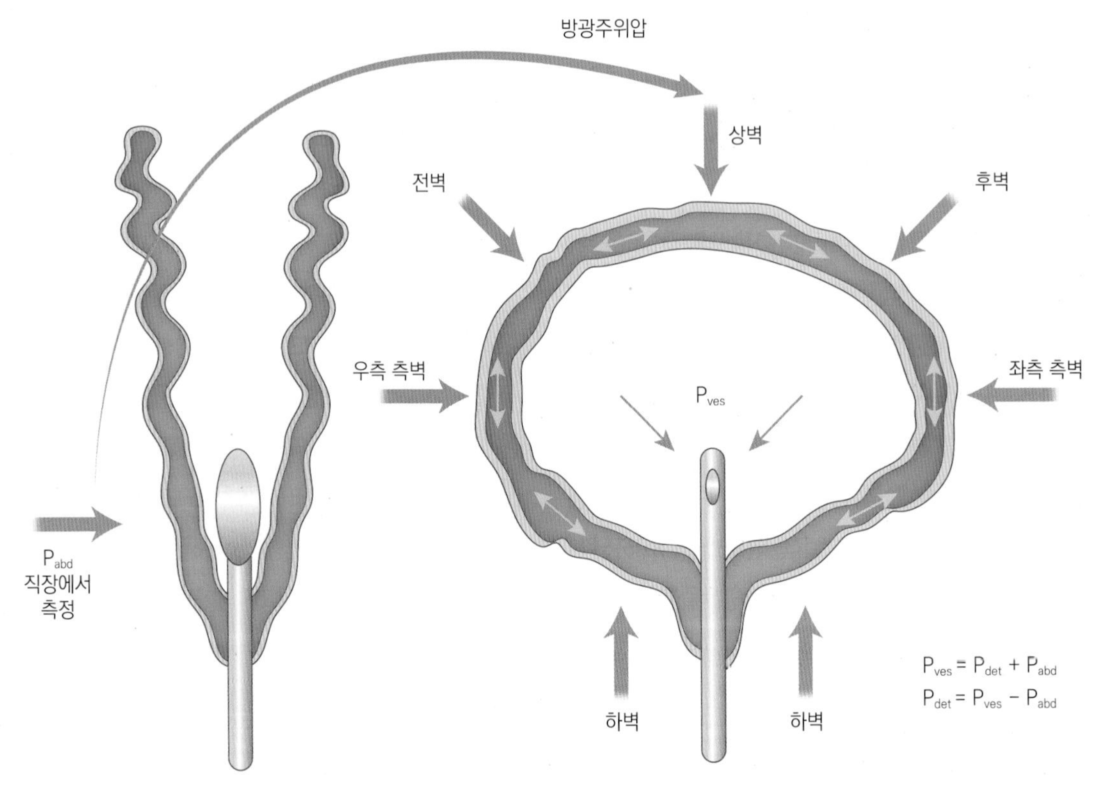

그림 10-1. **방광내압과 복압과 방광주위압의 상호관계.** 방광내 도관에서 측정하는 방광내압은 배뇨근압과 방광주위압을 합한 값이다. 방광주위압을 직장에서 측정한 복압으로 대체하고 실시간으로 방광내압에서 빼주어 배뇨근압을 계산한다.

요역동학검사에서 직장내압을 사용하기 위해서는 최대한 직장내압과 방광주위압을 같도록 해야 하는데, 이것이 실제 검사 시에 환자들을 안정시켜 평상시 배뇨에 관련 없는 근육들을 사용하지 않도록 해야하는 이유이다. 만약 아이들과 같이 검사 대상의 움직임을 안정시킬 수 없는 경우에는 배뇨와 상관없는 근육들을 움직이게 되어 방광과 직장에 압력전달이 달라질 수 있고, 실시간으로 뺀 값인 배뇨근압이 이론적으로는 발생할 수 없는 마이너스로 나타날 수도 있다. 실제로 신경인성방광의 경우 복압을 측정하는 직장에 신경인성 장(neurogenic bowel)의 영향으로 장 자체에서 발생하는 압력이 측정되어 실제 복압과 완전히 달리 측정되어 검사가 진행되지 못하는 경우가 있는데, 이때에는 방광내압으로 방광 상태를 측정할 수 밖에 없다. McGuire 등(1996)은 이러한 경우에 복압을 직장내압보다 여성에서 질압으로 대체하여 사용하기도 하며, 모든 요역동학검사에서 복압이 꼭 필요하지는 않으며, 오히려 복압에 의해 문제가 야기될 가능성이 있는 경우에는 복압 없이 방광내압으로만 요역동학검사를 시행할 수 있다고 하였다.

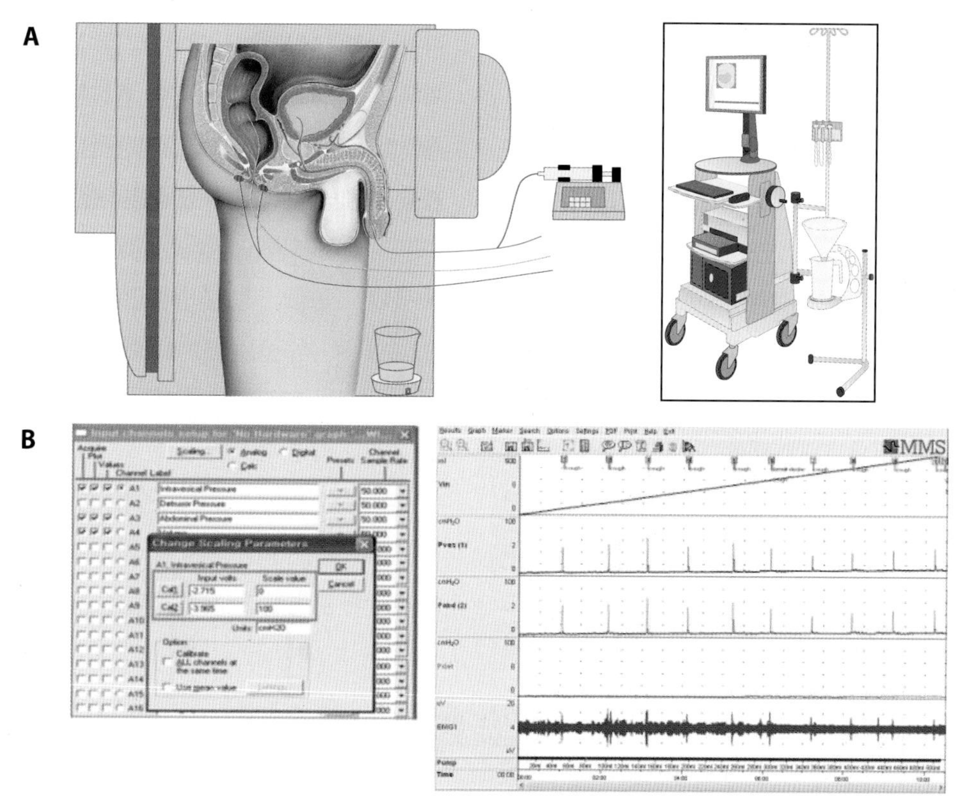

그림 10-2. 상용화된 요역동학검사 기계와 모니터 화면. (A) 도관을 인체에 삽입한 후에 압력변환기에 연결하여 측정된 전기적 신호를 상용화된 요역동학검사 기계에서 수집하며, (B) 압력곡선을 실시간으로 모니터 화면에 보여주며 컴퓨터에서 각 압력을 눈금조정하거나 검사 시 나타나는 이벤트를 표시할 수 있다.

2) 요역동학검사의 세팅

임상진료에서 요역동학검사는 상용화된 기계를 사용하며, 각각의 도관(catheter)을 인체에 삽입한 후에 압력변환기(pressure transducer)에 연결하여 측정된 전기적 신호를 실시간으로 모니터 화면에 보여준다. 컴퓨터에 연결되어 각 압력을 눈금조정할 수 있으며 검사 시 나타나는 이벤트를 표시할 수 있다. 이에 따라 각 변수의 수치가 최종적으로 자동으로 보고된다(그림 10-2). 요역동학검사를 올바르게 실시하게 위해서는 네 가지의 기본적인 세팅과 준비작업이 필요하며(표 10-2), 이에 대한 세부적인 설명은 다음과 같다.

표 10-2. 올바른 요역동학검사를 시행하기 위한 네 가지 기본적인 세팅과 준비작업

- 기계의 기준 눈금화는 한 달에 한 번 시행하여야 한다.
- 압력변환기의 기준 높이는 치골결합 위쪽 끝 부위에 맞춘다.
- 압력의 눈금조정은 압력변환기를 기준 높이에 맞추고 영점 조정을 한다.
- 연결관이 새거나 내부에 공기방울이 없도록 검사 도중 물을 자주 주입하여 통과시킨다.

(1) 압력의 세팅

요역동학검사는 외부 압력계를 이용하여 체 내 장기 내의 압력을 측정하는 것이기 때문에, 정확하게 시행하기 위해서는 측정되는 압력과 같은 값들을 항상 주기적으로 한 달에 한 번 정도 실제 압력에 기준 눈금화(calibration)를 시행하여야 한다. 현재 사용하는 압력이나 요량 등은 실제 값이 아니라 실제 값들과 전기적인 신호값들 사이에 상응하는 값들을 짝지어 정한 다음, 이와 비례하여 얻은 값들이기 때문에, 시간이 지나면 전기적인 신호값들이 변화할 수 있어 주기적인 재조정이 필요하다. 만약 요역동학검사를 시행할 때 실제값을 재면서 검사를 진행한다면, 시간이 매우 많이

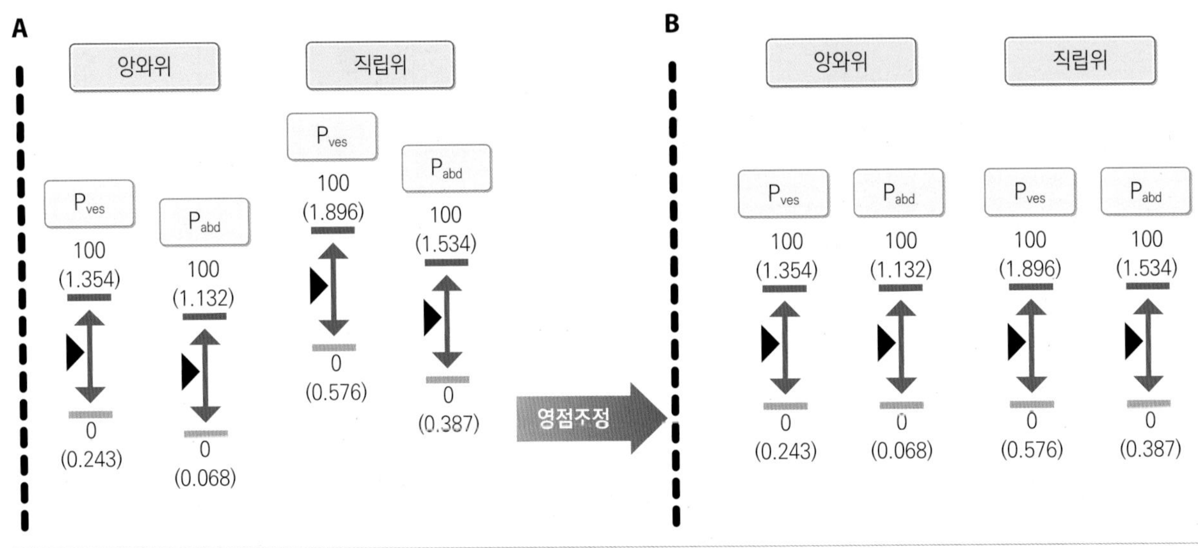

그림 10-3. 요역동학검사 압력 값의 기준 높이에 영점조정이 필요한 이유. 규정된 0과 100 cmH_2O 값의 전기적인 신호들이 각 변환기마다 다르기 때문에 (A) 기준 높이에 영점조정이 필요하다. 이에 의해 각 변환기 값의 동시 비교가 가능하며 차이 값을 볼 수 있다(B).

걸려 검사를 진행할 수 없을 것이다. 그러므로 이를 자동화하기 위해 실제값을 전기적인 신호로 대체하여 정한 후, 이에 비례되는 값들이 자동적으로 빨리 계산되어 측정되는 것이다. 또한 각 압력변환기의 전기적인 신호값들은 각 변환기 마다 특징적으로 다르기 때문에 다른 변환기의 전기적인 신호들로 의해 구해진 압력들을 비교하기 위해서는 이 변환기들의 기준 위치를 같게 하고 영점조정을 한 후, 각 변환기들의 압력들을 비교하여야 한다(그림 10-3).

요역동학검사 세부기계 중 눈금조정이 필요한 부분은 크게 압력계, 충전 펌프(filling pump), 그리고 요량계(flowmeter)가 있다. 압력계는 주로 0과 100 cmH_2O 두 값의 전기적인 신호를 컴퓨터에 저장한 후 이와 비례된 값들을 자동으로 계산한다. 충전펌프는 분당 10~50 mL의 값들을 눈금조정한다. 요량계도 1초에 0~25 mL의 값들을 가지고 기준 눈금화를 시행한다. 요역동학검사를 올바르게 실시하기 위해서는 검사 자체뿐만 아니라, 이러한 검사장비의 질관리(quality control)도 매우 중요하고 대개 한 달에 한 번 정도 눈금조정을 하는 것이 좋다.

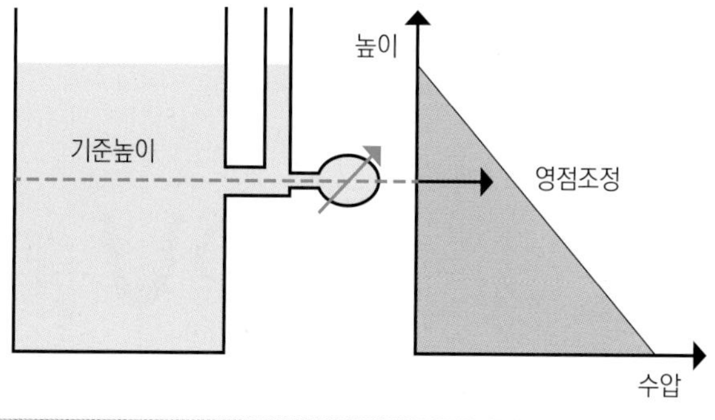

그림 10-4. **기준 높이와 영점조정의 의미.** 모든 용기에 담긴 물은 높이에 따른 그 수압이 존재하는데, 높이가 높을수록 수압이 증가하는 양상을 보이며, 여러 변환기의 기준 높이가 같아야 비교가 가능하고, 이 높이의 수압을 영으로 조정한 후 검사하여야 정확한 압력들의 비교가 가능하다.

(2) 압력의 눈금조정과 기준 높이 (reference height) 맞추기

압력을 세팅하는 방법은 먼저 압력변환기의 위치를 기준 높이에 맞추고, 여기를 영점조정하여 영으로 맞춘 후 압력을 측정한다(그림 10-4). 방광내압이나 복압을 재는 것처럼, 여러 개 압력계를 동시에 측정할 경우, 각각의 전기적인 신호나 체계가 다르기 때문에 같은 위치에 변환기를 놓고, 영점조정하여 측정하여야 정확한 압력의 비교가 가능할 것이다. 특히, 주 측정요소인 배뇨근압은 방광내압과 복압의 차이를 실시간으로 계산하는 것이기 때문에, 두 값의 기준이 다르다면 완전히 다른 값으로 나타날 수 있으므로, 이 기준 높이를 같게하여 영점조정을 하는 것은 매우 중요한 개념이다(그림 10-5). 기준 높이는 치골결합(symphysis pubis)의 상연(upper margin)을 기준으로 한다.

(3) 압력변환기와 연결된 관들의 세팅

앞서 설명한 바와 같이 압력의 기준 높이 설정을 하고 영점조정을 하는 것은 중요하고, 검사 도중에 손쉽게 할 수 있어야 한다. 이는 검사 도중 환자의 자세를 바꾸거나 연결관이 새는 곳 혹은 공기방울 등이 있는 것을 발견하였을 때에 바로 시정하고, 그 전 검사와 연결되어 진행하기 위해서는 검사 도중 변환기나 관들을 빼지 않고 조정할 수 있어야 한다. 이를 위해서는 변환기 위에 세통로꼭지(3-way stopcock) 2개를 연결하여 사용한다(그림 10-6). 세통로꼭지를 돌리기만 함으로써 중간에 영점조정을 다시 할 필요가 있을 때에 관들을

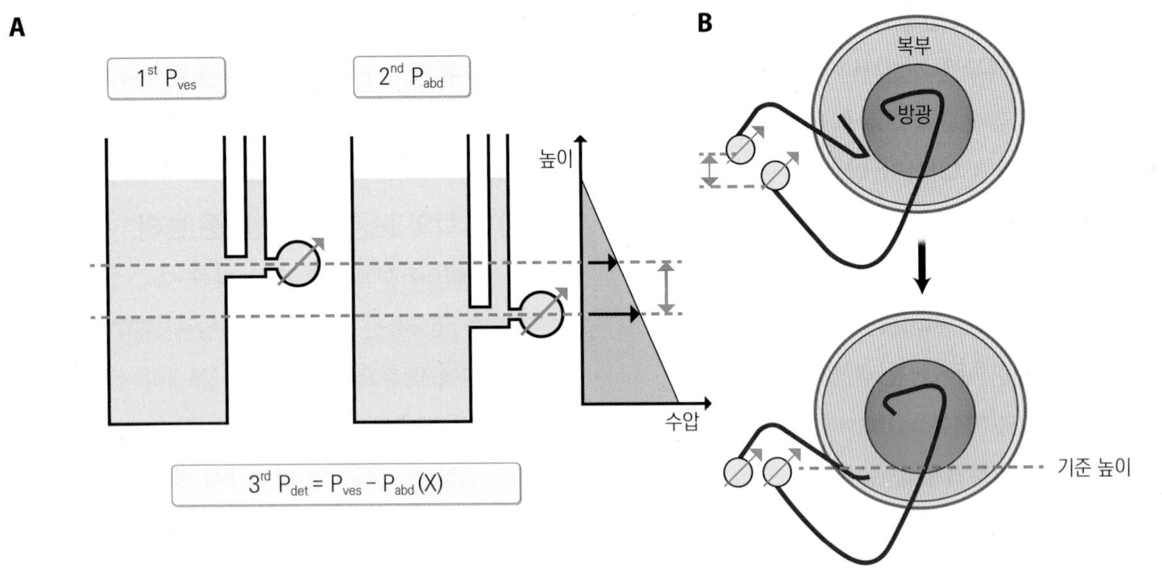

그림 10-5. **압력변환기의 기준 높이가 같아야 하며 영점조정이 되어야 하는 이유.** (A)와 같이 두 변환기의 기준점이 다르면 비교할 수 없으며, (B)와 같이 영점조정이 같은 기준 높이에서 이루어져야 두 변환기 값을 비교할 수 있다.

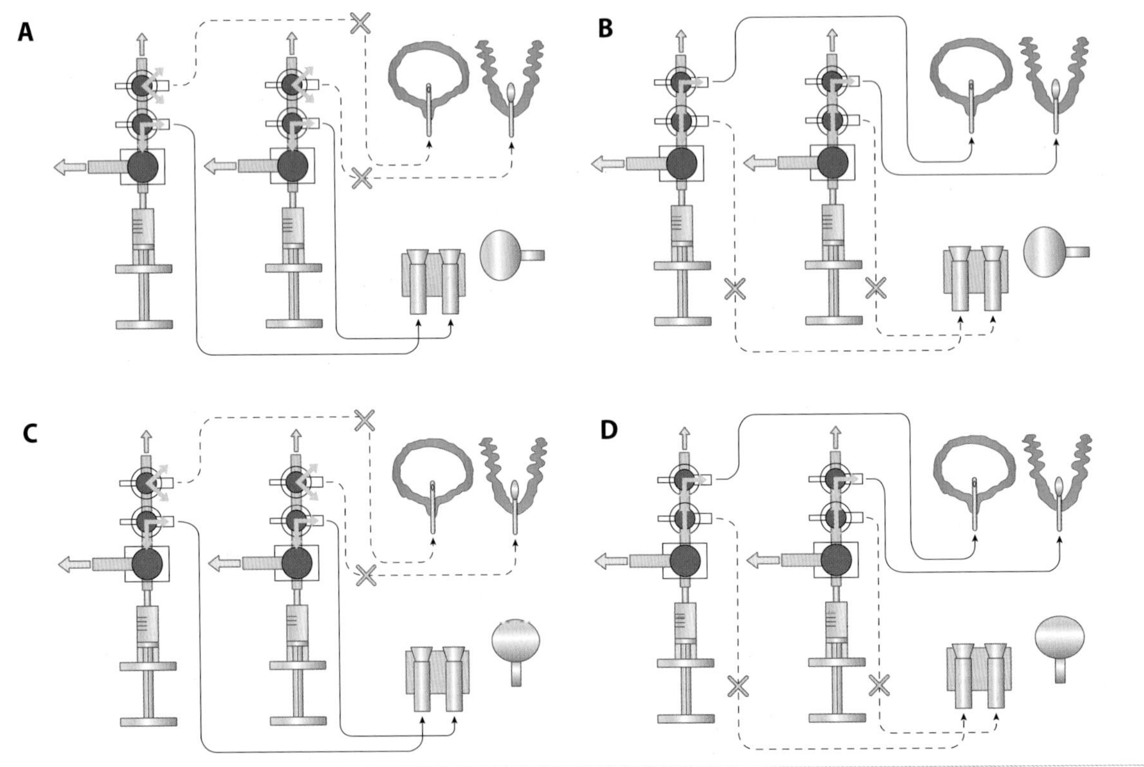

그림 10-6. **세통로꼭지법의 이용방법.** (A) 환자가 앙와위로 있을 때 위쪽 꼭지를 막고 아래쪽 꼭지를 연결하여 영점조정한다. (B) 아래를 막고 위를 열어 압력을 측정한다. (C) 만약 환자가 직립위로 바꾸면, 위를 막고 아래를 영점조정한다. (D) 아래를 막고 위를 열어 압력을 다시 측정한다.

빼지 않고도 기준 높이 재설정과 영점조정을 다시 한 후 바로 꼭지를 돌려 검사를 진행할 수 있다. 또한 중간에 공기방울이 있는 경우 세통로꼭지를 돌려 공기방울이 빠질 때까지 위쪽으로 물을 쏜 다음 바로 검사를 진행할 수 있다.

(4) 도관

도관은 액체를 방광에 충전하고 동시에 방광내압을 측정 하는 데 사용한다. 가장 작은 직경의 도관을 사용 하는 것이 이상적이겠지만, 직경이 너무 작으면 두 가지 기능을 다할 수 없으므로 적절히 선택하여야 한다. 일반적으로 방광내압 측정방법에는 액체압력계(fluid manometry)시스템(방광내 유치된 관에 액체가 채워지면 이를 관과 연결된 외부 압력계로 측정하는 시스템), 고체변환기시스템(도관 끝에 미세변환기가 붙어 있는 시스템), 팽창성 막을 이용한 섬유광학기술(fiberoptic techniques with a distensible membrane)시스템으로, 세 가지가 있는데(McInerney, 1994), 이 중 액체압력계시스템이 가장 많이 사용된다. 이중내강도관(double lumen catheter) 혹은 삼중내강도관(triple lumen catheter)을 사용하면 방광충전과 함께 방광내압과 요도내압을 동시에 측정할 수 있다. 또한 단일내강도관 두 개(two-catheter system)를 동시에 사용하기도 하는데, 충전을 위한 8Fr 또는 12Fr의 도관과 압력측정을 위한 3Fr 또는 4Fr의 도관을 방광에 같이 넣고 사용한다. 이 방법은 방광내압측정술을 끝낸 후 도관 하나를 뽑고 나머지 하나의 도관만을 사용하여 압력요류검사(pressure flow study)를 시행하는 경우에 많이 사용된다.

삼중내강도관의 경우 관의 맨 위쪽에 충전 구멍과

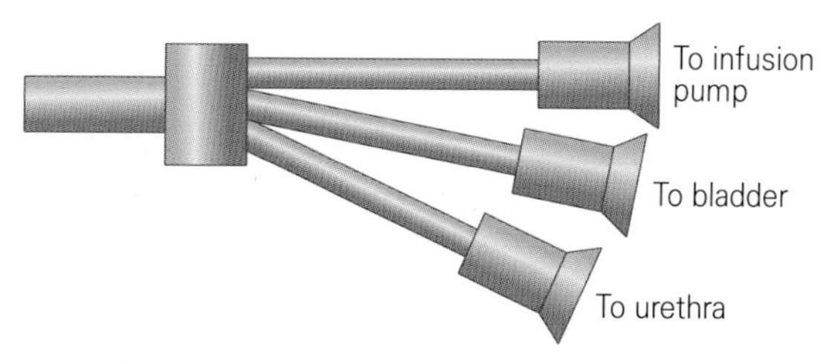

그림 10-7. **삼중내강도관의 구조.** 삼중내강도관의 맨 위쪽에 충전 구멍과 방광내압 측정 구멍이 존재하며, 7 cm 아래에 요도내압 측정 구멍이 존재하는데, 방광내압 구멍과 요도내압 구멍에 방사선학적 표시점이 있어 비디오요역동학검사 시 위치조정을 원하는 대로 할 수 있다.

방광내압 측정 구멍이 있으며, 이보다 약 7 cm 아래에 요도내압 측정 구멍이 있는데, 이 부위에 방사선학적 표시점이 있어 비디오요역동학검사 시 위치조정을 할 수 있다(그림 10-7). 요역동학검사 시작 시 도관이 방광점막에 닿거나 박혀 있으면, 기침 시 방광내압이 음압으로 나올 수 있으므로(그림 10-8), 도관 끝이 점막에서 분리될 수 있게 물을 조금 채우거나 도관을 돌려서 구멍이 물과 접촉하게 한 후 다시 시작하는 것이 좋다. 그러나 아무리 해도 교정되지 않을 때에는 그냥 검사를 시작하여도 되는데 이는, 이미 압력의 기준 높이와 영점조정이 이루어져 있기 때문에 나중에 방광이 찬 후 압력이 나오더라도 이 압력값들은 믿을 수 있기 때문이다. 만약 이러한 경우에 방광에 도관을 위치시킨 후에 영점조정을 다시 한다면, 이는 오히려 신뢰할 수 없는 측정값을 만들 가능성이 있으므로 해서는 안된다.

(5) 요역동학검사의 충전매질

이산화탄소 같은 가스나 물, 식염수, 방사선조영제

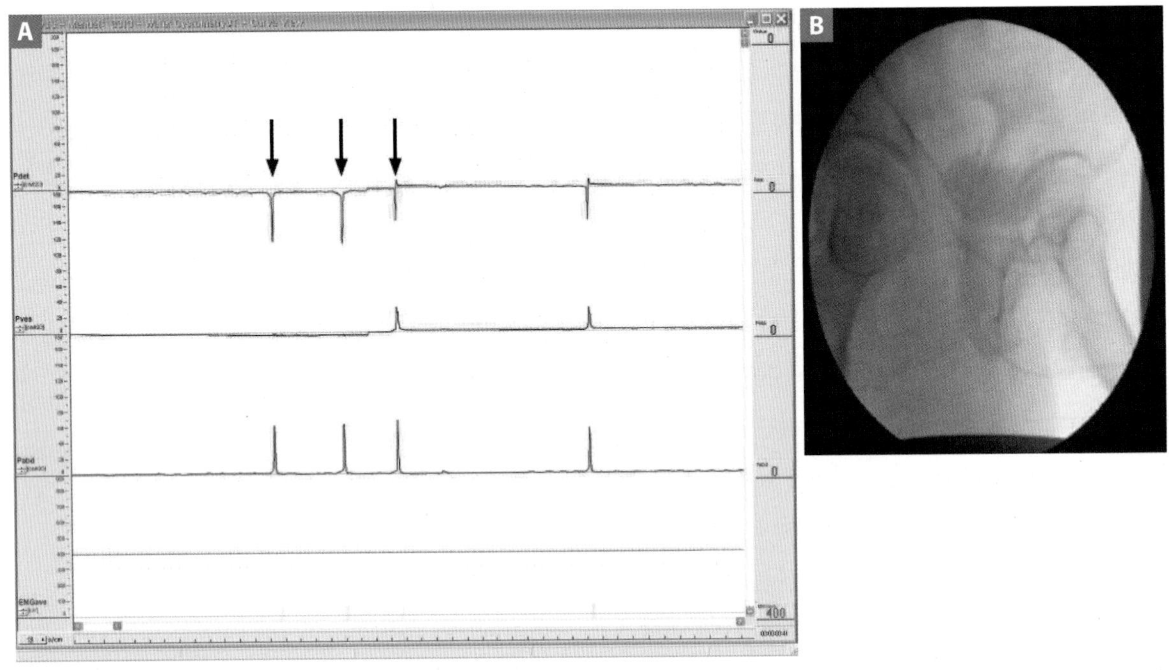

그림 10-8. **요역동학검사 시작 시 도관의 위치 선정.** (A)와 같이 기침 시 음압이 나오는 경우는 (B)와 같이 도관의 방광내압 측정 구멍 이 방광점막에 박혀 있는 경우가 많다. 이러한 경우 방사선학적 표시점을 보면서 도관의 위치를 조정한다.

같은 액체를 방광충전에 사용할 수 있다. 가스 방광내압측정술(gas cystometry)은 위생적이지만 생리적인 매질은 아니며, 소변에 녹으면 탄산(carbonic acid)을 형성하여 방광자극증상이 나타날 수 있고, 이산화탄소는 압축될 수 있어 방광의 미묘한 압력 차이를 놓칠 가능성이 높은 것으로 알려져 최근에는 사용하지 않는다. 액체 방광내압측정술(liquid cystometry)에 사용되는 액체는 거의 압축되지 않으며 수축력(contractility), 배출력(emptying ability), 압력-요류 관계와 같은 배뇨역학(voiding dynamics) 측정에 적절하다. 또한 액체는 요실금을 관찰하기에 가스보다 더 적합한데, 비디오 요역동학검사에서는 조영제를 사용하여 투시영상에서 직접 요도를 통한 요누출을 관찰하기도 한다.

충전에 사용되는 용액의 온도와 pH 그리고 충전속도(filling rate)는 충전에 대한 방광의 반응에 큰 영향을 미칠 수 있기 때문에 세심하게 맞추어야 한다. 용액의 온도는 이상적으로 체온과 유사하여야 하며, pH는 알칼리성이나 산성으로 너무 치우치면 안 된다. 알칼리성 pH(>8.5)는 배뇨근과활동성(detrusor overactivity)을 보이는 환자에서 방광용적을 증가시키는(Sethia & Smith, 1987) 반면, 산성 pH(<3.5)는 안정된 방광에서 배뇨근과활동성을 유발할 수 있다(Ashlund et al, 1988).

용액의 충전속도는 검사를 받는 환자군의 특성에 따라 달리 결정될 수 있는데, 빨리 충전하면 환자에게 평상시 나타나지 않던 배뇨근과활동성이 발생할 수 있으며, 배뇨근 유순도(detrusor compliance)가 감소된 것처럼 보일 수 있다. 특히 신경인성방광을 가진 환자나 소아의 경우에 잘못된 검사결과를 보일 수 있으므로 조금 더 느린 속도로 충전하여야 한다. ICS는 충전속도의 범위를 다음과 같이 정의한다. 생리적충전속도(physiological filling rate)는 예측 최대 몸무게(kg)를 4로 나눈 값보다 낮은 속도(mL/min)로, 성인 기준 15 이하를 말하며, 비생리적충전속도(non−physiological filling rate)는 생리적충전속도 이상의 속도를 말한다(Schäfer et al, 2002). 이외에도 환자 자신의 요생성량에 따라 검사를 시행하는 생리적자연충만방법이 있다. 2016년에 ICS에서는 2002년 발표된 Good Urodynamic Practice 지침(Schäfer et al, 2002)을 일부 개정하였는데, 충전속도를 배뇨일지에서 확인된 최대배뇨량의 약 10%로 실시하는 것을 제안하였다(Rosier et al, 2017).

(6) 복압도관

복압은 방광내압 중에서 배뇨근압 부분을 제외한 방광주위압의 부분을 말하는 것으로, 주 측정요소인 배뇨근압을 간접적으로 계산하기 위해 측정하는 것이다. 방광주위압은 현재 기술로는 정확하게 잴 수 있는 방법이 없기 때문에 사람의 직장 내에서 잰 압력을 복압으로 대체하여 사용하고 있다. 즉, 복압의 절대값을 알고자 직장내압을 측정하는 것이 아니라 방광내압에서 복압에 의한 변화를 제거하여 배뇨근압의 비교값을 알기 위해 측정한다는 점을 알아야 한다.

복압을 측정하는 관은 끝부분에 적은 용적의 매질을 함유할 수 있게 하는 풍선과 같은 형태의 도구가 붙어 있도록 만드는데, 직장 내에서 대변과 같은 이물질이 변환기와 연결된 압력관을 막지 못하게 유지하면서 직장 외에서 전해지는 압력을 변환기에 전달할 수 있어야 한다. 그런데 만약 풍선이 너무 부풀면 복압이 더욱 과도하게 증폭되어 전달될 가능성이 있고, 풍선이 너무 쭈그러들면 복압전달이 감소할 가능성이 있으므로 풍선벽이 늘어지지 않을 정도로 용적의 약 10~20%만 차면 압력을 가장 잘 전달할 수 있다(Schäfer et al, 2002). 풍선이 너무 부풀면 방광내압보다 복압이 더 증폭되어 전달될 가능성이 있으므로 이때에는 복압도관의 한쪽 관을 열어서 풍선에서 매질을 일부 빼고 다시 시행하는 것이 좋다.

(7) 올바른 요역동학검사를 위한 체크사항

요역동학검사의 해석은 기본적으로 압력곡선들을 기초로 이루어지는데, 방광수축 시에는 방광내압과 배뇨근압이 같이 증가하고 복압은 상승하지 않으며, 환자가 말하거나 기침하거나 발살바법을 하는 것과 같이 방광수축이 없는 복압 상승 시에는 배뇨근압의 증가없이 방광내압과 복압이 같이 상승하는 양상을 보인다(그림 10-9). 검사 과정에서 아티팩트나 오류의 발생을 최소화해야 정확한 압력곡선을 얻을 수 있고 올바르게 검사를 시행할 수 있다.

올바르고 정확한 요역동학검사를 위해서는 다음의 네 가지 사항을 항상 염두에 두고 진행하여야 한다. ① 장비들이 정확하게 준비되어 있는지 확인한다. ② 각 압력의 최초 시작값들이 유효한 범위 내에 있는지 확인한다. ③ 검사 시작 시 유발조작(provocative procedure)을 시행하여 방광내압과 복압의 차이가 유효한 범위 내에 있는지 확인한다. ④ 검사 도중에도 간헐적이지만 지속적으로 유발조작을 시행하여 방광내압과 복압의 차이가 유효한 범위 내에 있는지 확인한다.

요역동학검사를 시작하기 전에 항상 기계들이 정확하게 준비되었는지 확인한다. 먼저 압력변환기들과 이

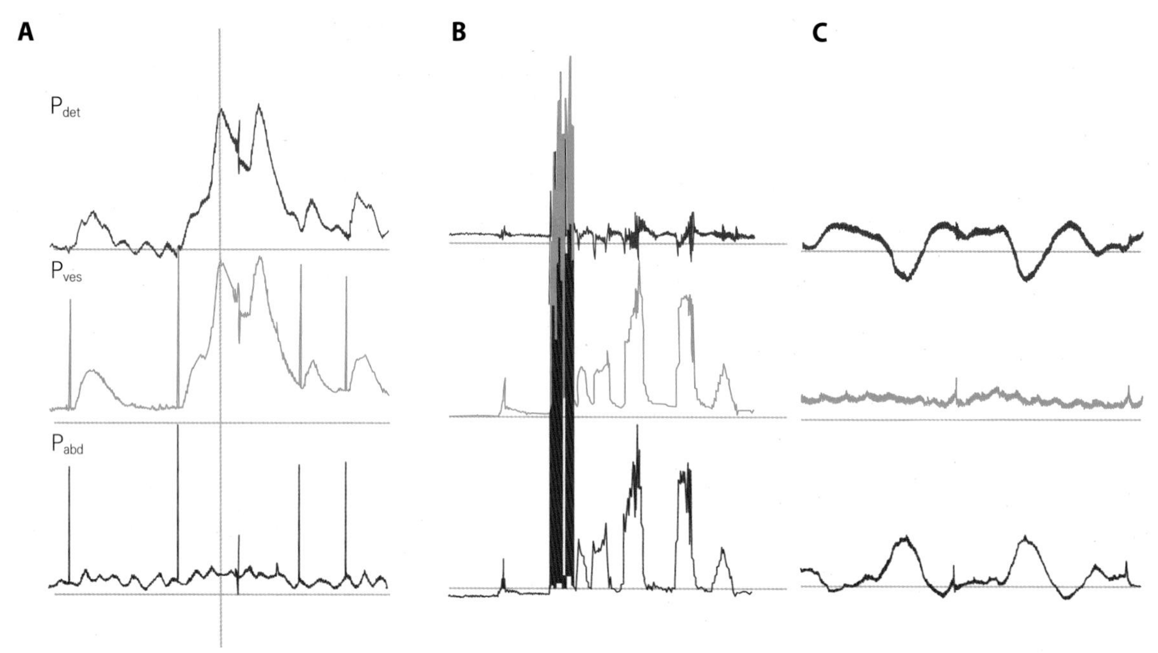

그림 10-9. 요역동학검사에서 곡선의 특징적인 변화를 보여주는 예들. (A) 방광수축 시, (B) 기침과 같은 복압 상승 시, (C) 직장내압 상승 시

를 연결한 관들에 공기방울 같은 것이 들어 있지 않은지, 영점 조정 시 기준 높이가 환자의 치골상연에 위치하는지, 압력들이 정확하게 작동하는지 등을 검사 때마다 미리 확인하고 시작해야 한다. 환자의 기준 높이에서 영점조정한 후 검사를 시작할 때에 방광내압과 복압, 그리고 배뇨근압 값이 유효한 범위 내에 있는지 확인한다. 방광내압과 복압의 경우 누워서는 5~15 cmH_2O, 앉아서는 10~30 cmH_2O, 일어서서는 25~50 cmH_2O 사이 정도로 측정되며, 배뇨근압 값 0~6 cmH_2O 사이에서 검사를 시작하는 것이 좋다. 또한 검사 시작 시나 도중에 기침이나 재채기 같은 유발조작을 통해 방광내압과 복압의 차이가 유효한 범위 내에 있는지 확인하여 요역동학검사 기계가 잘 작동하고 있는지 지속적으로 확인하면서 진행해야 한다. 검사 도중 다양한 원인으로 아티팩트가 발생할 수 있는데(표 10-3), 이럴 경우, 즉시 교정하고 유발검사로 점검한 후 검사를 다시 시행해야 한다.

표 10-3. 요역동학검사 도중 가장 많은 아티팩트의 예

도관 이동(도관 빠짐)
도관 꺾임
연결관 내 공기방울
불수의적직장수축에 의한 배뇨근압 음압곡선
직장 내 이물에 의한 복압의 변화

3) 요역동학검사 압력곡선의 특성

(1) 생체기계적 의미의 압력곡선

생체에서 측정되는 압력곡선은 미세하게 떨리는 마치 잡음처럼 흔들리는 모양으로 나타난다(그림 10-10). 사람의 몸에는 수많은 근육이 있으며, 호흡과 움직임에 따라 수많은 근육이 여러 방향, 여러 강도로 움직여 일정하지 않은 형태의 떨림과 같은 곡선으로 보인다. 또한 압력곡선은 사람의 자세에 따라서도 변화하는데, 실제로 복압이나 방광내압은 누워서보다 일어선 상태에서 더 올라가는데, 이는 중력에 의해 몸속 장기들의 무게에 의해 더 높게 측정된다.

이론적으로는 요로기 내에서는 음압이 있을 수 없으나 상기에 설명된 여러 요인에 의해 검사상으로는 음압이 존재할 수 있는데, 특히 기침이나 발살바법 같은 유발조작 등을 하였을 때에 검사상 정상적으로 음압이 나타날 수 있다. 그 기전은 사람마다 몸의 근육을 쓰는 순서나 강도가 다르기 때문에 개개인의 습관에 따라 방광보다 직장 쪽 근육을 먼저 움직이거나 직장보다 방광 쪽 근육을 먼저 움직이는 경우, 배뇨근압은 그 순간의 차이만을 보는 것이기 때문에 일시적으로 음압이 나타날 수 있다(그림 10-11). 그러나 요역동학검사 도관에 공기가 들어갔거나 영점 조정을 잘못한 경우에 발생하는 음압은 앞에서 설명된 생리적으로 발생하는 음압보다 훨씬 값이 크게 나타나므로 음압이 크게 나타난 경우에는 검사기계의 오류를 점검한 후 다시 시행하여야 한다.

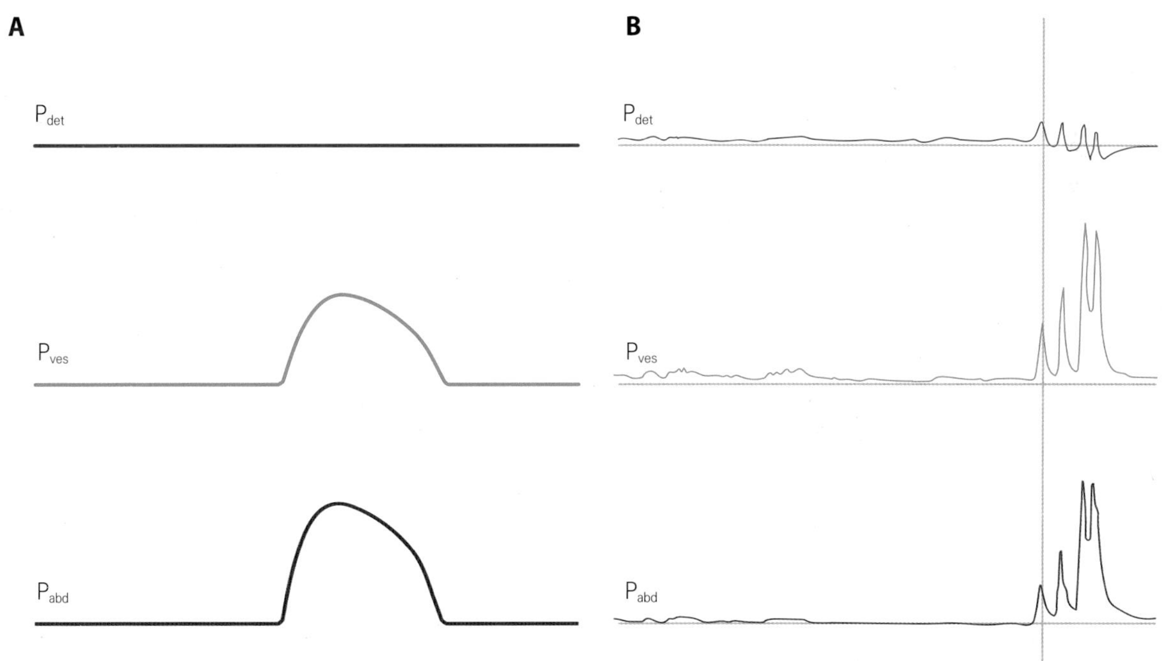

그림 10-10. 요역동학검사에서 생체신호의 특징. (A) 실험적 기계 내부에서 측정된 신호. (B) 생체에서 직접 측정된 신호. 생체신호는 기계 신호와 달리 미세한 떨림이 있으며, 마치 잡음처럼 보인다.

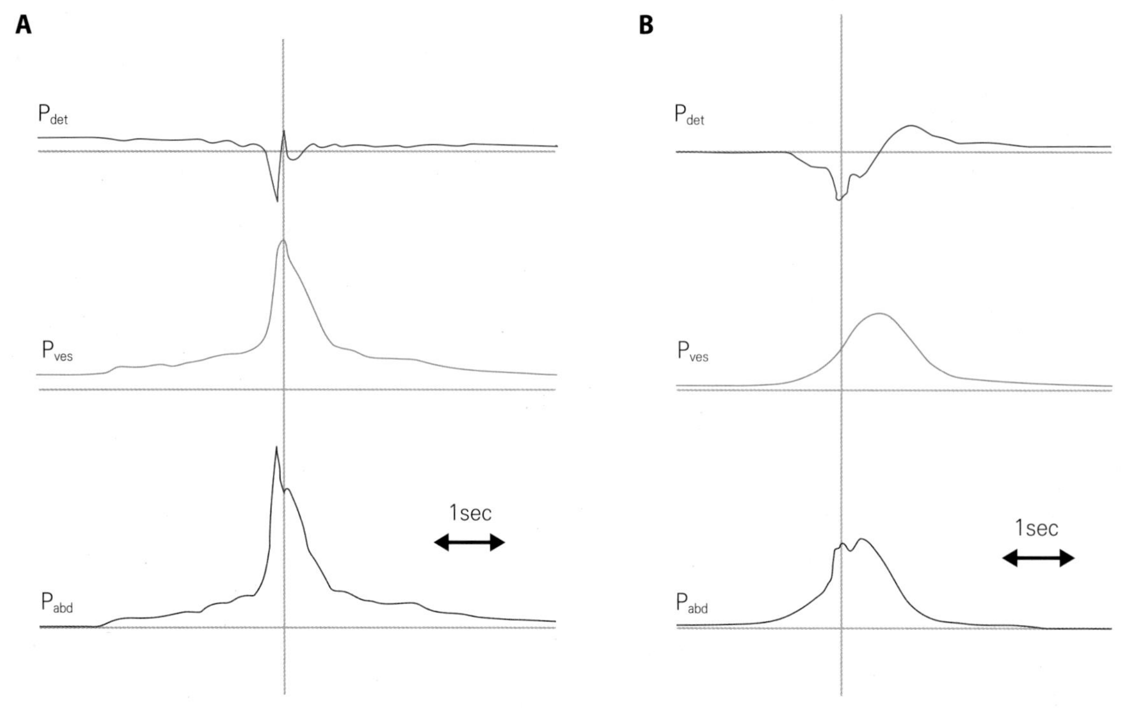

그림 10-11. **요역동학검사에서 기침 시 생리적으로 음압이 생기는 기전.** (A) 기침 시 곡선을 최대로 늘려서 관찰하면, 복부 근육에 먼저 힘이 주어져 배뇨근압이 음압으로 관찰된다. (B) 기침 시 생리적 음압을 보여주는 또 다른 예이다.

(2) 방광수축과 복압 상승 시 나타나는 곡선 모양

요역동학검사 압력곡선에서 시간의 범위를 늘리고 줄임에 따라 차이가 있지만, 방광과 같은 평활근(smooth muscle)수축은 경사가 매끄러우면서 느리게 올라가는 모양을 나타내고, 복압을 상승시키는 것과 같은 횡문근(striated muscle)수축은 경사가 매우 급하게 올라가는 모양을 나타낸다(그림 10-9). 요역동학검사를 진행하는 도중 곡선의 시간 범위를 매우 짧게 놓고 하는 경우에 횡문근 수축은 잘 보이지만 방광수축과 같은 평활근 수축은 경사가 완만하여 구분 할 수 없는데, 이때는 시간 범위를 늘리면 바로 구분할 수 있다.

(3) 압력곡선에서 나타나는 문제와 해결책

신경인성방광 환자나 정상인에서도 직장에 대변이 꽉 차 있는 경우에는 의도치않게 직장내압이 상승할 수 있는데, 이 경우는 방광내압은 변화 하지 않고 배뇨근압만 음압으로 보일 수 있다(그림 10-9). 이럴 경우, 정상인에서는 관장을 시행하고 다시 검사하면 아티팩트가 해소될 수 있으며, 신경인성방광 환자의 경우에는 복압을 무시하고 방광내압으로만 해석하거나, 여성의 경우 복압을 질압으로 대체하여 진행할 수 있다.

배뇨근압이 생리적 원인이 아닌 기계의 이상으로 나타난 음압이라고 판단될 때 고려할 수 있는 문제점은 복압 도관의 풍선 내 매질이 너무 충만되어 복압이 과도하게 증폭되어 나타난 경우이거나, 방광내압 도관에 공기방울이 들어가 압력전달을 막거나 이들의 연결관이 새서 방광내압이 너무 낮게 나타나는 경우이다. 복압이 과도한 경우, 복압 도관의 풍선 내 매질을 빼고 시행하는 것이 해결책이다. 방광내압이 낮다고 판단되면 연결고리나 관 내 공기방울의 유무를 확인하여야 한다. 또한 배뇨근압이 너무 높을 때는 복압이 너무 낮거나, 방광내압이 너무 높은 경우일 수 있다. 복압이 낮을 때는 복압 도관의 풍선에 매질을 집어넣거나, 방광내압이 높을 때는 관이 꺾이거나 관이 방광이 아닌 요도로 빠지지 않았는지 확인하여야 한다.

그 외에도 방광내 도관이 움직여 부적절한 위치에 있는 경우나 관류액 주입속도 오류(특히 신경인성방광 환자의 경우) 같은 기술적인 원인에 의한 오류가 있을 수 있고, 환자가 협조하지 않거나 방광출구가 부실하여 요실금이 있거나 방광요관역류 등 환자와 관련된 오류가 있을 수 있다. 방광충전 속도가 너무 빠르면 정상 배뇨근이더라도 유순도가 떨어지는 것처럼 보일 수 있기 때문에 유순도가 떨어지는 결과가 나타나면 충전속도를 낮추어 다시 한번 유순도를 확인하여야 한다. 방광출구가 부실하면 충전도관 주위로 소변이 새기 때문에 방광에 매질이 적절하게 채워지지 않아 유순도를 정확하게 측정할 수 없을 수 있다(예를 들면, 척추봉합선폐쇄부전(spinal dysraphism)이나 고령 여성 환자에게 나타나는 심한 내인성괄약근기능부전의 경우). 이러한 경우에는 도뇨관을 넣고 도관 끝의 풍선을 부풀려 방광경부 부위로 당겨 위치시켜서 매질이 새지 않도록 한 후 시행하면 된다. 심한 역류를 가진 환자의 경우에는 비디오요역동학검사로 확인할 수 있다.

3. 요역동학검사의 임상적 측면

요역동학검사는 환자의 저장기능/배뇨기능과 관련된 의문점을 해결하기 위한 검사이다. 처음에는 가장 단순하고 침습적이지 않은 방법을 사용하지만, 이러한 방법으로 임상적인 답변이 부족하면 좀 더 자세하고 침습적인 방법을 사용하는 것이 일반적이다. 요역동학검사를 시행할 때에는 환자가 내원 당시 가장 불편하게 느끼는 증상이 나타나는 상황을 재현하여 검사하는 것이 매우 중요한데, 다음의 세 가지 중요한 원칙을 기억하여야 한다. ① 환자의 증상을 재현하지 못한 검사 는 진단적 가치가 없다. ② 검사 당시 이상을 발견하지 못 하였더라도 그 증상이 없다고 판단해서는 안된다. ③ 검사에서 발견된 모든 이상이 다 임상적으로 의미 있는 것은 아니다(Nitti & Combs, 1996). 다음에는 임상진료에서 요역동학검사를 시행하고 해석하는 방법에 대해서 설명하고자 한다.

1) 요역동학검사가 필요한 이유

일반적으로 하부요로기능이상 환자에서 증상만을 가지고 질환을 판단하고 치료방법을 결정한다면 적지 않은 경우에서 잘못된 방법으로 치료할 가능성이 높기 때문에 요역동학검사를 통한 진단이 필요하다. 실제 연구에 의하면, 복압성요실금의 증상을 호소하는 여성 100명 중 50~68%만이 요역동학검사에서 복압성요실금이 있는 것으로 확인되었으며, 복압성요실금을 증상으로 호소한 여성의 약 11~16%에서 배뇨근과활동성이 발견되었고(Jarvis et al, 1980), 배뇨근과활동성을 시사하는 증상을 주소로 내원한 여성 환자의 약 22%에서 복압성요실금이 있는 것으로 보고되었다(Powell et al, 1980). 즉, 통상적인 진료에서 환자의 증상과 요역동학검사에 의한 진단결과 사이에는 약 30%의 상당한 차이가 존재하기 때문에 증상만으로 치료방법을 결정하는 것은 주의하여야 한다(Andersen et al, 1979).

그러나 모든 하부요로기능이상 환자에서 요역동학검사를 시행할 필요는 없다. 실제 배뇨장애 환자에 대한 대표적 치료 방법에는 크게 ① 생활습관 변화, ② 방광훈련, ③ 골반저근운동, ④ 약물요법, ⑤ 수술요법 등 다섯 가지가 있는데, 이 중 처음 세 가지 방법들은 큰 합병증이 있는 방법이 아니기 때문에 요역동학검사를 시행하지 않고도 바로 치료방법으로 적용할 수 있다. 또한 약물요법 중에서도 과민성방광 환자들을 대상으로 한 항콜린제 사용 정도는 환자의 증상만을 가지고 판단하여 치료할 수 있다. 따라서 모든 환자에서 요역동학검사를 시행할 필요는 없지만 ① 환자의 진단/치료 과정에서 요역동학검사가 진단/치료 방법을 바꿀 수 있을 것으로 판단되는 경우, ② 요역동학검사를 시행하고 치료한 가격에 비해, 시행하지 않고 치료를 결정하였을 때에 발생하는 합병증 등의 발생 위험 요소가 더 커서 경제적으로 심각한 불균형이 발생할 수 있는 경우, ③ 법적인 문제로 필요할 경우에는 시행하는 것이 더 적절하고 올바른 치료과정이 될 것이다.

2) 요역동학검사의 시행원칙

요역동학검사는 심전도와 같이 몸에 기계를 부착한 후 한 번 찍고 해석하면 되는 그런 검사와 달리 범위가 매우 넓고 복잡하면서도 환자 특유의 조건에 따라 많이 달라질 수 있으며, 하부요로의 움직임들이 순간적으로 지나가는 질환인 배뇨장애를 대상으로 하므로 한 번의 검사에서 모든 정보를 모두 파악하는 것은 쉽지않다. 따라서, 검사 전에 미리 어떤 부분에 중점을 두어 검사하여야 할지 결정하고 시작하여야 한다. 그러므로 전체적인 기본검사들을 먼저 시행한 후 요역동학검사에서 관찰하여야 할 부분을 결정한다. 전체적인 기본검사란 증상, 삶의 질 평가, 신체검사, 요검사, 기타 영상검사 등을 의미한다. 요역동학검사의 표준 원칙에는 동의서(informed consent)를 받을 것, 검사 도중 환자의 프라이버시를 적절하게 존중하고 유지할 것, 무균기술(sterile technique)을 사용할 것, ICS에서 정의한 질 높은 기술들을 적용하여 검사할 것, 통찰력 있는 해석 기술을 사용할 것, ICS에서 정의한 표준화된 진단명을 사용할 것 등을 제시하고 있다. 2016년에 개정된 ICS Good Urodynamic Practice 지침에서도 앞서 설명한 기본검사와 배뇨일지, 요속검사와 잔뇨량 검사를 요역동학검사 실시 전에 시행하는 것을 강조하고 있다(Rosier et al, 2017).

요역동학검사 시행 중에는 대화를 통해서 환자의 증상을 지속적으로 평가하여야 하며, 검사 신호들에 대해 양적 혹은 질적인 면에 있어 지속적으로 이상 유무를 관찰하여 인위적 이상이 발견되면 즉시 교정하고 다시 시작하여야 한다. 요역동학검사의 합병증으로는 검사 후 불편감, 혈뇨, 감염, 기술적 실패나 해석 기술의 부족에 의한 검사 실패 등이 있으며, 이러한 부분에 대해 동의서를 받을 때 환자에게 설명을 하고 동의를 구하여야 한다.

검사 당일에는 환자에게 소변을 참고 오도록 하여 먼저 요속검사를 시행하고, 검사 기계에 눕힌 후 다시 환자의 증상을 파악하고, 배뇨일지를 분석하며, 신체검사를 한 후 도관을 삽입하고 잔뇨량을 측정한 다음 검사를 진행한다. 요역동학검사 시행과 해석에서 고려해야 할 또 다른 중요사항으로 개개의 환자의 감정이나 성격에 대한 고려가 있다. 하부요로의 신경조절은 환자의 감정과 관련되어 있기 때문에 그 환자의 감정이나 성격에 따라 검사결과가 달라질 수 있다. 즉 환자의 병력을 확인할 때 공용화장실에서 다른 사람이 있거나 주위가 소란하면 배뇨에 지장이 있다는 환자에서는 검사에서 배뇨하지 못하였더라도 신경 혹은 심각한 문제가 있다고 해석하기보다는 검사 전 요속검사와 잔뇨량 측정 결과를 기초로 해석하는 것이 옳은 일이다. 예를 들어 척수문제로 배뇨에 문제가 있는지 확인하기 위해 검사 받는 환자의 경우, 검사 전 요속검사는 정상이었고 잔뇨가 없다면 검사 시에 배뇨하지 못하였더라도 신경 문제 또는 배뇨근무수축(detrusor acontractility)으로 확정적으로 진단하여서는 안 되며, 검사 시 감정 또는 의식의 억제에 의해 배뇨근수축이 나타나지 않은 것으로 판단하는 것이 더 적절하다(그림 10-12).

3) 환자의 준비와 주의사항

요역동학검사는 환자에게 가장 개인적인 행위인 배뇨를 다른 사람 앞에서 하여야 하는 데 따르는 스트레스가 있다는 것을 고려하여야 한다. 다시 말하면 요역동학검사는 개인적인 행위를 남에게 알리는 방법이며, 검사 당시에 이러한 개인적인 행위를 평상시 습관대로 재현하여 검사할 수 있도록 환자에게 설명을 하고, 주위 환경도 조용하고 깨끗하게 유지하여야 한다. 검사할 때에는 되도록 환자의 감정을 조금이라도 상하게 할 수 있는 관찰자나 환경을 피하고, 관찰자 수도 가능하면 줄이는 것이 좋다. 또한 환자에게 이 검사가 필

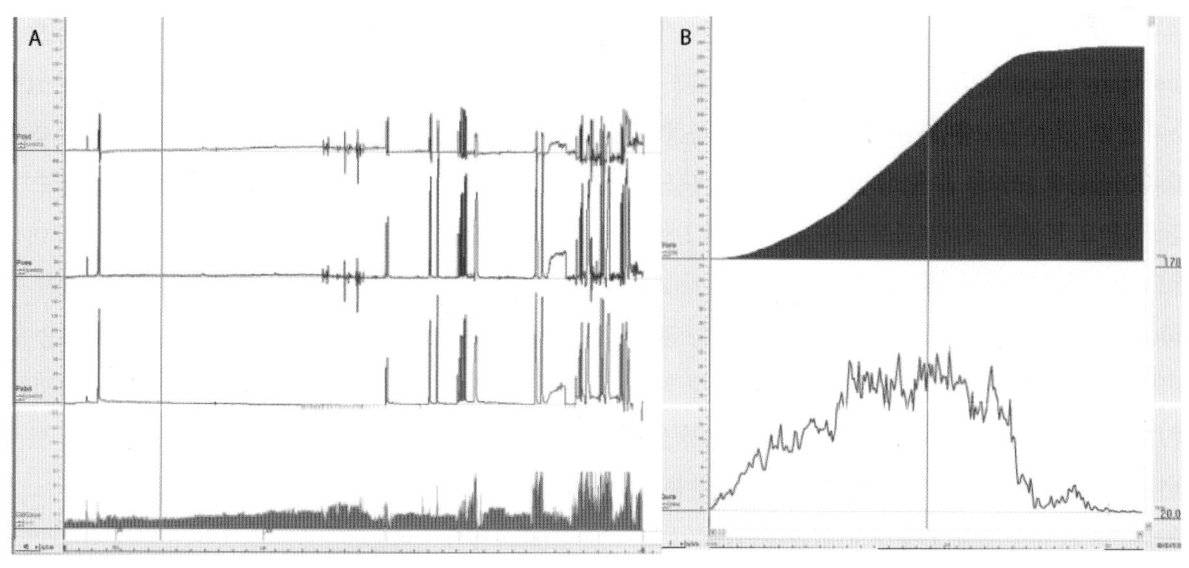

그림 10-12. 배뇨근무수축으로 섣불리 판단할 수 있는 예. 검사 도중 배뇨하지 못하였지만(A) 바로 직후 시행한 요류검사에서 배뇨를 잔뇨 없이 잘하였기 때문에(B) 배뇨근무수축으로 확정적으로 진단해서는 안 된다.

요한 이유와 검사 방법에 대해 자세하게 설명하여 검사 당시에 당황하지 않도록 마음의 준비를 시키는 것이 필요하다. 요역동학검사는 환자의 협조가 매우 중요하고 필수적이므로 환자들이 검사의 진행 상황을 잘 몰라서 생기는 두려움 때문에 나타나는 인위적인 감정 효과를 가능하면 피할 수 있도록 환자의 모든 근육을 이완시킬 수 있는 환경조성이 중요하다.

검사 직전에 적당한 병력청취와 신체검사를 통해 배뇨 단계 중 중점적으로 관찰하여야 할 사항을 미리 확인하고 검사를 시작하여야 한다. 배뇨는 매우 복잡하고 신체의 여러 부분이 작용하기 때문에 다른 부위의 기능과 달리 관련된 모든 기능을 한꺼번에 관찰하는 것이 아니라, 일부 필요한 기능을 중점적으로 확인하는 것이 효율적이다. 또한 요역동학검사는 어느 정도는 침습적인 방법이기 때문에 요폐, 혈뇨, 요로감염, 통증 같은 합병증을 유발할 가능성에 대해(Klingler et al, 1998) 환자에게 충분히 설명하여 이해시키고, 동의서를 받아야 한다. 요로감염이 있는 경우나 최근에 방광내시경 같은 요도를 통한 기구삽입을 시행한 경우에는 검사를 연기하는 것이 좋다. 이러한 상태가 유순도 감소나 용적 감소 같은 일시적인 방광기능 변화를 일으킬 수 있기 때문이다. 또한 방광에 지속적으로 도뇨관을 넣고 있던 환자의 경우에는 도뇨관을 뽑고 2, 3일 정도 청결간헐적도뇨(clean intermittent catheterization)를 시행한 후 검사를 시행하는 것이 좋다. 검사 시의 환자에 자세에 관하여, 충전방광내압측정술 시에는 가능하다면 서거나 앉은 자세에서, 압력요류검사 시에는 여자의 경우 앉은 자세에서, 남자의 경우는 선 자세에서 실시할 것을 권장하고 있다(Rosier et al, 2017).

여러 약물이 방광이나 요도괄약근기능에 영향을 미칠 수 있으므로 약제를 끊거나 이에 대한 영향을 미리 평가하여 고려하는 것도 중요하다. 심장판막이상, 정형외과적 인공삽입물, 비뇨기계 인공 삽입물, 심박조율기, 전기기구삽입 등 감염의 위험성이 있는 환자에게는 예방적으로 비경구용 항생제를 사용한다(Dajani et al, 1990). 일상적으로 경구용 항생제를 사용할 필요는 없으나 검사 당시 도관을 여러 번 삽입하고 제거하여야 하는 경우나 요로감염의 가능성이 높은 환자에서는 1~2일 간 항생제를 사용하여야 하며, 신경인성방광이 의심되면서 잔뇨량이 많은 환자에서도 항생제를 사용하는 것이 좋다.

신경인성방광 환자를 검사할 때에는 자율신경반사이상(autonomic dysreflexia)의 발생 여부를 주의 깊게 관찰하여야 한다. 이 현상은 교감신경출구도(sympathetic outflow tract) (T6)의 상방 신경이 손상을 받아 구심성 내장성 자극(afferent visceral stimulation)에 대한 교감신경의 반응이 지나치고 과도하게 나타나는 경우를 말하는 것으로, 발한과 두통, 손상 부위 상방의 안면홍조(facial flushing), 생명을 위태롭게 할 정도의 고혈압과 반사성서맥(reflex bradycardia) 등의 증상이 나타날 수 있다. 요역동학검사 도중 환자에서 이러한 증상이 나타나면 즉시 방광을 비워야 하고 그래도 호전되지 않으면 즉시 nifedipine (10 mg)을 설하투여하거나 hydralazine을 정맥주사하여야 한다. 따라서 자율신경반사이상이 있는 환자의 경우에는 검사 도중 혈압을 계속 재야 하며, 심한 경우 미리 설하용 nifedipine이나 알파차단제를 투여하고 검사할 수도 있다(Krum et al, 1992; Thyberg et al, 1994).

소아에서 요역동학검사를 시행하는 것은 특히 어려우며 해석에 오류가 많거나 환아의 협조 정도에 따라 해석이 다른 경우가 많다. 그래서 일부에서는 전신마취하에 검사를 시행할 것을 주장하기도 하지만, 마취에 사용된 약물의 영향을 평가할 수 없기 때문에 최근에는 권하지 않는 추세이다.

4) 적절한 요역동학검사 시행을 위한 고려사항

환자의 병력과 신체검사, 환자의 주관적 배뇨관련 증상과 의사가 관찰한 환자의 객관적 징후를 기초로 일차진단을 내린 다음, 이러한 증상과 일차 진단명의 기존에 알려진 기전(표 10-4)이 잘 맞아 환자의 증상을 잘 설명한다면 굳이 요역동학검사를 시행하지 않고도 치료방법을 결정할 수 있다. 그러나 기존에 알려진 기전이 현재 환자의 증상을 설명하기 어려운 경우에는 요역동학검사를 시행하여 기전을 확인한 후 치료 방법을 결정하여야 한다(그림 10-13).

요역동학검사의 시행은 5단계로 나눌 수 있다. 1단계에서는 요역동학검사를 시행하는 날 검사 직전 환자와 인터뷰를 통해 병력청취, 배뇨일지, 신체검사, 요속검사와 잔뇨량 측정 등을 통합적으로 다시 관찰하여 먼저 환자의 증상과 문제점을 파악하고 이해한다. 2단계에서는 요역동학적 질문, 즉 이 검사를 통해 환자의 어떠한 부분을 확인하고 답하여야 하는지를 정의한다. 3단계에서는 이 질문에 답하기 위한 적절한 요역동학검사의 세부검사방법을 결정한다. 4단계에서는 이러한 질문에 답할 수 있을 때까지 검사를 적절하게 진행한다. 검사신호의 질과 이상 유무를 지속적으로 관찰하고, 인위적 이상이 없도록 하면서 혹시 이상이 있으면 바로 교정하여야 하며, 검사 도중 대화를 통해 환자와 지속적으로 소통하여야 한다. 5단계에서는 검사를 마친 후 바로 결과를 분석하고 해석하여야 하는데, 요역동학검사에서 나온 많은 양의 자료를 시간이 지난 후에 해석하려고 하면 정확하게 해석할 수 없기 때문이다. 검사가 기술적으로 적절하게 시행되고 요역동학적 질문에 대한 대답을 얻었다면 결과를 확인하기 위해서 반복검사를 할 필요가 없으나, 요역동학적 질문에 대

표 10-4. 기존에 알려진 각 질환의 요역동학적 기전

질환	요역동학적 진단(일차/이차)	방광기전	요도기전
과민성방광증후군	DO		
전립선비대증	BOO / DO / DU	NL / DO / DU	BOO
복압성요실금	Urethral Incompetency / DO / ISD	NL / DO	Urethral Incompetency / ISD
전립선염/여성 요도증후군	DO / BOO	NL / DO	BOO / DSD
당뇨	DU / DA / DO	NL / DU / DA / DO	BOO
뇌혈관질환	Neurogenic DO / Pseudo DSD	NL / DO	DSD
척수손상	Supraspinal-Neutogenic DO	DO / Bladder Decompensation	DSD-int / ext
	Scaral-DA	DO / Bladder Decompensation	
추간판탈출증	DA	DA	

DO: detrusor overactivity, BOO: bladder outlet obstruction, DU: detrusor underactivity, NL: normal,
ISD: intrinsic sphinter deficiency, DSD: detrusor sphinter dyssynergia, DA: detrusor acontractility.

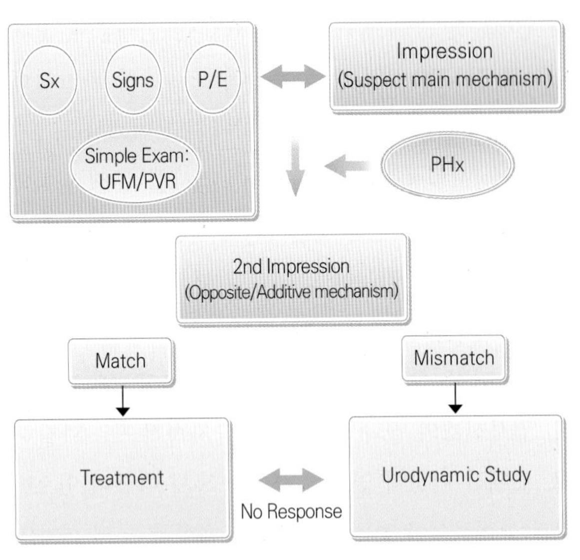

그림 10-13. **요역동학검사 시행의 결정과정.** 환자의 병력청취, 신체검사, 증상, 증후를 고려하여 첫 진단을 내린 후 기전적으로 잘 맞지 않으면 요역동학검사를 진행한다.

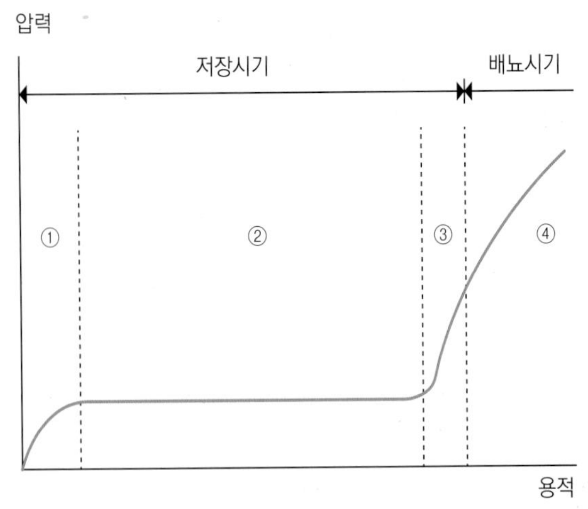

그림 10-14. **정상 방광내압측정술 그래프의 네 가지 시기.** ① 초기에 압력이 안정될 때 방광내압이 상승하는 시기이다. ② 긴장도를 나타내며, 이 시기에 압력은 방광벽의 점탄성을 의미한다. ③ 계속되는 충전에 의해 방광벽이 최대로 늘어나서 압력이 점탄성을 넘어서는 시기이다. ④ 배뇨시기로, 이는 방광수축력을 의미한다.

답을 얻지 못하거나, 검사 시행에 기술적 오류가 발견된다면 첫 번째 검사 후 바로 재시행하여야 한다(Rosier et al, 2017).

5) 요역동학검사의 해석

(1) 정상 방광내압측정술의 그래프 모양

요역동학검사를 해석하기 위해서는 먼저 정상 검사 소견을 알아야한다. 전형적인 정상 방광내압측정술(cystometrogram)의 그래프는 네 가지 시기로 구성되어 있다(그림 10-14). ① 초기 충전과 함께 압력이 안정될 때 방광내압이 일정부분 상승하는 시기이다. ② 방광벽의 점탄성(viscoelasticity)을 반영하고 긴장도를 나타내는 곡선의 시기이다. 저장시기의 대부분을 차지한다. ③ 방광이 충분히 충전되어 방광벽 구조가 최대한 신장된 후, 부가적인 충전에 의해 방광내압이 증가하는 시기이다. ④ 배뇨시기로서 방광의 자발수축이 발생하는 시기이다. 정상 방광용적은 충전과 함께 400~500 mL인데, 정상방광은 마지막 충전 시기(end-filling pressure)에 기저값에서 6~10 cmH_2O를 넘지 않는 일정한 낮은 압력을 보인다. 일반적으로 반응유발방법은 저장기에 방광수축을 일으키지 않는다.

(2) 해석방법

요역동학검사를 해석할 때에는 크게 소변을 충전하는 저장시기와 소변을 배출하는 배뇨시기로 나누어 실시하고, 또한 각 시기에 따라 방광기능과 요도기능을 각각 구분한다. 따라서 해석상 네 가지 상태, 즉 '저장기의 방광은 이완되고, 저장기의 요도는 수축되어 열리지 않아야 한다; 배뇨기의 방광은 수축되고, 배뇨기의 요도는 방광수축과 거의 동시에 이완되어야 한다.'는 각 시기별 장기별 상태를 정상으로 정의하고, 그 외의 다른 상태들은 비정상으로, 또는 임상증상과 견주어 해석한다. 저장시기에 배뇨근과활동성이 있거나, 요도를 통해 소변이 새거나, 배뇨시기에 배뇨근이 수축하지 않거나, 요도가 폐색을 일으키는 등의 기능들은 비정상으로 분류할 수 있다. 이를 좀 더 세부적으로 관찰하면 다음과 같다.

① 저장시기의 방광

저장시기의 방광을 관찰하는 변수로는 방광감각, 배뇨근 활성(배뇨근과활동성 유무), 방광유순도, 그리고 방광용적이 있다.

i) 방광감각

방광감각은 방광 충전 시에 환자에게 방광충만감에 대한 감각의 정도를 물어 결정되기 때문에 환자가 이를 인지할 수 있고 자신의 감각에 주의를 기울일 수 있어야 한다. 검사 시행 시 환자에게 충전에 대한 방광충전의 최초 감각(first sense of bladder filling; 주로 80~100 mL에서 느껴지는 감각), 최초 배뇨 요의(first desire to void; 평상시 배뇨할 정도이지만 필요하다면 배뇨를 늦출 수 있는 감각), 강한 배뇨 요의(strong desire to void; 계속 배뇨 욕구가 있으나 요실금의 두려움은 없는 상태) 등의 감각을 물어본다. 이러한 감각이 일어나는 순간의 용적을 바로바로 기록하여야 하며, 이 결과들에 기초하여 환자의 감각이 증가(increased), 감소(reduced), 또는 무감각(absent)인지, 요절박(urgency), 통증이 있는지, 혹은 정상인지 판단할 수 있다. 그러나 이러한 방광용적들은 겹치는 부분이 매우 많으며, 논란의 대상이 되어 왔는데, 기록된 방광용적 자체가 중요한 것이 아니라 감각이 있느냐 없느냐가 훨씬 더 중요한 결과일 수 있다(Susset, 1991).

방광감각은 주입속도, 주입액체의 온도, 환자의 검사에 의한 혼란 정도(level of patient distraction) 등에 영향을 많이 받기 때문에, 배뇨횟수배뇨량일지로 평가하는 것이 더 정확할 수 있다(Nitti, 1998).

ii) 저장시기의 배뇨근 활성

배뇨근 활성은 방광기능에 대한 중추신경계, 즉 뇌부터 방광말단까지의 전체적 연결상태(integrity)를 반영한다. 과거에는 충전방광내압측정술을 진행하는 동안 방광이 저절로 수축하거나 유발조작을 했을 때 갑자기 수축이 유발되는 것을 불안정방광이란 용어로 통칭하고 확인된 신경질환(척수손상, 뇌혈관질환, 탈수초화질환 등)이 있는 경우에는 배뇨근과반사(detrusor hyperreflexia)로, 신경질환이 없는 경우에는 배뇨근불안정(detrusor instability) 라고 구분하였다(Abrams et al, 1988). 그러나, 2002년 ICS 표준용어 권고안에서는 요역동학검사에서 발견되는 불수의적배뇨근수축(involuntary detrusor contraction)을 신경질환 연관성에 따라서, 배뇨근과반사를 대체하여 신경성 배뇨근과활동성(neurogenic detrusor overactivity)로, 배뇨근불안정이라는 용어 대신에 특발성 배뇨근과활동성(idiopathic detrusor overactivity)라는 용어를 사용할 것을 권장하였다(Abrams et al, 2002).

그 동안 불수의적배뇨근수축을 진단하려면 적어도 15 cmH_2O 이상 압력이 상승해야 했지만, 최근에는 요절박과 함께 나타나는 확인된 방광수축이 있으면 모두 불수의적배뇨근수축으로 보고 있다(Stephenson, 1994; Nitti, 1998). 불수의적배뇨근수축을 기록할 때에는 수축 횟수, 수축이 일어난 용적, 수축크기(amplitude), 수축이 자발적으로 발생하였는지 아니면 유발조작에 의해 발생하였는지, 환자가 그 수축을 억제할 수 있었는지를 언급하여야 한다. 정상적인 배뇨근의 활성은 저장시기에 배뇨를 시작하기 전까지 배뇨근이 저절로 수축하는 경우가 없어야 한다. 배뇨근과활동성을 방광이 충전되고 있는 시기에 나타나는 위상 배뇨근과활동성(phasic detrusor overactivity)과 배뇨초기에 방광수축이 매우 높은 압력으로 배뇨하는 종말 배뇨근과활동성(terminal detrusor overactivity)으로 구분하기도 한다. 근전도검사(electromyography)를 함께 시행하거나 비디오역동학검사를 시행할 경우에는 배뇨근과활동성이 나타날 때 방사선투시와 근전도를 통해 배뇨근괄약근협동장애(detrusor sphincter dyssynergia) 여부를 확인한다.

iii) 방광유순도

방광유순도는 용적의 기본단위 변화에 대한 방광내압의 변화로 정의된다. 이는 용적변화를 배뇨근압 변화로 나누어 계산하며, mL/cmH_2O로 표현한다. 일반적으로 충전방광내압측정술 저장시기 결과지에서 두 정점 사이의 값들로 계산한다. 검사를 시작하여 충전이 시작된 초기에 방광이 비어 있을 때의 배뇨근압과 최대방광용적, 즉 배뇨 시 수축이 일어나기 직전의 배뇨근압 값을 가지고 계산하는데(Stohrer et al, 1999), 만약 저장시기에 배뇨근과활동성이 나타난 경우에는 이를 지나서 방광수축이 없는 시기를 잡아서 계산하여야 한다.

방광유순도는 방광의 탄력성을 대변하며 두 가지 요소, 즉 방광벽에 있는 콜라겐의 양에 비례하는 기계적인 힘과 신경이나 근육에 의해 발생 하는 힘을 반영하며, 긴장도(tonus)를 의미한다. 정상 방광은 탄력성이 좋아 낮은 압력으로 많은 요량을 저장할 수 있다. 방광의 탄력성이 감소되었다는 의미는 방광에 소변이 조금만 차도 방광내 압력이 빠르게 증가하는 것을 말하며, 20 mL/cmH_2O 이하이면 방광유순도가 감소되었다고 판단한다(Abrams et al, 1988). 유순도의 측정치는 충전속도에 따라 검사마다 다르게 나타날 수 있는데, 이를 감안하여 유순도를 비교하는 것이 중요하다.

iv) 방광용적

방광용적은 여러 의미를 포함한다. 기능적 방광용적(functional bladder capacity)은 배뇨일지에서 관찰되는 배뇨용적 중 가장 큰 용적을 말하는데, 이는 충전방광내압측정술을 진행하는 동안 미리 예상하여 방광을 채우고 검사하는 지표로 삼을 수 있다. 방광내압측정술상 최대방광용적(maximum cystometric capacity)은 방광감각이 정상인 환자가 요역동학검사 시에 더는 배뇨를 참을 수 없을 때의 방광용적을 의미하는데, 대부분 기능적 방광용적에 비해 약간 크다. 방광감각이 떨어진 환자에서는 최대방광용적을 적절하게 측정할 수 없으며, 검사자가 관찰하다가 어느 용적 이상에서 검사를 멈추는 것이 좋은데, 대개 500 mL 이상은 채우지 않는 것이 좋다.

② 저장시기의 요도

저장시기의 요도의 기능은 요도내압검사(urethral pressure profile)와 요누출압검사(leak point pressure)로 평가할 수 있다. 요도내압검사로 최대요도내압(maximum urethral pressure), 최대요도폐쇄압(maximum urethral closure pressure), 기능적 요도길이(functional urethral length), 압력전달비(pressure transmission ratio) 등의 지표를 평가하고 요누출압검사로 복압성요누출압(abdominal leak point pressure)과 배뇨근요누출압(detrusor leak point pressure)을 평가하여 정상 혹은 기능부전(incompetent)으로 해석할 수 있다.

i) 요도내압검사

요도내압검사는 요도의 전장에 걸쳐 요도 내의 압력 변화의 기록을 얻는 방법이다. 정지성요도내압검사(static urethral pressure profile)에서는 요도 도관을 방광에 삽입한 후 이를 통해 2 mL/min 정도의 속도로 액체를 주입하는 동시에 요도 도관을 기계(mechanical puller)를 통해 천천히 밖으로 뽑아내면서 요도 내압의 그래프를 얻는다. 대개 앙와위에서 시행하며, 방광이 비어 있는 상태 또는 특정 용적에서 시행하게 된다. 방광내압을 동시에 측정하는 것이 이상적이며, 요도내압에서 방광내압을 빼 준 값을 요도폐쇄압이라 한다. 여성에서는 최대요도내압, 최대요도폐쇄압, 기능적요도길이 등을 측정해야 하고, 남성에서는 최대요도내압, 최대요도폐쇄압과 전립선길이(prostatic length)를 측정한다. 기능적 요도길이는 여성에서 방광내압 이상의 요도내압을 나타내는 요도길이로, 대부분의 정상적인 요자제를 갖는 여성에서 기능적 요도길이는 대략 3 cm이고 최대요도폐쇄압은 40~60 cmH_2O이나, 임상적인 정상치는 범위가 넓은 편이다. 최근에는 요도내압검사의 변수들이 요도기능의 이상 여부나 정도를 예측하는 데 있어 임상적 유용성이 낮은 것으로 보고되고 있는데, 요도내압 검사의 의미와 임상적 유용성에 대해서는 제 33장 여성 복압성요실금의 요역동학적 평가에서 보다 자세히 다루고 있다.

정지성요도내압검사 외에 기침 등을 통해 복압을 상승 시키면서 시행하는 복압상승시요도내압검사(stress urethral pressure profile)도 있으나, 임상적 효용성이 크지 않고, 방광출구폐색의 존재 및 그 위치를 찾기 위한 배뇨시요도내압검사(micturitional urethral pressure profile)도 있으나 제대로 된 검사를 수행하기 어려워 임상진료에서 잘 사용되지 않는다.

ii) 복압성요누출압

복압성요누출압은 배뇨근의 수축 없이 복압의 상승으로 인해 요누출이 발생할 때의 방광내압으로 정의된다. 복압상승의 방법에 따라 발살바요누출압(Valsalva leak point pressure)과 기침요누출압(cough leak point pressure)으로 나눈다. 정상적인 경우 배뇨근의 수축 없이 복압의 상승만으로는 요도괄약근이 열리지 않으므로 복압 상승만으로 요누출이 발생하는 것은 요도기능이 정상적이지 않음을 시사한다. 충전방광내압측정술 도중 방광이 적어도 150~200 mL 정도 충전된 상태에서 환자에게 발살바법 또는 기침으로 복압을 올리게 하여 요누출이 발생하는 압력을 측정하게 된다. 요누출이 관찰되지 않으면 방광을 조금 더 충전시키고 다시 시행한다. 복압성요누출압을 검사할 때의 방광충전 정도는 표준화되어 있지 않은데 환자에 따라 적절한 용적을 결정하여 검사 도중 배뇨근압이 요누출에 미치는 영향이 없도록 해야 한다. 여성 복압성요실금에서 복압성요누출압의 임상적 의미 역시 제 33장 여성 복압성요실금의 요역동학적 평가에서 자세히 다루고 있다. 환자가 긴장한 경우에는 골반저근육을 수축하여 복압성요누출압이 올라가거나 요누출압이 확인되지 않을 때도 있고, 환자가 기침이나 발살바법으로 충분한 복압상승을 만들지 못하는 경우도 있으므로 환자의 협조 정도가 정확한 복압성요누출압 측정에 있어 중요한 요소가 된다.

iii) 배뇨근요누출압

배뇨근요누출압은 복압성요누출압과는 별개의 개념으로 완전히 다른 기능 이상을 측정하는 것이다. 배뇨근요누출압은 배뇨근의 수축이나 복압의 상승 없이 요누출이 발생할 때의 최소 배뇨근압으로 정의된다(그림 10-15). 이는 McGuire 등(1981)에 의해 척수이형성증(myelodysplasia) 환자의 하부요로 평가에 처음 도입된 개념으로, 무반사성방광(areflexic bladder)에서 방광출구(요도)의 저항과 방광유순도를 반영한다. 원인질환이나 기저이상이 무엇이던 간에 방광유순도가 저하되어 있는 무수축성배뇨근(acontractile detrusor) 환자에서 배뇨근요누출압은 요역동학적 안전성 즉 상부요로 및 신장의 손상 위험을 평가, 예측하는데 유용한 지표이다. McGuire 등(1981)은 척수이형성증 환자에서 배뇨근요누출압이 40 cmH_2O 이상일 경우 상부요로에 압력이 전달되어 상부요로 및 신장의 손상이 올 위험이 크다고 하였다.

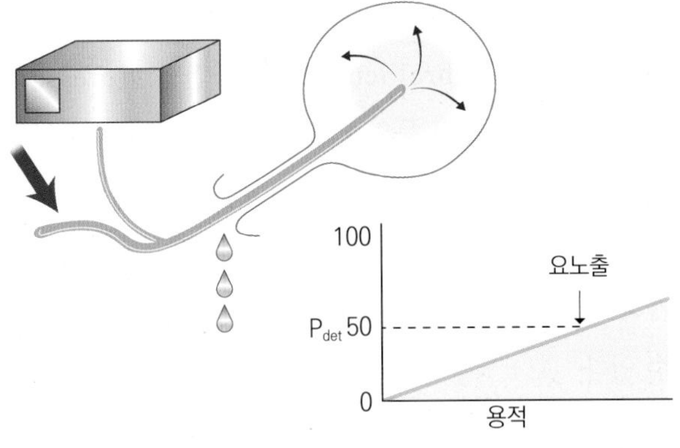

그림 10-15. 배뇨근요누출압 측정술. 요도구에서 요가 누출되는지 관찰하여야 하며, 누출 시의 압력이 배뇨근요누출압이다. Pdet: detrusor pressure.

③ 배뇨시기의 방광

배뇨시기의 정상 방광기능이란 자발적으로 본인의 의지에 의해 시작되고 지속적이며 잔뇨없이 배뇨하는 것을 의미한다. 배뇨시기에 자발적으로 배뇨가 가능할 정도로 충분한 배뇨근수축이 발생하지 않으면 정도에 따라서 배뇨근저활동성(detrusor underactivity)나 무수축성배뇨근으로 판정한다. 그러나, 환자의 감정 또는 의식의 억제에 의해 배뇨근수축이 나타나지 않을 수 있으므로 항상 요속검사와 잔뇨량 측정 결과를 참고해서 판정해야 한다. 최근 ICS Good Urodynamic Practice 지침에서는 이러한 경우를 'situational inability to void as usual'라는 용어로 표현하자고 제안하였다(Rosier et al, 2017). 배뇨근저활동성에 대해서는 제 40장에서 자세히 다루고 있다.

④ 배뇨시기의 요도

배뇨시기의 정상 요도기능은 완전히 이완되어 요배출이 용이한 것을 의미한다. 완전히 이완되지 않는 상태, 즉 기계적 혹은 기능적 의미의 폐색을 보이는 경우 비정상으로 해석한다. 압력요류검사는 소변을 배출하는 동안 방광내의 압력과 요속 간의 관계를 측정하는 것으로 소변배출 이상이 있는 환자에서 원인이 방광 문제(배뇨근수축력 이상)인지 아니면 출구 문제(요도의 해부학적 또는 기능적 폐색)인지 감별하는 데 가장 이상적인 검사이다.

압력요류검사는 전립선비대증 환자에서 방광출구 폐색 여부를 판단하는 데 많이 이용되어 왔으며, 동시에 배뇨근수축력을 평가할 수 있다. 압력요류검사에서 중요한 측정변수들에는 최대요속(maximum flow rate; Qmax), 배뇨근개방압(detrusor opening pressure), 최대요속 시 배뇨근압(detrusor pressure at Qmax) 등이 있다(그림 10-16). 압력요류검사에서 폐색을 진단할 수 있는 압력과 요속에 대한 절단치에 대해서는 일치된 의견은 없으나, 여러가지 노모그램(nomogram)이 압력과 요속 데이터를 이용하여 방광출구폐색의 진단을 돕기 위해 고안되어 사용되어 왔다. 대표적인 것으로 Abrams-Griffiths 노모그램, Schäfer 노모그램, ICS 잠정 노모그램 등이 있는데 각각의 분석 방법에 따라 출구폐색여부와 정도를 분류한다. 이에 대한 자세한 내용은 제 39장 방광출구폐색에서 보다 자세히 다루고 있다. 한편, 이러한 노모그램들은 남성에 특이한 것으로 여성은 남성보다 낮은 배뇨근압으로 배뇨하기 때문에 여성의 방광출구폐색의 진단에는 적용할 수 없다.

요역동학검사의 해석은 기본적으로 저장시기에 방광은 이완되고, 요도는 수축되어 있는 상태와 배뇨시기에 방광은 수축하고, 요도가 이완되는 현상을 정상으로 정의하고, 그 이외의 현상을 보이는 경우를 비정상으로 판단한다. 각 시기별·장기별로 세부적인 자료들을 바탕으로 상기 정상 이외의 결과를 보이는 부분이 없는지 관찰하고 해석한 후, 이를 통합적인 관점에서 질환별 상태에 맞추어 해석하여 마지막으로 진단을 내린다. 2002년 ICS에서 제시한 요역동학검사 판독규정에 따라(Abrams et al, 2002), 저장시기와 배뇨시기를 방광과 요도기능으로 나누어 전체적으로 판정할

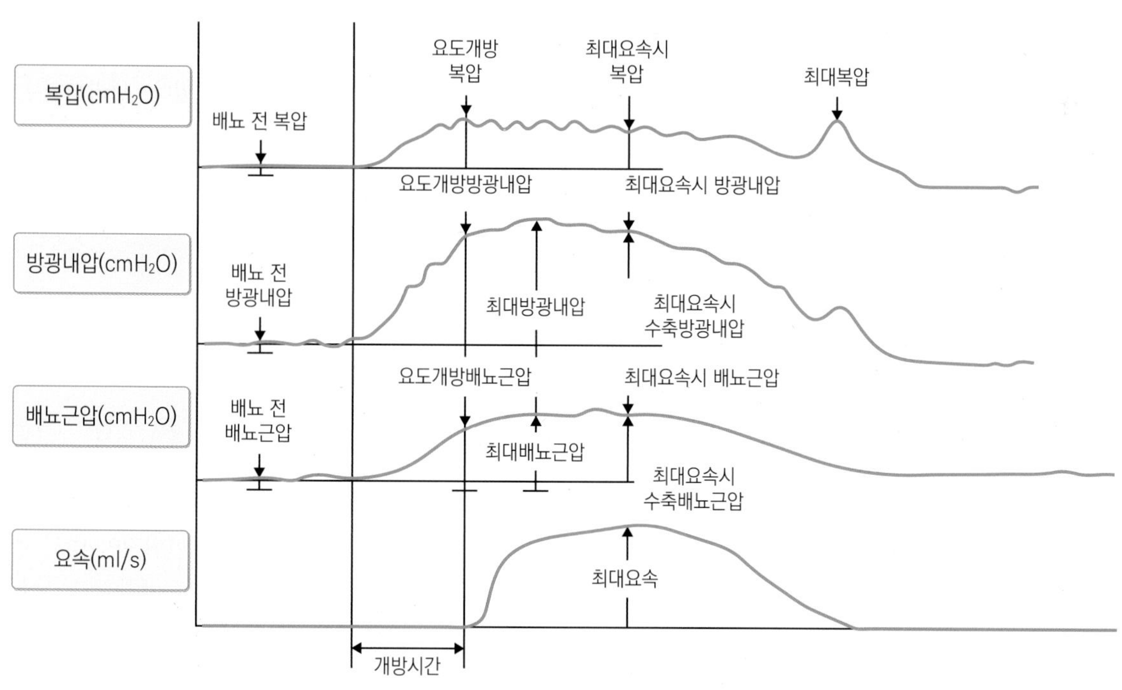

그림 10-16. **압력요류검사의 모식도와 측정변수**

수 있다(표 10-5). 2016년 ICS Good Urodynamic Practice 지침에서는 요역동학검사 결과보고 방법에 대해서 언급하였는데, 요속검사부터 압력요류검사까지 전반적인 측정요소를 포함해야 하지만 표준화된 양식에 대해서는 더 연구가 필요하다고 하였다(Rosier et al, 2017).

4. 기타 세부 검사

1) 근전도검사

근전도검사는 근육의 생체전위를 기록하는 것으로 요역동학검사에서는 괄약근근전도검사(sphincter electromyography)를 시행하여 방광의 충전과 배뇨 시 나타나는 괄약근의 활성을 검사한다. 괄약근근전도검사에서 임상적으로 가장 중요한 사항은 배뇨근과 괄약근 간의 협조(coordination) 여부를 밝히는 것이다. 전위의 측정을 위해 여러 종류의 전극을 사용할 있다. 침전극(needle electrode)을 직접 근육에 삽입하여 양질의 기록을 얻을 수 있고, 특정 근육군에 대해 높은 특이도를 제공하지만, 환자에게 통증을 유발하며 전문적인 인력이 필요한 단점이 있다. 반면, 관심있는 근육위의 피부에 붙이는 표면전극(surface electrode)은 환자가 느끼는 불편감이 적고 자유롭게 움직일 수 있는 장점이 있어 실제 요역동학검사에서 주로 사용되고 있으나 근육활성도를 나타내는 데 있어서 부정확할 수 있다.

2) 비디오요역동학검사

비디오요역동학검사는 일반적 요역동학검사의 변수들의 측정과 함께 하부요로의 방사선 투시영상을 얻는 것으로, 복잡한 하부요로기능이상을 갖는 환자들의 평가를 위한 가장 정밀한 검사이다. 즉, 요로의 구조와 기능을 동시에 평가하기 때문에 이러한 환자군에서 좀 더 정확한 진단을 할 수 있다. 주요 적응증으로는 방광출구폐색 시 정확한 해부학적 또는 기능적 폐색위치(방광경부, 전립선 또는 외요도괄약근)의 파악이 필요한 경우, 요실금 환자에서 요도 과운동성(urethral hypermobility), 방광경부개방(bladder neck opening), 방광류(cystocele) 등을 같이 관찰할 경우, 방광요관역류가 있거나 요누출로 인하여 정확한 유순도와 저장기능의 평가가 어려운 신경인성방광 환자의 경우 등이 해당된다. 비디오요역동학검사를 통해 역류 이외에도 게실(diverticulum)이나 누공(fistula), 결석과 같은 동반된 해부학적 질환을 관찰할 수 있다. 생리식염수와 혼합된 조영제를 방광에 충전하기 전에 scout영상을 얻고, 가급적 전 과정에서 총 방사선 투시시간을 줄이는 것이 좋다.

3) 이동식 요역동학검사

일반적인 요역동학검사는 보통 요역동학검사실에서 수행되는 검사를 말하며, 대개 인위적인 방광 충전을 이용하여 검사한다. 이와 달리 이동식 요역동학검사(ambulatory urodynamic study)에서는 자연적인 요생성에 의한 방광 충전을 통해 피검사자가 일상 활동을

표 10-5. **2002년 국제요실금학회에서 제시한 요역동학검사 판독요소**

시기	부위	평가요소	측정지표	해석
저장	방광	Sense	- First sense of bladder filling - First desire to void - Strong desire to void	- Normal - Increased - Reduced - Absent - Nonspecific - Pain - Urgency
저장	방광	Detrusor activity	- Involuntary detrusor contraction	- Normal - Detrusor overactivity
저장	방광	Compliance		- Normal - Decreased
저장	방광	Capacity	- Cystometric capacity - Maximum cystometric capacity - Maximum anesthetic bladder capacity	- Normal - Decreased - Increased
저장	요도	Urethral pressure profile	- Maximum urethral pressure - Maximum urethral closure pressure - Functional urethral length - Pressure "transmission" ratio	- Normal - Incompetent (Urodynamic stress incontinence, Relaxation incontinence)
저장	요도	Leak point pressure	- Abdominal leak point pressure - Detrusor leak point pressure	

시기	부위	평가요소	측정지표	해석
배뇨	방광	Detrusor activity	- Bladder contractility index	- Normal - Underactive - Acontractile
배뇨	요도	Urethral function	- Abrams-Griffiths Number - Fluoroscopic morphological image - Electromyograph	- Normal - Bladder outlet obstruction - Dysfunctional voiding - Detrusor sphincter dyssynergia - Non-relaxing urethral sphincter obstruction

하면서 검사를 실시한다. 이동식 요역동학검사는 기존의 요역동학검사에서 재현 되지 못한 하부요로증상을 가진 경우에 그 효용성이 클 수 있다. 특히 배뇨근과활동성을 찾아내는 데 더 민감한 것으로 알려져 있다. 그러나 증상이 없는 환자에서도 이동식 요역동학검사에서 배뇨근과활동성이 나타나는 경우가 적지 않아 해석에 유의해야 한다. 이동식 요역동학검사를 수행하는데 일반적으로 4시간 정도가 소요되며 압력신호를 그때 그 때 확인하여 오류를 교정할 수 없기 때문에 검사 시작 전에 도관의 고정을 확실하게 해야 하며, 환자에게도 검사 도중 도관이 제거되거나 분리되지 않도록 주의시켜야 한다. 또한 환자가 검사 도중 충만 감각, 요절박, 요누출 등이 나타날 경우나 배뇨의 시점과 종점을 자동기록에 표시하도록 하고, 그 시간과 내용을 준비된 기록지에 따로 적어서 검사가 끝난 후 후향적 분석에 이용할 수 있도록 한다.

5. 결론

요역동학검사는 하부요로의 물리적, 생리적 양상 및 신경학적 조절 이상을 알아내기 위한 유용한 배뇨기능검사로 본 장에서는 검사의 원리, 방법, 해석에 대해 설명하였다. 일반적으로 배뇨의 특성 상 이러한 비뇨기를 지배하는 신경계는 뇌의 의식에 의해 영향을 받으므로 환자가 긴장하거나 통증 때문에 흥분한 상태에서 검사를 시행하면, 검사 도중 원인 질환과 다른 배뇨양상을 보이는 경우가 있을 수 있다. 따라서 요역동학검사의 해석은 단지 검사결과에만 의존할 수 없고, 환자의 모든 자료를 가지고 통합적으로 해석하여야 한다. 환자 의식에 의한 변화를 적게 하기 위해 검사 시작 시 환자를 안정시켜 원인질환에 의한 증상이 검사 도중 나타낼 수 있도록 최대한 주의 하면서 검사하는 것이 중요하며, 그 환자에 맞는 요역동학검사의 세부항목들을 정하여 중점적으로 실시하여 원인질환을 밝히기 위해 노력하여야 한다. 방광에 매질을 충전하는 속도, 유발조작, 환자의 자세 변화를 적절하게 이용하면 검사의 민감도를 더욱 높일 수 있다. 검사 결과의 해석은 방광과 요도의 관점에서 저장시기와 배뇨시기로 나누어 세부적인 관찰을 기초로 전체적인 흐름을 파악하여야 하며, 검사를 마친 그 날 바로 해석하는 것이 중요하다.

전체 참고문헌 목록은
배뇨장애와 요실금 웹사이트 자료실
(http://www.kcsoffice.org)에서
확인할 수 있습니다.

제 11 장 하부요로기능이상의 치료: 개관

Treatment of lower urinary tract dysfunction: Overview

조성태

1. 서론

하부요로의 정상적인 기능은 요저장과 배출의 반복되는 순환과정으로, 저장기에는 방광을 낮은 압력으로 유지하는 상태에서 소변을 저장하고, 배출기에는 적절한 방광 내 압력상승과 함께 소변을 남기지 않고 모두 배출시키는 것이다(그림 11-1). 따라서 하부요로기능이상은 소변을 저장하는 저장기능 이상과 소변을 내보내는 배출기능 이상으로 크게 구분할 수 있다.

저장기능 이상은 저장기에 방광이 과활동을 보이거나 방광출구의 저항이 떨어지면 발생하게 되며(그림 11-2), 배출기능 이상은 방광의 수축이 충분히 되지 않거나, 방광출구의 폐색 등으로 발생하게 된다(그림 11-3). 그러므로 저장기능 이상의 치료는 방광의 과활동을 억제하고 방광출구저항을 증가시키는 방향으로 하며, 배출기능 이상의 치료는 방광 수축이 충분히 되도록 압력을 올려주고 방광출구저항을 감소시키는 방향으로 한다. 이와 같이 하부요로기능이상의 치료는 저장기와 배출기의 치료로 크게 분류할 수 있고, 이를 다시 방광에 작용하는지 방광출구에 작용하는지에 따라 세분화할 수 있다. 이에 본 장에서는 하부요로기능이상의 전반적인 치료에 대해서 각각의 분류에 따라 크게 4가지(저장기능이상; 방광중심, 방광출구중심)

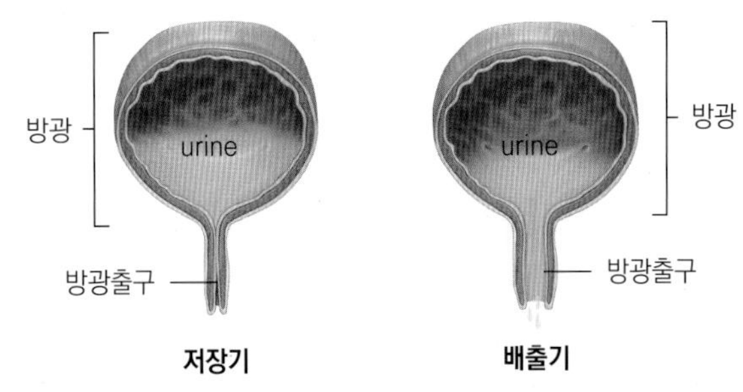

필수	방광	방광출구
저장	낮은 압력으로 충분한 양을 저장함	소변이 새지 않게 닫혀져 있어야 함
배출	소변이 배출되도록 충분한 방광수축	열리면서 소변배출의 통로역할을 함

그림 11-1. **정상 방광기능**

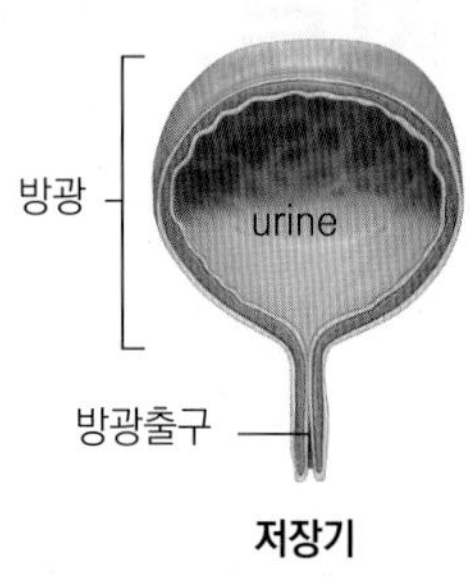

필수	방광	방광출구
저장	과활동	저항이 떨어짐
배출	소변이 배출되도록 충분한 방광수축	열리면서 소변배출의 통로역활을 함

그림 11-2. **저장 기능 이상**

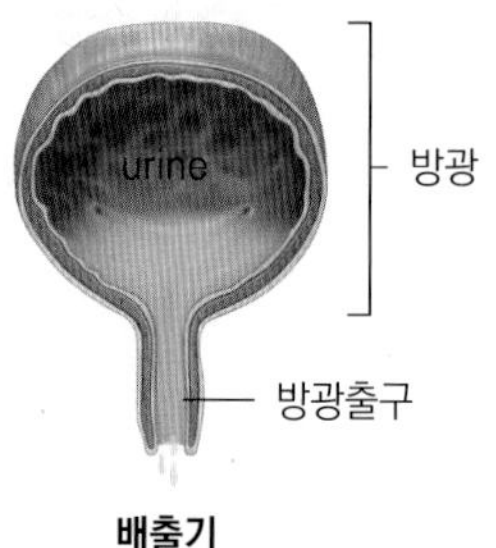

필수	방광	방광출구
저장	낮은 압력으로 충분한 양을 저장함	소변이 새지 않게 닫혀져 있어야 함
배출	방광수축이 떨어짐	폐색

그림 11-3. **배출 기능 이상**

(배출기능이상; 방광중심, 방광출구중심)로 구분하여 정리하였다.

2. 하부요로기능이상의 치료

1) 저장기능이상

(1) 방광 중심: 방광의 과활동의 억제

① 보존적 치료

행동치료는 약물치료를 시작하기 전에 우선으로 시행하며 단독으로도 할 수 있지만, 약물치료와 같이하였을 때 효과가 증대되는 것으로 알려져 있다. 일단 정상적인 하부요로의 기능에 대하여 전반적으로 교육을 하고, 배뇨일지 등을 통하여 본인의 잘못된 배뇨 습관을 이해시키고 이를 교정하는 교육을 시행한다. 만약 수분섭취가 필요 이상으로 많다면, 과도한 수분섭취의 조절, 특히 야간 수분섭취의 제한을 하도록 하고 커피와 같은 카페인 음료를 많이 마시는 경우도 조절하도록 권고한다. 그밖에 규칙적인 운동과 체중조절 등과 같은 생활습관의 개선도 어느 정도의 도움이 된다. 시간배뇨, 이중배뇨 등의 방광훈련과 바이오피드백과 병행하는 골반아래근육운동은 인지기능에 문제가 없는 환자들에게 효과적인 치료법이다(Burgio et al, 1998; Burgio et al, 2002). 반면 인지력이 떨어지는 환자에서는 절박성요실금이 발생하기 전 주위의 도움으로 화장실에 가서 배뇨하는 신속배뇨(prompted voiding)가 도움이 될 수 있다. 배뇨의 시간과 양을 기록하는 배뇨일지는 방광훈련을 시작하기에 앞서 중요한 기본 자료가 되는데 배뇨 간격과 양의 객관적 확인이 가능하여 교육 효과가 우수하며, 시간배뇨를 교육하는 데도 치료 전후로 좋은 참고가 될 수 있다.

② 약물치료

i. 항무스카린제

방광의 수축은 아세틸콜린이 방광의 무스카린수용체에 결합하여 발생하는데 주로 M3 수용체를 통해 작용하게 된다. 항무스카린제는 방광의 무스카린수용체를 통하여 작용하며 말초 평활근의 운동수용체와 감각수용체에 작용하여 저장기에 불수의적 배뇨근수축을 억제하여 평균 70~80%의 증상 개선효과를 보인다(Wein et al, 2006). 국내에서 사용 가능한 항무스카린제로는 Trospium, Tolterodine, Festerodine, Solifenacin, Imidafenacin 등이 있으며, 가장 흔한 부작용으로는 입 마름과 변비가 있다. 이들 약제는 모두 비슷한 효능과 부작용을 나타내나 그 중 Trospium은 4가 아민으로 뇌혈관장벽을 통과하지 않아 상대적으로 중추신경 부작용이 적다고 할 수 있다.

ii. 복합 작용제

항무스카린 효과 이외에 배뇨근에 직접적인 효과를 보이는 약제로, 약효는 대부분 항무스카린 효과에 의하는 것으로 설명된다. 평활근 이완 효과는 칼슘채널 차단에 의해 발생한다. 약제로는 과민성방광 치료에 오랫동안 사용되고 있는 약제인 Oxybutynin와 Propiverine 등이 있으며, 부작용은 항무스카린 약물과 유사하다(Haruno et al, 1992; Tokuno et al, 1992). Flavoxate는 배뇨근에 직접적인 효과를 가지지만, 항무스카린 효과는 미미하며, 임상적 효과가 충분히 입증되지 않아 최근에는 거의 사용되지 않는다.

iii. 베타3 교감신경작용제

베타3 아드레날린수용체는 주로 방광체부에 존재하며 배뇨근 이완 작용을 한다. 사람 배뇨근에는 베타수용체 1, 2, 3 중에서 베타3이 대다수를 차지하며, 베타3에 선택적으로 작용하는 베타3 교감신경작용제는 베타1이나 베타2에는 작용하지 않아 심혈관계 부작용은 거의 없다. 항무스카린제와 달리 방광수축에 영향을 주지 않으며, 방광을 직접 이완시켜 용적을 늘리는 기전으로 증상을 개선시킨다. 항무스카린제에서 나타나는 입 마름, 변비 등의 부작용도 거의 없으며 요폐의 부작용도 덜한 것으로 보고되고 있다. 현재 국내에서 유일하게 사용할 수 있는 약제는 Mirabegron으로 Vibegron은 향후 시판 예정에 있으며 Solabegron 은 개발 단계에 있다.

③ 보툴리눔 독소 주사

클로스트리듐 보툴리눔에서 발견된 보툴리눔 신경독소는 콜린신경의 시냅스 전막에서 아세틸콜린이 소포로부터 유리되는 것을 억제함으로써 신경 차단을 일으킨다. 보툴리눔 신경독소는 7가지 종류가 있으며 그 중 아형 A가 임상적으로 가장 의의가 있다. 보툴리눔 독소A의 방광내 주사는 배뇨근 과활동성에 효과가 입증되었으며 부작용으로는 요폐가 드물게 보고된다. 항무스카린제나 베타3 교감신경작용제 등의 경구 약물치료를 충분히 하였음에도 효과가 없을 경우, 방광 내 보툴리눔 독소A 주사를 고려해 볼 수 있다(Dmochowski et al, 2004; de Miguel et al, 2006).

④ 전기자극

말초신경을 자극하여 비정상적인 배뇨척수반사를 정상화하는 것이 목적이며 배뇨근의 억제반사경로를 활성화하는 방식으로 작용하는데, 자극의 위치는 천수신경, 음부신경, 경골신경 등이 이용된다(Olivera et al, 2016).

⑤ 천수신경조정술

천수신경조정술은 천수신경을 자극함으로써 불안정한 신경반사를 억제하는 것이 치료 목표이며, 요도괄약근과 골반저를 강화시키고 배뇨반사를 억제하는 효과를 나타낸다. 특히 천수신경 S3를 자극함으로써 요도괄약근과 골반저를 강화시키고 배뇨근 반사를 억제하는 효과를 나타낸다.

⑥ 수술치료

1차 약물치료 그리고 보툴리눔 독소 주사, 전기자극, 천수신경조정술 등의 2차 치료에도 효과가 없는 경우 수술로 방광용적을 직접 증가시키는 3차 치료를 고려해 볼 수 있다(Apostolidis et al, 2017).

(2) 방광출구 중심: 출구저항 증가

요도근육의 긴장을 증가시킴으로써 출구저항을 증가시키는 약물들이 있으나, 효능이 뚜렷하지 않고 여러 부작용 등으로 임상적 사용이 제한되고 있다. 약제로는 알파 교감신경작용제, 베타 아드레날린길항제와 작용제, 세로토닌-노르에피네프린 흡수 억제제 등이 있다. 또한, 출구저항을 증가시키기 위해 질과 회음 폐쇄 및 보조 기구를 이용할 수 있으며, 요도주위 주사, 슬링수술 및 탈출증 교정, 방광출구 폐쇄나 재건술, 인공요도괄약근, 근성형 등의 수술이 시행될 수 있다.

2) 배출기능이상

(1) 방광 중심: 방광내압 증가, 방광수축 촉진

① 행동치료

방광아래를 압박하거나 발살바법을 통하여 방광내압을 증가시키고, 방광수축반사의 촉진이나 방광 훈련 등을 통해 방광 수축을 유발하게 하는 행동치료를 할 수 있다.

② 약물치료

방광 수축 경로의 주요 부분은 부교감신경 신경절 이후 무스카린성 수용체의 자극이다. 대표적인 약물로 Bethanechol이 있는데, 방광의 수축에 작용하는 부교감신경 작용제로 경구투약을 시도해 볼 수 있으나 임상효과는 그다지 좋다고 할 수 없다(Manchana et al, 2011; Gaitonde et al, 2019).

③ 전기자극

방광에 직접 전기자극을 가하면 방광내압 증가 효과를 나타내며, 주로 근긴장 저하나 배뇨근무반사 환자에서 효과를 나타낸다. 하지만 방광 주변 구조에 영향을 주어 여러 가지 부작용이 발생할 수 있다.

④ 천수신경조정술

천수신경조정술은 방광 구심로차단으로 인한 요정체 환자에서 치료 효과를 나타낼 수 있는데(Dasgupta et al, 2004; De Ridder et al, 2007), 과잉 보호반사(guarding reflex)를 억제하여 배뇨를 촉진시키는 작용을 한다(Leng et al, 2005).

⑤ 수술치료

방광의 수축력을 회복시키기 위한 수술치료로 방광근성형술을 고려해 볼 수 있다. 방광 근성형술은 방광수축력이 심하게 손상된 경우, 광배근 피판(Latissimus dorsi flap) 등 다른 근육 피판을 이용하여 방광을 재건 하는데 아직은 임상 효과가 뚜렷하지 않다(Ninkovic et al, 2012).

(2) 방광출구 중심: 방광출구저항 감소

① 약물치료

i. 알파 교감신경 차단제

방광출구저항을 감소시키는 대표적인 약제로는 알파차단제가 있다. 알파차단제는 방광경부 평활근과 남성의 전립선 평활근을 이완시킨다. 알파1 교감신경수용체 중 방광출구저항을 감소시키는 효과는 주로 알파1A 수용체에 의해서 이루어진다(Schwinn et al, 1999). Terazosin, Doxazosin, Alfuzosin는 수용체 비선택적 알파차단제로 그동안 오랫동안 사용돼 왔던 약제로 기립성 저혈압 등의 부작용의 발생가능성은 있지만, 대개 비슷한 임상 효과를 나타낸다. 반면 수용체 선택성을 보이는 알파차단제로는 Tamsulosin, Silodosin과 Naftopidil 등이 있는데, Tamsulosin과 Silodosin은 알파1A에, Naftopidil은 알파1D에 선택성을 보인다.

ii. 기타 약제

진정, 항불안효과와 함께 근이완효과를 갖는 Benzodiazepine 그리고 Baclofen이 방광출구 저항을 낮추지만, 임상적으로 그다지 효과를 기대하기 어렵다.

② 수술치료

출구저항을 감소시키는 수술로는 경요도방광경부절제술, 경요도방광경부절개술, 괄약근절개술, 요도확장술, 요도스텐트 삽입술 등이 있다.

전체 참고문헌 목록은
배뇨장애와 요실금 웹사이트 자료실
(http://www.kcsoffice.org)에서
확인할 수 있습니다.

제 12 장 하부요로건강을 위한 생활습관과 식이

Lifestyle and diet recommendations for lower urinary tract health

송윤섭

1. 서론

각자의 식이습관이나 신체활동 정도와 같은 생활방식은 전신에 영향을 줄 수 있으며 하부요로기능에도 영향을 미쳐 하부요로 증상을 호전시키거나 악화시킬 수 있을 것이다. 아직은 이러한 음식, 운동 정도나 기타 생활습관들이 하부요로 증상에 미치는 영향에 대해 명확하게 보여 주는 연구는 제한적이나, 많은 관찰 연구에서 생활방식에 따른 하부요로 증상의 변화들이 보고되고 있어 하부요로증상의 기존의 병인과 더불어 조절 가능한 생활습관 인자들에 관한 관심이 증가하고 있다.

본 장에서는 현재까지 알려진 하부요로 증상에 영향을 미치는 생활습관 인자와 식이에 대해 정리하고자 한다.

2. 하부요로 건강에 영향을 줄 수 있는 생활습관과 식이

1) 식이섭취

(1) 카페인

카페인은 이뇨작용, 방광감각 증가, 배뇨근과활동성 유발, 요속 증가 또는 배뇨량 증가를 통해 빈뇨 및 요절박을 유발할 수 있다(Jura et al, 2011; Lohsiriwat et al 2011). 많은 관찰 연구에서 카페인 섭취와 하부요로 증상과의 관련성을 보여 주었는데, 65,176명의 여성을 대상으로 한 전향적 코호트 연구에서는 주간 절박성 요실금 횟수가 카페인 섭취가 많은 군(하루 평균 450 mg 이상)에서 카페인 섭취가 적은 군(하루평균 150 mg 미만)에 비해 25% 이상 증가하였다고 보고하였고 (Jura et al, 2011), 4,144명을 대상으로 5년 동안 추적 관찰한 Boston Area Community Health (BACH) 코호트 연구에서는 남성에서 하루 평균 2잔 이상 커피를 마시는 것은 그렇지 않은 사람들에 비해 5년 후 하부요로증상, 특히 저장증상이 악화할 위험성이 2배 정도 증가한다고 보고하였다. 같은 연구에서 추적 기간 동안 카페인 음료 섭취량이 2잔이나 8온스 이상 증가한 여성의 경우 그렇지 않은 여성에 비해 요절박 증상이 60−80% 정도 악화하였다고 보고하여 카페인 섭취량이 많을수록 증상이 악화됨을 보여주었다(Maserejian et al, 2013). 따라서, 빈뇨 및 요절박 등 방광자극 증상이 있는 환자들에게는 카페인이 하부요로증상에 미치는 영향에 관해 설명하고, 카페인 성분이 없는 음료로 대체하도록 교육해야 한다. 만약 카페인 섭취를 지속하기를 원할 때는 하루에 200 mg 미만의 카페인(커피 2잔) 섭취가 권장된다(Newman, 2007).

(2) 알코올

알코올은 배뇨조절 기능을 방해하여 빈뇨 및 요절박을 유발할 수 있으며 이외에도 이뇨작용 및 탈수를 유발하여 하부요로증상에 영향을 미칠 수 있다. 20세 이상의 남성에서 국제전립선증상점수를 이용하여 남성 하부요로 증상에 대해 조사한 연구에서 고용량의 알코올섭취는 중등도 이상의 하부요로증상과 연관성이 높다고 보고하였으며 남성하부요로증상에 대한 위험요소 중에 교정 가능한 위험요소라고 하였다(Seim et al, 2005). Boston Area Community Health (BACH) 코호트 연구에서는 남성에서 음주를 하는 경우 하부요로증상, 특히 방광자극증상 발생이 음주를 하지 않는 경우에 비해 2배 이상 증가하였다. 여성의 경우에는 음주를 하는 경우 자극증상은 50% 정도 적고 배뇨증상은 3배 정도 더 많았다(Maserejian et al, 2012). 또한, 19개 연구 120,091명의 남성을 대상으로 한 메타분석은 하루 평균 36 mg의 알코올을 섭취하는 남자의 경우 전립선비대증 발생을 35% 정도 낮추지만 하부요로증상의 위험도는 증가하는 것으로 보고하였다(Parsons·Im, 2009).

그러나 한 연구에서는 알코올의 하부요로증상에 대한 예방효과를 보고하였다. 4,887명의 남성을 대상으로 시행한 이 연구에서 알코올은 과민성방광 발생에 예방효과가 있으며, 그에 대한 가설로는 맥주의 알코올 이외의 다른 성분들, 예를 들면 엽산과 비타민 B6 성분들은 배뇨근 이완에 효과가 있으며 단기간의 알코올섭취는 일시적으로 혈중 테스토스테론을 감소시키고 에스트로젠을 증가시켜 근육 내 칼슘유입 억제에 따른 평활근 수축력 감소와 관련이 있을 것이라고 설명하였다(Dallosso et al, 2004).

(3) 비타민 D

남녀에서 비타민 D가 요자제를 유지한다고 알려졌다. 3개의 대단위 역학조사에서 절박요실금 위험성이 비타민 D 부족과 연관된다는 증거를 제공했다(Dallosso et al, 2004; Badalian et al, 2010; Vaughan et al, 2011). 첫 번째 연구에서 음식의 영양 조성과 과민성방광 및 절박요실금 발생과의 연관성을 연구하여, 40세 이상 지역 거주 여성에서 1년 후 비타민 D 다량 섭취자가 여성 과민성방광 및 절박요실금 발생 위험성을 줄인다고 보고되었다(Dallosso et al, 2004). 두 번째 연구는 National Health and Nutrition Examination Survey (NHANES)에서 골반저 질환 비임신여성의 비타민 D 부족 유병율을 조사하여, 다변량 분석에서 비타민 D 수준을 정상으로 증가시키면 절박요실금이 45%까지 감소한다고 보고하였다(Badalian et al, 2010). 세 번째 연구에서 NHANES 자료는 비타민 D 부족 남자에서 중등도/심각 절박요실금 비율이 높고 야간뇨,

불완전배뇨, 지연뇨, 절박요실금 같은 한 가지 이상의 하부요로증상을 가진다고 보고하였다(Vaughan et al, 2011). 비타민 D 수용제는 많은 조직과 기관에 존재하므로 비타민 D는 골반저 근육 강도를 증가시키고 요도괄약근 기능을 개선하며 배뇨근 과활동성을 억제하고 전립선비대를 감소시킴으로 절박요실금과 다른 방광증상을 예방에 도움이 된다.

(4) 크랜베리 제품

음식이 요로감염 발생에 역할을 한다. 크랜베리, 크랜베리 주스 크랜베리 보조식품은 재발성 요로감염 여자에서 요로감염을 방어하거나 예방하는 효과를 보인다(Jepson et al, 2008; Eells et al 2011). 크랜베리의 조성인 에이형 프로안소사아아니딘(A-type proanthocyanidins)은 농도 의존적으로 요로상피에 세균부착을 억제한다(Liu et al, 2010; Rossi et al, 2010). 그러나 모든 연구에서 효과를 보이는 것은 아니다. 반복성 요로감염이 있는 221명의 폐경 전 여자에서 항생제 trimethoprim sulfamethoxazole (TMP-SMX)과 크랜베리 보조식품을 비교하는 한 연구에서 12개월간 TMP-SMX 군에서 요로감염 증상이 적었으나, TMP-SMX 군에서 항생제 저항이 증가하였고, 크랜베리 보조식품 군에서는 저항이 증가하지 않았다(Beerepoot et al, 2011). 다른 연구에서는 319명의 여대생에서 급성 요로감염 위험성에 대한 8온스의 크린베리 주스를 하루 2회 복용하는 효과는, 위약군과 비교하여 6개월간 두번째 요로감염 발생을 줄이지 못하였다(Barbosa-Cesnik et al, 2011). 상반된 연구결과에도 불구하고 크린베리를 복용하는 것은 요로감염에 민감한 사람들에게는 요로감염 위험도를 줄일 수 있다.

(5) 약물

방광염, 혈뇨, 방광용적 감소 수신증, 신장 손상뿐 아니라 요절박, 빈뇨, 야간뇨 등의 심한 하부요로증상은 케타민 남용과 연관된다(Middela et al, 2011). 방광에 대한 영향의 기전은 잘 모르나, 비가역적 신장손상이 발생하지 않았다면 케타민을 중단하면 증상은 호전된다(Middela et al, 2011).

(6) 방광에 친화적인 음식들

① 음료수로는 카모마일 차, 배 주스, 순수한 블루베리 주스, 우유, 페퍼민트 차, 아몬드 우유, 쌀 우유, 비우유제품 커피크림, 무알콜 에그녹

② 곡물 제품으로는 메밀, 옥수수빵, 흰빵, 귀리빵, 감자빵, 기장(millet), 오트밀, 파스타, 쌀

③ 지방과 견과류로는 땅콩, 카놀라유, 방부제가 없는 코코넛, 코코넛 오일, 옥수수 오일, 마가린, 올리브유, 땅콩 유, 홍화유, 참기름, 쇼트닝, 대두유, 수제 샐러드 드레싱

④ 수프로는 문제가 되지 않는 고기와 채소로 만든 수제 수프

⑤ 고기와 생선 및 가금류로는 쇠고기, 닭고기, 계란, 양고기, 돼지고기, 조개류, 신선한 게살, 새우, 칠면조, 송아지고기, 유청(whey) 단백질파우더

⑥ 치즈와 다른 유제품으로는 크림치즈, 코티지 치즈, 페타, 모짜렐라, 리코타, 현치즈(string cheese), 휘핑 크림, 아이스크림, 우유, 쌀 우유

⑦ 야채와 말린 콩으로는 브로콜리, 브뤼셀 콩나물, 양배추, 당근, 콜리플라워(cauliflower), 콜라드 그린(collad greens), 옥수수, 오이, 케일, 렌즈콩(lentils), 양상추, 겨자 채소, 버섯, 말린 콩, 파슬리, 완두콩, 감자, 호박, 무, 눈 완두콩, 완두콩,

순무, 참마, 호박

⑧ 과일류로는 방부제 없는 코코넛, 배, 사과, 수박

⑨ 스낵으로는 아몬드, 당근, 샐러리, 일반 옥수수 칩, 일반 감자 칩, 소다 크래커, 오트 밀 바, 땅콩, 팝콘, 프레즐

⑩ 디저트와 과자로는 흑설탕, 캐롭(carob), 당근 머핀과 케이크, 크렘 브륄레(creme brulee) , 커스터드, 꿀, 감초, 메이플 시럽, 배 파이, 설탕, 설탕 쿠키, 바닐라 아이스크림, 바닐라 푸딩

⑪ 조미료 및 첨가제로는 피망, 아몬드 추출물, 바질, 고수, 마늘, 로즈마리, 소금, 타임, 바닐라 추출물

⑫ 섬유보충제로는 아카시아 섬유, 베네파이버(Benefiber), 일반 메타무실(Metamusil)

(Shorter et al, 2007; Tettamanti et al, 2011; IC/PBS Ad Hoc Committee on Diet, 2009)

(7) 방광을 자극하는 음식들

① 음료수로는 탄산수, 맛을 낸 물, 초콜릿 우유, 감귤쥬스, 크랜베리 쥬스, 허브티 블렌드, 녹차, 대부분의 과일 주스, 일반 커피, 소다, 두유, 차, 에너지 음료, 분말음료

② 곡물제품으로는 방부제가 함유된 빵 또는 시리얼, 간장 가루, 파스타

③ 지방과 견과류로는 개암(Filberts), 마카다미아 너트, 마요네즈, 대부분의 샐러드 드레싱, 땅콩, 피칸, 피스타치오 너트, 영국 검은 호두

④ 수프로는 고기국물 큐브, 고기국물 파우더, 대부분의 통조림 수프 등이다.

⑤ 고기와 생선 및 가금류로는 볼로냐 소시지, 핫도그, 대부분의 소시지, 페퍼로니, 살라미, 훈제 생선, 게살 통조림, 간장

⑥ 치즈와 다른 유제품으로는 숙성 치즈, 블루치즈, 브리 치즈, 파르마 치즈, 카망베르 치즈, 체다, 에담 치즈, 에멘탈러 치즈, 그뤼에르 치즈, 하드잭 치즈, 로크포르 치즈, 셔벗, 두유, 두유치즈, 사워크림, 스틸턴 치즈, 스위스 치즈, 치즈위즈, 요거트

⑦ 야채와 말린 콩으로는 칠리 페퍼, 검은 콩, 파바콩, 리마콩, 피클, 생구(Raw bulb) 양파, 소금에 절인 양배추, 에다마메 콩, 토마토, 토마토 소스, 토마토 주스, 두부

⑧ 과일류로는 살구, 감귤류, 멜론, 체리, 말린 복숭아, 매실, 말린 무화과, 황금 건포도, 포도, 구아바, 키위, 대부분의 딸기, 파파야, 감, 파인애플

⑨ 스낵으로는 양념 감자칩, 구운 제품

⑩ 디저트와 과자로는 아스파탐(aspartame), 케첩, 밀크 초코렛, 다크 초코렛, 커피 아이스크림, 겨자, 피칸 파이, 셔벗, 민스미트(mincemeat) 파이, 사카린

⑪ 조미료 및 첨가제로는 아스코르브산(ascorbic acid), 자가분해효모, 부틸화하이드록시아니솔, 부틸화하이드록시톨루엔, 벤조에이트, 카페인, 카이엔 고추, 고추가루, 구연산, 육류연화제, 된장, 파프리카, 고추, 간장, 타마리(tamari), 식초, 엠에스지(단일나트륨 글루타메이트), 메타비설파이트, 설파이트

⑫ 섬유보충제로는 메타무실 오렌지, 메타무실 베리 버스트, 무설탕 실리움 섬유

(Shorter et al, 2007; Tettamanti et al, 2011; IC/PBS Ad Hoc Committee on Diet, 2009)

2) 수분섭취

수분 섭취량은 하부요로증상에 영향을 미치는 중요한 요소 중의 하나로, 과도한 수분 섭취는 하부요로증상을 악화시킬 수 있다. 하루 평균 3,700 mL이 넘는 수분을 섭취하는 사람들은 평균 주간 배뇨횟수가 10회, 야간뇨는 2회 정도로 하루평균 2,400 mL 정도 섭취하는 사람들의 평균 주간 배뇨횟수 7회, 야간뇨 횟수 1회에 비해 많았으며 요실금 발생도 유의하게 증가하였다(Miller et al, 2011).

젊고 건강한 남성 30명을 대상으로 한 연구에서 과도한 수분섭취를 한 군(하루 60 mL/kg 이상)은 정상 수분섭취군(하루 평균 30 mL/kg)에 비해 소변량 및 배뇨횟수가 증가했을 뿐만 아니라 방광압력도 유의하게 높아진다고 하였고(Schmidt et al, 2004), 늦은 오후의 다량의 수분 섭취는 노인과 야간뇨 증상이 있는 사람들에게 야간뇨 증상을 악화시킬 수도 있다. 하부요로증상, 특히 빈뇨, 요절박 또는 요실금을 경험한 사람들은 증상 개선을 위해 수분 섭취를 줄이는 경우가 있는데 오히려 과도한 수분 섭취 제한은 소변의 농도가 짙어져 방광점막을 자극하여 요절박 과빈뇨를 유발할 수 있다(Beetz, 2003). 적절한 수분을 섭취하기 위해서는 먼저 배뇨일지 작성으로 자신의 배뇨습관을 확인한 후 수분섭취량이 많은 경우 수분섭취를 조절하도록 한다.

3) 흡연

흡연은 잦은 기침을 유발하여 복압성요실금이 발생할 수 있고 니코틴 성분이 배뇨근을 자극하여 과민성방광 발병에 영향을 줄 수 있다. 현재 흡연 중인 여성은 흡연경력이 없는 여성보다 복압성요실금의 빈도가 2.5배 높았으며, 흡연 경력이 있는 여성은 2.2배 높았다. 금연하면 요실금 발생의 위험도를 28% 정도 낮출 수 있다고 하였다(Bump·McClish, 1992). 40세 이상 6,424명의 여성을 대상으로 1년간 추적 관찰한 연구 결과에서 흡연자는 비흡연자에 비해 복압성요실금과 과민성방광의 위험도가 높다고 보고하였으며(Dallosso et al, 2003), 60~89세 이상의 고령 남녀 1,059명을 대상으로 한 연구에서도 흡연과 요절박과의 관련성을 보고하였다(Nuotio et al, 2001). 그러나 Dallosso 등(2004)이 4,887명의 남성을 대상으로 시행한 연구에서는 흡연과 과민성방광 증상과의 관련성이 없다고 발표하였으며, 다른 인구기반 연구에서는 15간년 이상의 흡연력이 있거나 현재 하루 20개피 이상 흡연하는 사람들의 경우에만 요실금과 연관성이 있다고 보고하기도 하였다(Hannestad et al, 2003).

정리하면, 흡연과 하부요로증상과의 관련성에 대한 다양한 연구 결과들이 보고되고 있으나 금연하는 것이 하부요로증상의 예방이나 치료에 도움이 된다는 명확한 연구결과는 없다. 그러나 금연은 전반적인 건강 및 방광암 예방을 위해 권고되는 사항이며, 기침할 때 요실금 증상이 있는 환자들에게는 권고사항이 될 수 있다.

4) 비만

비만은 복압을 증가시켜 골반저에 구조적 손상이나 신경학적 기능 이상을 일으켜 하부요로증상을 유발한다고 알려져 있으며(Richter et al, 2008) 많은 역학연구에서 비만과 하부요로증상과의 연관성을 보고하고 있다. 40세 이상 6,424명의 여성을 대상으로 음식 및 생활습관이 과민성방광과 복압성요실금에 미치는 영향을 분석한 코호트 연구에서 체질량지수 30 kg/m^2 이상인 여성을 1년간 추적 관찰한 결과 과민성방광증상 및 요실금 증상이 발생할 위험성이 높다고 보고하였고 (Dallosso et al, 2003), 요실금 증상이 없던 35,754명의 여성을 2년간 관찰한 결과 요실금 발생과 체질량지수, 허리둘레 및 체중의 증가가 밀접한 관계가 있다고 보고하였다(Townsend et al, 2007). 남성에서 비만은 전립선비대증을 악화시켜 하부요로증상을 일으킬 수 있는데 Baltimore Longitudinal Study of Aging (BLSA) 코호트 연구에서는 체질량지수가 1 kg/m^2 증가함에 따라 전립선용적은 0.41 cc 증가한다고 하였다(Parsons et al, 2006). 체질량지수가 35 kg/m^2 이상의 비만인 남성은 체질량지수가 25 kg/m^2 미만인 정상 남성에 비해 전립선용적이 3.5배 더 크다고 발표하였으며(Parsons et al, 2006), 체질량지수, 허리 둘레 및 체중의 증가는 전립선용적의 증가뿐만 아니라 하부요로증상을 악화시키는 것으로 보고되고 있다(Parsons et al, 2013). 국내 연구에서는 하부요로증상을 호소하는 40세 이상의 남성 602명을 대상으로 한 연구에서 허리둘레가 90 cm 이상인 남성의 경우 허리둘레가 90 cm 이하인 경우보다 심한 하부요로증상을 호소할 가능성이 1.36배 높다고 하였으며(Lee et al, 2009) 다른 국내 연구에서도 체질량지수가 증가할수록 전립선 용적이 증가하고 전립선증상점수가 높다고 보고하였다(Kim et al, 2011). 비만은 하부요로증상의 위험요소 중 조절 가능한 요소로서, 체중을 줄이면 요실금 증상이 개선된다는 많은 연구 결과가 보고되고 있다. 체질량지수가 25 kg/m^2 이상이고 요실금 증상을 호소하는 338명의 비만여성을 대상으로 시행한 전향적 연구에서 체중 감소 후 복압성 요실금 및 절박성요실금 증상이 호전되었으며 체중 감소량이 많을수록 요실금 증상 개선에 대한 만족도가 높다고 하였다(Subak et al, 2009). 몇몇 연구에서는 요실금 증상이 있는 고도 비만환자에서 비만대사수술시행 후 요실금 증상이 현저하게 호전되었다고 발표하였다(Ahroni et al, 2005; Vella et al, 2009).

결론적으로 비만은 요실금의 명백한 원인의 하나이며 따라서 요실금 증상, 특히 복압성요실금 증상이 있는 비만환자에서 체중을 줄이는 것은 일차적인 치료법이다(Wyman et al, 2009).

5) 신체활동 및 운동

여성에서 신체활동 및 운동이 하부요로증상에 미치는 영향에 대해서는 상반된 두 가지의 가설이 있는데 첫 번째는 운동을 함으로써 전신근육이 발달하게 되면 골반근육도 발달하게 되어 하부요로증상에 도움이 된다는 것이고, 두 번째는 골반근육에 높은 강도의 반복적인 압력이 가해지면 시간이 지남에 따라 골반근육이 약해져서 하부요로증상을 악화시킬 수 있다는 것이다. 이에 따라 하부요로증상과 신체활동 및 운동과의 연관성에 대해서는 상반된 연구결과들이 보고되고 있다.

Boston Area Community Health (BACH) 관찰 연구에서는 5년간 관찰한 결과 신체활동이 많은 여성은 신체활동이 적은 여성에 비해 하부요로증상 발생률이 68% 정도 낮으며 하부요로증상 중 배뇨증상 발생률은 61% 정도 낮으나 자극증상에는 영향이 없다고 하였고 (Maserejian et al, 2012), 54~79세 여성을 대상으로 한 전향적인 연구에서도 신체활동량이 많을수록 요실금 발생 위험도가 감소하며 특히 복압성요실금의 발생위험도를 감소시킨다고 하였다(Danforth et al, 2007). 그러나, 무거운 물건을 자주 드는 경우 골반장기탈출증이나 요실금에 대한 수술을 받을 확률이 1.6배 증가하며(Jorgensen et al, 1997), 임신 전에 골반근육에 미치는 압력이 높은 운동(달리기, 줄넘기)을 하는 경우 그렇지 않은 경우에 비해 첫 출산 이후 요실금의 발생이 40% 정도 증가한다는 상반된 연구결과도 있다(Eliasson et al, 2005). 요실금에 관한 국제자문회의International Consultation on Incontinence; ICI (2009)에서는 현재까지 격렬한 운동과 요실금 발생의 관련성은 없으며 운동하는 동안 복압성요실금 증상이 유발될 수 있으나 오히려 적당한 운동은 중년 이상의 여성에서 요실금의 발생을 감소시킬 수 있다고 하였다(Hay-Smith et al, 2009).

남성에서는 신체활동의 증가가 전립선비대증과 하부요로증상의 위험도 감소와 연관이 있다는 결과들이 많이 보고되고 있다. 11개의 연구에서 43,083명의 남성 환자를 대상으로 시행한 메타분석에서는 중등도 이상의 신체활동을 하는 군에서 신체활동이 적은 군에 비해 전립선비대증과 하부요로증상의 진행 위험도가 약 25% 감소하는 것으로 보고하였으며(Parsons·Kashefi, 2008), 최근 발표된 780명의 남성을 5년간 추적 관찰한 전향적 연구에서도 신체활동이 하부요로증상에 대한 예방효과가 있음을 보여 주었다(Martin et al, 2014). 신체활동이 전립선비대증과 하부요로증상에 영향을 미치는 기전은 신체활동이 호르몬의 변화를 통해 전립선 성장에 영향을 줄 수 있으며 또한 신체활동이 체중을 감소시키고 혈류를 증가시키며 혈중지질과 지질단백질을 정상화함으로써 전신적 심혈관계질환의 일부 증상인 하부요로증상을 완화시킬 수 있다고 설명되고 있다(Parsons·Kashefi, 2008).

6) 변비

변비가 있는 경우 확장된 직장이 직접적으로 방광 후벽에 압력을 가하여 배뇨근과활동성이나 배뇨곤란에 영향을 미치거나(Lucanto et al, 2000), 배변 배출을 위한 지속적인 항문수축으로 골반근육의 수축에 영향을 미치거나 이로 인한 이차적인 배뇨근괄약근 협조장애(detrusorsphincter dyssynergia)로 변비가 하부요로증상에 영향을 미칠 수 있다고 한다(O'Regan et al, 1985). 변비는 요절박, 절박성요실금, 빈뇨와 야간뇨 등 과민성방광 증상뿐만 아니라 배뇨곤란 및 복압성요실금 증상에도 영향을 미치는 것으로 알려져 있다. 변비와 하부요로증상과의 관련성에 대해서는 소아영역에서는 많은 연구결과가 있으나 성인의 경우에는 많지 않다. 40세 이상의 성인남성을 대상으로 시행된 대규모 단면적 코호트 연구에서 3,077명 중 하부요로증상은 37%에서 호소하였으며 하부요로증상과 변비가 동반된 경우는 4%였으며 하부요로증상은 적은 배변횟수나 배변상태와 연관이 있었다고 하였고(Thurmon et al, 2013), 요실금을 호소하는 413명의 여성 중 38%에서 변비증상이 있었다는 연구도 있으며(Manonai et al, 2010), 하부요로증상이 있는 노인에서 변비치료 후 요절박과 빈뇨증상이 호전되었다는 보고도 있다(Charach et al, 2001).

7) 배뇨습관 및 기법

(1) 배뇨 빈도

배뇨 빈도는 방광감각, 편리성, 기회, 절박요실금에 대한 걱정 등을 포함한 여러 인자들에 영향을 받는다. 과도한 빈뇨는 요절박이나 절박요실금을 피하기 위한 전략일 수 있다(Anger et al, 2011). 그러나 시간이 흐름에 따라 빈뇨는 기능적 방광용적의 저하 및 방광기능 부전을 가져올 수 있다(Sampselle et al, 2003). 반대로 배뇨를 자주 하지 않으면 소변이 방광점막을 자극하여 하부요로증상과 요로감염의 발생률을 높인다(Beetz et al, 2003; Rudaitis 2009), 배뇨를 자주 하지 않으면 방광이 과팽창되어 방광감각을 인식하는 것을 늦추고 요로감염을 일으킬 수 있다(Lapides et al, 1979).

(2) 성교 후 배뇨

성관계는 요로감염과 관련이 있다. 적절한 위생을 위하여 여성에서 성관계 후 바로 배뇨하는 것은 요로감염 예방을 위하여 권장된다(Hooton et al, 2001).

(3) 배뇨기법

정상적인 배뇨기능에 대한 이해가 부족하면 사람들은 복부 압박에 의한 발살바 방법을 통한 의한 배뇨습관을 가질 수 있다. 일부 여성들은 공중화장실에서 깨끗하지 않은 변기 표면과 닿는 것을 피하기 위하여, 배뇨 중 긴장 완화가 안되고, 골반저 근육 긴장완화를 못해서 방광을 완전히 비울 수 없는 자세인 변기 위에 공중정지 자세로 배뇨를 시도한다(Wang K and Palmer, 2010; Moore et al, 1991). 적절하지 않은 배뇨기술은 배뇨기능장애를 유발하고 방광을 완전히 비우지 못하게 한다. 이러한 잘못된 배뇨기법은 빈뇨를 증가시키고 요로감염의 위험성을 높인다(Carlson et al, 2001).

건강한 화장실에서의 행동으로는 배뇨를 위한 긴장이 완화된 자세, 골반저근 긴장 완화, 방광을 비우기 위한 적절한 시간을 주는 것 등이다(Wang K, Palmer, 2010; Moore et al,1991; Wang K, Palmer MH , 2011, Lundblad et al, 2010; Vythilingum et al 2002; Soifer et al, 2010; Cai와 You 1998). 또한 어린이나 젊은 연령층의 성인 역시 어떻게 소변이 방광에 차고 방광을 비우는지에 대한 교육이 필요하며 정상 배뇨 습관과 나쁜 습관으로 인한 배뇨곤란 문제 등을 아는 것은 방광 건강을 향상시킬 수 있을 것으로 기대된다.

3. 하부요로 건강을 위한 생활습관과 식이에 대한 일반적인 권고사항

1) 카페인 섭취량을 줄이고 흡연, 알코올 섭취를 삼간다.

방광을 자극하거나 이뇨작용을 촉진시키는 음식섭취는 하부요로증상을 악화시킬 수 있다. 특히 하부요로증상이 있는 경우 방광을 자극하는 알코올과 카페인이 함유된 커피, 차 등의 음료섭취는 자제하는 것이 좋다. 아직까지 금연이 하부요로증상의 예방이나 치료에 미치는 영향에 관한 명확한 연구는 없지만 금연을 통해 전신건강을 지키고 방광암의 발생위험을 낮출 수 있으며, 하부요로증상, 특히 복압성요실금이 있는 경우 금연을 권하고 있다.

2) 적절한 수분을 섭취한다.

일반적으로 권고되는 적절한 수분섭취량은 하루에 25~30 mL/kg이며 적절한 양의 수분을 섭취하게 되면 적절한 소변의 농도와 pH가 유지되고 방광자극이 감소되며 요로감염 예방에 도움이 될 수 있다.

3) 규칙적으로 운동하고, 자신에 맞는 체중을 유지한다.

하부요로증상과 신체활동 및 운동과의 연관성에 대해서는 다양한 결과들이 보고되고 있지만, 일반적으로 달리기 등과 같은 고강도의 운동보다는 걷기, 수영, 자전거와 같은 저 강도 운동을 통해 골반근육을 발달시키면 하부요로증상에 도움이 되므로 권하고 있으며 반복적으로 장기간 복압에 영향을 줄 수 있는 운동은 피할 것을 권하고 있다. 또한 과체중은 복압성요실금 등에 영향을 줄 수 있어 자신의 키에 맞는 적정몸무게를 유지하는 것이 좋다.

4) 섬유질을 섭취하여 변비를 예방한다.

섬유질은 장운동을 도와 배변활동을 촉진시키는 효과가 있다. 변비는 복통과 복부팽만감, 불쾌감뿐만 아니라, 빈뇨를 유발할 수 있어 적절한 수분과 섬유질 섭취를 통해 예방할 필요가 있다.

5) 배뇨일지 작성으로 자신의 배뇨습관을 확인한다.

4. 결론

하부요로질환은 매일매일 일어나는 배변활동과 생활방식, 식습관 등과 밀접한 관련이 있으며 많은 역학연구에서 신체활동 및 운동, 비만 등의 생활습관과 식이와 하부요로증상과의 연관성에 대해 보여 주고 있다. 그러나 아직 이러한 생활습관과 식이가 하부요로증상의 발생 또는 진행에 미치는 영향에 대해 명확하게 규명한 연구는 부족한 실정이다. 카페인, 흡연, 알코올 섭취를 삼가고 적절한 수분을 섭취하며 규칙적으로 운동하여 자신에 맞는 체중을 유지하며 변비를 예방하는 생활습관들은 하부요로증상에도 도움이 될 뿐만 아니라 전반적인 건강에도 도움이 된다. 따라서 이러한 생활습관 및 식이관리를 하도록 격려해야 할 것이다.

전체 참고문헌 목록은
배뇨장애와 요실금 웹사이트 자료실
(http://www.kcsoffice.org)에서
확인할 수 있습니다.

제 13 장 하부요로기능이상의 보존적 치료

Conservative treatment for lower urinary tract dysfunction

신동길

1. 서론

하부요로기능이상은 크게 저장기능장애와 배출기능장애로 분류되며, 각각 다른 치료 방법을 적용하여야 한다. 하부요로기능이상의 치료 결과는 완벽할 수 없으므로, 치료 목표는 배뇨 관련 만족도를 높이고 요로계 합병증을 최소화하는 것에 초점을 맞추어야 한다. 즉, 하부요로증상의 개선 및 삶의 질 향상이 기본적인 치료 목표이며, 하부요로의 요역동학 또는 요자제에 심각한 문제가 있는 경우 하부요로기능의 회복과 더불어 상부요로의 보존에도 관심을 기울여야 한다. 하부요로기능이상으로 인한 요실금은 환자의 삶의 질을 떨어뜨리는 것은 물론 사회적 활동에도 부정적 영향을 미치기 때문에 그 치료가 중요하며 요실금의 치료는 요로감염을 방지하는 측면에서도 의미가 있다. 한편 환자와 보호자의 여건과 치료 의지는 치료 방법 선택을 위한 중요한 고려 요소이며, 하부요로기능이상 환자의 치료에 매우 유연하게 접근하여야 한다.

본 장에서는 하부요로기능이상의 치료에서 침습적 치료 및 수술치료를 제외한 보존적 치료에 대해 다룰 것이며, 저장기능장애와 배출기능장애 각각의 보존치료방법에 대해 정리하고자 한다.

2. 방광저장기능 촉진을 위한 보존적 치료

방광저장기능장애는 빈뇨, 요절박 및 요실금 등의 하부요로증상을 나타내며, 방광유순도 및 방광용적 감소는 신기능악화를 유발할 수 있다. 따라서 저장기능장애의 치료 목적은 낮은 압력에서 방광 내에 소변을 저장하고, 방광용적을 증가시키며, 방광과활동성으로 인한 요실금을 줄이고, 신기능을 보존하는 것이다.

1) 방광용적 증가

(1) 행동치료

행동치료란 하부요로기능이상 환자에게 환자 자신의 상태에 대해 교육하고 증상을 최소화하기 위한 방법을 개발한다는 개념을 기초로 한 치료 형태이다. 아직 가장 좋은 치료방법이 정립되지 않았지만, 행동치료의 목적에서 기본이 되는 것은 정상 요로기능에 대해 환자에게 교육하는 것이다. 행동치료가 성공적으로 이루어지기 위해 가장 중요한 것은 환자의 동기 부여이다(Payne, 2000).

① 환자교육

행동치료의 첫 번째 단계는 환자에게 정상 골반저근의 해부학적 구조와 이러한 근육이 요자제를 유지하는 기전에 대해 교육하는 것이며, 환자 교육은 모든 형태의 행동치료에서 가장 중심이 된다(그림 13-1).

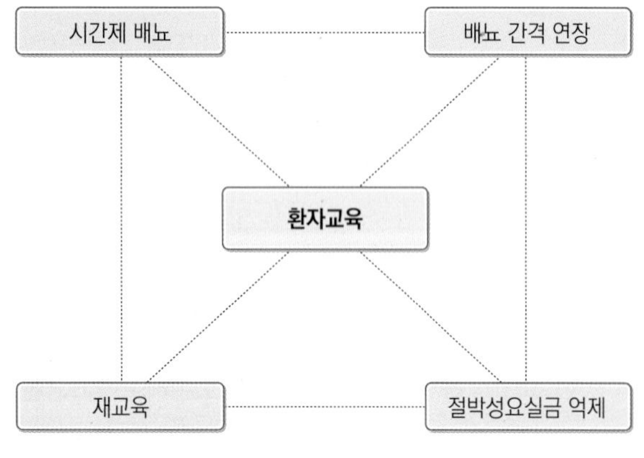

그림 13-1. **교육이 중심이 된 행동치료의 요소들**

② 생활습관과 식이습관 변화

수분 섭취 제한은 복압성요실금, 과민성방광 등의 저장기능장애 환자에게 추천되고 시도되어 온 방법이다. 그러나 과도한 수분 섭취 제한으로 소변이 농축될 경우 방광에 대한 자극이 더욱 심해진다는 보고가 있다(Dowd et al, 1996). 따라서 가장 좋은 방법은 적절한 수분 섭취이며 수분 섭취 제한은 비정상적으로 수분을 많이 섭취하는 환자에서 시행하여야 한다. 탄산음료, 술, 산성 음식, 염분, 카페인 음료 등은 방광을 자극하여 요실금 증상을 악화시킬 수 있으므로 피해야 하며, 지방, 포화지방산, 단불포화 지방산(mono-unsaturated fatty acids) 섭취도 불수의적방광수축과 관련이 있다(Dallosso et al, 2003). 특히 카페인 섭취를 줄이게 되면 요절박과 빈뇨 증상의 개선에 도움을 줄 수 있다(Tomlinson et al, 1999). 규칙적인 운동은 골반저근 강화에 도움이 되며 요실금 발생의 위험을 줄일 수 있지만, 과도한 운동은 오히려 요실금을 악화시킬 수 있으므로 주의를 요한다.

③ 시간제 배뇨

시간제 배뇨(timed voiding)는 배뇨 간격을 변화시키지 않고 일정 시간마다 배뇨하게 하여 배뇨시간을 고정하는 방법으로, 대개 2~3시간 간격으로 배뇨하게 한다. 이는 방광 감각이 저하되어 있는 환자에게 유용하며, 복압성요실금 환자에서는 물리적 스트레스가 가해질 때 방광내 요량을 줄임으로써 증상을 개선할 수 있다. 시간제 배뇨는 방광내압과 용적을 적정 수준으로 유지할 수 있게 하며 상황에 따라 약물치료 또는 간헐적도뇨와 병용할 수 있다. 유도배뇨(prompted voiding)는 배뇨하는 시간을 알려주고 배뇨를 유도하는 방법이다. 이는 치매 환자와 같은 인지력이 떨어져 있는 환자에게 유용한 방법이고 간병인 등의 시설 직원들의 적극적인 도움이 필요한 방법이다(Eustice et al, 2000; Ostaszkiewicz et al, 2004).

④ 방광훈련

방광훈련, bladder training (bladder drill, bladder retraining)은 소변이 마려운 것을 참도록 하여 점차 배뇨 간격을 늘려 저장 증상의 경감을 기대하는 방법으로, 과민성방광과 절박성요실금 환자에서 가장 흔히 사용된다. 방광훈련은 배뇨일지에 기초하여 수분 섭취 제한, 시간제 배뇨, 바이오피드백과 병용하여 시행할 수 있다.

이 방법은 Jeffcoate와 Francis(1966)에 의해 처음으로 기술되었고, Frewen(1978)에 의해 널리 알려졌다. 초기에는 입원환자에서 약물치료와 병행하여 효과가 입증되었고(Frewen et al, 1978), 이후 외래환자에서도 효과가 입증되었다(Elder·Stephenson, 1980).

방광훈련의 첫 번째 단계는 먼저 환자에게 배뇨일지를 작성하게 한 후 하부요로기능과 하부요로기능이상으로 인한 증상에 대해 자세히 설명하여 환자가 이를 충분히 인식하게 한다. 두 번째 단계는 실현 가능한 배뇨 간격을 정하고 시간마다 이를 지키게 하면서 최종적으로 배뇨 간격이 2~4시간이 되도록 2~6주까지 매주 15~30분씩 간격을 늘려 가게 한다. 과거에는 배뇨 반사에 대해 대뇌피질이 반응하여 효과가 나타난다고 생각하였지만, McClish 등(1991)의 요역동학검사 결과에서는 방광훈련이 하부요로기능에 영향을 주지 않았다. 이것은 방광훈련의 효과가 생리 변화에 의해서가 아니라 행동 변화에 적응하기 때문에 일어나는 것임을 시사한다.

방광훈련은 기질적 원인이 없이 빈뇨, 요절박, 절박성요실금을 호소하는 환자에서 효과를 기대할 수 있는 일차적 치료 방법이다(Jarvis·Millar, 1980). 방광훈련 개시 2~3개월 후 효과를 판정하는데, 시간이 경과하면 효과는 감소한다. 방광훈련은 과민성방광 환자의 85%에서 주관적 호전을, 50%에서 객관적 호전을 기대할 수 있지만(Holmes et al, 1983) 3년 이내 40%의 환자에서 증상이 다시 재발하는 것으로 보고되었다. 치료에 성공하려면 무엇보다 환자의 의지가 중요하며 대개는 약물치료와 병용한다.

2) 골반저근훈련

1948년 Kegel이 여성 복압성요실금의 치료방법으로 골반저운동(pelvic floor exercise)을 처음 소개한 후 다양한 방법으로 발전되어 왔다. 하지만 효과 면에서 골반저운동은 골반저재활을 위한 대표적인 치료 방법이라고 할 수 없다.

Kegel의 골반저운동을 대치하는 개념으로 골반저근훈련(pelvic floor muscle training)이 대두되었으며, 이것은 전문가에게 교육 받은 반복적인 수의적 골반저근의 수축으로 정의된다. 이러한 반복된 훈련으로 골반저근의 기능을 향상시키는 치료방법은 복압성요실금, 요절박 또는 절박성요실금을 호소하는 여성에서 일차적 치료방법이다(Dumoulin·Hay-Smith, 2010).

골반저근훈련의 기전은 항문거근(levator ani muscle) 중 치골미골근(pubococcygeus muscle)을 강화하여 방광경부와 근위부요도를 밀어 올려 수동적 요자제 능력을 회복시키는 것이다. 또한 반사적인 수축훈련은 방광경부와 요도가 능동적 요자제 능력을 가지게 한다.

골반저근훈련에서 가장 중요한 점은 환자가 어떠한 근육을 어떻게 사용하여야 하는지를 인지하는 것인데, 대부분의 경우 설명만으로는 환자가 근육을 인지하지 못한다. 흔히 사용되는 방법은 환자가 직접 질내를 만져보고 조여 봐서 질 입구 3~4 cm의 측벽에 위치하는 치골미골근을 인지하도록 하는 것이다. 보조적으로 바이오피드백을 병용하면 환자가 더 정확하고 빨리 습득할 수 있다. 골반저근의 수의적 조절이 가능하더라도 강도의 문제나 이완장애가 있는 경우에는 골반저근훈련의 재교육이 필요할 수 있다. 항문거근은 저속연축근섬유(slow–twitch muscle fiber)와 고속연축근섬유(fast–twitch muscle fiber)의 혼합체이며, 항문거근을 강화하기 위해서는 두 근섬유를 모두 강화하여야 한다. 고속연축근섬유의 강화는 빠른 수축운동이, 저속연축 근섬유의 강화는 느린 수축운동이 필요하다. 표준화된 훈련방법은 아직 정립되지 않았지만 6~8초간 수축, 같은 시간 휴식하는 방법을 1세트에 8~12회씩 하루에 5회씩 격일로 시행하는 방법이 추천된다. 근육부피만을 늘리기 위해서는 3~4회 수축으로도 충분하지만 근육의 지구력과 힘을 최대한 발휘하기 위해서는 8~12회 수축이 필요하다. 증상이 완치되거나 호전되어도 지속적으로 운동하는 것을 권장한다(Hay–Smith et al, 2009). 전기자극치료와 병행하면 단기간 효과는 증대되는 것으로 알려져 있다(Berghmans et al, 2013).

남성 환자에서의 연구는 대부분 근치적전립선절제술 후 발생한 요실금의 회복에 대한 것으로, 골반저근훈련이 수술 초기 요실금 회복에는 도움이 된다는 연구 결과들도 있으나 장기추적 시에는 이득이 없는 것으로 보고되었다(Wang et al, 2014). 또한 약물 치료 등 다른 치료와 병용하였을 경우의 효과도 연구과제로 남아 있다(Bo·Berghmans, 2000).

3) 바이오피드백

바이오피드백은 질이나 항문에 측정기구를 삽입하여 골반저근의 압력이나 근전도를 모니터를 통해 직접 확인함으로써 환자가 인지하지 못하는 골반근이 제대로 수축하고 있는지를 인지하게 하는 방법으로, 환자 스스로 골반저근을 조절할 수 있는 기술을 가르치기 위한 도구이다(그림 13-2). 역사적으로 바이오피드백은 근전도 검사가 사용되기 시작한 1950년대부터 사용되었고, 과민성 방광의 치료에도 사용되고 있다(Cardozo·Abrams, 1978). 배뇨근괄약근협조장애에도 사용되었지만(Norgaard·Djurhuus, 1982), 과민성 방광에 의한 요실금의 치료에는 방광훈련처럼 널리 사용되지 못하였다.

바이오피드백의 주목적은 환자 스스로 배뇨 형태를 자각하도록 하고 요도괄약근을 수축 또는 이완하는 횡문근을 훈련하는 데 있다. 골반저근훈련은 구두 교육에 의해 느낌으로 시행하는 운동이므로 정확한 운동치료가 되지 못할 수 있어 성공률이 낮고 동기 유발에도 문제가 있어서 중도에 포기하는 경우가 많다. 이에 반해 바이오피드백은 특정한 근육만을 정확하게 반복 훈련하고 강화 정도를 확인함으로써 강한 동기를 부여하는 것으로(Cardozo, 2000) 교육받은 대로 정확한 골반저운동을 진료실 밖에서도 꾸준히 시행하는 것이 치료 성공에 중요한 요소이다 치료 목표는 빈뇨 감소와 요실금량 감소이므로 바이오피드백은 반드시 방광을 채우고 시행하여야 한다. 치료의 표준화는 정립되지 않았지만 일반적으로 초기에는 30분 이상 지속하고 1주 2회 이상의 치료를 1개월 이상 시행하여야 한다. 환자를 선택하는 경우에는 환자의 정신 상태, 성격, 동기, 성취능력 등을 고려하여야 한다.

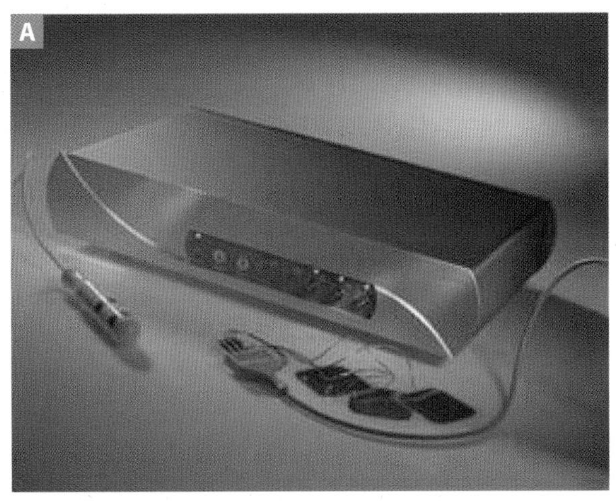

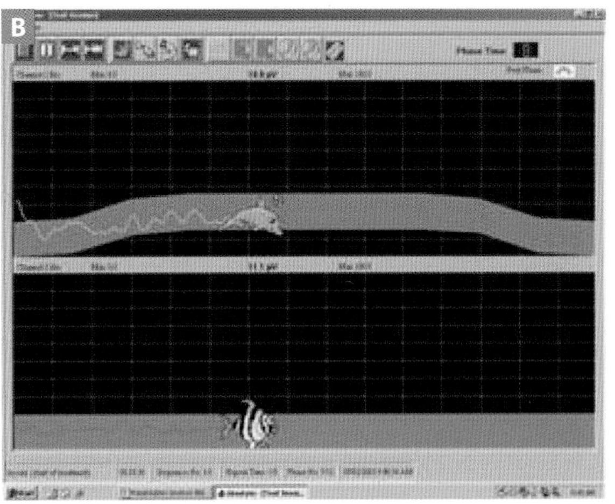

그림 13-2. **바이오피드백.** (A) 바이오피드백 장비와 측정기구(탐색자와 패치) (B) 바이오피드백 검사 화면(위: 골반저근 근전도, 아래: 복부근육 근전도) (Courtesy of Laborie Medical Technologies Canada ULC)

Susset 등(1995)의 보고에서는 바이오피드백과 전기자극치료를 병용하였을 때 치료의 성공을 예측할 수 있는 인자는 환자 나이, 에스트로젠 상태, 배뇨근불안정, 내인성요도괄약근기능부전, 요도과운동성 유무 등이었고 가장 중요한 것은 환자의 동기였다.

바이오피드백은 다른 치료에 비해 이환율이나 부작용이 적고 약물치료 등 다른 치료와 병용할 수 있으며, 특히 환아에게 유용하다(Sugar · Firlit, 1982; Norgaard et al, 1989). 바이오피드백은 하부요로기능이상의 일차적 치료로 사용 될 수 있으며 수술 전이나 수술 후 보조적 치료로 사용되기도 한다. 이론적으로는 골반저운동 단독보다 바이오피드백을 병용하는 것이 효과적이지만, 성공률에 차이가 없다는 보고가 있다. 그러나 Burgio 등(1998)은 절박성요실금과 복합성요실금 환자에서 바이오피드백을 이용한 골반저운동과 약물치료를 비교하였는데, 골반저운동을 시행한 군은 약물치료군이나 위약군에 비해 요실금 횟수의 빈도가 감소하였고 환자가 느끼는 호전 정도도 높았으며 다른 치료로 전환을 요구하는 경우도 적었다고 하였다.

그러나 바이오피드백의 효과가 장기간 지속하는지는 아직 분명하지 않으며, 위약효과와 진정한 바이오피드백효과를 구분하기 어려운 경우도 있다(Stroebel · Glueck, 1973).

질원뿔의 사용은 바이오피드백의 일종이다. Plevnik이 소개한 질원뿔은 가정에서 시행할 수 있는 가장 간단하고 편리한 방법이다(Peattie et al, 1988). 가장 가벼운 무게의 질원뿔부터 사용하여 직립위에서 15~20분간 유지한 후 보행한다. 환자는 질원뿔 주위의 수축력이 강화 되며 항문거근을 인지할 수 있게 된다. 질원뿔의 가장 큰 단점은 중도탈락률이 높다는 것인데, 특히 나이가 들수록 탈락률이 증가하는 것으로 알려졌다. 그 이유는 환자가 다른 방법보다 불편함을 더 느낄 수 있고, 감염에 대한 불안감을 가지기 때문이다. 아직까지 질원뿔이 일반적인 바이오피드백보다 효과적인지는 분명하지 않다.

3. 방광배출기능 촉진을 위한 보존적 치료

소변의 불완전한 배출은 요로감염을 일으키는 중요한 원인이며 저장기에 방광내압의 상승과 요실금에도 악영향을 끼친다.

1) 방광배출기능 촉진

(1) 외부 압박

Crede법(Crede maneuver)은 유감스럽게도 현재도 사용되고 있는 행동요법으로 주로 척수수막탈출증(myelomeningocele)이 있는 유아나 어린 소아, 그리고 사지마비 환자에서도 간혹 사용된다. 50 cmH_2O보다 더 큰 방광내 압력을 발생시킬 수도 있고 방광출구저항을 감소시킬 수도 있다(Wein, Barrett, 1988). 그러나 하복부를 아래 방향으로 누르면 실제로 방광내압이 증가하면서 동시에 반사적으로 괄약근의 수축을 유발할 수 있어(Woodbury et al, 2008) 이미 방광출구폐색이 존재하는 환자에게 있어서는 불충분한 방법이며 높은 방광압력으로 인해 상부요로가 손상될 수 있다(Merrit et al, 1981; Weld et al, 2000). 따라서 요역동학검사를 실시하여 방광내압이 안정적인 범위를 유지한 경우에만 선택적으로 시행되어야 한다(Prieto et al, 2014; Sullivan et al, 1990; Chancellor et al, 1994).

발살바법(Valsalva maneuver)으로도 방광내압이 상승하는 데, 앉아서 배를 허벅지 쪽으로 돌출시킨 자세는 복부가 튀어나오는 것을 막을 수 있어서 좋다. 유사한 원리로 방광내압을 증가시키기 때문에 발살바법은 Crede법과 유사한 위험성을 지닐 수 있고 방광출구저항을 증가시킬 수 있다.

Crede법이나 발살바법은 배뇨근무반사(detrusor areflexia) 환자의 경우 증상의 호전을 기대할 수 있으며, 특히 괄약근이 탈신경화되어 있으면 성공 가능성이 더욱 크고 대부분은 출구저항을 감소시킬 수 있는 약물치료나 수술적 치료를 병행하여야 한다. 그러나 방광요관역류 환자의 경우에는 방광긴장도를 증가시킬 수 있으므로 상대적 금기이며 약해져 있는 골반저기능이 더욱 악화될 수 있고 이미 존재하는 요실금을 악화시킬 수 있으며 장기간 시행 시 장기합병증을 피하기 어려우므로 외부 압박이나 발살바법을 시행 받는 환자의 경우에는 반드시 주기적으로 추적 관찰을 하여 상부요로의 악화를 확인하여야 한다.

(2) 방광수축반사의 수축과 시작

천수나 요수의 지배를 받는 피부 부위를 자극하면 배뇨근의 수축반사를 일으킬 수 있다. 이러한 유발반사배뇨(triggered reflex voiding)는 치골, 음낭, 허벅지 등의 피부나 음모 자극, 음핵이나 직장을 손으로 자극하여 유발될 수 있으며, 가장 유용한 방법은 3초마다 7~8회 정도 주기적으로 치골상부를 손으로 압박하는 것이다. 이러한 방법으로 배뇨할 수 있는 환자는 적절한 유발 방법과 자세를 찾을 수 있도록 교육하여야 한다. 고압 배뇨의 위험성 때문에 방광출구 저항을 줄이는 시술이 필요할 수 있으며(Larsen et al, 1997) 방광배출을 촉진하기 위한 모든 보존적인 치료방법에는 출구저항성을 감소시키는 방법을 병용하여야 한다. T6

이상의 상부 척수손상 환자에서는 자율신경반사이상(autonomic dysreflexia)을 일으킬 수 있다는 사실을 꼭 고려해야 하며(West et al, 1999) 방광압력 상승으로 인한 합병증이 발생할 수 있으므로 주기적인 추적관찰 및 요역동학적 평가가 시행되어야 한다(Bennet et al, 1995).

2) 방광하부저항 감소

(1) 바이오피드백

배뇨곤란이 있는 환자는 신경학적으로 정상이어도 배뇨근괄약근협조장애의 특징을 가질 수 있다. 바이오피드백은 이러한 환자 중 강한 동기를 가진 환자의 경우 임상적 호전을 기대할 수 있는 치료방법이다.

(2) 페사리

골반장기탈출증, 특히 방광류에 의해 요도의 꼬임이나 압박으로 배뇨곤란이 발생하는 경우 페사리를 삽입하여 증상을 호전시킬 수 있다. 그러나 잠복성요실금이나 잠재성요실금이 방광류에 의해 보이지 않던 경우에는 페사리 삽입 후 요실금 증상을 보일 수도 있다.

페사리는 여성호르몬에 감작된 질에 사용해야 합병증이 적다. 만일 폐경기 이후의 연령에 사용할 때에는 여성호르몬 질 크림 혹은 질정을 4~6주 동안 사용한 후 페서리를 넣어야 적응력도 증가하고 안정감이 있으며 장기간 사용할 수 있는 장점이 있다. 합병증은 장기적인 자극으로 질미란이 생길 수 있으며, 적절히 치료하지 않으면 방광질누공이 발생할 수 있다. 만일 페사리가 적합하고 안정감이 있으면 삽입 일주일 후에 검사하여 이상 유무를 확인하고 이상이 없으면 4~6개월 간격으로 재검사하는 것이 권장된다. 페사리는 크게 Ring, Gehrung의 support형과 Gellhorn, Cube, Donut, Inflatoball의 space-filling형으로 구분된다

4. 도뇨 및 기타 우회 방안

급성요폐에서 일시적인 자발적 소변의 배출이 불가능할 때도 도뇨가 유용하고 도뇨관의 유치가 흔히 적용되지만, 여기에서는 만성적인 하부요로기능이상에서의 도뇨에 초점을 맞추어 다루고자 한다

1) 청결 간헐 도뇨

청결 간헐 도뇨(clean intermittent catheterization; CIC)는 정상적인 자발적 요배출이 불가한 경우 효과적이면서도 안전한 실용적인 요배출 방법이다. 특히 척수손상과 같은 신경인성방광 환자의 보존적 치료의 근간을 이루고 있다.

Wein과 Barrett(1988)은 척수손상 환자에서 수의적 배뇨를 회복하기 위한 방법 중 가장 효과적이고 실용적인 방법이라고 하였으며, 배뇨근과활동성에 의한 저장장애 또는 괄약근기능부전 환자를 회복시키기 위해 사용될 수 있다고 하였다. 이미 1차 세계대전 당시 영국군은 척수손상 환자에게 간헐적도뇨를 시행하였다. Guttman(1966) 은 방광이 과팽창되면 상부요로에 해를 줄 수 있다는 것을 인지하고 간헐적도뇨를 척수손상 환자의 치료에 본격적으로 사용하였으며 무균 간헐적도뇨를 제안하였으나 통상적으로 시행하기에는 어렵

다는 단점이 있다. Lapides(1972)는 요로감염과 패혈증의 발생에 세균보다는 방광내압과 요정체가 더 중요하다는 개념을 가지고 이를 발전시켜 무균이 아닌 청결 간헐적도뇨를 도입하여 가정에서도 쉽게 적용하게 되었다. 청결 간헐 도뇨는 비누로 손을 씻고 재사용이 가능한 도뇨관으로 소변을 배출시키는 방법이다. 깨어있는 동안에는 4시간마다, 수면 중에는 1회 시행할 것을 권장한다. 이를 시행하기 위해 동기가 부여된 환자와 가족이 필요하다. 환자는 손세척이 가능하여야 하고 가족들도 도뇨관을 다룰 줄 알아야 한다(Gahan et al, 1989). 간헐적도뇨는 척수쇼크 상태의 척수손상 환자에서 방광수축이 정상으로 돌아오기 전에 시행한다(Gann, 1974; Lloyd et al, 1986). 주기적인 방광팽창은 반사성 배뇨근수축이 조기에 회복되는 데 도움이 된다. 이러한 척수쇼크 상태에서는 방광내 요량이 최대 600ml를 넘지 않도록 하여야 한다. 방광과팽창이 반복되면 반사적 방광기능이 회복되지 않고 요로감염의 위험이 높아지기 때문이다. 친수성 카테터를 사용하는 것이 요로감염 발생을 줄일 수 있는 것으로 보고 되었다(Goetz et al, 2013).

척수쇼크 상태에서 회복되면 천수상부병변(suprasacral lesion) 환자의 60~70%에서 배뇨근괄약근협조장애를 동반한 높은 압력의 반사성 배뇨근수축이 일어난다. 이 경우 항콜린제를 투여하여 배뇨근수축을 억제한 후 간헐적 도뇨를 시행한다. 항콜린제에 반응하지 않는 경우 남성 환자는 외요도괄약근절개술이 필요할 수도 있다. 여성 환자는 적절한 외부집뇨기구가 없기 때문에 외요도괄약근절개술을 시행할 수 없으며 가능한 한 반사성 배뇨근수축을 억제하는 것이 제일 나은 방법이다. 척수손상 환자의 30~40%는 배뇨근수축이 회복되지 않는다. 이러한 경우 방광 내압이 낮은 상태로 유지되므로 간헐적도뇨를 계속 시행하는 것이 안전하다(Comarr, 1972; Herr, 1975).

천수 부위나 천수하부 손상 환자는 반사성 배뇨근 수축이 일어나지 않으므로 방광저장기능은 정상이다. 그러나 고정된 방광출구저항으로 배뇨근의 과긴장성이 나타나 방광내압의 상승이 자주 발생한다. 이러한 경우도 항콜린제를 투여하여 방광내압을 낮추고 간헐적 도뇨를 시행하는 것이 안전하다.

국내 보고에서도 척수손상에 의한 하부요로기능이상 환자에서 간헐적도뇨는 방광요관역류 등을 감소시켜 상부요로를 보존하고 비뇨기과적 합병증의 빈도를 낮추는 데 유용한 방법임이 입증되었다(Lee et al, 1997). Mollard 등(1987)은 하부요로기능이상에 의한 요실금 환자 중 간헐적도뇨로 25.5%, 간헐적도뇨와 약물치료의 병용으로 16%, 방광확대성형술과 간헐적 도뇨의 병용으로 9.6%를 치유하였다고 보고하였다. 일반적으로 간헐적도뇨는 60~80%의 하부요로기능이상 환자에서 상부요로를 보존하면서 동시에 요실금을 방지할 수 있다. 간헐적도뇨는 유치도뇨관보다 합병증이 적지만 70%에서 요로감염이 있으며, 음모 등의 유입에 의한 발열, 결석, 상부요로 악화도 발생할 수 있다. 일시적 세균뇨는 흔하지만, 증상이 있는 요로감염의 빈도는 낮으며, 예방적 항생제의 사용은 피하는 것이 권장된다. 요로감염의 예방을 위해 가장 중요한 것은 주기적 도뇨로 방광이 과팽창되는 것을 방지하는 것이다.

적절한 환자교육과 손상을 주지 않는 시술법, 감염예방에 주의를 기울임으로써 합병증 발생을 줄일 수 있다. 이상적인 도뇨 횟수는 하루에 4~6회이고 도뇨관의 크기는 12~16 Fr가 적당하며, 방광이 과팽창되지 않게 하려면 한 번에 배출하는 도뇨량이 400~500

mL을 초과하지 않도록 유지하는 것이 중요하다(Woodbury et al, 2008). 도뇨관은 사용 직후 비누와 물을 이용하여 세척 후 건조하여 보관하며 끓는 물이나 전자레인지를 이용하여 소독하기도 한다(Douglas et al, 1990).

2) 지속적도뇨

유치도뇨관을 이용한 지속적도뇨는 척수손상 환자의 초기 요배출장애의 치료를 위해 짧은 기간만 사용하는 것이 이상적이지만, 실제로는 약 70% 이상의 척수손상 환자는 방광내 도뇨관을 지속적으로 유치하며 특히 여성 척수손상 환자는 간헐적도뇨가 어렵기 때문에 유치도뇨관을 많이 사용한다.

전통적으로 유치도뇨관의 장기 사용은 상부요로계를 악화시킨다고 알려졌으며 간헐적도뇨가 요배출을 위한 가장 안전하고 유용한 방법으로 인식되었다(Jacobs·Kaufman, 1978). 그러나 또 다른 보고에서는 유치도뇨관을 시행한 사지마비 환자와 시행하지 않은 환자를 비교하였을 경우 신기능이나 그 외 합병증 면에서 유의한 차이가 없으므로 환자 삶의 질을 고려하여 소변 배출방법을 결정하여야 한다고 하였다(Dewire et al, 1992; Chao et al, 1993). 그러므로 사지마비 환자나 간헐적도뇨를 시행하기 쉽지 않은 환경에 있는 환자의 경우에는 유치도뇨관을 고려할 수 있다. 유치도뇨관은 1일당 5~7%의 요로감염이 증가하여 장기간 유치할 경우 100%에서 감염이 발생하고 항생제에 대한 저항균주의 감염이 흔하다. 또한 요도게실, 요도주위염, 요도농양, 요도피부누공, 요도협착 등의 요도 합병증과 방광결석, 방광위축, 상부요로 악화 등의 합병증을 유발한다. 흔하지 않지만 방광수축 때문에 도관 주위로 소변이 유출되기도 하는데, 이런 경우 더 굵은 도관을 유치하면 방광경부미란을 유발할 수 있다. Kaufman 등(1977) 은 장기간 도뇨관을 유치한 척수손상 환자에서 방광암의 위험성이 증가한다고 보고하였다. 최근의 연구에서는 유치도뇨관을 가지고 있는 척수손상 환자에서의 방광암의 발생률이 일반인에 비해 그리 높지 않다고 보고하고 있으나, 장기간 도뇨관의 유치는 여전히 방광암의 위험인자로 간주되고 있다. 장기간 유치도뇨관을 가지고 있는 환자에서 방광암에 대한 선별검사의 시행의 필요성과 방법에 대해서는 논란이 있으나 10년 이상 유치도뇨관을 통해 지속적도뇨를 해오던 환자에서는 1년마다 방광암에 대한 선별검사의 시행을 권장하기도 한다(Stonehill et al, 1996). 또한 유치도뇨관을 가지고 있는 환자에서 육안적 혈뇨 증상이 있을 경우에는 혈뇨에 대한 적절한 평가를 시행하여야 한다(Broecker et al, 1981; Locke et al, 1985; Bickel et al, 1991). 치골상부방광루를 통한 도뇨관의 유치는 요도손상을 줄이고 요도누공, 요도협착, 요도미란 등의 요도 합병증을 피할 수 있으며 더 굵은 도관을 유치할 수 있다는 장점이 있다(Barnes et al, 1993). 또한, 발기가 가능한 환자는 음경이 도뇨관으로부터 자유로워 성교가 가능하다. 그러나 방광내 합병증의 발생은 요도를 통한 도뇨관의 유치와 비교하여 차이가 없고 상부요로 악화는 치골상부방광루를 통한 유치도뇨관의 경우 발생률이 더 높다는 보고도 있다(Hackler, 1982). 치골상부방광루를 통한 유치도뇨관은 방광수축에 의한 요유출을 막을 수 없으므로 괄약근부전이 있는 환자에서는 바른 선택이 될 수 없다. 또한, 의료인의 도움이 없으면 도관을 교체할 수 없다는 단점도 있다.

유치도뇨관은 요도를 통한 유치나 혹은 치골상부방

광루를 통한 유치이건 간에 합병증은 피할 수 없으며 가능하면 피하도록 권고되고 있고(Weld et al, 2000; Zermann et al, 2000), 유치할 경우 실리콘 카테터가 더 선호되며 2~4주마다 교체하고, 라텍스 카테터는 1~2주마다 교체해야 한다(Stöhrer M et al, 2009). 주기적으로 상부요로와 하부요로에 대한 초음파와 방광내시경을 시행해야 하며 하부요로증상의 변화가 있을 때는 요역동학검사를 시행해야 한다.

3) 외부집뇨기구

외부집뇨기구는 항콜린제를 투여하여도 방광내압이 상승하여 상부요로에 영향을 줄 수 있는 경우 외요도괄약근 절개술을 시행한 환자에게 주로 사용되며, 사지마비 환자나 간헐적도뇨를 시행하기 쉽지 않은 환경에 있는 환자에게서도 종종 사용된다(Golji, 1981; van Arsdalen et al, 1981). 남성에서 사용되는 콘돔카테터가 실제 사용되는 방법이다.

4) 흡수제품(absorbent products)

기저귀는 하부요로기능이상 환자의 치료에 있어 마지막으로 선택하는 방법이다. 이상적인 재료는 건조한 상태를 유지할 수 있도록 투과와 흡수가 잘되는 것이다.

5. 결론

하부요로기능이상의 치료 방침은 각각의 환자의 상태에 따라 결정하여야 하며, 먼저 약물치료와 보존치료를 단독 혹은 병용하여 시행한다. 이러한 치료에 실패한 경우 수술치료를 시행하는 것이 합리적이다.

하부요로기능이상의 보존치료는 골반저운동과 간헐적 도뇨라는 단순하지만, 혁명적인 개념이 도입됨으로써 비약적으로 발전하였고, 현재 다양한 치료 방법이 임상에서 사용되고 있다. 그러나 현재까지 보존치료의 효과를 약물 치료나 수술치료의 효과와 직접 비교한 연구가 부족하므로 보존치료의 효과를 정확히 평가하기는 어렵다. 또한, 하부요로기능이상의 보존치료는 효과 면에서 완전하지 못하고, 일부 환자에서는 부작용이나 합병증을 야기하는 문제점도 있다.

전체 참고문헌 목록은
배뇨장애와 요실금 웹사이트 자료실
(http://www.kcsoffice.org)에서
확인할 수 있습니다.

하부요로기능이상의 약물치료

Pharmacologic treatment for lower urinary tract dysfunction

김대경

1. 서론

하부 요로는 해부학적으로 방광 및 요도로 구성되어 있으며 소변의 저장과 배출 기능을 수행한다. 본 장에서는 하부 요로 기능이상을 치료하기 위해 쓰이는 약물에 대한 개략적인 내용을 요저장 기능을 향상시키는 약물, 요배출 기능을 촉진하는 약물, 그리고 기타 약물로 나누어 기술하기로 한다. 특정 질환에 대한 개별 약물의 임상 효과에 대해서는 본서의 해당 질환 부분에서 자세히 다루어질 예정이므로 본 장에서는 약물의 기본 특성과 작용 기전, 그리고 사용상 주의점 등에 대해 간략히 알아보도록 한다.

2. 요저장 기능 향상 약물

소변의 저장 기능 수행을 위해 낮은 압력 하에 적절한 방광근의 이완이 이루어지고, 방광경부 및 요도 괄약근은 수축된 상태를 유지하여야 한다. 요저장 기능 향상을 위한 약물은 기능적 방광용적을 늘리기 위한 약물과 방광출구저항을 높이기 위한 약물의 두 종류로 크게 나누어 볼 수 있다.

1) 기능적 방광용적 증가를 위한 약물

기능적 방광용적 증가를 위한 약물로는 항무스카린제(Antimuscarinics), 베타-3 교감신경촉진제(beta-3 adrenergic agonist) 등이 흔히 사용된다.

항무스카린제는 아세틸콜린이 무스카린 수용체에 작용하는 것을 경쟁적으로 억제하여 소변저장기 시 불수의적 배뇨근수축을 억제하고 요로상피 감각신경을 안정시켜 요절박 증상을 개선시킨다. 배뇨근에 주로 분포하는 무스카린 수용체는 M2, M3 아형인데, 이 중 M3아형이 배뇨근수축 작용을 매개한다. 일반적으로 방광수축력이 정상인 경우 치료 용량의 항무스카린제는 소변배출기, 즉 배뇨 시의 배뇨근수축에는 영향을 미치지 않으나 배뇨근수축력이 약한 경우 잔뇨량이 증가하거나 요폐 발생 위험이 있으므로 주의가 필요하다. 항무스카린제에서 나타나는 부작용으로는 구갈, 변비, 시야 흐림, 졸림, 인지 장애. 소화기 장애 등이 있으며, 특히 심각한 부정맥이 있거나 협각성 녹내장, 소화기의 폐색성 질환, 중증 근무력증 등의 경우는 사용 금기이다.

베타-3 교감신경은 방광체부에 분포하여 방광이완에 관여한다. 베타-3 교감신경을 활성화시키면 기능성 방광용적이 증가하고 소변저장기 시 불수의적 배뇨근수축 발생이 억제된다. 베타-3 작용제는 3상 임상연구 및 메타 분석 등에서 항무스카린제와 유사한 정도의 빈뇨, 요절박, 그리고 요절박요실금 감소 효과를 보이며 구갈, 변비 등의 부작용이 적게 나타났다. 반면 베타-3 작용제는 빈맥, 두근거림, 심방세동, 혈압상승 등 심혈관계통 부작용이 나타날 수 있으며, 특히 잘 조절되지 않는 고혈압 환자나 기존에 부정맥이 있는 환자에서는 금기이다.

기능성방광 용적 증가를 위해 사용되어 온 기타 약물로는 삼환계항우울제, 복합작용제, 평활근이완제 등이 있으나 효과에 비해 부작용 위험이 커서 항무스카린제와 베타-3 작용제 등 안정성 높은 약제의 등장에 따라 그 사용이 줄어들고 있다. 특히 삼환계항우울제인 이미프라민(imipramine)의 경우 방광과 중추신경계에 동시에 작용하는 약물로서 기립성저혈압, QTc 간격의 증가, 심실성 부정맥 등의 심각한 부작용 위험이 있으므로 주의가 필요하며 투여 시작 혹은 중단 시 서서히 용량을 조절하여야 한다.

2) 방광출구저항 향상을 위한 약물

요자제 기능을 위해서 적절한 방광출구저항이 존재해야 하며, 방광출구저항의 형성을 위해서는 방광경부, 요도, 골반 근육 등에 의한 총체적인 해부학적 지지가 중요한 역할을 한다.

요도 및 방광경부에는 알파교감신경이 분포하며, 교감신경 자극에 의해 요도폐쇄압이 상승되므로 에페드린(ephedrine), 페닐프로파노알라닌(phenylpropanoalanine, PPA) 등의 알파 교감신경 작용제가 임상적으로 시도되었다. 그러나 이들 약제는 요도괄약근에 대한 선택성이 낮으며, 혈압증가. 수면 장애, 두통, 신전, 두근거림 등의 부작용이 흔히 발생하는 등의 문제가 있었다. 특히 PPA는 출혈성 뇌혈관질환 빈도를 증가시켜 현재 사용이 중단된 상태이다.

중추신경계 작용 선택적 세로토닌 노르에피네프린 재흡수 억제제로 개발된 듈록세틴(duloxetine)은 음부신경 활동을 촉진하여 요도폐쇄압을 상승시킨다. 미국 식품의약국(FDA) 승인을 위한 임상 3상 이중맹검 위약 대조군 연구에서, 주당 7회 이상의 요실금이 있는 복압성요실금 환자를 대상으로 12주 치료 시 주당 요실금 빈도는 치료군 50%, 위약군 27% 감소로서 유의한 효과가 있었다. 이를 근거로 듈록세틴은 2003년 FDA 복압성요실금 치료제 적응증을 획득했다. 장기 추적 관찰 시 부작용으로는 오심이 25%로서 가장 흔하며, 구토, 변비, 구갈, 피로감, 어지러움증, 불면증 등이 보고되어 있다. 효과 대비 상대적으로 높은 부작용 빈도로 인해 단기 치료 시 20~40%, 장기 치료 시 90% 이상이 중도 탈락한 것으로 조사되었다. 복압성요실금의 경우 생활습관 교정, 골반근육운동, 수술 등 효과적인 다른 치료법이 존재하여 약물 치료에 대한 환자들의 선호도는 낮은 편이다. 듈록세틴은 현재 EU에서는 복압성요실금 치료제로 승인 받아 사용되고 있으나 미국 FDA에서는 승인이 철회되어 사용되지 않고 있다. 국내의 경우 허가 사항은 당뇨병성 말초신경통, 우울증, 불안장애 등이며 복압성요실금 치료제로는 허가되어 있지 않다.

여성에서는 질 점막 등을 포함한 요도 주변 조직에 에스트로젠(estrogen) 수용체가 존재하여, 에스트로젠은 이들 조직의 재생과 유지 기능에 중요한 역할을 한다. 폐경 이후 에스트로젠 결핍 시 이들 조직의 위축성 변화가 진행되며, 이는 요도 점막의 잠금 효과(sealing effect)를 약화시킨다. 이에 폐경기 여성 요실금 환자에게 다양한 제형의 에스트로젠 요법이 시도되어 왔다. 대부분의 연구에서 주관적인 지표의 향상은 관찰되었으나 객관적인 지표, 즉 요역학검사 상 최대요도폐쇄압의 증가는 보이지 않았다. 에스트로젠 단독 요법의 복압성요실금에 대한 효과는 미미하지만 골반근육운동과 에스트로젠 약물 치료 병행 시 상승 효과가 보고되어 있으며, 경도의 복압성요실금에서 1차 치료로 시도될 수 있다.

3. 요배출 기능 촉진 약물

약물 치료에 의해 요배출 기능을 높이기 위한 전략으로는 방광수축력을 증가시키는 방법과 방광출구저항을 낮추는 방법의 두 가지 방향이 있다.

1) 방광 수축력 증가 약물

방광근 수축은 부교감신경에 의해 매개되므로 부교감신경 활동을 항진시킴으로써 수축력 증가를 기대할 수 있다. 이를 위해서는 콜린성 유사약물(cholinomimetics)로 무스카린 수용체를 직접 자극하는 방법과 아세틸콜린(acetylcholine, Ach)을 분해하는 콜린에스테라제(cholinesterase)를 억제하여 근신경 접합부에서의 Ach 활동성을 강화하는 방법이 있다.

대표적인 콜린성 유사약물로는 베타네콜(Bethanechol chloride)이 있고, 콜린에스테라제 억제제로는 디스티그민(distigmine bromide)이 있다. 두 약물 모두 실험실 연구에서는 방광근 수축 증가 효과가 있었지만, 실제 임상에서 사용되었을 때는 위약에 비해 유의한 효과를 나타내지 못하였다. 특히 전신 부교감 신경 자극에 의해 오심, 구토, 설사, 복통, 기관지경색, 다한증, 두통, 홍조, 시야장애 등이 나타날 수 있고, 드물지만 심정지 등의 치명적인 합병증도 보고되어 있다. 이러한 부작용에 의해 실제 임상에서 용량 증가가 어려운 것도 불충분한 임상효과에 영향을 주는 것으로 보인다.

2) 방광출구저항 저하 약물

전립선을 포함한 요도근위부 및 방광경부 평활근 수축에 알파1 수용체, 특히 알파1a, 1d 아형(subtype)이 주로 관여하여 방광출구저항을 형성한다. 그러므로 방광출구저항을 줄이기 위하여 알파1 수용체 선택성 차단제(alpha1-selective blocker)가 흔히 임상적으로 사용됐다. 현재 임상에 사용되는 알파차단제의 종류 및 임상 효과에 대해서는 전립선비대증의 약물 치료

부분에서 자세히 다룰 예정이다. 알파차단제의 부작용으로는 정액배출장애, 어지러움증, 기립성저혈압 등이 있다. 일반적으로 알파 1a 아형 선택성이 높을수록 정액배출장애 빈도가 증가한다. 주로 혈관에 다수 분포하고 있는 알파 1b 아형 수용체에 함께 작용하는 알파차단제의 경우 기립성저혈압 발생을 줄이기 위해 취침 전에 약을 복용하고, 저 용량부터 시작하여 점진적으로 용량을 올려야 한다.

횡문괄약근에 작용하여 출구저항을 줄일 수 있는 약제로는 A형 가바수용체(GABAA Receptor)에 작용하는 벤조다이아제핀(Benzodiazepine,), B형 가바수용체(GABAB Receptor)에 작용하는 베클로펜(Baclofen) 등이 있다. 이들 약제는 뇌와 척수 등 중추신경계를 통해 작용하므로 어지러움증, 무기력 등의 부작용이 흔히 나타나므로 사용에 주의가 필요하다.

4. 기타 약물

하부요로증상의 하나로 야간뇨가 있다. 야간뇨를 호소하는 환자에서 야간다뇨(NP, nocturnal polyuria)가 주 원인으로 진단될 경우 항이뇨호르몬(ADH, antidiuretic hormone) 유사체인 데스모프레신(desmopressin)을 치료 약물로 사용할 수 있다. 데스모프레신은 ADH의 혈압 상승 작용은 줄이고 이뇨 작용은 증가시킨 합성 ADH 유사체로서 요붕증, 야뇨증 및 야간뇨의 치료에 사용되며 비강내 스프레이형, 경구용 태블릿형, 경구용 구강붕해정(ODT, Orally disintegrating tablet), 피하지방 주사 등의 형태로 개발되어 있다. 야간뇨 치료에는 태블릿형과 ODT형이 주로 사용되는데, ODT형의 생체이용율은 태블릿형에 비해 60%정도 크게 나타나므로, ODT형 60, 120, 240 μgm은 태블릿정 100, 200, 400 μg에 해당하는 역가를 가지고 있다.

데스모프레신의 주요 부작용은 두통, 오심, 저나트륨혈증 등이다. 저나트륨혈증은 메타보고에 의하면 7.6%정도에서 용량 의존적으로 발생하는데, 65세 이상 고령 환자와 여성에서 빈도가 높고 기저 나트륨 수치가 낮을수록 많이 발생한다. 신기능 부전, 간경화, 다음증(polydipsia) 등에서는 금기이며, 울혈성심부전 환자에게 투여 시에는 급성 심부전 위험이 있으므로 저녁시간 수분 섭취를 제한시켜야 한다. 대부분의 진료지침에서 저나트륨혈증을 막기 위해 약물 투여 전 기저치 나트륨 수치를 확인하고, 투여 3일 후 추적 검사를 권한다.

이뇨제(Diuretics)는 울혈성심부전, 말초부종 등의 질환에서 이차적으로 발생하는 NP에 의한 야간뇨에 효과적이다. 울혈성심부전이나 말초부종의 경우 수면을 위해 취하게 되는 수평위에서 신장이 처리해야 할 유효 혈장량의 증가가 야간 소변량의 증가로 이어진다. 이때의 NP는 소변 농축 과정이 정상적으로 이루어지는 용질/수분 이뇨(solute/water diuresis)이며, 취침 4~6시간 전에 이뇨제를 투여하면 취침 전에 용질과 수분을 함께 배출시킴으로써 야간 소변량을 줄일 수 있다.

전체 참고문헌 목록은
배뇨장애와 요실금 웹사이트 자료실
(http://www.kcsoffice.org)에서
확인할 수 있습니다.

제 15 장 하부요로기능이상의 수술적 치료

Surgical treatment for lower urinary tract dysfunction

노준화

1. 서론

하부요로기능이상의 수술적 치료는 보존적 치료와 약물치료로 방광의 비정상적인 요역동학을 회복시키는 데 실패한 경우에 필요하다. 하부요로기능이상의 치료 목표는 1) 저장기에 안전한 방광 압력을 유지하여 신기능을 보호할 수 있으며, 2) 적절한 배뇨 간격으로 원활하고 완전한 요 배출을 유도하여 범람요실금(overflow incontinence)이나 재발성 요로감염, 방광결석 형성, 신 손상의 위험을 최소화하도록 하며, 3) 삶의 질을 올리고 발생 가능한 합병증을 방지하는 것이다. 하부요로기능이상의 수술적 치료는 치료의 목적에 따라 요 저장을 향상시키는 치료와 요 배출을 향상시키는 치료로 나눌 수 있으며 각각은 다시 방광에 대한 치료와 방광출구에 대한 치료로 나눌 수 있다(표 15-1). 본 장에서는 하부요로기능이상의 다양한 수술적 치료에 대해 정리하였다.

2. 요 저장기능을 향상하는 수술적 치료

1) 방광에 대한 치료: 방광수축 억제, 용적 증가

(1) 방광과팽창술(bladder overdistention)

방광과팽창술은 수축기 혈압과 유사한 수압으로 방광벽을 확장해 방광 용적을 증가시키는 방법이다. 효과는 주로 방광 점막 내 구심성신경말단의 허혈에 의한 것으로 생각된다(Dunn et al, 1977). 주로 간질성 방광염의 진단과 치료 방법으로 이용되며 신경인성방광에서는 효과를 기대하기 어렵다. 합병증으로는 방광파열(5~10%), 혈뇨, 허리통증, 급성요폐 등이 있다.

(2) 침술치료(acupuncture)와 전기침술치료(electroacupuncture)

침술치료는 체성신경자극의 한 형태로 수동이나 전기를 이용하여 특정 부위를 자극하여 신경 기능의 변

표 15-1. 하부요로기능이상의 수술치료

요저장 기능을 향상시키는 수술적 치료		
방광에 대한 치료 (방광수축 억제, 방광용적 증가)	방광내 보툴리누스독소(botulinum toxin) 주입술	
	신경자극술과 신경조정술(neurostimulation & neuromodulation)	
	방광과팽창술(bladder overdistention)	
	침술치료(acupuncture)와 전기침술치료(electro acupuncture)	
	신경차단술	
	방광확대성형술(cystoplasty)	
방광출구에 대한 치료 (방광출구 저항 증가)	신경자극술(neurostimulation)	
	충전물질 주입술(injection therapy)	
	슬링수술(sling procedure)	
	인공요도괄약근 삽입술(artificial urinary sphincter insertion)	
	방광출구재건술	
요배출 기능을 향상시키는 수술적 치료		
방광에 대한 치료 (방광내압 상승, 방광수축력 증가)	신경자극술(neurostimulation)	
	방광축소술(reduction cystoplasty)	
	방광근성형술(bladder myoplasty)	
방광출구에 대한 치료 (방광출구 저항 감소)	해부학적 폐색에 대한 치료	전립선절제술/절개술
		방광경부절개술/확장술
		풍선확장술
	평활괄약근에 대한 치료	경요방광경부절제술/절개술
		방광경부성형술
	횡문괄약근에 대한 치료	괄약근절개술
		음부신경차단술

조를 기대하는 방법이다. 가능한 작용 기전으로는 첫째, 천수 또는 천수상부척수에서의 엔도르핀 분비, 둘째, 억제성체성방광반사(inhibitory somatovesical reflex), 셋째, 말초혈관의 순환 증가 등이 제시된다(Bergstrom et al, 2000). 전통적인 침술로부터 총비골신경 또는 후경골신경자극(posterior tibial nerve stimulation;PTNS)과 같이 방광수축을 억제하는 말초전기자극법이 개발되었다(McGuire et al, 1983).

(3) 신경차단술

최근에는 더 효과적인 약물들이 개발되면서 시행 빈도가 감소하기는 하였으나 보존적 약물치료에 실패한 경우에 선택할 수 있는 치료법 중 하나이다(Madersbacher et al, 2000). 일반적으로 말초신경차단이 중추신경차단과 비교해 더 선택적이지만 효과는 작다. 신경차단술의 가장 큰 문제점은 신경형성성(neuroplasticity)에 의한 신경기능의 회복이다(Madersbacher, 2000).

① 중추신경차단

화학적 신경근절제술, 천수신경근절제술 선택적 전천수신경근절제술 등과 같은 중추신경차단술은 배뇨근과반사를 감소시키고 요 저장 기능을 향상시키는데 일부 성공적인 치료 결과를 보였으나 오늘날 거의 사용되지 않는다. 천수신경근절제술은 요배출기능을 향상시키기 위한 신경자극술과 신경조정술의 보조요법으로 고려될 수 있다(Van Kerrebroeck et al, 1996; Kutzenberger et al, 2007).

② 말초신경차단-방광탈신경술

부교감신경을 말초에서 차단하여 배뇨근과활동성을 치료하는 다양한 방법이 시도되었으나, 대개 부분적인 탈신경에 그쳐 중추신경차단에 비하여 효과가 작다. 방법으로는 경질부분탈신경술(transvaginal partial denervation), 선택적 방광탈신경술(cystolysis), 방광환상절개술(bladder transaction), 내시경적방광환상절개술(endoscopic bladder transaction), 경방광골반신경총내 phenol주입술(transvesical infiltration of the pelvic plexus with phenol) 등이 있다. 대부분 치료 초기 성적은 긍정적이었지만 장기추적 결과에 대한 자료가 부족하고, 재발률이 높다. 더욱이 최근에는 배뇨근과반사에 대한 효과적이고 저침습적인 치료들이 개발되면서 시행되지 않는 술식들이다(Madersbacher, 2000).

(4) 방광확대성형술

① 위장관방광확대성형술

장 절편을 이용하고 배뇨근을 절개함으로써 방광용적을 증가시키고 배뇨근과활동성을 감소시키는 방법이다. 전통적으로 신경인성방광의 치료에 이용되었으나 비신경성 배뇨근과활동성에도 효과적이다(Mundy, 1985). 방광확대성형술의 기본 원리는 장간막 대측가장자리를 따라 장을 연 후 반원형으로 재구성하여 방광과 연결된 부위를 넓게 문합함으로써 최대한의 용적을 얻는 것이다(그림 15-1). 과거에는 비정상적인 방광을 최대한 제거하는 것이 추천되었으나, 현재는 문합면이 좁아지는 것을 예방하기 위해 원래의 방광을 제거하지 않고 보존하는 것이 추세이다. 술 전에는 방광저장기능뿐 아니라 배뇨기능과 요도괄약근기능을 자세히 평가하는 것이 중요하며, 환자에 따라 항역류수술이나 방광경부재건, 슬링 또는 인공요도괄약근삽입술 등의 수술을 함께 시행할 수 있다. 술후 자가도뇨를 요하는 경우가 많으므로 자가도뇨의 가능성에 대해 환자와 보호자에게 충분히 설명하고 교육한다. 수술방법으로는 사용하는 위장관의 부분에 따라 회장방광성형술, 회맹장방광성형술, S상결장방광성형술s, 위방광성형술 등이 있다. 합병증으로는 장폐색, 만성설사, 지방과 비타민 B12 흡수장애, 대사장애, 혈뇨-배뇨통증후군, 방광파열, 요로감염, 요로결석, 선암, 요로상피암 등이 있다.

② 위장관방광확대성형술의 대체 수술법

위장관방광확대성형술에 따르는 여러 합병증을 줄이기 위해 방광용적을 늘리기 위한 대안들이 연구되었다. 그중 요관방광성형술이나 자가방광확대술(그림 15-2) 같이 요로상피세포를 이용하는 수술방법은 방광

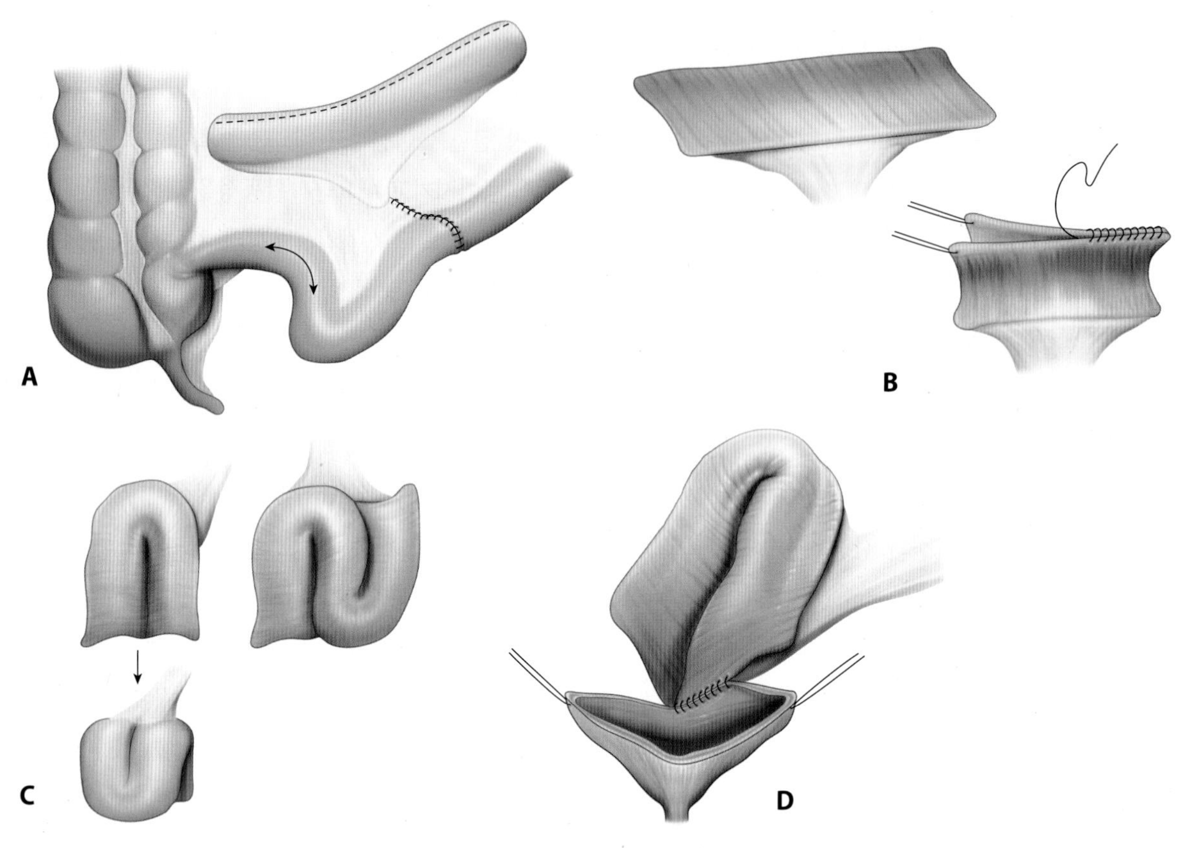

그림 15-1. (A) 15~40 cm segment of ileum proximal to the ileocecal valve is isolated and an ileoileostomy is performed. (B) The isolated segment of ileum is opened along the antimesenteric border. The opened segment is then folded and the edges are sutured together. (C) The opened segment is reconfigured to increase the surface volume. (D) The reconfigured ileum is anastomosed to the opened bladder beginnig at the posterior apex.

용적을 늘리고 방광유순도를 높이기에 적합할 뿐 아니라 비투과성으로 대사 장애를 피할 수 있고 점액을 생성하지 않으며 종양 발생의 위험을 증가시키지 않는 점에서 이상적이라고 할 수 있다. 이외에도 자가방광확대술 후에 발생하는 콜라겐 침착과 수축을 방지하기 위해 점막을 제거한 장 절편을 요로상피 위에 엎어주는 장막근육층장방광성형술(seromuscularenterocystoplasty)(그림 15-3)과 무생물재료(alloplastic materials)를 이용하여 방광을 대치하는 방광재생(bladder regeneration) 등이 대안으로 연구되었다.

2) 방광출구에 대한 치료: 출구 저항 증가

방광출구저항을 증가시키는 치료는 방광내압을 상승시킬 위험이 있기 때문에, 요도괄약근에 의한 요실

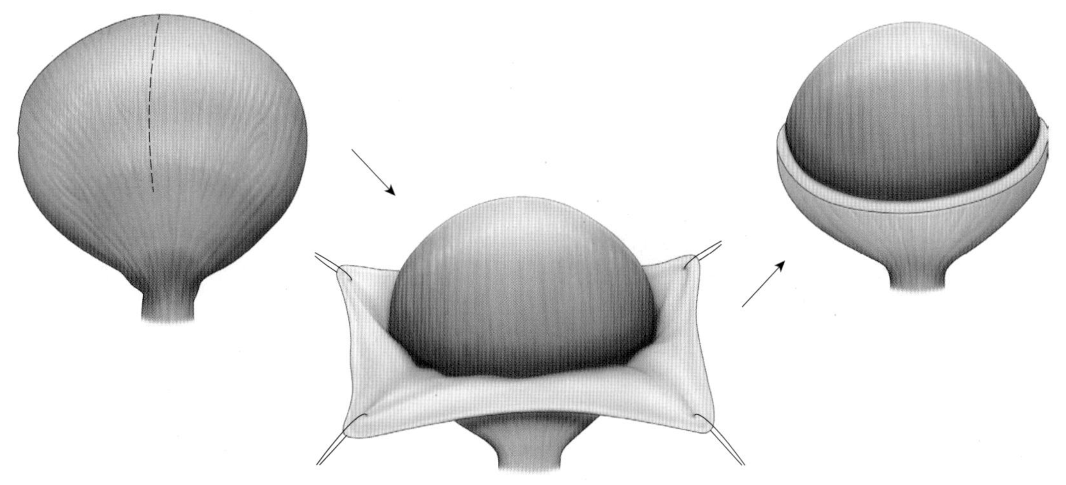

그림 15-2. **In autoaugmentation, the detrusor is excised leaving the urothelium to act as a diverticulum.**

금을 치료할 경우 배뇨근이 적절하게 조절될 수 있어야 하며 방광요관역류가 존재하지 않아야 한다. 또한, 방광확대성형술과 간헐적도뇨법이 동시에 필요할 수 있다.

(1) 충전물질 주입술

충전물질 주입술은 충전물질을 주입하여 요도점막의 접합을 향상시킴으로써 요실금을 호전시키는 방법이다. 주입방법으로는 경요도주사법, 경피주사법, 선행주사법등이 있다. 원래는 내인성요도괄약근기능부전의 치료에 사용되었으나, 요도과활동성과 관련된 여성 요실금이나 전립선적출술 후 요실금의 치료에서 성공률이 입증되면서 적용범위가 넓어졌다(Lee et al, 2010; Rahman et al 2005).

남성의 경우는 경요도 또는 선행주사법이, 여성의 경우는 경요도 또는 경피주사법이 가능하다. 경피주사법은 출혈과 충전물질의 유출이 적다는 장점이 있으나, 술기를 익히는 것이 어렵다는 단점이 있다. 치료성공을 좌우하는 것은 정확한 위치에 충전물질을 주입하는 것이다. 남성의 경우는 외요도괄약근 상부에 주사하며, 전립선적출술 후 발생한 요실금에는 근위부막양부요도와 정구의 외측에 환상으로 주사한다. 여성의 경우는 방광경부와 근위부요도에 주사한다. 원위부에 주사하면 치료 결과가 좋지 않고, 자극 증상이 유발될 수 있다.

충전물질로는 glutaraldehyde cross-linked bovine collagen (Contigen), nonabsorbable pyrolytic carbon-coated zirconium beads (Durasphere), silicone micro-implants (Macroplastique), calcium hydroxyapatite (Coaptite), 자가지방 등이 이용됐다. 치료 성공률은 여성의 경우 70~90%로 보고되나(Lightner, 2002), 남성의 경우 특히 전립선절제술 후 요실금의 치료에 대한 성공률은 여성보다 낮다. 또한, 신경인성 하부요로기능이상 환자군에서는 요자제 효과가 비교적 일찍 소실

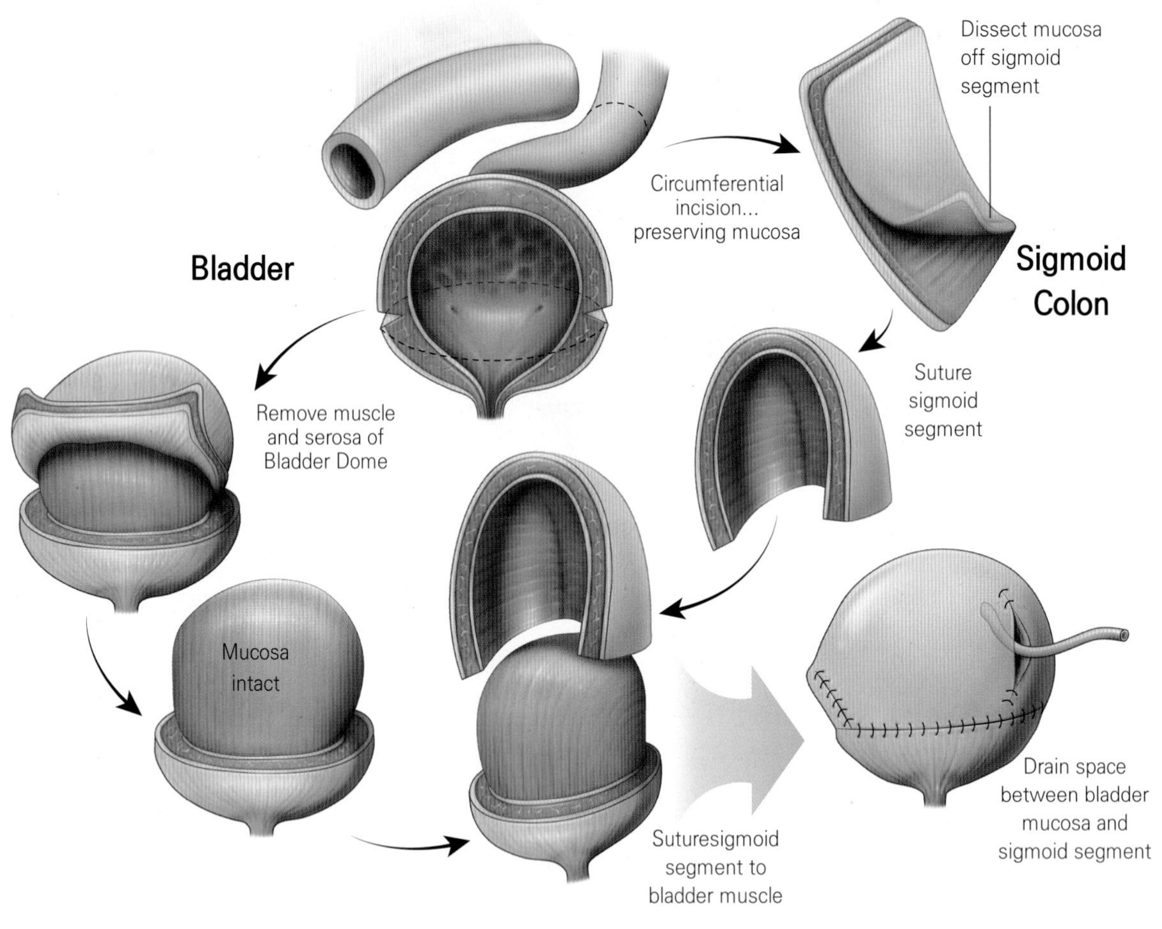

그림 15-3. **Seromuscular enterocystoplasty using sigmoid colon. Detrusor incision is performed similar to autoaugmenentation; However, the bulging mucasa is covered with demucosalzied segment of sigmoid colon.**

된다(Bennett et al, 1995; Block et al, 2003). 합병증으로는 주사물질의 이동, 육아종 형성, 주사물질에 대한 과민반응 등이 있다. 대개 반복주입이 필요하기 때문에 침습적인 수술을 원치 않거나 침습적 치료에 부적합한 환자를 대상으로 제한적으로 시행하는 것이 바람직하다.

(2) 슬링수술

슬링수술은 요도폐쇄기능과 괄약근기능부전에 의한 여성 복압성요실금에 효과적인 수술 방법이지만, 최근 배뇨근과활동성과 관련된 절박성요실금이나 전립선절제술 후 요실금에서도 효과가 입증되면서 적용범위가 넓어졌다. 치골질슬링과 긴장완화질강테이프수술(tension-free vaginal tape procedure)이 대표적인 방법으로, 이후 다양한 형태와 재료를 이용한 수술방법이 개발되었다. 최근에는 질 전벽에 단일 절개를 통한 미니(mini)중부요도슬링 술식들이 소개되고 있는데 Lee 등(2013)은 미니중부요도슬링인 TVT-Secure system 수술 후 3년 추적 결과 전체 완치율은 1년째 87.8%, 2년째 83.0%, 3년째 79.4%였으며, 83%의 환자가 수술 후 3년째에도 치료에 만족하는 것으로 보고하였다.

슬링수술 시의 유의해야 할 점은 다음과 같다. 첫째, 요도를 압박하여 요자제를 획득하되 과도한 압력을 가해서는 안 된다. 둘째, 슬링수술에 사용되는 합성 재료들은 감염이나 미란을 일으킬 위험이 적어야 한다. 셋째, 자발적인 배뇨를 위해서는 슬링의 저항을 이길 수 있는 적절한 배뇨근수축력이 필요하다. 넷째, 다양한 고정법을 이용하여 적절한 요도 압박을 가할 수 있어야 한다.

배뇨근과활동성이나 저방광유순도의 경우 슬링수술을 시행하더라도 요도내압이 방광내압보다 낮을 수 있으므로 경우에 따라 방광확대성형술이 필요할 수 있다.

(3) 인공요도괄약근

인공요도괄약근은 1973년 Scott이 소개한 이후 근치적전립선절제술 후 발생한 내인성요도괄약근부전에 의한 복압성요실금의 가장 좋은 치료방법으로 알려져 있다. 현재 사용되는 hydraulic artificial urinary sphincter (AMS 800: American Medical Systems, Inc., Minnetonka, MN)는 1987년에 소개된 것으로 남성에서는 대개 회음부로 접근하여 구부요도에, 여성에서는 방광경부에, 소아에서는 남녀 모두 방광경부에 위치시킨다(Mitchell et al, 1983). 풍선저장소는 방광 주위에 설치하며, 조절 펌프는 음낭이나 대음순에 위치시킨다. 방광확대성형술이나 음경보형물삽입을 동시에 시행할 수 있으며, 방광확대성형술은 인공요도괄약근삽입보다 먼저 시행한다(Kaefer et al , 1997). 음경보형물삽입은 인공요도괄약근삽입 후에 시행하고 반경직보형물을 사용하는 것이 좋다(Parulkar et al, 1989). 인공요도괄약근은 삽입한 지 6~8주에 작동을 시작한다. 여러 연구에서 나타난 요자제율은 73~90%로 보고되었다(Leibovich et al, 1997: Elliott et al, 1998: montaque et al, 2001).

합병증으로는 요도미란, 감염, 기계 고장, 방광결석 등이 있다. 요도미란이나 감염이 발생한 환자에서는 띠(cuff) 크기를 줄이거나 요도 근위부에 띠를 재위치시킬 수 있다. 그러나 요도미란이나 감염이 심하여 두 방법이 모두 불가능한 경우에는 해면체경유접근법으로 시행할 수 있다.

여러 연구 결과에 의하면, 실패한 인공요도괄약근에 대한 적절한 구체적 치료salvage treatment가 이루어진 경우에는 대부분 요자제를 획득하는 데 문제가 없는 것으로 알려졌다. 인공요도괄약근을 설치한 여성이 임신한 경우에는 임신 말기와 분만 시 비활성화 상태를 유지하는 것이 좋으며 제왕절개술을 고려한다. 소아의 경우 감염이나 요도미란이 성인에 비해 흔하며, 성장하면서 인공요도괄약근의 길이를 늘려야 하는 경우도 있다(Kaefer et al 1997).

(4) 방광출구재건술

① Young-Dees-Leadbetter 방광경부재건술

방광출구압을 증가시키기 위한 수술방법 중 대표적인 것으로, 현재는 주로 방광외번증의 교정수술 시 사용하는 방법이다. 양측 요관을 원위치보다 상부에 이식한 후 방광경부와 방광삼각부의 피판을 관 형태로 말아 근위부요도의 길이를 늘리는 방법이다. 요실금치료율을 높이기 위해 실리콘 또는 silastic sheath로 방광경부를 감싸주며 요도미란을 줄이기 위해 sheath와 방광경부 사이에 대망omentum을 위치시킨다(Mitchell et al, 1983). 대개 술후 자가도뇨가 필요하다.

② Kropp술식

요도 길이를 늘이고 밸브를 형성하여 요실금을 향상시키는 방법이다. 방광경부와 요도에 기저부를 둔 방광전벽피판을 형성하며 관 형태로 봉합한다. 그런 다음 방광삼각부에 점막하부 터널을 형성하여 새로 형성된 요도를 심은 후 방광을 봉합한다. 이 술식의 가장 큰 문제점은 도뇨가 어렵다는 것이다.

③ Pippi Salle술식

Kropp술식의 단점인 도뇨의 어려움을 줄이기 위해 개발된 방법으로, 방광삼각부에 세로로 평행 절개를 가한 후 방광전벽피판과 봉합하여 요도를 만든다. 그 다음 양측의 방광삼각부를 점막으로 덮는다. 방광전벽피판의 기저부가 상대적으로 좁아 확장된 요도의 괴사, 누공이 발생하고 요실금이 지속될 수 있으며, 도뇨의 어려움은 적다.

(5) Functional sphincter augmentation (Gracilisurethromyoplasty)

두덩정강근(Gracilis muscle) 피판을 방광경부 또는 근위부요도를 감싼 후 대측의 천골(궁둥뼈)에 부착시킨 후 전기생성기을 통해 수축하여 생체요도괄약근으로 활용하는 술식이다. 소규모 연구에서 요실금 치료에는 효과를 보였으나 도뇨나 방광확대성형술을 필요로 하는 비율이 높게 나타났다(Janknegt et al 1992; Chancellor et al 1997).

3. 요배출기능을 향상시키는 수술적 치료

1) 방광에 대한 치료: 방광내압 증가, 수축력 증가

(1) 방광축소술

방광축소술은 배뇨근수축력이 완전히 소실된 배뇨근무반사의 경우에는 효과를 기대하기 어렵다. 배뇨근 수축력이 약화되었으나 다소간의 수축력이 있는 경우에 시행할 수 있다. 방광이 과도하게 확장된 경우에는 방광기저부보다는 방광체부의 확장이 두드러지며, 방광 기능을 담당하는 신경과 혈관은 방광기저부에 위치하므로 수축력이 떨어진 방광체부를 일부 절제함으로써 배뇨기능의 향상을 기대할 수 있다. 하지만 방광축소술은 대부분의 환자들에서 장기간 성공률이 입증되지 못하였기 때문에 일부 선택적 환자에게만 고려되어야 한다.

(2) 방광근성형술

방광근성형술은 다른 신체의 부의를 골격근피판을 이용하여 방광 주위를 나선형으로 둘러싸는 방법이다. 복직근이나 광배근을 이용하며 자유피판을 하복동맥과 신경에 연결한 후 방광 주위를 둘러싼다. 근육모세포 매개성 유전자 전이를 이용하는 방법도 시도되고 있다. 최근 Gakis 등(2009)은 광배근을 이용한 방광근성형술의 다기관 연구를 통해 46개월의 추적관찰 기간에 24명의 환자 중 16명의 환자가 자발적 배뇨가 가능했음을 보고하였다.

2) 방광출구에 대한 치료: 출구저항 감소

경요도방광경부절제술, 경요도방광경부절개술, 경요도전립선절제술, KTP 레이저 또는 홀뮴레이저를 이용한 경요도전립선수술, 방광경부성형술, 괄약근절개술 등의 수술치료가 방광출구 저항을 감소시키기 위해 시행되고 있다. 특히 최근에 KTP 레이저와 홀뮴 레이저를 이용한 경요도전립선수술은 그 효과와 안전성에 대한 자료가 축적되면서 전립선비대증의 표준적 수술치료인 경요도전립선절제술을 상당 부분 대체하고 있다. 이에 대한 자세한 내용은 방광출구폐색을 기술한 39장과 전립선비대증의 수술적 치료를 기술한 47장에서 다루고 있다.

4. 기타

1) 요로전환술

진행되는 수신증, 반복적인 상부요로감염, 다른 방법으로 치료되지 않는 저장장애 등의 경우에 고려해 볼 수 있으며, 실금형 및 비실금형 요로전환술이 있다.

2) 신경자극술과 신경조정술

신경자극술(neurostimulation)은 신경이나 근육을 전기적으로 자극함으로써 즉각적인 반응을 얻는 방법이고, 신경조정술(neuromodulation)은 신경을 전기자극함으로써 신경의 전달과정을 변화시키는 방법이다. 역사적으로 척수신경자극은 배뇨중추를 직접 자극하여 배뇨를 개선시킬 수 있는 새로운 치료법으로 여겨졌다(Brindley et al, 1990). 그러나 골반신경을 자극한 결과 배뇨시작과 동시에 괄약근이 수축하여 적절한 배뇨가 불가능하였다(Jonas et al, 1975). 이후 요도괄약근 수축이 배뇨근수축을 억제하는 것이 밝혀졌고, 이로부터 배뇨근과활동성의 치료로서 음부신경의 역할이 대두되었다.

신경조정술은 천수신경근을 활성화하여 외요도괄약근 기능을 조절하고 이것은 다시 배뇨근 활성을 억제하여 정상배뇨반사를 회복하는 것을 목적으로 한다.

전기자극과 신경조정술에 대한 자세한 내용은 16장에서 다루고 있다.

3) 보툴리누스 독소 주입술

Clostridium botulinum에서 발견된 보툴리누스 독소(botulinum toxin; BTX)는 자율신경과 체성신경의 시냅스 전막에서 아세틸콜린과 여러 신경전달물질들이 유리되는 것을 억제함으로써 신경 차단을 일으켜 근수축을 억제하고 근육 위축을 가져온다. 보툴리누스독소에는 7가지 종류(A, B, C1, D, E, F, G)가 있으며 임상에서 주로 사용되고 있는 것은 BTX-A이다.

보툴리누스 독소 주입술은 가역적인 화학적 신경차단술로서 치료목적에 따라 크게 방광경부주입술과 배뇨근주입술로 분류할 수 있다. 배뇨장애영역에서는 배뇨근괄약근협조장애의 치료에 처음 시도되었다(Dykstra et al, 1990). 방법은 경요도 또는 경회음 접근을 통해 외요도괄약근에 주사한다. 방광출구저항을 감소시킴으로서 상부요로를 보호하는 치료효과를 가져올 수 있으나 요실금이 발생할 수 있고 이로 인한 추가적인 치료가 필요할 수 있다.

보툴리누스 독소 주입술은 신경인성 배뇨근과활동성, 골반근경직 등의 치료에도 사용되었으며, 전립선비대증이나 간질성방광염, 불응성 특발성 배뇨근과활동성에도 시도되고 있다.

BTX-A의 방광내주입술에 대한 국내 허가기준은 18세 이상 성인에서 항콜린제 치료가 어렵거나 적절히 조절되지 않는 신경인성배뇨근과활동성(예; 척수손상, 다발성경화증)으로 인한 요실금의 치료와 18세 이상 성인에서 항콜린제 치료가 어렵거나 적절히 조절되지 않는 절박성요실금, 요절박, 빈뇨의 증상이 있는 과민성방광의 치료이다.

추천되는 용량은 신경인성방광의 경우 보툴리누스 독소 200단위를 30 mL 생리식염수에 녹여 1 mL씩 30군데에 주입하게 되며 과민성방광의 경우 100단위를 10 mL 생리식염수에 녹여 0.5 mL씩 20군데에 주입한다. BTX-A를 방광내에 주입하면 방광의 용적은 증가하고 방광내압 및 요실금의 횟수는 감소한다(Kuo, 2004). 신경인성 및 원발성 배뇨근과활동성에 대한 BTX-A 방광내주입술에 대한 효과는 여러 연구에서 입증되었으며 부작용은 적은 것으로 나타났다. Cruz 등(2011)은 275명의 신경인성 배뇨근과활동성 환자를 대상으로 한 연구에서 수술 후 6주째 주당 요실금의 횟수가 위약군에서는 평균 13.2회 감소한 반면 BTX-A 방광내주입군에서는 200단위를 주입한 경우 21.8회, 300단위를 주입한 경우 19.4회가 감소하였다고 보고하였다. BTX-A 방광내주입 후 요로감염은 200단위를 주입한 경우 56.0%, 300단위를 주입한 경우 64.0%에서 발생하였으며, 요폐는 200단위를 주입한 경우 19.8%, 300단위를 주입한 경우 31.5%에서 발생하였다. Ginsberg 등(2012)도 신경인성 배뇨근과활동성 환자 416명을 대상으로 수술 후 6주째에 주당 평균 요실금의 횟수가 위약군에서는 9회, BTX-A 방광내주입군에서는 200단위와 300단위에서 각각 21회와 23회 감소하였다고 보고하였다. 이 연구에서 수술 전 자가도뇨를 하지 않았지만 수술 후 새롭게 간헐적자가도뇨가 필요하게 된 환자들은 200단위를 주입한 경우 35%, 300단위를 주입한 경우 42%이었다.

장기 결과 및 안전성에 대한 추가적인 연구들이 뒷받침되어야 하겠지만, 보툴리누스독소는 약물치료에 반응하지 않는 신경인성 배뇨근과활동성과 과민성방광의 새로운 치료법으로 대두되고 있다. 단점은 주사 후 3개월에서 6개월 사이 축삭(axon)이 재생되어 반복 주사해야 하는 것이다(de Paiva et al, 1999). 부작용으로는 요로감염, 혈뇨, 요폐 등이 있을 수 있으며 주변 근육으로의 확산도 보고되었다. 원발부위 또는 전신적인 근쇠약의 가능성도 있다.

전체 참고문헌 목록은
배뇨장애와 요실금 웹사이트 자료실
(http://www.kcsoffice.org)에서
확인할 수 있습니다.

전기자극과 신경조정술

Electrical stimulation and neuromodulation in storage and emptying failure

이하나

1. 서론

전기자극술(electrical stimulation)은 선택한 신경이나 근육을 전기적으로 직접 자극하여 치료효과를 얻는 치료 방법을 말하며, 신경조정술(neuromodulation)이란 전기 또는 자기장을 이용한 자극을 통해 신경 신호전달경로에 영향을 줌으로써 시냅스를 통하여 여러 신경 경로의 기능을 조절하는 치료법을 일컫는다.

하부요로기능이상의 치료에 있어 사용되는 신경자극부위는 질, 항문, 외음부신경, 천수신경 또는 정강신경 등이 있는데, 배뇨근수축 억제, 방광용적 증가, 요절박 및 빈뇨 감소, 방광출구압 증가 등을 통해 요저장기능의 향상과 배뇨근수축 자극이나 배뇨반사의 회복 등을 통한 요배출기능 향상을 도모하게 된다. 요저장과 요배출 장애의 치료에 적용되고 있는 대표적인 전기자극술 및 신경조정술과 자극의 위치는 다음의 표 16-1과 같다.

2. 전기자극술

1) 전기자극술의 종류

(1) 경요도 방광전기자극 (transurethral electrical stimulation)

요저장기능와 요배출기능을 향상시키기 위해 척수수막탈출증 환아에게 처음 적용되었던 치료법으로 방광충만에 대한 인지력을 향상시키고 배뇨근수축을 자극하여 자발적인 배뇨를 가능하게 할 뿐 아니라 방광용적을 증가시키고 방광내압을 낮추기 위한 방법이다.

전기자극을 통해 방광벽의 기계수용체(mechanoreceptor)를 인위적으로 활성화하여 정상배뇨반사를 유발하고, 이 경로를 반복적으로 자극함으로써 배뇨를 조절하는 능력을 향상시키고자 하였다. 구심성신경기능이 남아있고 방광의 수용체가 정상이고, 대뇌피질에서 방광감각을 인지할 수 있으며, 배뇨근이 수축할 수 있는 환자에서 효과적이다(Wyndaele et al, 2001). 그

표 16-1. **하부요로기능이상의 수술치료**

요저장기능 향상	자극 위치
배뇨근수축 억제 방광용적 증가 요절박, 빈뇨 감소	질, 항문, 치골상부(suprapubic), 후정강신경(posterior tibial nerve), 온종아리 신경(common peroneal nerve), 천수근(sacral root), 방광내(intravesical)
통증 감소	질, 항문, 치골상부, 천수근
방광출구압 증가	질, 항문, 천수근
요배출기능 향상	**자극 위치**
배뇨근수축 자극(척수손상)	신경차단술
배뇨반사 회복(특발성 요폐)	방광확대성형술(cystoplasty)
전기자극 및 신경조정술	**자극 위치**
천수신경조정술(Sacral neuromodulation)	S3 신경근
경피신경자극술(Transcutaneous electrical nerve stimulation, TENS)	항문, 2~3번 후천추공 부위, 남성 성기나 여성의 음핵, 치골상부, 대퇴근, 복부, 둔부
정강신경자극술(posterior tibial nerve stiulation)	안쪽 복사뼈(medial malleolus)의 세 손가락 너비 상부
음부신경자극술(Pudendal nerve stimulation)	좌골 가시(ischial spine) 수준
배부음부신경자극(dorsal genital nerve stimulation)	남성의 음경배부신경(dorsal nerve of the penis), 여성의 음핵신경(clitoral nerve)으로 치골결합 부위에 위치
자기장 자극(Magnetic stimulation)	천수 신경근을 자극, 항문 주위의 음부신경

러나 초기 성적이 기대와 달리 요저장이나 요배출에 대한 임상적인 효과는 제한적이다(Kaplan, 2000).

(2) 경피신경자극술(transcutaneous electrical nerve stimulation; TENS)

경피신경자극술은 천수 2-3번 신경의 지배부위(항문 주위)나 2-3번 후천추공 부위, 남성 성기나 여성의 음핵, 치골상부, 대퇴근, 온종아리 신경(common peroneal nerve), 후부정강신경, 복부, 둔부 등에 표면 전극을 붙인 후 전기자극을 가하는 방법이다. 경피적 후부정강신경자극이 방광불안정성에 대한 치료로 성공적인 결과들이 보고되어 있다.

(3) 경질 전기자극 (transvaginal electrical stimulation)

질을 통한 전기자극은 질내에 전극과 센서를 부착하여 골반저 근육들을 통증 없는 전류 흐름을 통해 활성화 시킴으로서 난치성 과민성 방광의 치료에 사용된다(Yamanishi T et al, 2000; Schmidt AP et al, 2009). 골반저근육은 35~40 Hz 주파수에서 활성화되고, 5~10 Hz 의 주파수에서는 방광근에 작용을 하게 되기에, 연구 결과를 바탕으로 복압성요실금 환자에서는 50 Hz를 사용하고, 절박성요실금 환자에서는 10~20 Hz의 주파수를 사용하여 치료한다. 치료 효과는 60~80%로 다양하게 보고되고 있고, 해가 되는 부작용은 거의 없어 심하지 않은 절박성요실금에서 추천되고 여성 성기능장애의 치료에서도 적용해보고자 하는 시도가 이루어 지고 있다(Alves PGJM et al, 2011; Castro RA et al, 2008;Rosenbaum TY, 2005;Amaro JL et al, 2003).

(4) 자기장자극(magnetic stimulation)

자기장 자극은 자기장이 전기의 변화를 유발하므로 신경 부위에 자기장을 가하여 신경을 자극 또는 억제할 수 있는 원리를 이용한 것으로, 천수 부위에 코일에 의한 자기장을 형성하여 천수 신경근을 자극하는 방법과 항문 주위의 음부신경을 자극할 수 있도록 고안된 장치를 이용하는 것이다.

(5) 간섭 중주파 전기 자극(interferential medium frequency current electro-stimulation)

간섭 중주파 전기 자극은 1985년에 Dougall에 의해 처음으로 요실금의 비침습적 치료로 보고된바 있다. 간섭 전기자극치료에서 전기 간섭은 중간 주파(3–10 kHz)에서 일정한 진폭의 두개의 전기 회로를 사용하여 만들어지며, 체내에서는 중간 주파의 간섭을 통해 저주파 영역(0–100 Hz)이 만들어져 요로계를 자극하게 된다. 75명의 남성을 대상으로 한 연구에서 Elgohary 등은 행동 훈련, 후부 정강 신경 자극과 골반저 훈련을 한 환자들에 비해 간섭 전기자극치료를 받은 다양한 원인에서 기인한 요실금이 있는 환자들에서 방광 배뇨 조절 기능의 회복에 의미 있는 차이를 보여주었다(Elgohary A, 2015). Rafaqat 등은 척수손상으로 인한 신경인성 방광 환자를 포함한 40명의 환자에서 과민성방광에 의한 요실금이 간섭 전기자극치료에 의해 호전됨을 보고하였고(Rafaqat A, 2017), 최근 연구에서는 요실금과 요폐에서 모두, 신경학적 원인을 포함한 방광기능장애의 치료에 있어서 간섭 전기자극치료의 적용을 권유하고 있다.

2) 선택적 전기자극술 (selective nerve stimulation)

(1) 후부정강신경자극술(percutaneous posterior tibial nerve stimulation)

후부정강신경자극술은 L4와 S3 사이에서 유래하는 감각신경과 운동신경인 후부정강신경 부위에 전기자극을 가하는 방법이다. 안쪽 복사뼈(medial malleolus)의 세 손가락 너비 상부에서 전극을 1.5 inch 깊이로 삽입한 후 stoller afferent nerve stimulator (SANS)를 이용하여 전기자극을 가하는 방법으로, 후부정강신경은 좌골 신경(sciatic nerve)의 자기로 천골신경총(sacral plexus)의 구심성 입력(afferent input)에 기여하게 된다. 골반저근과 방광, 요도를 지배하는 체성 신경인 동시에 자율신경인 후부정강신경을 자극함으로써 방광과 장 기능을 변화시킬 수 있다. 저침습적이고 부작용이 적어 주로 소아환자들에서 연구되었으며, 결과는 다양하게 보고되었다.

경피적 정강신경자극이 구심성 방광 신경의 기능에 직간접적으로 영향을 끼침으로써 방광의 자극과 자제 조절 시스템(stimulatory and inhibitory control system) 사이의 부조화를 치료하는 데 사용된다. 정강신경자극술은 방광 불안정성의 치료에서 성공적인 결과들이 보고되어, 천수신경조정술의 대안이 될 수 있으나, 지속적인 결과를 나타내기 위해서는 규칙적인 간격으로 반복 치료가 필요하다. 272명을 대상으로 한 전향적, 단기관 연구에서 성공적인 경피적 신경자극술 시행 후, 증상의 50%이상 호전으로 정의된 성공률은 5년 후에 82%(95% 신뢰구간 76~88%) 였다(Peters et al, 2010;van Balken et al, 2001; Vandoninck et al, 2003). 정강신경자극술은 천수신경조정술과의 비교에서 완전한 요자제에는 천수신경조정술에 미치지 못하였고, 장기 결과도 알려지지 않아, 증상이 심한 환자에서 천수신경조정술을 대체하기는 어렵지만, 경도의 환자나 신경자극기의 삽입을 원치 않는 경우에 대안이 될 수 있을 것으로 보여진다.

(2) 음부 신경 자극 (pudendal nerve stimulation)

방광의 구심성반사는 천수 중간신경세포(sacral interneuron)들을 통해 요도괄약근을 지배하는 음부신경의 원심성경로를 활성화 하여 요도괄약근을 수축시킨다. 음부 신경 자극술은 골반으로 부터의 구심성 자극을 최대화 하기 위해 S2, S3, S4 에 기여하는 구심성 섬유를 가진 음부 신경을 좌골 가시(ischial spine) 수준에서 자극하여, 배뇨반사를 억제하고 요저장기능을 향상시키는 방법이다. 초기에는 천추공(sacral foramen)부위를 자극하였지만, 효과를 더욱 높이고 부작용을 줄이기 위한 다양한 방법과 도구가 개발되고 있어, 좌골직장와(ischiorectal fossa) 부위의 음부신경을 자극하거나 치골결합(pubic symphysis) 부위의 음부신경 감각 구심성섬유만을 자극하는 방법이 연구되고 있다. 음부신경자극이 천골신경자극과 비슷한 결과를 신경학적, 비신경학적 원인의 절박성요실금을 가진 환자에서 보인다는 연구가 있었고(Groen et al, 2005; Spinelli et al, 2005; Seif et al, 2005), 30명을 대상으로 음부신경자극와 천수 신경자극을 비교하였을 때 80% 에서 음부신경자극에서 증상 호전이 더 크다는 보고도 있었다(Peters et al, 2005).

(3) 배부음부 신경 자극 (dorsal genital nerve stimulation)

배부 음부 신경(dorsal genital nerve)는 남성의 음경배부 신경(dorsal nerve of the penis), 여성의 음핵신경(clitoral nerve)으로 치골결합 부위에 위치하며 귀두나 음핵의 감각을 전달하는 구심성신경이다. 음경신경이나 음경배부신경을 자극하여 척수손상 환자의 요실금이 감소하고 방광용적이 증가하였으며, 배뇨근과활동성이 감소하였다는 연구결과가 있으며(Wheeler et al, 1992, 1994), 삽입형 신경전극과 진동생성기가 개발단계에 있다.

3) 신경근자극(nerve roots stimulation)

S3 전천수신경근(anteriorsacral nerve roots)을 자극하여 요배출을 향상시키는 치료로, 대개 후천수신경근 절단술(posterior sacral rhizotomy)을 같이 시행하여 요저장기능도 함께 향상시킨다. 골반신경의 척수핵(sacral cord nuclei of the pelvic nerve)과 방광 사이의 경로가 정상이고, 방광수축이 가능한 환자에서 효과적인 치료방법으로 주요대상은 척수손상 후 배뇨반사가 불충분하거나 소실된 환자이다. 전극은 S2-4 신경근의 경막 내에 위치시키지만 자극은 개별적으로 하게 되며, 배뇨근은 주로 S3, 직장은 S2-4가 골고루 지배

하고, 발기는 S2가 주로 조절하기에 자극 양식에 따라서 배뇨, 배변, 발기 등을 모두 조절할 수 있다(Brindley, 1994).

전천수신경근은 방광으로 가는 부교감신경섬유와 괄약근으로 가는 체성신경섬유를 포함하기 때문에 전천수신경자극에 의해 배뇨근 괄약근 협동 장애(detrusor sphincter dyssynergia)가 발생할 수 있다. 이러한 부작용을 극복하기 위해 사용되는 Brindley 자극기는 자극 후 배뇨를 원리로 한 것이나(Jonas et al, 1975), 배뇨가 정상보다 높은 압력에서 발생하고, 배뇨근압 조절이 잘 이루어지지 않을 경우 상부요로손상이 발생할 수 있으며, 전기자극 시 하지의 움직임이 발생할 수 있는 것이 단점이다. 배뇨근 과활동성과 배뇨근 괄약근 협동 장애를 예방하기 위한 다양한 방법이 개발되었으며, 이에 따르는 치료 성적도 긍정적인 것으로 보고되었다.

3. 천수신경조정술 (sacral neuromodulation)

천수신경조정술은 S3 신경근에 tined lead 등을 이용해 직접 전기자극을 가하는 방법을 취하여 방광의 저장증상과 배뇨증상을 조절하는데 효과적으로 사용된다. 1960년대부터 하부요로증상을 치료하는데 사용되어 왔으며(Habib, 1967), 1997년에 천수신경조정술은 난치성 절박요실금에 대한 치료로 미국식품의약국(Food and Drug Administration, FDA)에서 승인을 받았고, 1999년에는 빈뇨-요절박증후군과 비폐색성 요폐(non-obstructive urinary retention)에 대해서도 승인받았다(Herbison·Arnold, 2009; Sherman·Amundsen, 2007). 간질성방광염/방광 통증 증후군(interstitial cystitis/bladder pain syndrome; IC/BPS)의 증상과 성기능 장애(sexual dysfunction) 에도 효과가 보고되었으며, 최근에는 그 적응증이 골반통 및 난치성 골반저기능 장애까지 확대되고 있는데, 현재 치료 효과를 기대하여 고려할 수 있는 천수신경조정술의 적응증은 다음 표 16-2와 같다.

1) 천수신경조정술의 작용 기전

(1) 천수신경조정술

천수 부위의 감각성 체신경이 자극을 받아 반사적으로 하복신경의 교감신경이 활성화되어 배뇨근을 조절하는 부교감신경이 억제된다는 가설을 바탕으로 하며, 신경조정의 효과는 자극되는 신경부위가 중추신경

표 16-2. 천수신경조정술의 적응증

적응증
기요절박-빈뇨 증후군/과민성 방광 증후군(urgency-frequency syndrome / overactive bladder syndrome)
비 폐색성 요폐(non-obstructive urinary retention)
신경인성 하부요로 기능장애 (Neurogenic lower urinary tract dysfunction)
간질성방광염/방광 통증 증후군(interstitial cystitis/bladder pain syndrome; IC/BPS)
성기능 장애(sexual dysfunction)
척수손상 및 퇴행성 신경질환(spinal injury and neurodegenerative disease)
골반저부 기능 장애(pelvic floor dysfunction)
변실금(fecal incontinence)

에 가까울수록 효과적이다. 즉, 신경조정의 신경자극 부위로는 질, 항문, 외음부보다 천수 후부 신경근이 더 효과적이다(그림 16-1).

이러한 신경 반사에 의해 천수신경 반사 또는 천수 상부의 신경중추의 작용이 일어나 부교감성 골반신경

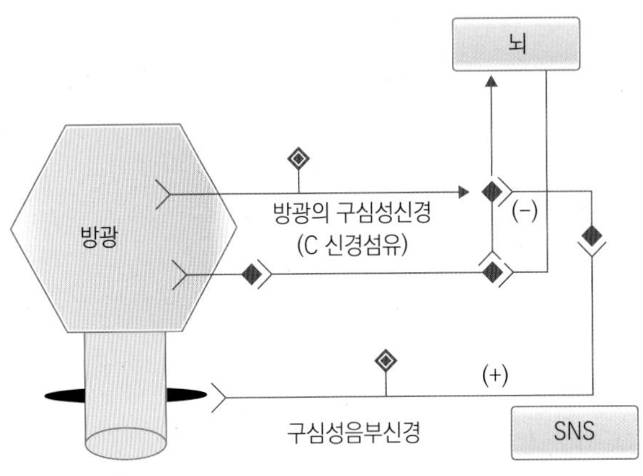

SNS: sacral nerve stimulation

그림 16-1. **구심성 음부신경과 배뇨조절**

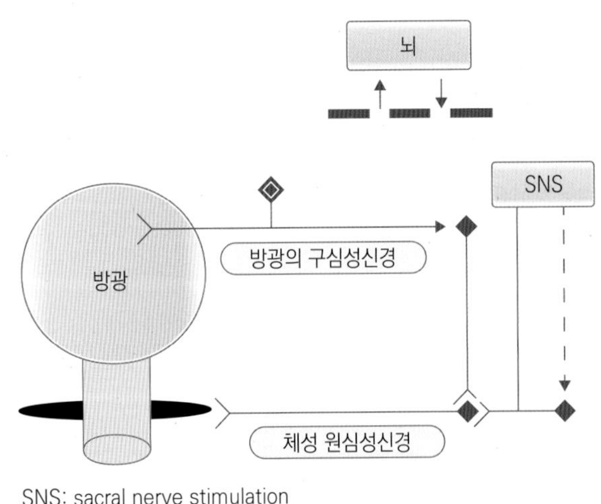

SNS: sacral nerve stimulation

그림 16-2. **천수신경조정술의 방광-외요도괄약근 보호반사**

이 억제되며 교감성 골반신경의 활성화되어 배뇨근 수축이 억제된다. 이 경우 골반근의 구심성신경은 유수 myelinated Aδ신경섬유이며 배뇨근을 지배하는 자율신경에 비해 신경자극의 역치가 낮으므로 전기자극의 강도를 조절하면 배뇨근수축 없이 골반근의 수축을 유도할 수 있다. 반면 신경조정을 유도하는 전기자극기를 끄면 신경조정 효과의 반동으로 부교감성 골반신경이 활성화되고 교감성 골반신경이 억제됨으로써 배뇨근 수축이 유도되어 배뇨를 할 수 있다.

(2) 방광-외요도괄약근 보호 반사 (bladder-to-sphincter guarding reflex)

천수신경자극술의 작용기전 중 가장 중요한 보호반사는 방광 충만시 요도괄약근이 수축하게 되고 이로 인해 배뇨근의 반사성 이완을 유도하는 것이다. 이것은 주로 급박성요실금 환자에서 작용하는 기전이다. 그 밖에 여러 가지 구심성 신경 자극에 의해 교감신경이 자극되거나 배뇨 기능이 억제되게 되는데, 배변(anorectal branch of pelvic nerve), 성교(dorsal clitoral 또는 penile branches of the pudendal nerve) 및 운동

표 16-3. **천수신경 자극에 대한 반응**

천수신경	운동과 감각 반응
S2	운동 반응: 발목의 발바닥쪽 굽힘 및 바깥쪽 회전, 항문 괄약근의 수축 감각 반응: 다리와 엉덩이 부위의 감각
S3	운동 반응: 엄지발가락의 발등쪽 굽힘과 bellow 반사 감각 반응: 회음부, 항문, 질 부위의 찌릿하거나 꽉 차는 느낌
S4	운동 반응: bellow 반사 감각 반응: 항문이 꽉 차는 느낌만 나타남

(afferents from the limbs)시에 작동하게 된다(그림 16-2).

요폐와 기능장애 배뇨(dysfunctional voiding) 환자에서는 보호반사를 억제함으로서 해결될 수 있다. 뇌에서 괄약근 및 요도의 보호반사를 중지시켜 충분한 방광 배출을 할 수 있게 하는데, 척수 손상시에는 이러한 기전이 작용 못하게 되어 보호반사를 중단할 수 없게 된다. 이로 인해 괄약근의 부조화와 불충분한 요 배출이 발생하게 된다.

2) 천수신경조정술의 시술 방법

천수신경조정술은 1단계 방법과 2단계 방법으로 나누어진다. 1단계 방법이란, 천수신경자극을 시행함과 동시에 영구적 신경조정기를 삽입하는 방법이며, 2단계 방법이란 1차적으로 일정기간 시험적 자극기간을 거쳐 영구적 신경조정기를 하복부나 둔부의 피하에 삽입하는 방법이다. 최근 시행되어지는 천수신경조정술은 S3 신경근에 직접 전기자극을 가하는 방법을 취하는데, 일시적인 시험적 거치기를 거치고 영구적 천구신경조정기를 둔부의 피하에 삽입하게 된다.

(1) 시험적 자극 기간 단계

부분 마취하에 투시조영검사를 이용하여 세 번째 천수신부위에 영구적 신경자극선을 위치시킨다. 이 때 전기자극을 주게 되면, 세 번째 천수신경 자극 시 나타나는 특징적인 반응이 나타나게 되는데, 항문 주위 근육인 항문 거상근의 수축(bellow 반응), 엄지발가락의 발바닥 쪽 굽힘(엄지 발가락 또는 나머지 발가락의 까딱까딱하는 움직임) 및 회음부, 항문, 질 부위의 저림 증상이나 항문 주위의 묵직한 느낌이 나타날 경우 올바른 위치로 판단할 수 있다(표 16-3). 이후 3~7일 정도 일시적 체외 천수신경조정기를 연결하여 지속적인 전기자극으로 증상의 완화를 관찰한다.

(2) 영구 천수신경조정기 삽입 단계

1차적으로 일정기간 시험적 자극 기간을 거쳐 효과가 증명되면 영구적 신경조정기를 하복부나 둔부의 피하에 삽입하게 된다.

시술 과정

① **자세 준비**: 엎드린 자세(prone position)로 시술하는 데, 베개나 젤리롤, 천 등으로 골반저(pelvic floor)와 배를 받쳐 골반저가 수평이 되게 하고, 발목 위치에 천이나 베개로 받쳐서 무릎과 엉덩이가 45°되게 한다.

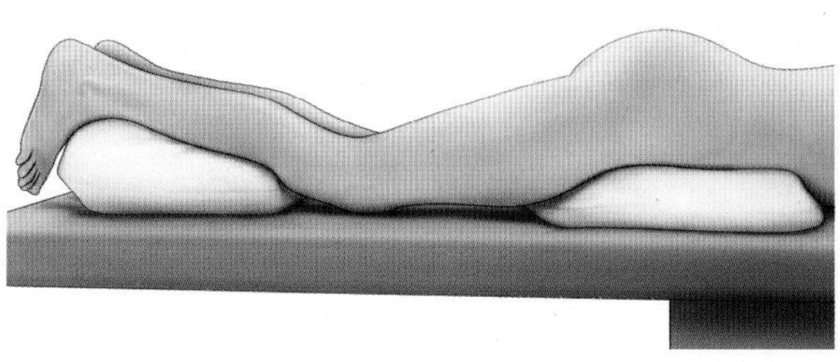

② **수술 부위 소독 및 준비**: 시술 중간에 항문 부위의 bellow 반응을 체크할 수 있게 항문을 육안으로 볼 수 있게, 엉덩이를 테이프로 당기어서, 침대와 함께 고정하며, 반응 부위인 항문 부위, 발이 보이도록 한다. 허리 벨트 선에서부터 테이프로 고정된 부위 아래로 5 cm 떨어진 부위까지 소독을 시행하고, 시술 후 터널링을 위해, 양쪽의 open 되어있는 lateral 도 모두 scrub한다.

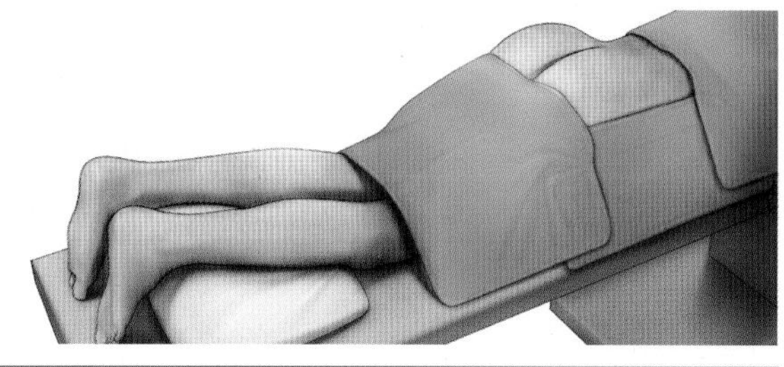

③ **투시조영장치(C-arm)는** 시술자의 반대편에 위치케 하는데, 시술 중 전-후(anterior-posterior) 방향과 측면방향(lateral view)도 봐야 하므로, 그때마다 침대 높이 조정할 수 있도록 한다.

④ **자극 부위인 3번째 천수공(S3 foramen)**을 다음과 같은 방법으로 찾는다.

④ - i)
양쪽 천장관절(sacro-iliac joint)을 이어 선을 긋는다. C-arm으로 위치 확인 후 hemostats로 위치 설정한다.

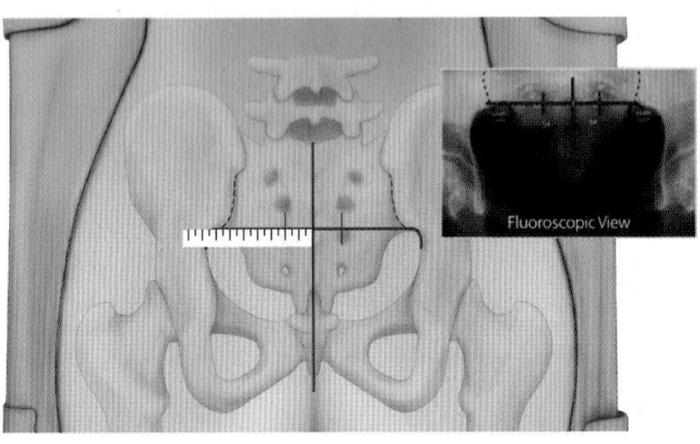

④ - ii)
spine과 coccyx을 잇는 midline을 긋는다.

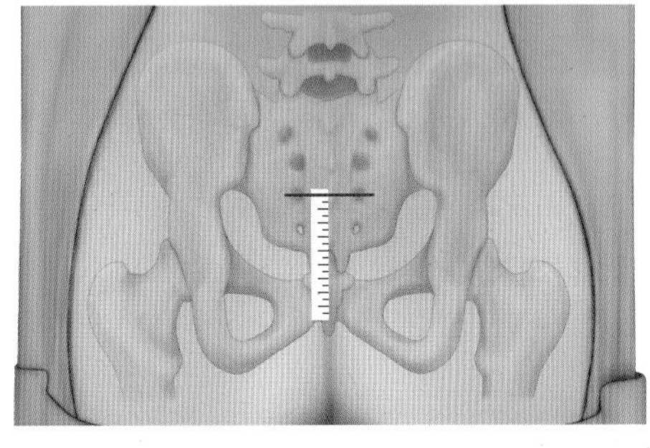

④ - iii)
두선이 교차하는 점에서 양 옆으로 1.5-2 cm 떨어진 지점이 S3의 위치가 된다.

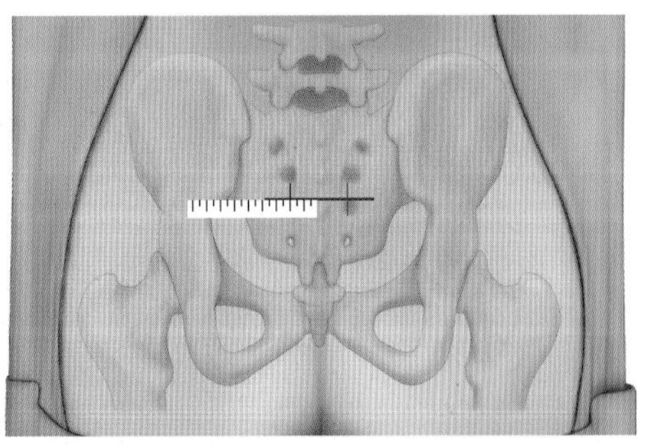

⑤ S3 point에 2% lidocaine 사용하여 국소마취 시행하며, 이때 foramen안으로 needle이 들어가지 않도록 주의한다.

⑥ 삽입 바늘(Insert needle)로 S3의 반응 찾는다.

⑥ - i)
Foramen needle을 이용하여 S3 foramen에 90°가 되도록 insert 해야 하는데, 그러기 위해서는 S3표시된 점에서 1.5~2 cm 떨어진 위쪽에서부터 엉덩이와 needle의 각도를 60°로 하여 찔러 나간다.

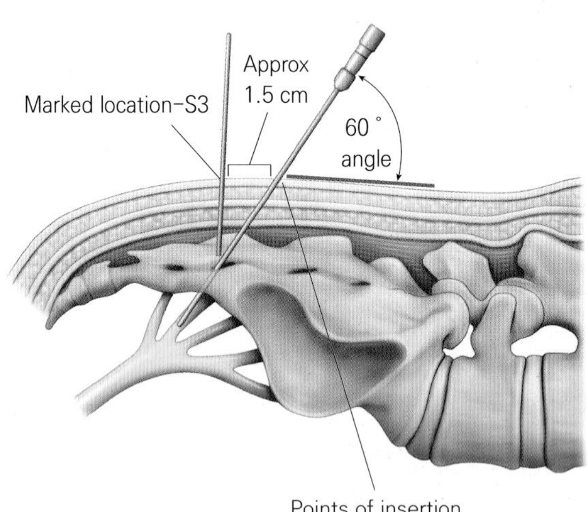

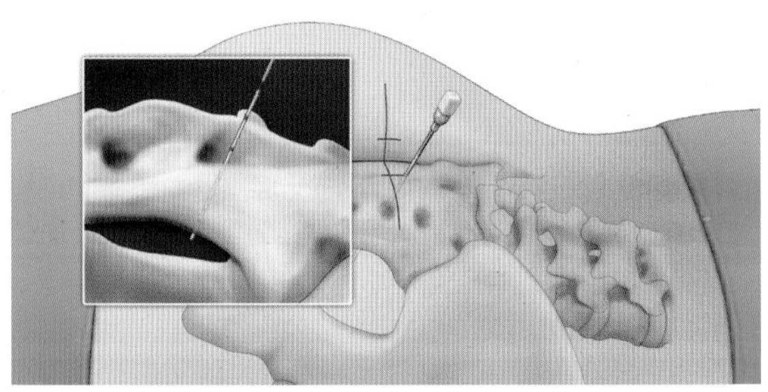

⑥ - ii)
needle이 foramen 안으로 들어갔다면, C-arm을 이용하여 lateral로 다시 한번 확인한다.

⑥ - iii)

외부자극생성기와 연결된 미니훅을 이용하여, 올바른 S3위치에 needle이 위치 되었는지 운동과 감각 반응(motor, sensory response)를 본다.

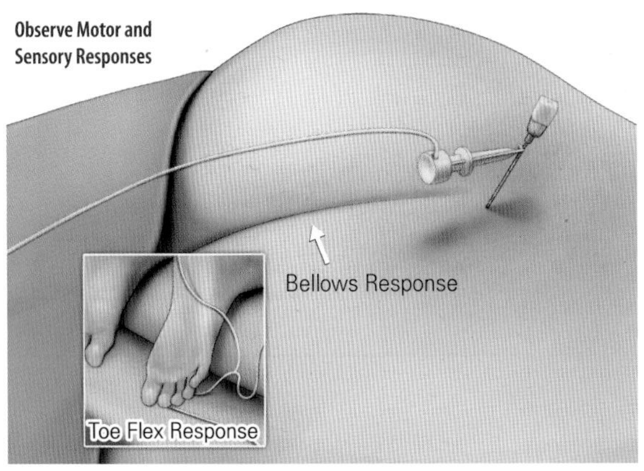

⑦ foramen needle의 needle 윗부분의 stylet을 빼낸다.

⑧ guide를 needle 안으로 insertion 한 후, guide만 남기고, needle을 제거한다.

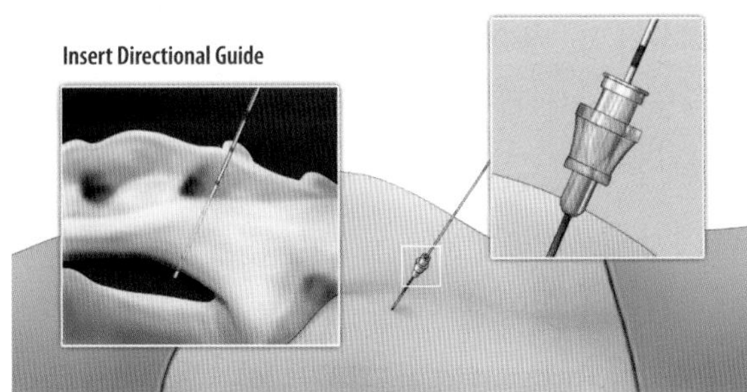

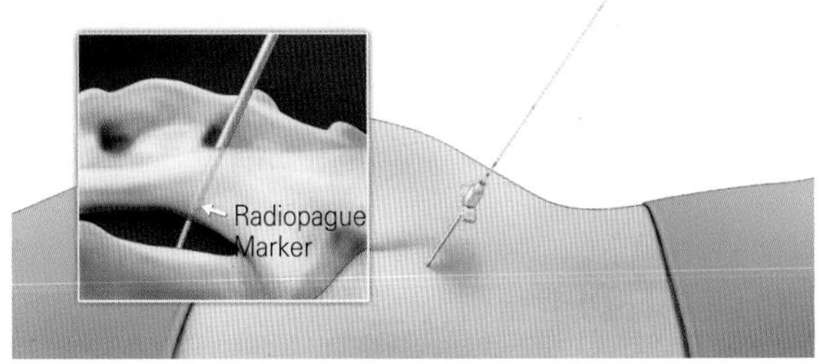

⑨ 가지형 전극선(tined lead) 삽입: guide 위로 sheath 삽입하고, guide를 빼낸다. 방사선 투시를 지속적으로 보며, tined lead를 남아있는 sheath안으로 삽입하여 tined lead 에 있는 흰색의 첫번째 표식선까지 넣는다.

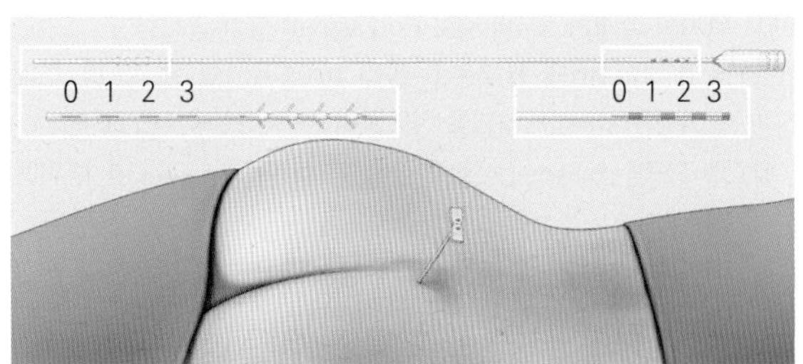

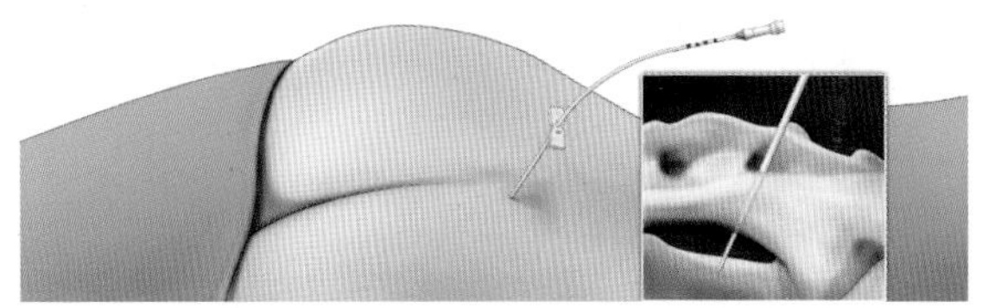

⑩ extension이 위치할 부위의 절개 시행한 후, 터널링하여 extension을 연결 후, 전극선을 옆구리 위치로 빼낸다.

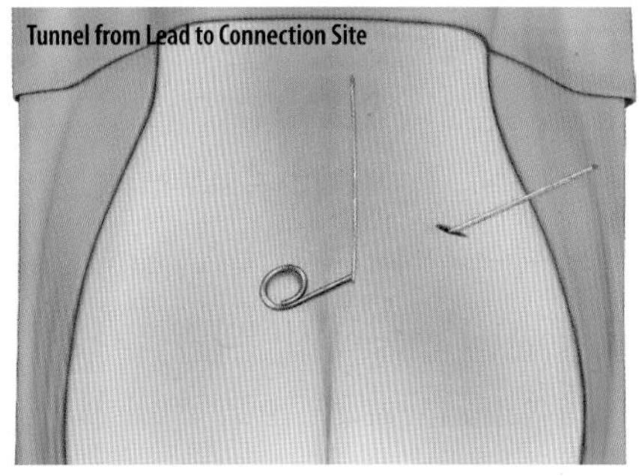

⑪ C-arm을 통해 tined lead의 각각의 전극(electrode)가 S3-foramen 안에 바르게 위치하도록 놓고, 외부자극생성기로 각 전극(electrode) 마다의 S3 운동과 감각 반응을 다시 체크한다.

⑫ tined lead가 뒤로 빠지지 않도록 조심스럽게 잡으면서, stylet 과 sheath를 제거한다.

⑬ 절개부위 마취 후, 엉덩이 쪽에서의 iliac crest로부터 4 finger (5 cm) 아래로 절개(incision)을 3~4 cm 정도 넣은 후 extension의 부분이 들어갈 pocket site를 만든다.

i) 첫번째 터널링 : 전극선 삽입 위치로부터 implant 기기가 위치할 절개된 포켓부위로 Rod sheath를 통과시킨다.
ii) Rod sheath의 끝부분을 돌려 tip과 rod를 뺀 후 몸 속에 남아있는 sheath 터널을 이용하여 전극선 뒷부분을 빼낸다.
iii) 전극선에 extension을 연결하고, tie한 후, pocket 부위에 넣는다.
iv) 두번째 터널링 : 외부용 자극생성기와 연결할 전극선의 끝을 옆구리부위로 빼낸다.

⑭ 절개부위의 봉합, 옆구리로 나와있는 전극선을 외부용 자극생성기와 연결할 수 있도록, 거즈를 대고 붙여주고, foramen needle삽입 부위, buttock도 피부 부위 nylon 봉합 시행 후 드레싱 후 수술 종료한다.

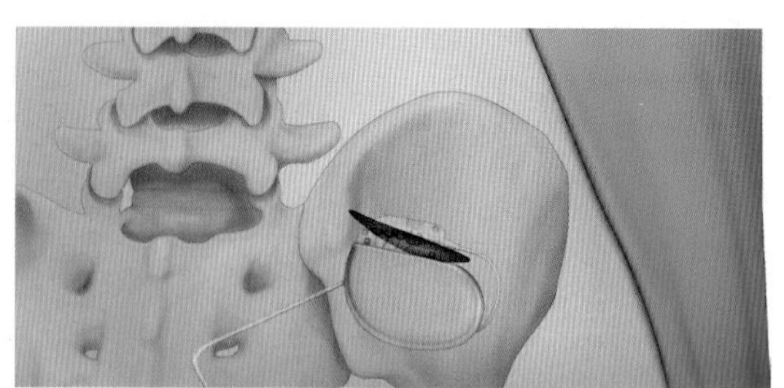

3) 임상 적용 및 치료 효과

(1) 과민성 방광증후군 (overactive bladder syndrome)

과민성방광의 치료에 있어서 천수신경조정술은 구심성 방광 신경의 기능에 직간접적으로 영향을 끼침으로써 방광의 자극과 자제 조절 시스템(stimulatory and inhibitory control system) 사이의 부조화를 치료하는데 사용된다(Schmidt et al, 1990). 천수신경조정술은 과민성 방광의 이차적 치료로 사용되며, 항콜린제 등의 이전 치료에 반응하지 않은 과민성방광의 치료에 고려될 수 있다. 기존 치료에 반응이 없는 배뇨근 과활동성에서 시술 후 1년에 80~90%, 4년에 53~60%의 성공이 보고된 바 있고(Shaker et al, 1998), 급박요실금 환자를 대상으로 한 연구에서 39%는 완전 요자제가 가능하였으며, 23%는 하루에 한번 이하의 요실금을 호소하는 정도였다고 보고하였다(Peters et al, 2005). 시행된 다른 연구들에서 증상이 50%이상 호전된 환자는 거의 70~80% 였으며(Peeters et al, 2014), 치료 6개월 후, 39~47%에서 완전히 과민성방광 증상이 회복되었음이 보고되었다(Siegel et al, 2015; Schmidt et al, 1999).

장기적인 치료성적에 대해서는 치료 4년 후에는 요실금이 있던 환자는 20%에서, 요실금이 없던 환자는 33%에서 증상이 정상화 되었고, 치료 10년 후에는 17%에서 정상으로 회복되었음이 보고되었다(Peeters et al, 2014; Riemsma et al, 2017). 2011년 보고된 연구에서는 14년까지(평균 추적기간 50.7개월) 추적한 결과, 천수신경조정술의 절박성요실금에 대한 장기 치료 성적은 84.8% 였다(Al-zahrani et al, 2011).

(2) 특발성 비 폐색성 요폐 (non-obstructive urinary retention)

전립선비대증, 요로계 종양, 방광경부 협착이나 요도 협착으로 인한 해부학적 폐색이 아닌 배뇨근 외요도괄약근 협동장애(detrusor external sphincter dyssynergia)나 배뇨근 방광경부 협동장애(detrusor bladder neck dyssynergia)로 인한 기능성 폐색에 의해 배뇨 기능이 저하될 수 있다. 골반저 기능장애(pelvic floor dysfunction)에서도 배뇨근 기능이 저해될 수 있어 방광 비우기를 어렵게 하고 다양한 정도로 요폐가 나타나게 되며, Fowler 등에 의하면 젊은 여성에서 요도 괄약근의 과활동성이 요폐의 원인이 될 수 있다(Fowler's syndrome) (Swinn·Fowler, 2001). 또한 척수 병변, 추간판 탈출증, 다발성 경화증, small fibre neuropathy 와 같은 신경학적 질환 들도 비 폐색성 요폐의 원인이 될 수 있다. 골반 수술이나, 감정적 스트레스와 같은 유발 사건이 있는 환자에서 특발성 요폐가 나타나기도 한다.

2001년 이태리에서 비폐색성 요폐 환자 196명을 대상으로 한 연구에서 영구 전기자극기 삽입 1년 후 50%에서 도뇨를 하지 않아도 되었으며, 13%에서는 하루에 한번 정도만 도뇨를 하면 되었다고 보고 하였다. 장기 추적 결과에서도 효과적인 것으로 보고되었는데, 2014년 Peeters 등은 4년(평균 47개월) 추적 관찰한 결과에서 94명의 환자들 중 73%에서 자가도뇨 횟수가 50% 이상 감소하거나 자가도뇨가 필요 없게 되었음을 보고하였다. 6년 추적 결과에 대한 보고에서도 76.2%에서 효과가 있음이 보고된 바 있다(van Voskuilen et al, 2006).

(3) 간질성방광염/방광 통증 증후군 (interstitial cystitis/bladder pain syndrome; IC/BPS)

간질성방광염/방광 통증 증후군의 치료에 있어서 천수신경조정술은 골반통을 호전시키고, 증상 점수를 호전시키며, 주간 빈뇨, 야간뇨, 요절박, 평균 배뇨량을 포함한 증상을 호전시킨다.

간질성방광염/방광 통증 증후군의 병리기전은 아직도 명확하지 않기에, 현재 치료는 증상 경감을 목표로 하게 된다. 천수신경조정술은 난치성 간질성 방광염/방광 통증 증후군 환자의 다양한 치료방법 중 하나가 될 수 있다. 간질성방광염/방광 통증 증후군 서 말초 및 중추 신경계의 비정상이 원인으로 제기되고 있는데, 신경계의 실조는 급성 손상에 따른 통증의 인지를 유지할 뿐 아니라, 자극에 반응하는 통증 인지를 과장하게 된다. 천수신경조정술로 인한 증상 경감의 정확한 기전은 완전이 밝혀지지는 않았으나, 천수신경조정술이 구심성 전달경로에 작용함으로 척수와 두뇌로의 비정상 감각 신호 전달을 억제한다고 여겨진다(Alo·Holsheimer, 2002; Wyndaele et al, 2000). 척수자극은 만성 허리 통증, 특발성 협심증, 편두통과 같은 만성 통증을 조절하는 데에도 성공적으로 쓰여지고 있다.

영구적 천수신경조정기를 삽입한 간질성방광염 환자 21명 중 20명이 15개월에 중등도 이상의 증상 개선을 나타냈고, 진정제 사용량도 1/3으로 감소하였음이 보고되었으며(Peters·Konstandt, 2004), 30명 환자들에서 평균 86개월 추적한 결과에서도 통증이 64% 감소함이 보고되었다(Marinkovic et al, 2011). 간질성방광염 46명에 대해 평균 62개월 추적한 연구에서도 13명(28%)은 신경조정기를 제거하였고, 70%에서 75% 이상의 증상개선이 있었음이 보고되었다(Gajewksi, Al-Zahrani, 2011).

(4) 척수손상 및 퇴행성 신경질환 (spinal injury and neurodegenerative disease)

신경학적 질환에서 천수신경자극을 사용하는 것은 주로 불완전 척수손상 환자와 주로 다발성경화증과 파킨슨씨병과 같은 신경퇴행성질환(neurodegenerative disease) 에서의 배뇨장애에 주로 초점이 맞춰져 왔다. 임상 연구에서 비신경학적 원인으로 요실금과 요절박, 빈뇨, 야뇨증, 변비를 가진 환아에서 효과를 보임이 입증 되었다(Roth et al, 2008; Humphreys et al, 2006).

(5) 변실금

최근 연구는 요실금 또는 변실금을 가진 신경학적 상태를 가진 환자의 2/3에서 장기간의 천수 신경 자극이 효과를 나타내었다(Haddad et al, 2010). 골반저근의 신경과 근육을 조절함으로써 변실금에 효과를 보일 것이라 여겨지고 있으며, 2011년에 천수신경조정술을 변실금의 치료에 사용하도록 FDA 승인을 받았다. 무작위배정 비교연구에서 약물 치료에 비해 효과적임을 보여주었는데, 평균 변실금 횟수가 주당 9.5회에서 3.1회로 감소하였고 47.2%에서 완전히 변실금이 소실되었다(Tjandra et al, 2008). 120명을 대상으로 시행한 3년 추적 관찰 결과에서도 86%에서 변실금 횟수가 50% 이상 감소함이 나타났고, 40%에서 완전히 변실금이 소실되어 변실금의 치료에 있어서도 천수신경조정술의 효과가 입증되었다(Mellgren et al, 2011).

표 16-4. 천수신경조정술의 합병증

합병증	발생 보고 (%)
• 영구적 신경조정기 삽입 부위의 통증	15~25%
• 새롭게 발생한 통증	9%
• 신경자극선의 위치 이동으로 조정이 필요한 경우	8.4%
• 감염	6.1%
• 일시적인 전기충격	5.5%
• 신경자극선 삽입 부위 통증	5.4%
• 장 기능의 변화	3.0%
• 신경자극선, 연결선 및 천수신경조정기의 기계적 파손 및 오작동	1.6~5%

5) 합병증 및 제한점

영구적 신경조정기 삽입 부위의 통증이 가장 많았으며 신경자극선의 위치 이동으로 조정이 필요한 경우가 그 뒤를 이었다. 신경자극선, 연결선 및 천수신경조정기의 기계적 파손 및 오작동의 문제가 있었으며 영구 신경 조정기 위치의 통증 및 다리의 저림 증상이 보고되었다(표 16-4).

천수신경조정술을 시행 받은 167명의 합병증에 대한 보고에서, 1단계에서 삽입된 전극선 중 50개(27.8%)가 제거되었고, 22개(12.2%)가 재조정 되었는데, 효과 부족이 대부분의 원인이었다(Hijaz·Vasavada, 2005). 2단계 영구적 신경조정기 삽입 이후에 12.3%에서 신경조정기가 제거되었는데, 감염과 효과 부족이 주 원인이었다. 천수신경자극술의 실패는 미숙한 수술 기술, 맞지 않는 환자 선택, 부속품 failure, lead 위치 옮겨짐, 기저 질환의 진행 등에 의한 것일 수 있다. 또는 골반저, 방광, 직장, 항문 수축근의 신경학적 분포의 다양성이 만족스럽지 못한 결과의 원인일 수 있다. 천수신경자극술은 척수 반사 반응을 일으키는 저진폭 자극에서 관찰되는 motor effect 와 함께, 주로 구심성 신경

경로(afferent pathway) 의 recruitment를 일으키게 된다. 골반으로부터의 주된 구심성 유출(afferent outflow)은 S2 신경근에 위치하고, 35% 정도가 S3 level에 위치한다. 게다가 개개인 사이에 다양성이 구심성 유출의 비대칭성을 가져오게 되며(Enck et al, 2004), 11% 환자에서는 단일 level이나, 단일 신경근에 국한된다(Huang et al, 1997; Vodusek, 2004).

천수신경자극술의 제한점은 한 개의 척수 신경근의 구심성 섬유만이 주로 자극 된다는 점이다. 세번째 천수공으로 lead가 위치하는 것은 주로 S3 신경근의 위치가 맞기 때문이며, 이것이 최선의 치료 효과를 가져오는 데 중요하게 여겨진다. 자극은 양측 시스템(bilateral system)을 사용하지 않는 한 일측이 된다. 높은 진폭의 자극 또는 신경근 주변의 부적절한 전극의 선택으로 자극 될 수 있으며, 이러한 것이 원치 않는 부작용 특히 S2 신경근이 포함되어 일어나는 부작용을 일으킬 수 있게 된다. 그리하여 양측성 천수 신경 자극이 연구되고 있는데, 이론적으로 한 개의 신경근 수준(level)에서의 구심성 유출의 비대칭성이 양측 좌우의 신경근을 양측성 자극을 함으로써 상쇄될 수 있다. 사람에서의 첫번째 연구에서 양측성 자극이 일측 자극의 경우보다 요폐와 변실금의 치료에 더 효과적임이 제시되었다. 그러나 모든 환자에서 양측 자극이 추가적 이득을 얻는다고 할 수는 없고, 대부분은 일측 자극만으로 충분하다. 또한 현재까지 천수신경조정술은 전지수명이 한정적이라는 한계가 있다. 기존 모델의 경우 평균 7년, 새로운 소형 모델의 경우 평균 4.4년 정도인 것으로 보고되어 있으며, 전지 수명이 다하여 효과가 떨어지면 전지를 교체해야 한다(sacral nerve stimulation, 2012).

4. 결론

전기자극 및 신경조정술은 요저장기능과 요배출기능을 향상 시켜 하부요로기능이상의 치료에 쓰이고 있으며, 현재까지 효과적인 임상 결과가 보고되고 있다. 전기자극술의 경우 아직 충분한 연구 결과가 보고되어 있지 않은 치료방법에서는 추후 임상 연구 결과의 뒷받침이 필요하다는 제한점이 있겠으나, 기존 치료법에 반응하지 않는 경우 신경에 대해 다양한 경로로의 전기자극을 통해 효과적 치료 선택의 하나로 고려될 수 있다. 난치성 간질성방광염/방광 통증 증후군, 비폐색성 요폐, 변실금 등에서 효과가 입증된 천수신경조정술은 효과적이고 유용한 임상결과가 보고 되고 있어 보존적 치료에 반응하지 않는 환자의 치료로 충분히 시도해 볼 수 있다. 향후 효과가 부족한 환자들에 관련된 요인 및 전지 수명, 삽입 부위 통증 등의 제한점이 극복된다면 더 다양한 임상적용이 기대될 수 있을 것이다.

전체 참고문헌 목록은
배뇨장애와 요실금 웹사이트 자료실
(http://www.kcsoffice.org)에서
확인할 수 있습니다.

제 17 장 배변기능이상

Defecatory function and dysfunction

장영섭

1. 변비

1) 변비의 정의

과거 변비는 배변 횟수가 감소하거나 배변이 힘든 경우, 배변 횟수가 3~4일에 한번 미만인 경우를 변비로 정의하였다(Sandler 1987). 현재 미국소화기학회는 변비를 드물게 일어나는 배변 또는 어려운 배변으로 둘 중 하나 또는 두 가지 특징을 갖는 불만족스런 배변으로 정의하고 있다. 어려운 배변으로는 배변을 위해 힘을 많이 주거나, 대변보기 어려운 느낌이 들거나, 잔변감을 느끼거나, 단단하고 덩어리진 대변이거나, 시간이 오래 걸리거나, 배변을 위해 추가적인 조작이 필요한 상태를 포함하며 이러한 증상이 3개월 이상 지속되는 경우 만성변비로 정의하였다(Brandt et al, 2005).

또 다른 기준으로 로마기준이 있는데 기질적 병변이 없다는 전제하에 변비를 대표적인 6가지 증상으로 정의 하였다. 주관적인 기준으로 첫째 배변 시 과도한 힘을 주는 경우, 둘째 단단하거나 덩어리진 변을 보는 경우, 셋째 대변의 불완전 배출이 있다고 느끼는 경우, 넷째 항문이나 직장의 폐쇄감을 느끼는 경우, 다섯째 배변을 용이하게 하기 위한 수지조작이 필요한 경우가 적어도 전체 배변의 25%에서 나타나는 경우와 함께 객관적인 기준인 일주일 3번 미만의 배변횟수가 포함되었다. 기능성 변비의 정의는 이 6개 기준 중 2개 이상을 충족하고 완하제를 사용하지 않는 경우 묽은 변은 없어야 하며, 과민성 장증후군의 진단기준은 충족하지 않아야 한다. 진단 시 증상이 6개월 이전에 시작되고, 지난 3개월 동안 지속되는 경우로 정의된다(Drossman DA 2006). 하지만 환자가 느끼는 변비와 의학적 진단기준의 일치율은 많이 낮다(Wald A et al, 2008).

2) 변비의 병태생리

일반적인 변비의 위험 요소들은 다음과 같다. 여자의 경우가 좀 더 남성에 비하여 변비가 많고, 연령이 높을수록 많다. 식사량과 식사의 종류와 연관되어 있는 경우가 많다. 운동 및 활동량이 적은 경우에 변비가 많다고 하지만 운동량과 변비의 상관관계가 없다는 보고도 있다(Park MA et al, 2011). 이차적 변비의 원인으로는 당뇨병, 갑상선기능저하, 고칼슘혈증과 같은 대사질환과 파킨슨씨병, 척수병변, 다발성경화증과 같은 중추신경계 질환 및 장폐쇄질환, 평활근 이상을 초래하는 근육병증, 결장에 선천적으로 신경절수가 감소되거나 증가된 내장신경질환, 항문직장과 골반저의 해부학적 이상을 초래하는 직장류, 직장 점막탈출증과 같은 질환들이 있다. 변비를 유발하는 약물은 표 17-1에 정리되어있다.

원발형 만성변비는 정상 통과 시간형 변비와 서행성 변비로 구분할 수 있다. 과민성 장증후군과 유사하게 성격이나 심리적 경향이 장기능, 운동, 감각에 중요한 영향을 미친다. 출구폐쇄성배변질환으로 경련형 골반저 증후군, 직장-항문억제 반사이상, 직장감각이상, Hirschprung 질환이 있다. 배변조영술로 진단을 할 수도 있지만 정상인과의 구분이 어려워 임상적 의미를 많이 주기는 힘들다. 서행성변비는 주로 여성에서 많고 정상통과 시간형 변비보다 변을 보는 횟수가 적고 복부팽만도 심하다. 대표적 질환으로 결장무력증, 미만형 위장운동이상을 보이는 우성 유전질환으로 내장근육병증이 있다.

표 17-1. **변비를 유발하거나 악화시키는 약물**

항콜린성 약물	심혈관 약물
항무스카린제 항경련제 항히스타민제 향정신 신경이완제 파킨슨씨병치료제	칼슘경로차단제 신경절 차단제 크로니딘 베타차단제
마약성 진통제	이뇨제
항암화학요법제	
흡착제 콜레스티라민 케이엑살리에트	금속이온 혹은 무기물 칼슘, 철, 바륨, 알루미늄 제산제 중금속, 수크랄페이트

3) 변비의 임상양상과 진단

변비는 진단과정에서 환자의 호소하는 증상을 자세히 들어 보아야 한다. 만성변비의 가장 흔한 원인은 과민성 장증후군이므로 심리적 사회학적 문제가 있는지 확인하고 복용하고 있는 약제를 세심하게 확인한다. 신체검사도 중요한데 직장수지검사와 회음부 관찰을 통하여 모의 배변 시 회음부가 내려오지 않는지 확인해야 하고 정상적으로 1~3.5 cm 하강하지 않으면 골반저근육의 이완부전을 의심한다. 직장점막탈출의 여부도 확인하고 항문주위 피부를 가볍게 긁어 괄약근 반사를 살펴본다. 대변매복, 협착, 직장 종괴의 여부를 확인한다. 기질적 원인과 전신질환에 대한 선별검사가 필요한데 혈액검사, 생화학검사, 갑상선 자극 호르몬검사와 대장내시경 검사로 다른 소화기 질환의 여부를 확인하는 것이 필요하다. 위의 검사에서 이상이 없다면 운동기능 검사를 고려한다.

4) 변비의 치료원칙

섬유소와 수분섭취는 일반적 변비의 치료에서 중요한데 적어도 성인의 경우 하루에 20~35 gm 정도의 섬유소 섭취를 권장한다. 식이섬유와 함께 1.5~2 L의 물을 섭취한다. 과도하게 섬유소 섭취 시 복부팽만, 트림, 설사 등의 증세가 나타나기 때문에 주의한다. 배변습관은 매우 중요한데 아침이나 저녁 편리한 시간을 정해놓고 정해진 시간에 화장실을 가는 습관을 들이는 것이 좋다. 대장의 운동활성은 걷고 난 뒤나 식사 후에 가장 왕성하며 장 운동의 최적시간은 걷기 운동 후 2시간이내 아침식사 후이다. 규칙적인 배변 훈련은 식후 30분 정도에 하루 2번을 시키고 복압 증가는 5분을 넘기지 않는다.

약물요법으로는 대표적으로 완하제가 있으며 크게 부피형성완하제, 삼투성완하제, 자극성완하제, 기타완하제로 나누어 진다. 부피형성완하제는 식이섬유를 충분히 섭취 못하는 환자에게 유용하다. 현미, 밀기울, 차전씨, 해토, 한천, 카라야, 메틸셀룰로주스유도체, 폴리카보필(Polycarbophi) 등이 있다. 시판되는 약제로는 무타실(차전자피), 아기오 등이 부피형성완화제에 포함된다. 위장관 협착, 장폐색으로 인한 변비환자에서는 금기이므로 주의해야 한다. 삼투성완하제는 염류성완하제와 고삼투성완하제로 나눈다. 염류성완하제로는 구연산마그네슘, 수산화마그네슘, 황산마그네슘, 인산마그네슘이 있고 고삼투성 완하제는 락툴로스, 솔비톨, 락티올, 글리세린 등이 있다. 흔히 사용하는 수산화마그네슘은 심부전, 신부전 환자에서는 주의를 해야 하며 충분한 수분 섭취가 동반되는 것이 좋다. 마그네슘은 장에서 흡수가 되지 않고 삼투작용에 의해 완하작용이 있고 콜레시스토키닌의 분비에 의한 완하작용도 있다. 락툴로스, 락티올 등과 같은 약은 식이섬유나 부피형성완하제에 반응이 없거나 혹은 이들을 잘 먹지 못하는 환자에게 가장 많이 사용되는 약제이다.

2. 변실금

1) 변실금의 정의와 유병률

변실금은 개인의 사회활동, 경제활동에 영향을 미치고, 삶의 질 또한 심각하게 저하시킨다(Landefeld CS et al, 2008). 일반적으로 고형, 액상 또는 점액질의 변의 배출이 본인의 의지와 상관없이 이뤄지는 것을 의미하며, 증상의 지속기간, 빈도를 정의에 포함하기도 한다(Bharucha AE et al, 2006).

많은 환자들이 이 사실을 공개하기를 꺼려하기 때문에 유병률은 실제보다 더 낮게 평가된다(Johanson JF et al, 1996). 변실금의 유병률은 정의, 조사방법, 조사대상에 따라서 다양하게 나타나는데(Markland AD et al, 2010), 약 300~20,000명 이상의 표본으로 시행한 38개의 연구에 대해 체계적인 문헌검색을 한 결과 변실금의 유병율은 7.7% (2~21%)로 보고되었다. 이는 나이가 많을수록 증가하고, 남성 8.1%, 여성 8.9%로 남녀의 차이는 없었다(Ng KS et al, 2015).

2) 변실금의 진단과 검사

(1) 병력청취

변실금에 대한 관리를 위해서는 구체적인 병력 청취

가 선행되어야 한다. 변실금의 내용물, 빈도 그리고 변실금이 환자의 삶에 미치는 영향이 포함되어야 하며 직장 생활과 사회적 활동을 무리 없이 할 수 있는지도 꼼꼼히 살펴야 한다. 일반적으로 환자들은 예상치 못한 변실금 때문에 직업 활동, 사회활동의 패턴을 바꾸게 되는데, 변실금의 내용물, 빈도에만 신경을 쓰다 보면 이러한 삶의 질에 대한 문제를 간과하기 쉽다.

환자들은 변실금에 관하여 적극적으로 상담하기 꺼려하는 경향을 보이는데, Dunivan 등이 보고한 단면 조사연구에 따르면 36.2%의 환자들이 변실금이 있다고 하였으나 의학적으로 진단을 받은 경우는 2.7%에 불과하였다(Dunivan GC et al, 2010). 특히 고령의 환자에게는 변실금에 대해 문진하는 것이 필요한데, 나이는 설사를 일으키는 장관 질환과 함께 변실금의 유의한 위험인자이기 때문이다(Ditah I et al, 2014; Menees SBJTAjog. 2017). 한편, 변의 굳기(consistency)등의 확인을 위해서 Bristol stool form scale을 환자들에게 보여주는 것도 좋은데 변실금을 호소하는 사람의 2/3는 무른 변을 본다는 보고가 있기 때문에 병력청취 과정에서 변의 굳기에 대해 놓치지 않고 물어봐야 한다. 일반적인 변실금의 위험인자들을 표 17-2에 기술하였다.

많은 문헌들은 주의 깊고, 면밀하게, 또한 민감한 부분까지 병력청취를 할 것을 권고한다(Alavi K et al, 2015). 가장 불편한 점이 무엇이고 그것들이 삶에 어떠한 영향을 미치는지, 변실금을 일으키거나 악화시키는 인자는 무엇인지, 그리고 증상이 발현되기까지의 시간은 얼마인지 등이다. 또한 과거에 환자가 어떠한 검사를 받았고, 치료를 했는지 그리고 반응이 어떠했는지 등도 모두 면밀히 기록되어야 한다. 예를 들면 척추관련 수술력이나 기저질환(당뇨, 뇌졸중, 항암치료), 현재 복용중인 약제 등에 대한 정보도 중요하다.

(2) 증상분석

변실금의 핵심증상은 직장내의 다양한 내용물(solid stool, liquid/semi-formed stool, gas-국문번역?)에 대한 자제력을 잃어버리는 것이다. 변실금의 내용물에 대해서는 보통 다음과 같이 분류한다. Staining < soilage < seepage < accidents. 특히, straining이나 soilage 등은 속옷이 변색(streaking)되는 것을 의미하며 이 경우는 골반저 협동장애, 직장류, 방사선 치료, 치핵의 탈출 그리고 의인성 항문 손상 등이 원인일 수가 있어 치료의 방향이 달라질 수 있다.

변실금의 경우에는 아형을 구분하는 것이 중요하다. 어떤 자각도 없이 불수의적으로 나와버리는 것을 수동적 변실금이라 하고, 자각이 있으며 적극적으로 대책을 취했음에도 불구하고 누출이 일어나는 것을 급박성 변실금이라 한다. 어떤 환자들에게는 변이 직장에 도착했음을 느끼는 감각이 감소되어있거나, 급박함을 억제할 수 있는 능력이 감소되어 있어서 최대한 참을 수 있는 시간이 줄어든("화장실 가기까지의 시간")경우도 있다.

이차적으로 주목할 증상들은 변의 누출로 인해서 나타나는 것이며 항문소양증이나 항문 주위 피부 자극, 요로감염 등으로 나타날 수 있는데 몇몇 환자들에게는 이러한 이차 증상들이 변실금 자체보다 중요한 불만사항이 되기도 한다.

증상을 분석할 때, 변실금 환자들이 요실금, 직장류, 방광류, 탈출증(hemorrhoidal, mucosal, full-thickness rectal), 직장-질 누공, 변화된 배변 습관을 가지고 있는지 적극적으로 확인해야 할 수도 있다. 변실금의 흔한 원인들에 대해서 표 17-3에 기술하였다.

표 17-2. 변실금의 위험 인자들

Patient level factors Increasing age	Menopause
Female gender (controversial) Active tobacco use Obesity Nursing home	Obstetric History Multi-parity Sphincter laceration/episiotomy Prolonged second stage of labor
Gastrointestinal factors Loose/watery stools Frequent bowel movements (>21 per week)	Vacuum extraction Vaginal delivery with forceps Birth weight > 4 kg
Rectal surgery Irritable bowel syndrome Celiac disease Constipation/fecal impaction	Pelvic floor disorder Rectocele Descending perineum syndrome Rectal prolapse
Rectal sensation disorders Rectal hyper/hypo-sensitivity Medical co-morbidities	Prior Surgery Hysterectomy Cholecystectomy
Urinary incontinence Multiple chronic illness Debility Dementia	Anorectal surgery Internal sphincterotomy Hemorrhoidectomy Fistulectomy
Enteral tube feeding Diabetes Neurologic disease/Prior stroke	Anterior resection of the rectum Colectomy with ileoanal pouch anastomosis
History of pelvic radiation Scleroderma Spinal cord injury Multiple sclerosis	Drugs i.e., Metformin, colchicine, laxatives
Radiation	

[Am J Gastroenterol. 2017; 112:977-980]

표 17-3. **하부요로기능이상의 수술치료**

Cause	Example	Suggestive Findings
Overflow	Childhood encopresis; diarrhea in institutionalized, elderly, or psychotic patients	Constipation or withholding behavior; use of constipating medications; dementia; psychosis; impaction found on digital exam; "overloaded colon" on abdominal radiography
Reduced strorage capacity	Inflammatory bowel disease, radiation therapy, or proctectomy	History of colitis or proctitis; radiation therapy for prostate cancer; rectal surgery; frequent, urgent small stools; normal anal sphincters and puborectalis muscle
Weakness of internal anal sphincter	Anal sphincterotomy, systemic sclerosis	Incontinence of small amounts of liquids or mucus; no sensation of stool loss; rectal seepage only Decreased resting tone, with normal squeeze pressure and contraction of the puborectalis muscle
Weakness of external anal sphincter only	Vaginal delivery with sphincter defect; pudendal neuropathy	Vaginal delivery with prolonged labor, use of forceps, known tear with or without repair; urge incontinence; weak squeeze pressure with normal contraction of the puborectalis muscle; possible anterior external sphincter defect
Weakness of puborectalis muscle	Spinal cord lesion, peripheral neuropathy, "high" tear after vaginal delivery	Weak contraction of the puborectalis muscle with weak or absent squeeze pressure; decreased perianal sensation with gaping of the anus (spinal cord lesion); urinary incontinence (spinal cord lesion)
Decreased perception of rectal sensation	Spinal cord lesion, diabetes, multiple sclerosis, megarectum	Weak contraction of the puborectalis muscle with weak or absent squeeze pressure; decreased perianal sensation with gaping of the anus (spinal cord lesion); urinary incontinence (spinal cord lesion); nocturnal incontinence; capacious rectum with overflow (megarectum only); decreased perianal sensation with gaping of the anus (spinal cord lesion only); urinary incontinence

[NEJM. 2007;356(16):1648-1655]

(3) 검사

신체검사 시 항문 주위에 대한 시각적인 관찰, 직장수지검사 그리고 회음부에 대한 주의깊은 관찰이 필수적이다. 회음부에 대한 검사와 직장수지검사를 하기 위한 가장 좋은 자세는 좌측 측와위 혹은 복와위이다(Bharucha AEJG, 2003; Rao SSJTAjog, 2004). 시진을 통해서 탈출된 치핵이나 개방성 항문, 항문 변형 혹은 변의 누출로 인한 피부염 등을 확인할 수 있다. 또한 환자가 웅크린 자세에서 마치 변을 보듯이 힘을 주게 한 후 과도한 회음부 하강(3 cm이상) 혹은 직장탈출 등의 유무도 확인할 수 있다. 회음부의 감각이상여부는 항문주위의 피부를 면봉 등으로 살짝 건드려 알아볼 수 있는데 항문피부 반사가 있다면 감각, 운동 신경은 정상이다.

직장수지검사는 경험 있는 검사자가 시행하는 것이 좋으며 검사 시에는 괄약근의 완전성(integrity), 외부 괄약근의 수축력, 치골직장근의 수축력, 항문관의 길이, 직장류, 촉지 가능한 덩어리(fecal impaction or mass)등이 있는지 확인해야 한다. 한 연구에서는 경험 많은 임상의가 직장수지검사를 시행하였을 때 낮은 휴지기의 압력과 복압을 높였을 시의 압력에 대한 양성 예측치를 각각 67%, 81%로 발표하였다.

대변 막힘에 의한 범람, 직장 용적 감소, 신경학적 원인들에 의한 변실금이 배제되고, 병력청취와 신체검사 이후에도 진단이 확실하지 않은 경우, 항문-직장의 구조와 기능을 자세히 분석하기 위한 다음과 같은 검사들이 유용하다(표 17-4).

항문직장 초음파는 괄약근에 결함이 존재하는지 혹은 구조적인 변화가 있는지 알아보기에 가장 민감한 검사로 널리 시행되고 있다. 만약 괄약근 손상의 교정을 고려한다면, 항문직장 초음파는 괄약근의 구조를 확인하기 위해서 특히 유용하다. 만약 괄약근의 손상이 발견된다면, 외괄약근에 대한 평가와 치골직장근에 대한 근전도가 도움이 될 수 있는데, 이는 동반된 탈신경(denervation)을 배제할 수 있기 때문이다.

항문압측정은 항문 괄약근의 긴장도, 수축력 등을 측정하는데 도움이 된다. 이 검사의 목적은 항문직장 감각, 용적에 대한 견딤 정도, 직장 유순도 등을 객관적으로 파악하여 근육의 힘과 저장소로서의 기능을 파악하는 것이다. 최근 들어 전통적인 다채널 압력측정법은 3D분석과 압력수치들의 시각화를 가능하게 하는 고해상도 압력측정으로 대체되어지고 있다(Soh JS et al, 2015).

좀 더 복잡한 골반저 기능이상에 대한 분석을 위하여 다른 검사가 사용되기도 한다. 그 중 Dynamic

표 17-4. 성인에 있어서 변실금의 진단을 위한 검사들

To evaluate anorectal structure and function
Anorectal examination
Pelvic MRI*
Barium defecography†
To evaluate anorectal structure only
Anal sonography†
To evaluate anorectal function only
Anorectal manometry‡
EMG of puborectalis and external anal sphincter muscles§
Pudendal-nerve terminal motor latency¶

* Pelvic magnetic resonance imaging (MRI) is not wiely available.
† This test is used when surgery is contemplated but pelvic MRI is not available.
‡ This test is most useful when an experienced examiner is not available or when findings on the history taking and physical examination are uncertain.
§ Electromyography (EMG) is used when surgery is contemplated and an external anal sphincter defect is detected.
¶ This test is used when surgery is contemplated and EMG expertise is not available.

[NEJM. 2007;356(16):1648-1655]

MRI는 골반저의 해부학적 그리고 기능에 대한 정보를 제공할 수 있지만 비용 문제 등으로 널리 이용되지는 않으며 요역동학검사, 배변조영술 등이 이용되기도 한다. 한편 최근에는 천골신경자극술(sacral nerve stimulation, SNS)이 도입되면서, 몇몇 임상의들은 기본적인 검사는 생략하고 진단과 치료를 겸하여 SNS를 먼저 시행하기도 한다(Maeda Y et al, 2015).

(4)변실금의 치료

① 내과적 치료

변실금의 초기 치료는 변실금에 대한 교육을 통해 환자가 질환을 잘 알도록 하는 것이다. 환자가 완하제(laxatives)를 사용하고 있다면 완화제를 중단하여 배변의 빈도를 일정하게 만들 필요가 있다. 섬유질이 많은 음식 등을 섭취하여 변의 양을 늘리는 것도 필요하다. 바나나, 감자 등이 도움이 될 수 있는 음식물로 알려져 있다. 식후 30분 내 수분 섭취는 음식물의 장내 이동을 촉진할 수 있어 줄이도록 하나 변비가 생기지 않도록 평소 수분 섭취를 권장하는 것이 좋다. 변실금에 좋지 않은 가공식품 등의 음식물을 자제하고 장운동억제제(antimotility agent)를 투약한다. 자극적인 음식은 피하게 하고 설사를 일으킬 수 있는 카페인, 알코올, 우유, 탄산을 가급적 섭취하지 않게 한다. 설사로 인해 변실금이 있는 환자에서는 로페라미드(loperamide)가 효과적일 수 있다(Norton C et al, 2010).

규칙적이고 예상 가능한 패턴의 장운동으로 되는 것이 중요하다. 직장을 완전히 비우는 것이 변실금 예방에 가장 좋은데 이를 위해 대변량을 늘리도록 하고, 식이섬유 섭취를 늘리고 관장을 하거나 직장을 자극하는 것을 사용할 수 있다. 이런 치료에는 바이오 피드백(biofeedback treatment), 장 재활프로그램(re-training program)이 있으며 환자가 규칙적이고, 효과적이고 완전하게 배변을 하는 방법을 다시 배우도록 한다. 여기에는 항문에 전기 센서가 달린 기구나 풍선을 삽입하여 항문 근육을 강화하고 직장의 감각을 되살리는 바이오 피드백을 이용할 수 있다(Norton C et al, 2010). 바이오 피드백의 치료 성공률은 50~90%까지 보고되고 있다(Boselli AS et al, 2010). 그러나 골반저의 신경이 완전히 차단 되었거나 수술 등으로 직장의 수용력이 감소한 경우는 반응이 없을 수 있다.

② 외과적 치료

변실금의 수술적 치료는 크게 괄약근 결손을 직접 복원(repair)하는 것과 괄약근을 보강(augmentation)하는 두 종류이다.

산과 손상 또는 의인성 손상에 의한 이차적 괄약근 결손의 경우에는 괄약근의 직접 복원이 적절하다. 직접 복원에는 3가지 주요 접근법이 있는데 부가(apposition), 중복(overlapping), 주름(plication or reefing)이다. 적절한 괄약근이 존재한다면 중복이 선호되는 방법이다. 외괄약근이나 치골직장근(puborectalis)를 주름방법으로 할 때는 가운데 쪽으로 항문입구가 좁아지도록 주름을 만든다. 그러나, 괄약근의 복원에 대한 연구는 많지 않고 장기 연구에서는 결과가 만족스럽지 못한 경우가 적지 않다. 상처 감염의 경우가 6~35%에서 보고되었다(Corman ML 2005).

괄약근을 보강하는 방법은 여러 가지가 있다. 두덩정강근(Gracilis muscle)을 회음부로 터널을 만들어 항문괄약근을 둘러싸게 하는 두덩정강근치환(Gracilis muscle transposition) 방법이 있다. 여기에 전극을 연결하여 전기자극을 하는 방법(dynamic graciloplasty)이 있으며 성공율은 40~80%까지 다양하게 보고되고 있다(Baeten CG 2007). 두덩정강근을 이용한 괄약근 보강은 괄약근 복원에 실패했거나 괄약근 결손이 큰 심한 변실금, 손상이나 선천적 결손이 있는 젊은 환자에서 적용할 수 있으나 만성 설사, 과민성 대장 증후군, 치료가 어려운 변비, 항문 질환, 방사선 직장염, 노령에서는 시행하지 않는 것이 좋다. 이와 유사하게 대둔근(Gluteus maximus)를 이용하는 수술이 있다.

천수신경자극술(sacral nerve stimulation, SNS)은 정상 항문 괄약근을 가진 신경인성 변실금환자나 괄약근 복원에 실패한 환자에서 적응증이 된다.

SNS 전극을 S3 foramen(S3 천추공)을 통해 삽입하여 전기자극으로 항문과 골반저를 자극한다. 약 2~3주 정도 테스트 기간 동안 변실금 빈도가 50%이상 감소하면 영구적으로 전극을 삽입한다. 합병증이 없으면 평균 약 8년 정도 유지가 된다. 낮은 부작용과 높은 효과를 보이지만 아직 정확한 기전은 잘 모르며, 연구 규모가 작은 경우가 많다.

액체가 들어가 있는 실리콘을 된 띠(cuff)로 항문을 감싸고 조절 펌프와 압력 조절 풍선으로 구성된 인공장 괄약근(artificial bowel sphincter)을 이용하는 방법이 있다. 부푼 풍선이 변실금을 억제하며 풍선이 수축하였을 때 변을 배출 한다. 이는 표준 치료로 호전되지 않는 심한 변실금 환자나 이전 수술에서 실패한 경우에 적용될 수 있다. 그러나 상처 회복이 잘 되지 않는 경우, 국소적인 항문 질환, 설사, 치료되지 않는 변비가 있는 경우에는 피해야 한다. 감염이나 미란의 부작용이 높은 단점이 있다. 자석을 이용한 항문 괄약근도 보고되고 있는데 이는 인공 장 괄약근 보다 수술 시간과 입원 기간이 짧은 장점이 있다. 치료 효과는 57% 환자에서 변실금 횟수가 반 이상 감소하였으나 20% 환자에서 감염, 미란 등의 합병증이 발생하였다(Wong MTet al, 2011).

변실금을 기계적으로 막는 기구(barrier device)가 있으며 이것은 마개 같은 기구를 이용하여 항문을 기계적으로 막는 것이다. 이전 연구에서는 만족도가 낮은 경우가 많았으나 최근 한 연구에서는 변실금 빈도가 62%의 환자에서 절반 이상 감소하였고 78% 환자가 높은 만족도를 보였다(Lukacz ES et al, 2015).

분변 전환(Fecal diversion)은 변실금 치료에 실패한 경우 고려될 수 있는 효과적이고 안전한 방법이다. 장루(Colostomy)나 회장루(ileostomy)는 심한 신경인성 변실금, 완전한 골반저 신경차단, 심한 항문주변 손상, 심한 방사선 유발로 인한 변실금일 때 고려될 수 있다. 그러나 정신적, 사회적 삶의 질이 떨어지는 단점이 있다.

전체 참고문헌 목록은
배뇨장애와 요실금 웹사이트 자료실
(http://www.kcsoffice.org)에서
확인할 수 있습니다.

제 18 장 남성 건강과 하부요로 증상

Men's health and LUTS

문경현

1. 서론

우리나라는 65세 이상 노인 인구는 2018년 14.3%이고, 2060년에는 41.0%가 될 것으로 예상될 정도로 지속적으로 고령화 사회로 이행하고 있다. 노인의 비중이 높아지면서 노인성 질환의 발병도 증가하고 이로 인해 노인성 질환에 대한 관심도 증가하고 있다. 노화와 관련되어 다양한 하부요로 및 기능의 변화가 발생할 수 있으며, 이로 인하여 전립선 질환이나 방광질환, 다양한 기능장애 등이 빈번하게 발생하게 된다. 남성 노화는 호르몬의 변화와 더불어 인지력 및 정신 상태, 근골격계, 심혈관계 그리고, 생식과 성기능에서 기대하지 않는 생리적 변화가 초래되는 현상을 말하며 여기에는 남성호르몬의 변화가 주된 역할을 하게 된다. 노인 남성의 경우에서 하부요로증상과 성기능장애는 대표적인 노인성 질환으로 많은 역학 연구에서 고령화에 따라 발병률도 증가한다고 보고하였고, 삶의 질에 큰 영향을 미치는 것으로 알려져 있다.

예전부터 나이가 증가할수록 하부요로증상과 성기능장애의 발생 빈도가 증가한다는 것은 잘 알려져 있었고, 전통적으로 이러한 현상은 단순히 나이의 증가에 따른 개별적인 현상으로 생각되어 왔지만 최근에는 하부요로증상과 성기능장애의 발생 사이에 밀접한 연관이 있는 것으로 밝혀지고 있으며 두 질환에 대한 공통적인 병태생리기전이 작용하고 각 질환에 대한 독립적인 위험인자로 작용한다는 결과들이 보고되고 있다. 널리 알려진 지역인구 조사인 메사추세츠주 연구결과에 따르면, 40~70세 남성 52%에서 발기부전이 있었으며, 40대에서는 39%, 70대에서는 67%로 연령이 증가할수록 발기부전의 빈도가 높아지는 경향을 보였다. 또한 전립선비대증을 포함한 하부요로증상에 대한 연구에서 40대에서는 26%, 70대에서는 46~79%의 중증 하부요로증상을 보여 나이에 따른 이환율의 증가를 나타내었다.

1950년대 하부요로증상과 발기부전 외에도 노인 인구에서 보편적으로 앓고 있는 심혈관 질환 및 당뇨와 복부 비만의 연관성이 중요시되면서 하나의 질환군으로 표현하기 시작하였고, 2000년대에 들면서 복부비만과 더불어 중성지방의 증가, 낮은 고밀도지질단백질콜레스테롤, 높은 혈압, 공복 시 높은 혈당 등의 임상양상을 보이는 경우를 대사증후군이라고 정의하였고, 대사증후군의 각종 지표들이 하부요로증상의 유의한 위험 인자라는 결과가 많이 보고되고 있다.

본 장에서는 하부요로증상과 남성 노화 및 건강과 연관되어 발생 병태생리, 상관관계 및 치료 등에 대해 알아보고자 한다.

2. 본론

1) 유병률

미국과 유럽에서 실시된 대규모 역학조사에서 하루요로증상과 사정장애를 포함하는 성기능장애는 나이와 다른 요인을 보정한 분석에서도 유병률과 나이에 대한 관련성이 매우 높다는 결과를 보고하였으며, 특히 중증도 이상의 하부요로증상은 중등도 이상의 발기부전, 사정장애, 성욕감소를 포함하는 성기능장애의 위험을 높인다고 하였다(Rosen et al, 2003). 국내에서도 중증도 이상의 하부요로증상과 중증의 발기부전 유병률이 나이가 증가함에 따라 증가한다고 보고되었다(Lee et al, 2008). 다른 대규모 역학조사에서도 하부요로증상을 가진 남성에서 발기부전의 유병률이 높고 하부요로증상의 중증도 역시 발기부전의 증가와 밀접한 연관이 있다고 알려지는 등 여러 연구에서 나이와 여러 동반질환들의 영향을 보정한 후에도 하부요로증상은 발기부전의 발생에 독립적인 위험인자로 작용한다고 보고되고 있다(Brookes et al, 2008; Ponholzer et al, 2004; Mariappan et al, 2006; Braun et al, 2003; Rosen et al, 2003). 또한 연령이 증가하면서 하부요로증상이 심할수록 성기능장애가 증가하였고, 노인 남성에서 하루요로증상을 대사증후군보다 발기부전이나 사정장애의 발생에 더 강력한 예측인자로 보고하였다(Rosen et al, 2003). 그 외에도 Paick 등(2005)은 국제전립선증상점수(IPSS)가 1점 상승할 때, 발기부전 위험도는 2% 증가한다고 보고하였고, Braun et al(2003)도 발기부전은 하부요로증상이 있는 경우 72%, 없는 경우는 27%로 보고하면서 하부요로증상과 발기부전 사이에 상당한 관련성이 있으며, 하부요로증상이 나이와 상관없는 발기부전의 위험인자라고 보고하였다.

대사증후군의 유병률은 사용되어지는 정의 자체가 다양하고 인종, 지역에 따라서 다양한 결과를 나타낸다. 미국의 경우 대사증후군의 유병률이 2.4~43.5%로 매우 다양하게 보고되고 있고(Nugent et al, 2004), 국내에서도 20세 이상 인구에서 21.5%의 높은 이환율을 보이고 있다. 국내 국가건강보험공단 자료를 토대로 한 보고에서 2013년 30%정도의 유병률을 나타내었으며, 이는 2009년에 비하여 1.7%정도 증가된 것으로 매년 0.4% 정도 증가하는 것을 알 수 있다. 남녀 모두에서 나이가 증가함에 따라 대사증후군의 유병률 또한 증가하였다(Lee et al, 2018). 대사증후군이 있는 경우 없는 군에 비하여 전립선 용적과 IPSS 등에서 높은 상관관계를 나타내었다(Kim et al, 2006). 또한 대사증후군이 없는 군에서는 전립선이 연간 평균 0.6 Ml 증가하는데 비해 대사증후군을 동반한 군은 1.0 mL 증가한다고 보고하였다(Ozden et al, 2007).

2) 발생기전

(1) 하부요로증상과 성기능장애

① 산화질소합성효소/산화질소 이론

산화질소(NO)는 강력한 혈관확장물질이며, 여러 연구를 통해 음경해면체뿐 아니라 방광과 전립선에도 분포하고 있음이 확인되었다. 산화질소합성효소(NOS)는 신경성(nNOS), 내피성(eNOS), 유도성(iNOS) 세 종류가 있다. NO는 이러한 NOS에 의해 산소와 L-아르기닌에서 합성된다. 주요 역할을 하는 것은 nNOS로 음경해면체의 즉각적인 이완을 유도하고, eNOS는 이러한 음경해면체이완을 유지하는 역할을 한다. NO의 생산과 유지의 이상은 노화, 순환기계 이상, 당뇨, 고혈압, 고지혈증과 연관되어 있으며, 이러한 위험 인자로 인해 전립선, 방광, 음경에서 NOS/NO의 생산이 감소되고, 이러한 감소는 평활근 세포증식 및 수축을 통해 구조적 변화를 일으켜 방광출구저항을 증가시키고, 동시에 방광유순도를 저하시켜 내피성 평활근이완에 이상이 초래되어 하부요로증상과 발기부전이 발생할 수 있다(Lythgoe et al, 2013)(그림 18-1). 산화질소합성효소의 활동성과 발현의 변경, 항상화 방어체계의 변경 그리고 반응성 산소에 의해 산화질소의 분해가 가속되고 생산이 감소되어 결과적으로 평활근수축력을 증가시킨다. 또한 노인에서 나타나는 안드로젠의 생산과 에스트로젠으로의 변환 감소는 내피성 산화질소의 감소를 유발한다. 또한 면역조직화학염색을 통해 정상 전립선의 상피조직, 샘 조직, 혈관에 질소성 신경분포가 풍부한 것으로 밝혀졌으며, 전립선비대증에서는 질소성 신경분포와 이행대의 NO 농도가 정상보다 감소되어 배뇨기능에 영향을 주게 된다. 그리고

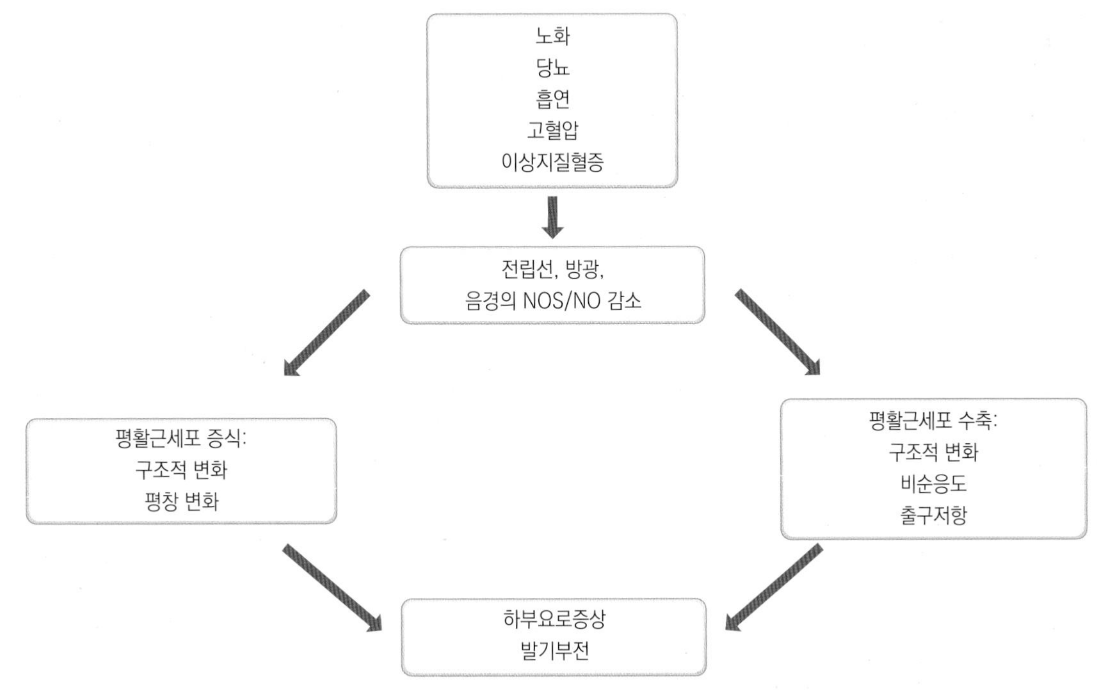

그림 18-1. **발기부전과 하부요로증상 발생에 대한 산화질소합성효소/산화질소 이론**

노화된 쥐의 전립선 내에 NOS의 발현이 감소되었고, 체외 실험에서 사람의 전립선 평활근조직은 NO에 의해 이완된다.

② RhoA/Rho-kinase (ROCK) 신호

평활근은 일반적으로 세포막의 칼슘통로와 세포 내 세포질그물을 통해 세포 내 칼슘 농도를 조절함으로써 수축하고 이완한다. 하지만 세포 내 칼슘 농도의 변화 없이 칼슘에 대한 수축과 조절단백질의 민감도를 조절하여 평활근 수축을 유도하는 기전들이 있다. 이 중 대표적인 평활근의 칼슘-감작기전이 ROCK 경로이다(Morelli et al, 2009). RhoA (Ras homolog family member A)가 GTP (Guanosine triphosphate)에 의해 활성화되는 경로가 ROCK 경로이며, 세포막으로 전위되어 미오신 인산분해효소 억제를 통해 미오신 경쇄(myosin light chain)의 인산화된 상태를 유지하는 인산화효소로서 작용을 하게 되며, 이는 세포 내 칼슘 수준과 상관없이 액틴 및 미오신 수축을 하게 한다. 즉 칼슘 농도의 변화 없이 평활근 수축을 발생하게 한다. 이러한 경로는 긴장성 수축이나 기본적으로 높은 긴장도를 유지하여야 하는 상황에서 작용하는 것으로 생각된다. 당뇨병 관련 ED에서 RhoA/ROCK의 상향조절이 확립되었으며(Vignozzi et al, 2007), ROCK 경로는 또한 nNOS의 억제에 관여하여 평활근 이완을 감소시킬 수 있으며, 이는 PDE-5 억제제가 ROCK 경로로 인한 평활근 수축 및 방광출구폐색을 극복 할 수 있는 근거를 제시한다(Mouli et al, 2009).

③ 자율신경계 과활동

대사증후군의 구성 요소인 자율신경계 과활동은 교감 및 부교감신경의 조절장애를 말한다. 전립선, 방광, 음경에는 교감, 자율신경분포가 풍부하며, 방광에서는 요저장기에 배뇨근이완, 방광경부와 전립선에서는 평활근수축과 음경해면체에서는 이완기와 발기소실기를 유도한다. 골반 내 교감신경계의 활성은 음경해면체 평활근의 긴장도를 증가시켜 발기능을 감소시키고, 방광근의 평활근 긴장도 증가로 저장증상을 유발하며, 전립선 내 평활근의 수축으로 기능적 방광출구 폐색을 일으켜 하부요로증상을 유발시키거나 악화시킬 수 있다. 또한 발기부전의 위험인자로 알려진 노화, 신체활동 제한과 비만, 당뇨, 고혈압, 고지혈과 같은 대사증후군이 자율신경계, 특히 교감신경계의 과활동을 유발하여 발기부전과 전립선비대증이 관련된 하부요로증상이 유발된다(Hammarsten et al, 1999; Meigs et al, 2001)(그림 18-2).

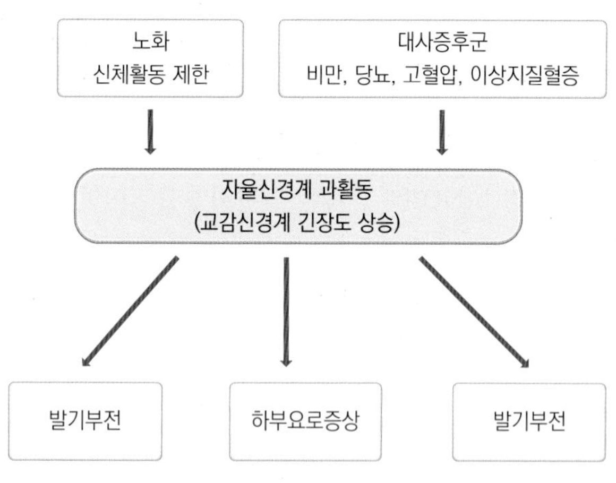

그림 18-2. **자율신경계 과활동**

④ 골반 죽상경화증과 만성 저산소증

골반 죽상경화증은 NOS 경로변경과 혈관내피성장

인자에 대한 억제 효과를 통해 전립선 및 방광에서 섬유화와 평활근세포의 수축을 통해 배뇨 기능에 영향을 미치는 것으로 생각된다. 이러한 작용은 발기부전과 하부요로증상과 관련된 방광과 전립선, 음경에 만성 저산소증 상태를 유발하게 된다(Tarcan et al, 1998). 또한 노인에서는 비만, 고혈압, 당뇨, 고지혈증, 흡연에 의한 대사성질환의 비율이 높다. 이것들은 혈관질환의 대표 위험인자로서 비뇨기계에서는 발기부전의 주요 원인이 된다. 만성 저산소증을 유도한 동물실험에서 방광과 음경해면체의 전반적인 섬유화와 이에 따른 방광유순도 저하, 전립선내 간질조직의 섬유화, 선조직 위축, 전립선 평활근수축력의 증가가 입증되었다(Zhang et al, 1999; Kozlowski et al, 2001; Azadzoi et al, 2003). 혈관에 이상을 일으킬 수 있는 대사증후군이나 흡연 등으로 인해 죽상경화증이 골반 장기에 폭넓게 발생하며 이로 인해 만성 저산소증이 나타난다. 이 때문에 음경해면체조직의 섬유화로 발기부전이, 방광과 전립선의 섬유화와 평활근수축력의 증가로 하부요로증상이 유발된다(그림 18-3).

(2) 하부요로증상과 남성호르몬

정상적인 전립선은 테스토스테론이 5알파전환효소에 의해 전환된 디하이드로테스토스테론에 의존하여 성장하게 된다. 수컷 쥐를 거세할 경우 전립선의 심한 위축과 세포괴사가 관찰되었다. 하지만 거세 쥐에서 전립선 성장은 남성호르몬에 더 의존적으로 나타났다. 비슷하게 사람에 있어서도, 사춘기 전에 거세된 경우 전립선 성장이나 전립선비대증이 나타나지 않았다.

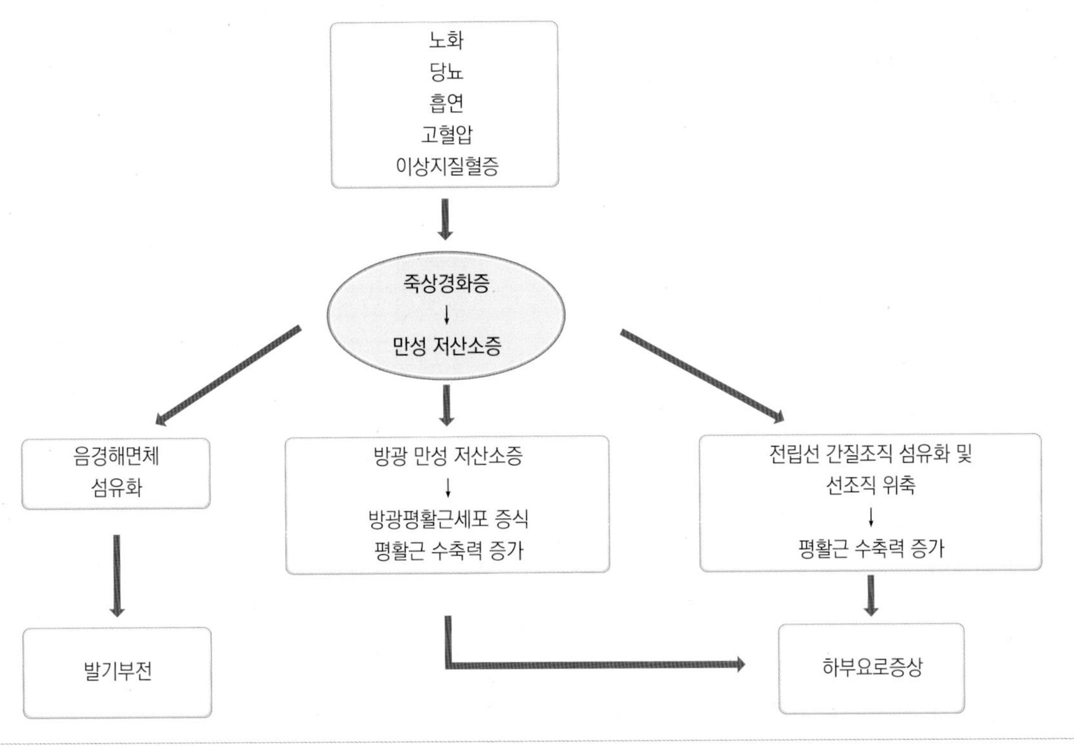

그림 18-3. **골반 죽상경화증에 의한 만성 저산소증**

또한 전립선암이나 전립선비대증 환자에서 거세 또는 호른몬 박탈요법을 시행하였을 때 일부 환자에서 전립선 용적의 감소와 하부요로증상의 개선이 있다는 것은 널리 알려져 있는 사실이다. 남성호르몬이 어떻게 전립선비대증에 영향을 미치는지에 대해서는 명확히 알려진 바는 없으나, 일부에서는 다음과 같은 가설을 주장하고 있다. 전립선에 있는 남성호르몬수용체는 전립선의 성장에 관여를 하여 전립선 수용체에 의존적인 특정 유전자의 전사를 통해 펩티드성장인자들의 생선과 분비를 촉진하게 된다(Vignozzi L et al, 2014). 많은 연구에서 고령화로 인해 전립선비대증의 진행과 하부요로증상의 악화가 나타나므로, 명확한 기전을 제시할 수 없지만, 연령과 남성호르몬 저하증과 하부요로증상에는 밀접한 관계가 있을 것으로 생각된다.

(3) 하부요로증상과 대사증후군

하부요로증상의 발생과 밀접한 관련이 있는 전립선비대증은 인슐린의 조절장애와 다른 대사증후군에 의해서도 발생한다. 대사증후군은 하부요로증상의 발생에 대사교란의 역할을 하여 야간뇨, 불완전 배뇨, 약뇨, 배뇨곤란을 일으킨다. 지난 3개월간의 혈당화색소는 하부요로증상과 밀접한 관계를 가진다. 당뇨와 고혈압이 있는 40세 이상 남성에서 중등도와 중증 하부요로증상의 발생이 높았으며, 70세 환자에서 당뇨와 비만이 있는 남성의 전립선용적은 그렇지 않은 사람보다 각각 2.3배, 2배 높았다. 대사증후군에 의해 혈중 인슐린이 높아지면 방광경부의 교감신경계가 활성화되고, 배뇨근의 교감신경계가 이상반응을 일으켜 저장증상보다는 방광출구폐색, 전립선 용적의 증가 등을 일으켜 국제전립선증상점수, 삶의 질, 전립선 용적, 최고요속, 잔뇨와 같은 배뇨장애증상와 배뇨후 증상이 악화된다(Kim et al, 2006). 건강한 동일한 직업군을 대상으로 한 연구에서는 29%에서 대사증후군으로 진단이 되었고, 대사증후군이 있는 경우 국제전립선 증상점수가 높았고, 전립선 용적이 컸으며, 배뇨후 잔뇨량이 많았다(Park, et al, 2013). 전립선비대증의 진행과 관련된 인자를 확인하여 대사증후군의 진단요소가 많을수록 전립선 용적이 크고, 전립선특이항원(prostate specific antigen; PSA)이 높으며, 요속 및 잔뇨량이 불량하게 나온다고 보고되고 있다(Kwon et al, 2013).

3) 치료

남성에서 발생하는 하부요로증상과 성기능장애, 남성호르몬결핍, 대사증후군은 서로 밀접한 관계를 가지고 있으며 치료 또한 각각의 질환에 대한 독립적인 치료뿐만 아니라 상호 유기적인 치료가 필요할 수 있다. 남성호르몬보충요법이 하부요로증상에 미치는 영향에 대해서는 다양한 연구 결과들이 보고되고 있다. 일부 가이드라인에서는 중증도 이상의 하부요로증상을 가진 남성에서 남성호르몬보충요법을 사용하는 것에 대해 주의를 하고 있기도 하지만, 일반적으로 남성호르몬결핍 남성에서 남성호르몬보충요법은 전립선특이항원이나 전립선용적에 큰 영향이 없다고 알려져 있으며, 다른 많은 임상연구의 결과들은 남성호르몬보충용법이 남성에서 삶의 질을 향상시킬 수 있다는 결과들이 보고되고 있다.

대사증후군의 중요한 요소인 비만, 당뇨, 고혈압, 이상지질혈증 등에 대한 예방 및 치료가 필요하며, 이들에 대한 조절을 통하여 골반 죽상경화증 예방 및 치료 및 만성 저산소증 개선과 교감신경의 활성이 저하를 기대할 수 있으며, 이는 대사증후군뿐 아니라 대사증후군과 관련된 하부요로증상의 개선에도 도움이 될 수 있다. 대사증후군 또는 관련 요소가 있는 환자는 전립선비대증과 이에 의한 하부요로증상이 있는지, 반대로 전립선비대증과 하부요로증상이 있는 환자는 비만, 당뇨, 고혈압, 이상지질혈증과 같은 대사증후군의 요소가 있는지 살펴보아야 한다. 고인슐린혈증과 대사증후군은 혈액과 조직 내 카테콜아민의 합성을 증가시키며, 말초교감신경의 활동을 강화시키므로 알파차단제를 이용한 치료는 전립선비대증에 의한 하부요로증상뿐 아니라 대사증후군에 의한 교감신경 과활동에도 도움이 될 수 있다.

3. 결론

하부요로증상은 중년과 노인 남성에서 흔히 발생하며, 삶의 질에 큰 영향을 미치게 된다. 남성 건강에 영향을 주는 성기능장애, 남성호르몬결핍, 대사증후군 등은 하루요로증상의 발생과 정도에 서로 밀접한 영향을 주며, 서로 공통된 위험인자를 가진다. 이러한 위험인자 및 발생 병태생리, 상관관계 대하여 충분히 이해하고, 적극적인 예방과 상호 유기적인 치료를 통하여 건강한 배뇨 및 남성 건강을 유지하고자 하는 노력이 필요할 것이다.

전체 참고문헌 목록은
배뇨장애와 요실금 웹사이트 자료실
(http://www.kcsoffice.org)에서
확인할 수 있습니다.

제 19 장

여성 호르몬과 하부요로

Influences of hormone and pregnancy on the female lower urinary tract

민권식

1. 하부 요로에 대한 여성 호르몬의 영향

생식기계에 대한 성 호르몬의 역할은 이미 잘 알려진 내용이다. 하부요로계에 대해서도 일부 논쟁의 여지가 있지만 성 호르몬의 역할이 있다. 그 이유는 생식기계와 하부 요로는 발생학적으로 성 호르몬의 영향력 하에 있는 비뇨생식동(Urogenital sinus)에서 유래하였기 때문이다. 대표적인 여성 호르몬인 에스트로젠과 프로게스테론 수용체는 요도, 방광뿐만 아니라 골반저근에서도 발견되고 있어서 성 호르몬이 하부요로 외 골반저에서도 역할을 할 것으로 추정된다(Iosif et al, 1981; Batra et al, 1987). 역학조사에서도 요실금을 호소하는 여성의 70%에서 생리 마지막 기간에 요실금이 시작하는 것과 연관이 있다는 것은 에스트로젠 결핍이 여성 요실금과 상관관계가 있다는 것을 암시한다(Iosif et al, 1984).

1) 하부 요로의 호르몬 수용체

하부 요로에는 각 장기 별로 에스트로젠 수용체의 분포가 다르다. 에스트로젠 수용체가 모든 하부 요로에 분포하는 것이 아니고, 근위부 및 원위부 요도의 편평상피세포와 방광삼각부에서 발견되나 방광 천정부에서는 발견되지 않는다(Iosif et al, 1981; Blakeman et al, 1996). 에스트로젠 수용체는 ERα와 ERβ의 두 종류로 나뉘는데 생식 조절의 측면에서는 ERα 수용체가 주된 역할을 하고 ERβ 수용체는 역할이 경미한 것으로 알려져 있지만, 하부 요로에서는 각 수용체의 역할이 아직 확실하게 밝혀져 있지 않다(Waner et al, 1999). 여성의 하부 요로 중 방광 요로상피에는 ERβ 수용체가 풍부하게 발현되는데 ERα 수용체는 발현되지 않는다. 방광의 평활근에도 ERβ 수용체만 발현된다. 그러나 방광 요로상피 하 조직과 방광평활근 사이의 결합조직에는 ERα 수용체는 발현되지만 ERβ 수용체는 발견되지 않는다. 요도 편평상피에는 방광 요로상피와 같이 ERβ 수용체만 강하게 발현되고 ERα 수용체는 존재하지 않는다. 요도의 결합조직에는 에스트로젠 수용체가 전혀 발견되지 않는다(Makela et al, 2000). 요도괄약근에서는 ERα 수용체가 발견되는데, 에스트로젠 작용을 통하여 괄약근의 긴장 상태를 유지하는 것으로 생각되고 있다(Screiter et al, 1976). 골반저근 중에서는 치골미골근(Pubococcygeus)과 골반저근의 근육층에서 에스트로젠 수용체가 발견되지만 항문올림근(Levator ani muscle)에서는 발견되지 않는다(Ingelman-Sundberg et al, 1981; Bernstein et al, 1997).

에스트로젠 수용체뿐만 아니라 프로게스테론 수용체도 하부요로에서 발견되는데 그 역할은 아직 분명하지 않다(Batra et al, 1991). 프로게스테론 수용체가 방광이나 방광삼각부에서 발견되지만 에스트로젠 수용체와 달리 균일하게 분포하지 않는다. 폐경 상태가 되면 하부요로에서 에스트로젠 수용체는 사라지지만 프로게스테론 수용체는 현저하게 감소된 양상을 보이더라도 요로 상피 하 조직에서 다양하게 존재하게 된다(Blakeman et al, 2000).

안드로젠 수용체도 하부 요로에 존재하는데 주로 방광경부와 요로상피에 존재한다(Celayir et al, 2002). 그러나 방광의 상피가 아닌 심층부 조직에는 안드로젠 수용체가 존재하지 않는다. 한편 안드로젠 수용체가 하부 요로는 아니지만 항문올림근과 그 근막, 자궁의 기인대(cardinal ligament)에도 존재하여 자궁탈출증에 관여할 가능성이 있다는 보고도 있다(Copas et al, 2001).

2) 폐경기 전 하부 요로에 대한 영향

에스트로젠은 방광과 요도에서 요자제 기전에 중요한 역할을 하지만 연령이 증가함에 따라 에스트로젠에 의한 요자제 조절 기능이 점점 약화된다(Rud et al, 1980a). 에스트로젠에 의한 요자제 기전은 요도 출구 저항을 증가시키거나, 방광의 감각 역치를 증가시키는 방법, 혹은 요도평활근의 아드레날린 수용체의 민감도를 증가시켜 괄약근 수축력을 증가시키는 방법 등일 것으로 추정되고 있다(Versi et al, 1988; Kinn et al, 1988).

여성 생리 주기에 따른 에스트로젠과 프로게스테론의 주기적 변화는 생식기계의 주기적 변화를 유도하지만 하부 요로에도 주기적인 변화를 유도한다. 이에 대한 추정 근거로 생리 전에 여성의 37%가 하부요로증상이 악화한다고 보고한 사실과 요역동학 검사의 지표들이 주기적인 변화를 보인다는 연구를 들고 있다(Hextall et al, 1999). 또한, 임신을 하지 않은 폐경기 전 여성에서 요도내압 측정 결과, 혈중 에스트라디올이 증가함에 따라 생리주기 중앙 기간에 기능적 요도 길이가 증가하는 것을 관찰 할 수 있었다(Van Geelen et al, 1981). 이러한 사실은 폐경기 여성에 비하여 폐경기 전 여성의 최대요도압 및 최대요도폐쇄압이 유의하게 높다는 사실에서도 확인할 수 있다. 또한 복합 호르몬 보충요법을 하는 여성에서 프로게스테론은 과민성 방광이나 요실금 증상을 악화시키는 것과 상관관계가 있는 것으로 연구된 바 있다(Burton et al, 1992; Cutner et al, 1993; Benness et al, 1991). 이런 효과는 프로게스테론이 방광의 수축력을 증가시키는 것과 상관이 있을 것으로 추정되고 있다. 이런 주장을 뒷받침하는 연구로서, 생리주기 중 황체기에 방광근 과활동성의 빈도는 배란 후 혈중 프로게스테론의 증가와 연관성이 있을 가능성이 높다는 사실과 프로게스테론이 쥐의 방광근 수축을 유도하는 것은 에스트라디올의 수축 억제 효과를 길항하는 효과로 인한 것이라는 연구 보고가 있다(Elliot et al, 1994).

남성호르몬 수용체도 여성 하부 요로에서 발견된 만큼 그 역할이 있을 것으로 생각하고 있으나 아직 완전하게 규명되지 못했다(Blakeman et al, 1997). 여성에서 혈중 테스토스테론은 10대 후반에 최고 농도에 오른 후 서서히 감소하다가 폐경기 이후에는 낮은 농도로 안정적으로 유지된다(Handelsman et al, 2015). 혈중 테스토스테론 농도는 남성의 1/5~1/10에 불과하지만 혈중 남성호르몬 대사체는 남성의 1/2 정도로 상대적으로 높다(Dimitrakakis et al, 2002).

자궁탈출증 환자와 정상 환자의 기인대(cardinal ligament)에서 안드로젠 수용체의 발현에 대한 연구 결과를 보면, 탈출된 자궁의 기인대에서 안드로젠 수용체 발현이 정상보다 3~4배 정도 더 과다하게 발현이 된다고 하였다(Ewies et al, 2004). 그러나 기인대에서의 발현 증가가 자궁탈출증을 유발시킨 원인인지, 또는 결과에 의한 것인지에 대해서는 아직 밝혀진 바가 없다.

동물실험에서 테스토스테론은 방광에서 신경근 전달에 영향을 미치는 것으로 밝혀졌다(Hall et al, 2002). 그 결과 방광근에서 농도 의존적으로 신경근 전달을 억제하여 방광 수축을 저해하는 것으로 나타났다. 인간에서도 이를 바탕으로 폐경 여성에서 내인성 스테로이드 호르몬 대사물질의 양과 하부 요로 기능에 대한 상관관계를 연구하였는데 소변 내 안드로젠 대사체의 농도가 높을수록 방광 내 잔뇨량이 증가하는 결과를 보여 인체에서도 안드로젠은 방광 수축 억제에 관여하는 것으로 추정되었다(Bai et al, 2003). 이러한 결과는 요 중의 안드로젠 대사체가 방광 상피 내 안드로젠 수용체와 반응하여 방광근의 이완에 관계하는 것으로 보인다. 이 이완 과정은 산화질소합성효소(nitric oxide synthase) 증가가 직접적인 것으로 생각된다. 그러나 안드로젠의 하부 요로 및 골반저에 대한 영향은 안드로젠의 동화작용(Ho et al, 2004), 다양한 호르몬에 의한 조율, 수용체 발현 조절, 산화질소 생산 조절 등을 통해 복합적으로 일어날 것으로 추정하고 있다(Badawi et al, 2017).

3) 폐경기 후 하부 요로에 대한 영향

폐경기 후의 고령 여성은 요속의 저하, 잔뇨의 증가, 방광 용적 감소, 최대배뇨압의 감소 및 방광 내 충만압의 증가를 보인다(Robinson et al, 2013). 특히 방광 유순도는 나이가 들어 감에 따라 감소하게 되어 첫 요의가 느낄 때의 방광 용량과 전체 방광 용량이 감소하게 된다. 이러한 결과는 폐경기에 따른 에스트로젠의 감소로 인해 감각의 변화, 에스트로젠의 방광근 수축 억제 효과의 감소를 초래하여 발생하는 것으로 생각되는데, 이러한 추론은 호르몬 보충요법을 받는 유사한 나이 대 여성이 일반 폐경기 여성에 비해 방광 용량이 더 증가하는 결과에서 추정될 수 있다.

요자제를 위한 가장 중요한 기능적 요소로 요도 저항을 들 수 있는데, 이 기능을 파악하기 위하여 정적인 신체 상태와 동적인 신체 상태로 나누어 평가할 수 있다. 정적인 상태의 요도 저항은 사람이 특별한 운동을 하지 않고 쉬고 있을 때 요도 저항을 증가시켜 요자제를 유도하는 역할을 하는데, 점막 및 점막 하층의 풍부한 부피로 인한 압박력, 횡문근 및 평활근, 콜라겐 및 탄력섬유, 그 외에도 혈관 얼기(vascular plexus), 등이 복합적으로 작용하여 요도 저항을 형성한다. 점막층은 고령화 됨에 따라 에스트로젠 결핍성 위축으로 유연성이나 탄력성, 요도 압박력을 잃게 된다. 또한 연령이 증가함에 따라 횡문근이 양적으로 줄어들면서 수축력이 감소하게 되고 콜라겐과 탄성섬유들이 줄어들 뿐만 아니라 혈관 분포도 줄게 된다(Fantl, 1994).

요도폐쇄압의 동적인 요소는 횡문근의 수축이 여기에 해당한다. 요도의 횡문근은 수의적으로 혹은 반사적으로 수축하여 요자제를 유도하는데 고령에서는 근육의 위축과 분만으로 인한 탈신경(denervation) 등으로 수축력이 약화되거나 장애가 오게 된다. 일상적 운동 중에 복압의 변화는 방광에 전달이 되는데 이 때 근위부 요도에도 동일하게 복압이 전달 될 수도 있고 안 될 수도 있다. 이런 압력 전달이 원활하게 되지 않고 문제가 생길 때 횡문근의 수의적 및 반사적 수축이 요자제를 위한 방어 기전으로서 작용한다.

요도폐쇄압의 1/3은 횡문근에서 유래되고 다른 1/3은 평활근으로부터, 나머지는 콜라겐, 탄성섬유 그리고 혈관의 압박력에 의해 발생하는 것으로 보고 있다. 그러나 이런 역학적 분배는 젊은 여성에서는 어느 정도 인정될 지 모르나 고령자에게도 적용되는 지는 아직 알려지지 않았다(Jackson et al, 2002). 그렇기 때문에 폐경기 여성에서 호르몬 보충요법으로 부분적으로 각 기능이 회복된다 하더라도 젊을 때처럼 요도폐쇄압을 획득하기는 쉽지 않을 것으로 생각된다.

폐경기 여성에서 에스트로젠 보충요법을 하면 질 내 중간층 및 표재층의 세포가 증식하는데 방광 및 요도에서도 이와 같은 변화가 관찰된다(Samsioe et al, 1985). 임상시험 결과를 살펴보면 에스트로젠 보충요법이 요도압을 증가시켜 복압성 요실금 여성의 65~70%에서 증상의 호전을 보였다는 보고들도 있으나(Caine et al, 1973; Rud, 1980b) 에스트로젠 보충요법이 요실금에 위약 대비 효과가 없었다는 보고도 있는 등(Wilson et al, 1987; Walter et al, 1978), 임상적 연구 결과는 아직 논쟁의 여지가 많이 있다. 그러나 에스트로젠 보충요법에 대한 기전적 연구를 보면, 외인성 에스트로젠은 총콜라겐 농도의 감소를 유도하고(Keane et al, 1997), 콜라겐 교차 결합을 줄이며(Falconer et al, 1998), 콜라겐 회전율을 증가시키는 등, 콜라겐 대사에 영향을 미쳐 하부요로증상의 변화를 유도할 수 있다(Edwall et al, 2007). 이러한 콜라겐의 양적 감소 및 강도의 저하는 방광경부를 약화시켜 복압성요실금을 유발할 수 있기 때문에, 한편으로는 에스트로젠 보충요법이 복압성요실금에 대한 위험 요소라는 주장이 있다. 그 외 동물실험에서는 에스트로젠 결핍이 콜라겐과 평활근의 비를 증가시켜 방광유순도를 떨어뜨리고 과민성방광 증상이 증가할 가능성도 제시되었다(Aikawa et al, 2003). 과민성방광에서 에스트로젠의 치료 효과를 확인하기 위해 무작위 위약 대조 연구를 메타 분석한 결과, 에스트로젠 치료는 절박성요실금, 빈뇨, 야간뇨에서 위약보다 우수한 개선 효과를 보였고 질 내 국소 투여에서는 요절박 증상의 개선도 관찰되었다(Cardozo et al, 2004).

에스트로젠 치료 효과에 대해 코크란 그룹에서 시행한 가장 최근의 메타 분석을 보면 임상적으로 특징있는 차이를 보이고 있다(Cody et al, 2012). 1,262명의 에스트로젠 국소 투여를 포함한 9417명의 결과를 보면, 전신적 투여는 위약보다 오히려 요실금을 악화시키는 결과를 보였다(RR 1.32; 95% CI: 1.17~1.48). 프로게스테론과 복합 요법을 한 군에서도 에스트로젠 단독요법보다는 덜하지만 위약에 비해 요실금을 악화시키는 결과를 보였다(RR 1.32; 95% CI: 1.17~1.48). 그러나 에스트로젠 국소 투여 환자에서는 요실금을 개선시키고(RR 0.74; 95% CI: 0.64~0.86) 요절박과 빈뇨도 개선시켰다. 한편, 에스트로젠 국소 투여가 장기적으로 효과가 긍정적인지는 아직 확인되지 않았다. 에스트로젠의 국소 투여 효과에 대해, 주관적 증상의 개선은 하부 요로에 대한 에스트로젠의 직접적 효과보다는 질을 포함한 외성기의 위축 개선이나 질 위축으로 인한 증상의 개선에 따른 주관적인 증상의 개선일 것으로 추정하는 의견도 있다(Aikawa et al, 2003).

2. 하부 요로에 대한 임신의 영향

여성은 평소에는 한 달 주기로 호르몬의 변화를 겪다가 임신 동안에는 임신 유지를 위해 주기성 변화와 다른 장기간의 호르몬의 변화가 초래됨으로써 하부 요로 및 외성기에 심각한 변화를 초래하게 된다. 임신 중에는 프로게스테론의 혈중 농도가 증가함에 따라 임신 중에 드러나는 하부요로증상의 변화는 프로게스테론이 주된 원인일 것으로 추정된다(Mikhail et al, 1995).

1) 임신 중 여성 호르몬의 변화

임신 중에는 임부의 혈액 내 호르몬이나 호르몬결합단백질의 혈중 농도가 변하기도 하지만 태아태반 단위체에서 형성된 호르몬이나 그 대사체도 임부의 혈중 호르몬의 변화를 유도하기도 한다(그림 19-1). 임신 첫 9주 동안에는 주로 황체가 모성 스테로이드의 혈중 농도에 기여하지만 임부의 난소와 부신피질도 스테로이드 농도에 일부 영향을 미친다(Tulchinsky et al, 1972; Yoshimi et al, 1969). 9주째 이후로는 태반이 모성 스테로이드의 주된 공급원이 된다(Diczfalusy, 1965).

(1) 에스트로젠과 프로게스테론

임신 중에 에스트로젠은 태아와 모성의 구성 요소 모두에서 생산된다. 임신 중에는 이론적으로 에스트로젠의 증가가 필요하지 않으나 임신 후반부로 갈수록 완만하게 혈중 농도가 증가하게 되는데 그 이유는 임신이 진행될수록 태반 부피가 커져 에스트로젠의 생성이 증가되는 것으로 생각된다(Yoshimi et al, 1969; Tulchinsky et al, 1972). 이것은 갑상선호르몬결합단백질이나 성호르몬결합단백질(Sex Hormone Binding Globulin; SHBG) 같은 결합단백질이 간 내에서 합성이 증가할 뿐만 아니라 뇌하수체의 유즙분비호르몬 분비에도 영향을 미친다(Am et al, 1987).

프로게스테론은 모성 혈중 콜레스테롤을 이용하여 태반에서 생산된다(Johansson, 1969). 프로게스테론은 포유동물의 임신을 유지하는데 절대적으로 중요한 역할을 하는데 그 역할이 무엇인지는 아직 분명하지 않다. 임부의 혈중 17-수산화프로게스테론은 임신 후반부에 훨씬 고농도로 생산이 되는데 임신 첫 3개월에는 모성 난소로부터 생산되지만 임신 후반부에는 더 많은 생산을 위해 태아와 모성의 부신 및 태반에서 주로 생산된다(Tulchinsky et al, 1972).

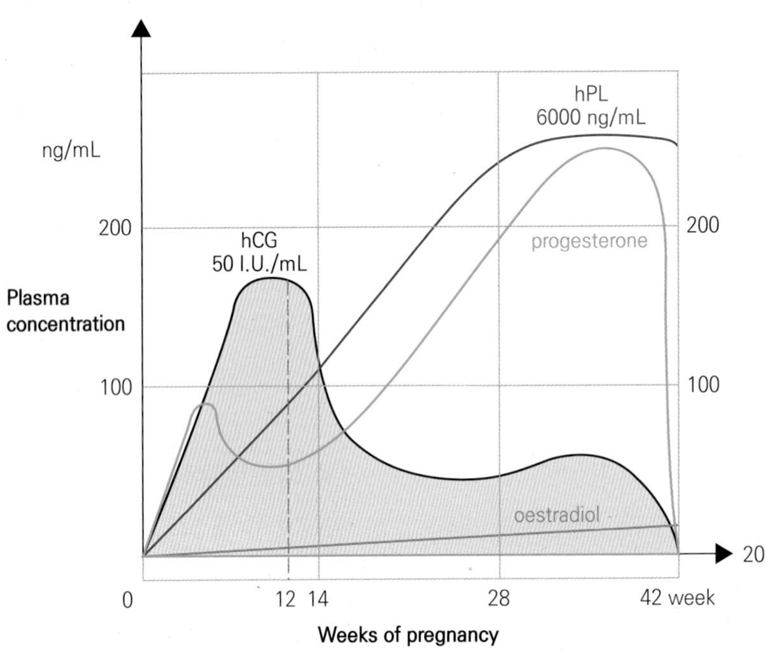

그림 19-1. **임신 중 호르몬 변화**

(2) SHBG 와 테스토스테론

임부의 혈중 SHBG 농도는 임신 상태에서는 약 6배 정도 증가하게 되는데 이것은 임신 중 증가하게 된 에스트로젠이 모성 간에서 결합단백질의 합성을 촉진한 결과이다. 임신 중에는 남성호르몬의 혈중 농도도 증가하게 되는데 실제로는 고농도의 SHBG로 인해 테스토스테론 농도가 낮게 측정 된다(Pearlman et al, 1967). 그 이유는 일반적으로 테스토스테론의 98%는 SHBG와 알부민에 결합되어 있는 형태로 존재하기 때문이다. SHBG와 결합하지 않은 테스토스테론은 생물학적 활성을 가지게 되는데 태반을 통과하지는 못한다.

(3) DHEA-s (Dehydroepiandrostenedione -sulfate)와 유즙분비호르몬

DHEA-s는 임신 전반부에 청소율이 6~10배 정도 증가하여 모성 내 혈중 농도가 50% 감소된 상태로 존재한다(Van Droogenbroeck et al, 1989). 임신 첫 5~6주 후부터는 태반이 에스트라디올의 주된 공급원인데 태반에서 모성 및 태아 DHEA-s가 방향화(aromatization) 과정을 거쳐 에스트라디올, 에스트론, 에스트리올로 전환된다.

유즙분비호르몬도 임신 중에 유의하게 증가하는데 이것은 에스트로젠에 의한 뇌하수체의 증식과 비대로 인해 유발되지만 하부 요로에 대한 역할은 좀 더 규명할 필요가 있다(Biswas et al, 1976).

2) 임신 중 하부 요로의 해부학적 변화

임신 중에는 신장 내 사구체 여과율이 증가하고 전체 요량이 증가하며 상부 요로가 확장된다. 방광은 자궁이 커져 방광 천정부가 압박 당하는 형태를 보이고 양측 요관구도 임신 전에 비해 좀 더 상부로 위치하게 된다(Hundley et al, 1938). 질식 분만을 하게 되면 질 전벽과 방광 지지가 약화되는 것은 잘 알려져 있는 사실인데, 질식 분만뿐만 아니라 임신 자체가 방광과 골반 내 장기의 움직임과 하강 운동성(mobility)을 증가시키게 되어 골반장기 탈출의 주요 소인이 된다(Chiaffarino et al, 1999). 임신 말기가 되면 하복부에 힘을 줄 때 임신하지 않은 여성보다 임신 여성에서 0.5 cm 이상 하강한다는 보고가 있고(Dietz et al, 2004), 첫 임신 여성의 절반에서 골반 장기 탈출증 2기 정도가 발견되었다고 하여 임신만으로도 골반 저근의 약화 및 운동성 증가의 문제가 발생한다고 지적하였다(O'Boyle et al, 2002; O'Boyle et al, 2003) 그러나 임신 말기에 처녀막 정도까지 질 전벽이나 방광이 하강하는 것은 임신 중 생리적으로 유발되는 것으로서 대체로 증상이 없으며 분만 후에 대부분 정상적인 상태로 해소된다.

임신 중에는 드물게 요정체가 발생할 수 있는데, 이것은 요도 자체에 대한 압박성 폐색에 의한 것이 아니라 임신으로 인해 방광 저부가 상승되고 견인되어져서 배뇨를 시도하는 동안에도 후요도방광각(posterior urethrovesical angle)이 그대로 유지 됨으로써 요도 이완이 되지 않아 발생하는 것으로 추정되고 있다(Francis et al, 1960).

3) 임신 중 하부요로의 기능적 변화

임신이 되면 임신 초기부터 급격하게 하부요로증상이 발생하여 분만 시까지 그 빈도가 증가하게 된다. 이 중 가장 흔하게 나타나는 증상이 야간뇨와 빈뇨이다(Stanton et al, 1980; Aslan et al, 2003; Van Brummen et al, 2006; Liang et al, 2012). 일반적으로 다산 임부보다 초산 임부에서 더 흔하다. 빈뇨는 임신된 자궁에 의해 방광이 압박을 받아 발생하는 것은 아니며 임신 초기부터 시작해서 신사구체 여과율과 전체 요량이 증가하기 때문이다. 또한 임부는 요량의 증가로 인해 비임부보다 약 400~500 mL 정도 수분 섭취가 증가하게 되는데 이로 인해 빈뇨가 증가할 수 있다(Francis et al, 1960). 그리고 임신이 진행됨에 따라 자궁의 부피가 커지고 태아의 머리가 골반 강 내로 진입하는 과정, 등으로 방광 용량이 줄어들어 빈뇨가 발생하는 것도 한 원인이다. 그러나 임신 초기에는 방광내압 검사 상 방광 용량이 늘어나지 않는 것으로 관찰되고 있기 때문에 임신이 진행될수록 빈뇨는 점점 악화되는 결과를 보인다.

야간뇨는 서 있는 상태에서 임신된 자궁에 의한 정맥 압박으로 혈관 외부에 체액이 축적되고 야간에 축적된 체액의 이동으로 야간뇨가 발생하는 것으로 알려져 왔다(Kalousek et al, 1969). 그러나 실제로는, 임부는 비임부에 비해 야간에 용질과 염분의 배설이 증가하게 되는데 이 현상이 야간뇨의 주된 원인으로 밝혀졌다(Parboosingh et al, 1973). 빈뇨, 요절박, 야간뇨 같은 하부요로증상은 임신 중에는 정상적으로 관찰되는 증상으로 수분 섭취가 지나치게 많은 경우를 제외하고는 치료의 대상이 되지는 않는다. 또한 이런 증상은 유병률이 요실금에 비해 훨씬 높으나 삶의 질에 대한 악영향이 거의 없어 임부들이 문제를 삼지 않는 경향을 보였다.

그 외 요실금 중에서는 복압성요실금이 가장 많이 증가하며 혼합성요실금이나 절박성요실금도 증가하는 경향을 보인다. 83명의 초산부와 98명의 다산부에서 임신 중 하부요로증상에 대해 연구한 바에 따르면, 빈뇨, 야간뇨, 요실금은 두 군 모두에서 임신 전기간에 걸쳐 증가하였고 분만 후 임신 전 상태로 회복하였다고 보고하였다(Stanton et al, 1980). Aslan 등은 256명의 임부와 대조군으로서 유사한 나이의 230명의 비임부에서 하부요로증상을 비교하였는데, 빈뇨와 야간뇨가 임신 각 분기마다 가장 많이 증가한 증상이라고 보고하였다(Aslan et al, 2003). 전체적인 하부요로증상을 보았을 때 임신 말기에는 임부 48%가 중등도 및 고도의 하부요로증상을 호소한 반면 동년배의 비임부에서는 27% 만이 호소하였다. 이러한 증상들은 임신 초기부터 시작되어 임신 전기간에 걸쳐 증상이 심해지는 양상을 보였다. 임신 기간 중 각 하부요로증상에 대한 유병률을 조사한 바 있는데 515명의 초산부 중 임신 12주에 74%가 빈뇨를 호소하였고 63%가 요절박을 호소하였다(Van Brummen et al, 2006). 그 빈도는 임신 36주에 이르러 빈뇨 81%, 요절박 68%로 증가하여 임신이 진행될수록 빈도는 더 높아졌다.

요실금은 임신 중 초기부터 시작하여 임신이 진행될수록 그 유병률은 유의하게 증가한다. 515명의 초임부들에게서 요실금을 조사한 결과 12주째는 6%정도의 유병률이 관찰되었으나 36주째에는 거의 20%로 증가하였다(Van Brummen er al, 2006).

임신 중 증가된 프로게스테론이 과민성방광 증상을 악화시킨다는 보고가 있다(Burton et al, 1992; Cutner et al, 1993). 정상 생리주기에서 황체기가 되면 방광근 과활동성이 증가하는 것은 배란 이후 혈중 프로게스테론의 증가와 연관성이 있을 것으로 보고 있다. 여성에서 복합 호르몬 치료도 요실금과 연관성이 있다는 연구가 있다(Benness et al, 1991). 그 기전은 프로게스테론이 방광근 수축에 대한 에스트라디올의 억제효과를 길항하기 때문으로 보여진다(Elliot et al, 1994). 임신 중에 발견되는 방광저근의 과활동성 빈도가 증가하는 것도 이런 이유로 추측된다(Cutner, 1993).

골반저근 운동이 임신 중 요실금에 유용하다는 보고가 적지 않다. 초임부 301명을 무작위로 골반 운동을 시행한 군과 하지 않은 군으로 분류하여 12주간 시행한 결과 골반 운동을 한 군에서 36주째 요실금을 호소하는 임부의 비율이 32%인 반면 운동을 하지 않은 군에서는 48%로 유의한 차이를 보였다(Morkved et al, 2003). 또한 분만 후 3개월째에 골반 운동군에서는 요실금 비율이 20%, 대조군에서는 32%로 분만 후의 개선도에서도 유의한 차이가 났다(Morkved et al, 2000). 따라서 대부분 임신 중 요실금에 대한 치료로서 약제보다는 집에서 시행할 수 있는 운동 프로그램이나 골반저근 재활을 권한다. 많은 여성들이 임신 및 분만 후에 보이는 요실금 증상이 경미하고 분만 후에는 대부분 요실금이 해결되기 때문이다.

임신 중 드물지 않게 요정체가 발생하는 경우가 있는데, 이것은 임신 중 증가하게 되는 프로게스테론이 방광평활근 이완을 촉진하여 무증상의 배뇨 곤란을 유발하기도 하지만, 심한 경우에는 방광근 비활동성 혹은 요정체를 유발하는 원인으로 제시되기도 한다. 그 근거는 쥐에게 고용량의 프로게스테론을 투여한 결과 방광 용량 증가와 요 정체가 발생하였다는 연구에 기인한다(Langworthy et al, 1939). Chen 등은

(Chen et al, 2003) 보조생식술을 시행 한 후 요정체가 발생한 증례들을 보고하였는데 그 증례는 골반 강 내 종괴가 있기는 했지만 임신이 되지 않은 상태로서 프로게스테론이 극도로 증가한 상태여서 결론적으로 프로게스테론으로 인한 요정체로 추정하였던 경우였다. 그 이유는 이 환자에게서 요역동학 검사를 시행하였는데, 배뇨 시도 중에 요도 이완이나 방광근 수축이 관찰되지 않아 요정체의 원인은 골반 내 종괴로 인한 해부학적 이유가 아니라 프로게스테론의 증가라고 판단하였다.

임신 중 요정체와 관련하여 시행한 요역동학 검사는 일관성 없는 다양한 결과들을 보여주고 있다. 무증상의 임부 50명에 대해 단일 채널 방광내압 검사를 시행하였는데 방광 용량이 임신 3개월 째부터 증가하기 시작해서 8개월 째 1300 mL까지 증가하다가 말기에는 방광무력증이 관찰되었다. 이때 방광 감각은 비임신 대조군에서처럼 명확하지는 않았다. 분만 직후에는 배뇨 후 잔뇨가 대조군에 비해 증가한 상태였지만 방광 기능은 분만 6~8주에 정상으로 회복되었다고 보고하였다(Muellner et al, 1939). 이 결과와는 반대로 요실금이 없는 첫 임신 여성 14명에 대해 다채널 요역동학 검사를 시행한 연구에서는 최대방광용량에서 방광내압이 증가하는 결과를 보였는데, 중기 임신 시기에서 9 cmH_2O 정도 증가하다가 임신 말기에는 20 cmH_2O 정도 증가하였고($P < 0.01$) 분만 후에는 정상으로 회복되었다고 하였다(Iosif et al, 1980). 방광 내압이 증가한 이유에 대해서는 자궁이 커진 기계적인 원인이 관계했을 것으로 추정하였다.

임신 중에는 기능적 요도 길이, 최대요도압, 요도폐쇄압이 증가하다가 분만 1주 후 정상으로 회복한다고 보고하여, 임신 중 요도압의 변화는 임신으로 인한 요실금을 예방하기 위한 생리적인 변화로 평가하였다. 특히 임신 중 요실금이 있는 환자는 요실금이 없는 임부에 비해 기능적 요도 길이와 요도폐쇄압이 제대로 증가하지 못하여 발생한다는 것을 관찰하여 이와 같은 가정을 뒷받침하고 있다(Iosif et al, 1981; Van Geelen et al, 1982). 저자들은 전체적으로 임신 중 하부요로증상은 요역동학 검사와 일치되는 경향이 적으며 따라서 요역동학 검사는 임상적으로 유익하지 않다는 결론을 내렸다. 그러나 이 연구는 임신 중 요실금에 관련된 요역동학 지표를 연구한 것으로 방광근의 수축력에 대한 고찰이 부족하였다.

3. 분만 후 하부요로의 변화

분만은 임신으로 인한 호르몬의 변화로 인한 해부학적, 기능적 변화 이후에 또다시 급격한 호르몬의 변화가 유발될 뿐만 아니라 분만에 따른 요로생식기계의 해부학적 손상 또한 적지 않다는 것은 잘 알려진 사실이다. 그러므로 임신으로 인한 하부요로증상 외에도 분만으로 인하여 새로운 하부요로증상이 발생하게 되거나 기존의 증상이 악화, 분만 직후가 아니라 하더라도 분만 이후 새로운 하부요로증상의 위험도를 증가시키는 결과를 초래한다.

1) 정상 질식 분만 후 하부 요로의 변화

요실금은 임신 중에 흔히 일어날 수 있는 하부요로 증상이다. 대부분은 일과성인 현상인데 임신이 진행됨에 따라 자궁이 점점 커지고 호르몬의 변화가 매우 급격하며, 요도방광각의 일시적인 변화, 요량의 증가, 그 외 기타 임신 중의 생리적인 변화들이 기여하는 것으로 생각한다(Francis et al, 1960; Mikhail et al, 1995). 임신으로 인한 요실금은 분만 후 첫 3개월에 보통 해소되지만(Cutner et al, 1992; Viktrup et al, 1993), 분만 후에도 지속되거나 임신 중에는 없다가 분만 후에 새로운 요실금(de novo urinary incontinence)이 유발될 수도 있다(Wilson et al, 1996; Farrell et al, 2001).

임신 중의 요실금은 생리적인 변화로 인해 발생하는 반면, 분만 후 요실금은 분만 중, 혹은 후에 발생하는 방광 손상, 신경이나 근육의 손상, 요도 및 요도 구조물의 손상과 같은 병리적인 변화에 의한 것이 대부분이다(Van Gleen 1982; Snooks et al, 1984; Allen et al, 1990; Meyer et al, 1998). 분만 후 3개월 이내의 요실금은 분만으로 인한 급성 손상을 반영하는 결과로서 급성 손상이 개선되어 증상의 개선을 기대할 수 있지만 분만 3개월 후에도 요실금이 소실되지 않는 것은 급성 손상이 개선되지 않아 요실금이 장기적으로 잔존할 위험도가 증가한다는 것을 의미한다(Viktrup et al, 2001). 분만 후 요실금이 발생하는 데는 다양한 원인이 복합적으로 작용하는 것으로 이해하고 있는데 그 중 골반저에 유해한 결과를 초래하는 질식 분만이 제왕절개 분만 보다 훨씬 더 요실금이 발생할 위험도가 높다(Cutner et al, 1992; Viktrup et al, 1993).

질식 분만으로 인해 골반저 신경에 손상이 발생하면 골반저근의 근력약화, 방광경부의 위치와 운동성 변화, 항문 괄약근의 손상, 등이 유발될 수 있는데, 이런 상태와 질식 분만의 상관관계는 이미 많은 연구 결과로서 뒷받침되고 있다(Van Gleen 1982; Snooks et al, 1984; Allen et al, 1990; Meyer et al, 1998).

King 등은 일반적으로 질식 분만은 분만 후 요실금이 지속될 위험도가 두 배가 넘는다고 보고한 바 있다(King et al, 1998). 그 외에도 선천적으로 골반저근이나 주위 연결 조직의 약화, 임신 중 방광경부의 과도한 운동성과 같은 위험 요인들도 분만 후 요실금이 지속되는 데 일조한다(Marshall et al, 1998).

임신과 질식 분만이 다양한 원인으로 요실금에 부정적인 영향을 미치는 것은 잘 알려져 있으나 정확한 기전은 아직 완전하게 이해되지 못하고 있다. 그 중 한 가지는 출산으로 인해 골반에 분포하는 신경의 손상이 발생하여 분만 후 지속되는, 혹은 새로운 요실금의 원인이 될 수 있다(Snooks et al, 1984; Snooks et al, 1985b). 질식 분만으로 인해 음부 신경의 탈신경(denervation)이 발생 할 수 있는데 이 사실은 분만 후 신경 말단 운동 지연 검사 상 정상보다 연장되었다는 결과로 확인된다(Snooks et al, 1984). 특히 다산은 말초신경 손상을 더 심화시키는 산과적 위험 요인이다(Snooks et al, 1985b). Allen의 연구에 따르면 근전도 검사 상 첫 질식 분만으로 골반저의 부분적인 탈신경이 발생하는데 분만 이후에는 80%에서 신경재분포(reinnervation)가 이루어진다고 하였다(Allen et al, 1990).

그러나 분만 이후 손상 받은 신경의 신경재분포에도 불구하고 복압성요실금 여성의 78%에서 근전도 검사 상 횡문요도괄약근(striated urethral sphincter)에 이상이 있음을 보고하였다(Vereecken et al, 1981). 특히 진성복압성요실금이 있는 환자는 요도주위횡문근과 치골미골근에 분포하는 음부 신경 섬유의 신경 전도가 늦어지는 것이 관찰되었다(Snooks et al, 1985a; Smith et al, 1989). 또한 진성복압성요실금이 있는 여성들은 조직화학염색 검사 상 골반저 근육에 부분 탈신경이 확인되었다(Gilpin et al, 1989). 결과적으로 이러한 사실은 요도 주위의 근육에 분포하는 음부 신경섬유에 대한 손상이 진성복압성요실금을 유발하게 하는 중요한 과정이라고 추정하게 하는 대목이다. 한편, 2기 출산이 길었던 여성은 대부분에서 근전도 검사 상 신경 손상이 확인되었고(Allen et al, 1990) 2기 출산이 길어질수록 음부 신경이 더 심하게 손상된다는 연구와 2기 출산이 길어지는 경우 조기에 산과적 조치를 취하여 골반저가 느슨해지는 것을 감소시킬 수 있다는 연구(Allen et al, 1990; Ranney et al, 1990)를 근거로, 골반저 탈신경을 막기 위해서 2기 출산의 단축과 골반저 손상 예방을 위해 외음절개술을 시행하거나 겸자를 사용하는 분만을 제안하기도 하였다(DeLancey, 1993). 또한 이 추론을 지지하는 연구로서 복압성요실금 여성에서 제왕절개 분만을 한 여성은 음부 신경 지연 검사 상 정상 상태를 보였다는 연구가 있다(Snooks et al, 1985a; Gilpin et al, 1989).

그러나 Kathryn은 타 연구와 달리 분만 중 겸자 사용이 분만 후 요실금이 지속되는 위험도가 약 두 배에 달한다고 보고하였으며, 그 외, 태아 혹은 산과적 요소로서 마취 방법, 2기 동안의 출산 시간, 질 열상, 태아의 두부 크기, 태아 체중, 등은 분만 후 요실금과 상관관계가 없었다고 보고하였다(Kathryn et al, 2003). 한편, Allen 등은 겸자 분만, 외음절개술, 회음부 열상, 옥시토신 약물 사용, 등은 음부 신경 손상에 영향을 미치지 않는다고 한 보고도 있어 항상 일률적인 결과가 보고되지는 않았다(Allen et al, 1990). 결론적으로 많은 여성들이 정상적인 자연 질식 분만 후에 어느 정도 음부 신경의 탈신경 손상을 받는데, 이 정도의 심하지 않은 신경 손상으로도 골반저 약화가 초래 될 수 있다. 그 결과 복압의 변화가 근위부 요도에 충분하게 전달이 되지 않아 복압성요실금을 유발할 것으로 생각된다.

경막외 마취 하에서 질식 분만을 한 여성은 출산 후 저긴장성 방광근의 발생률이 유의하게 증가한다는 사실이 방광내압 검사로 확인되었다(Weil et al, 1983). 뿐만 아니라 최대 방광용량도 증가하는데 이러한 것들은 무증상 요정체의 소인이 된다. 그러나 출산 시 경막외 마취를 시행한 대부분의 임부들은 출산 후에 하부요로증상을 호소하지는 않았다.

분만 후 요실금을 유발하는 모성 인자로는 만성 기침을 유발하는 흡연이 지목되었고, 비만도 역학조사에서 위험 인자로 인정되었다(Viktrup et al, 2001). 비만은 그 자체로 골반저에 대해 추가적인 압박이 가해져 요실금을 유발하는 것으로 인정되었다. 임신 중 요실금은 분만 직 후 요실금과 연관되어 있을 뿐만 아니라 분만 후 5년 시점에서 관찰하더라도 요실금이 잔존하거나 새롭게 발생할 위험요소였다(Viktrup et al, 2001).

요실금은 임신 중에 높은 비율을 보이다가 분만 후 그 비율은 감소하게 되는데, 분만 후에도 요실금이 잔존하는 여성들은 분만 후 1년을 경과하더라도 요실금 유병률은 유의하게 감소하지 않았다. 다만, 요실금이 잔존하더라도 분만 후 시간이 경과할수록 증상의 정도는 감소하는 경향을 보였다(Tincello et al, 2002; Rortveit et al, 2003b). 실제로 임신 중에 요실금을 호소하는 임부들이 분만 후에 요실금이 지속되는 경우가 적지 않다. 임부들을 분만 후 12개월까지 523명을 추적 관찰한 코호트 연구에서, 임신 중 요실금이 있었던 여성이 분만 1년 후에도 요실금이 있을 교차비(odds ratio)는 요인에 따라 다르지만 1.055에서 2.934

까지 다양하였다(Burgio et al, 2003). 유사하게, 첫 임신 동안에 복압성요실금이 있었다는 사실은 분만 후 요실금이 소실되었더라도 5년 후에 복압성요실금이 다시 발생할 강력한 예측 요인이라는 연구 보고도 있다(Virtrup et al, 2001).

골반저근 운동의 효과에 대한 무작위 임상 시험이 있었는데, 임신 중 골반저근 운동이 후기 임신 때나 분만 후 요실금의 비율을 낮추는 것으로 보고되었을 뿐만 아니라 분만 12개월 후까지 요실금을 지속적으로 감소시키는 효과도 보여준다고 보고하였다(Sampselle et al, 1998; Morkved et al, 2003).

이와 같이 출산 이나 질식 분만 후에 방광의 변화가 초래된 후라도 보통 증상이 경하거나 일시적이어서 대부분 회복이 가능하다. 정상적인 질식 분만 후에 평균 요속은 대조군에 비해 보통 낮게 측정된다. 단회 배뇨량, 총 배뇨 시간, 최고요속 도달 시간, 등은 출산 1일 째 대조군에 비해 유의하게 증가하지만 2일, 3일째는 대조군과 유사하게 개선되었다(Ramsay et al, 1993). 그리고 출산 후 발생한 잔뇨 증가나 배뇨 장애는 출산 후 6일 째에는 더 이상 관찰되지 않았다. 요류의 매개변수와 연령, 분만 횟수, 태아 체중, 분기별 출산 시간, 회음절개 여부와 상관관계가 없다는 연구 결과도 있다(Sohn et al, 1988).

2) 제왕절개 분만 후 하부요로의 변화

EPICONT 연구는 15,000명 이상의 여성을 대상으로 분만 방식에 따라 요실금이 어떠한 지를 조사한 노르웨이 연구이다(Rortveit et al, 2003a). 이 연구는 복압성요실금이 임신을 하지 않은 여성에 비해서는 제왕절개 분만 여성에서 유병률이 높고, 제왕절개 분만보다는 질식분만에서 더 유병률 이 높았으며 절박성요실금과 혼합성요실금은 유병률의 차이가 없었다는 결과를 얻었다. 그러나 이런 경향에 대해서는 인정하고 있는 추세이나 분만 방식과 요실금의 상관성에 대한 병리적인 연구나 역학적인 연구는 아직 명확하게 결론을 맺지 못하고 있다(Snooks et al, 1990; Rortveit et al, 2003b). 그 이유는 각 연구마다 연구 추적 기간, 연구 대상자 수, 연구 방법들이 일치되지 않을 뿐만 아니라, 이 연구는 임신 자체의 효과에 대한 것이 아닌 분만 자체와 분만 방식이 요실금에 미치는 영향을 파악하는 것이 초점이기 때문이다. 실제로 분만 자체가 분만 후 하부요로증상이 유발되는 강력한 위험요소라는 것은 많이 알려져 있다(Snooks et al, 1990; Tincello et al, 2002; Rortveit et al, 2003b).

질식 분만군과 제왕절개 분만군들 간에 임신 중 하부요로증상의 유병율의 차이는 없다. 그러나 분만 후에는 복압성요실금의 유병률이 질식 분만에서 유의하게 높다. 임신 초기에 복압성요실금이 있었던 임부는 질식 분만을 하든 제왕절개분만을 하든 분만 후 1년째 복압성요실금의 빈도가 증가한다. 이것은 임신 자체가 하부 요로 기능에 변화를 초래하여 분만 후에 발생하는 원인일 것으로 추정하고 있다(Van Brummen et al, 2007). 복압성요실금은 분만 1 년 후에도 질식 분만을 한 여성에서 유병률이 증가하고 질식 분만은 요실금 전체와도 상관관계가 있다는 사실은 많은 연구에서도 드러난 바 있다(Snooks et al, 1990; Tincello et al, 2002; Rortveit et al, 2003b). 질식 분만을 한 경우라도 체질량지수가 높을수록 분만 1년 후 복압성요실금의 위험도는 더 높았다(Van Brummen et al, 2007). 또한 제왕절개 분만 여성보다 질식 분만 여성에서 요도압과 기능적 요도 길이가 현저하게 감소되어 있다고 보고하여 질식 분만에서 복압성요실금이 발생하는 또 다른 기전을 제시하기도 하였다(Van Geelen, et al, 1982).

전체 참고문헌 목록은
배뇨장애와 요실금 웹사이트 자료실
(http://www.kcsoffice.org)에서
확인할 수 있습니다.

노인의 하부요로기능 이상

Geriatric lower urinary tract dysfunction

김형지

1. 서론

하부요로에는 방광과 요도 그리고 남성에서는 전립선이 있다. 따라서 하부요로의 기능 이상에는 요실금과 과민성방광, 전립선질환이 있으며 이들은 야간뇨와도 관련이 되기도 한다. 이들 질환들은 단독으로 발생하기도 하고 둘이상의 질병이 같이 발생하면서 삶의 질을 저하시키고 정상적인 생활을 방해한다(Naughton and Wyman, 1997).

요실금 등 하부요로기능이상은 흔한 비뇨의학적 질병이고 노년기로 갈수록 발생률이 증가하지만 노인에 있어서는 아직도 발생기전이 명확하지 않다(Chutka et al, 2009; Griebling, 2009). 위에서 예를 든 각 질환에 대한 일반적인 검사 및 치료는 다른 장에서 자세히 기술될 것으로 본 장에선 노화에 특별히 관련된 것을 위주로 기술하겠다.

2. 노화와 관련된 하부요로의 해부 및 생리변화

노화과정에는 하부요로에서 많은 변화가 나타나는 과정이기 때문에 요실금은 노인에게 흔하게 된다(Tong, 2009). 방광의 감각과 수축력 그리고 자발적으로 요자제를 할 수 있는 능력이 노화가 진행되면서 감소하게 된다. 방광 용적은 배뇨근과활동성을 가진 환자에서는 감소하지만 나이 자체가 영향을 미치는 것은 아니다(Resnick et al, 2012; Pfisterer et al, 2006). 노화가 진행됨에 따라 배뇨 후 잔뇨량은 증가하게 되지만 50~100 mL 이상의 증가는 없다고 한다. 또한 전립선의 크기는 증가하고(Tong, 2009, Resnick et al, 2012) 요도길이와 최대 요도폐쇄압은 감소가 되면서 여성서는 에스트로젠의 감소로 인한 요도점막의 위축이 일어난다(Trowbridge et al, 2007; Betschart et al, 2008). 이 외에도 남녀 모두의 노인에게서 불수의적인 방광수축이 증가한다(Tong, 2009, Resnick et al, 2012).

3. 방광질환

위에서 기술한 바와 같이 과민성방광이나 하부요로증상 등은 나이가 들수록 증가하고, 삶의 질을 크게 떨어뜨린다. 많은 연구들이 하부요로증상과 나이의 연관성에 대해 보고하였다. 유럽과 미국에서 40~95세 사이 30,000명의 남성과 여성을 대상으로 하는 연구에서는 고령에서 남녀 구분 없이 하부요로증상의 높은 발생률을 보고하였으며 특히 여성의 경우, 나이가 들수록 요절박이나 요절박으로 인한 실금, 세뇨 등의 증상이 높게 나타났다(Coyne et al, 2009). 미국에서 18세 이상의 성인을 대상으로 한 과민성방광 연구에서 여성과 남성의 과민성 방광 유병률은 각각 16.9%와 16.0%였고 나이가 들수록 점차 증가함을 알 수 있었다(Stewart et al, 2003). 이러한 증가는 신체적인 노화로 인한 중추신경계 및 말초신경계의 여러 가지 변화들이 방광과 요도에 영향을 미쳐 발생할 수가 있다.

1) 노화로 인한 중추신경계 변화와 요실금

신경퇴화 질환을 동반하지 않더라도, 단순한 인지력의 저하는 고령에서 쉽게 관찰되고, 이로 인하여 배뇨 조절장애 증상이 나타난다. 기능적 MRI 장비를 이용하여 요도를 통한 방광 충만시 뇌의 변화를 관찰한 결과로 양측 대뇌섬(insula)과 대상엽(cingulate cortex)의 활동성이 나이가 들수록 감소함을 알 수 있었다. 이러한 결과를 바탕으로, 나이가 들수록 방광을 조절하는 신경체계의 변화를 제시하여 요절박나 절박성요실금 등이 나타날 수 있다고 주장하였다(Griffiths et al, 2009; 권택민과 문경현, 2018)

2) 노화로 인한 말초신경계의 변화와 하부요로증상

노화가 진행됨에 따라 말초신경의 감소의 보고와 함께(Hald and Horn, 1998) 쥐의 경우 3~24개월에서는 요천추 부의 신경 숫자가 크게 변화 없지만 나이든 쥐에서는 이러한 세포수가 감소 하였음을 관찰하였다(Mohammed and Santer, 2001a). 또한 나이든 쥐는 어린 쥐에 비교해, 방광 용적과 골반 자극에 의한 방광수축의 저하 등을 보고한 연구도 있다(Hotta et al, 1995).

3) 노화로 인한 생화학 수용체의 변화

비록 동물을 대상으로 한 연구에서 나이에 따른 무스카린수용체의 변화는 증명되었지만, 사람에게 어떻게 일어날지는 예측하기 힘들다. 더군다나 나이가 든 환자에서 항무스카린 치료의 효과가 감소한다는 증거도 없다.

최근의 한 연구에서는 나이에 따른 무스카린수용체의 감소가 확인되었다. 또한 남녀 모두에서 M2수용체를 제외한 M3수용체의 mRNA 발현이 나이에 따라 감소함을 확인하였다(Mansfield et al, 2007).

4) 노화로 인한 방광의 변화

노년기에는 남녀 관계없이, 방광의 연부조직에 대한 근육의 밀도가 감소하면서 배뇨근의 섬유화를 가져오게 된다(Lepor et al, 1992). 한편 또 다른 연구에서는 나이든 쥐에서 요로상 피와 배뇨근의 감소가 나타났다고 한다(Zhao et al, 2010). 즉 이러한 연구들이 사람에게 일어나는 변화를 정확하게 반영하지는 못한다고 생각된다. 한 연구에서는 근육층과 신경 다발에서 콜라겐섬유의 증가를 발견하여 노화된 배뇨근의 탄력성 저하와 방광 용적의 감소를 설명하였다(Levy and Wight, 1990). 또한 연구에서 노화와 요도 근육층을 형성하는 평활근세포의 사멸과의 관련성을 발견하여 노화에 따른 최대 요도압의 감소로 요실금이 나타날 수 있다고 보고하였다(Strasser et al, 2000; Pfisterer et al, 2006).

5) 노화로 인한 기능적 배뇨의 변화

나이가 들어감에 따라 남녀 모두에서 방광 기능이나 임상적인 증상 면에서 여러 가지 변화가 오게 된다. 하지만 이런 기능저하의 병리학적인 원인을 밝히는 것은 생각보다 어렵기 때문에, 정상적인 노화과정으로 간주되는 경우가 많다. 하부요로증상은 크게 저장증상, 배뇨증상 및 배뇨 후 증상으로 나누어 진다(권택민과 문경현, 2018). 대부분의 이런 증상들은 나이에 따른 여러 가지 요인들에 의해 발생한다고 보고되었다. 예를 들어, 방광 용적의 감소, 방광 감각의 변화 및 배뇨근과활동성 등이다. 그러나 배뇨근수축력 저하는 방광을 비우는데 어려움을 가져오고, 이로 인해 배뇨근과활동성 증상처럼 나타나기도 한다. 성인 여성을 대상으로 한 연구에서 나이에 따라 방광 용적은 변하지 않고, 요역동학 검사에서 배뇨근 과활동성을 가진 경우 방광 용적이 작았다고 보고하였다. 소변 양이나 빈도는 나이에 따라 크게 달라지지 않지만, 방광의 감각이나 방광수축 강도, 최대 요속 등은 나이에 따라 감소하게 된다고 하였다(Pfisterer et al, 2006).

정상적인 노화에 따른 방광 및 하부 요로계의 변화는 과민성방광이나 하부요로증상 등으로 구분된다. 배뇨근활동 저하로 인한, 배뇨근과활동성 및 수축장애(detrusor hyperactivity with impaired contractility) 또한 고령에서 나타날 수 있다(Resnick and Yalla, 1987). 이외에도 여러 동물이나 사람을 대상으로 한 연구를 바탕으로 노화에 따른 하부요로 기능의 변화를 확인 할 수 있다. 그러나 동물을 대상으로 한 연구가 항상 사람을 대상으로 한 연구와 일치하지 않기 때문에 해석에 주의가 필요하다.

4. 전립선 질환

1) 전립선비대증

(1) 남성호르몬의 영향

전립선비대증은 고령에서 매우 흔하게 나타나는 증상이나. 정상적인 전립선은 테스토스테론이 5알파 환원효소에 의해 만들어진 디하이드로테스토스테론에 의존하여 성장하게 된다(Hannema and Hughes, 2007). 수컷 쥐를 거세할 경우 전립선의 심한 위축과 세포괴사가 관찰되었으며 거세 쥐에서 전립선 성장은 남성호르몬에 더 의존적으로 나타났다(Colombel and Buttyan, 1995). 비슷하게 사람에 있어서도, 사춘기 전에 거세된 경우에는 전립선 성장이나 전립선비대증이 나타나지 않았다. 않았다(Ho and Habib, 2011).

전립선비대증은 전립선이 점차적으로 성장하는 삶의 후반부에 주로 나타나게 된다. 여러 연구 들은 사춘기 이후 전립선의 성장을 연간 0.2에서 0.4 mL (Jakobsen et al, 1988)로 측정하였다. 또한 나이가 상피세포의 농도를 증가시켜 전립선 조직의 높은 부화와 낮은 사멸을 가져온다고 증명하였다(Colombel et al, 1998).

(2) 여성호르몬의 영향

혈중 테스토스테론과 유리테스토스테론은 나이가 들수록 감소한다(Feldman et al, 2002). 최근의 연구들은 고령에 있어서 많이 발현하는 여성호르몬 수용체(ERα, ERβ)와 관련하여, 여성호르몬이 전립선의 성장을 촉진한다고 제안하고 있다(Ellem and Risbridger, 2009). 또한 테스토스테론의 에스트라디올로의 전환을 일으키는 아로마타아제가 남성호르몬을 여성호르몬으로 전환하여 전립선의 성장을 유도한다는 연구결과도 있다(Nicholson and Ricke, 2011). 아로마타아제의 발현은 비만과 관련된 지방조직의 축적과 관련있고, 이것이 테스토스테론의 감소 및 에스트라디올의 증가를 가져오게 된다. 비만은 나이와 관련하여 그 빈도가 증가하게 되고, 노화, 비만 그리고 아로마타아제의 발현 증가로 인한 에스트라디올과 테스토스테론의 비율 변화가 전립선비대증 및 하부요로증상의 발생에 큰 역할을 한다고 보고하고 있다(Flegal et al, 2010; 권택민과 문경현, 2018).

(3) 비스테로이드 성장인자의 영향

남성호르몬, 여성호르몬뿐만 아니라, 비스테로이드 성장인자가 전립선 성장을 촉진할 수 있다. 이러한 성장인자는 염기성 섬유모세포성장인자(basic fibroblast growth factor:bFGF, FGF-2)와 인슐린 성장인자(insulin growth factor: IGF)와 염증분자(inflammatory molecule)를 포함한다(McLaren et al, 2011; Story et al, 1993; Wang and Olumi, 2011).

(4) 비스테로이드 성장인자의 분비를 촉진하는 기전

특정 유형의 줄기 세포에서 유래하는 지속적으로 재생하는 조직을 포함하는 특정 세포를 제외 하고는, 대부분의 세포가 시간이 지남에 따라 성장 억제 또는 노화를 반복하게 된다. 이러한 노화 세포는 특징적으로 비복제적이다. 염색체의 끝분절(telomere)이 너무 짧아지게 되어 더 이상의 DNA 합성을 할 수 없는 상태가 된다(Hjelmeland et al, 1999; Nishimura et al, 1997). 노화는 본질적으로 종양억제 유전자에 의해 통제되며 종양억제 유전자(p16, Arf, p53, RB1)는 신생물 변이의 위험이 있는 세포의 증식을 막기 위한 검사자 역할을 한다(Campisi, 2005). 노화로 인하여 DNA 손상을 입은 세포는 여러 비스테로이드 성장인자 분비를 촉진하여 전립선 노화와 섬유증을 유발한다 (Coppe et al, 2008).

(5) 염증 단백질의 전립선 세포 분화 촉진의 기전

전립선비대증이나 하부요로증상의 원인은 여러 전립선 조직의 분화와 관련되어 있다. 기존의 연구들은 낮은 농도이지만 축적된 조직분화로 점차적인 전립선

용적의 증가로 전립선비대증이나 하부요로증상이 발생한다고 보고하였다. 그러므로 전립선에 낮은 농도로 존재하는 여러 가지 케모카인이나 염증세포들이 축적되어 결국 고령에서 전립선의 분화를 촉진한다고 주장하였다(Jakobsen et al, 1988; 권택민과 문경현, 2018)

2) 전립선 섬유증

섬유화는 정상 상처 치유 과정의 비정상적인 과정이며 근육섬유모세포의 축적, 콜라겐 침착 및 세포외 기질 재형성, 조직 경직도 증가를 특징으로 한다. 여러 연구에서 조직 구조의 노화 및 연축과 연관된 미세 변화가 기능 장애 및 질병에 기여한다는 사실이 입증되었다(Gharaee–Kermani et al, 2009).

사람에 대한 연구에서는 전립선에서 근육모세포의 축적이 하부요로증상과 관련이 있는 것으로 나타났다. 미국 비뇨의학회에 따르면 증상 점수가 높은 환자에서 낮은 환자에 비해 높은 조직의 콜라겐 함량을 보였다. 노화에 따라 높은 수준의 조직 강성과 증가된 콜라겐 함유량으로 인해 요도 주위조직의 경직도가 증가하고, 순응도를 감소시켜 폐쇄 증상을 일으키게 된다(Rodriguez–Nieves and Macoska, 2013).

5. 야간빈뇨

노년으로 갈수록 야간빈뇨는 증가 하는데(Tikkinen et al, 2006) 이는 사람에게서 노화가 진행됨에 따라 야간빈뇨를 일으키는 원인들이 증가하기 때문으로 보여진다(김성철, 2018) 야간빈뇨는, 30~39세에서는 19.9% 정도에서 관찰되지만 60~79세의 환자에서는 41.2%에서 관찰된다. 또 다른 보고에서는 야간빈뇨 2회 이상인 환자 들이 20~40세 남자의 2~17%, 여자의 4~18%였으며, 70세 이상 남자에서는 20~59%, 여자에서는 28~62%였다(Aydur and Dmochowski, 2012). 야간빈뇨는 40세 이하의 환자에서는 여성에서 더 많으나 60세 이상에서는 여성과 남성의 유병률이 비슷하다(이소연과 이규성, 2015). 40세 이상 국내 야간뇨 유병률은 1회 이상을 기준으로 하였을 때 2/3 이상(72.7%), 2회 이상은 약 절 반(48.2%) 가량이었으며, 오직 27.3%만이 야간뇨가 없었다(Choo et al, 2008). 핀란드의 인구 기반 연구[Finnish National Nocturia and Overactive Bladder (FINNO) study]에서는 나이가 들면서 남자들의 야간뇨 유병률이 더 증가하는 경향을 보이는데, 이는 전립선비대증 등의 남성에게만 보이는 배뇨장애 요인이 나이가 들면서 추가로 증가하기 때문이다(Tikkinen al, 2006; 김성철, 2018). 본 장에서는 노화에 따른 병태생리만 다루기로 하겠다.

1) 병태생리

야간뇨가 발생하는 기전은 밤 동안 만들어진 소변량과 방광용적과의 불일치라고 볼 수가 있지만 약 25%가량의 야간뇨는 이러한 현상만으로는 설명할 수 없다고 한다(Kim et al, 2001).

(1) 소변량의 증가(야간 소변량의 증가, 전체 소변량의 증가)

노화가 진행됨에 따라 신장의 정상 사구체의 비율

이 감소하고, 신장의 크기가 감소하게 된다(Tauchi et al, 1971). 이러한 변화는 사구체 여과율의 감소를 동반하게 된다(Lindeman and Goldman, 1986). 또한 야간 다뇨는 항이뇨호르몬 수치가 감소 또는 결핍으로 야간 요생산이 증가하는 것을 특징으로 한다. 야간 다뇨는 특히 전체 노인인구의 약 4% 정도로 보고되고 있다. 이러한 항 이뇨호르몬의 감소는 아마도 뇌하수체의 일차적 이상이나 또는 낮에 기립 자세로 하지에 쏠려 있던 수분들이 수면 시 누운 자세를 취하게 되면서 갑자기 재흡수 되면서 나타난 생리 학적 반응 때문일 것으로 보인다(이소연과 이규성, 2015) 이외에도 혈중 나트륨을 조절하는 기능도 감소하게 된다(Epstein and Hollenberg, 1976) 또한 심방나트륨 뇨펩티드(Atrial natriuretic peptide; ANP)의 기저치가 높고 이 호르몬에 대한 세뇨관의 반응도 떨어지게 된다고 한다(Duggan and O'Malley, 1990).

노년기에 잘 발생하는 질환들이 야간빈뇨와 관련이 될 수 있다. 대표적인 질환들에는 울혈성 심부전, 폐쇄성 수면무호흡증, 신증후군, 만성신질환, 자율신경계 질환 그리고 알츠하이머나 파킨슨병과 같은 질환이 있다.

울혈성 심부전, 신증후군과 자율신경계 질환의 경우, 체내 수분이 낮에는 하지에 모여 있다가 밤에 누운 자세가 되면 다시 재흡수되어 순환하게 되면서 소변량이 많아지게 되어 야간다뇨를 유발할 수 있다(Fitzgerald et al, 2007; Voogel AJ, et al, 2001; Wilcox et al, 1974)

폐쇄성 수면 무호흡은 수면 동안 간헐적으로 기도를 막아 심각한 저산소증을 야기하는데, 이러한 간헐적인 저산소 증은 수면장애를 일으킨다. 또한 무호흡 후의 가쁜 호흡은 가슴 안의 압력을 높이게 된다. 저산소증으로 야기된 폐혈관 수축은 우심방 근육간 압력을 높여 혈중 ANP를 증가시키며, 이는 소변량을 증가시키게 된다. 폐쇄성 수면 무호흡의 위험인자들은 비만, 선단비대증, 천식, 고혈압, 당뇨 등이며, 노인환자가 코골이가 있다면 이에 대해 조사해 보아야 한다(Romero et al, 2010; Fitzgerald et al, 2006).

만성신부전의 경우에는 세뇨관의 농축력이 감소하고 정상 기능을 하는 신단위가 감소하기 때문에 소변량을 일중 변동폭이 작아지게 되며, 이로 인하여 야간 소변량이 증가하게 된다(Hiller et al, 1980). 알츠하이머, 파킨슨병, 혈관성 치매 및 뇌경색 등의 신경계 질환의 경우 항 이뇨호르몬이나 나트륨이뇨펩티드와 같은 호르몬의 분비 조절에 영향을 미쳐 야간 소변량이 증가하게 된다(Ouslander et al. 1999).

(2) 방광 저장 능력의 감소

노년에서 방광 저장 능력의 감소를 보이는 남성의 경우, 전립선비대증으로 인한 방광출구폐색이 하나의 원인이 된다. 이러한 폐색으로 방광 용적의 감소, 배뇨근과다활동 및 방광유순도 감소가 나타나게 된다. 여성의 경우 다양한 원인이 있을 수 있지만 다산, 여성호르몬 결핍 혹은 노화 과정 중 골반 지지 구조의 이완이 발생하게 되고, 이러한 이완으로 요도 폐쇄압 및 길이가 감소에 의하여 배뇨근과활동 및 기능적 방광용적이 감소할 수 도 있다(Asplund, 2006).

(3) 수면장애

나이가 들어가는 과정에서 수면 이후 각성(wakefulness after sleep onset; WASO)이 증가하게 되고, 이는 수면유지장애의 원인이 된다(Neubauer, 1999). 각성 단계에서는 수면 상태에 비하여 70~80% 경우에서 최대 방광용적의 80% 미만으로 소변을 보게 된다(Cho et al. 2018). 이러한 이유로 노년기로 갈수록 발생하는 수면 이후 각성의 증가는 야간 방광 용적 감소의 원인이 된다. 이러한 수면유지장애는 심한 스트레스, 불안 장애, 우울증 등의 정신과적 질환으로 올 수 있으며, 수면무호흡증이나 심한 통증으로도 발생할 수 있다(김성철, 2018).

(4) 배뇨 장애

야간뇨의 유병률이 나이가 들어가는 과정에서 남성에서 더 가파르게 증가하는 것을 볼 때 분명히 전립선비대증이 중요한 원인이 될 것으로 생각할 수 있다(김성철, 2018). 노년기로 가는 과정에서 남녀 모두 요속도 감소, 소변 참는 능력의 감소가 나타나게 된다(Asplund, 1999) 더불어 남자의 경우 나이가 들면서 배뇨 후 잔뇨의 증가도 나타나게 되며, 이러한 요소들은 야간뇨의 원인이 될 수 있게 된다(Madersbacher et al, 1998).

6. 정리

노화는 여러 가지 경로를 통해 신장 및 방광을 포함한 요로계 조직과 기능에 변화를 가져온다. 이러한 변화들은 다양한 하부요로증상을 발생시키게 된다. 전립선에서도 마찬가지로, 여러 가지 호르몬이나 성장인자가 노화과정에서 활성화되거나, 억제되어 조직의 항상성을 방해하여 세포의 성장, 전립선의 비대 및 악성세포의 발생을 가져옴을 여러 연구를 통해 밝혀졌다. 최근에 분자, 생화학, 생리학, 생체 역학 등 여러 분야의 급속한 발전으로 노화에 따른 요로계의 변화에 대한 이해가 많이 이루어지고 있다. 이러한 연구들은 향후 임상적인 증상에 대한 치료 방법을 개선시킬 중요한 밑바탕이 될 것이다

전체 참고문헌 목록은
배뇨장애와 요실금 웹사이트 자료실
(http://www.kcsoffice.org)에서
확인할 수 있습니다.

제 21 장 장을 이용한 하부요로의 재건

lower urinary tract reconstruction using bowel

오승준

1. 개념

요저장기능이 크게 저하된 하부요로기능이상 질환에서는 환자의 삶의 질이 현격히 저하된다. 그뿐만 아니라 방광의 요역동학적 특성이 불량한 경우에는 신장손상이 가중된다. 이 상황에서 환자의 삶의 질을 개선하고 신기능을 보호하는 조치가 필요하다. 신경인성 하부요로기능이상 질환에서 최대한의 보존적 치료로서도 실패하는 경우, 또는 일차적인 하부요로 재건수술이 실패한 경우, 그리고 상부요로가 기능적으로 악화되는 경우에는 장을 이용한 방광확대성형술이나 요로전환술이 고려되어야 한다. 신경인성 하부요로기능이상 질환이 아니더라도 난치성 간질성방광염, 결핵성 수축방광 등과 같이 약물치료를 포함한 모든 보존적 치료들이 성공하지 못했을 때도 장을 이용한 하부요로 재건술이 적용될 수 있다.

최근에는 악성종양이 아닌 하부요로기능이상 질환으로 인해 장을 이용한 하부요로재건수술을 시행하는 빈도는 매우 줄어들었다. 이는 신경인성방광에서 간헐자가도뇨법이 더욱 보편화되고 조기에 효과적인 약물치료가 적용됨에 따른 보존적 치료의 성공적인 성과로 인한 요인도 있다. 장을 이용한 하부요로재건술의 대부분은 방광암의 근치적 수술의 일부로서 행해지는 경우가 빈도상으로는 압도적이다. 따라서 수술기법의 많은 경험은 종양분야에서 기여된 바가 크다. 종양분야에서와 달리, 하부요로기능이상에서는 원인파악을 위한 요역동학적인 분석과 장을 이용한 하부요로재건술의 필요성 판단여부에 대한 고려, 수술의 종류와 부가적인 수술여부에 대한 판단이 종양분야에서처럼 쉽고 간단하지가 않다.

본 장에서는 하부요로기능이상 질환에서의 장조직을 이용한 다양한 요로재건수술들의 적응증, 수술법, 합병증, 장기추적 등에 대하여 알아보고자 한다.

2. 장을 이용한 하부요로의 재건수술 용어

장을 이용한 하부요로 재건수술을 기술하는 용어는 매우 다양하다. 하부요로 재건수술은 크게 방광확대성형술(augmentation cystoplasty), 방광대체술(bladder replacement, bladder substitution), 요로전환술(urinary diversion) 등으로 나누어 볼 수 있다. 이용되는 장조직에 따라서 방광확대성형술은 다시 장방광성형술(enterocystoplasty), 회장방광성형술(ileocystoplasty), 대장방광성형술(colocystoplasty), 회맹장방광성형술(ileocecocystoplaty) 등 다양하게 구분된다(그림 21-1).

요로전환술은 크게 실금형(non−continent urinary diversion)과 비실금형(continent urinary diversion)으로 나눌 수 있다(그림 21-2). 실금형 요로전환술은 창자의 일부에 직접 요관들을 심고 이어진 창자를 통로로 하여 통로출구를 피부 스토마로 형성하여 피부 바

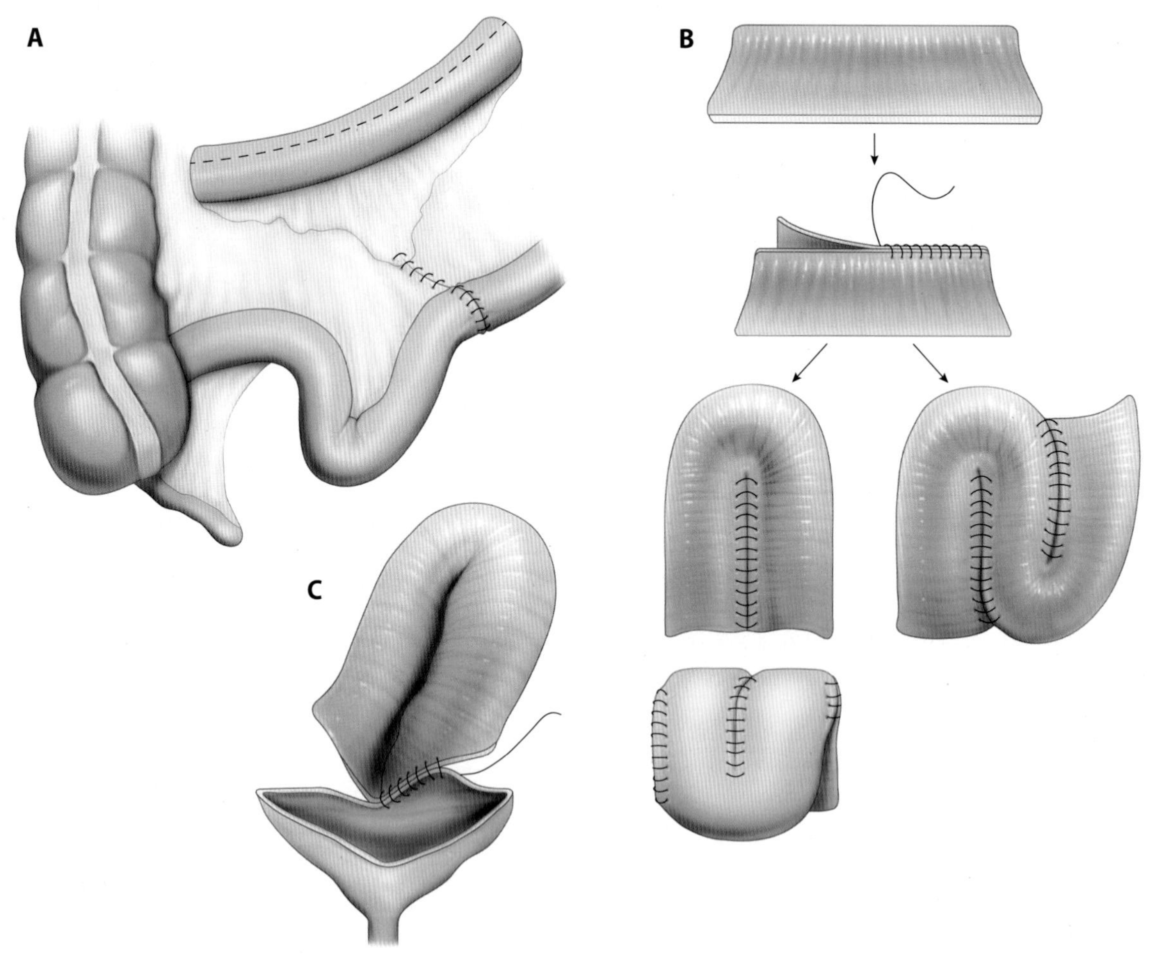

그림 21−1. **방광확대성형술(augmentation cystoplasty)**

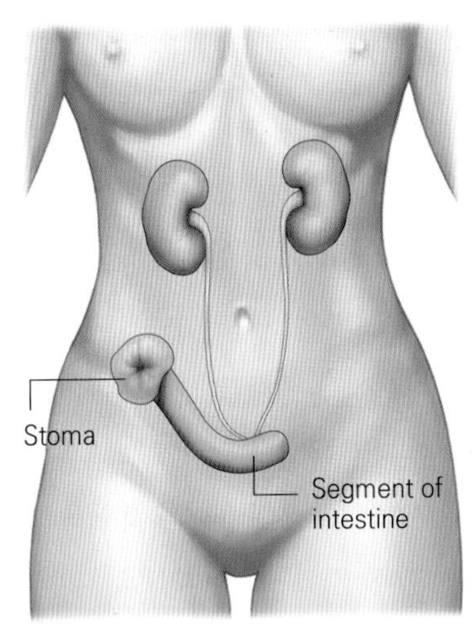

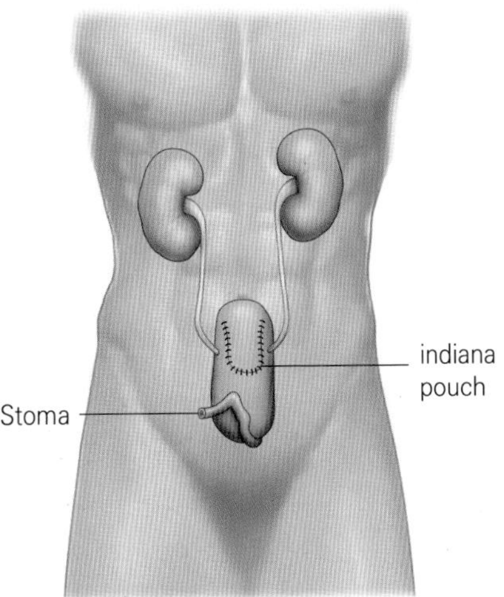

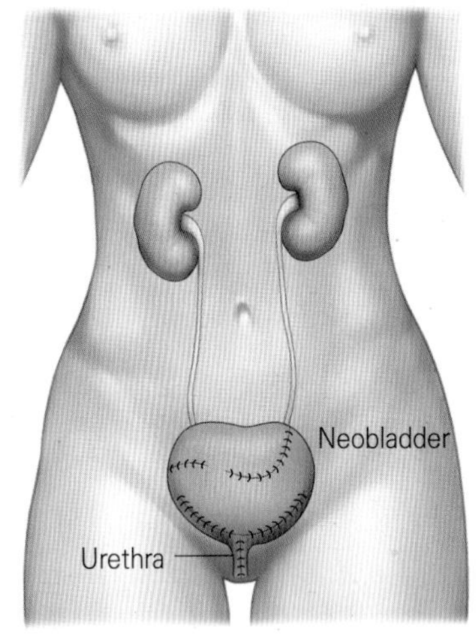

ILEAL CONDUIT
(incontinent diversion to dkin)

CONTINENT CUTANEOUS RESERVOIR
(continent diversion to skin)

ORTHOTOPIC NEOBLADDER
(continent diversion to urethra)

그림 21-2. **요로전환술(urinary diversion).** (A) 실금형 요로전환술의 일종인 회장도관술, (B) 비실금형 요로전환술, (C) 정위치 요로전환술

깥으로 소변이 배설되게 하는 방법이다. 이 방법은 피부 스토마로 소변이 항상 흐르게 되므로 소변을 저장할 수 있는 주머니(urinary reservoir, pouch)를 피부 표면에 부착해야 한다. 비실금형 요로전환술은 체내에 주머니를 장치하고 일정한 시간간격 동안 모아진 소변을 도관(continent catheterizable channel)을 이용하여 배액시키는 방법이다. 실금형 요로전환술은 소변 저장 주머니를 피부 바깥에 두게 되지만, 비실금형요로환술에서는 소변 저장 주머니를 복강 내에 두게 된다. 비실금형은 다시 소변의 배출통로를 피부에 새롭게 만들어 소변흐름을 전환시키는 비실금형 피부요로전환술(continent cutaneous urinary diversion)과 장으로 확대한 방광을 원래 소변배출 통로인 요도에 연결하는 정위치 요로전환술(orthotopic urinary diversion)로 나눌 수 있다. 이러한 의미에서 정위치 요로전환술은 방광대체술과 동일한 개념이라 할 수 있다. 하부요로기능이상을 교정하기 위해 비실금형 요로전환술을 시행할 때 동시에 방광확대성형술을 시행하는 경우가 더 흔하나 장으로 도뇨가능한 도관만을 형성하는 수술만 할 수도 있다.

3. 장을 이용한 하부요로재건술의 역사

장을 이용한 하부요로 재건술은 역사적으로 유럽에서 시작되었다. 방광확대성형술의 역사는 1899년 방광외번증 환자에서 회장을 이용한 성형술로 거슬러 올라간다(Rutkowski M, 1899). 그러나 장을 이용하여 방광확대성형술을 일상적으로 시행하게 된 것은 1950년대인데(Couvelaire R, 1950), 결핵성 수축방광에 대하여 방광확대성형술을 시행한 이후이다. 1970년대 초 Lapides가 청결간헐도뇨법을 도입하여 장으로 재구성된 방광의 술 후 관리를 보조하게 되면서 방광확대성형술이 더욱 널리 시행되었다(Lapides J, 1972). 1970년대 말에 방광확대성형술의 재료로 회장이 많이 쓰이기 시작하였다. 에스상결장은 1900년도 초부터 하부요로재건에 사용되기 시작하였고, 튜브해체기법(detubularization)은 1950년대에 시작되었다.

비실금형 요로전환술은 그 역사가 조금 더 복잡하다. 비실금성 요로전환술의 가장 처음 형태는 비실금형 항문저장낭(continent anal reservoir)이었다. 이 수술은 1851년 영국 런던에서 Sir John Simon이 방광외번증 환아에서 요관 두개를 직장에 심어 항문루(fistula) 형성 수술을 시행한 것이 효시이다. 1900년대 초까지 이 비실금형 항문저장낭은 비실금형 요로전환술의 유일한 수술형태였다. 1930년대와 1940년대에 요관에스상결장문합술(ureterosigmoidostomy)이 많이 시행되기 시작하였는데(그림 21-3) 이에 대한 장기 성적으로 열성요로감염 등과 같은 술 후 합병증들과 이차적인 암 발생 문제가 1950년대에 부각되기 시작하였다. 이와 동시에 1950년대초에 Eugene Bricker가 실금형 요로전환술인 회장도관 수술법을 유행시켰다.

한편, 1908년 Verhoogen에 의해 충수가 달린 맹장을 피부 스토마로 하고 도뇨관을 이용하여 소변을 배출하는 소위 도뇨가능한 요로전환술이 처음 시도되었다(Verhoogen, 1908). 그러나 불행히도 요자제를 달성한 비실금형은 아니었다. 이 술식을 1949년도에 미국 시카고 장로교회병원의 Gilchrist 등이 비실금형으로 유행시켰다(Gilchrist et al, 1950). 이 비실금형 요로전환술을 더욱 정교하게 발전시킨 계기는 1982년 스웨덴 Gothenburg 대학의 Kock이 12명의 환자들에서 회장주머니(ileal reservoir)로 비실금형 피부요로전환술 임상결과를 보고함으로써 이루어졌다(Kock NG, 1982). Kock은 이 비실금형 요로전환술에 장의 튜브형태해체술식(detubularization)과 장조직의 재구성에 대한 원칙을 정립하였다. 이후 다른 형태들의 비실금형 피부요로전환술들이 여럿 개발되었다. 1987년에 미국 인디

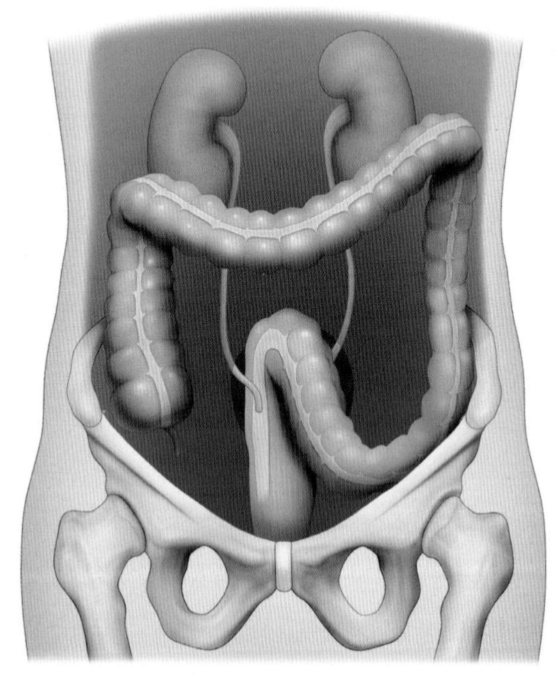

그림 21-3. **요관에스상결장문합술(Ureterosigmoidostomy)**

아나 대학의 Rowland 등이 회맹장밸브를 포함한 우측 대장부분을 사용한 소위 Indiana pouch를 만들어 학계에 보고하면서 요로전환술의 비실금형 술식이 더욱 공고해졌다(Rowland et al; 1985). 1989년도에는 미국 남가주대학병원의 Skinner 등이 531명의 환자들에서 Kock pouch의 우수한 임상결과를 보고하면서 방광대체술(정위치요로전환술)을 적용할 수 없는 환자들에 좋은 선택으로 정착시켰다(Skinner et al; 1988)(그림 21-4). 그러나 1990년대에 들면서 정위치요로전환술이 유행하게 되면서 비실금형 피부요로전환술의 시행이 서서히 감소하기 시작하였다. 아무튼 이 시기에 요자제를 이루고 도뇨가능한 비실금형 요로전환을 달성하기 위하여 수많은 장중첩과 주름형성술(plication)을 통한 플랩벨브 기전(flap-valve mechanism)들이 고안되었고 이 기법들이 현재 임상에서 시행되는 비실금형 요로전환술의 이론적인 기본을 이루게 되었다.

4. 수술의 목적

방광확대성형술은 장의 일부를 이용하여 방광을 확대하여 교정하는 수술법으로서, 수술의 목적은 신장을 보존하기 위해 방광 내 압력을 감소시키는 데 있

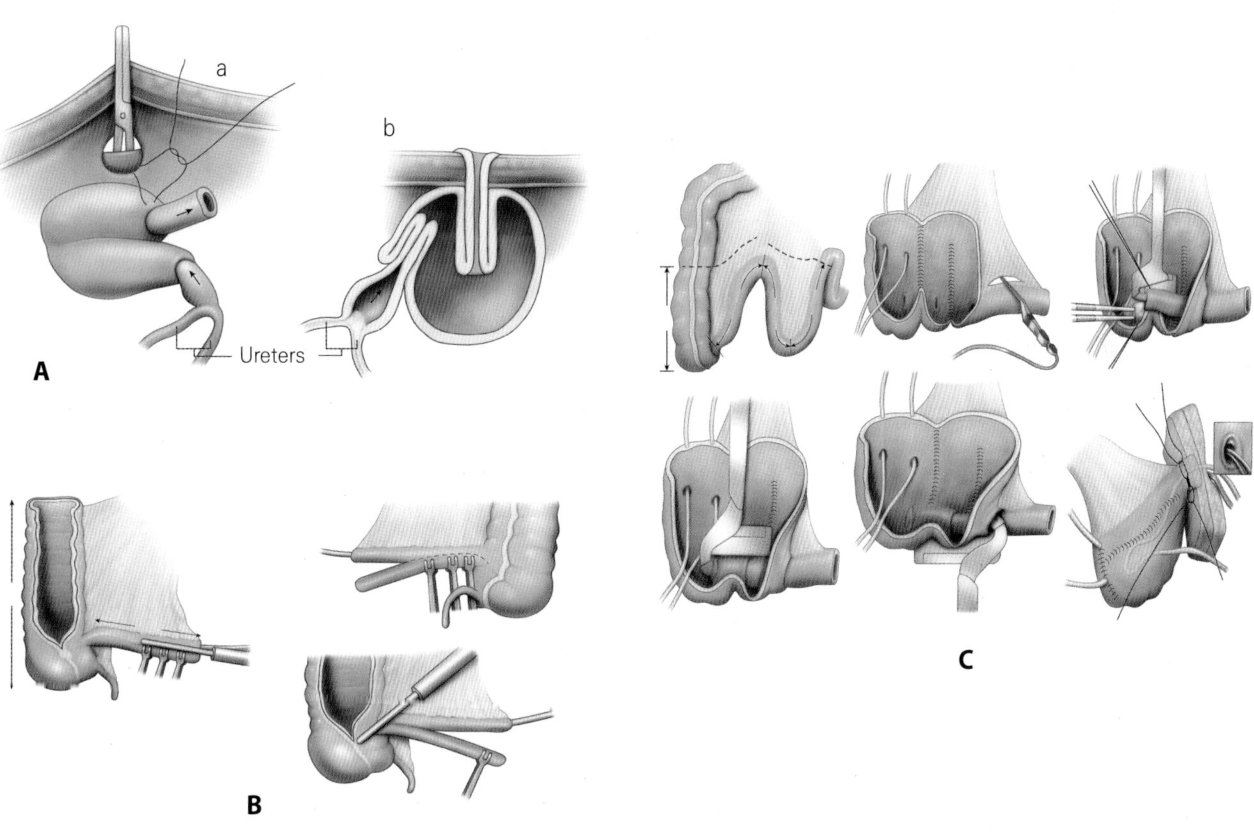

그림 21-4. **비실금형요로전환술.** (A) Kock 비실금형요로전환술, (B) Indiana pouch, (C) MAINZ pouch (intussucepted ileal nipple)

다. 이로써 방광 용량을 증가시켜 요자제력(continence)을 되찾고 방광요관역류를 완화시킬 수 있다. 즉, 방광확대성형술은 방광의 크기만을 확대하는 것에 목적을 두고 있는 것이 아니고 방광의 물리적 특성을 근본적으로 교정하는 수술이다. 두껍고 뻣뻣한 방광의 물리적 특성을 가진 환자에서는 조금만 방광이 충만되어도 쉽게 방광압력이 상승하여 수신증이나 요실금이 발생된다. 방광확대성형술은 이러한 환자들에서 쉽게 잘 늘어나고 충만되더라도 압력이 올라가지 않는 물리적 특성으로 방광을 바꾸어주는 일종의 방광에 대한 성형수술이다.

5. 환자선택 및 술전 평가

방광확대성형술의 주요 적응증으로는 모든 보존적인 치료법을 동원하여도 만족스런 결과를 얻지 못한 환자들에서 높은 방광내압이 형성되어 신장손상이 진행되는 경우나 요실금이 지속되는 경우이다. 배경질환으로는 선천성 척수이형성증 등을 포함한 각종 척수질환, 척수손상 등으로 발생된 신경인성방광 환자들로서 역류 등 신장손상 발생 위험이 높은 경우, 방광이 작게 쪼그라들거나 배뇨근과활동 또는 방광유순도 감소로 심한 요실금이 발생되는 경우 등이다.

상부요로 보호와 삶의 질 개선을 위해 덜 침습적인 치료법들이 성공하지 못한 경우에는 요로전환을 고려할 수 있다. 비실금형 요로전환술은 실금형 요로전환술보다 더 우선적으로 고려되어야 한다. 도뇨를 위한 손 움직임이 제한적인 환자는 도뇨를 위해 요도를 사용하는 대신 스토마를 선호할 수 있어 배꼽 부위에 스토마 형성할 수 있다. 체계적 문헌고찰 결과 비실금형 도뇨가능스토마형성은 요도를 통해 간헐자가도뇨가 불가능한 환자들에게 효과적인 치료 옵션이라고 결론지어진 바 있다(Phé V, 2017).

환자의 기존 신경학적이상, 그리고 이전의 복부수술력 등과 같은 과거력은 술전 평가에 반드시 포함되어야 한다. 이전에 복강내 수술을 받은 병력이 있는 환자는 수술 재료인 장에 유착이 있을 가능성이 높아 술 중 장간막 혈관이 손상될 수 있으므로 수술 난이도가 높아지게 된다. 장질환 병력이 있는 경우에는 이를 배제하기 위하여 대장내시경이 시행되어야 하며, 해부구조를 알기 위해 CT 촬영 등이 고려된다. 술 전에는 신기능검사, 혈중 전해질 등 검사실검사들도 시행되어야 한다. 방광확대성형술과 비실금형 요로전환술을 받게 되는 하부요로기능이상 환자들은 이미 신손상이 있는 환자들이 많다. 또한 장을 이용한 하부요로재건수술 후에는 대사성 변화가 초래될 가능성이 높으므로 수술 전 신장기능 이상이 있는 환자에서는 술 전에 매우 특별한 주의를 기울여야 한다. GFR 50 mL/min이하의 신부전, 요로전환술에 영향을 줄 수 있는 장질환, 간기능부전 그리고 환자 자신이 도뇨가 힘들 상황 등은 비실금형 요로전환술의 금기증에 해당한다. 비실금형 요로전환술을 받게되는 환자들의 대부분은 정위치 요로전환술을 원한다. 그러나 기존에 요도괄약근 부실에 의한 요실금이 있는 경우, 방광경부나 전립선 또는 요도 경계(margin)에 악성종양이 있는 경우 등은 비실금형 피부요로전환술이 선호된다.

환자는 최적의 스토마 위치에 대하여 술 전 상의가 필요하다. 만일 이러한 수술이 꼭 필요한 경우에는 환자와 그 가족은 상세하게 수술로서 얻는 이득과 수술로서 초래되는 수술합병증과 대사성 문제 등 수술의 불이익에 대하여 상세하게 정보를 얻고 동의해야 한다. 그래야 환자들이 비현실적인 수술에 대한 기대와 두려움에 대처할 수 있게 된다.

6. 방광확대성형술과 방광대체술

방광확대성형술의 고전적인 적응증은 방광유순도가 저하되어 있고 방광용적이 매우 작아져 있는 방광이다. 술 후 환자나 보호자는 반드시 청결자가도뇨법으로 방광을 비울 수 있어야 한다. 방광확대성형술의 기본적인 수술방법으로는 방광의 모래시계(hourglass) 모양을 방지하기 위해서 방광을 아주 넓게 열어야 한다(clam technique). 방광벽이 심하게 두껍고 섬유성 변화가 와 있는 환자들에서는 방광절제술을 시행한 후에 장으로 방광을 대체할 수 도 있다.

방광확대성형술로 요저장낭의 저압을 달성함으로써 신장악화 방지 치료목표는 획득하였으나 방광확대성형술만으로 요자제를 완벽히 획득할 수 없는 경우도 있다. 이러한 경우에는 방광확대성형술과 동시에 또는 술후에 이차적으로 슬링수술이나 인공괄약근설치술을 시행하여 요자제가 향상시킬 수도 있다. 방광확대성형술을 받는 일부분의 환자들에 있어서는 원래 요도를 사용할 수가 없고 소변배출구를 다른 위치로 설정하여 만들어 주어야 하는 경우도 있다. 이 경우에는 비실금형 요로전환술을 적용하게 된다. 따라서 방광확대성형수술과 요로전환술은 같이 시행되는 경우가 많아 그 엄밀한 구분이 힘든 경우가 많다.

7. 비실금형 피부요로전환술

전술한대로 1980년대초에 Kock이 비실금형 요로전환술에 장의 튜브형태해제술식과 장조직의 재구성에 대한 원칙을 정립하였다. 이 기법으로 많은 형태의 비실금형 피부요로전환술들이 개발되었다. 해부구조적인 이유 또는 정형외과적인 문제로 환자가 자신의 요도로 손이 닿지는 못하지만 청결자가도뇨를 시행할 의지와 능력이 있는 경우에는 비실금형 도뇨가능 스토마(Mitrofanoff channel)를 만들어 주는 것이 최선의 선택이다. 요도괄약근이 부실하여 방광경부수술을 필요로 하는 환자의 경우에는 역시 비실금형 도뇨가능 요로전환술이 고려되어야 한다. 이의 전제조건으로는 신기능이 정상이거나 거의 정상이어야 하며 자가도뇨를 시행하려는 강한 의지가 필수조건이다.

비실금형 요로전환술은 실금형 요로전환술과 달리 소변주머니가 필요하지 않다는 장점이 있다. 방광경부를 폐쇄시켜야 하는 환자들에서 도뇨가능 스토마는 환자의 충수 장간막의 길이, 방광의 위치, 배꼽의 위치 등에 따라 달라진다. 소변을 배출하는 스토마의 위치는 미용적으로 외부에 표시가 크게 나지 않는 배꼽으로 하는 경우가 많지만 좌측 또는 우측 하복부에 만들 수 있다. 그러나 비실금형 요로전환술은 좀더 복잡하고 정교한 수술이다. 비실금형 요로전환술을 시행할 때 반드시 방광확대성형술을 같이 시행하는 것은 아니다. 즉, 요저장공간이 충분하면 추가로 장으로 확대하지 않아도 되나, 대부분 방광용적이나 방광내압을 저압으로 유지하는데 문제가 있으므로 요로전환과 동시에 방광확대성형술을 시행하게 된다.

요자제를 이루는 대표적인 세가지 기전들이 소개되어 있다(그림 21-5). 첫째, 현재 가장 많이 적용되고 있

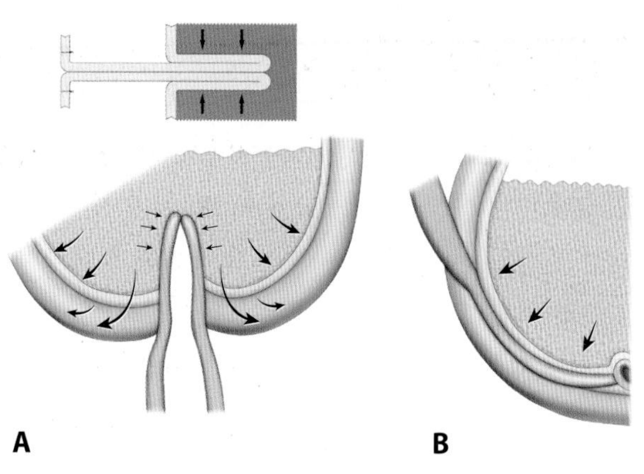

그림 21-5. (A) nipple valve mechanism, (B) flap valve mechanism

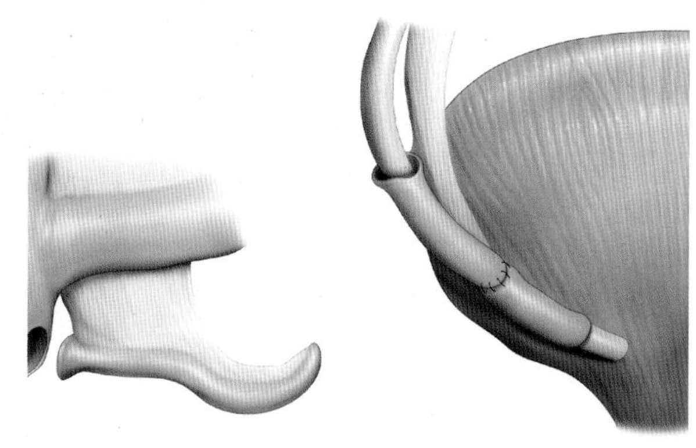

그림 21-6. Mitrofanoff principle

는 플랩벨브 기전이다. Mitrofanoff 술식도 이 기전에 따른 것이다(그림 21-6). Mitrofanoff 술식은 1908년 Verhoogen이 처음 기술한 방법이었으나, 1980년 Mitrofanoff가 대중화시켰다. 충수가 이미 제거된 경우나 짧은 경우에는 Yang-Monti술기를 적용할 수 있다. 또 다른 플랩벨브 기전을 이용한 방법은 바로 회장말단부의 주름형성술 기법이다. 가장 대표적인 예가 인디애나 주머니(Indiana pouch)이다. 전체적으로 볼 때 플랩벨브 기전을 이용한 방법을 사용하였을 때 요자제율은 87%였고 20%에서 도뇨관 통과문제가, 50% 정도에서 스토마협착이 발생한다고 알려져 있다(Ardelt PU, 2012). 둘째, 니플벨브(nipple valve) 기전인데, 1982년에 소개된 Kock 주머니(pouch)가 대표적이다. 그러나 주머니 관련 합병증이 매우 높았다. 이 방법을 MAINZ 주머니(pouch)에서와 같이 회맹장 밸브를 이용해서 적용할 경우 합병증의 비율은 매우 적어진다고 보고되었다(Ardelt PU, 2012). 즉, 스토마 요실금은 10%미만이었고, 스토마가 더 크기 때문에 스토마협착은 20%미만으로 더 적었으며, 도뇨관통과 문제도 더 적어 결론적으로 재수술율도 더 낮았다고 한다. 그 외에 세번째 기전으로는 수압 기전(hydraulic mechanism)이 있는데 이는 유용하지 않은 것으로 밝혀져 현재 쓰이고 있지 않다.

8. 실금형 요로전환술

궁극적으로 휠체어에 의존적인 환자, 병상생활을 하는 요실금 환자, 하부요로가 심하게 손상된 환자인 경우에는 소변수집장치를 사용한 실금형 요로전환술이 고려될 수 있다. 상부요로가 이미 심하게 손상 된 환자에서 더 이상의 상부요로 손상의 위험을 초래할 가능성이 큰 방광을 가진 환자에서 당위성이 있는 대안이다. 그리고 다른 치료법을 거부하는 환자나 간헐도뇨가 불가능한 환자들, 특히 환자와 가족의 의지가 없거나 의료진의 지시에 잘 따르지 않는 환자에게 적용된다. 도관수술은 일시적인 방편 또는 영구적인 방편이 될 수 있다. 요로전환술은 방광확대성형술보다 방광관리가 훨씬 쉽다. 환자나 환자보호자는 방광을 배출시키기 위한 도뇨를 하지 않아도 되고 대신에 비실금형의 스토마로 배출되고 단지 스토마에 부착된 외부집뇨장치를 주기적으로 비워주기만 하면 된다.

대부분의 경우 실금형 요로전환술의 재료로 회장분절이 사용된다. 추후 방광고름(pyocystis) 발생우려로 도관형성 수술할 때 동시에 방광을 제거하기도 하지만 그 자리에 그냥 둘 수도 있다. 하지만 장도관으로 인하여 환자의 신체이미지훼손 외에 재발성 신우신염, 대사성교란, 신장결석형성, 비타민 B12결핍, 요관장문합부위 협착 등의 합병증이 발생될 수 있다. 사회적 지지 형성의 문제와 도뇨곤란과 요실금의 해결곤란 문제로 고령 환자들과 여성 환자에서 이러한 형태의 요로전환이 적당하다. 1970년대 이후로 소아연령에서는 이러한 장을 이용한 비실금형 요로전환술은 더 이상 많이 시행하지 않고 있는데 이는 스토마나 요관장문합부위 협착이 높은 빈도로 발생되어 신기능저하의 위험이 높았기 때문이었다. 그래서 협착을 피하기 위해 회장 대신에 대장을 이용한 대장도관을 시행하게 된 이유가 되었다. 대장도관은 회장도관에 비하여 합병증이 적다. 대장도관을 만들 경우에는 요관으로의 역류를 방지하기 위해 점막하 터널을 만들고 스토마의 협착으로 인한 스토마폐색이 생기지 않도록 하는 것이 대장도관 형성의 장기적 성공을 좌우하는 요소가 된다. 그 외에 방광에 직접 장의 일부분을 이어 배출하는 회장방광연결(ileovesicostomy) 술식도 있다.

장기적인 요로전환상태로 있다가 요실금조절이나 방광압력 저하에 대한 새로운 치료법이 나왔을 경우 성공적으로 전환되돌리기(undiversion)하거나 비실금형 요로전환술로 바꿀 수 있다.

9. 장분절의 선택

하부요로 재건술에서 장분절의 선택은 매우 중요하며, 이용하는 장 분절에 따라 많은 술식이 개발되어 있다. 공장은 대사성산증을 유발할 수 있고, 전해질 불균형이 발생될 경우 매우 교정이 힘들어 사살상 흔히 사용되지 않는다. 가장 흔히 이용되는 장 부위는 회장 또는 말단회장과 상행결장의 연속 부위이다. 회장은 방광이 위치하고 있는 골반 부위에 비교적 가깝고 대장에 비해 더 낮은 압력 저장소를 제공할 수 있다는 이점이 있다. 하지만 술 후 대사산증, 담즙산염과 비타민 B12 흡수장애를 초래할 수 있다.

회맹장분절을 이용하는 장점은 회장분절을 이용하는 것에 비하여 사실상 별로 없다. 그러나 MAINZ 주머니(pouch)에서와 같이 충수를 띠(taenia)에 심고 이로서 비실금형요로전환술이 가능하게 될 수가 있으며, 만일 항역류수술이 필요한 경우에도 요관을 회장말단에 심고 회맹장밸브(ileocecal valve)를 역류방지의 기전으로 쓸 수가 있어서 선호되었다. 회맹장밸브 부위를 손실하게 되면 설사가 발생되기 때문에 가급적이면 피하려고 노력하여야 한다. 예를 들어, 술 전 설사가 있거나 대변이 굳지 않은 환자의 경우에는 회맹장을 이용한 방광확대성형술을 시행하게 되면 배변의 빈도가 높아지고 심지어 술 전에 없던 변실금이 나타나게 되는 경우가 있다. 따라서 MAINZ 주머니(pouch) 형성의 일부분으로 회맹장밸브를 이용한 재건술은 장기 성적이 성공적이지 못하다.

불행히도 회장으로 수술을 시행한 다수의 환자들에서 회장 장간막동맥 길이가 넉넉하지 못하여 방광을 넓게 열었을 때 회장분절이 방광삼각부에 이르지 못하는 경우가 생긴다. 이 경우 대장분절이 선택의 대안이 될 수 있다. 대장은 직경이 넓고 방광과 공간적으로 가까운 장점이 있다. 그러나 대장은 회장보다 점액질의 분비가 더 많은 단점이 있으며 역시 대사성산증이 발생될 수 있다. 에스상결장은 바로 방광 옆에 위치하고 있어서 방광재건에 쉽게 이용될 수 있다. 장간막이 짧은 경우, Chron씨병 등으로 회장을 쓸 수 없는 경우 아주 유용하다. 그러나 인공방광 조형술(neobladder)에서의 경험을 빌리면, 에스상결장을 재료로 쓰는 경우 용적이 다소 적어지고 저장장내 압력이 좀 더 높으며, 요자제율이 다소 낮다는 단점이 있다. 장막근층 방광성형술(Seromuscular cystoplasty) (Bandi G, 2007)는 대사성 합병증을 피하기 위해 고안되었으나 표준 방광확대성형술에 비하여 성공적이지 못하다.

위장은 1978년부터 짧은장증후군(short bowel syndrome)이나 신기능저하 환자에서 방광확대성형술의 재료로 사용되어 왔으나, 1/3이상의 환자들에서 위산의 생산으로 혈뇨-배뇨통 증후군(hematuria-dysuria syndrome)이 유발되었고 대사알칼리증 등의 전해질 불균형이 발생하는 것으로 보고되었다. 또한 수술 후 10년 경과한 환자들에서 매우 악성도가 높은 이차적 종양이 발생되는 것으로 보고되고 있어 위장분절의 사용은 폐기되었다.

오늘날 하부요로재건수술의 재료로 술자들의 경험이나 선호에 의해 회장이나 에스상결장을 쓴다. 만일 해부학적인 이유나 기능적인 이유로 회장을 쓸 수 없는 경우에는 에스상결장이 대안으로 활용된다. 만일 비실금형 도뇨가능스토마를 만든다면 충수가 최선의 선택이다.

10. 수술방법

장은 물리적으로 부드러운 조직 특성을 갖고 있어서 쉽게 잘 늘어나기 때문에 방광이 충만되면 낮은 압력으로 소변을 저장할 수 있게 하는데 최적의 재료이다. 장으로 방광확대성형술을 시행하는 가장 중요한 기술적인 원리는 저압의 저장공간을 달성해야 한다는 점과, 주어진 제한된 재료로 가능한 한 기하학적으로 큰 저장공간을 형성해야 한다는 점이다. 그러기 위해서는 원래 장조직이 가진 내재적인 연동운동에 의한 압력형성을 상쇄시켜야 하므로 튜브형태에서 평면으로 펼쳐야 한다(detubularization). 장을 열어 펼치고 재구성하게 되면 장의 내재적인 연동운동으로 인한 방광내압 형성을 줄일 수 있다. 또한 가능한한 용적을 크게 만들기 위해 펼친 장조직을 U자형이나 S자형으로 재구성(reconfiguration)하여 구형에 가까운 형태로 만들어야한다. 구형에 가깝게 만들어야 방광용량을 가장 최대로 만들 수 있다. 방광확대성형술 이후 기본적으로 간헐자가도뇨가 필요하다.

방광확대성형술 수술방법은 저압 저장공간을 형성하기 위해 방광의 정부를 종으로 가능한 한 완전히 열어 젖혀야 한다. 방광벽이 심하게 두꺼워지거나 섬유성 변화가 있는 환자들에서는 방광절제술을 시행한 후 장으로 방광을 대체한다. 장은 분절을 잘 선택하고 수술 목적에 적당한 길이를 확보한 후에 관상으로 된 창자를 항장간막 경계(antimesenteric border)를 따라

종으로 열어 개방한다(detubularization). 장 조직에 혈관을 붙인 채 이를 판상(patch)으로 재조합(reconfiguration)한다. 재조합된 장 조직은 방광에 넓게 물샐틈 없이 문합(water-tight anastomosis)한다. 방광확대성형술 후에 통상 요도도뇨관과 함께 새로 만들어진 방광에 상치골방광루 튜브를 별도로 설치한다. 수술부위 주위에 배액관도 설치한다. 수술 약 2주 후에 방광조영술을 실시하여 요누출이 없는지 확인한 후 도관들을 제거한다. 수개월 시간이 지나면서 방광용적은 급격히 늘어나 최종적으로는 500 mL정도까지 확대된다. 방광의 물리적 특성은 술전에 비하여 크게 달라지게 되므로 기존의 역류는 사라진다. 그러나 심한 역류는 수술시 동시에 외과적으로 교정하여야 한다.

비실금형 요로전환술은 앞서 언급한 대로 방광확대성형술이 필요 없을 수도 있다. 그러나 방광충만기에 방광내압이 낮게 유지되어야 하므로 신경인성방광에서는 요로전환술과 동시에 방광확대성형술이 필요한 경우가 많다. 소변저장공간을 도뇨가능한 도관에 문합시키고 도관과 연결된 피부 스토마는 미용을 고려하여 배꼽이나 하복부에 위치시킨다. 도뇨가능한 비실금형도관을 만드는 원리는 전술한 바와 같다. 도관(Continent catheterizable channel)은 충수를 이용하는 것이 일반적이다. 회맹장을 이용하는 경우에는 충수를 대장의 점막하에 심어 Mitrofanoff 원리를 이용하여 요자제력을 갖게 할 수 있다. 그러나 충수의 길이가 짧거나(최소 5–6 cm), 구경이 적당하지 않는 경우(최소 12 Fr이상)에는 2–3 cm폭의 회장을 관상으로 말아 Yang–Monti 관을 형성하여 새로 만들 수도 있다. 또한 이외에도 Casale(spiral Monti) 변형법을 사용할 수도 있다(그림 21-7). 또한 신경인성 하부요로기능이상에서는 만성 변비나 변실금 등 장기능 이상을 동반하는 경우가 많기 때문에 선행성 대장관장수술법(Malone antegrade colonic enema; MACE)을 동시에 시행하는 경우가 많다.

장을 이용한 방광수술은 큰 수술이므로 추후의 더 이상의 수술을 하지 않기 위해 방광확대성형술이나 요로전환술을 시행할 때 기존에 동반된 상부요로이상이나 하부요로이상을 동시에 교정하기도 한다. 방광경부 부실이 있어 정도가 심하여 방광확대성형술후에도 요실금이 지속될 가능성이 높은 경우에는 방광확대성형술을 시행할 때 동시에 방광경부수술이 필요할 수 있다. 한편, 상부요로 이상은 크게 폐색과 역류로 나눌 수 있다. 역류에 대해서는 술 전 적절한 약물치료나 청결간헐도뇨를 시행하여 방광내압이 낮아지면 약 50%정도에서 역류가 저절로 사라진다. 그러나 이러한 보존적 치료로도 역류가 지속되면 추후 신우신염이 초래되고 결국 신기능손상으로 귀결되므로 치료가 필요하다. 대부분의 방광요관역류는 신경인성방광에 이차적인 현상이므로 방광확대성형술로 방광내압이 낮아지면서 역류도 사라지게 된다. 그러나 저압에서도 지속되는 고도의 역류인 경우 수술 중 교정이 필요하다. 또한 요관말단부 폐색이 있을 경우 폐색은 폐색된 부분을 잘라내고 새로 문합할 수 있다. 신경인성방광에서 항역류수술은 요관재문합술이 용이할지 여부를 미리 예견해야 한다. 소아 일차성역류에서와는 달리 신경인성방광에서는 방광육주화가 심하기 때문에 점막하터널이 잘 형성되지 않고 방광벽이 두터워 수술이 매우 힘들고 결과도 좋지 못한 경우가 많다.

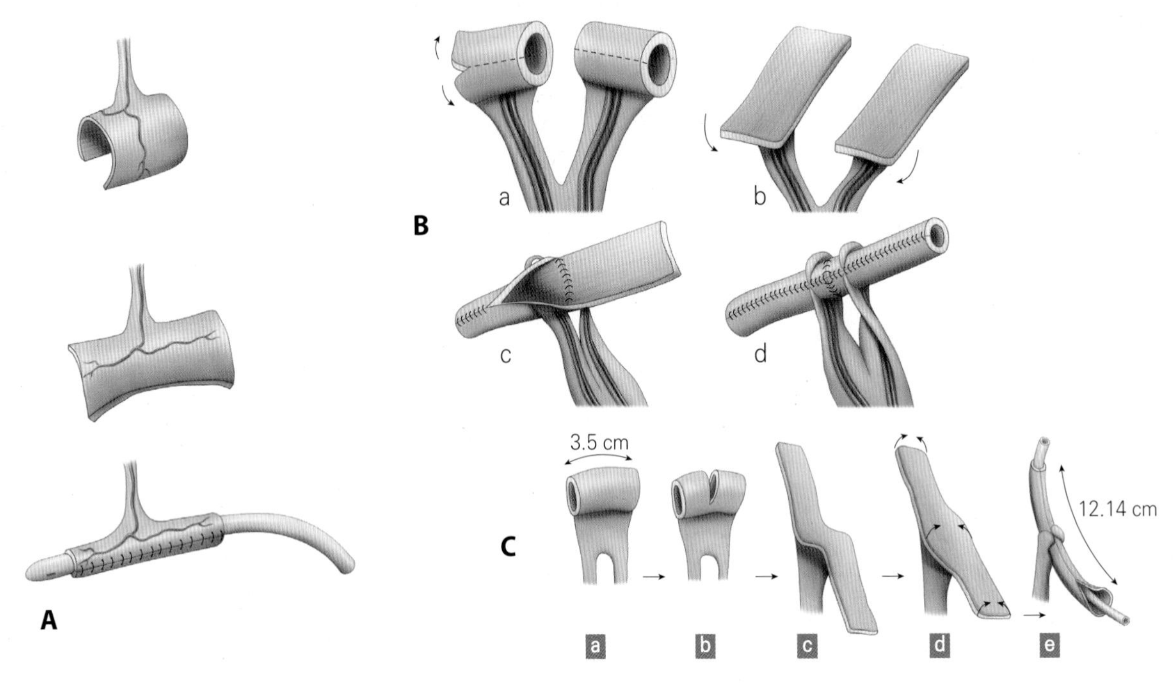

그림 21-7. **도뇨가능 비실금형요로전환술에 쓰이는 도뇨통로 (Continent catheterizable channel).** (A) Yang-Monti tube, (B) double Monti tube, C. Casale modification

11. 임상성적(Clinical Outcomes)

난치성 배뇨근과활동과 난치성요실금의 치료에 있어서 방광확대성형술은 방광의 물리적 특성을 근본적으로 교정함으로써 고압방광의 위험을 감소시키고 요자제를 달성하는데 결정적인 역할을 한다. 그리고 그 효과는 영구적이다. 대부분의 환자들에서 수술 후 방광용적, 방광유순도, 방광과활동에 의한 방광요관역류나 수신증이 교정됨으로써 상부요로 악화를 개선하거나 막을 수 있다. 적절하게 도뇨하는 경우 고압방광이나 방광요관역류에 의한 신우신염도 생기기 않게 된다. 수술 전에는 세균뇨가 상부요로감염을 자주 일으켰을지 모르나 수술 후에는 술전에 있던 증상성 요로감염은 극적으로 감소된다. 장기 추적관찰 결과, 방광확대성형술로 신장기능이 안정화되고 상부요로의 해부학적 악화 방지에 매우 성공적이었음이 증명되었다.

방광확대성형술후에는 방광 내 압력이 저압으로 교정되므로 경계수위 상태의 괄약근기능으로 요실금을 겪던 환자들에 요실금이 사라지거나 정도가 현저히 감소되어 사회적응이 가능하게 되는데 도움된다. 또한 방광용적도 크게 확대되므로 도뇨간격이 매우 늘어나 환자의 삶의 질도 극적으로 개선된다. 방광확대성형술 후 요자제의 달성은 80~100%로 보고되고 있다(Biers SM, 2012). 59명의 신경인성방광 환자에서 방광확대성형술 시행결과(Herschorn S, 1998), 전원이 수술에 만족하였고 1명을 제외한 전원이 수술을 다시 받을 용의

가 있다고 응답하였다. 또한 보툴리눔 독소 방광내주사 치료 이력 환자를 포함한 청결간헐도뇨법 시행 879명의 척수손상 환자들을 대상으로 한 연구결과(Myers JB, 2019)에 의하면, 방광확대성형술후 하부요로기능과 만족도가 증가하였다. 비실금형 요로전환술을 시행받은 환자들에서도 요자제력이 확보되어 환자 만족도는 매우 높다. 또한 비실금형 요로전환술을 받은 환자들은 요수집 장치를 휴대하고 다닐 필요가 없게 된다.

12. 수술 합병증(Complication)

방광확대성형술은 잠재적인 장단기 합병증을 수반할 수 있다. 비실금형 요로전환술에 쓰이는 요자제기전, 저장낭, 요관이식방식 등에 따라 장기적인 추적에서 나타나는 구체적인 합병증이 달라진다. 또한 수술 후 조기와 장기 합병증으로 크게 나눌 수 있다.

조기합병증으로는 카테터 관련, 감염, 요누출, 장문제, 사망에 이르기까지 다양하다. 수술 직후에는 방광문합 부위에 요누출이 발생할 수 있다. 소변배출통로인 상치골방광루나 요도관에 혈괴나 점액에 의한 폐색이 있으면 요누출이 발생할 수 있다. 따라서 수술 1일째부터 주기적으로 생리식염수로 방광관개(bladder irrigation)가 필요하다. 수술로 인한 장유착이나 문합부 협착으로 장폐색(adhesion obstruction)이 발생될 수 있다. 스토마 관련 합병증으로 스토마 괴사가 있을 수 있는데 괴사범위를 정하기 위해 조심스럽게 굴곡형 내시경 검사를 시행할 수 있다. 종양분야에서 보고된 바에 의하면, 비실금형 도뇨가능 요로전환술로 퇴원 후 이상이 발생하여 재입원을 하게 되는 경우가 39% 정도이며 재수술율은 1~32%으로 보고되고 있다(Torrey RR, 2012; Myers JB, 2016).

수술 후 중장기적 합병증으로는 회장방광성형술(ileocystoplasty)을 시행한 소아 환자를 대상으로 분석한 연구에서는 전체적으로 10%로 보고되었다(Krishna A, 1995). 장기 합병증으로는 장기능장애(15%), 결석형성(10%), 대사이상(3.3%), 방광천공(1.9%) 등이 있다(Hoen L, 2017).

방광확대성형술후에 가장 흔한 합병증은 방광결석이며 방광확대성형술후 수술이 필요한 가장 흔한 원인으로 작용하고 있다. 방광 내 결석형성은 비실금형 요로전환술에 특히 많은데 약 40%(Terai A, 1996)까지 발생이 보고되고 있다. 방광결석 형성의 위험인자들로는 과도한 점액형성, 불완전한 방광배출, 청결간헐도뇨나 방광관개에 충실하지 않은 환자, 요소분해효소 생산세균에 의한 세균뇨, 대사성산증 등 대사성이상 등이 거론된다. 규칙적인 저장낭 세척이 아마도 결석형성 가능성을 줄여줄 수 있을 것으로 생각된다. 방광결석은 내시경적제거술, 경피적제거술, 개복수술 등을 동원할 수 있다. 겐타마이신(Gentamycin)과 생리식염수를 사용하여 방광관개를 하면 방광결석형성을 줄일 수 있다는 보고도 있다.

비실금형 피부요로전환술에서 가장 문제되는 합병증은 스토마협착(stomal stenosis)이다. 스토마협착은 인디애나 주머니인 경우 발생빈도가 4~36%정도이며(Rink M, 2010), 충수로 도뇨가능채널을 만든 경우에는 스토마협착증이 더 흔하게 보고되어 있다. 통로관련 합병증은 통로형성 후 어느 시점에나 발생할 수가 있으나, 대부분 5년 이내에 일어난다. 그 이외에 도뇨가능채널을 형성한 경우에 합병증으로는 도뇨관 통과가 안되는 경우, 통로천공, 통로의 게실형성 등이 있다. 대부분 스토마 교정수술이 필요하다. 비실금형 도뇨가능요로전환술후 통로를 통해 요실금이 지속적으로 존재하는 경우에는 요역동학검사가 필요하다. 특히 대장으로 방광확대성형을 시행한 경우에 연동운동으로 인한 고압 파형이 형성될 수 있다. 요실금이 심한 경우 개복교정수술이 필요할 수 있다.

방광천공은 가장 심각한 문제 중 하나인데, 이차적으로 복막염, 패혈증으로 진행될 수 있으며 심지어 사망에까지 이를 수 있다. 방광천공은 방광확대성형술후 8%정도로 발생하는 것으로 알려져 있는데, 어떠한 장분절을 이용하던지 거의 비슷한 유병률을 보인다. 대부분 원래 방광문합부위 또는 장분절에서 발생한다. 방광천공의 원인으로는 도뇨를 잘하지 못함에 따른 만성 방광과팽만, 만성감염, 도뇨중 외상, 장분절의 허혈괴사 등이 있다. 방광천공의 위험인자로는 방광경부시술, 이전의 방광천공병력 등의 요인이 있으며 위험요인은 평생 존재한다. 방광천공은 흔히 시험적 개복을 필요로 한다

이차적인 악성종양 발생 가능성에 대해서는 회장방광확대성형술을 받은 환자들에 비하여 위장방광확대성형술을 받은 환자들에 있어서 더 조기에 그리고 더 빈번히 종양이 발생하는 것으로 알려져 있다. 위장분절을 사용하기 때문에 종양발생이 증가하는지 아니면 위장방광확대성형을 받은 환자들이 신부전이나 신이식을 받는 종양발생 고위험군이 환자들이 많은 것이 원인인지는 아직 밝혀진 바는 없다. 또한, 비실금형요로전환이나 방광확대성형술보다 항문요전환술에서 악성종양이 더 빈번하게 발생하는 것으로 알려져 있다. 실제 대조군(2.6%)에 비하여 소장이나 대장으로 방광확대성형술을 받은 경우(4.6%)에서 방광암의 유병율이 의미있게 증가되지는 않았다는 보고(Higuchi TT, 2010)도 있다. 그러나 면역기능억제환자, 장기이식환자, 흡연 등의 요소는 방광확대성형술 받은 환자에서 증가될 것으로 보인다. 종양발생에 대해서는 여러가지 발생가설들이 있으나 세균작용에 의한 질산염(nitrate)의 나이트로사민(nitrosamine) 형성 등이 거론되고 있다. 한 보고(Soergel TM, 2004)에 의하면, 선암(52%), 이행상피세포(39%), 편평상피세포(6%) 등의 순으로 세포 종류가 빈번하였으며 예후는 비교적 불량한 것으로 알려져 있다. 종양 발생부위는 방광과 장을 있는 봉합 선 또는 봉합선 주위에서 발생하는 것으로 되어 있다.

상당부분의 장분절이 요로로 편입되기 때문에 장의 내재적인 흡수능력에 따른 비타민 B12 흡수 감소, 담즙산의 흡수 감소 등 대사성 변화에 대한 고려도 필요하다. 이러한 대사성 변화는 장분절의 종류, 길이, 장시간요로전환에 따른 장점막의 위축, 신기능이나 간기능의 정도, 환자의 나이, 이전의 방사선치료 이력, 동반질환의 유무 등에 따라 달라진다. 장으로 저장공간을 형성한 경우에는 요정체 노출시간이 길어지고 장점막의 표면이 더 넓으므로 산염기 균형이나 전해질 균형에 변화가 더 심하게 일어난다. 회장을 이용한 경우 술 후 고염소성대사산증(hyperchloremic metabolic acidosis), 담즙산염과 비타민 B12 흡수장애를 초래할 수 있다. 대장을 이용한 경우에도 역시 고염산성대사산증이 발생될 수 있다. 공장은 저염소저나트륨고칼륨성대사산증(hypochloremic hyponatremic hyperkalemic metabolic acidosis)를 유발할 수 있고, 전해질 불균형이 발생될 경우 매우 교정이 힘들다. 위장을 이용한 경우 저염소성대사알칼리증(hypochloremic metabolic alkalosis) 등의 전해질 불균형이 발생하는 것으로 보고되었다. 만성대사성산증은 골미네랄 밀도(density)를 저하시키며 골연화증(osteomalacia)나 골다공증(osteoporosis)을 유발한다. 대사성산증은 진단되는 대로 교정해야 한다.

13. 수술 후 추적계획

신경인성방광의 경우 방광확대성형술후 수술과 관련된 상당한 이환율을 감안할 때 평생 추적이 필수적이다. 따라서 수술을 받은 지 10여년 이상이 경과된 환자들에서는 이에 대한 정기적 추적관찰이 필요하다. 어떤 종류의 추적평가가 필요한가에 대해서는 정해진 바는 없다.

요로결석 및 수신증의 발생에 대한 매년 복부초음파촬영과 일반방사선촬영, 그리고 신장기능과 대사이상 여부를 파악하기 위한 기본혈액화학검사 등을 포함한 정기적 추적평가가 표준방침으로 권장된다. 양측 신장기능의 평가나 상부요로의 역동학적인 이상 발생 가능성이 있으면 필요 시 MAG3신주사 등으로 평가하는 것이 필요하다. 저장낭의 결석에 대한 선별검사로서 초음파검사가 가능하다.

현재로서는 방광확대술 후 대사성 변화로 인한 골미네랄 감소의 위험 모니터링에 대한 가이드라인은 없는 상태이다. 비타민 B12결핍증 증상은 매우 경한 정도에서부터 매우 극적인 정도에 이르기까지 다양하다. 이 결핍증은 방광확대성형술을 받은 5년 후부터 위험이 증가되면서 체내의 B12가 고갈됨에 따라 위험이 증가한다. 따라서 방광확대성형술후 5년째부터 B12수치를 해마다 한번씩 체크하여 모니터링해야 한다.

비록 종양의 발생율은 낮다고 알려져 있더라도 방광확대성형술후 암발생에 대한 평생추적 감시는 염두에 두어야 한다. 혈뇨가 있는 환자는 반드시 내시경검사로 평가해야 한다. 종양검진을 위해 이전에는 해마다 내시경검사 시행이 추천되었으나 비용효과적이지 못하다는 점이 부각되었다. 현재는 연 4회 이상의 증상성 요로감염, 육안적 혈뇨, 적혈구 50/HPF의 현미경적 혈뇨, 정기검진으로 시행한 영상의학적 이상소견, 만성 회음부 골반부, 방광통증, 대장으로 방광확대성형술을 받은 50세 이상 환자(Higuchi TT, 2007)에서 방광경검진을 추천한다. 그러나 과거에 항문요로전환술을 받은 환자에 있어서는 수술 받은 지 10년이 넘는 해부터 정기적인 내시경검사가 시행되어야 한다.

14. 요약

방광확대성형술은 수술이 시간이 많이 걸리고 침습적인 수술이며 재원기간이 길고, 잠재적으로 합병증의 가능성은 높으나, 적절한 적응증에 해당되는 환자의 경우에는 매우 효과적이고 영구적인 효과를 얻을 수 있는 확립된 표준 수술방법이다. 조절되기 힘든 신경인성 과활동성방광의 치료로서 방광확대성형술은 강한 등급으로 권장된다. 방광확대성형술은 모든 비침습적 치료방법들이 실패했을 때 방광압력을 낮추고 방광용량을 증가시키는 가장 효과적인 옵션이라는 증거수준을 가지고 있다(LE3). 비실금형 도뇨가능 요로전환술은 술식이 복잡하고 합병증 발생률도 높으므로 이에 대한 특히 면밀한 고려가 필요하다. 요약하면, 오늘날 장을 이용한 하부요로재건수술법은 안전하게 시행될 수 있다. 수술결정은 환자의 임상적인 상황에 맞게 결정되어야 하며, 또한 모든 가능한 한 치료선택법들에 대하여 환자에게 정보를 제공한 후에 환자와 결정되어야 한다. 이러한 복잡한 수술은 이 수술을 자주 시행하여 합병증 대처에 충분한 경험이 있고 평생추적에 대한 담보가 가능한 병원에서 시행되어야 한다.

전체 참고문헌 목록은
배뇨장애와 요실금 웹사이트 자료실
(http://www.kcsoffice.org)에서
확인할 수 있습니다.

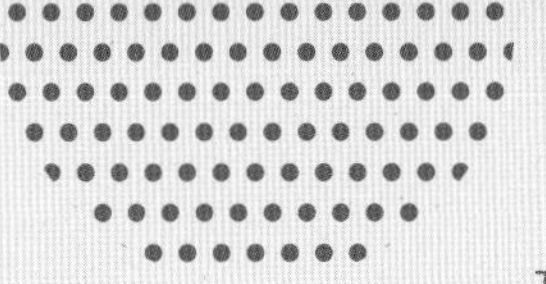

제 3 부

하부요로기능이상과 여성비뇨기질환 각론

The particular of lower urinary tract dysfunction and female urology

제 22 장 신경인성방광: 개관
제 23 장 신경인성방광: 뇌간 또는 뇌간 상부의 질환
제 24 장 신경인성방광: 척수 질환
제 25 장 신경인성방광: 말초의 질환
제 26 장 과민성방광의 정의, 용어, 역학
제 27 장 과민성방광의 병태생리
제 28 장 과민성방광의 평가와 진단
제 29 장 과민성방광의 치료
제 30 장 요실금: 개관
제 31 장 여성 복압성요실금의 병태생리
제 32 장 여성 복압성요실금의 평가와 진단
제 33 장 여성 복압성요실금의 요역동학적 평가
제 34 장 여성 복압성요실금의 보존적, 내과적 치료
제 35 장 여성 복압성요실금의 수술적 치료
제 36 장 여성 복압성요실금의 수술 합병증과 그 치료
제 37 장 남성 복압성요실금
제 38 장 야간뇨
제 39 장 방광출구폐색
제 40 장 배뇨근저활동성
제 41 장 요도협착
제 42 장 요폐
제 43 장 전립선비대증의 개관, 용어, 병태생리
제 44 장 전립선비대증의 역학, 자연경과
제 45 장 전립선비대증의 진단
제 46 장 전립선비대증의 치료 개관, 대기요법, 내과적 치료
제 47 장 전립선비대증의 수술적 치료
제 48 장 골반통증의 개관
제 49 장 만성전립선염/만성골반통증후군
제 50 장 방광통증후군/간질성방광염
제 51 장 골반장기탈출증의 분류, 병태생리, 역학
제 52 장 골반장기탈출증의 진단
제 53 장 골반장기탈출증의 치료 개관 및 비침습적치료
제 54 장 골반장기탈출증의 수술적 치료
제 55 장 요생식기누공
제 56 장 여성요도게실

신경인성방광: 개관

Neuropathic lower urinary tract dysfunction (Neurogenic bladder): Overview

정두용, 이 택

1. 서론

신경인성방광은 다양한 특징을 가지는 질환군으로, 그 자체가 하나의 독립된 질환이라기보다는 방광과 요도를 지배하는 다양한 신경체의 변화로 인해 나타나는 배뇨 증상군이다. 중추 신경계 또는 말초 신경의 질병으로 인한 방광 및 요도의 기능 장애인 신경인성 방광 또는 신경성 하부 요로 기능 장애는 중요한 의학적 및 사회적 문제이다. 신경인성 방광 또는 신경성 하부 요로 기능 장애 는 방광 및 요도를 포함하여 요로를 제어하는 신경계에 영향을 미치는 다양한 질병 및 사건으로 인해 발생할 수 있다. 신경성 하부 요로 기능 장애의 결과는 신경 병변의 위치와 범위에 따라 마주하는 증상이 다르다. 아예 방광 기능이 없는 경우부터 배뇨근 과활동성이 매우 심한 경우까지 다양하게 나타날 수 있다. 따라서 같은 질환을 원인으로 발생한 신경인성 방광에서도 환자에 따라 다른 증상을 호소 하는 경우가 발생 할 수 있다. 따라서 기본적으로 신경인성 방광의 치료 전략을 이해하기 위해서는 방광과 요도의 정상 생리학, 약리학에 대한 이해 및 신경 이상 발생 위치에 따른 기전에 대한 지식이 필요할 것이다.

2. 신경인성 방광의 분류

일반적으로 신경인성 방광의 주된 발생 기전은 배뇨근 활동성(정상, 과활동성 수축성 수축이상), 방광 유순도(정상, 감소) 평활괄약근의 활성(근공조성, 근실조성) 횡문괄약근의 활성근(공조성, 근실조성, 서동, 자율적 제어의 결함, 고정된 활성), 충전감각(정상,부재,결함) 등으로 나누어 평가 할 수 있다. 배뇨 장애에 대한 다양한 분류 체계 중 기능적 분류와 국제 요실금학회의 분류는 저장기와 배뇨기로 나누어 각각을 방광과 출구(요도)로 나누고 이를 다시 세분하는 분류체계를 사용한다(표 22-1). 요역동학 검사상 분류체계는 요

표 22-1. **확장된 기능적 분류법**

저장장애	방광문제	과활동성 (overactivity)	불수의적 수축	신경학적 병변이나 손상
				방광출구폐색(근원성)
				염증성
				특발성
			유순도 감소	신경학적 병변이나 손상
				섬유화
				특발성
			복합성	
		과민성 (hypersensitivity)	염증/감염	
			신경학적	
			정신적	
			특발성	
		골반저근 활동성 감소		
		복합성		
	출구문제	복압성요실금(GSI)	요도지지 결손	
			골반저 이완, 과운동성	
		내요도괄약근 기능부전	신경학적 병변이나 손상	
			섬유화	
		복합성(GSI and ISD)		
	복합성			
배출 장애	방광문제	신경인성		
		근원성		
		정신적		
		특발성		
	출구문제	해부학적	전립선 폐색	
			방광경부 협착	
			남성 요도협착	
			여성 요도압박, 섬유화	
		기능적	평활근 괄약근 기능부전	
			횡문근 괄약근 기능부전	
			dysfunctional voiding	
	복합성			

역동학검사결과에 바탕을 두고 배뇨근과 괄약근의 소견에 따라 세분하는 분류를 사용한다. 신경인성방광에 대한 분류체계로는 가장 많이 알려진 Lapides분류와 이외 Bors–Comarr 분류 그리고 Hald–Bradley 분류체계가 있다. 다양한 분류체계가 존재하지만 실제 임상에 적용 하기에는 많은 단점이 따랐다. 이들 분류 중 요역동학검사를 반영하고 실용적이라고 판단되는 기능에 따른 분류 및 European association urology 지침에서 제시한 Madersbacher 분류체계가 최근 가장 널리 사용 중이다(그림 22-1).

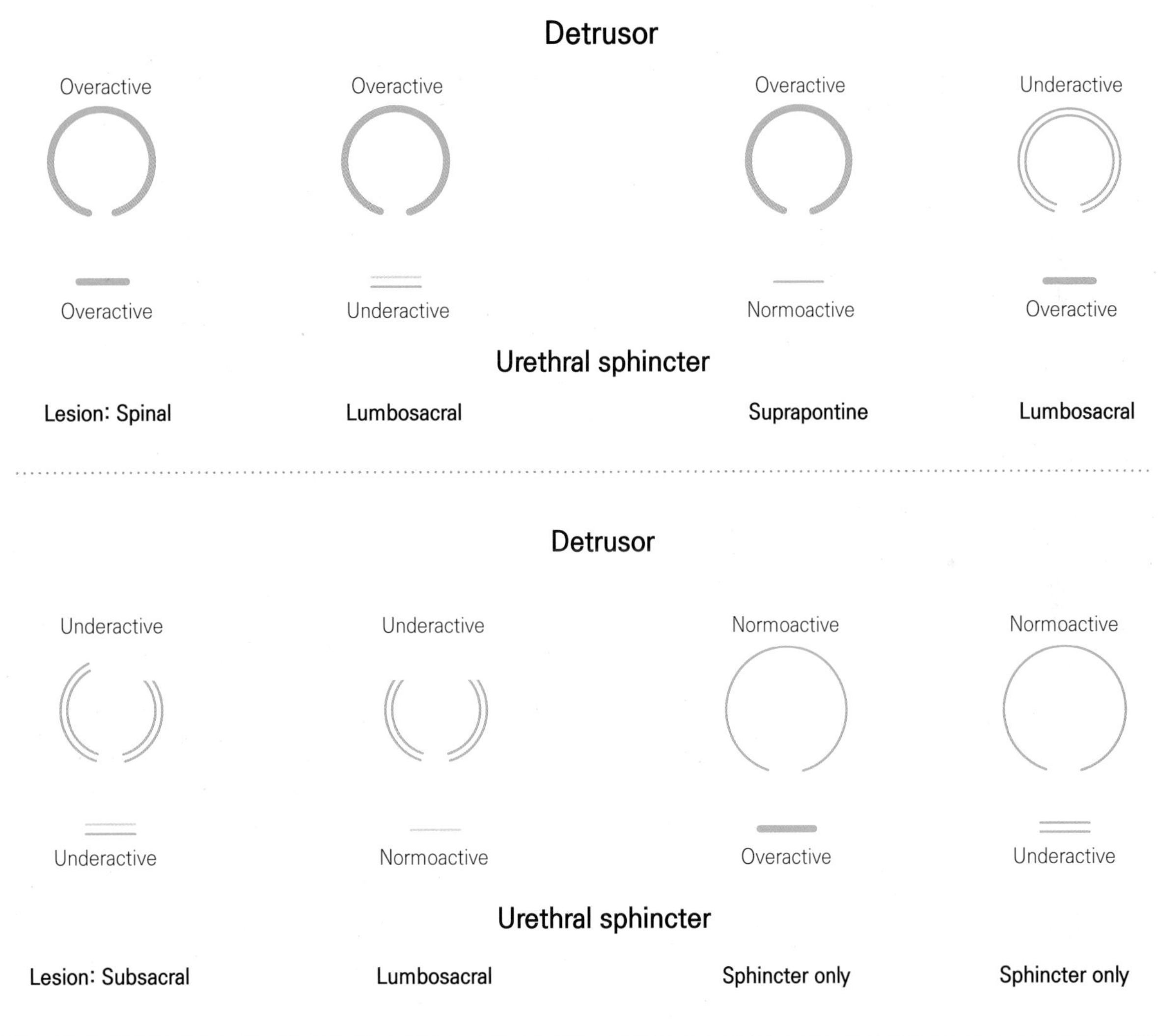

그림 22-1. Maderbacher 분류체계와 전형적인 신경학적 병변위 Maderbacher 분류는 실제 임상에 사용하기에 추천된다.

3. 신경인성방광의 일반적인 임상패턴

신경인성방광의 일반적인 임상패턴은 침범된 신경계 위치, 영향을 받는 요로계 부위, 원인질병이나 손상의 기전 양상 등에 따라 다양하게 나타날 수 있다. 척수 손상이나 뇌졸중 등 비교적 명확한 신경 이상이 있는 경우는 비교적 일관된 양상으로 배뇨 증상이 나타나게 된다. 그러나 각 질환에서 발생하는 신경인성 방광의 특징을 대부분 단순하게 적용할 수는 없고 요역동학 검사를 포함한 포괄적인 진단 과정을 통해서 진단을 해야 한다. 신경인성방광의 일반적인 임상 패턴은 침범된 신경계 위치, 영향을 받는 요로계 부위, 원인질병이나 손상의 기전 양상 등에 따라 다양하게 나타날 수 있다(표 22-2).

배뇨 촉진과 억제는 3가지 주요 중추 즉, 천수(sacral)배뇨중추와 뇌교(pontine)배뇨중추 그리고 고위중추(대뇌피질)의 조절에 의한다. 천수배뇨중추(S2–S4)는 주로 반사 중추의 역할로서 방광 충전을 천수배뇨중추로 전달하는 구심성신경전달과 천수배뇨중추로부터 원심성 부교감신경을 통한 방광 수축을 야기한다. 뇌교배뇨중추는 방광 수축 시 요도괄약근을 이완시키는 협동작용을 주로 담당한다. 고위 중추인 대뇌피질이 배뇨에 미치는 총체적 효과는 천수 배뇨 중추에 대한 억제성으로 나타난다. 천수 상부 척수손상이나 대뇌피질 병변 시 대뇌피질의 이러한 억제효과가 차단되기 때문에 뇌교 상부에 병변이 있는 경우, 불수의적인 방광수축(involuntary detrusor contraction)이 나타나지만 평활괄약근(smooth sphincter)이나 횡문괄약근(striated sphincter)과의 공조(synergia)는 잘 유지된다. 뇌교 이하에 병변이 생기면 부가적으로 방광–횡문괄약근 부조화가 동반된다. 그 이유는 뇌교 배뇨 중추는 방광 수축시 요도괄약근을 이완시키는 협동 작용을 주로 담당하기 때문에 천수의 배뇨 중추 상부의 척수에 손상을 받는 경우, 대뇌와 뇌간이 천수 배뇨 중추에 의한 방광의 수축을 억제해 주지 못하게 되므로 불수의적인 방광의 수축이 발생하게 되며 이 때 외요도괄약근의 이완이 불가능하게 되므로 방광 근육과 외요도괄약근이 동시에 수축하는 상태가 되는데 이를 방광–횡문괄약근 부조화가 발생 하게 된다. 추가로 이와 함께 교감신경이 나오는 부위인 6번 흉수 또는 상부에 척수 손상이 있는 경우 자율신경반사이상이 발생한다. 이는 어떤 자극에 의해 급성으로 대량의 비정상적인 자율신경계(교감신경계)가 반응한 결과로 나타난다. 흔한 경우가 억제되지 않는 방광 수축, 배뇨근괄약근 협조 장애를 유발하는 방광 팽창 그리고 변비 같은 대장 문제이다. 또한 갑작스런 심한 고혈압을 유발한다. 6번 흉수 또는 상부에 척수 손상이 있는 경우 대부분 정상 수축기 혈압인 90~110 mmHg 범위를 나타낸다. 자율신경반사이상은 성인에서 수축기압이 140 mmHg이상인 경우나 기저 혈압에서 수축기압이 15~20 mmHg 이상 상승한 경우로 정의하고, 청소년기 환자에서 수축기압이 기저 혈압에서 15~20 mmHg 이상 상승한 경우나 소아 환자에서 기저 혈압보다 수축기압이 15 mmHg이상 상승한 경우 자율신경반사 이상의 징후로 볼 수 있다. 다른 문제로는 심한 두통, 발한, 홍조, 소름, 오한, 불안감, 서맥 등이 있다. 하지만 30~40%에서는 혈압상승 이외에 다른 증상이 없는 무증상 반사이상(silent dysreflexia)이다. 다음으로 2–4번 천수 병변의 경우에는 배뇨근수축력이 감소되고, 외항문 괄약근(external striated sphincter)을 지배하는 음부신경(pudendal nerve)의 기능에 장애가 발생하여 배뇨근 무수축 및 요실금이 발생할 수 있다. 또한 2–4번

표 22-2. **Most common patterns of voiding dysnfunction seen with various types of neurologic disease or injury**

Disorder	Detrusor Activity	Compliance	Smooth Sphincter	Striated Sphincter	Other
Cerebrovascular accident	O	N	S±VC	S	There may be decreased sensation of lower urinary tract events.
Brain tumor	O	N	S	S	There may be decreased sensation of lower urinary tract events.
Cerebral paisy	O	N	S	S	
				D (25% of those with do) ± VC	
Parkinsos's disease	O	N	S	S Bradykinesia	
Multiple system atrophy	O	N	O	S	Striated sphincter may exhibit denervation.
	I	[↑]			
Multiple sclerosis	O	N	S	S	Dyssynergia figures refer to percentage of those with detrusor overactivity.
				D (30~65%)	
Spinal cord injury					
Suprasacral	O	N	S	D	Smooth sphincter may be dyssynergic if lesion is above T7.
Sacral	A	N	CNR	F	
		[↑] (may develop)	O (may develop)		
Autonomic hyperreflexia	O	N	D	D	
Myelodysplasia	A	N	O	F	Findings vary widely in different series. Striated sphincter commonly shows some evidence of denervation.
		O	[↑] (may develop)		
Tabes, pernicious anemia	I	N	S	S	Primary problem is loss sensation. Detrusor may become decompensated secondary to overdistention.
	A	[↑]			
Disk disease	A	N	CNR	S	Striated sphincter may show evidence of denervation and fixed tone.
Radical pelvic surgery	I	[↑]	O	F	
	A	N			
Diabetes	I	N	S	S	Sensory loss contributes but there is a motor neuropathy as well.
	A	[↑]			
	O				

Smooth sphincter: S, synergic; D, dyssynergic; O, open, incompetent at rest; CNR, competent, nonrelaxing. Striated sphincter: S, synergic; D, dyssynergic; ±VC, voluntary control may be impaired; F, fixed tone.
Detrusor activity: I, Impaired; O, overactive; A, areflexia. Compliance: N, normal;

천수에서 부교감신경과 음부신경의 핵은 서로 다른 부위에 위치하므로, 2–4번 천수손상에서 외횡문괄약근의 기능은 유지되면서 배뇨근 무수축만 발생할 수도 있다.

추가로 심각한 척추 손상 후 손상 부위 하방의 척수 분절의 활성이 감소하는 현상으로 손상 초기에는 척수쇼크(Spinal shock)가 올 수 있다. 손상 부위 하방의 전반적인 무반사는 수일– 1년까지 지속 될 수 있으며 보통 2~8주 지속된다. 항문 괄약근의 반사성 수축(anal reflex)이나 구해면체반사(bulbocavernous reflex) 등 대부분의 천수의 말초 체신경 반사들은 사라지지 않으며, 만약 사라지더라도 순상 후 수분이나 수시간 내에 회복된다Thomas and O'Flynn, 1994). 방광은 무반사, 무수축 상태가 된다. 방광경부 괄약근의 기능은 유지된다. 따라서 괄약근의 압력은 유지되므로 요실금은 잘 나타나지 않으나 방광의 과충전으로 인한 요실금은 일어날 수 있다. 척수 쇼크가 회복 되고 난 후에 위에 서술한 내용에 손상 부위에 따른 임상 패턴이 나타날 수 있다. 그러나 손상 부위에 따른 신경인성 방광 환자들에 임상 패턴은 어느 정도 연관성을 보이나 하부 요로 기능 이상에 대한 자세한 진단을 하는 데는 충분치 않다. 특정 부위의 병변에서 일어나는 전형적인 소견과는 완전히 반대되는 요역동학검사(urodynamic study)소견(방광근과반사/무반사)이 흔히 관찰된다. 특히 T10–L2 병변의 경우는 더 변이가 심하다. 따라서 모든 환자들에서 체성 신경 검사로 방광의 역학을 모두 설명할 수 없으므로 개개인의 환자들에서 정확한 하부요로기능이상 진단을 위해서는 요역동학검사가 필수임을 알 수 있다. 이러한 신경학적 징후와 요역동학적 결과의 불일치는 손상된 신경부위의 퇴행과 재생, 불완전 병변, 복합 병변, 손상척수 섬유화에 의한 손상의 번짐, 비정상적 치유과정 등에 의해서 일어나는 것으로 생각된다.

4. 신경인성방광의 진단: 개관

비뇨기계 기능장애가 없는 환자의 신경학적 평가는 대개 병력청취, 신체검사 등의 기본적인 검사만으로 진단 할 수 있으나 비뇨기계 기능장애가 있는 환자에서는 병력청취, 신체검사 외에도, 신경학적 검사, 요검사, 신기능검사, 방사선검사, 내시경검사 및 요역동학 검사 등에 전문적인 검사를 통해서 진단과 예후 평가를 해야 한다.

1) 병력청취

병력 청취는 가장 중요한 진단 과정의 하나로, 신경학적 이상을 일으킬 수 있는 선천성, 외상성, 대사성 퇴행성 등의 질환은 하부요로기능이상을 초래 할 수 있으므로 문진이 필요하다. 척추 손상, 척추수술 등의 기왕력을 조사 한다. 또한 파킨슨, 뇌혈관 손상, 다발성경화증, 중추신경계의 퇴행성질환등은 하부요로기능에 영향을 미칠 수 있다. 항콜린제, 항우울제, 항정신제, 알파아드레날린차단제 같은 약물 복용 여부 등도 조사한다.

2) 배뇨일지

배뇨일지는 하부요로의 반객관적인 양적 평가로 적

어도 2–3일은 실시해야 한다(Homma et al, 2002). 일반적으로 3일간의 배뇨일지 작성은 요실금을 호소하는 여성들에서 믿을 수 있는 평가방법이고 청결 간헐도뇨를 하는 환자들에서 증상 파악에 도움이 된다(Naoemova et al, 2008 Stohrer et al, 1999). 배뇨일지를 통해 잦은 빈도의 빈뇨, 매우 적거나 많은 배뇨량, 야간뇨, 요절박, 요실금 등에 병적 소견을 알 수 있으므로 신경인성방광 환자들에서 진단적 검사로 추천 된다.

3) 삶의 질 평가

삶의 질은 신경인성방광 환자의 전반적인 치료에서 매우 중요한 부분을 반영한다. 가능한 삶의 질을 보존하는 것은 치료 목표 중 하나이다. 신경인성 장애를 가진 환자에서 특화된 삶의 질 평가 설문지는 아직 없으나 유일하게 입증된 도구는 괴로움을 측정하는 시각아날로그척도(Visual analogue Scale; VAS)와 척수신경 질환과 다발성 경화증에 특화된 Qualiveen이 있다. 추가로 일반적인 건강 관련 항목을 묻는 설문도구(SF–36) 또는 요실금에 특화된 I–QOL 역시 사용될 수 있으므로 치료 동안 주기적으로 평가 하는 것을 권장한다.

4) 신체검사

환자의 육체적, 정신적 장애에 주의를 기울여야 하며 이러한 장애는 엉덩이나 팔다리의 경직으로 인한 활동장애(impaired mobility)로 인해 발생할 수 있다. 상위레벨에서 신경 이상이 있는 경우 앉을 때나 일어설 때 급격한 혈압 저하가 나타나는 경우가 있고 정신장애환자의 경우 방광충전감각에 대해서 주관적으로 표현하는 것이 불가능할 수도 있다. 또한 복부의 관찰과 직장수지검사 그리고 골반장기탈출증 여부에 대한 신체검사가 필수적이다. 방광은 충만 되어 있지 않은 경우 만질 수 없으며 배뇨 후에도 방광이 만져지면 만성 요폐를 의미한다. 직장수지검사를 통해 괄약근의 긴장도 및 감각을 평가할 수 있으며 남성의 경우 전립선에 대한 평가가 가능하다. 신체 및 상하지, 그리고 손의 감각과 운동 기능에 대한 평가가 필수적이다. 하복부의 팽창과 성기와 회음부의 피부상태에 대한 평가가 반드시 시행되어야 한다. 이러한 비뇨기계 신경학적 신체검사는 신경인성방광환자에서 필수적이다. 회음부의 감각에 대한 평가와 천수반사활동에 대한 몇몇의 검사가 여기에 해당한다. 기억할 피부분절로는 T10이 배꼽 감각, L3가 무릎의 전부 감각, S3–5가 회음부와 항문주의의 피부감각을 지배한다. 천수반사활동에 대한 대표적인 검사가 구부해면체반사이며 이를 통해 S2–S4 척수신경의 통합성을 확인할 수 있다. 환자의 직장에 손가락을 넣은 상태에서 음경의 귀도 혹은 음핵을 자극하였을 때 항문괄약근과 구부해면체근이 수축하는 것이다. 이 반사는 주로 S2–4 척수신경의 통합성을 확인하는 검사이며, 대부분 정상적인 사람에서 나타난다. 이 반사의 소실은 천수 또는 말초신경손상을 의미 할 수 있으나 신경학적으로 정상인 여성 30%에서 이 반사의 소실이 관찰되기도 한다. 천수신경손상이 불안전 할 때는 구부해면체반사가 유지 될 수 있다. 추가로 거고근 반사, 복부 반사, 항문 반사 등이 있다(그림 22-2).

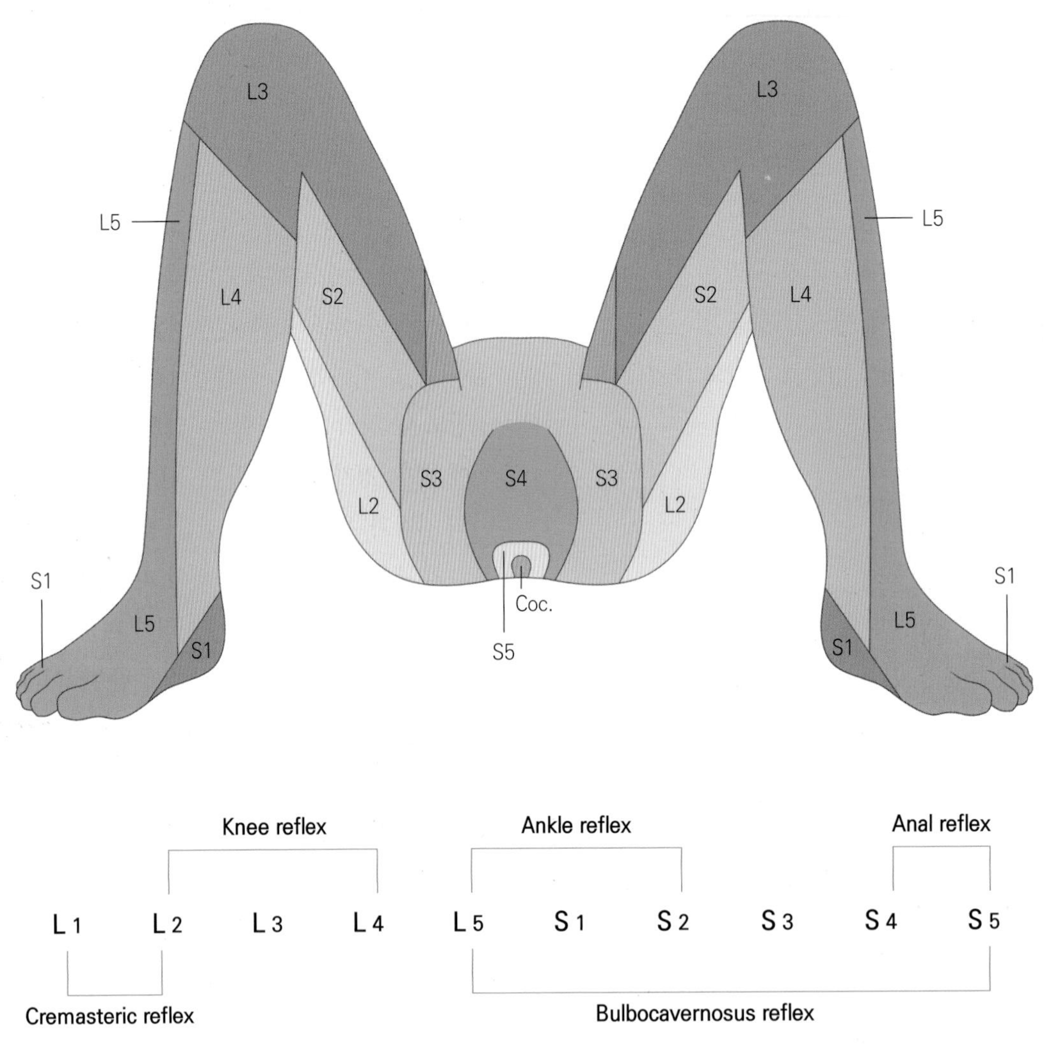

그림 22-2. Dermatomes of spinal cord levels L2-S4 and reflexes in lower spinal cord

5) 검사실검사

일반적으로 진단과정에서 요검사는 비뇨기계 질환의 증상이나 징후가 있는 환자에서 감염, 혈뇨, 단백뇨의 존재를 확인 하기 위해 필요하다. 또한 하부 요로계 기능장애는 신부전의 흔한 원인이며, 환자의 감시를 위해서 여러 가지 검사가 사용된다. 일반적으로 혈액화학검사, 신장 초음파 같은 요로계 영상검사를 시행한다. 추적 과정에서도 상부요로손상에 평가를 위해 주기적으로 관련 검사들이 시행되어야 한다. 요류 검사와 배뇨 후 잔뇨 검사는 전반적인 배뇨 기능에 대한 첫 번째 검사로 침습적인 요역동학 검사 시행 전 필수적으로 시행하여야 한다. 검사의 신뢰도를 위해서는 최소한 2-3번의 측정이 필요하다. 배뇨 시 부적절한 자세나 요류의 갈라짐에 따른 요속 및 요류 형태의 변화는 검사를 해석할 때 고려되어야 한다.

6) 요역동학검사

현재까지 요역동학검사는 하부요로기능을 객관적으로 평가하는 유일한 방법이다. 배뇨근 과활동성 등의 신경학적 하부요로기능이상이 동반된 환자에서는 이러한 침습적인 요역동학 검사 시행 중에 아티팩트(artifact)가 발생할 수 있으니 검사의 질 관리와 결과 해석에 주의를 기울여야 하고 모든 검사지표는 국제요실금학회기준(ICS technical recommendations and standards)에 의거해서 보고해야한다(Schafer et al, 2002). 자율신경반사이상의 발생 가능성이 있는 경우에는 검사 내내 혈압을 측정하는 것이 권장되고 신경성장(neurogenic bowel)이 동반된 경우는 직장 내 대변이 많아서 검사 결과에 영향을 줄 수 있으므로 관장을 하는 것이 좋다. 배뇨에 영향을 주는 약물을 복용하고 있다면, 검사 전 최소 48시간 전에 끊거나, 계속 사용하면서 검사를 해야 한다면 결과 해석에 이를 고려해야 한다. 요역동학검사 결과 해석은 충전방광내압측정술(filling cystometry)과 압력요류검사(pressure flow study)를 종합적으로 고려해야 하고, 신경인성방광에서와 같이 여러 요역동학적 지표 확인이 필요하고 합병증이 있을 가능성이 높은 경우에는 비디오 요역동학검사(video urodynamic study)가 표준검사방법이다.

요도내압측정(urethral pressure measurement)은 신경인성방광 평가에서 별 이득이 없는 검사이고 아직 병적인 상태에 대한 표준지침도 없는 상태이다. 외횡문괄약근과 골반저근에 대한 근전도 검사(electromyography)는 통상적으로 아티팩트가 많아서 정확히 해석하기가 쉽지 않다. 다만 환자가 골반저근을 수의적으로 조절가능한지, 충전기나 배뇨기 동안 부적절한 항진이 있는지 정도를 파악할 수 있다. 더 정확하고 세밀한 측정은 신경과에서 주로 시행하는 신경생리검사(neurophysiologic test)라고 할 수 있다. 충전방광내압측정술은 충전기의 방광기능을 파악하는데, 배뇨근과활동성, 유순도, 충전감각, 요실금 여부, 외횡문괄약근의 기능부전이나 병적 이완(incompetent or relaxing urethra)이 있는지 평가한다. 배뇨근과활동성이 있는 경우에는 충전속도(filling rate)등에 따라서 배뇨근과활동성이 유발되기도 하므로 되도록 생리적 충전속도에 따르고 체온과 비슷한 온도의 식염수를 사용하는 것이 권장된다. 배뇨근요누출압(detrusor leak point pressure)은 상부요로손상에 유의한 예측인자로 보고되기도 했으나, 민감도는 높지 않아서 상부요로손상 위험이나 이차적인 방광손상을 예견하는 임상적 유용성은 더 연구가 필요한 실정이다(Linsenmeyer et al, 1998).

압력요류검사는 배뇨기 동안 배뇨근과 외횡문괄약근이나 골반저근의 조화를 평가하는 것으로, 배뇨근저활동성/배뇨근무수축, 배뇨근괄약근협동장애(detrusor sphincter dyssynergia; DSD), 비인상성요도괄약근폐색, 잔뇨 등을 확인한다. 신경학적 원인에 의한 방광하부폐색은 대개 배뇨근괄약근협동장애, 비이완성요도괄약근, 또는 비이완성방광경부(nonrelaxing bladder neck)가 원인이다(Stoherer, 2009). 압력요류검사는 요도자체의 기계적, 해부학적 특성에 의한 기계적 폐색 정도를 주로 평가하기 때문에 신경인성 방광 환자에서는 어느 정도 해석에 제한점이 있을 수 있다.

비디오 요역동학 검사는 기존의 요역동학검사에 더하여 하부요로계의 형태학적 변화, 배뇨 시 방광경부와 외횡문괄약근의 이완정도, 상부요로계의 이상유무를 파악할수 있기 때문에, 신경인성방광의 평가에서 가장 정확한 검사라고 할 수 있다(Stohere et al, 2009). 요역동학검사때 차가운식염수를 빠르게 충전하는 얼음물검사는 상부운동신경세포병변과 하부운동신경세포병변을 감별하는데 사용될 수 있는데(Geirsson et al, 1994a) 상부운동 신경세포병변의 경우, 배뇨근이 정상적이라면 수축을 하게 된다. 그러나 소아에서 위양성이 있을 수 있고(Geirsson, 1994b) 다른 신경학적 이상에서는 감별이 어려운 점이 임상사용의 걸림돌이 된다. 마찬가지로 양성 bethanechol 검사도 배뇨근무수축에서 배뇨근 탈신경 과민성(denervation hypersensitivity)과 근육의 온전함(muscle integrity)을 시사하는 소견이지만(Lapides, 1974) 실제 임상진료에서는 명확한 결과가 나오지 않는 경우가 많다.

7) 내시경검사

하부요로의 내시경 검사는 신경인성방광 환자의 평가에 일상적인 선별 검사로 사용되지는 않으나, 협착, 게실, 결석 등의 해부학적 또는 구조적 이상을 찾아내는데 도움이 되고 괄약근에 의한 기능적 폐색 또는 전립선 폐색의 진단 및 혈뇨의 평가 등에 도움이 된다.

5. 신경인성방광의 치료: 개관

1) 비침습보존치료

방광을 완전히 비우지 못하게 되는 상황은 요로감염과 요실금의 심각한 위험 인자이고 소변의 저장기 동안에 방광 내압을 높이는 결과를 초래한다. 따라서 방광 배출 기능을 촉진 시키는 법으로 Crede법과 Valsalva법이 사용되고 있으나 이는 골반저 기능이 악화되고 높은 압력을 발생하여 상부 요로 손상을 야기 시키며 요실금 악화에도 영향을 미치므로 지양하는 것이 좋다.

하부요로 재활 운동을 골반저 근육 운동 및 골반저 전기자극 치료, 바이오피드백 등이 사용되고 있다.

2) 청결 간헐 도뇨

청결 간헐 도뇨는 신경인성 방광의 치료 중 가장 효과적이고 실용적인 방법이다. 평균 배뇨 횟수는 하루에 4–6번 정도 시행을 권장하며, 한번 도뇨를 하는 양은 400~500 mL를 넘지 않아 방광이 과팽창 되기 전에 방광을 비워야 한다. 간헐적 도뇨를 위해서 환자는 손세척이 가능하여야 하며 가족들도 도뇨관을 다룰줄 알아야 한다. 이러한 여건이 어렵다면, 유치 도관(요도 카테터, 치골 상부방광루)을 유지 하여야 하나, 요로감염, 요도 손상, 방광 수축 등 여러 합병증을 고려 해야 한다. 따라서 유치 도관을 시행하였을 경우에는 자주 카테터를 교체하여야 한다. 실리콘 카테터가 더 선호되며 2~4주 마다 교체해야 한다. 반면 라텍스 카테터는 1~2주마다 교체해야 한다.

3) 약물치료

(1) 항무스카린 약물

항무스카린 약물은 신경인성 하부요로 증상 치료를 위한 최우선 선택이다. 항무스카린 약물은 신경인성 하부요로에 사용할 수 있는 가장 유용한 약물이며 배뇨근과활동성 관리에 확립 된 치료 방식이다. 현재, 신경인성환자의 배뇨근과활동성의 표준 치료는 항콜린제요법과 동반하여 요배출이 어려울 경우 추가로 간헐도뇨 시행이다. Oxybutynin chloride, trospium chloride, tolterodine tartrate, propiverine 등은 효과적인 약으로 확립되어 있다. 이러한 항무스카린제는 내약성에서도 잘 견디고 안전하다고 알려져 있다. 추가로 신경인성 배뇨근 과활동성은 항무스카린제 약물 중단 즉시 반복된다. 약물의 장기간 치료 후에도 약리학적 치료의 지속적인 치료 효과는 없기 때문에 환자는 항무스카린제로 영구적인 치료가 필요하다.

(2) 포스포다이에스터분해효소 5 저해제 (Phosphodiesterase 5 Inhibitors; PDE5Is)

PDE5I는 파일럿 연구에서 배뇨근 과활동성에 상당한 영향을 미치는 것으로 나타났으며, 향후 항 무스카린 치료에 대한 부속물이 될 수 있지만 신경인성 배뇨근과활동성에 대한 데이터는 제한적이다.

(3) β3 아드레날린수용체 작용제 (β3-Adrenergic Receptor Agonist)

β3 교 아드레날린수용체 작용제는 최근에 과민성방광 환자에서 도입되고 평가되었지만, 신경인성하부요로계환자에 임상 경험은 제한적이다. 현재 신경인성 배뇨근과활동성의 안전성과 효과에 관한 연구가 진행 중으로 추후 항무스카린제와의 병용 요법은 좋은 선택이 될 수 있을 것이다.

(4) 알파 차단제

신경인성방광을 가진 일부 환자에서, 비 선택적 및 선택적 α- 차단제는 방광 배출 저항, 잔류 소변 및 자율 통증을 감소 시키는데 부분적으로 성공적이었다.

4) 방광 내 약물 주입법 (Intravesical drug treatment)

방광의 과 활동성을 막기 위해 항콜린제를 방광 내로 직접 주입 할 수 있는데 이 방법은 항콜린제의 부작용을 줄일 수 있어서 유용하다. 이 방법으로 방광에만 치료 약물을 고농도로 분포시킬 수 있으며 전동 의약품 안전청(electromotive drug administration; EMDA)을 이용할 시에는 보다 더 집중시킬 수 있다. Vanilloid, capsaicin, resiniferatoxin은 C-섬유를 탈감작해서 신경섬유가 재생될 때까지 몇 개월간 배뇨근 과활동성을 감소시킨다. 용량은 capsaicin 1-2 mMol 을 30% 알코올 100 mL에 섞거나, 10-100 nMol resiniferatoxin을 10% 알코올 100 mL에 섞어 30분 간 작용시키게 된다. resiniferatoxin은 capsaicin에 비해 1,000배 더 효능이 있고 주입 시 통증이 덜하며 capsaicin에 반응하지 않는 환자들에게 효과가 있다. 여러 임상 시험을 통해 resiniferatoxin은 botulinum toxin A의 배뇨근 주입법에 비해 제한적인 임상 효능을 가지고 있는 것으로 알려져 있다.

5) 방광 내 보툴리눔 주입법

보툴리눔 독소가 부교감 신경 분포로부터 아세틸 콜린의 시냅스 전 방출을 일시적으로 차단하고 방광 평활근의 마비를 일으킨다는 이론적 근거에 의해 방광 평활근에 주사함으로써 신경인성 배뇨근과활동성을 치료하기 위해 보툴리눔 독소가 도입되었다. 보툴리눔 독소는 가역적인 화학 신경제거제로 평균 약 9개월 동안 지속된다. 보튤리눔 주사 후 조직 학적 연구에서 현미경적 구조적 변화를 보여주지 않았다. 따라서 안전한 방법으로 현재 보툴리눔 독소 주사는 신경인성방광 치료제로 전세계적으로 널리 사용되고 있다.

6) 전기 자극 및 신경조정술

하부요로증상 치료를 위한 전류의 사용은 Saxtorph가 무수축성 방광을 가진 환자에서 방광 내 전기자극을 설명하고 1878년에 처음 보고 되었다. 방광내 전기자극법은 방광충만감각과 배뇨에 대한 요급을 향상 시키며 배뇨근의 자발적 통제를 회복시키게 된다. 매일 90분간 10 mA 강도로 2 ms 동안, 20 Hz의 빈도로 적어도 1주일간 사용하게 된다. 말초병변이 있는 환자가 최고의 대상군이 되며 배뇨근이 온전해야 하며 적어도 몇 개의 구심성연결이 배뇨근과 뇌 사이에 존재해야 한다. 또한 자극하는 전극의 위치와 방광의 충만이 중요한 변수가 된다. 하지만 결과들은 아직도 애매모호한 부분이 많다. 1981년 기존의 보존치료에 반응하지 않는 요저장기능장애 환자를 대상으로 천수 신경 조정술이 처음 시행되었다. 이후 신경인성배뇨근과활동성, 특발성 만성요폐, 골반통, 간질성방광염, 소아배뇨장애, 배변장애 등 적응증이 확대 되었다. 일반적으로 기존 치료에 반응이 없는 배뇨근과활동성에서 이 시술을 시행하였을 때 시술 후 80–90% 성공률을 보고 하였다. 아직 신경인성방광에 대하여는 잘 디자인된 연구가 없어 임상적 유용성에 대한 추가 연구가 필요하다. 그 외에도 Pudendal Neuromodulation (PNM), 비침습적인 Percutaneous Tibial Nerve Stimulation (PTNS) 등이 시도되고 있다.

7) 방광출구에 대한 방광경부와 요도 조작

방광출구에 압력을 조절하는 치료이다. 방광출구의 저항을 증가시켜 요실금을 막아주는 방법으로 요도 주위 주입술, 슬링 수술, 인공요도괄약근, 방광출구 재건술(Young–Dees–Leadbetter, Kropp 술식, Pippi Salle 술식)이 있으며 방광출구저항을 감소 시켜 방광 내압 상승을 줄여주는 치료로 경요도 방광경부 절제술, 경요도 방광경부 절개술, 방광경부 성형술, 괄약근 절개술, 스텐스 삽입술 등이 있다.

8) 인공 요도괄약근 삽입술

인공요도괄약근은 신경인성 요실금을 포함한 요실금 환자의 요로재건술에서 중요한 역할을 한다. 치료의 전제 조건은 이 수술로 인하여 방광내압이 상승하여 상부로 손상 위험성의 증가 하지 않아야 하며, 인공요도괄약근은 삽입한 지 6~8주 후에 작동을 시작한다. 여러 연구에서 나타난 요자제율은 73~90%로 보고 되었다.

9) 방광 확대술 또는 대치술

높은 방광 압력에 이차적인 상부 요로 기관에 유해한 비뇨기 감염 및 방광요관역류는 신경인성방광 환자에게 흔하고 치명적인 문제이다. 신장 기능 보존은 모든 유형의 하부 요로 구조 재구성에서 가장 중요한 목표이다. 방광 용적 감소와 방광 내압 상승으로 인한 비뇨기 감염 및 방광요관역류에 대한 표준 치료는 장내 성형술 강화이며, 이는 신장 기능를 보존하면서 장을 이용하여 충분한 방광 용적 및 순응도가 높은 저장고를 만들고 수용 가능한 요실금 정도를 만드는 것을 목표로 한다. 방광확대술로 여러 가지 방광 기능 이상이 영구적으로 개선되며 수술 후 환자들의 만족도도 매우 높다. 방광확대술은 이미 치료 효과가 충분히 증명되어 있는 확실한 치료법이나 장 조직을 이용하게 되므로 수술에 따르는 장 합병증의 위험이 부가될 수 있다.

10) 방광근 성형술(Bladder covering by striated muscle)

방광이 골격근으로 둘러 쌓이게 되면 전기 자극에 반응 할 수 있게 되고 무수축 방광은 배뇨기능을 회복할 수 도 있다. 복직근(rectus abdominis)과 넓은 등근(latissimus dorsi)이 신경인성 하부요로질환 일부 환자에서 성공적으로 사용되었다고 보고 되었다.

11) 요로 전환술(Urinary diversion)

요로 전환술은 다른 치료가 성공하지 못했을 때 상부 요로 보호와 환자의 삶의 질을 위해 고려 된다. 비실금형 전환술은 가장 먼저 선택 되는 방법이다. 비실금형 요루는 피부 밖에 소변주머니를 달지 않고 작은 구멍만이 있어 이를 통하여 호스를 이용하여 주기적으로 몸 안에 저장된 소변을 배출하는 방법이다. 일반적으로 요도를 통한 청결 간헐 도뇨법과 동일하나 배를 통하여 배출한다는 점이 다르다. 단기간 비실금률은 80%이상이고 우수한 상부 요관 보호 효과를 보인다. 그러나 누출이나 협착 등의 합병증이 발생할 수 있다. 실금형 전환술은 도뇨가 불가능하다면 집뇨 기구를 이용한 실금형 전환술이 적응된다. 대부분의 경우 회장 부위가 사용 되며, 수술에 따르는 장 합병증의 위험이 부가될 수 있다.

6. 신경인성방광 환자의 추적관찰

현재 권장하는 신경인성 방광 환자들의 추적 관찰 가이드라인은 2개월마다 단순 소변검사를 시행하며 6개월마다 초음파 검사를 통해 잔뇨량, 방광 및 상부 요로에 대한 관찰을 시행하기를 권장한다. 추가로 1년마다 신체 검사, 혈액 화학 검사, 소변 실험실 검사를 통한 정밀 검사를 요한다. 또한 매 1~2년 마다 또는 위험 요소(상부요로장애, 삶의 질 저하로 이어지는 요실금, 반복적인 증상이 있는 요로감염, 일상생활에 문제가 되는 자율신경과반사)가 발견 될 때는 세밀한 정밀검사가 필요하다. 하지만 이러한 위험 요소가 발생한 경우에는 비디오 요역동학 검사가 포함되어야 하고 전문적인 배뇨신경장애 센터에서 시행되도록 권고한다. 그러나 신경학적 질환 또는 신경인성 하부 요로 기능부전에서 위 모든 검사 조항은 필요하면 훨씬 자주 시행 될 수 있다.

7. 결론

여러가지 이유로 발생할 수 있는 신경인성방광의 환자들의 증상 및 치료 과정은 환자 개개인에 차이가 있을 수 있다. 요역동학검사를 포함한 적절한 진단 과정을 통하여 환자 개개인에서 시행 할 수 있는 치료가 적용 되어야 될 것이다. 신경인성 방광 치료의 가장 중요한 목표는 역류 등 신장 손상이 일어나지 않도록 방광기능을 잘 관리하여 유지하는 일이다. 두 번째 목표는 요로감염을 잘 조절하여 일어나지 않도록 하는 일이며, 세 번째는 부착 요 배출 장치 없이도 적절하게 요실금이 일어나지 않도록 하여 사회생활에 적응이 가능하게 하는 것이다. 모든 치료법에서 가장 우선시되는 치료 목표는 신장기능의 보호이다. 환자 개개인에 맞는 신경인성 방광 환자들의 교육을 하고 도뇨를 하는 환자들에 대해서는 카테터 사용과 관리 교육, 약물 치료 및 필요시 방광 또는 요도 수술 절차를 활용하여 이러한 목표를 달성 해야겠다.

전체 참고문헌 목록은
배뇨장애와 요실금 웹사이트 자료실
(http://www.kcsoffice.org)에서
확인할 수 있습니다.

제 23 장 신경인성방광: 뇌간 또는 뇌간 상부의 질환

Neurogenic lower urinary tract dysfunction: Diseases at or above the brainstem

추민수

소변의 저장과 배출은 주로 자율신경계의 기능이지만, 교상대뇌중추(suprapontine cerebral centers)의 통제하에 있어, 팔, 다리, 손, 그리고 망울해면체근(bulbocavernosus muscle)과 통합하여 적절한 시기와 장소에서 배뇨를 할 수 있게 한다. 이런 higher-level coordination and control은 심혈관계나 위장관계 등의 다른 visceral function과 다른 독특한 특징이지만, 신경계 질환으로 인한 장애에는 더 취약하다. 파킨슨병이나 뇌혈관 질환, 뇌종양 등의 대뇌병변은 방광 감각의 인식에 영향을 미쳐 배뇨장애를 일으키는 것으로 알려져 있다.

1. 개요

1) 전두엽 병변(Frontal Lobe Lesion)

전두엽 피질은 방광 기능의 자발적 조절에 중요한 역할을 하는데, 뇌졸중, 신생물, 뇌수종, 경막하 혈종 및 전두측두엽(frontotemporal lobe) 퇴행 등의 병변에 의해 침범된다. 뇌졸중 후 3개월 이내에 56%의 환자에서 하부 요로 증상이 나타났고, 급박요실금이 가장 흔한 증상이었다. 배뇨장애는 전두엽의 전방 및 내측 표면 anterior and medial surface), 뇌실결핵 백색질의 전방 가장자리(anterior edge of the paraventricular white matter), 내포 슬(genu of the internal capsule), 그리고 피가이나 시상이 넓은 영역 부위 (arge area of the putamen or thalamus)와 관련된 병변에서 더 흔했다.

요역동학적 소견에서는 배뇨근과활동성(detrusor overactivity)이, 전두엽 병변에서는 억제되지 않은 괄약근 이완(uninhibited sphincter relaxation)이, 기저핵 병변에서는 배뇨근-괄약근 협동장애(detrusor-sphincter dyssynergia, DSD)가 주로 관찰되었다. 뇌졸중은 요의에 대한 인식 장애로 인한 요실금을 초래할 수 있다.

2) 파킨슨증(Parkinsonism)

파킨슨병 환자에서 배뇨 증상은 38~71%에서 발생한다. 가장 흔한 증상은 야뇨증이며, 급박뇨와 빈뇨가 다음이다. 가장 흔한 요역동학적 이상 소견은 detrusor overactivity이고, DSD나 잔뇨량 증가는 흔하지 않다. PD에서 신경인성 방광 기능 장애의 정확한 메커니즘은 잘 알려져 있지 않지만 다인성 원인으로 생각된다. 요로 증상의 중증도는 striatum, 특히 caudate nucleus의 도파민 transporter 흡수 감소와 관련이 있다.

Multiple systemic atrophy (MSA) 환자는 요로 증상의 유병률이 현저히 높고 발병 시간이 PD보다 빠르다. PD 환자와 달리 MSA 환자들은 불완전 배뇨로 인해 잔뇨량이 증가하고 이로 인해 요실금이 생긴다. 신경인성 방광의 메커니즘도 PD환자와 달라, sacral preganglionic nucleus, pontine micturition center, and Onuf nucleus 등에서 뉴런의 손실이 관찰된다.

2. 파킨슨병(Parkinson disease)

파킨슨병은 흑질(substantia nigra)에서 도파민성 뉴런의 퇴행으로 휴식 시 진전(tremor at rest), 강직(rigidity), 운동느림증(bradykinesia), 보행 장애(gait difficulty) 등의 운동 장애를 특징으로 하는 비교적 흔한 퇴행성 신경계 질환이다(Sakakibara R et al, 2016)(노령인구에서 알츠하이머병 다음으로 두 번째로 흔한 퇴행성 신경계 질환).

하부요로기능 장애는 파킨슨병에서 가장 흔한 자율신경 장애 중 하나로 27~80%의 유병율이 보고된다(Ogawa T et al, 2017). 1,072명의 파킨슨병 환자를 대상으로 한 연구(PRIAMO study)에 따르면, 절박뇨, 빈뇨, 야뇨는 각각 35%, 26%, 34.6%의 환자에서 관찰되었다(Barone P et al, 2009). 이런 배뇨장애 증상은 낙상의 위험을 증가시키고, 삶의 질과 경제적인 측면에서 큰 영향을 미친다.

운동 장애와는 달리, 하부요로기능 장애는 레보도파에 반응하지 않으며, 이는 파킨슨병이 복잡한 병리생리학을 통해 발생한다는 것을 시사한다. 실제로 파킨슨병의 병리학은 흑질에서 도파민성 뉴런의 변성에 한정되지 않고, 다수의 뇌 영역 및 신경 전달 물질을 포함한다.

노인 보행 장애에는 종종 방광 장애가 동반된다. 그러나 이 연관성의 정확한 이유는 명확하게 밝혀지지 않았다. 잠재적 가설은 방광 및 보행 장애가 전전두/중전두엽 영역과 기저핵 신경 회로와 관련된 동일한 뇌 병변에서 비롯된다는 것이다.

1) 파킨슨병 환자에서 배뇨기능장애의 신경학 (Neurology of urinary dysfunction)

뇌간 상부 질환인 파킨슨병은 정상 배뇨반사궁(micturition reflux arc)의 이상 과활성으로 배뇨근과활동성이 발생한다. 배뇨에 대한 기저핵의 순효과는 억제적인 것으로 알려져 있다. 배뇨반사는 도파민(D1에 의한 방광 억제 및 D2에 의한 촉진) 및 가바(GABA 억제)의 영향을 받는데, 흑질 치밀부(substantia nigra pars compacta, SNc)의 활성화로 인한 선조체 도파민의 방출은 도파민 D1-가바 신경세포(GABAergic)의 직접 경로를 활성화하고, 이는 수도관주위회백질(periaqueductal grey matter, PAG)를 포함하는 배뇨회로(micturition circuit)에 대한 가바 신경세포의 곁통로(collaterals)를 통한 배뇨반사를 억제할 수 있다(de Groat WC et al, 2015). 파킨슨병에서 기저핵의 손실은 배뇨반사에 대한 피질억제를 감소시켜, 배뇨근과활동성과 불수의적 배뇨근수축을 유발하여 절박뇨/빈뇨 증상을 초래할 수 있다(Ogawa T et al, 2017).

2) 파킨슨병 환자에서 하부요로증상

파킨슨병 환자의 약 38~71%에서 하부요로증상을 보고하는데, 저장증상과 배뇨증상 모두가 나타날 수 있다(Sakakibara R et al, 2012). 야간뇨는 최대 70%의 파킨슨병 환자에서 보고되는 가장 흔한 하부요로기능 장애이다. 하부요로증상의 중증도는 파킨슨병의 진행에 따라 증가하고 다른 자율기능 장애와 병행된다. 파킨슨병 환자에서의 하부요로증상은 배뇨근과활동성(81%) 및 외부 괄약근 이완 문제(33%)에 기인한다. 배뇨기 동안 파킨슨병 환자는 배뇨근-괄약근 협동장애를 보여주지 않았다. 배뇨근저활동성(detrusor underactivity)은 여성의 66%와 남성의 40%에서 관찰되었지만, 파킨슨병 환자에서 평균 잔뇨량은 18 ml에 불과했다.

파킨슨병 치료제 자체가 배뇨증상에 미치는 영향은 아직 명확하지 않다.

3) 파킨슨병 환자에서 하부요로증상의 치료

여성 파킨슨병 환자의 요실금 치료에는 골반저의 압력 저하를 위한 체중 감소와 국소 에스트로젠 사용, 외과적 치료(bulking agents, sling, suspension) 등이 가능하다. 케겔운동이나 바이오 피드백 치료도 요실금 치료에 도움이 될 수 있다.

절박뇨 치료제에는 항무스카린 항콜린제 및 아드레날린성 베타-3 작용제(미라베그론)가 있다. 미라베그론은 특히 파킨슨병 환자에서 부작용의 위험이 더 낮아 항무스카린제보다 선호된다.

항콜린성 약물의 부작용 중 파킨슨병 환자에서 가장 우려되는 문제는 인지장애와 정신증상의 악화이다(Schrag A et al, 1999). 이러한 중추신경계 부작용은 모든 항콜린제에 잠재적 합병증으로 존재하지만, 혈뇌장벽(blood-brain barrier)에 대한 침투성과 M 수용체 간의 선택성이 좌우한다. solifenacin, fesoterodine, trospium, tolterodine, darifenacin 등은 약리학적 특성상 중추신경계의 침투가 낮고 M3 수용체에 대한 선택성이 높아 중추신경계 기능 장애를 유발하거나 악화시킬 가능성이 적다. 특히 4차 아민인 trospium 은 극성이 높기 때문에 혈뇌장벽 침투 및 인지 부작용이 비교적 낮아, 유럽비뇨의학회 지침은 인지 장애가 있는 환자에게 trospium 을 투여할 것을 권장하고 있다(Blok B et al, 2020). Oxybutynin 등의 중추신경계 침투성이 있고 선택성이 낮은 약물은 중추신경계 내 M1 수용체에 작용할 위험이 있어 주의해야 한다.

다른 치료에 반응하지 않은 심한 과민성 방광 및 절박성요실금의 경우, 후방 경골 신경자극(PTNS)이나 onabotulinumtoxinA 주입 등의 다음 단계의 치료법을 고려할 수 있다. 두 치료법 모두 파킨슨병 환자에게 효과적인 것으로 보고되고 있다(Mangera A et al, 2011).

진행된 파킨슨병 환자는 거동불능, 낙상 위험 및 치매 등으로 인한 기능성요실금이 발생할 수 있다. 이 경우 감염 위험이 있겠으나 카테터 거치나 콘돔 카테터 적용이 필요할 수 있다.

3. 치매

치매를 일으키는 질환을 병인론에 따라 분류하면, 신경변성질환(neurodegenerative diseases)인 알츠하이머병(Alzheimer disease)과 루이소체 치매(lewy body disease), 그 외 다른 원인으로 생기는 뇌혈관(cerebrovascular) 치매와 정상뇌압수두증(normal pressure hydrocephalus) 등으로 임상적인 분류를 할 수 있다.

1) 치매 환자에서 하부요로증상

치매 관련 요실금은 정의에 따라 11%에서 93%의 유병율을 보고 하고 있다. 배뇨근과활동성의 유병율은 Mori 등의 연구에서 알츠하이머병 환자 중 약 58%, 뇌혈관 치매 환자에서는 더 높아 약 91%에서 관찰되었다. 다른 연구에서는 알츠하이머병 환자 중 약 40%에서 배뇨근과활동성이 관찰되었다고 보고하였다. 루이소체 치매 연구에서는 11명의 환자 중 10명에서 절박성요실금을 보고하였다. 정상뇌압수두증 환자에서는 저장증상이 배뇨증상보다 더 흔한 것으로 보고되고 있고(93 vs. 71%), 절박뇨(64%), 빈뇨(64%), 절박성요실금(57%) 등을 호소하는 것으로 알려져 있다.

루이소체 치매 환자에서는 알츠하이머병 환자 보다 임상적으로 절박뇨와 절박성요실금이 더 초기에 나타나고(치매 발병 후 3.2년 vs. 6.5년), 요역동학 검사에서도 배뇨근과활동성이 더 높은 빈도로 나타나는 경향이 있다.

2) 치매 환자에서 배뇨기능장애의 신경학

알츠하이머병 환자에서 요실금의 발생은 인지장애의 심한 정도와 관련이 있는 것으로 보고되고, 정상뇌압수두증 환자에서 허리천자나 션트수술 후에 배뇨근과활동성 증상이 일시적으로 호전을 보이는 것으로 보아, 치매 환자에서 하부요로증상의 원인은 중추신경계 기원으로 추정된다.

치매 환자의 주요 치료제인 아세틸콜린에스테라아제 억제제(acetylcholinesterase inhibitors, AChEIn)는 뇌의 M1 수용체의 아세틸콜린의 농도를 높여 주는 작용을 하지만, 이는 중추신경계 뿐만 아니라 말초신경에서도 작용을 하여, 방광의 기능에도 영향을 준다는 연구 결과가 발표되어 있다. 따라서 중 하부요로증상으로 비뇨의학과를 찾은 치매 환자에서는 반드시 아세틸콜린에스테라아제 억제제 복용 유무를 확인해야 한다. 또한 하부요로증상의 악화를 호소하는 치매 환자에서 질환의 악화를 판단하기 전에 약물 복용 이력을 먼저 확인하여야 한다.

또한 치매 환자에서 하부요로증상의 감별 진단으로 요로감염에 주의를 하여야 한다. 치매 환자에서는 초기 요로감염 증상이 나타나지 않을 수 있고, 소변배양 검사에서는 증상과 관계없이 지속적인 양성 반응을 나타낼 수도 있다. 이는 요로감염의 진단과 항생제 사용의 필요성을 간과하게 할 수 있다.

3) 치매 환자에서 하부요로증상의 치료

치매 환자에서 행동요법이나 생체되먹임(biofeedback) 등의 보존적 치료(conservative therapy)는 효과적이지 않은 것으로 보고되고 있다.

과민성방광 치료제 중 oxybutynin 같은 비선택적이고 혈뇌장벽을 잘 통과하는 약물은 인지저하나 섬망 등의 위험을 높여 주의하여야 한다. trospium 은 혈뇌장벽을 통과하지 않는 것으로 알려져 있고, darifenacin이나 solifenacin은 혈뇌장벽을 통과하지만 선택성이 있어 중추신경계 부작용은 적은 것으로 알려져 있다. 일반적으로 항무스카린 유발(antimuscarinic-induced) 인지장애는 약물 중단 후 가역적인 것으로 알려져 있다. M1 수용체와 반응하지 않는 베타-3 작용제는 이론적으로는 안전할 수 있지만 아직 더 많은 연구가 진행될 필요가 있다.

치매 환자에서는 일반적인 수술 후 요로감염, 압박성 궤양(pressure ulcer), 폐렴, 섬망 등의 수술 후 합병증이 더 많은 것으로 보고된다. 전립선비대증 환자에서 경요도 전입선절제술 후 31%의 요정체가 나타난다고 보고하였다. 치매 환자에서 보톡스 주입 시술 후 요로감염이나 요정체의 위험은 다른 환자군에 비해 증가하지 않았다는 보고도 있다.

4. 뇌졸중

뇌졸중 후 요실금은 잘 알려진 급성 후유증이며, 초기 입원 당시의 발병률은 28%에서 79%에 이른다(van Kuijk AA et al, 2001) 대부분의 환자에서 요실금은 일시적인 증상이고, 3개월 후 19%, 1년 후 15%, 2년 후 1%의 유병율을 보였다. 50% 이상의 환자에서 사고 직후 배뇨증상이 나타나지만, 1주일 내로 빠른 보전을 보이고, 이런 경우 요실금이 없었던 환자들과 예후는 비슷하였다(Dumoulin C et al, 2007). 뇌졸중 1년 후에도 요실금이 지속된 환자들은 정상으로 회복되는 환자들 보다 사망률이 증가하는 것으로 보고된다. 뇌졸중 후 요실금의 지속은 장애 증가, 조기 시설화, 그리고 사망률의 강력한 예측 변수다. 이런 연구 결과는 뇌졸중 후 요실금의 성공적 치료가 환자의 삶의 질을 향상시킬 수 있고, 뇌졸중 치료 결과도 더 우수함을 시사한다.

1) 뇌졸중 환자에서 배뇨기능장애의 신경학

뇌졸중 후 요실금의 원인은 다인성으로 생각된다. 인지 장애, 하지 운동 기능 저하 및 우울증의 징후가 있는 뇌졸중 환자에서 요실금의 유병률 증가를 발견하였다. 또한 배뇨장애는 광범위 경색, 실어증, 인지장애, 기능장애와 관련이 있었다. 많은 뇌졸중 환자들에게 요실금은 일시적이다. 뇌졸중 후 요실금과 경색의 크기와 위치의 관계는 논란의 여지가 있다. 최근 연구에서는 총 전순환 경색(total anterior circulatory infarctions) 환자들은 열공뇌졸중(lacunar infarctions) 환자들에 비해 요실금 회복 가능성이 낮다는 연구 발표가 있다.

2) 뇌졸중 후 요실금의 종류

뇌졸중 후 요실금은 배뇨근과활동성에 의한 절박성 요실금, 배뇨근저활동성에 의한 범람요실금(overflow incontinence), 기능적요실금(functional incontinence), 인지장애요실금(impaired awareness incontinence), 그리고 기존 복압성요실금의 악화 등의 다양한 형태로 나타날 수 있다.

3) 뇌졸중 후 배뇨근과활동성 및 절박성 요실금

상위 뇌 중추인 백질의 손상은 교내 배뇨중추에서 저장기 동안 배뇨반사의 긴장성 억제를 변화시킨다. 이는 불수의적 배뇨근수축 또는 배뇨근 과활동을 일으키며, 요실금까지 유발할 수 있다. 실제 요역동학 검사에서 90%의 뇌졸중 환자에서 불수의적 배뇨근수축이 관찰된다(Gupta A et al, 2009). 이 환자에서 절박뇨에 동반된 절박성요실금이 가장 흔한 증상이다. 반구 허혈성 병변(hemispheric ischemic lesion)의 특정 위치나 좌우가 배뇨근 기능장애에 중요한 역할을 하는지에 대한 의문이 있는데, 전두엽과 기저핵에 국소화된 병변이 배뇨근과활동(환자의 68%)과 연관성을 발견한 연구가 있다(Sakakibara R et al, 1996). 결론적으로, 상위 뇌중추에 허혈성 손상을 받은 환자에서 배뇨근과활동성은 가장 흔한 요역동학적 소견이고, 이는 신경배뇨경로(neuromicturition pathway)와 일치한다.

4) 뇌졸중 후 배뇨근저활동성

뇌졸중 환자에서 배뇨근저활동성의 유병율은 과민성 보다 덜 일반적이고 문헌에서는 35%까지 보고된다(Burney TL et al, 1996). 배뇨근저활동성의 원인은 불분명하지만, 당뇨병성 방광기능장애와 같은 기존 동반 질환 또는 항콜린제와 같은 약물이 관련될 수 있음이 제안되었다. 배뇨근저활동성의 주요 증상은 요실금, 특히 범람요실금이며 방울떨어짐(dribbling)이 나타날 수 있다.

5) 뇌졸중 후 기능적요실금 (Poststroke Functional Incontinence)

인지장애와 이동장애는 뇌졸중 후 정상적인 방광기능에도 불구하고 환자의 요자체 유지 능력에 영향을 줄 수 있다. 뇌졸중 후 거동이 불편하거나 의사 소통의 문제로 요실금이 발생할 수 있고, 이는 환자의 삶의 질에 큰 영향을 미칠 수 있다. 인지장애와 언어장애는 뇌졸중 후 요실금의 발생과 관련이 있음을 보고한 연구가 있다(Gelber DA et al, 1993). 뇌졸중 후 요실금의 위험인자로 시야결손, 연하곤란, 75세 이상의 고령, 운동장애 등을 분석한 연구도 있다.

6) 뇌졸중 후 인지장애요실금 (Poststroke Impaired Awareness Urinary Incontinence)

뇌졸중 후 요실금은 요의에 대한 인지 장애로 발생할 수 있다. 요의 인지장애로 인한 요실금은 절박성요실금 환자들 보다 주의 및 인지와 관련된 더 광범위한 영역의 뇌손상을 반영한다는 연구 결과가 있다(Pettersen R et al, 2008). 요의 인지장애로 인한 요실금 환자에서는 절박성요실금 환자들에 비해 주의력과 정신처리속도 등의 측면에서 떨어짐을 발견하였다. 인지장애로 인한 요실금 환자에서 절박성요실금 환자보다 CT 검사상 더 넓은 병변이 관찰되었고, 전두엽 침범은 더 적었다.

7) 뇌졸중 후 복압성요실금 (Poststoke Stress Incontinenc)

뇌졸중 후 복압성요실금은 최대 38%의 환자에서 보고되는데, 뇌졸중에 의한 직접 유발이라기 보다는 뇌졸중으로 인한 골반 근육의 약화와 새로운 방광 과민성으로 인한 기존 상태의 악화로 발생할 수 있다.

8) 뇌졸중 후 요실금의 치료

2~3시간 마다 예정된 배뇨(Scheduled voiding), 수분 섭취 제한, 그리고 골반저근운동(pelvic floor muscle training) 같은 행동요법 등의 비침습적인 치료법을 먼저 고려할 수 있다. 보존적 치료 중에도 약물 치료를 보조적으로 사용하여야 하고, 항무스카린제를 가장 흔히 사용한다. 저활동성 방광 환자에게는 청결간헐도뇨 혹은 폴리카테터 거치를 고려하여야 한다.

약물 요법으로 항무스카린제를 사용할 때는 인지기능에 영향을 줄 수 있어 주의를 하여야 한다. 옥시부티닌이 인지부작용을 가장 주의해야 할 약물이고, trospium은 가장 안전한 약물로 알려져 있다. 베타-3 수용체 작용제도 고려해 볼 수 있으나 아직 연구가 충분하지 않다.

약물 치료에 반응하지 않는 환자에서는 신경조정술(neuromodulation)이나 보톡스 주입술 등의 최소침습수술법(minimally invasive surgical therapy)을 고려할 수 있다. 다음 단계의 치료로는 방광자가확대술(bladder autoaugmentation), 장방광성형술(enterocystoplasty), 그리고 요로전환술(urinary diversion) 등의 더욱 침습적인 수술법도 고려할 수 있다.

5. 다발계 위축증 (Multiple systemic atrophy)

다발계 위축증은 추체외로(extrapyramidal), 소뇌, 자율신경 경로 등의 신경세포에 알파-시누클레인(α-synuclein)의 병리적 침착으로 인한 진행성 신경 퇴행성 장애로, 파킨슨 유사 운동 증상과 하부요로증상을 나타낸다(Papp MI et al, 1989). 파킨슨병과 유사하게, 진전, 경직 및 운동느림증 등이 주요 임상 증상으로 나타난다. 요실금 등의 하부요로증상이나 발기부전 등의 비뇨기계 증상의 초기 발현은 빠르게 진행하는 다발계 위축증의 예측 인자이다. 파킨슨병과 달리 레보도파에 반응하지 않고, 안정시 떨림(resting tremor)이 없는 것이 차이점이고, 파킨슨병 보다 빠른 질병의 진행을 보인다. 60대에 발병하여 평균 6~9년 내에 사망하는 질환으로, 10만명당 1.9~4.9명의 유병율을 보인다.

1) 다발계 위축증 환자에서 하부요로증상

다발계 위축증 환자의 78~96%에서 하부요로증상이 나타나는데, 야간뇨(74%), 절박뇨(63%), 요실금(63%), 요정체(8%), 그리고 잔뇨량 증가 등이 흔한 증상이다. 35~56%에서 요역동학적 배뇨근저활동성이 관찰된다(Sakakibara R et al, 2000). 31~33%에서 요도개방압력(urethral opening pressure)의 저하가 관찰되고, 87% 환자에서 방광경부개방(bladder neck opening)이 보고되었다. 47~98%의 환자에서 배뇨근-괄약근 협동장애가 관찰된다는 연구도 있다(Sakakibara R et al, 2001). 개방된 방광경부(Open bladder neck), 괄약근근전도(sphincter EMG)의 이상, 잔뇨량 증가 등은 다발계 위축증 환자에서 주로 나타나, 파킨슨병과의 감별 증상으로 생각할 수 있다. 다발계 위축증 환자에서 하부요로증상은 기립성 증상(orthostatic symptom)이나 운동장애(motor disorder) 발현 직전 혹은 비슷한 시기에 나타나는 증상으로, 비뇨의학과 의사들이 다발계 위축증의 진단에 있어 중요한 역할을 해야 한다.

2) 다발계 위축증 환자에서 하부요로증상의 치료

관련 무작위 대조 연구는 없지만, 배뇨근과활동성이 관찰되는 경우 항무스카린제를 고려할 수 있다. Desmopressin 같은 항이뇨제는 야간다뇨(nocturnal polyuria), 특히 이로 인한 수분 손실로 아침 저혈압(morning hypotention)이 동반되는 다발계 위축증 환자에서 효과적이다(Mathias CJ et al, 1986). 하지만, 저나트륨혈증과 심부전의 위험이 있어 정기적 추적 관찰이 필요하다. 알파-차단제는 배뇨근-괄약근 협동장애가 동반된 방광출구폐쇄 환자에서 잔뇨량을 감소시킬 수 있다(Sakakibara R et al, 2000). 콜린성약물은 방광 배뇨근의 수축력을 증가시켜 잔뇨량을 감소시킬 수 있지만, 과도한 사용은 콜린성 위기(cholinergic crisis)로 이완성마비(flaccid paralysis)나 호흡부전 등을 유발할 위험이 있어 주의를 요한다.

다발계 위축증 환자에서는 운동장애 발현 전에 하부요로증상 증상이 나타나고 잔뇨량 증가로, 전립선비대증 환자로 잘못 진단되어 수술적 치료를 받을 수 있다. 하지만, 다발계 위축증 환자들은 배뇨근의 수축력이 저하된 경우가 흔해 수술적 치료가 효과적이지 않을 수 있어 불필요한 수술적 치료는 피하고 보존적 치료가 더 적절하겠다. 잔뇨량이 증가된 환자에서 청결간헐도뇨는 약물의 좋은 대안이 된다.

6. 뇌성마비(Cerebral palsy)

뇌성마비는 발달중인 태아 또는 유아의 뇌에 발생된 비진행성 손상으로 인해, 활동의 제한을 야기하는 운동 및 자세 발달의 장애이다. 뇌성마비의 운동 장애는 감각, 인지, 의사 소통, 지각 및 행동 장애 등을 동반하고, 발작 장애도 나타날 수 있다(Samijn B et al, 2017). 뇌성마비는 유아기부터 시작하여 전 생애를 통해 지속되는 질환이다. 경련성과 비경련성으로 분류할 수 있고, 경련성 뇌성마비는 일측성과 양측성으로 세분할 수 있다.

1) 뇌성마비 환자에서 배뇨기능장애의 신경학

뇌성마비는 교상 회로(suprapotine circuitry) 병변으로 인한 대뇌 손상으로 발생한다. 이는 교내배뇨중추의 억제적인 조절을 소실되게 하고, 이로써 신경인성 배뇨근과활동성이 높은 유병율로 나타난다.

2) 뇌성마비 환자에서 하부요로증상

뇌성마비 환자는 평균 55.5%가 하부요로증상을 호소하고, 요실금은 가장 흔히 관찰되는 증상으로 연구에 따라 20~94%의 유병율을 보인다(Houle AM et al, 1998). 절박뇨와 빈뇨는 각각 38.5%, 22.5%로 보고된다. 야간뇨는 소아 환자에서 8.5%, 성인 환자에서 62.5%의 유병율이 보고된다(Ersoz M et al, 2009). 배뇨증상은 저장증상 보다 덜하여, 2~51.5%의 환자에서 관찰된다. 요로감염은 8.5%로 덜 흔하다.

배뇨근과활동성은 가장 흔히 관찰되는 요역동학적 이상으로 59%에서 관찰된다. 73.5%의 환아에서는 나이에 비해 방광 용적이 저하되어 있었다(Samijn B et al, 2017). 배뇨근-괄약근 협동장애는 11%의 환자에서 관찰되고, 잔뇨의 증가는 잘 관찰되지 않는다.

낮은 지능은 요실금과 관련 있는 것으로 알려져 있다. 또한 경련성 뇌성마비 환자들이 하부요로증상을 더 흔히 호소하고, 배뇨근-괄약근 협동장애 또한 경련성 뇌성마비 환자에서 더 흔히 관찰된다. 사지마비 환자에서 편측마비 환자보다 요로 증상이 더 흔하다(Murphy KP et al, 2012).

요실금의 유병율은 46%로 높고, 이는 방광 조절의 지연 또는 불완전 발달로 인해 발생할 수 있다(Hellström AL et al, 1990). 뇌성마비 환자에서 연하곤란 등으로 인한 수분 섭취 부족은 변비를 일으키고, 이는 하부요로증상을 더욱 악화시키는 요인으로 작용한다.

7. 요약

뇌 병변에 의한 배뇨장애의 치료 목표는 증상의 완벽한 조절이라기 보다는 환자와 그 가족의 삶의 질과 만족도의 향상 그리고 상부 요로의 손상을 피하는 것이다. 따라서 치료 방법을 선택할 때 각 환자 및 가족들의 희망과 의학적, 경제적, 사회적 특성에 따라 유연하게 접근하여야 한다. 이런 신경인성 배뇨장애 환자들의 치료 방향을 결정하는데 요역동학검사가 중요한 가이드가 될 수 있다.

전체 참고문헌 목록은
배뇨장애와 요실금 웹사이트 자료실
(http://www.kcsoffice.org)에서
확인할 수 있습니다.

제 24 장 신경인성방광: 척수 질환

Neurogenic lower urinary tract dysfunction: Diseases primarily involving the spinal cord

이건철

1. 서론

방광이 소변을 낮은 압력으로 저장하고 있다가 적당한 시기에 배출하기 위해서는 방광과 요도괄약근의 원활한 협동이 필수적이며 이에는 신경계의 적절한 조정작용이 관여한다. 신경계는 중추신경계와 말초신경계로 나뉜다. 신경인성방광은 신경계 부위에 따라 중추신경계 혹은 말초신경계 장애에 의한 신경인성방광으로 분류되며, 원인에 따라 손상에 의한 신경인성방광과 비손상성 질환에 의한 신경인성방광으로 구분된다(표 24-1). 이 장에서는 중추신경계 이상에 의한 신경인성방광 중 척수손상과 비손상성 척수질환에 의한 신경인성방광에 대해 기술한다.

2. 척수손상

척수손상은 척추관 내의 신경 손상으로 발생하고, 척수질환은 손상성이나 혈관기형, 추간판탈출증이나 척추강협착증 같은 척추질환에 의한 이차적 손상으로 발생할 수 있으나 후천적으로는 외상으로 인한 손상성

표 24-1. **신경인성방광의 분류와 원인질환**

분류	원인 질환
중추신경계 손상에 의한 신경인성방광	척수손상, 외상성 뇌손상, 외상성 경추척수병증 등
말초신경계 손상에 의한 신경인성방광	골방강내수술, 골반골 골절 등
중추신경계 질환에 의한 신경인성방광	뇌졸중, 치매, 다발성경화증 등
말초신경계 질환에 의한 신경인성방광	당뇨, 포진바이러스감염, 악성빈혈 등

척수질환이 주된 원인이다.

해부학적 완전절단은 드물며, 신경결손의 정도는 손상된 부위와 정도에 따라 차이가 있다. 척수분절은 척추분절과 위치상 차이가 있으며, 천수는 열두 번째 흉추(T12)나 첫 번째 요추(L1) 부위에서 나오고 척수는 대략 두 번째 요추(L2) 부위에서 끝난다. 환자 대부분은 대뇌로부터의 신경전달이 저하되기 때문에 신경인성하부요로기능이상을 보인다. 역사적으로 볼 때 척수손상 환자에서 비뇨의학적 합병증은 위생적 문제뿐 아니라 경제적·사회적으로도 많은 손실을 끼쳤으며 사망의 주된 원인이었다. 세균감염이나 결석과 같은 척수손상의 합병증에 대한 치료계획과 관리 등 비뇨의학적 치유의 향상은 척수손상 환자의 생존율 향상이라는 결과를 가져왔고, 현재 척수손상이 없는 신경인성방광 환자의 치료방법으로도 적용되고 있다.

1) 역학

척수손상은 폭행을 당하거나 자동차사고, 다이빙사고 등에 의한 척추골절 혹은 탈골, 혈관손상, 감염, 추간판탈출증과 같이 갑작스럽게 발생한 심한 과신전에 의해 발생한다. 척수손상 때문에 이차적으로 하부요로에 변화가 올 수 있으며, 삶의 질에 막대한 영향을 받는다. 보통 척수손상 환자들은 비뇨생식기계의 많은 합병증을 경험하는데 요로감염, 패혈증, 요로계 손상, 결석 생성, 자율신경반사이상, 발기부전 등이 그 예이다. 이외에도 이차적으로 피부질환과 우울증이 발생할 수 있으나 조기 진단이나 치료, 추적관찰 등으로 이 같은 합병증의 병발을 줄일 수 있으므로, 주의 깊은 추적관찰을 요한다(Bycroft et al, 2004). 다발성 손상도 발생할 수 있으며, 한 부위만 손상을 입었더라도 척수손상은 그 한 부위에만 국한된 것이 아니라 상부나 하부 혹은 양쪽으로 연장될 수 있다.

전세계적으로 척수손상은 매년 13만명의 환자가 새롭게 발생하여 대략 250만명의 환자로 추정된다. 통계치가 잘 파악되어 있는 미국의 경우 1년에 100만 명당 40.1명(총 12,500명)의 환자가 새롭게 발생하며, 미국의 척수손상 환자는 현재 100만 명당 906명(총 276,000명) 정도이다(National spinal cord injury statistical center, 2015). 내원 당시 손상 상태로 불완전 사지마지가 28%, 완전 하반신마비가 26%, 완전 사지마비가 24%, 불완전 하반신마비가 18% 정도라고 하며, 대부분은 흉추 열두 번째 이상에서 손상이 발생한다고 보고하였다(Stover et al, 1987). 미국을 제외한 국가의 발병률을 보면, 100만 명당 적게는 5.5명에서 많게는 195.4명으로 나라별로 큰 차이를 보이고 있다. 국내에는 척수손상 환자의 발병률과 유병률에 대한 정확한 통계자료가 없다. 다만 2000년 장애인실태조사 결과를 재분석하여 추정치를 얻었는데, 지체장애인 62,392명 중 5.7%가 척수손상에 해당되므로 약 3,500명이 있다고 추정된다(고, 2008).

척수손상의 원인으로는 자동차 사고가 39.08%로 가장 많고 추락사고가 29.54%, 폭행이 14.41%, 스포츠사고가 8.39%순이다. 남성이 2.25대 1의 비율로 더 많다(National spinal cord injury statistical center, 2015). 국내의 한 연구에서 나이별로는 20대가 32.5%, 30대가 28.3%로 20~30대가 가장 많았으며, 원인으로는 외상이 91.2%였다. 이 중 교통사고가 58%, 낙상 26%, 둔상 7%, 스포츠사고 4%, 기타가 9%였다. 이 결과 미국에서는 폭행이 국내에 비해 훨씬 높음을 알 수 있다(고, 2008). 척수손상 시 호발부위는 경수, 흉수, 요수, 미수의 순으로 보고되었다(Selzman·Hampell, 1993). 척수손상 환자의 사망 원인은 폐렴 등의 호흡기질환이 21.6%로 가장 많고 패혈증, 심장질환, 사고와 자살 등이 보고되었다.

정상적인 하부요로기능은 손상 받지 않은 완전한 신경축에 의해 이루어지며, 방광수축력과 반사에 의한 수축은 천수와 천수신경의 구심성신경이나 원심성신경 연결이 완전할 때 이루어질 수 있다. 일반적으로 천수 부위 상부와 교감신경이 나가는 부위 사이에서의 완전 척수손상이 있으면 배뇨근과반사, 손상 부위 하방의 감각마비, 내요도괄약근협조장애와 횡문괄약근협조장애가 나타난다. 여섯번째 흉수(T6)보다(척추 부위는 T7이나 T8) 상방에서 손상이 발생하면 내요도괄약근협조장애가 발생한다. 그러나 신경학적 소견과 요역동학검사 소견이 완전히 일치하지는 않는다는 것을 명심하여야 한다.

2) 병인론

척수손상은 신경세포와 수초신경섬유의 변화, 회색질의 출혈, 백색질의 부종을 유발한다. 회색질의 출혈량은 가해진 외력의 정도와 밀접한 관계가 있다. 척수타박상으로 발생하는 내부 출혈은 회색질 내 혈관손상이 원인으로 생각된다.

척수 내 혈관은 전후로 가해지는 부하에 의해 신장되거나 압박된다. 이는 시상면으로 가해지는 외력에 의해 척수가 쉽게 손상될 수 있다는 것을 암시하고 척수의 전방과 후방 전이 부하에 의해 척수와 척수 내 혈관손상이 용이하다는 것을 의미하기도 한다. 손상 정도에 따라 다르지만, 백색질의 혈류 감소는 1시간 정도 지나면 안정화되어 24시간 내에 관류가 회복되지만 손상이 심한 경우 관류의 감소나 소실이 지속된다. 대개 백색질 관류의 감소는 외상성 지주막하출혈에 의한 이차적 혈관연축의 결과로 생각된다.

부종은 첫 8시간 동안 중심부에서 바깥쪽으로 진행된다. 척수가 외상을 입은 지 1시간이 지나면 회색질에 국한되지만 4시간이 지나면 인근 백색질로 전파된다. 8시간 이후에는 전체 척수에 부종이 형성된다. 척수에 가해진 외상에서 손상에 의한 병리학적인 변화는 출혈과 부종이며, 그 정도는 가해진 외부의 부하에 비례한다. 즉, 가해진 힘과 힘의 부위, 운동량에 의해 회색질에서 시작된 출혈과 이차적인 백색질의 부종으로 백색질 신경전달체계의 이상이 발생하고, 이 때문에 임상증상이 유발된다(Norenberg et al, 2004; 고, 2008).

3) 척수쇼크

심각한 척수손상 후 손상 부위 하방의 척수분절의 활성이 감소하는 현상이 나타나는데, 이를 척수쇼크라고 한다. 손상 부위 하방의 체성신경반사활성(somatic nerve reflex activity)이 사라지며 이완성근마비(flaccid muscle paralysis)가 나타난다. 일반적으로, 손상 부위 하방의 전반적인 무반사 상태는 며칠에서 몇 개월(보통 2~3개월)간 지속되지만 Thomas와 O'Flynn(1994)은 항문괄약근의 반사성 수축이나 구부해면체근반사 등 대부분의 천수의 말초 체성신경반사들은 사라지지 않을 수 있으며, 만약 사라지더라도 손상 후 수분이나 수시간 내에 회복될 수 있다고 하였다. 손상 부위 상방의 기능도 역시 감소될 수 있다(Atkinson·Atkinson, 1996). 척수쇼크의 경과는 잘 알려졌지만, 아직까지 정확한 손상 후 현상과 기전에 대해 밝힌 기초연구 결과는 없다.

척수쇼크 상태에서는 체성신경계뿐 아니라 자율신경계의 활성도 억제되고 방광은 무반사, 무수축 상태에 놓인다. 영상학적으로 방광육주형성이 없이 부드러운 윤곽을 가지며 방광경부는 과거 수술 받은 병력이나 흉·요수가 손상된 일부 환자, 교감신경손상이 있는 것으로 의심되는 경우를 제외하고는 대부분 닫혀 있다(Sullivan·Yalla, 1992). 방광경부의 평활괄약근기능은 유지되는 것으로 생각되며, 횡문괄약근의 경우에는 근전도상 활성이 보여 최대요도폐쇄압은 정상인에 비해 감소되지만, 외요도괄약근 부위에서는 유지된다. 그러나, 정상적인 보호반사는 나타나지 않으며 수의적인 조절도 하지 못한다(Fam·Yalla, 1988). 괄약근압은 유지되기 때문에 요실금이 일어나지 않는 경우가 대부분이나 방광이 과팽창되면 일류성요실금이 일어날 수 있다. 요폐는 대부분의 경우에 발생하며, 도뇨관을 사용하여야 한다. 이때는 청결 간헐 도뇨가 가장 좋은 방법이지만, 작은 구경의 도뇨관을 유치하거나 치골상부 방광루 설치술을 시행하여도 크게 문제되지 않는다(Lloyd et al, 1986).

척수쇼크에서 회복되는 단계에는 방광저장기의 압력을 낮추는 데 중점을 두고 치료하여야 한다. 이는 하부 척수가 온전한 경우 반사성 배뇨근수축이 회복되기 때문이다. 처음에 그러한 반사성 수축은 잘 유지되지 않고 단지 낮은 압력 변화만을 보이다가 점차 불수의적배뇨근수축의 강도나 기간이 증가되면서 배뇨가 가능해지지만 방광을 완전히 비우지는 못한다. 이러한 반사성 방광활동성은 도관을 유치하는 동안에 불수의적 배뇨 형태로 나타나고, 하지의 심부건반사가 회복되는 시기와 비슷하게 발생한다. 천수상부 운동신경세포가 완전 손상된 경우 6~12주 정도 지속되며 간혹 1~2년 정도 지속되는 경우도 있지만 불완전손상의 경우에는 기간이 훨씬 짧아 단 며칠 동안만 보이는 경우도 있다(Wein, 2007).

4) 손상 부위에 따른 척수손상

(1) 천수배뇨중추 상부의 척수손상

천수배뇨중추 상부가 손상된 후 방광팽창에 따라 반사적으로 방광수축을 보이는 것은 잘 알려진 사실이다. 따라서, 천수배뇨중추 상부의 완전손상인 경우, 특징적인 형태로는 대뇌와 뇌간의 천수배뇨반사 억제기능이 상실되어 발생하는 배뇨근과활동성, 내요도괄약근협조장애(교감신경이 나가는 부위의 하방 손상), 외요도괄약근협조장애가 있다(Sullivan·Yalla, 1992; Thomas·O'Flynn, 1994; Chancellor·Blaivas, 1995). 신경검사에서는 손상 부위 하방의 골격근 경직, 심부건과반사, 비정상적인 발바닥반응(plantar response) 등이 나타난다. 천수배뇨중추 상부의 완전손상인 경우에는 보호반사가 없거나 아주 약한 반면, 불완전손상인 경우에는 보호반사가 보존되지만 아주 다양한 형태를 보인다. 그 결과 방광경련성의 요실금이 생기고, 배뇨근괄약근협동장애 때문에 잔뇨량이 많으며 배뇨근비대, 높은 방광내압, 방광요관역류 혹은 요관폐색을 일으킬 수 있다. 손상 후 어떠한 신경학적 기전으로 방광충전에 의한 반사성 방광배뇨근수축이 발생하는지 아직까지 정확히 밝혀지지 않았다. 그러나 de Groat 등(1997)은 고양이를 대상으로 한 실험에서 가능한 네 가지 기전을 발표하였다. ① 연수척수 억제경로(bulbospinal inhibitory pathway)가 제거되어 기능하지 못하는 것, ② 이미 존재하는 신경연접(synapse)의 강화나 혹은 척수에서 축삭이 새로 자라나서 새로운 신경연접이 생겨 강화되는 것, ③ 신경전달물질의 생성이나 분비 또는 기능 등이 변화하는 것, ④ 주위 장기에서 구심성 신호입력이 변화하는 것이다. Morrison 등(2005)의 동물 실험에서도 이와 비슷한 결과를 보였다. ① 신경성장인자를 포함한 구심성 C 신경섬유의 민감도 증가, ② 후근신경절세포의 비대, ③ 세포막의 TTX-S(tetrodotoxin-sensitive) 나트륨통로가 TTX-R(tetrodotoxin-resistant) 나트륨통로의 발현 증가로 이동되어 구심성신경전달의 활성도가 증가되었다. 이외에도 척수손상 후에 하부요로증상의 발생에 관련된 기전으로는 ① 글루타메이트(glutamate), 글라이신(glycine, taurine)의 농도 증가(Smith et al, 2002), ② 방광상피의 보호기능이상 발생(Apodaca et al, 2003), ③ 시냅스전 콜린성신경말단 부위의 항콜린수용체가 낮은 친화력의 M1에서 높은 친화력의 M3수용체로 변화되는 것(Somogyi et al, 2003), ④ 방광상피에서 삼인산아데노신 ATP의 분비가 증가하는 것(Kheraet al, 2004), ⑤ 척수 신경성장인자의 증가(Seki et al, 2004), ⑥ 평활근 myosin heavy chain 유전자 발현의 변화(Wilsonet al, 2005) 등이 있다. 그러나 천수배뇨중추 상부 손상인 경우에도 배뇨근무반사가 나타날 수 있다. 이는 잠재적인 천수손상이 동반된 경우, 요역동학검사 중 방광내에 반사성 배뇨근수축을 유발하기에 부족한 양이 채워진 경우, 손상 후 방광이 과팽창되어 일시적으로 배뇨근수축장애가 초래된 경우(근인성), 외요도괄약근에 의해 배뇨근기능이 억제된 경우에 나타날 수 있다. 외요도횡문괄약근협조장애는 기능적인 방광출구폐색을 일으키므로 배뇨근압이 상승되고 불완전한 요배출이 유발된다. 그러나 가끔씩 척수원뿔(conus medullaris)과 가까운 부위에 손상이 발생한 경우에는 배뇨근수축장애 때문에 불완전한 방광배출이 좀 더 흔하게 나타날 수 있다. 또한 이러한 현상은 미처 발견하지 못한 배뇨중추에 손상이 있거나 외요도괄약근을 강하게 수축시켜 결과적으로 배뇨근의 작용을 감소시키는 국소적인 반사궁이 작용하는 경우, 그리고 방광수축 시 배뇨근압이 증가하여 정상적인 상부중추에 의한 배뇨근촉진작용(detrusor facilitation)이 소실된 경우에 발생한다(Thomas · O'Flynn, 1994). 반사성 배뇨가 발생할 때는 치골상부를 손가락으로 가볍게 자극하면 배뇨가 시작되거나 강화되는데, 이러한 Crede법 시행 시 외요도괄약근협조장애도 동시에 유발되기 때문에 잔뇨량이 많아지는 점에 유의하여야 한다. 외요도괄약근협조장애가 상부요로에 미치는 영향과 요역동학검사 소견은 정도에 따라 차이가 있다. 완전손상의 경우가 더 좋지 않은 영향을 미치며, 지속적인 배뇨근수축과 해부학적 구조상 남성의 예후가 더 좋지 않다(Linsenmeyer et al, 1998).

(2) 천수배뇨중추 상부의 척수손상 환자의 관리

기능적인 관점에서 보면 요저장장애와 요배출장애가 모두 발생한다. 일부에서는 단지 반사성방광 활성을 자극하는 일시적인 자극만 필요하지만 대부분은 치료가 필요하다. 만약 방광내압이 낮거나 수술치료 혹은 비수술치료로 압력을 낮출 수 있는 상황이라면 배출장애를 교정하는 것이 우선이며, 치료목적을 달성할 수 있는 효과적이고도 안전하며 실용적인 방법인 청결간헐 도뇨가 가능하다면 지속적으로 유지하는 것이 중요하다. 배뇨근요누출압을 낮추기 위해 외요도괄약근절개술이나 부목 삽입술, 보툴리누스독소의 괄약근 내주입 등을 시행할 수 있다. 이러한 시술 후에 생기는 요저장장애는 시간 별 자극이나 외부집뇨기구를 이용하여 해결할 수 있다. 손을 사용할 수 있는 척수손상 환자의 요배출장애는 청결 간헐 도뇨가 가장 좋은 방법이며, 요저장장애는 구심성신경전달의 차단(deafferentiation)을 위해 전천수신경근의 전기자극도 한 방편이 될 수 있다(Creasey et al, 2001; Seif et al, 2004). 모든 신경학적 손상이 있는 환자에게 신중한 초기 검사와 주기적인 추적검사를 반드시 시행하여 발생할 수 있는 방광 과팽창, 고충전기방광내압, 고배뇨근요누출압, 방광요관역류, 결석, 감염 등의 위험인자와 합병증을 예방하는 것이 중요하다(Wein, 2007).

(3) 천수배뇨중추의 손상

천수배뇨중추가 손상되면 부교감신경에 의한 배뇨근수축이 되지 않기 때문에 대개 배뇨근무반사가 나타나며, 이와 동반된 높거나 정상적인 유순도의 방광이 나타난다. 그러나 배뇨근이 섬유화되면 과긴장성방광이 되어 저방광유순도가 될 수 있다. 아직까지 방광경부나 내요도괄약근 부위의 손상 후 회복 상태 양상이나 기능에 대한 일치된 의견은 없다. 전형적인 방광출구의 소견을 보면, 내요도평활괄약근의 경우 요자제는 가능하나 이완되지 않고, 외요도횡문괄약근의 경우 약간 고정된 긴장도를 유지하나 수의적 조절은 되지 않는다. 폐쇄압은 두 곳에서 모두 감소되었다(Sullivan·Yalla, 1992; Thomas·O'Flynn, 1994). 그러나 시간이 지나면 방광경부가 열리는 양상을 보인다(Kaplan et al, 1991). 복부에 힘을 주거나 Crede법으로 배뇨하는 것은 고정된 괄약근긴장도 때문에 방광경부(닫혀 있다면)나 외요도괄약근 부위에서 폐색을 초래할 수 있다(Fam·Yalla, 1988; Thomas·O'Flynn, 1994). 위에서 언급한 위험인자나 합병증을 방지하기 위해 특히 저장기압(요누출압)이 집중적으로 관리되어야 한다. 제대로 관리되지 못한 경우, 방광요관역류가 없어도 상부요로의 대상부전과 기능이 악화될 수 있다. 그러므로 요저장기에 낮은 방광내압 유지와 함께 요배출장애에 의해 잔뇨가 있는 경우 청결 간헐 도뇨를 같이 시행하는 것이 바람직하다. 약물치료나 전기자극치료 등도 요배출에 도움이 될 수 있다.

5) 진단

(1) 신경학적 검사와 요역동학검사

척수손상 환자는 다발성 손상이나 여러 위치에서 나타난 척수손상 그리고 잠재적 뇌손상으로 고통을 받으며, 이러한 모든 것이 방광기능에 악영향을 미친다. 임상적으로 체성신경 결손에 기초를 두고 방광과 괄약근의 행동을 예측하기는 실로 어렵다. 많은 학자는 다양한 신경비뇨의학적 부전 상태를 파악하고 분류하는 데 요역동학검사가 가장 좋은 방법이라고 동의하고 있다. 요역동학적 평가 목적은 비뇨의학적 후유증이 발생할 위험을 확인하고, 초기의 적극적인 관리와 치료의 필요성을 결정하는 데 있다(박, 2003). 대부분 척수손상의 위치에 근거하여 하부요로기능이상 양상을 예측할 수 있다. 위에서 언급한 대로 대개 천수배뇨중추 상부 손상의 경우에는 상부운동신경세포 병변으로 배뇨근과반사가 주로 나타나며, 천수나 마미(cauda equina)손상의 경우에는 배뇨근무반사가 나타난다. 실제로 신경학적 소견과 요역동학적 소견은 많은 경우에 일치하지만, 일치하지 않는 경우도 종종 있다. 이러한 경우 완전손상인지 불완전손상인지를 구별하여야 하고, 체성신경적 완전손상일지라도 이것이 꼭 자율신경의 완전손상을 의미하는 것은 아니며, 다른 여러 부위에 다발성 손상을 입은 경우에 체성신경손상 부위는 마치 한 부위 손상처럼 보일 수 있다는 점을 유념하여야 하지만, 이러한 것들로 불일치를 다 설명할 수 없는 경우도 많다. Blaivas (1982)는 천수배뇨중추 상부척수가 손상된 환자 155명 중 41%가 정상으로 배뇨할 수 있었고, 배뇨근외요도괄약근협조장애는 34%, 배뇨근무반사는 25%나 발견되었다고 보고하였다. 다른 보고자는 천수배뇨중추 상부척수가 손상된 환자에서 배뇨근무반사에 대해 언급하며 천수배뇨중추 이하의 척수손상이 공존하거나 천수근이나 천수에서 구심성 활동이 통합되지 않아 배뇨근무반사가 발생한 것으로 가정하였다(Light et al, 1985; Beric·Light, 1992). 그리고 천수 상부의 중추신경계가 손상된 환자 36명 모두 외요도괄약근협조장애는 관찰되지 않았고, 천수 부위가 손상된 환자 119명 중 45%에서 배뇨근외요도괄약근협조장애가 관찰되었다. 이 보고는 정상적인 협조에 의한 배뇨는 천수 상부의 신경중추에 의해 조절되고, 외요도괄약근협조장애는 교뇌 부위와 천수 사이의 신경축이 손상 받은 것을 의미한다. 교뇌 상부가 손상된 환자 27명 모두 배뇨근수축이 일어나기 전 괄약근이 이완되는 정상배뇨가 가능하였고, 이 중 20명은 배뇨근과반사를 보였으나, 이 중 12명은 자발적인 외요도괄약근조절이 가능하였다. 이 소견들은 방광과 요도주위횡문요도괄약근의 자발적인 지배는 별도의 분리된 경로를 통해 이루어진다는 것을 뒷받침한다. 교뇌상부손상으로 배뇨근과활동성을 보이는 대부분의 경우, 외요도괄약근의 자발수축이 가능하였으나 이 때문에 비정상적인 방광수축을 완전히 제거할 수 없었다. 이 소견은 음부신경의 활성화에 의한 방광수축의 억제는 단순한 천수반사에 의한 억제가 아니라 여러 가지 복합적인 신경작용에 의해 일어난다는 것을 알려준다. 선천성 또는 후천성 척수손상과 질환이 있는 환자 489명을 대상으로 요역동학검사를 시행하여 대부분에서 신경학적 소견과 요역동학적 소견이 일치하는지를 관찰한 결과, 경수손상 환자 117명 중 20예에서 배뇨근무반사를 보였고, 요수손상 환자 156명 중 42예에서 배뇨근외요도괄약근협조장애가 나타났으며, 천수손상 환자 84명 중 26예에서 배뇨근과활동성이나 배뇨근외요도괄약근협조장애가 나타나 상당수에서 두 소견이 일치하지 않는 결과를 보였다. 마찬가지로, 천수배뇨중추 상부척수손상 환자가 배뇨근무반사를 보이는 경우 약 84%에서 구부해면체근반사의 부재, 항문괄약근긴장도 감소, 괄약근 근전도의 이상 소견 등 하부운동신경세포 변성을 암시하는 비정상적인 천수징후(sacral cord signs)가 보였다. 천수손상의 임상적 증거가 없는 모든 천수배뇨중추 상부 척수손상의 경우, 배뇨근과활동성이나 배뇨근외요도괄약근협조장애가 동반되었다(Kaplan et al, 1991). 흉수손상 환자의 경우, 배뇨근과반사나 배뇨근외요도괄약근협조장애와 함께 천수징후가 나타나지 않았지만, 요수손상 환자의 경우, 38%에서 배뇨근무반사와 천수징후가 발현되었다. 25%에서 배뇨근외요도괄약근협조장애와 천수징후의 소실, 25%에서 배뇨근과활동성과 천수징후의 소실, 14%에서 배뇨근과활동성과 배뇨근외요도괄약근협조장애, 천수징후의 소실 등이 나타났다(Wein, 2007). Chancellor와 Rivas(1995)도 척수손상 환자 284명을 대상으로 각 손상 부위별 요역동학검사 소견을 조사하였는데, 상당히 다양한 양상을 보였다. Wyndaele(1997)도 척수손상 환자 92명의 신경학적 소견과 요역동학적 소견을 비교하였는데, 마찬가지로 두 소견이 어느 정도 일치하였지만 절대적이거나 특이적인 상관관계를 보이지는 않았으며, 특히 열한 번째 흉수(T11)에서 두 번째 요수(L2) 부위 손상의 경우에는 더 다양한 소견을 보였다. 또 다른 보고에 의하면, T11에서 L2 부위가 손상된 환자 중 50%는 배뇨근무반사를 보였고, 나머지 50%는 배뇨근과활동성을 보였다. 이 중 16명은 외요도괄약근협조장애가 동반되어 두 소견 간에 상관관계가 특히 낮았다(Pesce et al, 1997). 전산화단층촬영이나 자기공명영상 등 영상진단법이 크게 발전한 이후 최근의 보고를 보더라도 기존의 다른 보고에 비해 더 높은 일치율을 보였지만, 결과적으로 체성신경학적 소견이나 척수영상검사 소견과 요역동학검사 소견이 정확히 일치하지 않았으며 특이도도 높지 않았다(Weld et al, 2000). 위에서 언급한 내용들을 종합해보면, 척수손상 환자의 비뇨기계를 관리하는 데 있어 신경학적 병력이나 검사 소견보다 요역동학검사 소견을 바탕으로 계획하고 치료하여야 한다는 점을 알 수 있다. 아울러 요역동학검사소견만으로 신경학적 결론을 내리는 것도 위험한 일이다(Wein, 2007).

(2) 영상검사

척수손상 후 하부요로기능부전의 합병증으로 생기는 신손상을 최소화하기 위해 상부요로에 대한 영상검사를 반드시 주기적으로 시행하여야 한다. 특히 방광내압이 상승되고 유순도가 낮은 경우는 상부요로확장과 방광요관역류 등이 동반되기 쉽다. 과거에는 경정맥요로조영술을 통한 주기적 영상검사가 모든 척수손상 환자에서 필요하였다. 그러나 조영제에 대한 알레르기, 반복되는 방사선노출뿐 아니라 장 처치 필요성 등의 한계를 가진 경정맥요로조영술에 비해 신초음파촬영술이 이러한 한계를 극복한 우수한 방법임이 증명되었다. 많은 연구에 따르면, 척수손상 후 10년이 지난 후에는 경정맥요로조영술보다 신초음파촬영술의 결과가 더 우수하였다. 초음파의 주요 장점은 장 처치를 할 필요가 없고, 조영제에 대한 과민반응의 위험과 경정맥조영제의 신독성 등을 피할 수 있다는 것이다. 그러나 척추기형, 비만, 변비가 심한 환자에서는 초음파를 시행하기 어려울 수 있다. 초음파의 유일한 단점은 경한 신배나 요관확장이 인지되지 않을 수 있다는 것이다.

(3) 방사성 동위원소 신스캔

초음파상 심한 신확장은 흔히 비정상적 신혈류를 동반하는데, 이것은 방사성 동위원소 신스캔에서 방사성동위원소의 흡수와 분비의 감소로 분명해진다. 주기적인 신스캔은 방사선노출을 줄이고 장 처치를 피할 수 있으며, 사구체여과율을 계산하거나 크레아티닌청소율과 분리하여 신기능을 알 수 있다는 장점이 있다. 그러나 해부학적 해상도가 떨어지므로 요로결석과 집합관의 미세한 확장, 요관확장을 놓칠 수 있다는 단점이 있다.

6) 동반질환과 합병증

척수손상은 그 자체에서 발생되는 자율신경반사이상과 같은 여러 가지 동반질환이 있으며, 검사와 치료 중에 발생하는 여러 가지 합병증도 있다. 또한 척수손상에 의한 환자의 전신 상태는 대단히 불량하므로 정상인에게는 아무런 문제도 없는 여러 가지 검사방법이나 처치들이 척수손상 환자에게는 심하게 반응할 수 있으므로 검사하고 치료할 때에는 주의하여야 한다(Wein, 2007).

(1) 자율신경반사이상

1947년에 Guttmann과 Whitteridge가 처음 소개한 자율신경과반사(autonomic hyperreflexia)와 자율신경반사이상(autonomic dysreflexia)는 척수손상 환자에서 독특하고 치명적인 응급상황을 유발할 수 있다는 것을 명심하여야 한다. 자율신경반사이상은 특히 교감신경이 나오는 여섯 번째부터 여덟 번째 흉수 상부에 손상이 있으면서 하부척수가 온전한 환자에서 주로 발생하며, 어떠한 자극에 의해 급성으로 비정상적인 자율신경계(일차적으로 교감신경)가 과잉 반응한 결과로 나타난다. 가장 흔히 관련되는 손상부위로 경추가 60% 정도를, 흉추가 20% 정도를 차지한다. 발생 시기는 다양하지만 대개 척수쇼크 후부터 시작되며 간혹 몇 년이 지난 후에 발생하기도 한다(Wein, 2007).

① 병태생리

자율신경반사이상의 발생기전을 보면, 원인이 되는 상황이 발생하면 구심성섬유가 자극을 받아 척수를 통해 상행함으로써 반사적으로 동맥, 모발, 골반장기의 경련이 유발되고 발한도 동반된다. 이러한 교감신경계의 반응으로 혈압이 상승하면 경동맥이나 대동맥의 압력수용체(baroreceptor)에서 고혈압을 감지하여 대뇌로 정보를 전달하고 온전한 미주신경(vagus nerve)을 자극함으로써 서맥이 오는 경우가 많다. 손상이 없는 정상인이라면 연수작용이 이러한 반응을 억제하는데, 척수손상 환자의 경우에는 이러한 연수억제작용이 손상 부위 하방에 온전하게 작용하지 못하여 상기 증상들이 유발된다.

② 원인

과장된 자율신경계 반응을 조장하는 자극은 주로 방광이나 직장의 팽창 때문에 발생하는데, 이외의 다른 부위에서 발생하는 자극도 원인이 될 수 있다. 원인으로는 하부요로계 기계조작이나 도뇨관 교체, 도뇨관이 막힌 경우, 혈종에 의해 막힌 경우, 그 외 소화기관에 병적인 질환이 있는 경우, 장골 골절, 성적 행위, 전기소작이나 압력에 의해 발생한 욕창 등이 있다. 이러한 원인이 되는 상황을 제거하면 증상은 빠르게 소실된다.

③ 증상

손상 부위 하부가 자극을 받으면 발생하는 교감신경이 과장되게 반응하여 심한 두통, 고혈압, 안면과 손상 부위 상방의 피부홍조, 발한 등의 증상이 동반된다. 서맥이 동반되는 경우가 많다. 그러나 간혹 빈맥이나 부정맥이 보일 수 있으므로 주의하여야 한다. 고혈압의 양상은 매우 다양하여 배뇨 전에 약간의 두통만 있는 경우부터 치명적인 뇌출혈이나 발작이 일어나는 경우까지 있다. 대부분 외요도괄약근협조장애가 동반되며, 특히 남성은 내요도괄약근협조장애가 많이 동반된다.

④ 예방과 치료

치명적일 수 있는 자율신경반사이상을 예방하기 위한 여러 방법이 소개되었다. 내시경적 조작이 필요한 상황이라면 척추마취를 하거나 주의 깊게 모니터링하면서 전신마취한 후에 내시경을 시행하는 것이 바람직하다. 방광경 시술 중에 nifedipine 10~20 mg을 설하투여 하면 이러한 증상이 완화되며, 시술 30분 전에 10 mg을 투여하면 증상을 예방하는 효과가 있다(Dykstra et al, 1987). 이와 같은 nifedipine의 효과는, 설하로 흡수되는 것은 미미하고 오히려 약을 삼켰을 때 좋은 결과를 보인다는 보고도 있다(van Harten et al, 1987). 이는 nifedipine을 넣은 캡슐을 물과 함께 삼키면 더욱 빨리 효과적인 혈장 농도에 도달한다는 것이다. 그리고 전기사정(electroejaculation)치료 전에 nifedipine 20 mg을 경구복용 하면 치료 중 혈압이 상승되는 것을 눈에 띄게 감소시킨다고 하였다(Steinberger et al, 1990). 이외 phentolamine, phenothiazine, chlopromazine 1~2 mg을 혈관주사하는 것도 도움이 된다. 한편, 알파1차단제인 terazosin을 3개월 정도 복용하면 자율신경반사이상을 예방할 수 있다는 보고도 있다(Chancellor et al, 1994; 박 et al, 1999). Terazosin 5 mg을 취침전에 투여하여 성기능이나 혈압에 이상 없이 자율신경반사이상을 줄였다고 보고하였다. Vaidyanathan et al(1998)도 terazosin의 예방적 효과에 대해 보고하였는데, 성인 18명중 단 1명만이 지속적인 어지럼증으로 약물복용을 중단하였으나, 나머지는 모두 별다른 부작용 없이 자율신경반사이상을 완전히 억제할 수 있었다. 이러한 치료는 다른 증상 없이 심한 혈압 상승만 동반할 수 있다는 관점에서 보면 중요한 예방법 중 하나가 될 것으로 생각된다.

그러나 예방적인 치료를 시행하였다는 것이 시술 중에 주의 깊은 관찰이 필요하지 않다는 것을 의미하지는 않는다. 그리고 경구적 예방치료나 수술적 교정을 시행하였는데도 자율신경반사이상이 호전되지 않는 심한 경우도 있다. 이러한 환자에게는 교감신경절제술(sympathectomy), 천수신경절제술(sacral neurectomy), 척수절제술(cordectomy), 배근신경절절제술(dorsal root ganglionectomy) 등을 시행할 수 있다(Trop·Bennet, 1991; Hohenfellner et al, 2001).

(2) 결석질환

약 8~15%의 척수손상 환자에서 신결석이 발생하는데, 대부분은 상부요로감염의 합병증으로 발생한다. 그 외 활동 부족에 의한 이차적인 고칼슘혈증, 완전 신경인성 병변, 나이 증가, 방광결석의 병력, 패혈증 그리고 Klebsiella, Serratia, Proteus종을 포함한 특이 병원균의 감염이 원인이 된다. 이러한 결석들은 칼슘-인산 그리고 마그네슘-암모늄-인산으로 구성되어 있다. 만성세균뇨와 관련되기 때문에 도뇨관을 유치하고 있는 환자는 결석질환의 발생률이 높으며, 특히 역류가 동반된 환자의 경우 결석 발생률이 37%에 이른다(박, 2003). 상부요로결석에 어떠한 치료방법이 적절한지에 대해서는 아직 논란이 있다. 최근에는 작은 신배와 신우결석을 체외충격파쇄석술로 적절히 치료하고 있다. 척수손상 환자에게 체외충격파쇄석술을 하는 경우, 요관에 카테터를 삽입하면 방사선조사로 결석의 위치를 잡는 데 도움이 되고, 잔석에 의한 패혈증 빈도를 줄일 수 있다는 보고가 있다(Hakler·Katz, 1991). 녹각석은 완전히 제거할 수는 없지만, 체외충격파쇄석술과 경피적신절석술(percutaneous nephrolithotomy)을 병용하여 시행하면 단기 결석제거율이 80~90%에 이른다(Kahnoski et al, 1986). 감염석에 대한 다른 치료방법으로는 경피적신절석술 후 hemiacidrin 등을 이용한 화학용해술이 있다. 화학용해술을 시행하기 위해서는 요로감염의 증거가 없어야 하며, 관류 시 지속적으로 압력을 관찰하여야 한다. 합병증으로는 고마그네슘혈증, 호흡부전, 패혈증 등이 있다.

(3) 요로감염

요로감염은 척수손상과 관련하여 가장 중요한 비뇨기과적 합병증의 하나이다. 손상 후 첫해에 환자의

57%에서 요로감염이나 세균뇨가 발생한다(Morton et al, 2002). 척수손상 환자는 요로감염으로 높은 이환율, 불만족스러운 삶의 질, 수명 단축을 겪게 된다. 척수손상 환자에서 요로감염에 대한 위험인자로는 요로기구사용, 방광과팽창, 방광요관역류, 높은 배뇨압, 많은 배뇨후잔뇨량, 결석, 배뇨근괄약근협동장애, 요도협착, 전립선비대 등에 의한 출구폐색이 있다. 또한 유치도관, 주기적 도관삽입, 외부집뇨기구 등도 요로감염의 위험과 관련이 있다.

무증상세균뇨가 요로감염의 위험인자인지, 예방적 항생제치료의 필요성이 있는지에 대한 광범위한 연구가 있어 왔다. 그 결과, 무증상세균뇨 환자에서 예방적 항생제치료는 필요하지 않으며(Penders et al, 2003), 동시에 방광요관역류가 있거나 Proteus 같은 요소분해효소 생성균에 의한 무증상감염이 있을 때는 예방적 항생제치료를 시행하여야 한다는 의견이 일반적이다. 척수손상 환자에서 요로감염은 미미한 편이지만, 요로감염증상이 나타나면 바로 치료하여야 한다(Biering-Sørensen et al, 2001)(표 24-2).

치료에 대한 적응증으로는 발열, 발한, 오한, 오심, 구토, 경련, 복부나 늑골척추각의 압통 등이 있다. 세균이나 진균에 감염되어 발생한 심한 신감염은 신장내 혹은 신장주위 농양 형성으로 악화될 수 있으며, 특히 방광요관역류가 동반된 경우 만성신우신염으로 발전하여 결국에는 신기능장애를 초래한다(박, 2003). 청결 간헐 도뇨 시 예방적 항생제 투여에 대해서는 아직 논란이 있다. 최근의 보고에서는 청결 간헐 도뇨 시 예방적 항생제 투여가 크게 도움되지 않지만, 재발성 요로감염의 경우 임상적으로 도움될 수 있다고 하였다(Morton et al, 2002). 요로감염이 자주 발생하지 않는다면 1년 정도만 예방적으로 항생제를 투여하는 것을 권유하는 보고도 있다(Sauerwein et al, 2002).

표 24-2. **요로감염 조절을 위한 추천법**

증상이 있는 경우에만 세균뇨를 치료한다.
정상적인 상재균에 거의 해가 없는 약제를 사용한다.
최소한 5일간은 치료하여야 한다. 단, 재감염이나 재발인 경우에는 7~14일 정도 치료한다.
해부학적 또는 기능적 위험인자를 제거한다.
기저질환이 보이지 않으나 상부요로가 확장된 경우와 재발성 요로감염이 자주 있는 경우에만 예방적인 항생제를 투여한다.
도관을 유치하고 있는 환자에서 요로감염을 예방하기 위해 항생제를 투여하지는 않는다.

(4) 수신증

수신증은 척수손상 환자에서 비교적 흔하게 관찰되며, 손상 후 시간이 지날수록 증가한다. 척수손상 환자에서 상부요로확장이나 악화의 가능성이 높은 상황으로는 방광요관역류, 배뇨근외요도괄약근협조장애, 방광출구폐색, 배뇨근과반사, 저방광유순도 등이 있다. Hackler와 Katz (1991)는 척수가 손상된 지 1년 이상이 지난 환자들을 대상으로 수신증과 요역동학적 소견의 관계를 조사하였다. 그 결과 20% 정도에서 수신증이 관찰되었고, 원인 중 가장 흔한 것이 저방광유순도와 동반된 방광요관역류였다.

(5) 방광요관역류

척수손상에서 방광요관역류는 아직까지 그리 많이 보고되지 않았다. 발생률은 약 17~25%이며, 천수배뇨중추 상부의 척수손상인 경우 더 흔하다(Thomas·Lucas, 1990). 유발인자는 요저장이나 요배출시에 나타나는 높은 방광내압과 감염이다. Gerridzen 등(1992)은 8년간 척수손상 환자 140명을 대상으로 한 추적관찰에서 정상 신장을 가진 환자군이 수신증, 방광요관역류, 만성신우신염을 가진 환자군에 비해 요저장기와 요배출기의 낮은 방광내압을 보였다고 하였다. 방광내압의 증가는 상부요로확장과 방광요관역류를 일으키고 결국 신손상을 초래하여 장기 생존에 영향을 줄 수 있다. 실제로 척수손상 환자 중 신질환으로 사망한 환자의 약 60%에서 지속적인 방광요관역류가 있었다고 보고되었다(Hackler et al, 1965). 방광요관역류와 신경인성하부요로기능이상이 있는 환자에 대한 치료의 첫 단계는 가능한 한 정상적인 하부요로의 요역동학적 기능을 살리는 것이다. 치료원칙은 다른 방광요관역류 환자의 경우와 크게 다르지 않다. 임상 상황에 따라 약물치료, 요도확장술, 신경조정술, 방광확대성형술, 외요도괄약근절개술 등을 시행할 수 있다(Flood et al, 1994; Perkash et al, 1998). 이러한 치료에 실패하면 비후된 방광벽을 가진 환자를 대상으로 항역류수술을 시행하여야 한다. 이때 점막하 콜라겐 주입이나 요관방광재문합술이 표준 치료방법이다. 요관방광재문합술의 장기 성공률은 90% 이상이다. 일측성역류의 경우 교차요관요관문합술(transureteroureterostomy)이 가능하지만 숙련된 비뇨기과의사라 할지라도 결석 생성이나 역류 재발, 방광요관이행부 협착 등의 합병증이 생기면 관리하기가 상당히 어렵다. 그래서 콜라겐이나 다른 물질의 점막하주입법(submucosal injection therapy)은 역류가 지속되는 환자에게 새로운 치료방법이 될 수 있다. 성공률은 약 65%이며, 재시술 시에는 75% 정도의 성공률을 보인다(Haferkamp, 2000; Shah, 2001). 그리고 요역동학검사를 시행함에 있어 심한 역류가 동반된 환자의 경우, 결과를 판독할 때 방광용적이나 방광내압 등이 실제와 다르게 측정되어 임상적으로 중요한 배뇨근과활동성을 간과하는 등의 중대한 오류를 유발할 수 있다는 점을 명심하여야 한다.

(6) 방광종양(척수손상에서의 위험도)

척수손상환자에서의 방광암 양상은 일반적인 방광암양상과 다르다. 일반적으로는 요로상피암이 90%를 차지하지만 대규모 메타분석연구결과 척수손상환자에서는 요로상피암이 46.3%를 보였고 편평상피세포암이 38.6%로 매우 높고 이외의 암이 17.1%를 보인다. 척수손상 환자에서 방광암 진단 후 치료 1년 후 생존율은 62.1%로 보고되어 조기진단을 위한 노력을 시행해야 함을 시사한다(Gui-Zhong et al, 2017). 척수손상환자에서 높은 편평상피세포암의 발생은 만성적인 도뇨관 유치때문으로 이해되는데 만성적으로 도뇨관을 유치하면 방광자극과 감염 그리고 요로상피의 감염이 초래되어, 조직학적 검사상 도뇨관 접촉 부위에서 요로상피이형성과 편평상피화생(squamous metaplasia)을 동반한 호산성 염증반응이 주로 보인다. 편평상피화생의 중요성은 알려지지 않았지만 실제 종양이 발생한 환자에서는 중요하다. 척수손상 환자에서 유치도관기간에 따른 편평상피화생의 발생은 유의한 차이를 보이는데, 10년 이상 도관을 유치한 사람은 80%, 10년 이하인 경우는 42%, 도관을 유치하지 않은 환자는 20%의 발생률을 보였다. 척수손상 환자에서 비뇨의학적 치료와 유치도관에 대한 의존도의 감소는 아마도 방광암 발생률의 감소와 관련이 있을 것이다. 그러나 청결 간헐 도뇨를 시행한 환자의 경우에도 방광암이 보고되었다. 신경학적으로 이상이 없는 환자의 경우처럼 혈뇨나 재발성 요로감염을 보이는 척수손상 환자에서는 상부요로에 대한 평가와 요세포검사, 방광내시경을 기본으로 시행한다. 오랫동안(10년 이상) 유치도관 혹은 치골상부방광루설치술을 받은 환자에서는 주기적으로 상부요로검사, 방광내시경 또는 필요에 따라 조직검사를 시행한다(Wein, 2007).

(7) 발기부전

발기부전의 형태는 척수손상 정도와 손상기간에 따라 다양하다. 천수상부손상 환자의 90% 이상에서 반사적인 발기가 일어나지만 발기 시점이나 발기 유지기간을 예측할 수 없기 때문에 성관계를 갖기에는 발기가 충분하지 않다. 또한 천수 혹은 마미손상 환자에서도 심인성 발기가 보존될 수 있지만 발기력이나 강도가 성관계를 갖기에는 발기가 충분하지 않다. 시간이 지나면 혈관장애가 동반되어 발기력이 더 감소될 수 있다(박, 2003). 척수손상 환자는 발기력이나 성기감각이 떨어지더라도 지속적인 성관계를 가지려고 노력하여야 한다. Comarr (1970)는 천수상부손상 환자 57%, 천수손상 환자 33%가 만족할 만한 성관계를 가졌다고 보고하였다. 척수손상에 의한 신경인성발기부전에는 외부 장치external device, 발기유발주사제, 음경보형물 삽입 등의 치료방법을 상황에 따라 고려할 수 있다.

(8) 여성의 척수손상

척수손상 환자의 하부요로 관리에 있어 여성은 남성에 비해 다른 어려움이 있다. 여성은 골다공증 때문에 골절의 위험성이 크며 갱년기증후군, 특히 안면홍조 같은 증상은 자율신경반사이상의 증상과 구분하기 어렵고, 요실금과 요로감염이 남성에 비해 더 악화될 수 있다. 여성의 신체구조를 보면, 단백질과 뼈 성분은 적고 지방은 많아 골절과 피부파열의 위험성이 크다. 척수손상의 발생은 젊은 남성과 고령 여성에서 많다. 따라서 손상 후 30년 정도 지나고 호전되는 우울증 등의 정신적 문제점은 여성 노인환자에서는 기대하기 어렵다(McColl, 2002).

여성의 경우 적당한 외부집뇨기구가 없기 때문에 특별한 어려움이 따른다. 하지마비에는 일반적으로 청결 간헐 도뇨를 시행할 수 있으나, 사지마비에는 일부를 제외하고는 대부분 청결 간헐 도뇨를 시행할 수 없다. 이러한 경우, 방광내 유치도관 외에 대체할 만한 방법이 없지만 유치도관은 도관 주위 요실금이나 상부요로손상이 생길 가능성이 높으므로 좋은 방법이 아니라고 보고되었다(McGuire·Savastano, 1988). 청결 간헐도뇨가 가능하거나 주야로 의료진 또는 보호자의 간호를 받을 수 있는 척수손상 여성의 경우에는 적절한 방광기능이 유지될 수 있지만, 그렇지 못한 경우에는 대체할 만한 치료방법이 제한적이다. Bennett 등(1995)은 척수손상 여성의 치료방법에 따른 주요 합병증의 빈도를 비교하였다. 그 결과, 청결 간헐 도뇨가 가장 현저하게 합병증이 적었고, 자극을 주어 반사성 배뇨를 시행하면서 요실금 패드를 착용한 경우가 그다음, 그리고 방광 내 도관을 유치한 경우가 가장 많이 합병증이 발생하였다. Singh과 Thomas(1997)는 사지마비를 보인 척수손상 여성을 대상으로 분석하였다. 그 결과, 방광내 도관을 유치한 경우 55%에서 방광결석이, 35%에서 도관 주위 요실금이, 33%에서 증상이 있는 재발성요로감염이 발생한 것으로 드러났다.

7) 신경인성하부요로기능이상에 대한 전반적 치료

여기서는 신경인성하부요로기능이상 치료에 대한 총론 부분을 다루고 각 원인에 대한 치료는 앞서 자세히 기술하였으므로 생략하기로 한다. 중요한 것은 신경학적 진단에 기초를 두고 환자를 치료해서는 안 된다는 점이다. 반드시 요역동학검사를 시행하여 환자의 하부요로기능 상태를 파악하고 이를 기본으로 하여 치료방침을 결정하여야 한다. 특히, 임상적으로는 저장장애와 배뇨장애를 구별하기 힘든 경우도 있으므로 주의를 요한다. 신경인성하부요로기능이상의 치료목표는 우선 상부요로의 보존과 개선에 주안점을 두어야 하며, 요로감염의 예방과 낮은 방광내압으로 적절한 요저장과 요배출을 하는 것에 목표를 두어야 한다. 또한 적절하게 배뇨를 조절할 수 있어야 하며 도관이나 요루 없이 자력으로 배뇨하는 것에 목표를 두지만, 환자 자신 또한 치료에 대해 용인하고 적응할 수 있어야 한다. 치료 도중 치료방법을 바꾸어야 하는 경우가 발생할 수도 있다(표 24-3). Galloway (1989)는 소위 Hostility Score의 개념을 도입하였다. Hostility Score는 다섯 가지 요역동학검사의 인자, 즉 방광유순도, 과활동성, 협조장애, 출구폐색, 방광요관역류에 각각 점수를 매겨서 위험도를 측정하는 방식이다. 신경인성하부요로기능이상에 대한 치료 결과는 완벽하지 않다. 치료목표는 환자가 만족하고 부작용이 발생하지 않도록 하는 것이다. 또한, 치료방법이나 접근은 반드시 각 환자의 상태에 따라 맞추어야 한다. 표 24-4에 신경인성하부요로기능이상의 치료 중 가장 중요한 치료방법인 간헐적도뇨에 대한 European association of urology (EAU) 지침을 정리하였다.

표 24-3. **치료방법 변경 이유**

상부요로손상
잦은 패혈증이나 상부요로에서 기원한 발열
하부요로손상
부적절한 요저장과 요배출
부적절한 배뇨조절
용납되지 않는 부작용
요실금에 의한 피부질환

표 24-4. **간헐적도뇨에 대한 유럽비뇨기과학회 지침**

간헐적도뇨는 방광을 비우지 못하는 환자에게 시행하는 표준적인 치료방법이다.
환자는 간헐적도뇨에 대한 술기와 위험성에 대해 교육을 받아야 한다.
도관의 크기는 12~16 Fr 정도여야 한다.
간헌적도뇨는 하루에 4~6회 시행한다.
방광이 400~500 mL를 초과하여 팽창하지 않도록 유지한다.
경요도 도관이나 치골상부도관의 유치는 아주 예외적인 경우에 추적 관찰이 잘 될 때에만 시행하고, 도관을 자주 교환한다. 도관은 실리콘 재질이 좋고 2~4주마다 교환하며, 라텍스 재질의 도관은 1~2주마다 교환한다.

8) 척수손상 치료에 관한 최근의 연구

근자에 들어 척수손상에 대한 치료는 다양한 방법들이 소개되고 있다. 척수손상 후 임상소견의 진행은 급성기, 아급성기, 만성기의 세 단계로 나눌 수 있는데 급성기와 아급성기에는 신경보호에 초점을 맞추고, 만성기에는 신경회복에 초점을 두어야 한다(Hyun·Kim, 2010). 따라서 비뇨의학과 의사 입장에서는 신경회복에 더 주안점을 두어야 될 것으로 보여지고, 신경보호에 관한 연구가 중요할 수 있다. 배아줄기세포, 유도만능줄기세포 그리고 신경줄기세포 같은 세포들을 외부에서 주입했을 때 신경세포와 아교세포가 될 수 있고, rat를 대상으로 방광기능회복을 측정한 실험적연구들에서는 요역동학적 호전까지 입증되었지만(Kim JH et al, 2015) 인체를 대상으로 시행하였을 때 안전성과 효용성이 현 시점에서는 확실하지는 않다(Hyun·Kim, 2010). 최근에 한 연구는 아주 고무적인 결과를 내었는데, 척수손상을 받은 환자를 대상으로 제대 중간엽 줄기세포(umbilical cord mesenchymal stem cell)를 주입받은 군과 대조군을 비교한 결과, 요역동학검사에서 실험군에서 최대요속의 증가와 최대방광용적의 증가, 배뇨후잔뇨와 최대방광내압의 감소를 보였다(Cheng et al, 2014). 그러나, 아직까지는 필요한 실험적인 단계가 많기 때문에 실제 임상진료에 적용되기까지는 연구가 더 필요할 것으로 보인다.

9) 추적관찰

손상 후 첫 5~10년 사이에는 매년 추적관찰을 하도록 한다. 추적관찰이 잘 이루어진다면 이후로는 2년마다 추적관찰을 한다. 손상 직후와 추적관찰 시 요로기능을 평가한다(Linsenmeyer·Culkin, 1999). 평가에서 요역동학검사는 추적기간에 맞추어 같은 시기에 시행하고, 방광경은 장기간 도관을 유치한 환자의 경우 매년 시행하는 것이 좋다. 이외에도 단순방사선검사와 방사성동위원소신스캔을 시행한다.

3. 비손상성 척수질환

1) 다발성경화증(multiple sclerosis)

다발성경화증은 자가면역 이상에 의해 중추신경계에 발생하는 신경염증성, 신경퇴행성 질환으로 가장 흔한 탈수초화질환이며 중년여성에서 많이 생긴다(Noseworthy et al, 2000). 다발성경화증의 특징적인 조직학 소견인 플라크는 중추신경계의 백질에 주로 나타나는 국소적인 탈수초화 현상으로 주로 경수의 외측피질척수로와 망상척수로에서 진행된다. 플라크는 핍지세포 감소 및 섬유성 성상세포(fibrous astrocytes) 증가로부터 발생하게 되며, 플라크 및 그 주변의 급성염증 반응시기에 거식세포의 식탐작용에 의해 수초가 파괴되면서 신경교증(gliosis) 및 반흔 조직화(scarring)가 이루어진다. 또한, 함께 나타나는 부종은 플라크의 크기를 증가시키고, 이에 따라 신경학적인 손상을 더 크게 한다. 급성 염증기 이후에 플라크의 부종이 줄어들면서 신경학적인 회복기가 나타나게 되는데, 이러한 급성 염증기와 회복기가 반복되는 양상을 보인다. 결국, 신경교증 병변이 축적되면서 중추신경계에 광범위한 섬유화가 일어나고, 이에 따라 퇴행성 신경기능 이상이 나타나게 된다. 일반적으로 운동신경이 먼저 영향을 받고 감각신경은 질병말기까지 보존되는 경우가 많다. 다발성경화증은 복합적인 신경학적인 증상을 보이며 임상적인 경과도 상당히 다양하다. 어떤 환자들은 상대적으로 경한 경과를 따르면서 빈번한 증상의 악화와 회복과정을 반복하면서 병 자체는 극히 작은 진행만을 보이는 반면, 대부분의 환자에서는 병의 시작과 함께 급격한 진행 양상을 보인다. 하부요로증상은 다발성경화증 환자의 50~90%에서 나타나는데, 하부요로기능이상 빈도는 전신적인 기능 상실 정도와 관련이 있는 것으로 알려져 있다(Litwiller et al, 1999; Giannantoni et al, 1998; Hinson·Boone, 1996). 예를 들어, 환자에게 보행 장애가 있다면 거의 대부분에서 하부요로기능이상 증상이 동반된다(Bemelmans et al, 1991). 특히, 다발성경화증 환자가 전문 기관으로 전원

될 때 보이는 첫 번째 증상(the first referral symptoms)이 하부요로기능이상인 경우는 2~12%에서 나타난다(Dasgupta·Fowler, 2003). 일반적으로 요저장장애가 흔히 나타나지만, 요배출장애나 복합적인 증상이 보다 흔하게 나타난다는 보고도 있다. 대체로 빈뇨, 요절박 등은 31~85%, 요실금은 7~37%, 폐색성 증상에 따른 요저류는 2~52%에서 나타난다고 알려져 있다. 다발성경화증 환자에서 하부요로증상이 있을 때, 가장 흔히 보이는 요역동학검사 소견은 배뇨근과반사(25~100%)이다(Cetinel et al, 2013). 다른 소견으로는 배뇨근괄약근협동장애(3~71%), 배뇨근저반사 또는 무반사(8~70%), 방광유순도 저하(7~10%) 등이 있다. 다발성경화증이 있는 여자 환자에서는 골반근 수축력 약화가 흔히 동반된다(De Ridder et al, 1998). 다발성경화증에서 상부요로손상은 수의 괄약근 부조화가 동반된 남자, 방광 충만기 압력이 40 cm H_2O 이상, 도관을 가지고 있는 경우 등에서 높게 나타난다(Chancellor·Blaivas, 1994). 상부요로에 대한 영상의학적 평가를 시행한 10개 연구(총 환자수 1,460명)에서 상부요로손상은 0.9~5.0%에서 나타나는 것으로 보고되어 있다. 한편, 상부요로손상의 정의에 신석, 신석회화, 경도의 신배 확장 등을 포함하였던 4개 연구(총 환자수 367명)에서는 15.5~21%에서 상부요로손상이 나타나는 것으로 보고된 바 있다(Cetinel et al, 2013). 다발성경화증의 근본 병인에 대한 치료방법은 없기 때문에 환자의 증상에 대한 보존적인 지지요법과 스테로이드 치료가 시행되고 있다. 스테로이드 치료는 급성기에 질환의 경과를 단축시킬 수 있으나 진행 추세 자체를 바꾸거나 예방할 수는 없으므로 급성기에만 제한적으로 사용되고 있다. 다발성경화증 시 나타나는 신경인성방광의 치료를 위해서는 환자 개개인의 요역동학검사 결과에 따른 개별화된 접근이 필요하며, 특히 삶의 질을 향상시키고 상부요로손상을 막기 위한 적극적인 치료가 필요하다.

2) 경추척수병증(cervical myelopathy)

경추척수병증은 추간판탈출증이나 척추 변화로 신경이 눌려 발생한다. 경추척수병증 환자에 대한 보고에서 128명 중 95명(74%)이 하부요로기능이상을 호소하였는데 61명은 자극증상을, 71명은 폐색증상을, 25명은 요실금을 보였다. 요역동학검사에서 61명은 배뇨근과반사를, 22명은 배뇨근괄약근협동장애를 보였다(Sakakibara et al, 1995). 그러나 경추척수병증으로 수술한 환자에 대한 보고에서 60명 중 22명(37%)이 신경인성방광이었는데 이 중 9명(41%)은 배뇨근과반사였고, 13명(59%)은 배뇨근저활동성이었다. 이와 같이 경추척수병증 환자의 하부요로기능이상 양상에 대한 보고는 일관되지 않기 때문에 배뇨증상이 있는 경추척수병증 환자의 배뇨 관리를 위해서는 요역동학검사가 필수이다.

3) 급성횡단척수염 (acute transverse myelitis)

급성횡단척수염은 척수압박 소견 또는 신경질환의 증거 없이 운동, 감각, 괄약근에 이상을 일으키는 상태를 말하고(Kalita et al, 2002) 감염, 자가면역, 혈관이상, 탈수초화 등이 원인으로 거론된다. 증상 발현후 2~4주의 안정기에 접어들면 몇 가지 신경학적 증후가 나타나며, 하부요로기능이상은 척수손상과 유사하게 손상 위치에 따라 특정한 양상이 나타난다.

4) 신경매독과 악성빈혈

신경매독은 척수로(tabes dorsalis)라고도 불리며, 중추성과 말초성 신경장애를 일으키는 질환으로 알려져 왔다. 대개 신경매독은 심각한 중추신경증상과 정신이상증상과 함께 발견된다. 천수의 뒤쪽 신경근(posterior sacral root)과 척수 후주(posterior column)에 매독이 침투하면 구심성감각신경의 전달경로가 장애를 받아 방광충전감각이 소실되면서 잔뇨량이 증가하는 전형적인 감각마비성신경인성방광을 보인다. 악성빈혈(pernicious anemia)은 비타민 B12의 결핍 때문에 발생하며, 오래전부터 말초신경병증의 원인으로 알려져 왔다. 비타민 B12는 신경수초의 정상적 유지에 중요한 필수 요소로, 비타민 B12가 결핍되면 신경세포에 세포부종과 탈수초화가 진행되어 결국 세포가 죽는다. 이러한 증상은 주로 척수의 외측이나 후측 척수신경세포와 말초신경에 나타난다. 임상적으로 상부운동신경세포장애의 증후와 함께 하지 고유감각의 소실이 나타나며, 하부요로기능이상은 신경매독에 의한 증상과 유사한 감각마비성신경인성방광을 보인다.

5) 회색질척수염(poliomyelitis)

회색질척수염은 척수성 소아마비라고도 불리는데, 산발성 또는 유행성으로 발생하는 급성 바이러스 질환이다. Poliovirus가 척수의 앞뿔(anterior horn), 배쪽뿔(ventral horn)세포를 선택적으로 침범하여 운동마비를 일으키는 것이 특징이다. 척수염이지만 척수뿐 아니라 대뇌, 소뇌 등에도 염증을 일으킨다. 폴리오바이러스(Poliovirus)는 엔테로바이러스로 감염시 위장관염이 발생하는데, 소수의 환자에서 혈행으로 바이러스가 중추신경계를 침범한다. 일단 급성에서 회복되더라도 앞뿔운동신경세포의 많은 수가 동시에 파괴되기 때문에 이들이 지배하는 근육의 마비를 초래한다. 회색질척수염 환자는 운동마비성신경인성방광을 보이며, 배뇨장애양상은 요폐, 배뇨근무반사, 정상방광감각을 보인다. 배뇨장애의 발병률은 4~42%로 알려졌다.

전체 참고문헌 목록은
배뇨장애와 요실금 웹사이트 자료실
(http://www.kcsoffice.org)에서
확인할 수 있습니다.

제 25 장

신경인성방광: 말초의 질환

Neurogenic lower urinary tract dysfunction: Diseases distal to the spinal cord, miscellaenous

문홍상

1. 서론

말초신경계를 침범하여 초래되는 신경인성방광은 골반 내 수술, 방사선 치료 등에 의해 발생한 골반신경총 손상에 의해 유발되며, 그 외에 당뇨병, 추간판탈출증이나 척추강협착증 등의 척추질환, 포진바이러스감염, Guillain-Barre´증후군 등 말초신경계를 침범하는 질환들이 유발한다.

2. 말초신경계 손상에 의한 신경인성 방광

하부요로에서 요저장기능과 요배출기능을 담당하는 말초신경은 골반강을 경유하여 하부요로의 표적기관까지 연결된다. 골반강의 말초신경 중 교감신경섬유와 부교감신경섬유가 모여 있는 골반신경총은 직장 외측벽에 위치하며, 추락사고, 교통사고 등에 의한 심한 골반골 골절이나 직장암수술, 자궁경부암의 근치적 자궁절제술 등의 수술적 치료 시 손상 받을 수 있다. 특히 골반장기의 종양수술 시에는 침윤된 조직을 완전히 제거하기 위해 광범위한 절제가 동반되므로 손상이 불가피할 수 있다. 이에 따른 하부요로장애가 환자에 따라 다양하게 나타나며, 손상 정도에 따라 회복되는 시기와 정도가 다르다. 말초신경계 손상에 의한 신경인성방광의 발생요인, 진단검사, 치료 등에 대한 접근을 위해서는 배뇨반사에 관여하는 자율신경이 모여 있는 골반신경총을 중심으로 한 신경의 해부학적 구조를 잘 알고 있어야 한다. 골반신경총에 대한 신경해부학적 지식의 발전, 신경자극술의 도입, 시야가 확대된 복강경수술 등의 영향으로 근치적 자궁절제술, 직장암수술 등에 자율신경보존술이 도입되어 술 후에 발생하는 배뇨장애의 빈도를 감소시키는데 일조하고 있다.

1) 하부요로기능 이상의 빈도와 특징

하부요로기능 이상을 유발하는 손상의 원인은 신경의 유착, 반흔이 신경을 눌러서 압박을 하는 경우, 방광, 요도, 괄약근의 직접적인 손상, 방광의 허혈, 항암치료나 방사선치료 등에 의해서 발생할 수 있으며, 일시적인 신경차단 손상은 수술 중 신경의 견인에 의해 발생할 수 있다.

골반신경총 손상에 의해 발생하는 배뇨장애는 복회음절제술(abdominoperineal resection)과 근치적자궁적출술 후 가장 흔히 나타난다. 여러 골반수술에 의한 신경인성방광의 발생 빈도는 복회음절제술 후 8~70%, 근치적자궁적출술 후 16~80%, 전방절제술(anterior resection) 후 20~25%, 직장결장절제술(proctocolectomy) 후 10~20%의 빈도로 보고되었다(Hollabaugh RS et al, 2000; Burgos FS et al, 1988; Blaivas JG et al, 1983).

술 후 요폐는 교감신경과 부교감신경의 손상, 술 후 수액제 주사 등에 의한 방광의 과팽창, 수술 시 국소적 손상, 전립선비대증 등에 의해 발생한다. 부교감신경손상은 배뇨근수축력을 저하시키고 심한 경우 요폐를 초래하며, 교감신경손상시 알파 혹은 베타 아드레날린성 탈신경이 발생하게 된다. 베타 아드레날린성 탈신경시 방광유순도가 감소하고, 배뇨근과반사가 발생할 수 있다. 알파 아드레날린성 탈신경시에는 방광경부 수축의 이상이 올 수 있고 내요도괄약근의 기능부전이나 복압성요실금을 초래한다(Norris et al, 1996). 골반신경 손상에 따른 자율 신경계의 손상이 오면 발기부전이 발생할 수 있다.

말초신경 손상으로 인한 배뇨장애는 술 후 수 주 내지 수 개월 내 호전되거나, 일부에서는 술 후 상태가 고정되어 유지된다. 골반수술 후 배뇨장애를 일으키는 환자의 약 80%에서는 6개월 후 정상 배뇨가 가능해지는 것으로 나타났다(Blaivas et al, 1995). 따라서 대부분은 시간이 지나면서 호전되거나 회복되지만, 16~20%의 환자에서는 요폐나 요실금, 요속의 저하, 요주저의 증상이 남아 있을 수 있다(McGuire et al, 1984). 특히 신경 차단에 의한 이차적 손상은 대체로 일시적이며, 술 후 수개월 후 소실되는 경향을 보인다. 복회음절제술 시 발생될 수 있는 체성신경의 견인손상에 의한 막양부요도압의 감소는 시간이 지나면 회복되어 요도압의 증가를 관찰할 수 있다. 이러한 회복에도 방광용적 증가, 배뇨근활동 저하 등이 지속될 때에는 부교감신경의 탈 신경이 있음을 의미하며, 교감신경손상에 의한 방광경부의 수축 이상이 동반될 수 있다.

2) 검사 방법

(1) 신경학적 검사

신경학적 검사는 손상의 상태에 대한 파악을 할 수 있도록 도움을 줄 수 있으나, 진단적인 가치는 높지 않다. 말초 신경 손상 환자에서는 척수 손상 환자와는 다르게, 하지의 긴장도 이상이나, 반사 반응의 이상이 없을 수 있다. 구부해면체근반사(bulbocavernous reflex)를 이용하여 천수 반사를 확인할 수 있으며, 이 반사 반응이 없거나 연장되면 말초 신경의 손상을 의심할 수 있다. 항문 괄약근의 긴장도가 감소하거나 없는 경우는 음부운동(pudendal motor) 신경 손상을 시사한다.

(2) 요역동학검사

골반 수술을 받을 예정인 환자에서 수술 전에 시행하는 요역동학검사는 매우 중요하다. 환자가 수술을 받기 이전에 방광출구폐색이나, 골반 내 질환으로 인한 말초 신경 이상 등으로 인하여 이미 배뇨 기능에 이상이 있을 가능성이 있으며, 수술 전에 이에 대한 진단이 되어 있지 않을 경우에는 술 후 발생하는 배뇨 증상을 해석하기 어려울 수 있다. 복회음절제술 이후 요폐가 있었던 남성 환자의 5명 중 4명에서 전립선 비대증에 의한 방광출구폐색이 있었다고 보고하였다 (Blaivas et al, 1983).

손상 직후의 요역동학검사 소견은 손상된 신경에 따라 배뇨근과반사, 배뇨근저반사 또는 배뇨근무반사 등과 방광유순도 감소, 고유감각(proprioception) 감소 등의 소견이 함께 또는 독립적으로 관찰된다. 신경손상 외에도 수술 시 배뇨근 손상과 방광이나 주위조직 부종에 의해 배뇨근과반사, 방광용적의 감소 등의 소견이 나타난다(Forney, 1980).

3) 복회음절제술

전통적인 복회음절제술 시 신경손상에 의한 요폐와 불완전배뇨는 50~60%, 성기능장애는 70~100%에서 발생한다(Maurer, 2005). 이 등(1989)은 직장암의 복회음절제술 후 배뇨장애가 58.5%에서 나타났다고 보고하였다. 직장절제술 시 골반총은 직장을 따라 근접하여 분포하므로 절제 시 직접 손상이나 견인손상에 취약하다. 특히 골반강 내 림프절절제술 시 신경손상이 많이 발생할 수 있다. Hojo 등(1989)은 술 후 1개월째 확대림프절절제술에서 72.7%, 고식적 림프절절제술 시 32.2%에서 배뇨장애가 관찰되었으며, 1년 후에는 42.4%와 12.2%에서 배뇨장애가 있었다고 보고하였다. 술 후 내요도괄약근손상은 방광촬영에서 방광경부가 열려있는 것으로 확인할 수 있으며, 이전의 복회음절제술에 의한 외요도괄약근손상이 있는 전립선비대증 환자에서는 술 후 복압성요실금의 발생 가능성을 막기 위해 경요도절개술이나 전립선적출술을 피하여야 한다(McGuire, 1975). 1982년 Heald에 의해 처음 기술된 직장간막전절제술(total mesorectal excision; TME)은 직장암수술 시 골반근막의 벽측(parietal sheet)과 장측(visceral sheet) 사이의 무혈 공간을 이용하여 박리를 진행하므로 골반신경총과 하복신경을 보존할 수 있는 신경보존술식이다(Aeberhard et al, 1998). 술 후 배뇨 기능과 성기능의 보존에 관심이 모아지면서 TME 술식이 직장암절제술 시 자율신경보존술의 표준 술식으로 자리 잡았다. TME 술식의 적용으로 배뇨장애는 20% 이하, 성기능장애는 30% 이하로 감소되었다(Maurer, 2005).

복회음절제술의 범위가 술 후 방광 및 요도의 기능에 영향을 주는 것은 분명하며, 골반 내 신경구조를 정확히 알아야 술 후 배뇨장애를 감소시킬 수 있다. 자율 신경을 완전히 보존한 결과, 술 후 88%의 환자에서 10일 내 배뇨가 가능하였다고 하였으며, 자율 신경을 완전 절제한 환자의 78%에서는 술 후 2개월까지 배뇨를 하지 못하였다고 보고하였다(Hojo et al, 1991). 수술 중 천골전부 근막(presacral fascia)하부의 박리를 하지 않아야 요자세를 유지하는 신경의 근위부를 보호할 수 있으며, 골반 가장자리(pelvic brim) 부위의 요관의 내측으로 주행하는 하복부 신경총(hypogastric plexus)의 교감신경 섬유의 손상을 방지할 수 있다. 직장 부위 및 항문거근 박리 중에 근위부 요도의 신경손상이 올 수 있으므로 유의하여야 한다. 회음부 수술 중에 좌골결절(ischial tuberosity)주위의 박리를 유의하여야 하는데, 이 부위에서 음부신경의 말단가지가 음부신경관(Alcock's canal)을 나오는 부분에서 손상을 받기 쉽기 때문이다(Hollabaugh et al, 2000).

복회음절제술 후 가장 흔한 요역동학검사 소견은 배뇨근 저활동성과 동반된 감각저하, 방광용적 감소 등이며 이는 부교감신경과 교감신경이 함께 손상되었음을 의미한다. 대부분의 환자에서는 요실금이 없으며, 다양한 배뇨증상을 호소한다. 수술 후 요실금이 있는 환자는 음부신경손상이 원인으로 생각되며, 외요도괄약근 기능이상이 발생한다. 요실금이 심한 경우는 교감신경 손상이 심하게 받은 경우이며, 방광 유순도의 소실 및 내요도, 외요도괄약근 기능의 저하 및 소실을 동반한다. 체신경 손상이 있는 대부분의 환자에서 시간이 지날수록 요실금이 회복되며, 최소 1년 이후에 회복이 되기 시작한다(Yalla et al, 1981).

4) 자궁적출술

근치적자궁적출술시에 절단이 되는 자궁천골인대(uterosacral ligament), 기인대(cardinal ligament)내에는 방광과 요도에 분포하는 자율신경이 진행한다. 자궁천골인대에는 골반 부교감 신경과 하복신경가지(hypogastric nerve rami)가 있으며, 기인대의 하부에는 골반신경총(pelvic plexus)에서 나온, 주로 교감신경이 분포한다. 교감신경의 탈신경(sympathetic denervation) 정도는 기인대의 박리하는 범위와 절제량에 따라 영향을 받는다.

수술 후 대부분의 환자에서 부교감 신경 손상으로 인한 방광요도 기능 손상이 발생하며, 절반 정도에서는 교감신경 손상으로 인한 방광압의 상승과 방광 경부 폐색 부전이 발생한다고 보고되었다(Mundy AR, 1982; Seski JC et al, 1977). 신경 보존 술식을 이용한 근치적자궁적출술 결과를 비교한 결과 술 전후 방광 유순도, 최고 요속, 잔뇨량은 차이가 없었으나, 신경 보존 술식을 하지 못한 환자에서는 이들 결과가 유의하게 악화되었다고 하였다(Todo Y et al, 2006).

Katahira 등(2005)은 17명의 환자에서 신경 보존 술식을 이용한 근치적자궁적출술 시행시에 신경 보존에 도움을 얻기 위해 골반 내장신경(pelvic splanchnic nerve)의 수술 중 전기자극과 요역동학검사를 동시에 시행하였다. 13명의 환자에서 모두 배뇨근수축력은 유지되었으며, 배뇨 이상은 없었고, 4명에서는 신경 손상이 있었으며 술 후 배뇨근 기능저하가 관찰되었다.

근치적자궁적출술과 양측 골반림프절절제술 시 하부요로에 직장암절제술과 비슷한 영향을 줄 수 있다. 근치적자궁적출술 후 배뇨장애는 교감신경이나 부교감신경의 손상과 연관되어 있으며, 손상 정도는 수술 시 절제범위에 따라 달라진다. 기인대의 외측 1~2 cm을 보존하면 병기 Ib–IIa일 때 standard Rutledge type 3 근치적자궁적출술 시보다 술 후 배뇨장애의 빈도를 줄일 수 있다. 자궁천골인대와 기인대 내에는 주요 신경줄기, 신경절, 말단신경섬유가 많이 분포하며, 이 신경섬유들은 골반벽에서 기시부쪽을 향해 더 많이 분포하므로 종지부 쪽이 분리되는 단순적출술보다 근치적적출술이 더 쉽게 손상 받는다(Butler–Manuel SA et al, 2002).

하지만 근치적적출술이 아닌 단순자궁적출술 후에도 요저장장애나 요배출장애가 나타날 수도 있다(Parys et al, 1989). 그리고 골반강 깊이 위치한, 특히 직장주위에 발생한 침윤성 자궁내막증제거술 후 약 30%에서 배뇨장애가 발생한다. 특히 양측성 자궁천골인대 절제를 동반한 광범위한 절제 시에 배뇨장애의 빈도가 높은 것으로 나타났다(Dubernard et al, 2008).

5) 항역류수술

항역류 수술 후 배뇨장애가 발생하는 경우는 드물지만, 양측성 방광 외 역류교정술 시 배뇨장애가 유발되며(Leissner J et al, 2001;Barrieras D et al, 1999), 26%의 환자에서 일시적으로 요폐가 발생한다(Zaontz MR, 1987).

골반신경총의 중요 부분이 방광요관이행부의 1.5 cm 배부와 내측(하부요관의 후내측, 방광삼각부의 후두측)에 있으므로 골반신경총의 신경말단이 하부요관과 방광삼각부, 직장에서 끝나며 원심성신경이 하부요관, 질, 자궁, 직장으로 들어가므로 하부요관 박리 시 신경손상의 위험이 크다.

손상을 피하기 위해서는 방광 외 박리 시 요관에 근접하여 시행하고, 양측성 방광 외 교정 시 주로 발생하므로 교정을 2회로 나누어 실시한다(Leissner et al, 2001).

David 등(2004)은 50명의 환자에서 양측 신경보존 양측성 방광외 역류교정술 시 후내측 요관방광 연결부위의 박리를 줄이며, 소작을 최소화하는 방식을 사용하였다. 술 후 다음날 49명의 환자에서 배뇨가 가능하였다고 보고하여, 이 술식은 술 후 요폐의 위험성을 줄일 수 있다고 하였다.

6) 방사선 치료

말초 신경계에 방사선 치료를 받은 이후에, 아교세포(glial cell)이나 슈반세포(Schwann cell)의 재생 능력이 느리기 때문에, 세포의 괴사가 수개월 내지 수 년 이후에 발생하게 된다. 또한, 혈관의 내피 손상으로 인하여 신경계의 혈관 폐쇄가 발생하게 되어 신경 손상이 발생하며, 방사선으로 인한 신경 주위 섬유화로 인하여 신경을 압박하게 되어 신경 괴사를 유발할 수 있다. 이들 기전에 의한 신경 손상으로 인하여, 방광기능의 이상을 초래할 수 있다(Crook J et al, 1996; Nguyen LN et al, 1998).

전립선암에 대한 방사선치료 후 배뇨 기능이 서서히 감소하며, 치료 1년 후의 자극 증상은 전립선절제술을 받은 환자의 증상과 비슷해지는 것으로 보고되었다(Litwin et al, 2000).

7) 말초신경손상에 의한 신경인성하부요로 기능이상의 치료

말초 신경 손상후 발생하는 하부요로기능의 이상은 요역동학검사 결과에 따라 시행하는 것이 좋다. 수술이나 방사선 치료 후 회복기간 및 정도는 개인차가 있기 때문에, 수술적 치료를 먼저 생각하기 전에 보존적 치료를 먼저 시행하도록 한다.

술 후 말초신경손상 혹은 골반골 골절에 의한 급성 요폐에는 청결 간헐 도뇨가 가장 좋은 치료방법이다. 말초신경손상에 의한 배뇨장애는 일시적인 경우가 있을 수 있으므로 술 후 청결 간헐 도뇨 외에 부가적인 침습적 치료는 유의해야 한다. 환자는 자가 도뇨 방법을 배운 후에 퇴원하도록 하고, 대개 6~12개월 후 어느 정도 배뇨기능이 회복되었는지 확인해야 한다. 그러나 회복기가 경과한 후에도 배뇨장애가 지속될 경우에는 요역동학검사를 비롯한 배뇨기능의 평가를 위한 진단검사를 반드시 시행해야 한다.

치료목표는 일반적인 신경인성방광의 치료와 동일하게 배뇨기능의 회복을 통한 배뇨조절과 상부요로기능의 유지이다.

3. 당뇨병성 방광병증

당뇨병성 신경병변이며, 말초와 자율신경계를 침범하여 구심성 감각신경을 손상시켜 점차 방광감각이 저해되어 배뇨근이 과팽창되고 결국에는 방광수축력을 상실하는 상태로 진행하는 질환이다.

1) 빈도

당뇨병은 말초 신경질환을 유발하는 가장 흔한 원인질환이다. 고령화에 따라 당뇨병의 빈도가 증가하므로, 배뇨와 연관된 방광병증도 나이에 비례하여 증가한다. 당뇨병에 이환되고 10년이 지난 후에는 25% 가량, 45년 이후에는 50% 이상 발생하는 것으로 알려졌다(Sasaki K et al, 2003). 당뇨병성 말초신경병증이 있는 환자의 75~100%에서 당뇨병성 방광병증이 있다(Frimodt-Moller C, 1980;Hill SR, 2008). 당뇨병 환자에게 배뇨증상에 대한 설문 결과 5~59%가 배뇨장애 증상을 호소하는 것으로 보고되었다. 당뇨병성 방광병증은 초기에는 증상이 없는 경우가 많고, 상당히 진행이 되었을 때까지 환자가 인지하지 못하는 경우가 많다. 방광 감각의 이상을 느끼는 증상이 흔하며, 잔뇨의 증가로 인한 요로감염이 발생할 때까지 방광의 이상이 있는 것을 느끼지 못하는 경우도 많다. 빈뇨, 요절박 등의 배뇨장애가 흔하나, 당뇨병이 진행된 경우에는 방광의 수축력이 감소하면서 세뇨, 잔뇨의 증가 등의 증상이 나타난다.

2) 병인

발생 원인은 말초 및 자율신경 병변으로 생각된다. 다뇨, 과혈당으로 인한 산화스트레스가 배뇨근 및 요로상피에 변화를 초래하며, 외요도괄약근기능장애, 요도 평활근 이완장애, 알파수용체 자극에 대한 반응증가 등이 방광출구저항을 증가시킨다(Xiao et al, 2013). 당뇨가 발병된 지 최소 10년이 지나면 슈반(Schwann) 세포 기능에 대사성 이상이 초래되어 분절성 탈수초화(segmental demyelinization), 축삭의 변성(axonal degeneration), 신경전달의 이상이 발생되고 배뇨기능부전이 초래된다(Faerrman, 1973).

만성고혈당은 미세혈관과 신경계에 이상을 초래하는데, 궁극적으로 유수(myelinated) 및 비유수(unmyelinated) 신경섬유 손실, Waller 변성(Wallerian degeneration), 둔감한 신경섬유의 형성과 기능 저하가 생긴다. Alodolase-reducatae 경로를 통한 소비톨(sorbitol)의 축적, myoinositol의 형성 억제와 이에 따른 phosphoinositide대사의 억제, 나트륨-칼륨 ATPase 활성도의 감소가 기전으로 추정된다.

또 고혈당은 당화최종 부산물(glycosylation end products)을 생성하는데, 이는 말초신경의 구조와 기능에 이상을 초래하여 당뇨병성 신경병증을 유발한다(Clark et al, 1995).

3) 진단

환자의 증상 및 병력 청취, 배뇨일지, 신경학적 검사, 요 검사, 신 기능 검사, 잔뇨 검사 및 요역동학검사 등이 필요하다.

4) 요역동학검사 소견

감각 및 운동신경병증이 함께 발생하며, 배뇨근수축력이 감소한다. 방광감각의 감소, 방광용적 증가, 방광수축력 감소, 요속 저하, 잔뇨량 증가가 특징적 소견이다. 방광출구폐색이 있을 경우, 요속이 감소하여 당뇨병성신경병증과 비슷한 소견을 보이지만 압력요류검사로 감별진단을 할 수 있다(Blaivas, 1988). 배뇨근괄약근협조장애는 일반적인 당뇨병성방광병증에는 나타나지 않는다.

요역동학검사 시 다른 고령 환자에서 흔한 질환과 마찬가지로 요로감염, 하부요로폐색, 비억제성배뇨근수축 등과 연관이 많으므로 이러한 연관성을 고려하여야 한다. 배뇨증상이 있는 당뇨병 환자 182명을 대상으로 한 검사 결과 55%가 배뇨근과반사를, 23%가 배뇨근수축력 저하, 10%에서 배뇨근무반사를 보였다(Kaplan et al, 1995). Blaivas 등(1995)은 43명의 당뇨병 환자에서 요역동학검사를 분석한 결과, 33%에서 불수의적 배뇨근수축과 정상 방광 수축력을 유지하였고, 23%에서 불수의적 배뇨근수축과 방광 수축력 저하를, 9%에서 방광 수축력 저하, 23%에서 배뇨근무반사, 12%에서 정상 소견을 보였다고 하였다.

5) 치료

철저한 혈당 조절로 병의 진행과 자율신경질환의 발생을 최대한 억제할 수 있다. 다른 신경병성 질환처럼 신기능 보존이 가장 중요한 고려사항이다. 상부요로기능은 당뇨병이나 신기능에 미치는 다른 인자에 의해 영향을 받는다.

시간제 배뇨는(2~4시간 간격) 만성적 배뇨근 팽창, 대상부전(decompensation)을 피해 배뇨근수축력이 저하되는 것을 방지할 수 있어 수축력이 저하된 환자에서 효과적이다. 청결 간헐 도뇨는 요배출이 어려운 환자에서 고려한다. 항콜린제는 배뇨근과반사나 저방광유순도 환자에서 효과적으로 작용하며, 하부요로폐색이 있는 환자에서는 알파차단제를 사용할 수 있다.

4. 추간판 탈출증

성인의 천수 배뇨중추가 있는 천수부는 L1, 2 요추체 뒤쪽의 척수강에 있다. L1, 2 요추체 아래쪽은 마미라는 척수신경근 다발이 있다. 척수의 천수부는 요추 L1, 2 부위에 있지만 천수부에서 나온 신경근 다발들은 거미막하 공간으로 요추 L2~5의 거리를 통과하여 천추 S1에서 척추강 외부로 나가게 된다. 요추 L1,

2 척추체 뒤쪽 척수강의 천수부에서 기원하는 천수신경이 척추강을 빠져나갈 때까지는 모두 요추체의 뒤쪽에 있는데, 척수의 끝 부분인 이 신경근 다발을 마미라고 한다.

대개 수핵탈출은 척추체의 후외측으로 돌출되므로 대부분의 경우는 마미에 영향을 미치지 않지만 1~15%의 경우에는 뒤쪽, 중앙부로 수핵이 탈출하여 마미를 압박하는 결과를 초래한다(Goldman et al, 2000). 요추체에서 수핵 탈출이 발생하면 하부 요로계, 괄약근, 골반저근의 부교감신경과 체성신경에 지장을 초래하고, 방광과 척수분절에 상응하는 몸통의 구심성신경이 영향을 받는다. 척추간판이 탈출하여 척수신경 압박이 가장 흔히 발생하는 것은 L4~5, L5~S1 요추 사이를 지나는 척수 신경근에 대한 압박이다.

신체검사 시 흔히 보이는 양상은 척수근이 해당되는 부분의 신경근 반사 소실과 감각 소실이며, 회음부 또는 항문주위의 감각 소실(S2~4), 발 외측(S1~2) 등의 감각 소실이 나타난다. 배뇨장애증상은 요추간판탈출증 환자의 27~92%에서 나타난다(Goldman et al, 2000). 이 경우 가장 흔히 보이는 양상은 정상 방광유순도의 무반사성 방광이지만 간혹 배뇨근과반사가 나타나기도 한다.

요추간판 탈출증 환자에서 추궁절제술(laminectomy) 시행 후에도 배뇨기능이 회복되지 않을 수 있다. Bartolin 등(1998)은 수술 전에 배뇨근무반사가 나타난 환자 27명 중 단 6명만이 수술 후 배뇨근수축력이 정상으로 회복되었으며, 술 전에 정상적인 요역동학 검사 소견을 보였던 환자 71명 중 4명에서는 배뇨근과반사가, 3명에서는 술 후 배뇨근무반사가 나타났다고 보고하였다. 그러므로 디스크 합병증에 의한 배뇨장애와 수술에 의해 이차적으로 발생한 배뇨장애를 구분하기 위해서는 수술 전에 반드시 요역동학 검사를 시행하여야 한다.

마미증후군(Cauda equina syndrome)은 회음부 감각 소실과 항문, 요도괄약근의 자발적 조절이 되지 않으며, 성기능 이상이 발생하는 임상 양상을 띠는 증상을 나타내며 디스크 질환 외에 척수관의 다른 질환에 의하여 발생할 수 있다.

5. 척추강 협착증(spinal stenosis)

척추강 협착증은 여러 가지 원인에 의해 척추관, 추간공, 신경근관 등이 좁아지는 질환이며, 이로 인하여 척수나 신경근이 압박을 받아 신경 손상 및 부종 등이 발생한다. 척추강 협착증은 추간판 탈출증 없이 발생할 수 있지만, 경수부나 마미신경이 압박받을 때 증상이 나타나며, 이에 상응하는 요역동학적 소견을 보인다(Smith et al, 1988).

경추에서는 운동량이 많은 C5~6 척추 사이를 중심으로 상하 추간에서 잘 발생하며, 대개 한 척추에서만 국한되지 않고 척추 수개에 걸쳐 다발성으로 발생한다. 좁아진 척추강과 추간공 내 척수와 신경근이 경추의 운동에 따라서 간헐적으로 반복해서 손상되고 혈류장애를 일으켜 신경증상이 초래된다. 50세 이후에 발병하는 경우가 많고, 대개 증상의 악화와 완화가 반복되면서 수개월에서 수년에 걸쳐 서서히 진행되며, 외상을 받으면 급속하게 악화된다. 자각증상으로는 후경부, 어깨 또는 양측 견갑골 사이의 동통이나 양측 상지의 압박된 신경근 감각 지배영역을 따라 동통이나 저린 느낌이 나타나고 때로는 하지의 운동신경에 영향을 주어 보행장애, 배뇨장애가 나타난다.

요추 척추강 협착증은 50대 이후의 남성에서 많이 발생하며, L4~5 척추 사이를 중심으로 하부요추에서 호발하여 마미신경 압박증상을 일으킨다. 요통이 빈번하게 나타나며, 요추간판 탈출증과 달리 둔부나 항문 쪽으로 전이되는 점이 특이하다. 걷거나 서 있을 때 당기고 찌르는 듯 또는 쥐어짜는 듯하거나 타는 것 같은 통증과 함께 하지의 감각장애와 근력 저하가 동반된다. 이러한 증상은 허리를 굽히거나 걸음을 멈추고 쪼그리고 앉아서 쉬면 사라졌다가 다시 어느 정도 보행하면 또 나타나기를 반복하는데, 이와 같은 증상을 신경인성 간헐적 파행증(neurogenic intermittent claudication; NIC)이라고 한다.

요역동학검사 소견은 척추강 협착증이 발생한 척수 수준과 척수 혹은 신경근의 손상 정도에 따라 다양하게 나타난다. 배뇨증상이 있는 환자에서 수술로 협착을 제거하면 전체 환자의 약 50%에서 주관적인 증상의 개선이 나타난다(Deen et al, 1994). 경추부 질환의 경우에는 배뇨근 과활동성이나 배뇨근저활동성이 모두 나타날 수 있으며, 대개 일정한 양상의 방광기능장애가 나타나지 않으므로 반드시 요역동학검사를 시행하여야 한다.

6. 말초신경계 감염 및 기타 질환에 의한 신경인성방광

1) 포진바이러스감염

대상포진은 varicella–zoster virus (VZV)가 천수의 배근신경절(dorsal root ganglia)과 후측신경근(dorsal nerve roots)에 감염되어 발생하며, 특징적으로 피부나 점막에 통증을 동반한 소수포 발진(vesicular eruption)이 나타난다. 고령자나 면역체계 이상자에게 흔하며 대개 감염 초기에는 발열, 몸살 등의 증상과 함께 회음부와 허벅지의 이상감각, 심한 변비 등의 증상만 있다가, 이후에 통증이 동반되는 대상포진감염 특유의 피부병변이 나타난다.

요폐가 3.5%의 환자에서 발생하며, 요폐의 원인으로 천수 후근 신경절(sacral dorsal root ganglia)의 감염이 가장 흔하며(78%), 흉요부 11%, 상측 흉부 11%의 순서로 발생한다(Broseta et al, 1993). 천수 배뇨 중추가 침범된 경우 부교감신경 운동신경 병변이 발생하여, 요폐가 발생하는 것으로 생각한다. 흉수나 요수 부위에 침범한 경우 발생한 요폐의 원인은, 요수의 교감신경이 활성화되어 방광경부와 내요도괄약근의 긴장도가 증가됨으로써 발생하는 것으로 생각한다(Rankin JT et al, 1969). 배뇨근 과활동성으로 인한 요실금이 발생할 수 있으며, 병인은 확실하지 않으나 신경근의 자극, 척수염이나 척수막염, 대상포진방광염 등이 원인일 것으로 생각한다. 방광내시경으로 방광점막 내에서 수포들이 보이는 경우가 있는데, 이를 대상포진방광염이라고 한다. 당뇨병성방광병증과 유사하게 하부 요로계 침범의 초기에는 빈뇨와 요절박이 동반된 배뇨근 불안정 소견이 보인다. 그리고 후기에는 잔뇨량 증가, 요폐 등의 증상이 나타나지만, 이러한 문제들은 일시적이며 대부분 수개월 후에 저절로 회복된다.

항바이러스제, 진통제와 청결 간헐 도뇨를 하면서 기다리면, 대부분의 배뇨근은 1~2개월 사이 에 정상 기능으로 회복된다. Broseta 등(1993)은 환자 57명 중 26%가 배뇨이상 소견을 보였고, 이 중 2명에서 급성

요폐가 나타났으며, 요실금 증상을 보인 환자 3명에서는 요역동학검사에서 배뇨근 과활동성이 나타났으며, 나머지 환자에서는 배뇨통과 빈뇨가 동반된 방광자극 증상이 나타났다고 보고하였다.

단순포진바이러스(Herpes simplex virus; HSV) 중 2형은 항문외음부 단순포진의 원인이며, 항문외음부단순포진(anogenital herpes simplex) 감염에서도 급성 요폐가 나타날 수 있다. 수포성 요도 점막과 소변이 닿아 발생하는 심한 통증 때문에 요폐가 발생하는 경우들이 많으며, 신경에 이상을 유발하여 요폐가 발생하는 경우는 1% 미만이다(Greenstein et al, 1988). 항문외음부의 통증이 있는 발진이 발생하고 1~2주 후 요폐가 발생하며, 그 원인은 천수 신경근 수막염 혹은 골반신경에 대한 감염성 수막염에 의한 것으로 보이고, varicella zoster와 유사한 병변을 보인다. 요역동학검사 결과는 배뇨근무반사가 나타나는 경우가 많고, 배뇨 증상은 대부분 4~8주 후 완전히 회복되나, 수 개월이 걸리는 경우도 있다(Riehle RA Jr et al, 1979). 치료는 회복될 때까지 청결 간헐 도뇨를 하도록 한다.

2) Guillain-Barré 증후군

Guillain-Barré 증후군은 대개 1~3주 이전에 감기와 유사한 바이러스감염을 앓은 후 발생하는 말초신경의 염증성 탈수초화 질환이다. 때로는 전구 증상 없이 이러한 질환이 발생하기도 한다. 발생 원인은 바이러스 혹은 세균감염으로 생성된 면역세포들이 말초신경조직에 대해 비정상적인 면역반응을 나타내는 것으로 생각한다. 병리학적 기전은 항강글리오시드 항체(antiganglioside antibody)에 의한 수초의 자가면역 파괴작용에 의한 것으로 생각하며, 활성화 T 세포, 대식세포, 세포외기질 금속함유 단백분해효소(matrix metalloproteinase)의 증가 등이 그 역할을 하는 것으로 생각한다. 요천수 신경근과 흉요수 교감신경이 손상을 받게 되면, 하부요로기능에 이상을 유발할 수 있다. 이상 면역반응은 주로 수초에 작용하여 급성 염증성 탈수초화 현상을 보이며(85%), 축삭세포에 이상반응을 보이는 경우에는 급성 운동-감각 축삭신경증을 초래하는데, 약 15%의 증례에서 이러한 현상이 나타난다.

특징적인 증상으로는 급격하게 진행하는 운동신경성 쇠약증상과 하지에서 상지로 진행하는 이상감각증상이다. 마비증상은 대개 2~4주에 최대에 달하며, 수주에서 수개월에 걸쳐 서서히 회복된다. 대부분은 예후가 좋으나 5~8%정도는 적극적인 치료에도 불구하고 사망한다(Hahn, 1998). 합병증으로 자율신경부전이 흔하며, 부정맥, 고혈압, 저혈압, 장, 방광, 성기능 이상이 발생하기도 한다. 하부요로기능 이상은 27~75%에서 발생한다(de Jager AE et al, 1991; Sakakibara R et al, 1997)

Zochodne(1994)는 Guillain-Barré 증후군의 11~30%에서 급성요폐가 발생한다고 보고하였고, 빈뇨, 요절박, 야간뇨, 절박요실금 등의 다양한 배뇨증상이 발생할 수 있다.

급성기에는 대개 중환자실에서 치료가 이루어지기 때문에 환자가 도뇨관을 유치하는 경우가 많으며, 그 이외의 경우에는 항콜린제 치료 및 청결 간헐 도뇨 방법을 이용한다. 요역동학검사 결과는 잔뇨의 증가, 방광 감각의 감소, 배뇨근과활동성, 유순도 감소, 배뇨근 저활동성, 배뇨근괄약근 협조장애 등이 나타날 수 있다. 환자의 대부분은 회복 후에 정상 배뇨기능을 회복하므로 이에 대한 침습적인 치료는 피하는 것이 좋고, 도뇨관 삽입이나 청결 간헐 도뇨를 하면서 회복되기를 기다리도록 한다.

3) Behcet병(Behcet's disease)

Behcet병은 원인이 확실하지 않은 전신성 혈관염 질환으로, 동맥과 정맥계 모두 침범한다.(Yazici Y et al, 2010) 중년층에서 많이 발생하며, 질환의 특징은 반복적으로 발생하는 구강 아프타(aphtae) 이며, 반복적인 음부궤양, 피부 병변, 안구 병변, 양성 이상초과민 검사(pathergy test) 등이다. 심혈관계, 중추 및 말초신경, 근골격계, 호흡기, 위장관계를 침범하기도 한다. 요도구 궤양, 요도염, 방광염 등이 발생하기도 한다.

신경 Behcet병(Neuro-Behcet's disease)은 전체의 5~10%에서 나타나며, 이 중 5%에서 배뇨증상을 나타낸다. 주로 저장증상이 많이 나타나지만, 요폐가 발생하기도 한다. 신경 Behcet병이 발생한 후 1~10년 후 방광으로의 침범이 발생하는 것으로 알려져 있다.

하부요로증상은 혈관염이 교뇌배뇨중추(pontine micturition center)를 침범하는 경우와 방광 내 혈관에 직접 침범하여 발생하는 두 가지 병인이 있다. 방광이 직접 침범되는 경우는 0.07%이며, 방광 내시경 소견에서 궤양 또는 결절의 형태로 나타나 방광종양과 감별이 필요할 수 있다(Cetinel B et al, 1999).

요역동학 검사 소견은 방광근 과활동성이 가장 흔히 나타나지만, 방광 수축력 저하, 유순도 저하, 기능성 용적 저하, 잔뇨량 증가 등이 동반되기도 한다. 괄약근 기능은 대체로 정상이지만 배뇨근괄약근 협조장애가 관찰되는 경우도 있다(Erdogru T et al, 1999). 방광 기능 이상에 대한 치료는 각각 환자의 상태에 따라 배뇨 이상이 있는 환자는 청결 간헐 도뇨를, 저장 증상이 있는 환자에서는 약물치료를 하도록 한다.

4) 전신홍반루푸스 (systemic lupus erythematosus, SLE)

전신홍반루푸스는 피부 및 각종 신체 기관에 있는 결체조직과 작은 혈관에 광범위한 염증성 변화가 나타나는 질환이다. 원인은 아직 알려져 있지 않으며, 세포핵에 대한 자가항체가 원인으로 추정되고 있다. 임상양상으로는 발열, 얼굴에 나타나는 특징적인 홍조, 늑막염, 심낭염, 사구체신염 등이 있다.

전신홍반루푸스 환자의 약 18~75%에서 신경계 이상이 나타나는데, 이 경우 가장 먼저 발생하는 증상은 경련과 정신과적 이상 소견이다. 척수병증은 약 1~3%에서 나타나며, 이 경우 신경인성방광이 발생할 수 있다(Chan et al, 1996). 전신홍반 루푸스 환자에서 그 전에 없던 하부요로증상이 나타날 경우 반드시 동반 가능한 척수병증을 의심해 보아야 한다.

하부요로증상은 배뇨 곤란, 요폐, 요실금 등 다양하게 나타난다. 요역동학 검사에서 가장 흔하게 나타나는 소견은 기능성 방광용적 저하를 동반한 방광근 과활동성이지만, 천수신경절이나 절전 신경세포를 침범하였을 경우 방광근 무력증이 나타날 수 있다. 드물게는 Onuf핵을 침범하여 외요도괄약근 이상을 초래할 수 있다. Sakakibara 등(2003)은 하부요로증상이 있는 전신홍반루푸스 환자 8명에서 시행한 요역동학검사 결과를 보고하였다. 방광근 수축력 저하 및 요속감소가 5명에서, 배뇨근괄약근 협조장애가 4명에서 나타났다. 외요도괄약근의 근전도검사는 4명에서 시행되었는데

이 중 2명에서 이상 소견이 관찰되었다.

5) 후천성면역결핍증 (acquired immunodeficiency syndrome: AIDS)

후천성면역결핍증(AIDS)은 human immnunodeficiency virus (HIV)에 의한 감염 말기에 나타나는 인체의 면역 기능이상에 의해 발생한다. 일반적으로 9~16%의 AIDS 환자에서 말초 신경병증이 발생한다.

AIDS에 의한 배뇨장애의 원인으로는 뇌염, 뇌막염, 척수막염, 뇌 톡소포자충증(cerebral toxoplasmosis), 거대세포바이러스 다발성신경근병증(cytomegalovirus polyradiculopathy) 등과 연관이 있다. 전체 AIDS 환자를 대상으로 한 조사에서 하부요로증상의 빈도는 약 10%였으며, 이 중 4%에서만이 요역동학검사의 필요성이 있다고 하였다(Gyrtrup HJ et al, 1995).

Hermieu 등(1996)은 요폐, 빈뇨, 요절박 등의 하부요로증상이 동반된 39명의 AIDS 환자에 대해 요역동학 검사를 시행한 연구결과, 56%에서 과활동성 방광, 13%에서 저활동성 방광이 있었다고 보고하였다. AIDS 환자에서 신경인성방광에 의한 배뇨장애 증상은 나쁜 예후를 시사하는데, 약 40%가 하부요로증상이 나타나고 8개월 내에 사망하였다고 하였다. 배뇨근 과활동성과 연관된 요절박 증상은 항콜린제를, 배뇨근 저활동성 환자에서는 알파 차단제나 청결 간헐 도뇨 등을 하도록 한다.

6) 중증근육무력증(Myasthenia gravis)

중증근육무력증은 아세틸콜린 수용체에 대한 자가항체에 의해 발생하는 자가면역 질환이다. 자가항체에 의한 신경근 전도 차단에 의해 골격근의 약화와 피로감이 생긴다. 방광근이나 골반신경절에 있는 아세틸콜린 수용체에 자가항체가 결합하게 되면 신경인성방광이 발생할 수 있으나 흔하지는 않다. 이 경우 주로 방광근저활동성이 발생하며 임상 증상으로는 요속 저하, 잔뇨 증가 등의 배뇨 증상이 나타난다(Kaya et al, 2005; Grob et al, 1981). 자율신경 침범이 동반된 중증근육무력증은 나쁜 예후를 가지며, 조기 진단과 동반될 수 있는 요로감염, 상부요로손상 등의 합병증 발생을 방지하는 것이 중요하다.

7) 라임병(Lyme disease)

라임병은 이에 의해 매개되는 인수 공통 질환으로서, Borrelia burgdorferi라는 나선균(spirochetes) 감염에 의해 발생한다. 라임병은 이에 물린 후 평균 7일 후에 발생하는 피부 병변(erythema migrans)으로 시작해서 초기 국소감염 단계에서는 발열, 두통 등의 증상이 나타나며 이때 항생제 치료 시 반응이 좋지만, 치료하지 않고 방치할 경우 전신으로 감염이 퍼지며 근골격계(Lyme arthritis), 심혈관계(Lyme carditis), 신경계(Lyme neuroborreliosis) 등 파종성 감염 단계(disseminated infection stage)로 이행한다. 다음 단계는 만성 감염 단계(chronic infection stage)이며, 만성 위축성 말단혈관피부염(chronic atrophic acroangiodermatitis), 만성신경증상(chronic neurological symptoms), 관절염

(arthritis) 등이 나타난다. 물론 이러한 증상들은 각 단계에 따라 순차적으로 나타나기 보다는 감염 부위에 따라 다양하게 나타날 수 있다.

하부요로증상은 대개 다른 신경 증상이 발생한 후 나타나며, 파종성 감염 단계에 나타날 수도 있고 만성 감염 단계에 나타날 수도 있다. Chancellor등(1993)은 라임병에 동반된 7명의 신경인성 방광 환자에서 시행한 요역학검사를 보고한 바 있는데, 5명에서 방광근과활동성, 2명에서 방광근무반사가 나타났으며, 배뇨근괄약근 협조장애는 관찰되지 않았다. 이 보고에서 저자들은 라임병에서 하부요로증상이 발생하는 이유로 신경보렐리아증(neuro–borreliosis)에 기인한 신경인성 방광뿐만 아니라 나선균이 직접 방광을 침범하여 발생할 수 있다고 하였으며, 1명에서는 방광 조직검사에서 이를 확인할 수 있었다고 하였다.

8) 유전강직하반신마비 (Hereditary Spastic Paraplegia)

유전강직하반신마비는 상염색체 우성으로 유전되는 신경퇴행성 질환이다. 드물게는 상염색체 열성 또는 성염색체 유전으로 나타나기도 한다. 주로 운동신경 축삭이 영향을 받아 중심성 탈수초화가 발생한다. 질환의 진행에 따라 근수축력 저하와 진행성 하반신 강직이 나타난다. 유전강직하반신마비 환자에서 하부요로증상은 요절박, 빈뇨, 요실금, 요주저 등이 발생한다. 요역동학 검사 결과는 배뇨근 과활동성, 배뇨근괄약근 협조장애, 잔뇨의 증가 소견 등이 나타나는 것으로 보인다(Nielsen JE et al, 1998).

전체 참고문헌 목록은
배뇨장애와 요실금 웹사이트 자료실
(http://www.kcsoffice.org)에서
확인할 수 있습니다.

과민성방광의 정의, 용어, 역학

Overactive bladder
-Terminology and epidemiology

최종보

1. 과민성방광의 정의

과민성 방광(overactive bladder; OAB)은 2002년 국제요실금학회(International Continence Society ;ICS)에 의해 "요로감염이나 다른 질환이 없는 상태로, 절박성요실금을 동반하거나 하지 않는 절박뇨를 말하며 야간뇨나 빈뇨를 동반하는 경우가 많음"을 특징으로 하는 저장 증상 증후군으로 정의 되었다. 국제요실금학회는 또한 정의 내에서 이러한 증상이 일반적으로 "요역동학검사로 입증 가능한 배뇨근과활동성을 암시하지만 다른 형태의 요도-방광의 기능 장애로 인한 것일 수 있음"을 인정하였다. 이 정의는 현재까지 하부요로증상(lower urinary tract symptoms; LUTS)에 관한 의료계의 인식을 높이고 임상 연구를 촉진하는 데 많은 도움이 되고 있다(Abrams et al, 2002).

2. 과민성방광의 용어

1) **주간빈뇨**: 낮 시간 동안 배뇨를 자주 한다고 환자가 호소하는 것.
2) **야간뇨**: 밤에 배뇨를 위해 화장실에 가려고 1회 이상 잠에서 깨는 것
3) **요절박**: 소변이 마려운 느낌이 갑자기 생겨 참지 못하고 바로 화장실에 가야 하는 것
4) **절박성요실금**: 요절박 때문에 화장실에 가는 도중에 요실금이 발생하는 것

일반적으로 주간빈뇨는 낮 시간 동안에 8회이상 배뇨를 할 때 이상이 있다고 생각하며, 65세 이상에서 1회 이하의 야간뇨는 정상으로 간주할 수 있다(Haylen et al, 2010).

3. 과민성방광의 역학

우리나라에서는 수 차례에 걸쳐 과민성방광에 대한 유병율 조사가 있었는데 2004년 3,757명의 참가자가 인터넷 설문 조사를 통해 설문지를 작성했던 한 연구에서는 응답 한 3,372명의 여성 중 429명이 과민성방광(12.7%)으로 고통 받고 있다고 하였다(Kim et al, 2004). 또 다른 연구에서는 40세에서 89세 사이의 한국인들로부터 전국 공동체 표본에 대하여 전화 설문 조사를 통해 남녀의 유병률이 절박성요실금이 없는 과민성방광의 경우 각각 13.3%와 16.3%, 절박성요실금을 동반한 과민성방광의 경우 7.5%와 15.0%라고 보고 하였다(Choo et al, 2007; Lee et al, 2008).

2011년 시행되었던 인구 기반 설문 조사는 전화 조사 방법을 사용하여 2,000명의 데이터를 수집하였으며, 그 결과 평균 12.2%의 대상이 과민성방광을 가지고 있었으며 성별에 따른 구분으로 남성은 10.0%, 여성은 14.3% 의 유병율을 나타내었다(Lee et al, 2011).

전국 단위가 아닌 지역 단위 연구로는 경기도 구리시와 양평군에 대한 연구에서 요절박 점수가 2점을 초과하고 OABSS (OAB symptom score)가 3점 이상일 때 과민성방광을 정의 하여 926명의 주민이 직접 대면 인터뷰를 한 결과, 전체 과민성방광 유병률은 14.1% (남자 12.2%, 여자 15.5%)이었다(Jo et al, 2012).

대체적으로 한국의 과민성방광 유병률 데이터는 10에서 16%이며 남성보다 여성에서 더 높다. 이것은 서방 국가에서 발견되는 유병률과 비슷하며 한국의 과민성방광의 유병율은 서구 국가와 마찬가지로 나이가 들어감에 따라 증가하는 것으로 분석되었다. 외국의 경우에는 미국인 5,204명을 대상으로 한 설문 조사에서 과민성방광 유병률은 남성 16.0%, 여성 16.9%였으며, 유럽 6개국의 데이터에 따르면 설문에 참여한 16,776명 중 과민성방광의 전체 유병률은 16.6%이었다. 아시아 지역에서는 4,570명의 일본 응답자 중 유병률은 12.4%였으며 1,247명의 대만 여성 중 20.9%였다고 한다(Stewart et al, 2003; Milsom et al, 2001; Homma et al, 2005; Chen et al, 2012).

전체 참고문헌 목록은
배뇨장애와 요실금 웹사이트 자료실
(http://www.kcsoffice.org)에서
확인할 수 있습니다.

제 27 장 과민성방광의 병태생리

Overactive bladder -Pathophysiology and etiology

김수진

과민성방광은 하부요로증상 중 저장증상을 특징으로 하는 흔한 배뇨장애이지만 과민성방광의 명확한 병태생리에 대해서는 잘 알려져 있지 않다. 현재 과민성방광의 특징적인 증상인 요절박을 유발하는 기전으로 근육성(myogenic), 요로상피를 기반으로 한 구심성(urothelium/afferent), 및 신경인성(neurogenic) 요인이 제시되고 있다.

1. 과민성방광을 유발하는 근육성 이론 (Myogenic hypothesis)

과민상방광의 특징적인 증상인 요절박은 배뇨근 과활동성(detrusor overactivity)에 의한 것으로 알려져 있으며 배뇨근의 근육세포의 해부학적 변화가 배뇨근과활동성을 일으키는 것으로 알려졌다. 탈신경화에 의해 유발 된 배뇨근의 과민성에 의해 배뇨근 과활동성이 일어나게 되고 환자가 요절박 증상을 경험하는 것이다(Brading, 1997). 배뇨근의 탈신경화가 과민성방광의 유발 기전으로 제시한 Brading 의 이론이 알려진 이후 Drake 등은 동물 실험을 통해 요의 저장기에 방광의 배뇨근에서 관찰되는 미세동작(micromotion)을 발견하고 과민성방광에서 배뇨근의 미세동작이 정상 기능의 방광에서와 다르게 나타나기 때문에 배뇨근과활동성에 의한 요절박이 발생함을 보고 하였다(Drake et al, 2001; Drake et al, 2003). 배뇨 과정 중 요의 저장기에 국소적인 배뇨근의 수축인 미세동작이 일어나며 방광의 기능이 정상인 경우에는 미세동작이 방광의 일부분에서만 미미하게 나타나므로 하부요로증상을 유발하지 않는다. 그러나 과민성방광에서는 국소적으로 발생한 미세동작이 방광의 전 영역으로 전달되어 미세동작이 발생하지 않고 이완되어 있는 방광의 부분에도 수축을 유발하여 배뇨근과활동성을 일으킬 수 있다고 하였다. 즉, 배뇨근의 탈신경화 및 요의 저장기에 나타나는 비정상적인 미세동작 에 의한 배뇨근과활동성이 과민성방광의 유발에 관여하는 근육성 요인으로 생각된다(Downie et al, 1992; Coolsaet et al, 1993; Drake et al, 2005).

현재 연구에 의하면 배뇨근과활동성은 코넥신(connexins)으로 구성된 틈새이음(gap junction)을 통해 유발되는 것으로 보인다. 배뇨근의 틈새이음은 대부분 코넥신43과 코넥신45로 구성되어 있으면 요역동학검사에서 배뇨근 과활동성을 보인 신경인성방광 환자의 방광에서 코넥신43의 발현 증가가 관찰되었다(Neuhaus et al, 2005; Andersson, 2010; Phé et al, 2013). 또한 다양한 과민성방광 동물 모델에서 gap junction blocker를 투여 후 배뇨근과활동성이 감소함을 보여 틈새이음과 이를 구성하는 코넥신이 배뇨근의 비정상적인 수축에 관여할 가능성이 있다(Miyazato et al, 2006; Kim et al, 2011; Babaoglu et al, 2013). 몇몇 연구에 의하면 방광의 사이질세포(interstitial cells)가 배뇨근의 수축 유발에 관여하는 것으로 보고되고 있다(McCloskey, 2013; Juszczak et al, 2013).

2. 과민성방광을 유발하는 구심성 이론 (Afferent hypothesis)

과민성방광의 특징적인 증상인 요절박은 요역동학검사에서 배뇨근 과활동성을 보이지 않는 환자에서도 나타난다. 이와 같이 배뇨근 과활동성이 나타나지 않는 과민성방광 환자의 요절박은 요의 저장기에 방광충만에 대한 비정상적인 지각에 의해 발생하는 것으로 알려져 있다(Creighton et al, 1991). 여러 연구에서 방광이 팽창함에 따라 비정상적으로 증가하는 배뇨근의 감각 활성이 관찰되었고 이는 방광의 구심성 신경의 증가된 활성도와 관계가 있다(Blyweert et al, 2004; Yamaguchi et al, 2007; Lee et al, 2010). 특히 방광의 요로상피층 및 요로상피하층이 방광이 팽창함에 따라 다양한 종류의 매개물질(mediators)을 분비하고 세포 사이의 상호작용을 유발하며 사이토카인과 성장인자를 분비하여 신호 전달 및 방광의 구심성 신경 활성의 증가를 유발하는데 중요한 역할을 한다(Gillespie JI et al, 2009; de Groat et al, 2013; Hood et al, 2013; Fry et al, 2016). 요로상피에는 bradykinin, purines, norepinephrine, acetylcholine, transient receptor potential channels, nerve growth factor등과 같은 다양한 수용체가 존재하며 요로상피의 구심성 신경 주위에 존재하는 이와 같은 다양한 수용체를 통해 요로상피세포가 기계적 및 화학적 자극(mechanical and chemical stimuli)에 대해 반응을 한다(Yoshida et al, 2010). 아직 명확한 기전에 대해 알기 위해서는 연구가 더 필요하지만 요로상피에 존재하는 다양한 수용체의 비정상적인 활성과 신호 전달이 과민성방광을 유발하는 것으로 보인다.

3. 과민성방광에서 중추신경계의 역할 (Neurogenic hypothesis)

방광의 구심 신경을 통해 전달된 정보는 중추신경계에서 통합된 후 다시 원심 신경을 통해 방광으로 신호가 전달되어 방광의 수축과 이완을 일으킨다. 중추신경계에서 방광의 수축과 이완을 조절하는 대표적인 부위는 뇌의 수도관주위회색질(periaqueductal gray)과 뇌교 배뇨중추(pontine micturition center)가 존재하는 중뇌와 뇌간이다. 또한 방광에서 전달된 구심성 정보를 처리하여 방광의 기능을 수의적으로 조절하기 위해서는 뇌교 배뇨중추 상부의 뇌에서 좀 더 복잡한 통합 과정이 필요하다. 방광의 구심 신경을 통해 전달된 정보가 전뇌에서 정상적으로 통합되지 못하거나 뇌교의 배뇨중추에서 요의 저장기에 방광의 수축을 억제하는 기능에 문제가 발생하면 과민성방광이 발생할 수 있다(Andersson et al, 2003; Fowler et al, 2008; de Groat, 1997). 최근 기능적뇌영상검사를 통해 수도관주위회색질 과 뇌교 배뇨중추외에 뇌의 어느 영역이 배뇨와 연관이 있는지에 대한 다양한 연구 결과들이 보고되고 있다(Fowler et al, 2010; Griffiths et al, 2007). 과민성방광 여성 환자에서 뇌의 anterior cingulate gyrus, insula, frontal cortices 의 활성도가 증가되어 있어 이와 같은 영역이 요절박 증상의 유발에 관여할 것으로 생각된다. 특히 방광 충만으로 유발 된 요절박이 anterior cingulate gyrus, insula, frontal cortices의 과도한 반응 증가를 유발함이 관찰되어 요절박 증상의 발생과 신경계의 연관성을 보여 주었다(Griffiths et al, 2005; Komesu et al, 2011; Griffiths et al, 2008). 또한 항콜린제 복용과 척수신경조절술을 받고 과민성방광 증상이 호전된 환자에서 비정상적으로 증가한 뇌의 활성이 감소함을 보여 중추신경계가 과민성방광의 유발과 관계가 있음을 보여주는 결과이다(Pontari et al, 2010; Weissbart et al, 2018).

4. 요도방광반사(Urethrovesical reflex)와 과민성방광

복압성요실금과 절박성요실금 증상을 함께 호소하는 혼합요실금 환자 중 눕거나 앉은 상태에서 일어섰을 때 요절박을 호소하는 환자들이 있다. 이는 환자가 활동을 할 때 복압성요실금에 의한 소변의 누출이 근위요도부의 구심 신경을 자극하여 요절박을 유발하는 것으로 보인다(Jung et al, 1999; Hubeaux et al, 2012). Shafik 등은 건강한 성인을 대상으로 한 연구에서 소변에 의한 요도의 stretch receptors 의 활성이 방광의 수축을 유발하는 요도방광반사에 의해 요절박이 유발될 수 있다는 이론을 제시하였다(Shafik et al, 2003).

전체 참고문헌 목록은
배뇨장애와 요실금 웹사이트 자료실
(http://www.kcsoffice.org)에서
확인할 수 있습니다.

제 28 장

과민성방광의 평가와 진단

Overactive bladder -Clinical assessment

고광진

1. 서론

과민성방광은 증상을 기반으로 진단이 이루어지는 임상적 증후군으로써 요절박, 빈뇨, 절박성요실금, 야간뇨와 같은 저장 증상들은 삶의 질에 영향을 미친다. 요로감염, 악성질환 등의 감별해야 할 국소적인 병인을 배제하고 과민성 방광의 주증상인 요절박을 포함한 관련 증상을 확인하면 과민성방광의 진단이 이루어진다. 제6차 요실금에 관한 국제자문회의(International Consultation on Incontinence ICI) 2016에서 과민성방광에 대한 기본적인 평가로 병력청취, 신체검사, 요검사, 배뇨후잔뇨량 측정, 배뇨일지 그리고 삶의 질 평가 설문지를 제시하였다(Abrams et al, 2017).

2. 병력청취

과민성방광의 진단을 위해 가장 중요한 것은 철저한 병력청취이다. 과민성방광과 연관된 증상인 요절박, 빈뇨, 야간뇨, 절박성요실금의 유무나 정도를 파악하여야 한다. 특히 요실금은 증상에 따른 복압성요실금과 절박성요실금, 혹은 혼합성요실금 유무를 초기 병력 평가시 정확하게 평가하여야 한다. 그 밖에 저장증상과 배뇨증상의 유무, 심한 정도, 증상이 지속된 기간, 수분 섭취량, 일평균 배뇨 횟수, 신경학적 질환 유무(뇌졸중, 파킨슨병, 다발성경화증, 척수손상 등), 비뇨생식기계 질환 유무, 이전의 비뇨기계 또는 골반/복강 내 장기에 대한 수술력이나 방사선 치료 병력, 변비 등 장 관련 증상, 녹내장 질환 그리고 복용 중인 약물 등을 구체적으로 물어보아야 한다. 또한 방광을 자극할 수 있는 술, 탄산음료, 카페인 등의 섭취력을 조사하는 것이 생활습관의 교정을 위해서도 필요하다. 특히 통증이 동반되는 경우 감염이나 방광통증후군 등을 감별해야한다.

3. 설문지

과민성방광의 증상을 평가하고 향후 치료의 반응을 확인하는 데 유용한 증상 평가 설문지를 활용할 수 있다. 대표적으로 Overactive Bladder Questionnaire (OAB−q), Overactive Bladder Questionnaire short form (OAB−q−SF), Overactive Bladder Symptom Score (OABSS), International Consultation on Incontinence Questionnaire−OAB (ICIQ−OAB), King's Health Questionnaire (KHQ) 등이 있다. 설문지는 하위 항목을 통해 증상의 정도와 불편지수 bother score, 삶의 질의 영역을 평가한다(표 28-1). 불편지수 symptom severity and에 대한 설문에는 Overactive Bladder Questionnaire (OAB−q)의 첫 8개 문항으로 구성된 OAB−q Symptom Bother Scale과 OAB Bother Rating Scale이라고도 불리는 Primary OAB Symptom Questionnaire (POSQ) 등이 있다. 이 밖에도, 임상진료에서

표 28-1. **과민성방광의 증상 중증도, 불편함 및 삶의 질을 평가하는 설문지**

설문지	증상의 정도와 불편지수	삶의 질	한국어 번역*	언어 타당도*
Overactive Bladder Questionnaire (OAB-q)	전체 33문항 중 처음 8개 문항으로 OAB-V8 혹은 OAB awareness tool 이라고도함.	전체 33문항 중 후반 25개 문항으로 coping, sleep, concern, social 총 4개의 domain으로 구성	Y	Y
Overactive Bladder Questionnaire short form (OAB-q-SF)	전체 19문항 중 처음 6개 문항	전체 19 문항 중 후반 13문항으로 coping, sleeping, social 총 개의 domain으로 구성	Y	Y
Overactive Bladder Symptom Score (OABSS)	빈뇨, 야간뇨, 요절박, 요실금에 대한 4문항의 질문으로 구성되어 있으며, 요절박 점수는 2점 이상이면서 전체 점수가 3점 이상이면 진단이 가능하며, 그 정도에 따라서 5점 미만인 경우 경증, 6~11점인 경우 중증, 12점 이상인 경우 가장 심각한 상태로 정의		Y	Y
International Consultation on Incontinence Questionnaire-OAB (ICIQ-OAB)	전체 6문항 중 4개 문항 (3a,4a,5a,6a)	전체 6문항 중 4개 문항 (3b,4b,5b,6b)	Y	N
King's Health Questionnaire (KHQ)	전체 32문항 중 후반 11문항	전체 32문항 중 처음 21문항	Y	Y

*yes or no : linguistic validation or psychometric performance (http://www.kcsoffice.org/sub04/sub08.html 참조)

전반적인 증상의 심한 정도를 평가하는 데 비교적 간단히 이용할 수 있는 설문지로 Overactive Bladder Symptom Score 설문지가 있으며, 4문항으로 이루어져 있고, 최근에 한국어로 타당도가 모두 입증되었다 (Jeong et al, 2011, 2014).

빈뇨, 야간뇨, 절박성요실금은 양적 측정이 가능한 증상으로 평가를 위한 객관적이고 주관적인 여러 도구가 있지만, 가장 중요한 증상인 요절박은 주관적인 증상으로 측정하기가 어렵다. 요절박은 빈뇨나 요실금과 달리 단순한 이차원적 평가로는 부족하다. 따라서 요절박의 유무나 횟수뿐 아니라 증상의 중증도가 함께 고려되어야 한다. 그러기 위해서는 먼저 환자 스스로 정상적인 요의와 비정상적인 요절박을 구분할 수 있어야 하며, 요절박 정도를 이해하고 기술할 수 있어야 한다. 최근에 요절박의 심한 정도를 측정하기 위한 도구들이 개발되었고, 한국어로 언어 타당도 linguistic validation에 대한 평가가 수행된 단순점수 계산 방식인 Urgency PerceptionScale (UPS), European Agency for the Evaluation of Medical Products (EMEA), Indevus Urgency Severity Scale (IUSS) 등이 소개되었다(표 28-2). 실제 임상에서 이러한 요절박측정 도구는 단독으로 사용하기 보다는 배뇨일지를 바탕으로 같이 사용하는 것을 권장한다. 하지만 환자에게 요절박을 정확하게 설명할 수 있는 명확한 대책은 부족한 실정이다. 향후 이러한 한계점이 해결된 측정방법이 개발되어야 한다.

과민성방광이 삶의 질에 미치는 영향을 평가하는 설문지로 International Consultation on Incontinence Questionnaire–OAB (ICIQ–OAB), Overactive Bladder Questionnaire (OAB–q), King's Health Questionnaire (KHQ), Urge Incontinence Impact Questionnaire (Urge–IIQ) 등이 추천된다 (Coyne 등, 2002).

표 28-2. 요절박을 평가하는 설문지

Urgency Perception Scale (UPS)
1. 대개 소변을 참을 수 없다. 2. 화장실을 즉시 갈 수 있다면 화장실에 도착하기 전까지 대개 소변을 참을 수 있다. 3. 대개 화장실 가기 전까지 하던 업무를 끝낼 수 있다.
Urgency Rating Scale (URS)*
1. 전혀 급하지 않음. 소변을 볼 필요가 없었으나 다른 이유로 소변을 보았다. 2. 약간 급함. 소변을 지릴 염려 없이 필요한 만큼 오랜 동안 소변을 참을 수 있었다. 3. 보통으로 급함. 소변을 지릴 걱정 없이 잠시 동안은 소변을 억제할 수 있었다. 4. 심각하게 급함. 소변을 억제할 수 있었으나 소변을 지리지 않으려면 화장실에 서둘러 가야했다. 5. 절박성요실금. 화장실에 도착하기 전에 소변을 지렸다.
Indevus Urgency Severity Scale (IUSS)
1. 전혀 없음 - 급하지 않음 2. 약간 - 급하지만 쉽게 참을 수 있는 정도 3. 보통 - 급해서 일상의 활동이나 업무를 수행하는데 방해를 줄 정도 4. 심함 - 몹시 급해서 모든 활동이나 업무를 즉시 중단할 정도

* Recommended by European Agency for the Evaluation of Medical Products (EMEA)

OAB-q는 앞서 설명한 8개 불편지수와 25개 삶의 질에 대한 평가 항목으로 구성된다. 항목을 19개로 줄인 OAB-q shortened form (SF)은 편리하게 사용할 수 있다는 장점이 있다. 설문지를 통한 환자의 삶의 질에 대한 평가는 과민성방광에 의한 영향을 점수에 따른 양적인 평가가 가능하고 치료 효과를 측정하는 데 유용하다. 향후 다양한 외국어 설문지들을 번역하고 한글판 설문지의 신뢰도와 유효성을 입증하는 것이 과제이다(오 et al, 2004, 2005; 이 et al, 2007).

과민성방광은 삶의 질에 심각한 영향을 미치는 증상증후군으로, 진단과 치료는 거의 전적으로 환자의 주관적 보고에 의존하는 경우가 많다. 과거에 시행된 임상연구에서 치료 효과는 배뇨일지, 검사실검사, 요역동학검사 등을 이용한 객관적 자료를 이용하여 판정하였다. 이러한 자료는 환자의 주관적 증상의 개선 정도를 반영하지 못하였고, 객관적 지표와 증상 완화와의 연관성도 작은 것으로 나타났다. 과민성방광의 치료목표가 증상 개선과 함께 삶의 질을 개선시키는 것이기 때문에 당연히 효과 판정에 환자가 느끼는 주관적 판단이 포함되어야 한다. 이러한 근거로 환자가 보고한 결과 patient reported outcomes (PRO)의 중요성이 강조되었다. PRO는 환자의 건강상태와 관련된 특정부분에 대해서 환자가 직접 알리는 보고를 말한다. 질환과 치료가 환자에 미치는 영향을 평가하는 데 유용한 방법으로, 임상 연구에서 사용 빈도가 증가하고 있다. 또한 기존의 객관적 자료보다 질환의 영향, 치료 이득을 평가하는 데 광범위하고 포괄적이다. 이러한 PRO를 측정하는 방법은 patient reported outcomes measure (PROM)이라 하고 앞서 소개한 과민성방광의 평가를 위한 다양한 설문지가 활용되어 질 수 있다(Brubaker et al, 2006; Coyne et al, 2006).

4. 배뇨일지

과도한 수분섭취는 기능적방광용적이 정상적인 상태에서 빈뇨, 야간뇨 등의 증상을 유발할 수 있으며, 또한 과민성 방광이 있는 환자의 증상을 악화시킬 수 있다. 배뇨일지는 배뇨횟수, 수분섭취량, 배뇨량, 기능적방광용적 등을 알 수 있고 과민성방광의 증상 중 주간빈뇨와 야간뇨를 확인할 수 있기 때문에 과민성방광의 진단 및 감별 진단에 있어 매우 유용한 도구이다. 최근에는 배뇨일지에 요절박 정도를 5단계로 분류한 Urinary Sensation Scale (Coyne et al, 2006)을 포함하여 요절박의 정도를 같이 측정하고 요실금 유무를 표시하는 경우도 있어 과민성방광의 주증상들인 요절박, 빈뇨, 야간뇨, 절박성요실금을 모두 기록할 수 있다. 배뇨일지의 작성기간에 대해서는 몇 가지 의견이 있지만, 3일간 배뇨일지는 치료 효과와 환자의 증상을 반영하는 데 7일간 배뇨일지와 비슷한 신뢰도를 가지면서 환자의 순응도가 높아 일반적으로 3일간 배뇨일지를 임상에서 흔히 이용한다.

5. 신체검사, 검사실검사, 요류검사 및 배뇨 후 잔뇨량 측정

비뇨생식기검사, 골반검사, 직장수지검사 등 신체검사를 통해 원인이 되는 질환이 있는지 조사한다. 요검사는 감염이나 혈뇨, 당뇨 등을 감별하기 위해 반드시 실시한다. 요류검사는 배뇨곤란을 동반하는 경우가 흔하여 시행해야 한다. 배뇨 후 잔뇨량은 방광의 기능적 용적과 연관이 있으며, 배뇨일지 상 최대방광용적과 측정된 잔뇨량의 합으로 추정하는 것이 합당하다. 의미있는 잔뇨량에 대해 합의된 수치는 없지만, 일반적으로 잔뇨량이 기능적방광용적의 40%이상일 경우 합병증이 발생하거나, 배뇨곤란을 가지고 있을 위험이 높기 때문에 이러한 환자들이 과민성 방광 증상이 있다고 하더라도 치료 전 추가적인 검사 및 처치 등이 요구된다.

특히 고령의 환자에서는 배뇨근저활동성과 같은 방광 기능의 이상이 발생할 수 있고, 과민성 방광과 비슷한 증상으로 표현될 수 있기 때문에 요류검사 및 배뇨 후 잔뇨량 측정이 필수적이다.

6. 추가적인 검사

신경질환이 있거나 치료에 반응하지 않는 경우, 진단이모호한 경우, 침습적인 치료를 계획하고 있는 경우 기본적인 평가와 검사 외에 추가검사가 필요하다. 혈뇨가 있거나 방광암의 위험이 있는 환자에서 방광경검사와 요세포검사를 시행한다. 과민성방광의 평가에 있어 요역동학검사의 필요성과 적응증에 대해서는 아직까지 논란이 있다. 그러나 증상이 비특이적이고 치료에 반응하지 않거나 침습적인 치료를 계획 중인 경우에는 정확한 방광기능의 평가를 위해 시행한다. 예전에는 충전기 동안 배뇨근압이 15 cmH_2O 이상 상승한 비억제성배뇨근수축이 나타난 경우 배뇨근과활동성으로 진단하였으나, 최근에는 환자가 배뇨를 억제하는 동안 요절박이나 요실금에 동반되어 배뇨근수축이 조금이라도 발생하면 배뇨근과활동성으로 진단한다(이 et al, 2007). 하지만, 배뇨근과활동성의 유무가 과민성방광의 진단의 기준은 아님을 유의해야 한다.

7. 결론

과민성방광은 임상증상을 기초로 진단을 하기 때문에, 비슷한 증상을 유발할 수 있는 다른 국소적인 병인을 초기에 배제하는 것이 중요하다. 기본적으로 병력청취, 신체검사, 요검사, 배뇨 후 잔뇨량 측정, 배뇨일지, 그리고 평가설문지를 사용한다. 배뇨일지는 환자의 증상을 파악하는데 큰 도움이 되고, 그 자체로 행동치료의 효과가 있다. 환자가 직접 작성하도록 고안된 다양한 종류의 설문지가 개발되어 과민성방광 환자의 진단과 치료결과 평가에 이용되고 있으며, 최근에는 환자가 느끼는 치료 성과가 중요시되면서 더욱 많이 이용되고 있다.

전체 참고문헌 목록은
배뇨장애와 요실금 웹사이트 자료실
(http://www.kcsoffice.org)에서
확인할 수 있습니다.

과민성방광의 치료

Overactive bladder -Treatment

한지연

1. 서론

과민성방광은 진단 자체가 임상적 증상을 기반으로 하기 때문에 치료의 시작도 감염이나 방광출구폐색, 방광결석, 당뇨병, 방광암 등 가능성 있는 원인을 배제하는 것이 중요하다. 일차치료 방법으로 생활습관 교정, 골반저운동(Kegel운동), 방광훈련, 비침습적 약물치료가 있다. 치료원칙은 1회 배뇨량을 증가시켜 빈뇨와 야간뇨를 줄이는것이고, 요절박을 감소시켜 절박성 요실금의 빈도를 줄이는 것이다.

전립선비대증과 과민성방광이 동반되었거나 요실금 수술에 의한 요도폐색으로 발생한 배뇨근과활동성이 있는 여성 환자의 경우처럼 확실한 원인이 있으면 근본치료가 가능하나. 그러나 내재 원인이 불명이며, 원인 질환의 치료가 불가능한 경우에 상기 방법으로 치료를 시작한다. 다시 말해 치료목적은 행동치료, 자기장치료, 약물치료, 신경조정술 또는 수술치료 등을 통해 구심성신경의 흥분과 불수의적인 배뇨근수축을 감소시키는 것이다.

2. 과민성방광의 일차치료

과민성방광의 일차치료 방법(Primary treatment for OAB)은 행동치료와 약물치료이다. 이 두 방법은 단독으로 사용하는 것보다 병용하는 것이 더 효과적이기 때문에 동시에 혹은 단계적으로 병용하여 치료한다.

1) 행동치료

환자에게 방광기능을 교육하고, 수분 섭취 조절, 변비의 치료, 금연, 체중 조절 등 생활습관을 개선하도

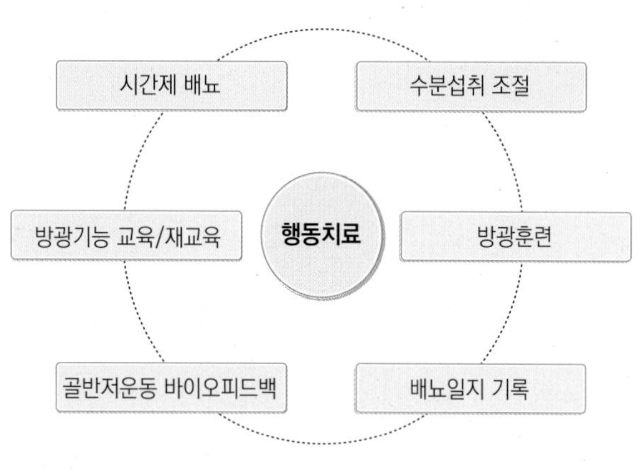

그림 29-1. **과민성방광의 행동치료.**

록 하는 것은 과민성방광의 중요한 기본 치료이다. 또한 환자에게 시키지만 요실금을 개선시키지는 못한다고 한다(Bulmeret al, 2001; Hannestad et al, 2003; Swithinbank et al, 2005).

방광훈련의 목적은 계획적인 배뇨를 통해 환자 자신이배뇨를 조절할 수 있게 하는 것이다. 되먹이기 억제를 통해 불수의적 배뇨근수축을 억제하여 방광조절능력을 다시 가지게 하는 것을 목표로 한다. 그래서 배뇨량을 증가시키고 배뇨 간격을 증가시키며 빈뇨를 감소시켜 배뇨 양상을 호전시킨다. 방광훈련은 골반저운동으로 보완될 수 있다(Burgio, 2004). 누워 있다가 앉으려고 할 때나 앉아 있다가 서려고 할 때 갑자기 불수의적배뇨근수축이 일어나 요절박 또는 절박성요실금이 발생할 수 있는데, 이때 골반저근을 단단하게 조이는 훈련을 한다.

배뇨일지는 하부요로에 대한 환자의 이해도를 높이고 배뇨습관을 조절하게 하는 등 행동치료의 좋은 도구이다. 본인의 잘못된 배뇨 형태를 이해시키고 방광훈련의 효과를 설명하는 것은 동기를 유발하여 치료효과를 높이는 데 도움이 된다. 실제로 많은 무작위배정 위약대조연구에서 나타나는 위약효과는 배뇨일지를 비롯한 교육에 의한 것일 가능성이 높다(Fantl et al, 1991; Burgio et al, 1998, 2002).

시간에 맞춰 배뇨하게 하는 시간제 배뇨도 효과적이다. 환자가 요절박을 느끼지 못하도록 미리 정한 시간에 배뇨를 예방적으로 하는 것도 좋다. 즉 환자가 3시간마다 요절박을 경험한다면 2시간마다 배뇨하게 하는 것이다. 골반저운동은 복압성요실금의 치료에도 흔히 이용되는 방법이다. 원치 않은 요절박감각이 소실되는 방법을 환자에게 알려준다. 이때 진행 중인 배뇨반사를 조정하여 요실금도 예방할 수 있다. 골반저근육을 강화하면 과민성방광환자에서 배뇨근수축을 억제한다는 보고가 있다(Greeret al, 2012). 바이오피드백은 효과를 증진시키기 위해 같이 시행된다. 요절박만 있는 경우, 가능한 한 배뇨를 늦추어 배뇨 간격을 넓힌다.

행동치료는 요실금의 빈도를 감소시키는 데 효과적인 것으로 판명되었다. 55세 이상 지역사회 주민에 대한 연구에서 요실금의 빈도는 57% 정도 감소하였다(Fantl et al,1991). 골반저운동이나 방광재훈련bladder retraining은 인지능력이 정상이고 동기가 유발된 환자에서 효과적인 치료방법이다. 행동치료는 경미한 증상의 치료에는 단독으로 사용되지만, 약물치료와 병행할 경우 효과가 더 좋다(Goode, 2004; Song et al, 2006). 또 치료에 대한 환자의 순응도가 높으면 치료 성공의 가능성이 높아지므로 환자에게 동기를 유발하는 것이 매우 중요하다.

2) 약물치료

다양한 약물이 과민성방광의 치료에 사용된다. 그러나 임상진료에서 사용되는 약물 대부분이 무작위배정 대조연구가 아닌 기초적 임상연구 결과를 근거로 사용되고 있다. 또한 과민성방광의 많은 연구에서 위약효과가 높게 나타나서 치료약물과 위약 간에 임상적으로 유의한 차이의 효과가 있는지 판단하기 어려운 점이 있다.

과민성방광의 약물치료는 중추와 말초를 대상으로 한다. 대표적인 중추신경억제 신경전달물질인 gammaaminobutyricacid; GABA를 대상으로 한 baclofen은 과거원발성 배뇨근과활동성의 치료에 사용되었던 GABA작용제이다. 삼환계항우울제는 부분적으로 노르아드레날린을 말초에서 차단하는 작용을 한다. 도파민작용제는 정확한 기전이나 효과가 밝혀지지 않았지만, 도파민은 파킨슨병 환자의 과민성방광과 연관이 있을 것으로 생각된다.

한편, 과민성방광 치료의 말초 대상으로는 방광의 무스카린수용체, 베타-교감신경수용체, 칼슘통로와 칼륨통로 같은 이온통로, 바닐로이드수용체 같은 감각신경수용체와 prostanoid 등이 있다. 투여방법에 따라 경구투여와 방광내투여로 나눌 수 있다.

과민성방광의 기전을 고려하여 약물치료의 가능한 표적은 방광평활근, 원심성운동신경, 구심성감각신경, 중추신경계이다. 어떠한 약제를 처방하더라도, 어려운 점은 비뇨기계 선택성이 없다는 점이다. 현재 처방되는 모든 약제는 하부요로 이외의 장소에도 영향을 미친다. 그래서 치료 시 부작용으로 구갈, 변비, 어지럼증, 두통이 흔히 발생한다. 그렇지만 약물치료는 많은 환자에서 위험성보다는 이득이 더 많은 것으로 알려졌다.

항콜린제는 확실한 효과를 보이는 약제로, 말초 평활근의 운동수용체와 감각수용체에 작용하여 평균 70~80%의 증상 개선효과를 보인다(Wein·Rackley, 2006). 무스카린수용체는 다섯 가지 형태로 되어 있고 평활근에는 M2와 M3수용체가 있어 이것이 가능한 공격 목표이다. 사람의 방광평활근은 70~80%의 M2수용체와 20~30%의 M3수용체로 구성되어 있다(Wang et al, 1995). M3수용체는 평활근수축을 유발하는 것으로 증명되었고, 방광수축을 주로 책임진다. M2와 M3수용체는 운동성 자극뿐 아니라 감각성 자극에도 관여한다. 배뇨의 충만기에 M2수용체를 활성화시키면 교감신경 중재하에 평활근 이완을 역전시킨다. 이것이 M2수용체가 방광평활근수축에 관여할 수 있는 기전이다. M1수용체는 뇌, 침샘 등 분비선과 교감신경절 등에 존재한다.

약물을 평가할 때 약물의 상호작용, 혈액뇌장벽을 투과하는 능력, 심장에 대한 효과, 소변 내 농도, 배설능력과 수용체 특이성 등 여러 항목을 비교하여 고려한다(Wein·Rackley, 2006). 방광은 교감계와 부교감계 신경계의 지배를 받는다. 교감신경계 중 베타아드레날린 수용체는 3가지 아형이 있는데 그중에서 베타3 아형 수용체가 방광의 이완에 관여되고 있다고 알려져 있다. 항콜린제의 부작용이 없이 배뇨근의 병적인 수축을 감소시켜 방광의 용적을 증가시키는 기전으로 과민성방광을 치료하는 새로운 약제로 베타3수용체 작용제가 대두되었다(Yeo et al,2013).

2013년 요실금에 관한 국제자문회의의 약물분과위원회는 현재 사용할 수 있는 모든 약물에 대해 과학적 증거 수준과 추천 정도를 요약하여 발표하였다(표 29-1). 여기에서 과민성방광에 사용되는 항무스카린제

표 29-1. **과민성방광증상/배뇨근과활동성의 치료에 사용되는 약물(ICI 2012)**

	Level of evidence	Grade of recommendation
항무스카린제		
Atropine, hyoscyamine	3	C
Darifenacin	1	A
Fesoterodine	1	A
Imidafenecin	1	B
Solifenacin	1	A
Trospium	1	A
복합작용제		
Oxybutynin	1	A
Propiverine	1	A
Flavoxate	2	D
이온 통로에 작용하는 약물		
칼슘통로길항제	2	D
칼륨통로개방제	2	D
항우울제		
Imipramine	3	C
Duloxetine	2	C
알파차단제		
Alfuzosin	3	C
Doxazosin	3	C
Prazosin	3	C
Terazosin	3	C
Tamsulosin	3	C
Silodosin	3	C
Naftopidil	3	C

	Level of evidence	Grade of recommendation
베타작용제		
Terbutaline (β 2)	3	C
Salbutamol (β 2)	3	C
Mirabegron (β 3)	1	B
PDE-5 억제제+		
Sildenafil, Tadalafil, Vardenafil	1	B
Cyclooxygenase 억제제		
Indomethacin	2	C
Flurbiprofen	2	C
독소		
Botulinum toxin(neurogenic)***	1	A
Botulinum toxin(idiopathic)***	1	B
Capsaicin (neurogenic)**	2	C
Resiniferatoxin (neurogenic)**	2	C
기타약물		
Baclofen*	3	C
호르몬		
Desmopressin#	1	A
Estrogen	2	C

Level 1: 체계적 고찰, 메타분석, 양질의 무작위비교연구, Level 2: 무작위비교연구, 양질의 전향적 코호트연구, Level 3: 환자대조군연구, 증례연구, Level 4: 전문가의견, Grade A: 강력추천, Grade B: 추천, Grade C: 선택적, Grade: 비추천
+ male LUTS/OAB, * intrathecal:, ** intravesical; *** bladder wall; #nocturia(nocturnal polyuria)

는 거의 대부분 우수한 평가를 받았다(근거 수준 1, 추천등급 A). 무작위배정 위약대조연구에서 효능이 입증되고 수긍할 수 있을 정도의 부작용을 보인 경우에 근거 수준 1과 추천등급 A로 좋게 평가된다. 그런 약물로 darifenacin, fesosterodine,solifenacin, tolterodine, trospium, oxybutynin, propiverine 등이 있고 최근에 대두된 mirabegron은 1, B로 평가되었다. Desmopressin은 과민성방광과 연관된 야간뇨의 치료약제로서 1, A로 좋게 평가되었으나 저나트륨혈증과 수분저류를 조심하라고 언급되었다. 그러나 알파아드레날린차단제, 베타아드레날린작용제 등은 과민성방광의 치료약물로서 사용을 지지할 만한 자료가 충분하지 않다고 하였다(Andersson et al, 2013).

(1) 항무스카린제

과민성방광 치료에 항무스카린제는 이론적 증거가 증명되었지만, 작용기전은 확실하게 밝혀지지 않았다. 전통적으로 방광평활근에서 아세틸콜린에 의한 수축을 억제한다고 알려졌다. 문제는 이 작용이 요배출기에 일어나느냐는 것이다. 항무스카린제는 배뇨, 요속, 배뇨근압과 배뇨 후 잔뇨량에 치료약물의 용량 정도로는 영향을 미치지 않는다. 아세틸콜린이 무스카린수용체에 작용하는 것을 경쟁적으로 억제하기 때문에 부교감신경전달이 없는 요저장기에 불수의적 배뇨근수축을 억제한다. 그러나, 배뇨를 위해 방광이 수축하는 단계에서는 아세틸콜린이 많이 분비되기 때문에 치료용량의 항무스카린제는 배뇨 시 배뇨근수축에 영향을 미치지 않아 방광수축력이 정상인 경우 배뇨 후 잔뇨량을 증가시키지 않는다. 그러나 배뇨근수축력이 저하된 환자에서 사용된다면 잔뇨량이 증가하거나 요폐가 발생할 수 있다.

무스카린수용체는 배뇨근뿐 아니라 요로상피세포에도 분포하는데, 이 수용체가 배뇨에 영향을 미치는지는 아직까지 확실히 밝혀지지 않았다(Andersson, 2002). 배뇨근에서 아세틸콜린이 분비되는 것이 발견되었으며, 이것은tetrodotoxin에 의해 억제되지 않고 요로상피를 제거하였을때 현저히 감소하는 것으로 나타났다(Yoshida et al, 2002).결과적으로, 분비된 아세틸콜린은 신경에서 유래된 것이 아니고 부분적으로 요로상피세포에서 분비된 것이라고 결론을 내렸다. 따라서 요저장기에 아세틸콜린은 신경뿐 아니라 요로상피세포와 같은 신경계 이외의 장소에서도 분비되어 요로상피하층과 배뇨근에 있는 구심성신경을 직간접적으로 흥분시킨다.

국내에서는 fesosterodine, tolterodine, trospium, solifenacin, imidafenacin 등이 사용되고 있다. Tolterodine은 비선택성 항무스카린제로 알려졌다. 그러나 동물실험 결과, 방광에 대한 친화도가 침샘에 대한 친화도보다 더 높은 것으로 나타났다. 이는 가장 흔한 부작용인 구갈의 발생 가능성이 낮다는 것을 의미한다. 서방형 oxybutynin (10 mg/d)과 서방형 tolterodine(4 mg/d)의 효과와 부작용을 비교 분석한 위약대조연구(Diokno et al, 2003)에 의하면, 요실금의 발생빈도는 두 약물에서 비슷하게 감소하였고 빈뇨에 대한 효과는 oxybutynin이 tolterodine보다 좋았다. 구갈의 발생률은 각각 29.7%와 22.3%로 tolterodine에서 낮았으며, 부작용에 의한 탈락률은 두 군에서 비슷하였다. 서방형 tolterodine, 기존형 tolterodine 그리고 위약 간의 대조연구 결과 구갈증상은 각각 23%, 30%와 10%로 서방형 tolterodine에서 낮게 발생하였다(van Kerrebroeck et al, 2001).

Fesosterodine은 비특이성에스테라제nonspecific

esterase에 의해 활성 대사물질인 5-HMT로 전환되어 기능을 한다. Tolterodine과 같은 기전이나 좀 더 안정적인 효능을 보인다고 알려져 있다. 또한 용량의 유연성이 장점으로 알려져 있다. 937명을 대상으로 한 연구에서 야간 요절박 빈도나 야간뇨의 빈도를 의미 있게 감소시키는 것으로 나타났다(Weiss, 2012).

Trospium chloride는 다른 비선택성 항무스카린제와 비슷한 효과를 보이는 비활성 4가 아민으로 수용성이고 혈액뇌장벽을 통과하지 못한다. 그래서 중추신경계의 부작용이 적고 다른 약물과의 상호작용도 적다. 고령 환자의 과민성방광과 절박성요실금의 치료에 유용한 약물로 알려졌다. 그러나 1일 2회 복용하여야 하는 번거로움이 있다(Halaska et al, 2003; Rovner, 2004).

Solifenacin은 경쟁적 무스카린길항제로 3가아민이다. 선택성 M3수용체길항제로 알려졌고, 다른 항콜린제에 비해 구갈 등의 부작용이 적다(Chapple et al, 2004a). 최근 연구에서 서방형 tolterodine에 비해 solifenacin이 요실금 횟수를 감소시키는 데 효과적이라고 보고되었다(Chapple et al, 2005). 과민성방광 환자 중 요실금의 발생 빈도를 의미 있게 감소시켰고 부작용의 발생 빈도도 낮고 경미하였다고 하며 증상이 심한 환자에서도 효과가 있었다고 알려졌다.

Darifenacin은 M3수용체에 선택성 항무스카린제로 알려졌고, 다른 비선택성 항무스카린제에서 발생하는 부작용이 적을 것으로 기대되었다. Darifenacin 7.5 mg/d과 15 mg/d은 치료 2주에 위약에 비해 요실금 횟수, 배뇨 횟수, 요절박의 정도와 횟수를 유의하게 감소시켰다고 보고되었다(Haab et al, 2004). 그러나 야간뇨는 감소되지 않았다. 가장 흔한 부작용은 경도와 중등도의 구갈과 변비였으며 중추신경계와 심장에는 안전한 것으로 나타났다. 최근 연구에서 효과는 용량 의존적이었으며 7.5 mg/d과 15 mg/d 복용 시 요실금 횟수는 각각 8.8회(68.4%), 10.6회(76.8%)로 감소되었다(Chapple, 2004b). 또 65세 이상 고령 환자에서 인지기능의 감소는 위약복용 환자와 차이가 없었다. 이것은 M3수용체에 대한 darifenacin의 친화도가 M1수용체에 대한 친화도보다 5배 가량 높기 때문이라고 생각된다. Darifenacin의 M3수용체에 대한 친화도는 M1의 9배, M5의 12배, M2나 M4의 59배 정도로 나타났다(Smith·Wallis, 1997).

Atropine은 전형적인 항콜린제이지만 부작용이 심하여 과민성방광이나 절박성요실금의 치료에 거의 사용되지 않는다. 그러나 아트로핀의 방광내주입은 전신 부작용을 야기하지 않고 방광용적을 증가시킬 수 있다. 그래서 신경인성배뇨근과활동성이 있는 환자의 치료에 사용될 수 있다(Ekstrom et al, 1993; Enskat et al, 2001).

(2) 베타아드레날린작용제

베타아드레날린수용체는 방광체부에 존재하며 배뇨근 이완에 관여한다. 그래서 배타아드레날린작용제는 과민성방광 치료약물로 연구되었다. 사람과 돼지의 방광에는 주로 베타3수용체가 분포하며, 이것이 배뇨근이완을 매개한다. 또 요로상피세포 내에 있는 베타-교감신경수용체도 방광의 수축과 이완에 관여한다는 이론이 제기되었다(Biers 등, 2006). 베타작용제가 요로상피에 작용하여 산화질소NO가 아닌 억제물질을 분비하고 배뇨근수축을 억제하는 것으로 나타났다는 보고가 있다(Murakami 등, 2007).

Mirabegron은 하루 한 번 경구 투여하는 베타3작용제이다. 미국, 유럽, 일본 등에서 사용이 허가되었고, 우리나라에는 2015년 도입되었다. Mirabegron 하루 50 mg은 과민성방광 증상을 의미 있게 호전시키고 환자 감수성도 좋은 것으로 보고되었다. 일본에서 시행된 3상, 다기관, 이중맹검 12주 무작위 배정 대조연구에서 환자를 위약군과 50 mg군으로 배정하였다. Mirabegron군에서 배뇨 횟수, 요절박 횟수, 요실금 및 절박성요실금 횟수가 위약군에 비해 의미 있게 감소하였다. 심각한 부작용은 없었고 구갈도 위약군과 비슷한 수준으로 보고되었다(Yamaguchi, 2012). 12주간 진행된 여러 3상 연구에서 요실금 횟수와 24시간 배뇨 횟수를 감소시켰고 1회 배뇨량을 증가시키는 것으로 나타났다(Yeo 등, 2013). 또 환자의 보고 결과도 과민성방광증상을 의미 있게 호전시키는 것으로 보고되었다. 유럽과 호주에서 시행된 다기관 이중맹검 3상 연구는 1,978명을 대상으로 했는데, 이차 목표인 치료 만족도, 증상 불편감, 삶의 질이나 방광 관련 환자 만족도에서도 호전이 있었다(Khullar, 2012).

Mirabegron 50 mg과 100 mg은 최대요속, 최대요속시 배뇨근압력, 배뇨근수축력에 나쁜 영향을 미치지 않고, 하부요로증상과 방광출구폐색 환자에서도 수용성이 좋은 것으로 알려졌다. 100 mg 투여 시 배뇨 후 약간의 잔뇨가 증가하는 것으로 나타났지만 심각한 부작용은 관찰되지 않았다(Nitti, 2012a).

Mirabegron 50 mg, 100 mg를 tolterodine ER 4mg와 비교한 이중맹검 12개월 무작위배정 대조연구에서 Mirabegron 50 mg와 100 mg 치료 1개월 후 요실금, 배뇨횟수와 1회 배뇨량이 호전되었으며 12개월까지 유지되었으며 이는 tolterodine ER 4 mg 치료 효과와 유의한 차이가 없었다. 그러나 구갈은 tolterodine ER 4 mg 치료군에서 Mirabegron 치료군보다 3배 이상 많이 발생하였다(Chapple, 2013).

또 다른 베타3작용제인 solabegron의 과민성방광에 대한 연구가 진행되고 있다. 요실금이 있는 여성 과민성방광 환자를 대상으로 시행된 다기관 이중맹검 무작위배정 위약대조 연구에서 solabegron 125 mg은 위약에 비해 24시간 요실금 횟수를 8주째에 의미 있게 감소시켰다. 또 4주와 8주에 배뇨 횟수를 통계적으로 의미 있게 감소시켰고 8주에는 배뇨량을 의미 있게 증가시켰다. 이 약물은 안전하고 부작용도 증가하지 않고 환자 수용성도 좋았다(Ohlstein, 2012).

2019년 AUA 가이드라인에서는 항콜린제나 베타3작용제의 단독요법이 효과가 없을 경우 항콜린제와 베타3작용제의 병합 치료를 할 수 있다고 하였다. Mirabegron 25 mg, 50 mg와 solifenacin 5 mg의 병합 치료에 관한 SYNERGY 연구에서는 solifenacin 5 mg과 mirabegron 25 mg 병합군, solifenacin 5 mg과 mirabegron 50 mg 병합군, mirabegron 25 mg 단독군, mirabegron 50 mg 단독군, solifenacin 5 mg 단독군과 대조군과의 무작위배정 비교연구에서 solifenacin 5 mg과 mirabegron 50 mg 병합군이 solifenacin 5 mg와 solifenacin 5 mg 단독군보다 요실금 횟수, 요절박 횟수와 야간뇨가 유의하게 호전되었다(Herschorn, 2017). 또 다른 병합 치료에 대한 BESIDE 연구에서는 solifenacin 5 mg와 mirabegron 50 mg 병합군과 solifenacin 5 mg, 10 mg 단독군과의 무작위배정 비교연구에서, 병합군은 solifenacin 5 mg 단독군보다 요실금 횟수와 배뇨횟수 감소에 효과적이었으며 solifenacin 10mg 단독군과 비교하였을 때는 배뇨횟수가 병합군에서 더 유의하게 호전되었다고 보고되었다(Gratzke 2018).

(3) 복합작용제

항무스카린 효과 이외에 평활근 이완, 국소마취효

과 등배뇨근에 직접적인 효과를 보이는 약물로 효과는 대부분 항무스카린 효과에 의한다고 해석된다. 평활근 이완효과는 칼슘통로차단에 의해 발생한다. 약물로는 oxybutyninchloride와 propiverine HCl 등이 있으며 부작용은 다른 항무스카린제와 유사하다.

Oxybutynin은 요실금과 과민성방광의 치료에 가장 오랫동안 사용된 약물 중 하나이다. 위장관에서 쉽게 흡수되어 간의 cytochrome P−450에 의해 대사되는 3가 아민이다. 일차 대사물질인 N−desethyloxybutynin (DEO)은 oxybutynin 복용 후 발생하는 부작용의 원인 물질로 알려졌다. Oxybutynin은 항무스카린작용 이외에 직접적인 근이완작용과 국소마취효과를 가지고 있다. 직접적인 근이완효과는 방광내주입의 근거가 된다. 방광내주입은 배뇨근에서 높은 약물 농도를 얻을 수 있고 전신부작용을 피할 수 있어 경구투여로 부작용이 심한 경우나 신경인성배뇨근과활동성 환자에서 유용하다(Kasabian et al, 1994;Palmer et al, 1997).

oxybutynin ER은 부작용의 원인 물질인 DEO의 생성을 줄여 환자의 약물 순응도를 높이고자 개발되었다. 삼투압을 이용하여 약제에서 서서히 약물이 흘러나와 하부소화기계에서 흡수되도록 만들어졌다. 이 부위에는 cytochrome P−450 대사가 광범위하지 않아 oxybutynin IR에 비해 구갈이 적을 것으로 기대되었다. 이 약제복용 시에도 DEO가생성되지만, ER 제제가 IR 제제에 비해 구갈이 적었다고 보고되었다(Appell et al, 2003). 흥미롭게도 oxybutynin IR과tolterodine IR 복용 2시간 후 침 분비량은 현저히 감소하였다가 서서히 증가한 반면, oxybutynin ER을 복용한 후의 침 분비량은 복용 전과 동일하였다(Chancellor et al, 2001).2003년에는 패치형 oxybutynin이 미국 식약청의 승인을 받았다. 하루 3.9 mg이 유리되는 패치형 oxybutynin은 tolterodine ER보다 효과적이며 부작용의 발생 빈도는 낮았다(Dmochowski et al, 2003). 가장 흔한 부작용으로는 부착 부위의 소양감과 발적이며, 전신부작용으로 가장 흔한 것은 구갈이었고 두 연구에서 각각 4.1%와 9.6%로 보고되었다(Dmochowski et al, 2002, 2003). 국내에서는 패치형 oxybutynin이 아직 사용허가를 받지 못하였다.

Propiverine은 항무스카린 효과와 함께 칼슘차단작용을 한다(Haruno, 1992; Tokuno et al, 1993). Oxybutynin과 마찬가지로 과민성방광과 배뇨근과활동성에 대한 효과는 주로 항무스카린 효과에 의한 것으로 생각된다. 이 약제는 요절박이나 빈뇨 뿐 아니라 절박성요실금과 복합성요실금도 호전시키는 것으로 발표되었다(Dorschner et al, 2000). 미국에서는 사용하지 않지만 유럽과 일본 그리고 국내에서는 많이 사용하는 약물 중 하나이다. 최근 서방형이 개발되어 기존형과 효과를 비교한 논문에서 요실금의 빈도는 위약에 비해 월등하게 감소되었으나 두 제형의 차이는 발견되지 않았고 부작용의 빈도도 차이가 없었다(Junemann et al, 2006). 항무스카린제는 과민성방광에 효과적이고 안전한 약물로 생각된다. 어떠한 약물을 환자에게 처방하려면 그 환자의 증상에 딱 맞는 유효성 자료가 필요하다. 대개 항무스카린제는 절박성요실금의 빈도를 70~75% 정도 감소시킨다. 그러나 빈뇨를 20~30% 정도만 감소시키고 배뇨량을 10~20% 정도 증가시키는 것으로 알려졌다. 약물간 효과의 차이는 약물 간 비교연구가 부족하여 판단하기 어렵다. 비교연구에서도 연구기준, 대상군, 효과 판정기준 등이 다르면 그 연구를 받아들이기 어려운 점이 있다. 현재까지 다양한 약물의 효과는 유사한 것으로 받아들이고 있다(Wein·Rackley, 2006).

항무스카린제의 효과적인 치료기간은 아직 정확하게알려지지 않았다. 환자마다 원인이 다양하기 때문에 치료에 반응하는 정도도 다양하다. 일반적으로 약물효과는 2주 내에 발생하고 약 1개월에는 최고 효과의 60~70%에 달한다고 생각된다. 그 후 3~6개월까지 사용하는 경우효과는 더욱 증가한다. 그래서 3~6개월간 치료한 후 약물을 중단하고 증상을 관찰하면서 재치료 여부를 결정하는 것이 일반적이다. 물론, 신경학적 원인이 확실한 경우에는 그 질환이 호전되지 않는 한 계속 사용할 것을 권한다. 국내 연구진의 보고에 의하면, 3개월간 항콜린제치료후 증상이 호전되어 약물을 중단한 경우 약 35% 환자에서 증상이 재발하여 재치료가 필요하였다. 재치료의 위험인자는 고령, 중증의 요절박, 배뇨근과활동성의 유무 등이었다(Choo et al, 2005).

새로운 항콜린제로서 효과는 유지되면서 부작용을 감소시킨 약물에 대한 임상연구가 진행 중이다. Afacifenacin는 현재 2상 연구가 진행 중인 새로운 항콜린제이다. 무스카린수용체의 길항작용뿐만 아니라 나트륨 채널을 봉쇄해서 방광 구심경로를 억제하여 배뇨량을 증가시켜 빈뇨와 요실금을 감소시킨다. 선택성이 높다고 알려진 약물보다도 항무스카린 부작용이 적을 것으로 기대되고 있다. Tarafenacin은 또 다른 M3선택성 길항제인데 과민성방광으로 인한 요실금의 치료제로서 임상 연구가 진행 중이다. 국내뿐만 아니라 세계 여러 나라에서 2a상 임상연구가 진행되고 있으며 효과와 환자 수용성에서 긍정적인 결과가 보였다. 현재도 과민성 방광에서 약물치료의 근간은 항콜린제이고 새로운 치료법에 대해 비교 대상이 되는 벤치마크 역할을 한다. 향후 항콜린작용뿐만 아니라 근육이완 같은 작용을 동반하고 부작용이 적은 약물의 개발에 대해 노력해야 한다(Yeo et al, 2013).

(4) 삼환계항우울제

삼환계항우울제(tricyclic antidepressants)는 항무스카린 효과, 진정과 항히스타민 효과, 교감신경말단 부위의 세로토닌과 노르아드레날린의 재흡수를 억제하여 알파1교감신경을 자극하는 효과가 있다(Maggi et al, 1989). 그래서 방광수축력을 감소시키고 괄약근의 저항을 증강시키는이중작용을 하여 하부요로에서 요저장을 촉진한다. 약물로는 imipramine, amitriptyline, doxepin 등이있다.

Imipramine은 소아 야뇨증의 치료에 효과적이지만 QT간격 증가와 같은 심혈관계 부작용이 있다(Giardina et al, 1979). 요실금의 치료에서 위약에 비해 임상적으로 의미 있는 효과를 나타내지 못하였다. 배뇨장애의 치료약물로서 이미프라민의 효과와 위험성에 대한 충분한 연구가 없지만 경험적으로 아직도 사용되고 있다.

3. 특정상황의 과민성방광 치료

1) 방광출구폐색이 동반된 남성

남성 과민성방광의 유병률은 여성과 비슷하게 보고된다. 전통적으로 남성 하부요로증상은 전립선비대증과 관련 있다고 생각되었다. 방광출구폐색이 지속되면 방광의 허혈과 콜라겐 침착, 배뇨근활동의 변화 등으로 배뇨근과활동성이나 저활동성방광 같은 방광기능 이상이 동반된다. 또 방광출구폐색 환자의 50%에서 배뇨근과활동성이 요역동학검사에서 관찰되었다는 보고도 있다. 그러나 방광출구폐색이 항상 배뇨근과활동성의 원인은 아니고 다른 원인에 의해 배뇨근과활동성이 발생할 수 있다.실제 하부요로증상이 있는 남성 환자의 상당수에서 방광출구폐색이 발견되지 않는다. 또한 전립선절제술 후에도 절반 가량의 환자에서 과민성방광이 소실되지 않는다. 전통적으로 전립선비대증 환자에서 항무스카린제는 급성요폐를 유발할 위험이 있어 금기였다. 항무스카린제가 배뇨근수축을 억제하여 요폐를 일으킬 수 있다는 우려 때문이다. 그러나, 이 우려에 대해 문헌으로 발표된 증거는 거의 없다. 항무스카린제는 경쟁적 길항제이므로, 아세틸콜린이 과잉분비되는 배뇨기에는 항무스카린제의 효과가 감소되어 고용량을 사용하지 않는 한 방광수축력을 감소시킬 수 없고 배뇨압이나 최대요속을 감소시키지 않는다(Abrams·Andersson, 2007).

남성 과민성방광 환자를 대상으로 항무스카린제의 유효성과 안전성이 입증되고 있다. 전립선비대 때문에 방광출구폐색증상과 하부요로증상이 있어 알파차단제로 치료하였으나 효과가 없었던 환자를 대상으로 tolterodine ER을 6개월간 투여한 연구가 시행되었다(Kaplan et al, 2005). 그 결과 최대요속은 의미 있게 증가하였고 잔뇨량은 감소하였으며 요폐는 발생하지 않았다. 과민성방광이 있고 요역동학검사에서 배뇨근과활동성과 방광출구폐색이 증명된 40세 이상의 남성 환자에서 tolterodine ER을 12주간 투여하여 위약과 비교한 연구가 있다. 위약보다 약물투여군에서 최대요속, 최대요속 시 배뇨근압, 처음 배뇨근수축 시용적과 최대방광용적이 의미 있게 호전되었다. 그러나 잔뇨량의 경우 대조군보다 33 mL 정도 증가하였으나 임상적으로 의미가 없었고 요폐도 발생하지 않았다(Abrams et al, 2006).

방광출구폐색이 있거나 의심되는 남성 과민성방광 혹은 하부요로증상 환자에서 항무스카린제를 알파차단제와 안전하게 병용할 수 있다는 연구들(Lee et al, 2004, Leeet al, 2005; Kaplan et al, 2006)이 발표되었다. Tamsulosin과 tolterodine, propiverine과 doxazosin, doxazosin과 tolterodine 등을 병용한 연구가 발표되었고 배뇨일지 상 배뇨증상이 호전되었으며 요폐는 걱정하지 않아도 된다고 하였다. 그러나 대규모의 위약대조연구가 필요하다. 일반적으로 일차치료로 알파차단제를 투여하여 방광출구폐색을 해결한 후, 항무스카린제를 추가적으로 투여하는 것이 바람직하다. 배뇨근수축력이 약한 환자의 경우 항무스카린제를 사용하면 증상이 악화되거나 요폐의 가능성이 있으므로 항무스카린제 사용을 고려하는 경우 요역동학검사를 시행하여 배뇨근수축력을 평가하는 것이 좋다. 실제 임상진료에서 요역동학검사를 시행할 수 없는 경우, 요속과 배뇨후 잔뇨량을 기준으로 치료원칙을 정하는 것도 도움이 된다. 폐색이 심한 경우 항무스카린제에 의한 요폐의 가능성이 있으므로 전립선비대증수술을 하여 폐색을 제거한 후 과민성방광을 치료하는 것이 바람직하다(Lee et al, 2006).

2) 노인

과민성방광이 노인에서 높은 유병률을 보이고 있어 노인에게 약제의 안전성이 중요한 문제이다. 안전성 문제에서 혈액뇌장벽 투과성 증가, 간기능과 신기능 변화와 항콜린작용을 가지고 있는 다른 약제와 공동투여 등을 고려하여야 한다(Kay·Granville, 2005). 젊은 층과 나이를 층화해서 비교하여 발표한 연구는 tolterodine 연구가 유일한데, 전체적인 안전성에는 차이가 없었다. 다른 약물의 연구에도 흔히 고령이 많이 포함되어 있기 때문에 안전성에는 큰 차이가 없는 것으로 생각된다.

노인에서는 인지장애가 특별한 관심 분야이다. 정상 노화과정으로 중추신경계에서 항콜린성 활동이 저하된다. 이유는 아세틸콜린의 농도가 감소하거나 기능성 콜린수용체의 감소로 생각된다. 다섯 가지 무스카린수용체가 뇌조직에서 발견되지만 M1수용체가 해마나 뇌피질에 가장풍부하게 있다. 결국 M1수용체에 대한 항무스카린제의 친화성이 인지장애의 발생 가능성과 연관이 있다.

Oxybutynin은 M1과 M3에 선택성을 보이고 약제의 크기와 구조가 혈액뇌장벽을 잘 통과할 수 있다(Kay·Granville, 2005). 위약과 비교하여 반응시간에서 의미 있는 결과를 보였다. Darifenacin은 M3 선택성이고, trospium은 양극성이어서 혈액뇌장벽을 잘 통과하지 못한다. 그러나 50세 이상의 건강한 자원자를 대상으로 한 연구에서 oxybutynin IR, tolterodine IR, trospium 투여 1시간 후 집중력이나 인지기능에서 이상이 없었다는 보고가 있다(Diefenbach et al, 2005). 결국 항콜린제와 인지장애와의인과관계를 증명하기 위해서 수준 높은 대규모 연구가 필요하다.

3) 소아

미국의 경우 oxybutynin만이 5세 이하의 소아에서 사용이 허락되었다. 그러나 소아에서도 부작용의 빈도가 높고 아직 장기사용에 대한 보고가 적다는 문제점이 있다. 요실금이 있는 소아 과민성방광 환자의 치료에서 주간요실금은 사라졌으며 구갈이 가장 흔한 부작용이었고 36%에서 발생하였다. 그러나 기억력, 집중력 등의 기능에 변화는 없었다(Youdim·Kogan, 2002).

독일 등 여러 나라의 경우 소아에서 propiverine의 사용을 인정하였다. 신경인성과활동성방광 환아에서 propiverine으로 6~12개월간 치료한 후 요실금이 87%에서 32%로 감소하였고 심각한 부작용은 없었다(Grigoleit et al, 2006). Trospium으로 치료한 결과 약 82%의 요역동학과 요실금 개선율을 보였고, 부작용(두통 6%, 어지럼증2%, 복통 2%, 구갈 2%)은 흔하게 발생하지 않았다.

Oxybutynin과 tolterodine을 소아에서 사용하고 비교한연구 결과, 효과는 거의 비슷하게 나타났지만 구갈 등의 부작용은 tolterodine에서 24%로 oxybutynine 79%보다 훨씬 적었다(Bolduc et al, 2003). Tolterodine을 복용한 후 발생하는 부작용으로 요로감염 7~9%, 비인후염 5~7%, 두통이 4~5%로 보고되었다. 또, oxubutynin 복용 시 발생하였던 중추신경계 이상, 안

표 29-2. 연구 중인 과민성방광 치료제 후보군

Nerve growth factor
Purinergic receptor antagonist
Transient receptor potential(TRP) channel antagonist
Prostanoid receptor antagonist
Rho-kinase inhibitor
Vitamin D3 receptor agonist
K^+ channel opener
Phosphodiesterase (PDE) inhibitor
Cannabinoid system
Melatonin
Apoptosis-inducing agent (NX-1207, PRX302)
Centrally acting drug

면홍조, 소화기증상, 시야흐림이 tolterodine을 복용한 후 사라졌다는 보고도 있다(Raes et al, 2004). 그러나 아직 대규모 연구가 부족하고 현재 darifenacin이나 solifenacin에 대한 연구는 없다.

4. 일차치료의 실패 시 치료대책

1) 일차치료의 실패 원인

치료에 반응하지 않는 이유는 다양하며, 비약리학적 원인과 약리학적 원인으로 대별된다. 가장 흔한 원인이 행동치료가 적절하게 시행되지 않은 경우이다. 수분섭취량을 조절하고 카페인과 같은 방광자극증상을 유발하는 음식물을 제한하는 것이 중요하다. 실제 배뇨 빈도나 요절박은 호전되었으나 환자가 이를 느끼지 못하는 경우도 있다. 이러한 경우, 치료 전후의 배뇨일지를 검토하여 현재상황에 대한 객관적인 배뇨 평가가 이루어져야 한다. 과민성방광을 유발하는 다른 질병을 처음에 진단하지 못한 경우도 치료 실패의 원인이 된다. 방광결석, 방광상피내암, 간질성방광염의 경우, 항콜린제만으로 만족할 만한치료효과를 얻을 수 없고, 급성방광염이 발생하면 환자는증상이 악화되었다고 느낄 수 있다.

약리학적 원인으로는 약물치료를 하는 동안 부작용 때문에 용량을 적절하게 사용하지 못한 경우가 많다. M3수용체에 주로 작용하는 약제의 경우 M2수용체의 분포가 증가하면 치료효과가 감소된다. 항콜린제는 신경말단에서 분비되는 아세틸콜린이 방광평활근의 무스카린수용체에 부착되는 것을 차단하여 치료효과를 나타낸다. 따라서, ATP 매개인 비콜린성 방광수축이나 방광평활근 자체의 과활동성에 의한 방광수축의 억제에는 효과적이지 않다. 환자별로 다른 유전적 특성 때문에 어떠한 환자에서는 효과적인 반면, 다른 환자에서는 효과적이지 않을 수 있다(Wein, 2003).

2) 치료대책

일차치료에 실패하였을 경우, 우선 환자를 격려하고 치료될 수 있다는 확신을 주고 더욱 강력한 행동치료를 시행한다. 약의 종류를 바꾸어 투약하거나 약물복용을 증량하거나 다른 작용기전의 약물을 추가하는 방법을 사용할 수 있다. 그래도 효과가 없는 경우, 다른 치료방법을 시작한다. 침습적 치료방법을 시행하기 전 환자 상태를 다시신중하게 검사한다. 이 경우 요역동학검사는 필수이다. 그러나 대개 방광경이나 영상검사는 필요하지 않다.

3) 새로운 치료방법

현재 사용되는 항무스카린제의 가장 큰 문제점은 임상적으로 비뇨기계에만 작용할 수 있는 선택성이 없다는 것이다. 비뇨기계 선택성이 있어야만 부작용 없이 효과적으로 과민성방광을 치료할 수 있다. 이상적인 약물은 배뇨근에 배뇨기가 아니고 저장기에만 관여하는 경로에 작용하여 효과는 있으나 부작용이 없는 것이다. 항무스카린제의 구조를 변형하거나 투여경로를 변경할 수 있고, 약리학적으로 작용 부위에 따른 새로운 약물들이 연구되고 있다. 운동신경계에 작용하는 약물로 각각 배뇨촉진작용을 억제하거나 배뇨억제 작용을 활성화하는 방법이 연구되고 있다. 또 감각신경계에도 마찬가지로 각각 구심성신경절이나 경로에 작용하는 약물들이 연구되고 있다. 작용 수준에 따라서도 중추신경계(뇌피질, 중뇌, 척수)나 말초신경계에 작용하는 약물에 대한 연구가 진행되고 있다. 또한, 방광에 선택성으로 작용하거나 부작용을 줄이는 약물전달방법과 투입경로에 대한 연구도 지속되고 있다(Yeo et al, 2013)(표 29-2).

(1) Neurokinin-1 수용체 길항제

Tachykinins은 인체 각각의 NK수용체에 결합하는 신경펩티드 물질이고 substance P가 주 물질이다. 중추신경계와 말초신경계에서 발견되는 펩티드군으로 배뇨조절에 관여한다고 알려져 있고 특히 배뇨근수축을 시작시키는 것으로 알려져 있다(Covenas et al, 2003; Quinn et al, 2004).

절박성요실금이나 복합성요실금을 가진 폐경기 이후 여성에 대한 무작위배정 대조연구에서 NK-1수용체 길항제인 aprepitant가 위약에 비해 배뇨 횟수를 의미 있게 감소시켰고, 요절박 빈도도 의미 있게 감소시키는 것으로 입증되었다. 통계적 의미는 없지만 절박성요실금의 빈도나 전체 요실금의 빈도도 감소시켰다. 또 이 약물은 부작용의 빈도가 낮고 환자들의 수용성도 좋았다(Green et al, 2006). NK-1수용체 길항제는 과민성방광의 치료에서 충분한 가능성이 있으나 항콜린제인 tolterodine에 비교해서 더 나은 효능을 입증하지 못했다(Frenkl et al, 2010).

(2) 바닐로이드수용체 작용 물질

비선택성 양이온통로의 하나인 바닐로이드수용체(TRPV1)는 방광의 감각신경과 요로상피에서 발견되며, 방광과활동성과 연관이 있는 것으로 밝혀졌다. 감각성요절박 여성의 방광삼각부에서 TRPV1 발현이 증가된 것이 관찰되었지만 특발성 과활동성방광 환자에서는 관찰되지 않았다(Liu et al, 2007). 강력한 신경독소인 캡사이신은 TRPV1에 결합하여 C 신경섬유 구심성경로를 탈감작시킨다. 캡사이신의 방광내주입은 그 효과에 비해 급성통증과자극증상들로 임상 이용이 제한적이다.

Euphorbia라는 식물에서 추출한 레시니페라톡신(resiniferatoxin) 역시 TRPV1의 작용제로, C 신경섬유를 탈감작시키지만 캡사이신에 비해 효과가 1,000배 정도 월등하고 부작용은 적다(Ishizuka et al, 1995). 레시니페라톡신의 방광주입은 국소자극증상은 없지만 효과의 지속기간이 짧다. 저용량(10nM)을 반복 주입하였을 때 3개월에 약 62%, 6개월에 약 50% 환자에서 효과가 지속되었다는 보고가 있다(Kuo et al, 2006a). 또한 고용량(50nM)을 1회 주입함으로써 불응성 배뇨근과반사에 대한 효과를 6개월까지 연장할 수 있다고 하였다(Apostolidis et al, 2006). 항콜린제에 효과가 없고 배뇨근과활동성을 가진 53명의 배뇨근과활동성환자들에서 10nmol/l resiniferatoxin을 3~4회 방광내 투여함으로써 35%에서 우수한 효과, 27%에서는 호전을 보였고 39%에서는 효과가 없었다. 최근 새로운 바닐로이드수용체인 TRPV1이 방광의 감각신경에서 발견되어 요절박 치료의 새로운 연구 대상으로 부각되고 있다.

(3) PDE억제제

Phosphodiesterase (PDE)억제제는 cyclic guanosinemonophosphate (cGMP)와 cyclic adenosine monophosphate(cAMP)의 분해를 막아서 평활근육 긴

장도의 조절에 관여한다. PDE1억제제인 vinpocetine은 인체 배뇨근을 의미 있게 이완시키는 것으로 입증되었고 초기 임상연구에서 요절박과 절박성요실금을 가진 환자에서 상당한 호전을 보여 주었다(Truss et al, 2000).

최근 과민성방광 치료로 PDE억제제의 역할에 대한 연구가 시도되고 있다. 다기관 이중맹검 위약대조 연구가 북남미, 유럽, 호주 등 50개 기관에서 350명을 대상으로 시행 되었다. 발기부전을 동반하거나 하지 않고, 저장증상이 주증상인 하부요로증상 환자에서 PDE5억제제의 효과와 안정성에 대해 연구되었다. PDE5억제제의 여러 용량에서 위약에 비하여 배뇨 횟수, 평균 배뇨량, 요절박 횟수, 야간뇨 횟수 등에서 차이를 보이지 않았다. 그러나 위약에 비해 치료군에서 높은 선호도, 만족도, 사용 의향성을 보였다(Giuliano et al, 2010).

PDE5억제제인 sildenafil은 인체 배뇨근에서 이완을 유도하였고 vardenafil은 생쥐에서 배뇨와 관계없는 배뇨근수축을 감소시켰고, 방광 구심성신경활동을 감소시켰다. 이런 증거는 인간에서 저장증상의 치료에서 중요한 역할을 할 가능성을 암시한다(Behr-Roussel et al, 2011; Stief et al,2008). 최근 tadalafil은 전립선비대증에 이차적인 하부요로증상 치료에서 인가를 받았다. 하부요로증상을 호전시켰고 환자들의 순응도도 높았다(Martinez-Salamanca et al, 2011).

(4) 프로스타글란딘합성억제제

프로스타글란딘은 자극에 의해 요로상피에서 생성되고 배뇨근과 요로상피에서 분비되는 것으로 알려졌다. 프로스타글란딘이 배뇨근수축과 연관되어 있다는 것은 여러 실험에서 입증되지만, 배뇨근과활동성을 일으키는 기전으로 작용할 수 있는지는 확실하지 않다. 배뇨근에 직접 작용하는 것보다 방광충전에 따라 방광의감각신경을 감작하는 것으로 생각된다. 따라서 프로스타글란딘은 저용량으로 배뇨근수축을 유발할 수 있다. Cyclooxygenase (COX)는 arachidonic acid를 프로스타글란딘이나 thromboxanes으로 변환시키고 이를 바탕으로 프로스타글란딘합성억제제는 배뇨근과반사를 효과적으로 억제할 수 있을 것으로 생각하였다.

30명 여성 환자들을 대상으로 한 연구에서 프로스타글란딘합성억제제인 flurbiprofen을 투여했고 그 결과 배뇨근과활동성은 지속되었지만 좋은 효과가 있었다. 그러나 두통이나 소화기장애 같은 부작용이 43%에서 나타났다. 그래서 이 약물은 과민성방광 치료제로서는 높은 부작용 발생률과 심독성 때문에 한계가 있다(Cardozo et al, 1980). 이처럼 프로스타글란딘합성억제제인 flurbiprofen이 과민성방광 증상을 호전시켰지만 오심, 구토, 두통, 소화기장애 등 부작용 발생률이 높아 중도탈락률도 높게 나타났다(Cardozo et al, 1980; Palmer, 1983). 현재 과민성방광 치료약물로서 프로스타글란딘합성억제제의 역할에 대한 임상 연구는 부족한 실정이다.

(5) 칼륨통로개방제

칼륨통로는 세포 흥분을 조절하는 데 중요한 역할을 한다. 이 통로를 통해 칼륨이 유출되면 세포막이 과분극되어 칼슘통로가 덜 열려 세포 내로 칼슘 유입이 줄어들어 배뇨근이 이완된다. 동물실험에서 칼륨통로개방제가 배뇨근수축을 억제할 수 있다는 증거가 발견되었으나 임상진료에서의 사용은 성공적이지 못하였다.

제1세대 개방제인 pinacidil은 방광 선택성이 혈관 선택성에 비해 낮았으나 그 이후 연구된 약물들은 방광 선택성이 향상되고 방광조직과 배뇨근세포의 수축을 감소시켰다(Elzayat et al, 2006). 최근 사람의 배뇨근육세포에서TREK-1이 칼륨통로 중 하나로 밝혀져 이를 대상으로 한 약물연구가 진행되고 있다(Tertyshnikova et al, 2005). 새로운 약물의 개발과 구조 변형이 이루어져 실험이 진행되었지만 결과가 모순적이고 좋은 결과라도 사람에게 그대로 적용하기에는 무리가 많다. 그러나 향후 새로운 약물연구의 중요한 분야라고 생각한다.

칼륨통로개방제는 과민성방광 치료제로서 가능성이 있다. 배뇨근에서 몇 가지 종류의 칼륨통로가 발현되고 근육 세포 막전위membrane potential에 영향을 주어 평활근의 긴장도를 조절한다. 방광의 수용성 신경에 영향을 주어 배뇨근수축을 조정하여 과민성방광 증상을 완화시킬 수도 있다. 동물모델에서는 배뇨근과활동성을 감소시키는 것이 입증되었다. 인체 배뇨근 절편에서도 위상성수축을 제한하는 것으로 알려져 있다.

여러 동물모델에서 배뇨평활근 이완을 유도하는 것으로 입증되었지만 인체 모델에서는 재현되지 않았다. 게다가 이 개방제는 혈관 내 평활근에도 작용하여 혈압을 저하시키는 심혈관계 부작용이 있을 수 있다. 위약에 비해 저혈압의 부작용은 없었지만 증상 호전이 좋지 않았다는 연구가 있다. 현재는 효과가 입증되지 않아 치료제로서 사용되고 있지는 않다.

(6) Cannabinoids

Cannabinoid 수용체인 CB1과 CB2는 인체 방광에서 발견되었고 배뇨근보다 요로상피에서 발현이 더 많다(Tyagi et al, 2009). Cannabinoid는 마리화나인 Cannabis sativa의 활성 물질로 다발성경화증 환자 연구에서 과민성방광 환자의 치료에 있어 역할을 할 가능성이 있는 것으로 알려졌다(Freeman et al, 2006). 630명을 대상으로 한 다기관연구에서 D9−tetrahydrocannabinol, cannabis extract 그리고 위약군으로 무작위 배정하여 연구하였는데, cannabis군에서 절박성요실금의 빈도가 의미 있게 감소된 것으로 나타났다. 향후 과민성방광 치료와 관련하여 연구가 더 필요한 실정이다.

(7) 아편유사제

아편유사제는 하부요로기능에 중추적, 말초적 효과를 가지고 있다. 중추적 중재 기전을 통해 배뇨근 활동을 억제하고 아편유사제 수용체를 통해 억제 효과를 나타낸다(Andersson·Wien, 2004). Tramadol은 요실금 빈도를 감소시키고 특발성배뇨근과활동성을 가진 환자에서 요역동학 호전을 일으켰다(Safarinejad et al, 2006).

(8) GABA작용제

GABA는 배뇨반사를 억제하는 것으로 알려진 또 다른 신경중추작용 약제이다(Pehrson·Andersson, 2002). GABA수용체 작용제의 억제작용은 아직 완전히 알려져 있지 않지만, 방광의 구심성 C 신경섬유에 영향을 미친다는 증거가 있다. Gabapentin이 항콜린제에 저항하는 과민성방광 환자에서 증상을 호전시켰다는 보고가 있다(Kim et al, 2004).

(9) 세로토닌/노르아드레날린 재흡수억제제

세로토닌/노르아드레날린 재흡수억제제는 방광의 부교감신경활성을 억제하고 교감신경과 체성신경의 활동을 증가시키는 것으로 알려졌다. 이러한 작용은 방광을 이완시키고 요도저항을 높여 요저장을 촉진한다.

Duloxetine hydrochloride는 복압성요실금의 치료약제로서 최초 개발된 약물로 5HT와 노르아드레날린수용체가 많이 분포하는 천추신경의 Onuf핵에서 세로토닌과 노르아드레날린의 재흡수를 억제한다. 이어 Onuf핵에 위치하는 음부신경을 자극하여 요도괄약근수축력을 증가시킨다. 여러 연구에서 duloxetine의 요실금에 대한 치료효과가 보고되었으며, 삶의 질 또한 유의하게 호전되었다(Dmochowski, 2004). 가장 흔한 부작용은 오심이며 약 25% 환자가 단기간 오심을 경험하였다. 5% 환자는 약물복용으로 복용을 중단하였다. 복압성요실금의 치료약물로서 개발되었지만 복합성요실금과 과민성방광 치료약물로서의 역할이 기대되며 그에 대한 연구가 필요하다(마 et al, 2006).

(10) 보툴리누스독소

보툴리누스독소(BTX)는 그람양성균인 Clostridiumbotulinum이 생성하는 신경독소이다. 신경근접합부로 가는 시냅스 전 콜린신경말단부로부터 아세틸콜린의 유리를 억제하여, 결국 근육을 마비시키는 아세틸콜린 유리 억제제이다. 2013년 1월에 미국에서 항콜린제에 반응이 없는 비신경인성 과민성방광 환자에서 사용이 허가되었고, 국내에서도 항콜린제에 불응성인 성인 과민성방광 환자에서 사용이 식약처로부터 허가되어 있는 상태이다.

정상 상태에서 운동신경 내 활동전위(action potential)는 아세틸콜린을 함유하는 연접소포(synaptic vesicles)가 시냅스전막과의 결합은 아세틸콜린을 신경근접합부에 유리하게 한 후 배뇨근에 있는 무스카린수용체에 결합하게 한다. 소포가 시냅스전막과 결합하는 것은 시냅스결합체에 의해 중재되고 이것은 일련의 SNARE단백질로 구성되어 있다(Brunger, 2005). BTX의 배뇨근 내 주사 후 BTX가 시냅스전 공간으로 확산되어 콜린성 신경말단부의 세포막에 결합하게 된다. 여기서 세포내이입(endocytosis)에 의해 신경말단부로 들어간다. 시냅스 결합체를 형성하는 SNARE단백질의 특정 부위를 파괴하여 아세틸콜린의 유리를 방해한다. 7가지 혈청형을 가지고 있고 각각은 다른 면역학적특징을 갖는다(Brunger, 2005).

임상적으로는 A아형이 가장 많이 이용되고 있다. 이것은 SNARE단백질 SNAP-25을 분할하는 신경조절제이고, 신경말단부와 소포가 붙어 결합하는 것을 방지하여 신경전달을 억제한다. 일련의 과정으로 신경말단부로부터 아세틸콜린의 유리를 억제하여 결국 배뇨근 마비를 초래한다(Apostolidis et al, 2006). 감각구심성경로는 다른 소포 의존성 신경전달물질과 SNARE단백질 의존성 수용체의 억제를 통해 억제될 수도 있다는 보고가 있다. 따라서 BTX는 배뇨근에서 원심경로와 요로상피하 감각신경 수준에서 구심성경로를 조정하여 배뇨근과활동성을 치료하는 것으로 생각된다.

BTX는 항콜린제 불응성 절박성요실금 여성 환자에서 점점 사용이 증가되고 있으나 남성에서 연구는 아직 많지 않은 편이다. 또 여러 가지 제형이 개발되었고 전 세계적으로 onabotulinum, abobotulinum, incobotulinum toxin A가 각각 사용되고 있다. 각 제형의 용량은 서로 동일하지 않다는 것을 알아야 하고 다른 제형 간의 무작위배정 비교 연구도 없는 편이다. 다만, BTX A형이 10주 이내인 B형보다 더 오래 효과가 지속되는 것으로 알려져 있다. 현재까지 주사기술 즉 횟수, 주사량, 농도, 부위 등에 대해 표준화되지 않았다. 최근에 삼각부와 방광 기저부 주사는 방광체부 주사만큼 효과적이고 방광요관역류의 위험성도 높지 않고 안전하다고 알려졌다(Moore et al, 2009; Kuo,2011).

효과는 2주 내에 가시적이고 9개월가량 지속되고 반복 주사가 필요하다(David et al, 2012). 주 부작용으로 배뇨후 잔뇨량 증가와 요로감염이 있다. 단순 방광경검사와 비교하면 요로감염의 빈도는 높았다. 배뇨후 잔뇨량 증가는 대부분 임상적으로 의미가 없었지만(Kuo, 2006b) 일부에서는 간헐적도뇨가 필요한 경우도 발생하였다. 따라서 이 치료를 선택하고자 할 때는 환자의 자가도뇨 능력과 수용에 대한 평가가 전제되어야 한다(Duthie et al, 2011).

최근의 여러 임상연구들을 종합하면, BTX 주사는 신경인성과 특발성 과민성방광 환자에서 위약에 비해 효과적이다. 100-150단위의 용량이 효과적이며 300단위 같은 고용량에서는 효과는 더 지속적이나 부작용이 더 많았다. 배뇨근 내 주사나 요로상피하 주사의 효과는 비슷하다. 약물의 형태와 용량에 따라 효과가 몇 달간 지속되며 반복적인 주사가 효과적인 것으로 보인다(Mangera et al, 2011; Dmochowski et al, 2010).

BTX 주사의 최초 대단위의 다기관 무작위배정 위약대조 용량 조절 연구가 항콜린제에 불응성인 특발성 과민성방광과 요실금을 가진 환자들에서 시행되었다. 310명에서 50, 100, 150, 200 또는 300단위의 onabotulinum toxinA(onabotA)나 위약이 배뇨근 내에 주사되었다. 100단위이상에서 주당 절박성요실금 횟수와 2차 평가변수 등에서 지속적인 호전이 관찰되었다. 흥미롭게도 150단위 이상에서는 임상적 효과지표에 더 이상의 호전이 없었다. 부작용으로 배뇨 후 잔뇨량 증가와 간헐적도뇨의 필요성은 용량 의존적이었다. 이 연구를 통해서 특발성 과민성방광과 요실금을 가진 환자들에서 100단위 onabotA가 안전성과 효능을 갖춘 적절한 용량으로 파악되었다(Dmochowski et al, 2010). 다른 후향적 연구에서는 특발성이나 신경인성 배뇨근과활동성에 관계없이 200과 300단위 간에 유사한 효과와 지속성을 보였다. 그러나 일부에서는 300단위가 요구되었다(Malki, 2012).

적정용량인 onabotA 100단위를 사용한 두 개의 대규모 3상 무작위배정 대조연구가 있다. 항콜린제에 불응성인 특발성 과민성방광과 요실금 환자 557명에 대한 연구에서 onabotA 100단위 치료가 배뇨 및 요절박 횟수, 1회 배뇨량, 삶의 질을 위약에 비해 의미 있게 호전시키는 것으로 나타났다. 배뇨통, 세균뇨, 요폐 등이 위약에 비해 많았으나 배뇨 후 잔뇨량의 증가로 간헐적도뇨가 필요했던 환자는 6.1%에 불과했다(Nitti, 2012b). 다른 12주 연구는 277명의 특발성 과민성방광 환자와 271명의 대조군에서 onabotA 100 단위가 사용되었는데, onabotA 주사 환자군에서 순응도가 좋았고, 과민성방광 증상과 삶의 질 지표가 의미 있게 호전되는 것으로 나타났다. 다만, onabotA 주사군에서 평균 배뇨 후 잔뇨량이 2주 관찰에서 46.9 mL로 대조군 10.1 mL에 비해 많았고, 대조군(0.7%)에 비해 간헐적도뇨가 필요한 경우(6.9%)가 많았다(Chapple et al, 2013).

초기의 요역동학적 지표가 BTX 주사 성공률에 영향을 주는지 평가한 연구도 있다. 항콜린제에 불응성인 특발성 배뇨근과활동성을 가진 174명의 환자들에서 100단위 주사하였다. 3개월 후 주관적인 방광상태 측정 설문에서 79.3%가 성공적인 호전을 나타냈고 배뇨 후 잔뇨량이 100 mL 이상인 환자에서 급성요폐의 빈도가 높았다. 위상성(phasic) 배뇨근과활동성을 제외하고는 다른 초기의 요역동학 지표는 성공률에 영향을 미치지 않았고, 초기 잔뇨량은 힘주어 배뇨하기와 요폐의 위험성에 결정적인 영향을 주었다(Jiang, 2012).

BTX 주사 재치료율을 조사한 연구에서 효과는

6-10개월간 유의하게 지속되었고, 29%에서 평균 13개월에 재주사를 맞았고 첫 주사 시보다 두 번째 주사에서 효과가 더오래 지속되었다(Schmid, 2012).

현재까지는 BTX 방광내 주사치료의 장기적 효과에 대해서는 더 연구가 필요한 시점이다. 그러나 지금까지의 연구들을 종합하면 다른 보존적 치료에 실패한 특발성 과민성방광 환자들에서 BTX 방광내 주사치료는 효과적인 치료대안이 될 수 있다.

5. 난치성 과민성방광의 치료

과민성방광 일차치료 방법(treatments for patients withrefractory OAB)은 행동치료와 약물치료이다. 이 두 방법의 단독보다는 병용이 더 효과적이기 때문에 대부분 동시에 혹은 단계적으로 병용치료를 한다. 병용치료는 대개 50~80% 정도에서 요절박이 감소하고 절박성요실금이 호전되는 것으로 알려졌다. 그러나 요절박 또는 절박성요실금이 완전히 없어지지 않아서 치료 결과에 만족하지 못하는 경우 등 치료에 반응하지 않는 경우가 20~50%로 보고된다. 이러한 경우를 난치성 과민성방광이라고 지칭하고 다음과 같은 신경조정술과 수술적 치료를 고려한다.

1) 신경조정술

말초신경을 자극하여 비정상적인 배뇨척수반사를 정상화시키는 것이 목적이며 배뇨근의 억제반사회로를 활성화한다. 자극의 위치로 천수신경, 음부신경, 경골신경 등이 이용되고 전기나 자기장을 이용하여 자극한다.

(1) 후경골신경자극

후경골신경자극(posterior tibial nerve stimulation; PTNS)은 발목 안쪽면 위에 34게이지 세침을 넣고 후경골신경에 전기자극을 전달하여 천수배뇨중추(S2-4)를 자극하는 방법인데, 전형적 방법은 각 30분씩 12주를 치료 주기로 한다. 항콜린제 치료에 실패했거나 수용하기 어려운 일부 여성 환자에서 절박성요실금이 호전될 수 있는 증거가 있으나 tolterodine보다 더 효과적이지는 않다고 한다(Finazzi-Agro et al, 2010; Peters et al, 2009, 2010).

남성에서의 효과는 아직 확실하지 않으나 PTNS는 이전에 내과적 치료에 실패했던 비신경인성 배뇨근과활동성과 만성전립선통증후군을 가진 환자에서 안전하고 효과적인치료법으로 보고되었다. 30명을 대상으로 한 전향적 연구에서 주당 30분 12주간 치료가 시행되었다. 63%에서 골반통의 호전이 있었고 68% 이상에서 치료에 만족감을 표시하였다. 12주 치료 후 야간뇨와 요절박 횟수에서 의미 있는 감소가 있었고 부작용이나 통증으로 인한 치료 중단은 없었다(Aggamy, 2012). PTNS는 과민성방광 환자의 치료로서 추천은 되지만 아직 만성전립선통증후군 같은 다른 질환에서의 효과는 더 연구가 필요한 시점이다.

(2) 체외자기장자극법

체외자기장자극법(extracorporeal magnetic stimulation)은 비침습적이라는 장점이 있다. 과민성방광 환자 48명에게 체외자기장자극치료를 시행한 결과 치료 2주 후 약 69%의 환자에서 요절박이 소실되었으며 56%에서 빈뇨가, 50%에서 절박성요실금이 소실되었다(Choe et al, 2007). 이 중 75% 이상에서 최소 6개월 이상 효과가 지속되었다. 치료 효과는 여러 연구에서 입증되었으나 아직 장기치료에 대한 성적은 확실하지 않다.

(3) 천수신경조정술

천수신경조정술(sacral neuromodulation)은 프로그램된 전기자극생성기에 연결된 전극을 통해 전류로 천수(S3)를 자극하는 것이다. 기전은 척수 내 체성 구심성 억제를 자극해서 배뇨반사를 조절하는 것으로 알려져 있다. 또 병적인 배뇨근수축을 직접 억제하는 효과를 가지고 있다.1980년대 초부터 절박성요실금 치료로 천수신경조정술이 연구되었고, 1981년 기존의 보존치료에 반응하지 않는 환자를 대상으로 처음 시행되었다(Schmidt, 1986;Tanagho·Schmidt, 1988). 최근 적응증이 요절박, 특발성만성요폐, 골반통, 간질성방광염으로 확대되고 있다.

치료기전은 아직 명확하게 밝혀지지 않았으나 천수신경을 자극해서 불안정한 신경반사를 억제하여 정상 배뇨 상태로 변화시킨다고 생각된다. 유수 A델타 신경섬유(특히 S3)를 자극해서 요도괄약근과 골반저근을 강화시키고 배뇨근반사를 억제하는 효과를 나타낸다. 동물실험에서 음부신경의 구심성섬유(pudendal afferent)를 자극하였을 때 절전 부교감운동신경세포(parasympatheticpreganglionic motor neuron) 수준에서 천수배뇨반사를 억제함으로써 배뇨근에 대한 골반신경의 활동성이 억제되는 것을 관찰할 수 있었다. 또한 골반신경절 수준에서 하복신경hypogastric nerve이 활성화되는 것을 관찰할 수 있는데 이 결과는 사람의 회음부를 자극할 때 방광의 활동성이 억제되는 기전과 유사하다.

시술방법은 두 단계로 나뉜다. 첫 번째 단계는 영구적조정기를 삽입하기 위한 전 단계 혹은 준비 단계이다. 테스트 자극기를 이용하여 환자가 영구적 조정기를 삽입하였을 때의 효과를 미리 평가하는 단계이다. S3신경에 전기자극선을 유치하고 외부 전기자극기로 자극한다. 삽입하고 1주일 정도 상태를 관찰하여 증상의 호전이 50% 이상 되면 영구적 자극기의 삽입을 결정한다. 두 번째 단계는 신경조정기의 삽입 단계로 테스트 자극에서 적절하다고 판단된 환자에서 영구적 자극기를 삽입하는 단계이다. 최근 자가유치력이 있는 가지형 전극선(tined lead)의 사용으로 시술이 간편해졌다. 대개 기존 치료에 효과가 없는 과민성방광 환자에서 시술한 후 1년에 80−90%, 4년에 53−60%의 성공이 보고되었으며 일부 환자에서 요실금이 완전히 소실되는 경우도 보고되었다(Shaker·Hassouna, 1998; Oerlemans·vanKerrebroeck, 2008). 불응성 절박성요실금, 빈뇨, 요절박과요폐 환자에서 시행된 5년간의 전향적 다기관 연구가 17개 국가에서 시행된 바 있다. 연구 결과, 절박성요실금 환자에서 평균 요실금 횟수가 통계적으로 의미 있게 감소하였고, 요절박과 빈뇨가 있는 환자에서 평균 배뇨 횟수가 호전되고 평균 배뇨량이 증가하였다. 또 요폐 환자에서는 도뇨 횟수가 감소하였다. 심각한 부작용은 없었다. 5년 추적 검사에서 절박성요실금 환자의 68%, 빈뇨 요절박 환자의 56%, 요폐 환자의 71%에서 성공적이라고 보고되었다(van Kerrebroeck et al, 2007). 또한, 217명을 대상으로 한 연구에서 평균 47개월 추적 결과 71%의 성공률로 좋은 장기적 효과를 보였다(Peeters, 2012). 그러나 과민성방광 환자에서보다 특발성 요폐 환자에서 좀 더 지속적인 좋은 결과가 있었다. 합병증으로 이식 부위 통증으로 자극기를 제거한 경우와 전극이동 등이 보고되었다. 일반적으로 장기추적 시 효과는 50~60%정도로 기대된다(Chang, 2012). 국내에서 시행된 다기관 연구에서 기존 치료에 불응하는 31명 환자들을 대상으로 한 1년 추적 결과가 발표되었다. 요절박, 절박성요실금, 빈뇨 등에서 의미 있는 호전이 있었고, 전체적인 방광용적의 증가가 있었으며, 64.5%에서 치료에 만족하였다(Moon et al, 2014). 따라서 천수신경조정술은 보존적인 치료가 실패한 환자에서 배뇨근과활동성에 의한 절박성요실금에 대한 치료로 추천된다. 미국에서는 1997년에 절박성요실금에 대한 치료로서 인정 받았고, 우리나라에서도 현재 보험 급여가 가능하다.

2) 수술치료

주로 신경인성이거나 원인불명의 과민성방광에서 요절박이나 빈뇨, 절박성요실금이 심한 경우 혹은 다른 치료에 반응이 없는 경우에는 방광삼각부의 구심성신경을 파괴시켜 방광수축의 간격을 늘리거나 방광용적을 증가시키는 수술치료를 고려할 수 있다. 그러나 불응성 난치성 과민성방광 환자에서 이런 수술 방법이 특별하게 의미가 있다는 증거는 많지 않다.

(1) 방광탈신경술

1950년대 Ingelman-Sundberg에 의해 고안되었으며, 방광 주위 하하복신경총(inferior hypogastric plexus)을 광범위하게 박리하여 파괴하는 수술이다. 질을 통해 간편히 수술하는 변형된 Ingelman-Sundberg 술식에 의해 좋은 결과가 보고되었다. Bupivacaine을 전질벽을 통해 방광삼각부 아래에 주사하고, 6~24시간 동안 절박성요실금이 감소 혹은 소실되는지를 확인하는 술 전검사가 필요하다. 방광삼각부 위치의 전질벽에 역 U자 모양의 절개를 가하고 질상피와 방광주위근막을 박리하여 분리시키는 방법이다. 이 수술의 결과는 지속적이어서 28명 환자에서 수술 후 44.1개월간 추적관찰을 한 결과, 68%에서 별다른 합병증이 없었고 요절박과 절박성요실금이 완전히(54%) 혹은 부분적(14%)으로 소실되었다.

(2) 배뇨근절제술

배뇨근절제술(detrusor myomectomy (autoaugmentation)) 혹은 자가방광확대술(bladder autoaugmentation)은 방광점막층을 유지하면서 배뇨근을 제거하는 방법이다. 방광게실을 인공적으로 형성하여 방광용적과 방광유순도를 증가시킨다. 또한 배뇨근을 제거하여 불수의적배뇨근수축(involuntary detrusor contraction IDC)의 강도와 빈도를 감소시킨다. 장을 이용하는 방광확대성형술에 비해 수술시간과 회복기간이 짧다는 장점이 있지만 술기를 익히기가 어렵다는 단점이 있다. 술 후 환자의 주관적 증상은 바로 호전되지만 점막으로 이루어진 게실은 3~6개월에 거쳐 크기가 커진다.

(3) 방광확대성형술

방광확대성형술(augmentation cystoplasty)은 방광용적을 늘려 요저장능력을 증가시키는 것이 목적이다. 그러나 술후 잔뇨량이 많기 때문에 자가도뇨가 필요한 경우가 많다. 회장, 맹장, S상결장 등이 흔히 이용되며, 절제된 장을 가로로 길게 열어 봉합하여 U자 모양의 저장기로 만들어 방광의 정부를 길게 연 후 장으로 만든 구조물을 모자처럼 연결한다. 치료 성적은 좋지만 합병증의 발생률이 약 20%로 높은 것이 단점이다. 초기 합병증으로는 소장누출, 봉합부 요누출, 소장폐색,

장마비 등이 있다. 장기 합병증으로는 방광결석, 고염소대사성산증, 소장폐색, 비타민 B12결핍, 방광파열 등이 있다.

6. 결론

요절박, 빈뇨, 절박성요실금 등을 나타내는 과민성방광은 환자에게 일상생활은 물론, 사회적 활동을 위축시킨다. 일차치료는 행동요법과 약물요법이고, 병용하면 치료효과를 극대화할 수 있다. 약물요법으로 항무스카린제가 주로 사용되며, 베타3작용제가 항무스카린제를 보완하거나 대체할 수 있을 것으로 기대되고 있다. 최근에는 운동신경계와 감각신경계에 작용하는 약물들이 연구되고 있으며, 중추신경계나 말초신경계에 작용하는 약물에 대한 연구도 시행되고 있다. 이 외에도 방광에 선택적으로 작용하거나 부작용을 줄이는 약물 전달방법과 투입경로에 대한 연구도 지속되고 있다. 보존요법으로 치료되지 않는 과민성방광 환자는 요역동학검사를 시행하여 정확한 병인을 규명하는 것이 중요하다. 난치성 과민성방광 환자의 경우에는 보툴리누스독소 A, 레시니페라톡신 등의 방광내주입이나 신경조정술 등이 시행되고 있다. 그 외 수술적 치료는 아주 특별한 경우가 아니면 대개 시행되지 않는다.

전체 참고문헌 목록은
배뇨장애와 요실금 웹사이트 자료실
(http://www.kcsoffice.org)에서
확인할 수 있습니다.

제 30 장

요실금: 개관

Urinary incontinence: Overview

신주현, 나용길

1. 서론

국제요실금학회(International Continence Society, ICS)는 요실금증상을 소변의 불수의적인 유출을 호소하는 것으로 정의하며(Abrams et, 2003), 요실금을 기술할 때에는 요실금의 형태와 정도, 요실금을 악화시키는 인자, 사회적 영향, 위생과 삶의 질에 미치는 영향, 요실금을 억제하는 방법, 개별적으로 경험하는 요실금에 도움이 필요한지 여부 등을 기술할 것을 권장한다.

요실금을 정의하기 위해서는 본인이나 보호자에 의해 인지된 증상이 기록되어야 한다. 요실금은 징후와 요역동학적 관찰로 분류된다(Blaivas et al, 1997; Abrams et al, 2003). 징후란 의사에 의해 단순한 방법, 예컨대 기침할 때 소변이 새는 것 등의 관찰, 배뇨일지, 패드검사, 증상점수, 삶의 질에 대해 입증된 측정 방법 등에 의해 관찰된 것을 말한다. 요역동학적 관찰이란 요역동학검사를 통해 요실금을 유발하는 명백한 병태생리학적 원인, 예컨대 배뇨근 과활동성 혹은 요도괄약근의 약화 등을 밝혀내는 것을 말한다.

요실금은 남녀노소 어느 나이층에서도 발생할 수 있고, 특히 중년 이후의 여성에서 발생 빈도가 높다는 것은 이미 오래전부터 잘 알려져 왔다. 생명 유지에 직접적인 영향을 주지는 않지만 여러 가지 사회경제적, 심리적 문제를 발생시키며, 국내에서도 평균수명의 연장으로 고령층이 급증함에 따라 요실금 환자가 크게 증가하고 있어 그 중요성이 부각되고 있다.

2. 분류

요실금의 분류는 전통적으로 일시적 또는 만성요실금으로 분류할 수 있다. 일시적 요실금은 원인질환(표 30-1)을 치료하면 대부분 호전될 수 있다. 만성요실금은 요실금이 지속되는 상태로 최근 ICS/IUGA에서의

표 30-1. **일시적요실금의 원인**

섬망(delirium)
요로감염(urinary tract infection)
위축성요도염/질염(atrophic urethritis/vaginitis)
정신적 원인(psychological) (예: 심한 우울증, 신경증)
약물(pharmacologic)
다뇨증(excess urine production)
거동제한(restricted mobility)
변비(stool impaction)

제안에 따라 다음과 같이 분류한다(Hylen et al, 2010). 대부분의 요실금은 복압성요실금, 절박성요실금 또는 복합성요실금에 해당하게 된다.

1) 복압성요실금

복압성요실금(stress urinary incontinence)은 복압이 상승하는 조건, 즉 운동, 재채기나 기침을 할 때 불수의적인 요누출이 일어나는 증상을 말한다. 운동, 재채기나 기침을 함과 동시에 요도를 통한 요누출이 징후로 관찰된다. 요역동학적 관찰에서는 요역동학검사 중 배뇨근수축이 없는 상태에서 복압이 상승하는 동안 불수의적 요누출이 보인다(표 30-1).

2) 절박성요실금

절박성요실금(urgency urinary incontinence)은 요절박과 동시에 혹은 직후에 불수의적인 요누출이 일어나는 증상을 말한다. 요절박과 동시에 혹은 직후에 요도를 통한 요누출이 징후로 관찰된다.

갑작스럽고 강한 배뇨감과 연관된 불수의적 요누출, 즉 소변이 몹시 급하여 빨리 화장실에 가지 않으면 속옷을 적시기도 하고 화장실에서 속옷을 내리면서 적시기도 한다.

3) 복합성요실금

복합성요실금(mixed urinary incontinence)은 복압성요실금과 절박성요실금이 같이 있는 상태를 말한다. 불수의적인 요누출이 요절박이나, 운동 또는 재채기 등 복압상승 요인에 의해 유발되는 것을 의미한다.

4) 범람요실금

범람요실금(overflow urinary incontinence)은 방광의 과팽창에 의해 불수의적인 요누출이 발생하는 상태를 말하며, 방광출구폐색이나 방광수축력 저하로 인한 요폐 때문에 발생한다.

5) 체위성요실금

체위성요실금(postural urinary incontinence)은 자세의 변화에 따라 예를 들어 드러눕거나 앉은 자세에서 기립 시 요실금이 발생하는 상태를 말한다.

6) 지속성요실금

지속성요실금(continuous urinary incontinence)은 요누출이 지속적으로 나타나는 상태를 말한다.

7) 불감성요실금

불감성요실금(insensible urinary incontinence)은 환자가 요실금이 언제 발생했는지 인지하지 못한 채 요실금이 발생하는 상태를 말한다.

8) 야뇨증

야뇨증(nocturnal enuresis)은 수면 중에 불수의적인 요누출이 일어나는 상태를 말한다.

9) 성교요실금

성교요실금(coital urinary incontinence)은 성교 시 불수의적인 요누출이 일어나는 상태를 말한다. 성교요실금은 성기 삽입 시 또는 극치감이 발생할 때로 나눌 수 있다.

3. 원인 및 병태생리

복압성요실금은 여성에서 주로 나타나며, 분만 후 골반근육 약화와 골반이완으로 방광과 요도가 처지는 것(방광경부와 요도과운동성에 의한 복압성요실금)이 주된 원인이지만, 소변이 새지 않게 막아주는 요도괄약근의 약화가 원인일 수도 있다(Blaivas et al, 1997). 남성에서도 신경학적 손상 또는 전립선적출술 및 전립선절제술 후의 괄약근 부전에 따른 복압성요실금이 발생할 수 있다.

여성에서 방광경부와 요도과운동성을 일으키는 가장 큰 요인은 분만이다. 분만 시 골반근육이 견인되면서 음부신경 및 주변 근육과 인대의 직접적인 손상이 생길 수 있다. 이 때문에 골반근육이 약화되고 방광, 요도, 자궁이 처지며 복압이 상승하는 상황(기침, 재채기, 웃을 때 등)이 되면 방광과 요도가 밑으로 더욱 처지고 요도저항이 감소하여 요누출이 일어난다.

방광과 요도과운동성에 의한 요실금보다 심한 증세와 연관되는 요도괄약근 약화는 선천적일 수도 있고 요도나 질수술 등에 의해 후천적으로 나타날 수도 있으며, 신경학적 원인이 연관되기도 한다.

절박성요실금은 과민성방광의 증상 중 하나로 배뇨근과활동성이나 방광의 구심성신경의 흥분 증가에 기인하게 되며, 과민성방광/배뇨근과활동성의 병태생리에 대해서는 27장에서 보다 자세히 다루고 있다.

4. 역학

요실금은 삶의 질적 향상이나 개인의 위생 개선 그리고 이를 관리하는 데 지출되는 막대한 비용 등이 계기가 되어 서구에서는 이미 수십 년 전부터 요실금의 유병률에 대한 연구가 활발히 이루어졌다. 질병을 이해하고 그에 대한 관리 계획을 수립하는 데에도 역학적인 연구가 필수 과제이다(Grimby et al, 1993; Wagner, 1998). 요실금의 역학과 영향력에 대해서 논할 때 유병률과 발생률의 차이를 아는 것이 중요하다. 유병률은 특정 시점에 특정 인구에서의 요실금 환자 수를 그 지역 인구 수에 대해 나타내는 비율이며, 발생률은 특정 기간 동안에 새로 요실금이 발생한 비율이다. 의료관련 자원의 배분과 사회적 영향력을 결정하는 데 유병률은 중요한 척도이며, 발생률은 질병과 치료, 치료효과를 말할 때, 예를 들면 근치적전립선절제술 1년 후 요실금 발생률이라든지, 뇌혈관질환 1년 후 요실금 발생률 등과 같은 자료를 발표할 때 중요하다.

요실금 환자 수가 얼마나 되는지 평가하는 데 요실금 유병률에 대한 조사뿐 아니라 요실금이 환자에게 주는 불편함이 어느 정도인지를 아는 것도 매우 중요하다. 즉 요실금의 정도, 횟수, 예측 가능성 여부 등이 환자가 느끼는 불편함의 주요 인자들이라고 할 수 있다. 먼저 요실금의 정도는 소변이 한두 방울 떨어지는 것부터 완전히 방광이 비게 되는 정도로 심한 상태까지 구별될 수 있으며, 요실금 횟수도 하루에 한 번 혹은 여러 번인지, 또는 특정한 경우에 따라서만 나타나는 요실금인지로 분류할 수 있다. 또한 예측 가능한 요실금(기침이나 재채기할 때만 나타나는 낮은 등급의 복압성요실금)인지, 예측할 수 없는 요실금(절박성요실금)인지에 따라 불편함을 느끼는 정도는 다르다. 이러한 요인들은 환자가 치료를 필요로 하는지 여부를 결정하는 중요한 항목들이 된다. 요실금이 다양한 원인에 의해 발생한다는 것은 이미 잘 알려진 사실이다.

국내에서는 65세 이상 노인 1,264명을 대상으로 한 연구에서 전체적으로 요실금의 유병률은 9.2%였으며, 남성 7.7%, 여성 10.1%라고 보고하였다(김 et al, 1997).

요실금의 역학과 자연경과는 성별에 따라 다양성을 가지며, 원인과 위험인자도 서로 다르다. 따라서 남성과 여성에서 나타나는 요실금의 역학을 분리하여 알아보는 것이 가장 타당하다.

1) 여성 요실금

여성 요실금은 남성보다 흔하며, 여성이라는 이유만으로 위험인자가 된다. 여성 요실금에 대한 역학조사는 많이 시행되었지만 요실금에 대한 정의, 측정방법, 조사방법, 대상군의 선택방법 등에 있어 많은 차이가 있었다. 그중 10개 연구 결과에서 지역 거주 여성의 유병률은 5~72%로 매우 다양한 편차를 보였다(Brocklehutst 1993; Swithinbank et al, 1999; Bortolotti et al, 2000; Hannestad et al, 2000; Moller et al, 2000; Van oyen, 2002; Nygaard et al, 2003; Hunskaar et al, 2004). 이러한 다양한 조사 결과는 일부 연구에서 조사 대상자들이 제한된 특정 인구를 대상으로 한 것에 기인하지만 연구자마다 요실금 정의를 다르게 적용한 데에서도 기인한다.

여성 요실금의 유병률을 요약한 한 연구는 젊은 여성에서 요실금의 유병률이 증가하다가(30~40%) 중년 여성에서 최고점에 이르며(30~50%) 노인 여성에서는 완만한 증가를 보인다고(30~50%) 보고하였다(Hunskaar et al, 2005). 그렇지만 심한 요실금의 경우에는 연구자 사이에 큰 차이 없이 대략 6~11%의 유병률을 보이는 것으로 나타났다(Broklehurst, 1993; Samuelson et al, 1997; Bortolotti et al, 2000; Hannestad et al, 2000; Maggi et al, 2001). 요실금 형태에 따른 비율은 나이에 따라 차이가 있었다. 젊거나 중년의 여성에서는 대체로 복압성요실금이 많았으며(Samuelsson et al, 1997), 노인에서는 복합성요실금이 더 흔하였다(Hannestad et al, 2000). 전체적으로 복압성요실금(49%)이 가장 많았으며, 다음으로 복합성요실금(29%), 절박성요실금(21%)의 순으로 나타났다(Hunskaar et al, 2002).

서구인을 대상으로 한 외국의 연구 자료는 비교적 많으나 한국인을 비롯한 동양인의 요실금 유병률에 관한 보고는 아직까지 많이 부족한데, 오 등(2003)은 여성 1,303명 중 41.2%에서 요실금이 관찰되었다고 보고하였고, Lee 등(2008)은 19세 이상 여성 13,484명 중 24.4%에서 요실금이 나타나며, 이 중 복압성요실금 48.8%, 복합성요실금 41.6%, 절박성요실금 7.7%로 보고하였다.

나이, 분만력, 분만방법, 비만 등이 요실금의 위험인자이다. 폐경, 흡연, 만성적 기침, 변비, 골반수술 병력 등은 해당되지 않는다는 보고가 있다(Brown et al, 2003; Hunskaar et al, 2005). 연령이 증가함에 따라 요실금의 위험률은 증가한다. 국내의 연구 자료에 따르면, 20~50세에서는 21.0%, 63~90세에서는 45.5%로 여성 요실금의 유병률이 보고되었다(Kim et al, 1999; Kim et al 2004). 오 등(2003)은 30대 26.0%, 40대 41.2%, 50대 44.9%, 60대 46.8%, 70대 43.0%로 나이가 증가하면서 요실금 빈도가 증가한다고 보고하였다.

비만이 요실금과 밀접한 관련이 있다. 즉, 체중 증가는 요실금 발생을 증가시킬 수 있으며, 체중 감소는 요실금 발생을 감소시킬 수 있다(Hunskaar et al, 2005). Subak 등(2005)은 과체중 여성을 대상으로 체중 감소 프로그램을 시행하여 체중 감소에 성공한 군이 체중 감소에 실패한 군에 비해 상대적으로 복압성요실금과 절박성요실금의 횟수가 줄어들었다고 보고하였다.

임산부에서 요실금의 유병률은 31~60%였고, 대부분 자연 소실되는 것으로 알려졌으나(Mellier, 1990; Burgio et al, 1996) 임신 중 요실금은 추후 요실금 재발의 가능성을 높일 수 있다. 김 등(2000)은 임신 중 복압성요실금이 최대 48%, 절박성요실금은 11%까지 발생되나 대부분 자연 소실되는 것으로 보고하였다. 분만력과 분만방법 모두 위험인자가 되지만, 특히 질식분만과 산도가 좁은 상태의 분만은 요실금을 유발하는 중요한 위험인자가 된다.

노르웨이에서 진행된 Epidemiology of Incontinence in the Country of Nord-Trondelag (EPINCONT) 연구에서는 65세 미만 여성들을 분만 경험이 없는 군과 질식분만을 시행한 군, 제왕절개를 시행한 군으로 나누어 요실금 발생을 비교하였다. 그 결과 분만 경험이 없는 군에 비해 제왕절개를 시행한 군의 연령 보정 교차비(age-adjusted odds ratio)는 1.5, 질식분만을 시행한 군은 2.3으로 질식분만에서 가장 높았으며, 제왕절개를 시행하면 요실금 예방을 기대할 수 있는 환자인데 질식분만을 함으로써 요실금이 발생될 확률은 약 35%라고 보고하였다. 그러나 이 결과는 분만이 시작된 후 제왕절개술을 시행한 경우, 즉 응급제왕절개술이나 산도가 좁아서 제왕절개술로 전환한 경우는 고려되지 않았다(Rortveit et al, 2003).

Groutz 등(2004)은 분만 1년 후 요실금의 유병률을 보고하였는데, 질식분만(10.3%)과 산도폐쇄에 의한 응급제왕절개술(12.0%) 후 요실금의 유병률에 비해 계획된 제왕절개술 후 요실금의 유병률(3.4%)이 더 낮았다. 이러한 연구 결과들은 계획된 제왕절개술이 요실금 발생을 감소시킨다는 것을 의미한다.

폐경과 요실금증상의 연관성은 이전부터 추측되어 왔다. 요실금 유병률은 폐경 전후의 중년 여성에서 가장 높았으며, 에스트로젠 감소가 배뇨증상을 유발할 수 있다는 주장이 설득력을 얻었다. 그러나 여러 문헌 보고는 이러한 추측과는 다른 결과를 보인다. 즉 에스트로젠 보충요법이 복압성요실금과 절박성요실금 증상을 개선시킨다는 것이 오래된 생각이었으나 최근 연구 결과들은 다른 결론을 제기한 것이다(Grady et al, 2001; Hunskaar et al, 2005; Hendrix et al, 2005).

Hextall 등(2000)은 에스트로젠 단독요법을 요실금의 치료목적으로 사용할 경우 어떠한 객관적인 요누출 개선효과도 없었다고 하였으며, Moehrer 등(2003)도 문헌 검토를 통해 에스트로젠 단독치료가 위약투여군과 비교하였을 때 어느 정도 인지된 증상의 개선효과는 있으나 대규모 연구가 더 필요함을 역설하였다.

2) 남성 요실금

남성 요실금의 역학 자료는 여성에 비해 많이 부족하지만, 대체로 여성과 동일하게 연령의 증가에 따라 요실금 빈도가 증가하며, 모든 연령대에서 여성 유병률의 약 절반 수준인 것으로 알려졌다(Hunskaar et al, 2005).

대규모 연구 자료의 보고에 따르면, 남성 요실금의 유병률은 3~11% 정도였으며(Malmsten 등, 1997; Schulman 등, 1997), 60세 이상 남성의 요실금 유병률은 19%였다.

서구인을 대상으로 한 조사에서 40세 이상 남성의 45.8%에서 요실금이 나타났으며(Coyne 등, 2012), 18세 이상 남성의 요실금 유병율은 5.4%였다(Irwin et al, 2006).

미국에서는 과민성방광의 비중과 유병률을 알아보기 위해 National Overactive Bladder Evaluation (NOBLE)을 진행하였다. 미국 남성 전체 인구의 요실금 유병률은 2.6%였으며, 64세 이후로 요실금이 급격히 증가하여 75세 이상에서는 10%의 유병률을 보였다(Stewart et al, 2003).

발표된 여러 연구들을 종합해 보면, 연령 증가에 따른 요실금 유병율 증가를 확인할 수 있는데, 19~44세 4.81%, 45~64세 11.20%, 65세 이상에서는 21.13%, 80세 이상에서는 32.17%로 남성요실금의 유병율이 보고되었다(Shamliyan et al, 2009). 요실금의 종류로는 절박성요실금(40~80%)이 가장 많았고, 다음으로 복합성요실금(10~30%), 복압성요실금(10% 미만)순으로 나타났다(Ueda et al, 2000).

남성의 경우 복압성요실금은 전립선수술을 한 경우, 신경학적 손상을 받은 경우, 외상을 받은 경우 이외에는 드물다. 전립선절제술 후 요실금의 발생률을 살펴보면, 경요도전립선절제술 후에는 약 1% 내외였으며(Mebust et al, 1989; van Melik et al, 2003), 근치적전립선절제술 후에는 2~57%로 다양하게 나타났다(Goluboff et al, 1998; Gray et al, 1999; Walsh et al, 2000; Moinzadeh et al, 2003; Lepor et al, 2004).

5. 사회경제적 및 심리적 영향

요실금은 전 세계적으로 중요한 건강 문제이며, 개인과 사회에 미치는 경제적 영향 또한 크다. 요실금을 이유로 2000년 한 해에 외래를 방문한 환자는 미국에서 110만 명 이상이며(Litwin et al, 2005), Hu 등은(2004) 직간접적으로 들어간 요실금 비용은 195억 달러라고 보고하였다. 즉 요실금이 많은 다른 만성질환보다 경제적 손실이 크다고 할 수 있다.

Medical Epidemiologic and Social Aspects of Aging (MESA)은 요실금과 예상되는 연관성에 대해 조사, 보고하였다. 조사된 사실들은 의학적 측면을 넘어 사회적·정신적 측면까지 포함하였다. 요자제를 유지하는 고령 여성은 정신적으로 건강하고 생활만족도가 높으나, 요실금이 심한 여성일수록 요자제나 경한 요실금을 가진 여성에 비해 우울증이 더 심하고 부정적이며 생활만족도가 낮은 것으로 밝혀졌다(Zom et al, 1999; Dugan et al 2000). 요실금의 의학적 관련성에 대한 연구 결과 요실금이 없는 여성에 비해 요실금이 있는 여성이 물리적 운동장애, 특정 신경학적 증상, 하부요로증상, 위장관운동장애, 호흡기장애 그리고 생식기수술의 기왕력 등이 더 높다고 한다.

6. 요실금의 평가

요실금을 치료하기 전 모든 환자에서 확진과 하부요로기능장애를 나타내는 다른 질환들을 배제하기 위해 적절한 평가가 이루어져야 한다. 하부요로증상에 대한 상세한 병력과 신경학적 증상을 포함한 동반 질환 및 복용중인 약물 등을 알기 위한 문진, 기본적인 신경학적 검사, 복압상승요실금유발검사, 골반장기탈출증 및 질위축에 대한 신체검사와 배뇨일지 등의 기초검사는 요실금 진단에 필수적인 검사로 정하고 있다. 요로감염 여부를 확인하기 위한 소변검사 및 소변배양검사도 반드시 시행되어야 한다. 그 외 패드검사, 요류검사 및 배뇨후잔뇨량검사, 방광요도경검사와 영상검사가 있다. 요역동학검사는 요실금의 수술적 치료를 고려하는 경우, 요실금수술 후 재발한 경우, 요실금증상과 배뇨 증상이 복합적으로 존재하는 경우, 신경인성 방광의 원인에 의한 요실금 등에 시행하고 있다.

7. 요실금의 치료

요실금 환자를 적절하게 치료하기 위해서는 먼저 요실금 원인에 대한 정확한 진단이 필수적이며, 절박성요실금의 경우는 약물치료를, 복압성요실금의 경우는 수술적 치료를 주로 시행한다. 요실금에 대한 초기 치료로는 생활습관 개선, 방광행동치료 및 골반저운동 등이 권유되며, 이러한 보존적 치료 후에도 복압성요실금이 지속되는 경우에는 수술적 치료를 고려할 수 있다. 최소침습적인 수술방법인 합성폴리프로필렌메쉬(synthetic polypropylene mesh)를 이용한 치골후중부요도슬링수술은 여성 복압성요실금수술의 혁명을 가져 왔으며, 질길기술, 근막을 이용한 슬링수술 등 기존의 전통적인 수술 기법은 급격히 감소하게 되었다. 이후 경폐쇄공 중부요도슬링과 단일절개슬링수술도 소개되었다. 현재 절박성요실금의 약물치료로는 항무스카린제가 주류를 이루고 있으나, 최근 개발된 베타3수용체의 선택적 작용제인 mirabegron은 새로운 약물치료의 대안이 될 것으로 기대된다. 난치성 절박성요실금에는 보툴리누스독소의 방광내주입 및 신경조정술 등의 치료방법을 이용할 수 있고, 이러한 모든 치료에 반응하지 않는 경우에는 방광탈신경술, 배뇨근절제술 또는 방광확대성형술 등의 재건수술을 시도해 볼 수 있다.

전체 참고문헌 목록은
배뇨장애와 요실금 웹사이트 자료실
(http://www.kcsoffice.org)에서
확인할 수 있습니다.

제 31 장

여성 복압성요실금의 병태생리

Female stress urinary incontinence -Pathophysiology

신주현

1. 서론

요도는 저장 시에는 효과적인 요자제 기전을 제공하고 배뇨 시에는 저항을 최소한으로 줄여 적절히 방광을 비울 수 있게 하는 기능을 가진다. 저장기에 요도점막은 세로로 주름을 형성하고 점막하층은 혈관조직이 풍부해서 요도폐쇄 기능을 보강하는 작용을 한다.

요자제 기전은 내인성 요자제 기전과 주위 조직 지지 및 압박에 의한 외인성 기전의 상호작용에 의하여 유지된다. 여기서는 여성의 요도괄약근 기전과 여성 복압성요실금의 원인과 병태생리에 관하여 기술하고자 한다.

표 31-1. **신경인성방광의 분류와 원인질환**

	남성	여성
방광경부 기전	강력	약함
요도 기전	강력	요도 전체가 역할을 가지나 골반저의 약화나 출산에 의한 손상 등 외부의 영향에 민감
전립선	방광출구 저항 증가시킴	없음
요도	길다	짧다(약 3.5 cm)

2. 여성의 괄약근 기전 및 요도지지 기전

여성은 남성에 비하여 요도도 짧고, 방광경부의 기능 또한 약하며, 남성이 2가지의 강력한 괄약근 기전을 가진 것과는 달리 비교적 약한 단일의 내요도괄약근 기전을 가진다(표 31-1). 요도괄약근은 방광배뇨근의 연장인 내요도괄약근과 횡문근으로 이루어진 외요도괄약근의 2가지로 구성된다. 방광경부와 근위부요도는 해부학적으로는 평활근과횡문근, 세포내 기질 및 점막으로 이루어져있으며, 임상적으로 요도괄약근의 기능을 가지고 있다.

1) 여성의 괄약근 기전

여성의 요실금은 남성의 방광경부에서 유지되는 요자제 기전과는 달리, 대부분 근위 요도 및 중부 요도에서 발생한 기능으로 유지되며 다소간의 원위부 요도 관약근에 의해서 유지 된다. 여성은 남성에 비하여 요도괄약근의 기능이 약하므로 괄약근기능부전에 의한 요실금을 경험할 가능성이 높다. 방광경부 역시 남성에 비하여 매우 약하며 출산경험이 없는 여성에서도 종종 기능부전에 빠질 수 있다(Chapple et al, 1989; Chapple et al, 2012). 여성 요도괄약근은 요도의 근위부 2/3까지 뻗어 있으나 원위부 1/3의 중간지점에서 가장 잘 발달되어 있다. 음부신경손상을 포함하는 산과적 외상은 여성요도의 이런 효과적인 괄약근기전을 감소시켜 복압성요실금을 유발하게 한다. 원위 1/3 의 횡문근은 근위 요도와 달리 원형방향이 아닌 수평방향으로 근육이 배열되어 있다. 이와 같은 근육섬유는 요도를 압박할 때 골반근막 perineal membrane과 같이 움직이면서 요도를 압박한다. 그렇기 때문에 여성의 요도 괄약근은 해부학적으로 남성과 달리 외력에 영향을 많이 받게 된다.

요도괄악근이 정상적인 기능을 하려면 아래의 요인들이 통합된 상호작용을 하여야 한다.

(1) 요도내강이 빈틈없이 유지되어야 하며 이를 위하여 4종류의 요소들이 존재한다(Zinner et al, 1980).
   - ① 요도벽은 긴장상태를 유지하거나 혹은 외부에서 압박이 있어야 한다.
   - ② 요도내벽은 부드럽고 유연하여야 한다.
   - ③ 요도점막하 조직들은 빈틈없이 꽉 차있어야 한다.
   - ④ 요도점막을 싸는 점액(mucus)은 충분히 끈적하여 요도가 닫히면서 형성하는 요도점막주름 접합이 잘 되어야 한다.

요도를 가로로 잘라서 보면 요도는 단순한 통모양이 아닌 많은 요도주름들이 형성되어 있어 요실금에 방어적으로 작용하며, 요도점막하 혈관조직의 쿠션효과 또한 보조적인 요소로 요자제에 중요한 역할을 한다(Raz et al, 1972; Tulloch, 1974).

(2) 요도내강을 압박하는 외부의 압력이 필요하며 이 또한 몇 가지 구성요소가 있다.
   - ① 횡문근과 평활근의 긴장도
   - ② 횡문근과 평활근육의 위상성 수축(phasic contractions)
   - ③ 세포외간질의 탄성 및 점탄성 특성(elastic and viscoelastic properties)
   - ④ 복압의 전달과 연관된 기계적 요소
   - ⑤ 후부요도벽의 구조적 혹은 해부학적 지지

(3) 주위에 압력이 증가하더라도 근위부요도가 움직이지 않게 하는 구조적 지지

(4) 복압의 변화에 따른 보상수단

(5) 신경조절

2) 요도 지지 기전

요도 지지 기전은 근위부요도와 중부요도의 등받이(backplate) 역할을 하는 모든 요도 외부의 구조물들

을 포함한다. 골반저는 지지 기능을 갖고 있어 요자제를 유지하고 골반장기탈출을 방지한다. 여성의 골반은 남성에 비해 장경이 길고 원형에 가까워서 출산 시 태아의 머리 진입과 분만에 도움을 주지만, 결과적으로 출산 후에 골반저를 약화시키는 원인이 된다. 요도의 과운동성은 내골반근막이나 골반저근이 약화되어 요도를 외부에서 지지하지 못하여 발생한다. 즉, 항문거근의 손상, 약화는 비뇨생식열공(urogenital hiatus)을 열리게 하여 골반장기 탈출 현상을 일으키며, 기인대와 자궁천골인대의 손상, 약화는 자궁 탈출을 발생시킨다. 이때 근위부요도 역시 치골 후 위치에서 하방 전위되어 복압상승 시 요도의 과운동성을 유발하고 또한 정상적인 요도의 지지도 부족하여 이차적으로 복압성요실금이 발생하게 된다. 출산 등이 시발점이 될수 있으나 나이나 호르몬의 변화가 이를 더 악화시킨다.

(1) 근막 구조물에 의한 지지

하부요로와 골반저의 생리적 기능을 유지하는 데 결합조직의 역할이 매우 중요하다. 나이에 따른 결합조직의 약화가 각 조직과 기관에 중대한 영향을 미치며, 이를 잘 이해하여야 복압성요실금이나 골반장기탈출을 효과적으로 치료할 수 있다.

치골요도인대는 치골결합의 하부와 중간요도에 부착되어 요도의 하방 전위를 막아준다(Zacharin, 1963). 치골요도인대는 치골요도근, 항문거근의 일부와 함께 근위부요도 주위를 둘러싸서 매다는 역할을 하여 복압성요실금에서 보이는 요도 지지의 소실을 막는 중요한 역할을 한다(Rovner et al, 1997). 요도골반인대(urethro−pelvic ligament) 역시 건궁(tendinous arc)에 부착되어 요도를 지지하는 데 중요한 역할을 한다.

내골반근막(endopelvic fascia) 및 치골자궁경부근막

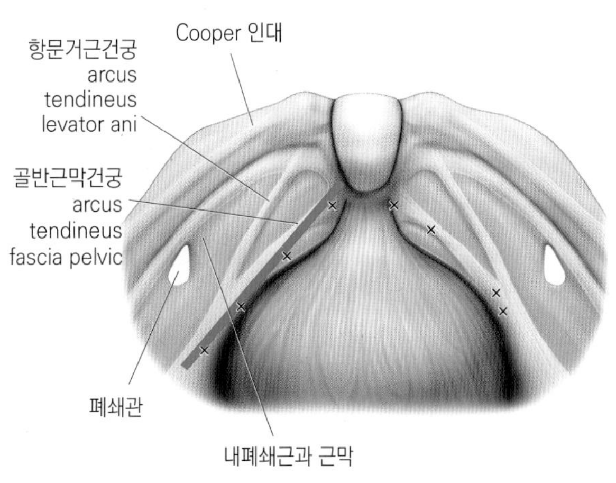

그림 31-1. **골반근막건궁과 주위 구조물과의 관계**

(pubocervical fascia)은 골반근막건궁(arcus tendineus fascia pelvis)에 부착되어 질과 자궁경부를 골반벽에 붙어있게 해주는 결합조직으로 방광과 방광경부를 지지하여준다. 골반근 막건궁은 신장력이 있는 근막 구조물로 질전부에서 요도를 당겨주는 역할을 한다(그림 31-1).

① 전방 지지물

요도, 질, 자궁을 지지하는 결합조직은 골반횡격막(pelvicdiaphragm)에서의 골반근막으로부터 유래하는 건궁에서부터 뻗어 나온다(DeLancey, 1994; Klutke·Siegel, 1995;Weber·Walters, 1997; Strohbehn, 1998). 질 전방부 조직은 비뇨생식열공에서 내측으로 열공을 받침으로써 방광경부와 요도를 지지한다(그림 31-2). 전질벽의 외측면에 부착된 치골미골근과 내골반근막에 의해요도가 지지되는데, 이를 이중그물침대효과(double hammockeffect)라 한다(DeLancey, 1994; Blaivas et al, 1998)(그림 31-3). 역설적으로 골반장기탈

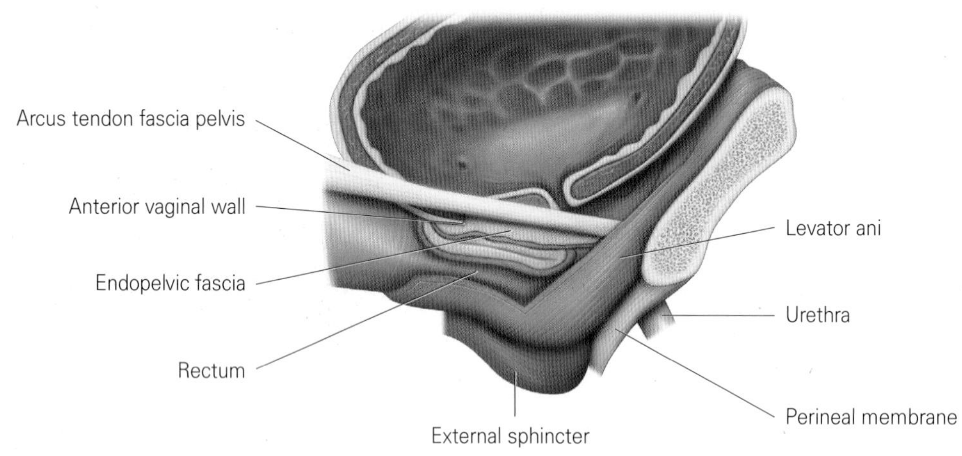

그림 31-2. **방광경부와 요도의 지지.** 전질벽이 양쪽의 건궁에 부착되어 요도와 방광경부를 그물침대 모양으로 지지하게 된다.

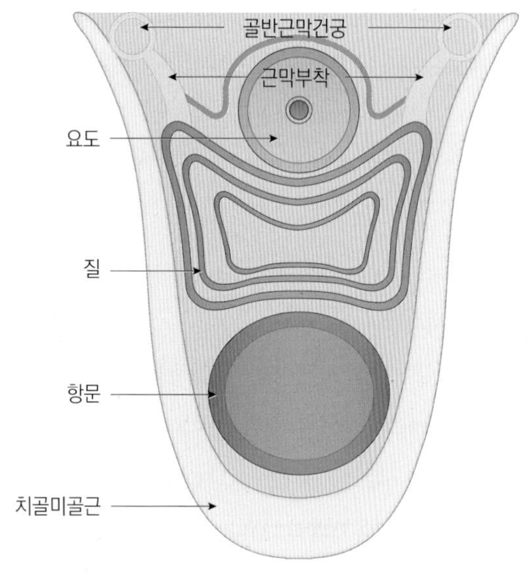

그림 31-3. **골방광경부 바로 아래에서 본 요도 지지구조물의 단면도.** 요도는 전질벽에 의해 그물침대 모양으로 지지되고, 요도와 전질벽은 또한 항문거근인 치골미골근에 의해 그물침대 모양으로 지지된다. 이를 이중그물침대효과라고 한다.

출이 심화될수록 질 하부점막층은 두꺼워진다(Weber·Walters, 1997).

② 중간부 지지물

기인대는 자궁경부의 외측 모서리와 질상부로부터 뻗어 나와 외측 골반벽에 도달한다. 이는 이상근(piriformis muscle)을 덮는 대좌골공(greater sciatic foramen)부위 및 천장관절(sacroiliac joint) 부위의 골반골 그리고 외측천골(lateral sacrum)로부터 기시한다내측으로는 질주위조직(paracolpium), 자궁주위조직(parametrium), 치골자궁경부근막과 연접하고, 후방으로는 천장관절 앞부분의 천골전근막(presacral fascia)과 연접한다.

기인대와 자궁천골인대(uterosacral ligament)는 자궁과 질상부를 거근판 위쪽의 적당한 위치에서 잡아주는 역할을 한다(Thompson, 1997)(그림 31-4). 이들은 요실금 억제에 대해서는 직접적으로 중요한 역할을 하

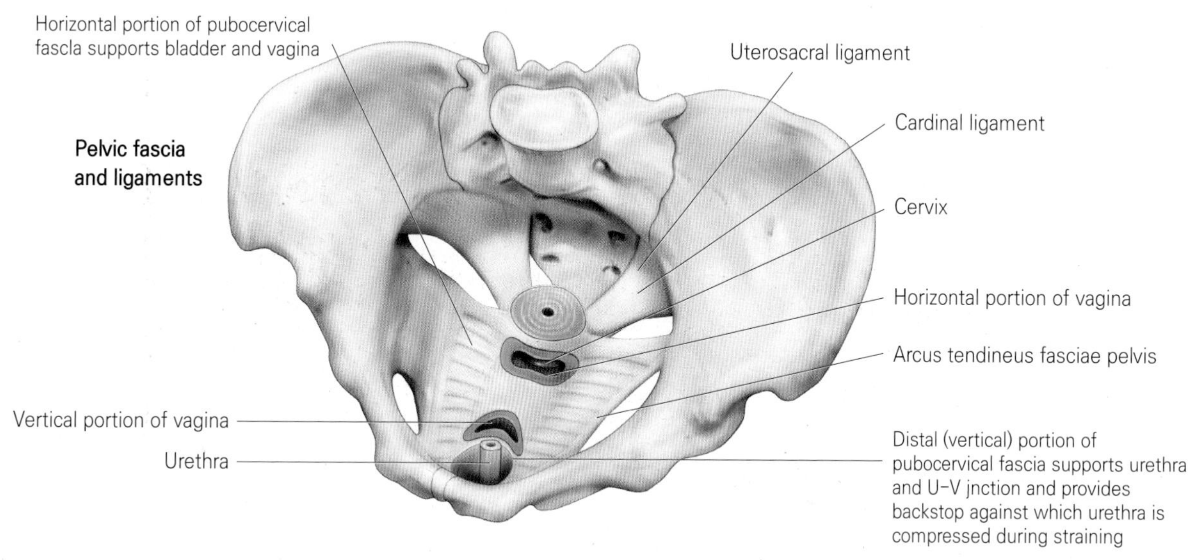

그림 31-4. 골반장기의 지지구조물

지는 않으나, 큰방광류의 수술적 교정 시 방광저부의 지지에 있어서 중요한 역할을 한다(Raz et al, 1998).

③ 후방부 지지물

기인대 하부의 구조물로서, 질 주위 조직(내골반근막에 부착된 부위) 및 골반횡격막에 의해 지지된다. 태아 시기에는 복막이 회음체의 머리부분까지 뻗어 있으나, 출생 이후 소실된다. Denonvilliers근막(복막과 회음체가 융합된 층)이 후방부 질벽의 밑면에 부착되어 직장질중격의 한 부분을 형성하는 것이라 생각된다. 이는 직장 및 질벽의 독립적인 움직임을 가능하게 한다.

(2) 골반저근에 의한 지지

① 골반횡격막

소골반(minor pelvis)의 안쪽 면에 붙어 있는 항문거근과미골근(coccygeous muscle)에 의해 골반저 근육층이 형성되며, 이들은 반대편의 동일한 근육들과 함께 골반횡격막(pelvic diaphragm)을 형성한다. 항문거근은 내측으로 치골미골근(pubococcygeus muscle), 외측으로 장골미골근(liococcygeusmuscle)으로 구성되어 있다(그림 31-5).

항문거근의 건궁은 내폐쇄근(obturator internus muscle)의 표면을 따라 주행을 같이한다. 치골미골근은 신체검사에서처녀막 위쪽 부위 질벽의 양측에서 덩어리 같은 근육 융기부로 촉진되고, 수축 시 직장, 질, 요도를 앞쪽으로 들어올리며, 각각의 내강을 수축시킨다.

거근판(levator plate)은 골반 내 장기가 놓이는 선반 구실을 한다. 이는 장골미골근 및 치골미골근의 후방근섬유의 융합에 의해 형성되고, 그림 31-4 골반장기의 지지구조물 직립 시 수평으로 위치하여 직장과질 상방

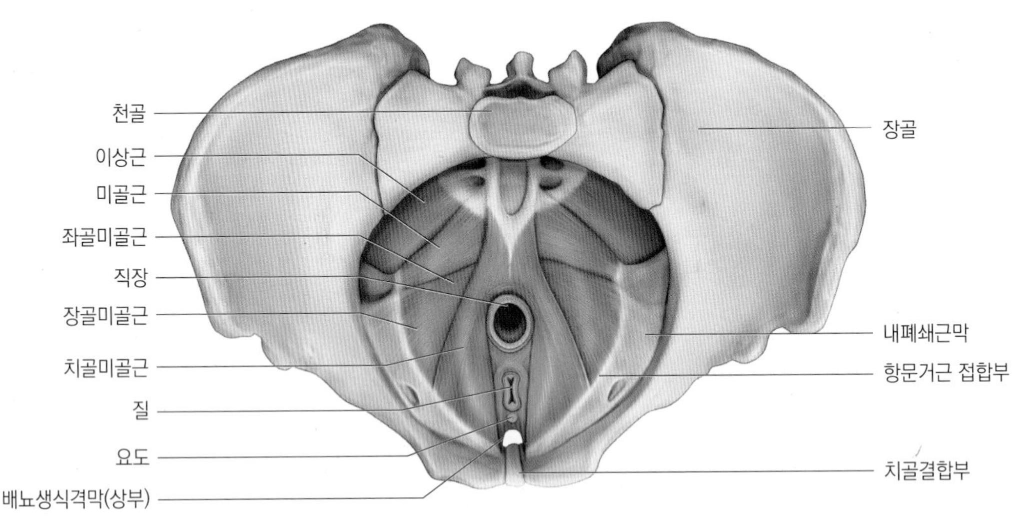

그림 31-5. **여성 골반저의 내부 모습**

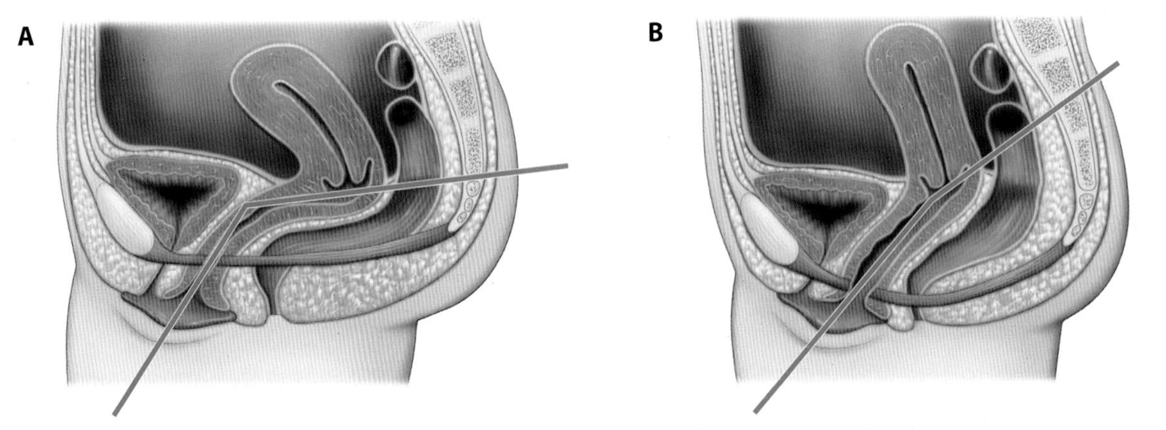

그림 31-6. **골반저의 횡단면도.** (A) 항문거근이 정상이면 급격한 항문직장각, 수평적인 거근판, 정상적인 질각이 유지된다. (B) 항문거근이 약화되면 질각이 소실되며 거근판이 느슨하게 처지고 비뇨생식열공이 넓어진다.

2/3를 지지한다. 따라서 항문거근의 약화는 직장항문부 후방의 견인 상태를 느슨하게 하여 거근판의 처짐 현상을 유발하고, 비뇨생식열공을 열리게 하여 골반장기탈출 현상을 유발한다(Berglas·Rubin, 1953)(그림 31-6).

미골근은 좌골에서부터 미골까지 뻗어 있으면서 골반횡격막의 후방 부분을 형성한다. 항문거근의 직접적인 신경지배는 제 3, 4번 천수신경근으로부터 유래하는 음부신경이 담당한다.

항문거근은 횡문근의 유형 중 제1형 근육(수축과 이완이 느리게 일어나며 근긴장도를 유지)이 대부분을 이루고 있으며(Gilpin et al, 1989), 제2형 근육(수축과 이완이 빠르게 일어남)은 요도 주위와 항문 주위 부분에서 밀도가 증가한다(Critchley et al, 1980; Gosling et al, 1981). 이는 정상적인 항문거근에 의해 직립 자세에서 골반장기 긴장도가 유지되며, 치골직장근 puborectalis muscle의 자발적인 압착에의해 증가된 복압에 대한 골반장기 긴장도가 유지됨을 시사한다.

② 비뇨생식격막(회음막)

비뇨생식격막은 골반횡격막(pelvicdiaphragm) 아래 골반출구의 앞부분에 위치하는 근육근막구조로서 회음막으로도 불린다. 정확한 구성과 구조에 대해서는 논란이 있는데, 상부근막 및 하부근막 사이에 심회음횡근(deep transverse perineimuscle)이 샌드위치처럼 위치하는 삼층구조를 갖는다는 전통적인 관점(Klutke·Siegel, 1995) 이외에 실제로 상부근막은 존재하지 않고, 인접한 세 개의 횡문근(요도압박근(compressor urethrae), 요도괄약근(sphincter urethrae) 및 요도질근(urethrovaginalis))과 하부근막층(inferior fascial layer)을 포함하는 구조로 이루어진다는 의견도 있다(Oelrich, 1983;salmons, 1995; DeLancey, 1999)(그림 31-7). Stein과 DeLancey(2008)는 해부학적 연구를 통해 회음막의 구조가 특징적인 두 부위(배쪽부위와 등쪽부위)를 갖는 복잡한 3차원적 구조라고 하였다.

비뇨생식격막은 비뇨생식열공(거근열공(levator hiatus))을 닫고, 지지하며 원위부 질에서 괄약근과 비슷한 역할을 한다. 또한 요도주위 횡문근에 붙어 있어 요자제에 기여하며, 원위부 요도를 구조적으로 지지한다.

③ 회음체

회음체(perineal body)는 위쪽 첨부에 직장질중격(rectovaginal septum)이 위치하며, 항문과 질 사이 중간선에 존재하는 피라미드 모양의 섬유성 근육 구조이다(Salmons, 1995). 이는 질과 자궁의 바로 아래에 위치하므로, 후천적으로 약화되는 경우 늘어나게 되어 직장류나 장류 등의 결함을 야기하게 된다(Nichols, 1997; DeLancey, 1999)(그림 31-8).

3. 여성 복압성요실금의 병태생리와 원인

1) 요실금을 유발하는 위험인자

요실금을 유발하는 위험인자는 크게, 소인이 되는(predisposing), 조장하는(inciting), 촉진하는(promoting), 대상부전(decompensating) 요인으로 나눌 수 있다(Bump, 1997; Zorn·Steers, 2000).

(1) 소인이 되는 요인

성, 유전적 특징, 인종, 문화와 환경, 콜라겐과 해부학적 및 신경학적 요인 등이 있다.

(2) 조장 혹은 촉진하는 요인

영양상태, 비만, 흡연, 활동력, 배변습관, 수분섭취량과 약물복용의 여부 등이 있다.

(3) 대상부전 요인

나이, 육체적, 정신적인 건강상태, 환경, 약물복용의 여부, 치매의 유무 및 육체적인 활동 등이 있다. 육

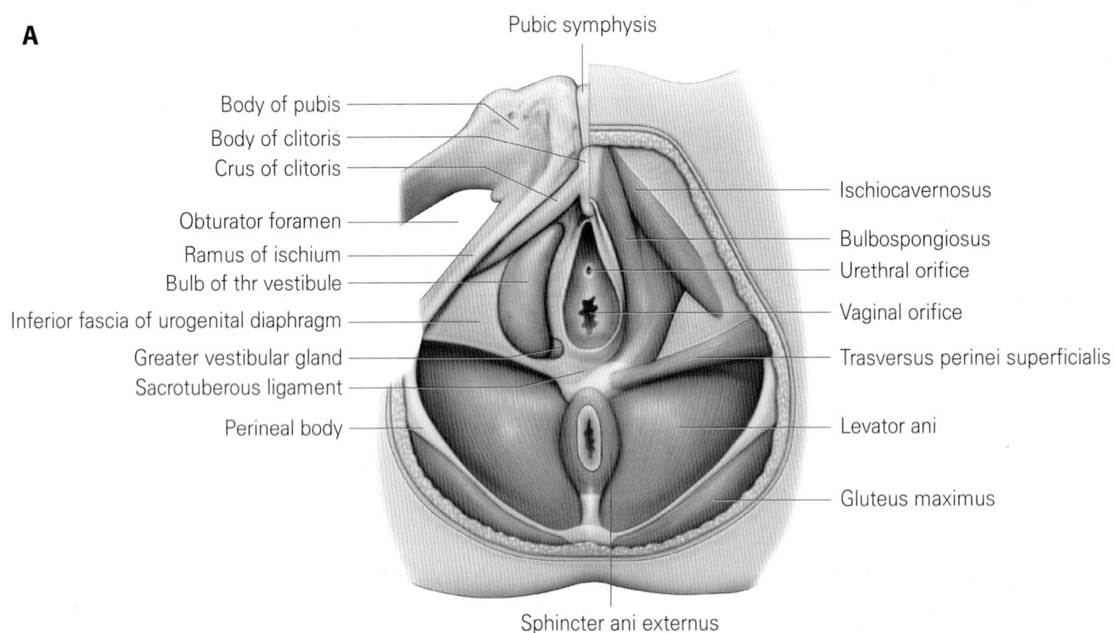

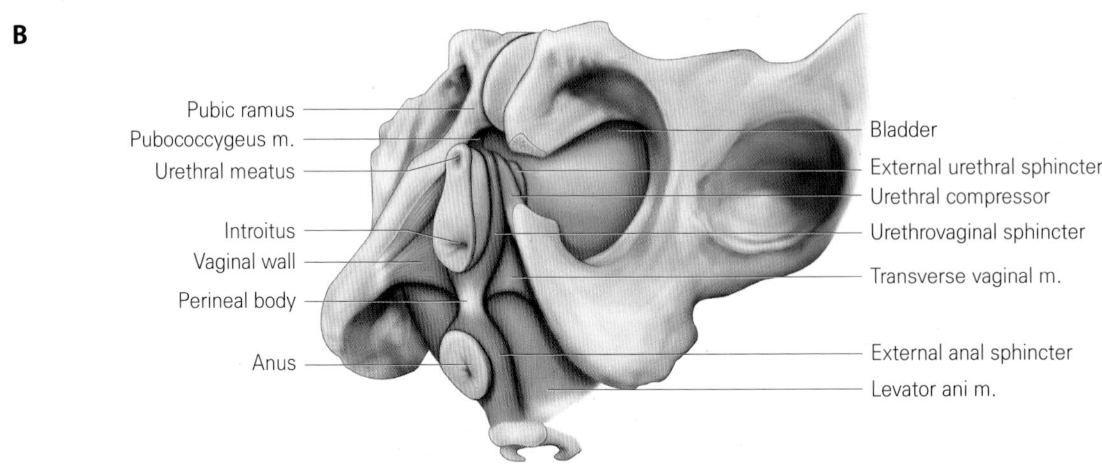

그림 31-7. **회음부의 근육.** (A) 표재성 근막의 막층을 제거한 그림이고, 왼쪽은 치골결합, 좌골치골가지의 일부, 표재성회음근과 비뇨생식격막의 하부근막을 제거하여 심회음부 근육을 보여주는 그림이다. (B) 심회음근은 요도괄약근과 연관된다.

체적인 활동의 제한은 직접적인 원인은 아니지만 임상적으로 요실금 상태를 악화시킨다.

2) 여성 복압성요실금의 원인

여성 복압성요실금의 원인에 대한 전통적인 병태생리학적 이론은 근위부 요도와 방광목이 전방골반탈출

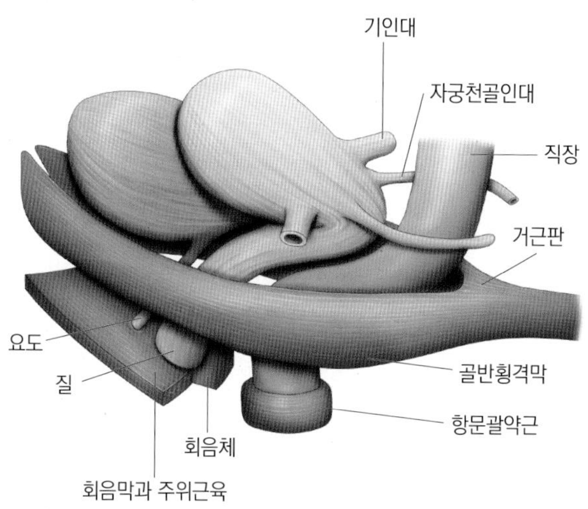

그림 31-8. **골반장기들의 모식도.** 이 모식도는 골반을 지지하는 2개의 주된 근육 지지구조물을 보여준다. 상부에는 골반횡격막이 있으며, 하부에는 앞쪽으로 근육과 연관된 회음막과 뒤쪽으로 항문괄약근이 있다.

표 31-2. **요도괄약근 이상의 원인**

요도의 과운동성	내인성요도괄약근기능부전
• 임신과 질식분만 • 골반수술 • 만성적인 복부의 긴장 (만선변비 등) • 신경 송상에 의한 2차적인 지지구조의 약화	• 이전의 요도 주위의 수술 (요도 게실, 요실금 수술 등) • 신경학적 손상 • 방사선 조사 • 에스트로젠 결핍

증 증상과 같이 위치가 하강해서 발생한다고 여겨져 왔다. 하지만 여성복압성요실금은 복압 증가에 따른 압력의 요도 전달 뿐만 아니라 여러 가지 요소에 의해 발생하며 해부학적 관점에서 요도를 지지하는 구조물의 약화와 기능적 관점에서 본 내인성 요도괄약근기능부전의 두 가지로 나눌 수 있다(표 31-2).

(1) 요도하지지 부전

요도를 지지하는 구조가 소실되어 방광경부와 요도가 아래로 처지는 요도의 과이동성이 복압성요실금의 주된 원인이다(Hodgkinson, 1953, 1978; Green, 1968;McGuire et al, 1976; Blaivas, 1988b; Walters ·Jackson, 1990), 정상적으로 요도는 치골하부보다 높게 위치하고 상대적으로 방광은 아래에 위치하여 복압상승 시 방광과 요도에 동일한 압력이 전달되지만, 복압성요실금 환자에서는 복압이 상승될 때 요도가 밑으로 하강하여 복압이 요도에 적게 전달되어 방광내압이 요도압보다 높아져 요실금이 발생한다(McGuire ·Herlihy, 1977; Constantinou·Govan, 1982; Westby et al, 1982;Constantinou, 1985; Bump et al, 1988a; Rosensweig et al,1991). 그러나 많은 여성에서는 요도의 과운동성이 있음에도 불구하고 요실금이 전혀 발생하지 않는다. 이는 요도의 과운동성이 있어도 정상적인 요도는 복압상승 시에도 열리지 않아서 요실금이 발생하지 않으며(Walters Diaz, 1987), 요도의 과운동성 외에 다른 요소들이 복합적으로 복압성 요실금 발생에 영향을 미칠 수 있음을 시사한다.

오늘날에 가장 널리 인정받고 있는 요도의 과운동성으로 인한 이차적 복압성요실금의 병태생리학적 원인은 그물침대이론(hammock hypothesis)이라는 요도지지에 관한 이론으로 설명된다(DeLancey, 1994). 복압이 증가되는 상태에서 요도가 방광과 요도 하방의 근막층에 의하여 그물침대처럼 받쳐지고 있음을 DeLancey가 발견하여 요실금이 발생에는 요도의 위치보다 이러한 지지구조물의 안정성이 중요하다고 하였다. 요도의 지지는 복압증가에 대한 하강압력을 지지하는 결합조직과 근육들에 의해 형성된다. 복압상승

시 내골반근막과 치골자궁경부근막(pubocervicalfascia)에 의하여 항문거근과 골반근막건궁에 측면으로 부착되어 있는 전질벽은 그물침대처럼 방광경부와 요도를 받쳐주어 복압이 증가하면 요도가 압박되어 요실금이 방지되고, 요도가 하강을 하더라도 이러한 지지가 유지되면 요실금이 발생하지 않는다. 이러한 연구결과는 괄약근이상으로 생긴 요실금 환자에서 복압증가시 방광경부와 근위부 요도가 압박받을 수 있도록 지지판을 형성하는 것이 일차적 치료목표라는 주장을 뒷받침한다.

또 다른 이론으로 중부요도가 요자제에 중요한 역할을 한다는 'integral theory'가 있다. 골반에 대한 자기공명영상촬영에서 요실금이 발생할 때 방광경부와 근위부요도의 전벽과 후벽의 움직임이 달라 후벽이 전벽으로부터 멀어지면서 요도가 열리는 현상이 관찰되었으며(Yang et al, 1991; Mostwin et al, 1995), 초음파검사에서도 요도의 과운동성보다는 방광경부가 깔때기 모양으로 열리는 현상(funneling)이 복압성요실금이 있는 환자에서 관찰되었다. Integral theory는 요도전방의 지지는 치골요도인대에 의하여 이루어지며 중부요도가 치골하부에 단단히 붙음으로써 치골요도근육들과 함께 근위부요도에 슬링을 형성하는데, 치골요도인대가 느슨해지면 전질벽이 적절한 지지를 하지 못하여 방광경부가 열려 요실금이 발생하므로 치골요도인대가 붙어있는 중부요도가 요자제에 중요한 역할을 한다는 이론이다(Constantinou·Govan, 1981;Petros·Ulmstem, 1990; Petros·Ulmstem, 1998). 이는 앞에서 기술한 그물침대이론과 함께 복압성요실금의 발생에 중요한 이론적 근거로 생각되고 있다. 방광경부와 중부요도의 슬링수술을 통해 복압성요실금을 치료하여 성공적인 결과를 얻은 사실들이 상기한 두 이론을 뒷받침한다(Ulmsten et al, 1998; Olsson·Kroon, 1999;Nilsson ·Kuuva, 2001; Rezapour et al, 2001; Nilsson et al,2004).

(2) 내인성요도괄약근기능부전

1978년 McGuire 등은 내인성요도괄약근기능부전(intrinsic sphincter deficiency, ISD)이란 요도의 해부학적 위치에 관계없이 요도괄약근의 자체의 기능이 저하되어 요실금이 발생하는 것으로 정의하였다. 요도의 과운동성이 관찰되는 여성들 중에서도 요실금이 없는 경우가 있으며, 과도한 요도의 운동성이 없이도 심한 요실금을 보이는 걸 설명해 줄 수 있는 이론적 근거이다. 요도의 과운동성이 있는 요실금 환자는 어느 정도의 내인성요도괄약근 기능부전이 동반되어 있다. 요도의 과운동성과 내인성요도괄약근부전은 같은 환자에게 동시에 존재한다고 생각된다(Nitti·Combs, 1996; Fleischmann et al, 2003). Zinner 등(1980)은 1980년대에 요도의 수동적인 요자제기전이 적어도 3가지 요도벽의 요인, 즉 요도벽 긴장성, 외부 압박, 내벽의 탄성 등에 의하여 이루어진다고 하였다. 요도에서 분비되는 끈끈한 점액이 요도점막의 접합력을 증진시키고, 요도점막의 부드러움도 같은 역할을 한다.

① 내인성요도괄약근기능부전의 가능성을 높이는 요인

i) 이전의 요도 주위의 수술

요도 주위를 수술한 후 요도 주위의 섬유화, 상처자국, 탈신경화 등으로 인해 내인성요도괄약근기능부전이 발생한다(Haab et al, 1996). 두 번 이상 요도 주위의 요실금 수술을 시행하였으나 실패한 경우 환자의 75%에서 내인성요도괄약근기능부전이 발생한다(McGuire, 1980).

ii) 신경학적 손상

부교감신경이 완전히 손상되면 배뇨근무반사가 나타나며, 요정체를 일으킨다. 교감신경의 손상이 동반될 때는근위부요도의 괄약근 기능마저 소실되어, 불완전 배뇨와근위부 요도괄약근 기능소실로 인한 요실금이 발생한다(Gerstenberg et al, 1980; Blaivas·Barbalias, 1983). 체성신경인 음부신경이 손상되면 외요도괄약근과 항문괄약근의 수축력이 소실된다.

iii) 방사선 조사

골반강 내에 방사선치료를 받게 되면 점막의 접합력(mucosal coaptation)이 소실되고, 국소적인 신경학적 손상을 받게 된다.

iv) 에스트로젠 결핍

에스트로젠 결핍은 요도점막과 점막하 혈관조직에 영향을 미쳐 해면체 조직이 위축되고 상피세포가 납작해져서 근위부요도의 접합력이 감소된다(Comiter et al, 2000).

(3) 요도괄약근 이상에 영향을 미치는 요인

요도괄약근 이상의 요인으로 크게 위의 두 가지 외에도 다음과 같은 요인들이 영향을 미친다.

① 방광경부 요인

i) 내적 요인

방광경부의 풍부한 결합조직과 평활근의 상호작용에 의하여 수동적인 요자제기전이 유지된다.

ii) 외적 요인

방광경부는 치골과 항문거근에 인대로 붙어 있어 골반강 높은 곳에 위치하며 복압을 잘 전달받을 수 있다.

② **요도의 평활근육**(그림 31-9)

요도평활근은 내측의 종층(longitudinal layer)과 외측의 환상층(circular layer)으로 구성되며, 종층이 더욱 현저하다. 외요도괄약근의 내측에 있으며, 여성 요도의 근위부 4/5에 걸쳐 존재한다.

환상층은 외요도괄약근에 비해 덜 현저하지만 요도를 수축시키는 역할을 하며, 종층은 배뇨 시에 요도를 깔때기 모양처럼 만들고, 단축시키는 역할을 한다.

③ 외요도괄약근

근위부요도의 골격근은 평활근을 감싸고 있으나 요도벽의 배측에서 완전한 환형을 이루지는 못한다. 요도 주위의 골격근은 저속연축섬유와 고속연축섬유로 이루어져 있으나, 외요도괄약근은 주로 저속연축섬유로 이루어져 있다.

④ 내요도적 요인

부드럽고 탄성이 있어야 하나, 호르몬 결핍과 노령으로 인하여 점막이 위축되고 약화되어 수동적인 요자제 효과가 떨어진다(Zinner et al, 1980).

⑤ 압력전달 요인

앞에서 언급한 바와 동일하다.

⑥ 골반저 요인

전질벽은 치골요도인대를 중심으로 두 개의 부분으로나뉘어 지렛대처럼 상반된 방향으로 움직인다. 골반저는 2개의 불수의적 요자제 기전과 1개의 수의적 요

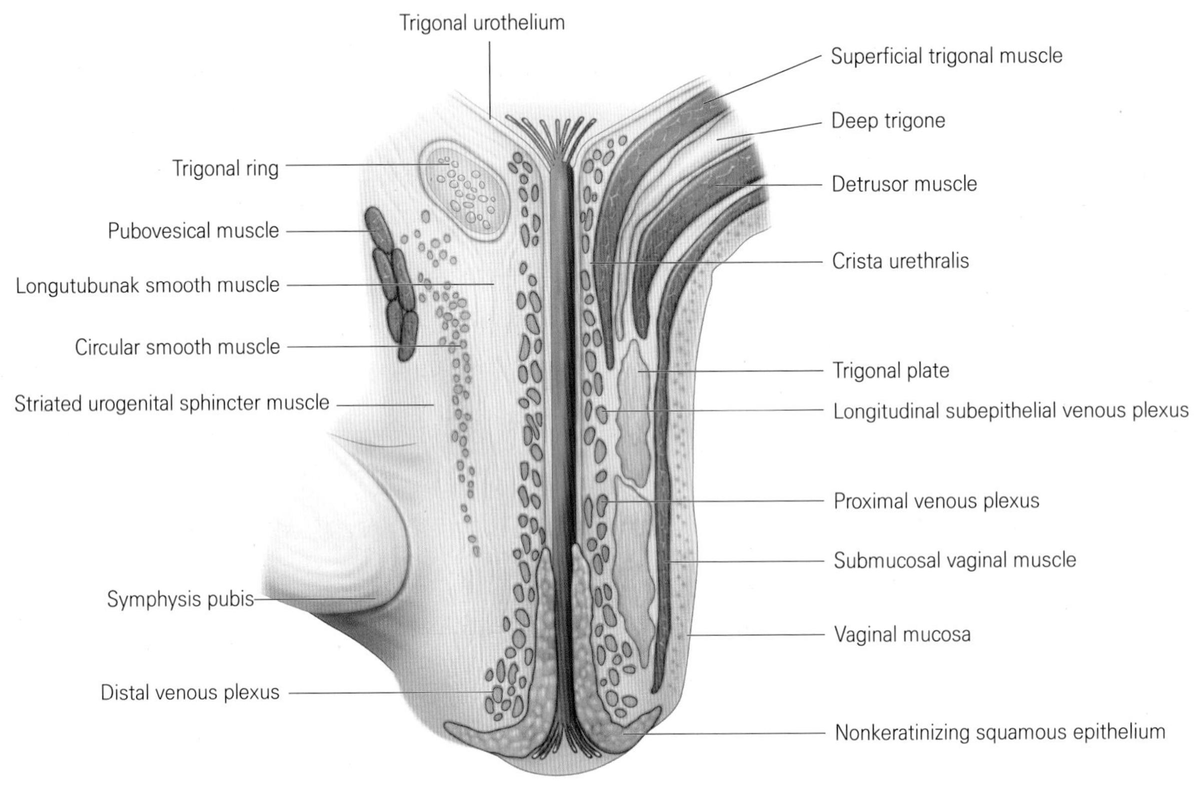

그림 31-9. **여성 요도의 단면 모식도.** 두텁고, 혈관이 풍부한 점막하 조직, 두꺼운 내종근과 얇은 환상근이 관찰된다.

자제 기전,즉 3개의 요자제 기전에 관여한다. 첫 번째는 전부 치골미골근의 수축으로 인한 요도의 폐색기전이며, 두 번째는 방광경부의 요자제 기전인데, 방광경부가 움직이지 않는 근위부 요도에 반하여 뒤로, 아래로 길게 늘어나면서 닫힌다. 세 번째는 정상적으로는 요자제 기전에 관여하지 않으나 골반저운동에 의해 요자제 기전에 작용하는 골격근이다.

이 골격근에는 치골직장근과 치골미골근이 관여하는것으로 생각된다. 결합조직의 손상은 요자제에 작용하는 골격근이 부착하는 기시부의 약화를 초래한다. 내골반근막의 주된 결합조직은 콜라겐이다. 또한 전질벽의 상피세포층의 주된 콜라겐은 19가지의 아형 중 제1과 3번 아형 콜라겐이다. 이러한 결합조직의 안정성을 잃어버리면 복압성요실금이나 골반장기탈출이 발생하게 된다.

(4) 출산과 복압성요실금

분만과 출산이 요실금, 자궁탈출증, 변실금과 밀접한연관이 있다는 것은 오래 전부터 알려져 왔다. 복합성요실금을 포함한 복압성요실금의 임신 중 빈도는 전체 요실금의 40~50%에 이르며, 첫 임신인 경우보다 다분만한 경우의 임신에서 더 높고 임신 초기보다는 후반기로 갈수록 빈도 또한 높아진다(Dimpfl et al, 1992; Marshall et al,1998; Morkved·Bo, 1999; Hvidman et al, 2002).

출산 후 요실금의 빈도는 연구방법 등에 따라 다른 결과를 보이며, 대체로 분만횟수, 분만방법, 임신 전 요실금의 병력에 따라 달라진다. 출산 후 발생하는 요실금은 거의 복압성요실금이며, 출산하는 해 어떠한 형태의 요실금이라도 가지고 있을 빈도는 15~30%에 이른다. 질식분만은 골반의 연조직을 직접적으로 손상시키며, 골반으로 주행하는 신경 또한 부분적으로 손상하여 요실금을 유발시키는 중요한 요인으로 작용한다. 그러므로 제왕절개를 통한 분만보다 질식분만한 경우에 요실금의 빈도도 높다. Mostwin등(1995)은 질식분만이 요도괄약근 손상과 요실금을 유발하는 과정으로 1) 질식분만을 통한 지지결합조직의 손상, 2) 태아의 압박으로 인한 골반구조물의 혈관 손상, 3)분만 중의 손상으로 인한 골반근육이나 신경의 손상, 4)분만으로 인한 하부요로장기의 직접적 손상에 의하여 발생한다고 하였다.

Allen 등(1990)은 첫 출산 후 대부분의 여성에서 부분적으로 골반신경이 손상되지만, 상태가 경미하여 80%는 신경이 다시 재생된다고 하였다. 다산, 겸자 분만, 긴분만 2기, 경막외 마취, 3도 회음열상과 아기의 무게가 4kg 이상인 경우는 음부신경의 손상으로 인한 요실금의 발생에 중요한 인자가 되나(Snooks et al, 1986; Handa et al,1996; Brown·Lumley, 1998; Rortveit et al, 2003), 그 연관관계는 나이가 많아질수록 희미해진다. 분만과 출생이 요실금에 미치는 영향 또한 나이가 많아질수록 약해진다.

전체 참고문헌 목록은
배뇨장애와 요실금 웹사이트 자료실
(http://www.kcsoffice.org)에서
확인할 수 있습니다.

여성 복압성요실금의 평가와 진단

Female stress urinary incontinence -Diagnostic evaluation

서주태

1. 서론

요실금을 호소하는 여성에게서 진단의 목적은 먼저 요실금의 종류를 구분하고 치료계획을 세우며, 요실금 증상 및 치료에 영향을 미치는 여러 인자들을 살펴보는 것이다. 또한 골반장기탈출증과 같은 동반 질환의 존재여부를 확인하고 요실금의 정도를 측정하는 한편 요실금으로 인한 삶의 질의 변화를 평가한다. 정확한 진단을 통해 올바른 치료 방법을 선택하고 치료 목표를 세울 수 있어야 한다.

요실금에 대한 초기 접근은 환자의 상태와 질환의 정도, 위험요소, 치료의 필요성 등에 근거하여 이루어져야하며, 특히 환자 자신이 요실금에 대해 어떻게 인지하고 있는지를 평가해야 한다. 사람에 따라서는 심한 요실금이 경한 정도로 바뀌어도 만족하는 경우가 있는 반면, 경한 요실금이지만 완전히 요실금이 없어지기를 원하는 경우도 있기 때문이다.

요실금의 진단은 주관적 자료로서 병력, 과거력 등을 알기 위한 문진과 삶에 미치는 영향을 평가하기 위한 설문지 등으로 이루어지며 객관적 자료로서 소변검사와 신체검사, 요누출압과 요도폐쇄압 등의 측정을 위한 요역동학검사, 방광요도경검사 등이 있다. 또한 배뇨일지와 패드검사가 함께 사용되고 있다.

문진에는 요실금의 횟수와 정도, 이로 인한 고통의 정도와 삶의 질에 미치는 영향이 꼭 포함되어야 한다. 이를 평가하기 위해 배뇨일지와 타당도가 입증된 각종 설문지가 도움이 된다. 최근에는 이런 문진과 신체검사, 배뇨일지 등의 기초 검사와 잔뇨 측정 등이 필수검사로 판단되고 있다. 요역동학검사를 포함한 방광요도경이나 영상검사는 신경인성방광에 의한 요실금이나 수술적 치료를 고려한 요실금의 경우, 요실금 수술 후 증상이 재발한 경우, 요실금 증상과 배뇨증상이 복합적으로 존재하는 경우 등에 시행하고 있다.

요실금의 확진은 신체검사나 알려진 여러 검사를 통해 요실금을 직접 확인하는 것이다.

이후 기술하는 내용은 주로 여성 복압성요실금의

진단에 대한 내용을 언급하고 있으나, 다른 종류의 여성요실금 환자에서의 접근도 크게 다르지 않다.

2. 병력청취 및 소변검사

요실금의 진단에는 상세한 과거력의 청취가 매우 중요하다. 문진을 통해 요실금의 이 어떤 종류이며 어느 정도인지 알아야 하고 일상의 삶에 미치는 영향도 알아야 한다. 또한 요실금의 발생 위험 요소나 일시적인 원인도 확인해야 하는데, 급성으로 나타나는 경우에는 수분 섭취와 배뇨 양상을 관찰하거나 급성요로감염, 최근의 수술이나 외상 등을 확인해야하며 만성적인 경우에는 선천성 기형이나 신경계 질환, 이전에 시행 받은 수술이나 일반적인 건강상태를 확인해야한다.

여성 요실금과 관련 있는 병력청취에 대해 살펴보면 먼저 다발성경화증, 척수손상, 추간판탈출증, 파킨슨병, 당뇨병 등 방광과 요도괄약근에 영향을 미칠 수 있는 신경학적 이상 여부를 확인해야 한다. 다음으로 산부인과적으로 환자의 출산 여부와 방법 및 횟수 등을 파악해야 하며, 질이나 골반강 내에 수술적 처치를 받은 적이 있는지 알아보아야 한다. 직장수술이나 자궁적출술 등의 수술을 받은 경우 방광이나 요도괄약근으로 가는 신경의 손상으로 인한 요실금이 발생할 수 있으며, 골반 내 방사선치료를 받은 경우에는 방광의 유순도가 감소하여 방광용적이 줄고 방광내압이 쉽게 상승하여 요실금이 유발될 수 있다.

복용하는 약물에 의해서도 요실금이 발생하거나 악화될 수 있다. 일부 혈압강하제나 알파교감신경차단제 등(clonidine, phenoxybenzamine, terazosin, doxazosin, tamsulosin)이 이에 해당되며, 교감신경자극제나 삼환계항우울제 등(ephedrine, pseudoephedrine, imipramine)은 방광출구의 압력을 증가시켜 요폐를 유발하고 경우에 따라서는 일류성요실금(overflow incontinence)을 초래하기도 한다. 이뇨제가 직접적으로 요실금을 일으키지는 않지만 요실금 증상을 악화시킬 수도 있다. 환자의 생리 상태와 관련하여 폐경의 여부, 폐경기 이후의 기간, 폐경기 후 에스트로젠치료 여부 등을 확인하여 요도의 점막상태를 간접적으로 예측하는 것도 중요하다.

요실금의 증상에 대한 자세한 평가도 필수적이다. 요실금이 발생하는 특정 상황들이나 요실금의 정도와 양상, 일반적인 배뇨 상태도 확인해야 한다. 예를 들면 재채기를 하거나 크게 웃을 때, 줄넘기를 하거나 무거운 것을 들때 요실금이 발생하면 복압성요실금을 먼저 의심할 수 있다. 반면 미처 화장실에서 배뇨하기 전, 요절박과 동반된 요실금이 발생한다면 과민성방광으로 인한 절박성요실금을 생각할 수 있다.

특히 절박성요실금의 존재는 복압성요실금 수술 후 성공률에 악영향을 미친다는 보고가 많기 때문에 수술 전 정확히 평가하는 것이 중요하다.

요실금의 정도를 살피고 수술력 등을 자세히 알아보면 내인성요도괄약근기능부전의 가능성도 예측할 수 있다. 대부분의 환자들이 스스로 예비 진단을 하고 오기 때문에 자세하게 병력을 청취한다면 많은 경우에 병력만으로도 진단이 가능하다.

요로감염이 일시적으로 요실금을 유발할 수 있기 때문에 요로감염 여부를 판별하기 위한 소변검사 및 소변배양검사는 요실금의 진단과정에서 필수적으로 시행해야 한다.

3. 신체검사

1) 신경검사

요실금의 진단을 위한 신체검사에는 요실금을 유발할수 있는 해부학적 이상이나 신경학적 이상을 알아보기 위한 검사가 동반되어야 한다.

신경학적 검사는 환자가 진료실에 들어올 때부터 시작된다. 환자의 걸음걸이나 자세를 살펴보아 걸음걸이가 부자연스럽거나 다리를 저는 경우 또는 말이나 얼굴 모양이 정상이 아닌 경우에는 신경학적 이상의 가능성이 있다. 하복부와 옆구리를 검사하여 충만된 방광이나 탈장, 종괴등의 여부를 관찰하고 항문괄약근 수축력과 회음부의 감각도 평가한다. 환자의 직장에 손가락을 넣고 배뇨를 시킨 다음 중간에 멈추도록 하여 항문괄약근의 기능을 파악하는데, 자의적인 배뇨 중단이 어렵거나 괄약근의 수축력이 약한 경우는 신경 손상을 의미한다. 음핵을 갑자기 꽉쥐거나 풍선이 채워진 요도 도관을 갑자기 잡아당기며 항문괄약근이나 회음부 근육의 수축 정도를 측정하는 구부해면체근반사검사도 시행한다. 그러나 실제로 정상 여성의 약 30%에서 구면해면체반사검사만으로는 정상적인 반사반응을 확인할 수 없다.

2) 골반검사

골반검사는 먼저 회음부와 질을 관찰해야 하는데 대부분 쇄석위에서 시행한다. 해부학적 이상이나 피부 이상의여부를 확인하고 질위축이 있는가를 살펴본다.

질검사는 골반장기의 진찰을 위해서는 방광을 비운 상태에서 하며, 그 후 요실금이나 방광류의 여부를 확인하기 위해서는 방광을 채운 상태에서 검사한다.

(1) 질검사

쇄석위 상태에서 전질벽을 관찰한다. 전질벽을 잘 보기위해 견인기구를 이용하여 후질벽을 가볍게 밑으로 눌러 준다. 환자가 배에 힘을 주는 동안 방광류(cystocele)의 여부와 자궁경부의 위치 및 이동 정도를 관찰한다. 전질벽을 관찰한 후에는 후질벽을 살펴보는데, 이때는 전질벽을 위로 밀어 올리면서 직장류(rectocele)나 장류(enterocele) 등이 있는지를 관찰한다. 골반장기탈출증이 있는 경우에는 그정도를 표준화하기 위해 ICS가 고안한 POP–Q 분류법을 이용하여 병기를 분류한다.

(2) Q-Tip 검사

면봉을 이용하여 요도의 과운동성을 측정하기 위한 검사다. 소독한 면봉에 윤활제를 잘 바른 다음 조심스럽게 요도를 통하여 방광 입구까지 면봉을 삽입한다. 배에 힘을 빼고 있을 때의 면봉의 각도와 환자가 배에 힘을 주었을 때의 면봉의 각도를 수평을 기준으로 하여 기록한다. 배에 힘을 주었을 때 면봉의 각도가 수평으로부터 30° 이상이면 요도의 과운동성이 있다고 판정한다. 한편 일부에서는 쉬고 있을 때와 배에 힘을 주었을 때의 요도의 각도변화가 30° 이상일 경우 요도의 과운동성이 있다고 정의하기도 한다.

(3) 복압상승요실금유발검사

쇄석위에서 방광을 생리식염수로 채운 후 환자로 하여금 복압을 상승하게 하여 요실금이 생기는지를 관찰한다. 이 상태에서 요누출을 볼 수 없는 경우 환자를 앉히거나 똑바로 세운 상태에서 다시 시도한다. 환자를 세우고 한발을 낮은 의자에 올린 후 기침을 하게 하거나 배에 힘을주도록 하여 요누출을 확인한다. 만약 방광류가 동반되어 요누출을 확인할 수 없는 경우에는 페사리나 손가락을 이용하여 돌출된 방광을 환원시킨 후 검사를 시행한다.

4. 배뇨 후 잔뇨량 검사

배뇨 후 남아있는 잔뇨량을 측정하기 위해 최근에는 비침습적인 초음파검사가 널리 사용되고 있다. 정상적인 잔뇨의 양에 대해서는 이견이 있지만 일반적으로 잔뇨가 50 mL 이하인 경우는 정상적인 배뇨로 생각하고 있으며 200 mL 이상인 경우는 확실히 요배출에 문제가 있다고 판정한다.

방광의 배출 기능에 이상이 있다면 배뇨근수축력 저하나 방광출구폐색을 의심할 수 있다. 최근 배뇨후 잔뇨량측정은 여성요실금의 진단에서 기본으로 시행할 검사로 권유되고 있다.

5. 배뇨일지

요실금의 상태와 정도를 더욱 정확히 파악하기 위하여 환자에게 배뇨일지를 기록하게 한다. 배뇨일지는 환자 자신이 생활하는 환경에서 일상생활 중에 일어나는 배뇨 상태를 기록하는 것이다. 절박성요실금이 있는 경우에는 어떤 행동이 요실금을 줄일 수 있게 하는가를 인지하게 하는 효과도 있다.

지금까지 배뇨일지의 기록 기간이나 구성 항목에 대해여러 가지 의견이 있지만 표준화된 형식은 정해져 있지 않았다. 실제로 하루에서 2주까지 다양한 기간이 제시되고 있는데, 장기간의 기록은 더욱 많은 정보를 제공할 수 있지만 도중에 기록을 누락할 가능성이 높다는 단점이 있다. 24, 48, 72 시간 동안의 배뇨일지를 시행하여 비교한 결과 요실금 횟수나 배뇨 횟수 등은 서로 비슷하였으나 야간배뇨 횟수의 측정에 있어서는 차이를 보였다(Groutz et al, 2000). 현재는 3일간 작성하는 배뇨일지가 가장 흔히 사용되고 있다.

배뇨일지는 구성하는 세부항목에 따라 크게 3가지 형태로 나눌 수 있다. ① 24시간 내의 배뇨 시간과 횟수, 요실금의 횟수만 표시하는 가장 단순한 형태의 배뇨시간일지(micturition time chart)가 있고 ② 여기에 요량을 포함하여 기록하는 배뇨횟수배뇨량일지(frequency volume chart)가 있다. ③ 가장 자세한 형식으로 요실금의 형태나 양, 패드 사용수, 수분 섭취량, 요절박의 정도까지 추가적으로 기록하게 되어있는 방광일지가 있다. 환자와 의사에게 가장 많은 정보를 제공하는 세 번째 형식의 방광일지가 환자의 초기 진단과 경과관찰에 매우 유용하지만 환자의 기록 누락의 가능성이 크기 때문에 일반적인 진료에서는 배뇨횟수배뇨량일지 사용이 권유되며 방광일지는 주로 연구용 목적으로 사용되고 있다(표 32-1).

표 32-1(1). **72시간 배뇨양상 기능검사**

72시간 배뇨양상 기능검사

대한비뇨의학회 표준양식 2016.7. ver 1.0

	1일째	2일째	3일째	4일째
날짜	20___년___월___일	20___년___월___일	20___년___월___일	20___년___월___일
기상시간	______시 ______분	______시 ______분	______시 ______분	______시 ______분
취침시간	______시 ______분	______시 ______분	______시 ______분	아침 첫 소변 ________mL
시간	배뇨량 (ml)	배뇨량 (ml)	배뇨량 (ml)	⇧
오전 5 시	절박뇨/요실금	절박뇨/요실금	절박뇨/요실금	** 여기 4일째 내용을 반드시 기록해 주세요.
6 시	절박뇨/요실금	절박뇨/요실금	절박뇨/요실금	
7 시	절박뇨/요실금	절박뇨/요실금	절박뇨/요실금	
8 시	절박뇨/요실금	절박뇨/요실금	절박뇨/요실금	
9 시	절박뇨/요실금	절박뇨/요실금	절박뇨/요실금	
10 시	절박뇨/요실금	절박뇨/요실금	절박뇨/요실금	〈기록시 주의사항〉
11 시	절박뇨/요실금	절박뇨/요실금	절박뇨/요실금	* 기상/취침 시간을 꼭 기록하여 주십시오.
정오 12 시	절박뇨/요실금	절박뇨/요실금	절박뇨/요실금	
오후 1 시	절박뇨/요실금	절박뇨/요실금	절박뇨/요실금	
2 시	절박뇨/요실금	절박뇨/요실금	절박뇨/요실금	* 3일간 매일 아침 첫 소변량과 시간을 기록하여 주십시오.
3 시	절박뇨/요실금	절박뇨/요실금	절박뇨/요실금	
4 시	절박뇨/요실금	절박뇨/요실금	절박뇨/요실금	
5 시	절박뇨/요실금	절박뇨/요실금	절박뇨/요실금	* 4일째는 기상 시간과 아침 첫 소변량만 기록하여 주십시오.
6 시	절박뇨/요실금	절박뇨/요실금	절박뇨/요실금	
7 시	절박뇨/요실금	절박뇨/요실금	절박뇨/요실금	
8 시	절박뇨/요실금	절박뇨/요실금	절박뇨/요실금	* 절박뇨/요실금이 있었던 경우는 표시 하십시오. (다음의 표시를 참고하세요.)
9 시	절박뇨/요실금	절박뇨/요실금	절박뇨/요실금	
10 시	절박뇨/요실금	절박뇨/요실금	절박뇨/요실금	
11 시	절박뇨/요실금	절박뇨/요실금	절박뇨/요실금	
자정 12 시	절박뇨/요실금	절박뇨/요실금	절박뇨/요실금	
새벽 1 시	절박뇨/요실금	절박뇨/요실금	절박뇨/요실금	(절박뇨) / 요실금
2 시	절박뇨/요실금	절박뇨/요실금	절박뇨/요실금	절박뇨 / (요실금)
3 시	절박뇨/요실금	절박뇨/요실금	절박뇨/요실금	
4 시	절박뇨/요실금	절박뇨/요실금	절박뇨/요실금	(절박뇨) / (요실금)
하루 총 배뇨횟수	_______회	_______회	_______회	
하루 총 배뇨량	_________ mL	_________ mL	_________ mL	

표 32-1(2). **72시간 배뇨양상 기능검사**

72시간 배뇨양상 기능검사 판독표

대한비뇨의학회 표준양식 2016.7. ver 1.0

임상 지표	상세 설명	기록사항
1) 24 hour urine volume (하루 총 배뇨량)	아침 첫 소변 제외, 그 다음날 아침 첫 소변은 포함	________ml
2) Total number of voids (일일 총 배뇨횟수)	하루 총 배뇨 횟수	________회
3) Number of daytime voids (주간뇨 횟수)	주간에 배뇨한 횟수	________회
4) Number of nocturnal voids (야간뇨 횟수)	야간에 일어나 배뇨한 횟수	________회
5) Maximal bladder capacity (기능적 방광용적)	배뇨일지 중에서 가장 많은 배뇨량	________mL

주된 증상	빈뇨	유 □ / 무 □
	절박뇨	유 □ / 무 □
	요실금	유 (복압 □ 절박 □ 혼합 □) / 무 □
	야간뇨	유 □ / 무 □
판독 결과 (진단명)	빈뇨	기질성 □ / 심인성 □ / 정상 □
	과민성방광	Dry □ / Wet □
	야간다뇨	유 □ / 무 □
동반 질환	신경인성방광	유 □ / 무 □
	전립선비대증(남성)	유 □ / 무 □

6. 증상이나 삶의 질에 대한 자가 설문지

요실금과 그에 따른 여러 결과는 환자의 삶의 질에 많은 영향을 준다. 지금까지 이러한 영향을 알기 위한 방법은 환자나 보호자로부터 직접 듣는 문진이 대부분이었다. 하지만 최근에는 여러 종류의 자가기입형 설문지가 타당도와신뢰도를 인정받아 널리 사용되고 있다. 환자 본인이 직접 기입하는 자가 설문지는 증상의 정도와 이에 따른 삶의질을 평가하는 항목으로 구성되어 있다. 이를 통해 환자의증상이나 이로 인한 영향을 의사가 쉽게 객관화하여 평가할 수 있게 되고 치료 후 결과 판정에 유용하게 사용할 수 있다. 따라서 최근에는 요실금의 진단에 있어서 자가 설문지는 꼭 필요한 검사로 추천되고 있다(표 32-2).

표 32-2. **여성 요실금 환자를 위한 자가 설문지**

1. 요실금의 증상
Urogenital Distress Inventory (UDI)
UDI-6
Incontinence Severity Index
Bristol Female Lower Urinary Tract Symptoms (BFLUTS)
2. 요실금의 영향에 대한 삶의 질 평가
I-QOL
SEAPI-QMN
King's Health Questionnaire
Incontinence Impact Questionnaire
IIQ-7
Urinary Incontinenc Score (UISS)
CONTILIFE
3. 증상과 삶의 질 평가
ICIQ
BFLUTS-SF
SUIQQ

7. 패드검사

일정한 시간 내에 요실금으로 인한 요누출의 양이 얼마나 되는지 평가하는 방법이다. 요실금의 양을 정량적으로 측정할 수 있으나 시행하기가 불편하여 학문적인 연구목적으로 사용하며 요실금의 일반적인 초기 평가로는 추천되지 않는다. 패드검사는 시행하는 기간에 따라 1~48시간까지 여러가지 방법이 제시되고 있다. 1~2시간의 간단한 패드검사는 진료실에서 쉽게 시행할 수 있다. ICS에서는 검사 15분 전 500 mL의 수분을 섭취 후 패드를 착용하여 주어진 각종 활동을 1시간 동안 시행하게 하여 패드의 무게 변화를 재는 1시간 검사를 추천하고 있다. 1시간 검사에서 1 g 이상의 무게가 증가하면 양성으로 판단한다. 1시간 검사에서 요실금이 나타나지 않으면 다시 1시간 더 시행해 보는 것을 권장한다. 더욱 자연스런 상황에서 요실금을 판단하기 위해서는 24시간 검사가 시행되고 있지만 정확도가 올라가는 반면에 환자가 불편하여 제대로 시행되지 않는 단점이 있다. 24시간 동안 4 g의 무게 증가는 양성으로 판단한다(Krhut et al, 2014).

패드 무게의 증가의 원인이 요누출인지 확인하기 위해 염색제를 사용할 수 있다. Phenazopyridine 200 mg을 1일 3회 복용하여 착용된 패드가 오렌지색으로 염색되면 소변이 샌다고 확인할 수 있다. 결론적으로 패드검사는 수술전후의 요실금의 양을 정량적으로 측정할 수 있어 연구목적으로의 가치가 있으나, 임상적으로 진단적 가치는 크지 않다.

8. 요역동학검사

요실금 환자에게 요역동학검사를 하는 목적은 요실금의 정확한 원인을 파악하고, 배뇨근의 기능을 평가하여 수술 후의 배뇨장애 가능성에 대해서 예측하는 것이다. 또한 배뇨근괄약근협조장애나 저방광유순도, 방광출구폐색이나 방광요관역류 같은 상부요로이상을 초래할 수 있는 요인을 확인하는 것이다. 요역동학검사에는 육안적 요역동학검사 같은 단순한 검사에서 배뇨근압-방광내압-요속-외요도괄약근 근전도 등을 동시에 측정하는 다경로요역동학검사, 비디오요역동학검사까지 여러 가지 방법이 있다.

일반적으로 모든 요실금 환자를 대상으로 요역동학

검사를 시행하지는 않는다. 간단한 진단검사로 결론을 내리기 어려울 때, 환자는 요실금이 있다고 하지만 임상적으로 증명할 수 없을 때, 이전에 항요실금 수술을 받았으나 증상이 지속될 때, 다른 배뇨증상과 요실금 증상이 복합적으로 존재하는 경우, 이전에 직장암이나 자궁암 등으로 골반 내 수술을 받았을 때, 방광이나 요도괄약근에 영향을 줄 수 있는 신경질환이 있거나 의심될 때, 잔뇨가 증가되어있는 경우 등에 요역동학검사를 시행한다(Kobashi et al, 2012).

또한 복압성요실금에 대한 수술 전 요역동학검사에 대해서는 요실금수술의 성공률을 저하시키는, 방광과 요도의 다른 병태생리가 존재하는지 미리 판단하고, 불필요한 수술을 방지하고 수술 후 합병증이 발생할 수 있는 위험인자를 발견하기 위한 목적으로 시행하는 것이 권고되고 있다.

요역동학검사에서 복압성요실금을 평가하기 위하여 일반적으로 복압성요누출압을 측정한다. 보통 생리식염수나 조영제가 섞인 물을 이용하여 방광내압측정과 동시에 시행하는데, 방광에 최대방광용적의 반 정도가 채워지면 하복부에 힘을 주는 발살바법을 시도하게 한다. 이때 검사자는 요누출이 있는지 눈이나 방사선으로 확인하고, 요누출이 보이지 않으면 기침을 시킨다. 요누출이 있는 가장 낮은 방광압력을 복압성요누출압으로 정의한다. 복압성요누출압이 60 cmH_2O 이하이면 내인성요도괄약근기능부전로 인한 요실금으로 진단할 수 있으며, 60~90 cmH_2O이면 내인성요도괄약근기능부전의 요소가 어느 정도 있다고 판단하고, 90 cmH_2O 이상이거나 요누출을 확인할 수 없을 때에 요도괄약근의 기능이 정상이라고 본다. 그러나 최근의 연구에서는 요누출압이나 요도폐쇄압이 요실금의 정도를 반영하지 못하며, 요도기능 검사가술 후 성공률에 미치는 예후인자로서 가치가 적다는 보고가 많아 주의를 요한다. 한편 이전에 내인성요도괄약근기능부전의 평가에 이용되던 최대요도폐쇄압(요도내압에서방광내압을 뺀 순수한 폐쇄압 중 최대치)에 대해서 2002년 국제요실금학회에서는 요도내압 측정의 임상적 유용성이 확실하지 않다고 결론지었다(Lose et al, 2002). 요실금의 요역동학검사에 대해서는 33장에서 자세히 다루고 있다.

9. 방광요도경검사

방광요도경검사는 요도나 방광을 직접 관찰함으로써 여러 가지 병변을 확인할 수 있다. 복압성요실금 환자에서 방광요도경검사는 제한적으로 사용된다. 1) 여성 요도괄약근이 정상적으로 닫혀있는지에 대해 관찰하여야 할 때, 2) 방광에 요실금을 발생시킬 수 있는 다른 병변이 있는지를 살펴보아야 할 때, 3) 요실금의 원인으로 요도바깥쪽에 이상이 있는지를 확인해야 할 때, 4) 수술 도중 요도나 방광의 손상여부를 확인해야 할 때 등이다. 또한 지속적으로 요절박이나 빈뇨를 호소하는 하부요로 이상이 의심되거나 요로감염이 자주 재발하는 경우, 혈뇨나 배뇨장애가 있는 경우, 요실금 수술 후에 배뇨장애가 있어서 이에 대한 검사를 해야 할 경우에 시행한다. 요도게실이나 방광질루, 요도외 요실금이 의심되는 경우에도 검사를 시행한다.

10. 영상검사

복압성요실금의 진단을 위해 사용되었던 구슬쇠사슬방광조영술이나 배뇨중방광요도조영술, 경회음부초음파촬영술은 환자에게 큰 불편을 주거나 정확성과 객관성에 대해 많은 문제가 제기되어 현재는 거의 사용하지 않는다.

전체 참고문헌 목록은
배뇨장애와 요실금 웹사이트 자료실
(http://www.kcsoffice.org)에서
확인할 수 있습니다.

제 33 장 여성 복압성요실금의 요역동학적 평가

Female stress urinary incontinence -Urodynamic evaluation

김형곤

1. 서론

복압성요실금으로 진단하는데 있어 병력 청취와 신체검사 그리고 소변검사 등은 필수적이나 이 검사만으로 복압성요실금을 정확히 진단할 수 없는 경우를 흔히 경험할 수 있다. 신경학적 질환이 동반되었거나, 이전에 요실금 수술을 받은 적이 있는 경우 등에는 요역동학검사를 통해 동반된 하부요로질환을 평가해야 한다. 그러나 여성 복압성요실금 환자를 평가함에 있어, 수술에 대한 계획을 세우거나 수술 후 예후를 증진시키는 데 있어 이 검사의 역할에 대해서는 여전히 대립되는 의견이 있다.

2. 상반된 연구 결과

Nager CW 등은 요역동학검사를 제외한 간단한 검사만 시행한 군과 요역동학검사를 시행한 군의 복압성요실금 수술 후 결과를 비교하였는데 이 연구에서는(VALUE trial) 동반 질환이 없는 순수 복압성요실금 환자를 대상으로 하였다. 이 연구에서 수술 전 환자를 요역동학검사를 시행할 군과 비침습적인 간단한 검사만을 시행할 군으로 무작위 배정하였고, 1년 후 치료 성공 여부를 설문지를 통해 판단하였다. 연구자들은 요역동학검사를 시행하지 않은 군의 결과가 요역동학검사를 시행한 군에 비해 수술 결과가 열등하지 않다고 보고하였는데(Nager CW, 2012), 즉 순수 복압성요실금 환자에 있어서 간단한 검사만 시행한 환자의 수술 후 결과가 요역동학검사를 시행한 군에 비해 열등하지 않았다는 것이다. 하지만 이 연구 집단을 대상으로 시행한 다른 분석 연구에서는 요역동학검사가 진단과 치료를 의미있게 변경시켰다는 세부 결과를 보고하였다(Sirls 2013). 이 연구 설계와 흡사한 결과가 다른 연구에서 보고된 바가 있다(VUSIS1) (van Leijsen, 2012). 이 연구는 요역동학검사를 한 군과 하지 않은 군으로 배정해 추적 관찰한 결과, VALUE 연구와 흡사하게 요역동학검사를 하지 않은 군의 수술 결과가 검사를 한 군에 비해 열등하지 않음을 보고하였으며, VUSIS2 연구도 순수 복압성요실금 환자에 있어서 요역동학검사 없이 시행한 복압성요실금 수술의 결과가 요역동학검사 후 시행한 수술의 결과에 비해 열등하지 않다고 보고하였다(van Leijsen, 2013). 하지만 이상의 연구들의 문제점은 모든 연구의 결론이 순수 복압성요실금(uncomplicated SUI) 환자들에게서 추출되었다는 점이다. VALUE 연구는 다른 위험 인자를 가진 복압성요실금(complicated SUI) 환자를 제외하고 시행하였는데, 스크리닝 과정에서 제외된 3분의 2 환자가 복합성 복압성요실금 환자였던 것으로 확인되었다(Nager 2012).

다른 위험 인자를 가진 복압성요실금 환자를(complicated SUI) 주대상으로 한 연구에서, 요역동학검사는 새로운 정보를 보여줄 수 있어 많은 환자에게 치료 방향을 수정하는 데 이용되었는데, 이는 수술의 효능이나 수술 후 배뇨 문제와 같은 부작용을 예측하는데 도움을 줄 수 있다고 평가되었다(Salin A, 2007; Salvatore S, 2007). Topazio 등도 다른 위험 인자를 가진 복압성요실금 환자가 주로 등록되어 분석된 연구에서 수술 전 요역동학 검사가 배뇨 장애 등의 새로운 정보를 줄 수 있음을 보고하였다(Topazio, 2015). Digesu 등은 다른 위험 인자를 가진 복압성요실금 환자 뿐 아니라, 순수 복압성요실금 환자에서도 수술 전 요역동학검사가 유용할 수 있다고 주장하였는데, 이런 환자에 있어 적어도 20%의 환자가 배뇨근 과활동성을 가지기 때문이라고 하였다(Digesu, 2009).

수술 전 요역동학검사는 수술 방법의 선택에 영향을 미칠 수 있다는 보고들이 있다. 긴장완화질강테이프수술(TVT)와 경폐쇄공중부요도슬링(TOT)의 수술 성적을 비교한 무작위 대조 연구가 내인성요도괄약근기능부전 환자를 대상으로 보고된 바가 있다(TOMUS 연구). 내인성요도괄약근기능부전으로 수술 전 요역동학검사를 시행해 진단받은 환자를 두 가지 수술군으로 무작위 배정해 수술을 시행 한 후 1년째 수술 결과를 비교한 결과 긴장완화질강테이프수술의 성적이 더 좋았다. 객관적 치료 성공율은 각각 80.8%과 77.7% 이었으며, 최근 발표된 메타 분석에서도 내인성요도괄약근기능부전 환자의 중장기 성적 비교시 긴장완화질강테이프수술이 더 높은 성공률을 보고하였다. 이 TOMUS 연구에서는 중부요도슬링 수술 후 발생한 합병증에 대해서도 두 수술을 비교하였는데, 수술적 교정이 필요한 수술 후 배뇨 장애는 경폐쇄공중부요도슬링 수술이 긴장완화질강테이프수술(0% vs. 2.7%) 보다 우수한 것으로 나타났다. 이는 수술 전 배뇨 장애가 동반된 환자일 경우 경폐쇄공중부요도슬링이 적합할 수 있다는 증거가 될 수 있다(Richter HE, 2010). Gamble 등은 수술 전 배뇨근 과활동성의 중부요도슬링 수술 후 지속 여부를 두 수술 간 비교하였는데, 경폐쇄공중부요도슬링의 경우는 수술 후 53%가 유지된 반면, 긴장완화질강테이프수술은 약 65%가 유지된 결과를 보고하여 수술 전 급박뇨를 동반한 환자의 경우에는 경폐쇄공중부요도슬링이 더 좋은 결과를 보일 수 있다고 주장하였다 (Gamble, 2008). 이러한 연구들은 수술 전 요역동학검사를 통해 얻어진 정보를 토대로 환자에게 더 좋은 결과를 보일 수 있는 수술을 선택할 수 있다고 주장한 것이다.

3. 가이드라인

대부분의 가이드라인에서는(ICI; AUA/SUFU; EAU; NICE) 다른 위험 인자를 가진 복압성요실금 환자를(complicated SUI) 대상으로는 수술 전 요역동학검사를 하도록 권유하고 있으나, 순수 복압성요실금 환자의 경우는 가이드라인마다 차이가 있다. ICS가이드라인에서는 요역동학검사 결과가 치료 계획을 변경시킬 수 있을 때 하도록 권고하고 있으며(Dmochowski R, 2013), 유럽비뇨의학회(EAU; European association of urology) 가이드라인은 요역동학검사의 결과가 치료 방향을 결정함에 있어 다른 여러 선택지를 고려할 수 있도록 도움을 줄 수 있다고 하였다(Lucas MG, 2015). AUA/SUFU에서 2017년 발표한 가이드라인은 순수 복압성요실금환자의 경우 요역동학검사를 생략할 수 있다고 하였다(Kobashi KC, 2017). NICE 가이드라인은 순수 복압성요실금 환자는 자세한 임상 조사를 바탕으로 진단하되 요역동학검사는 필요치 않다고 하였으며, 복압성요실금 수술의 결과가 수술 전 요역동학검사를 통해 바뀔 수 있다는 증거는 없다고 기술하였다.

4. 기존 연구의 한계와 적용

여러 연구와 가이드라인이 다른 결론을 내고 있는 가장 큰 이유는 순수복압성요실금의 정의에 대해 공통적인 기준을 가지고 있지 않기 때문이다. EAU 가이드라인에서는 순수 복압성요실금을 이전 수술력이 없고, 신경학적 배뇨장애가 없으며 골반장기 탈출이 없는 경우의 요실금이라 정의하였으나, 다른 학회나 협의회의 정의와 공통점을 찾을 순 없다. 수술 전 요역동학검사의 필요성에 대한 논의에 있어 고려해야 할 다른 질문은 '순수복압성요실금 환자의 비율이 전체 복압성요실금 환자에서 어느 정도인가?' 와 '다른 위험 인자를 가진 복압성요실금 환자가 수술 전 요역동학검사를 시행했을 때 수술 결정 및 결과에 실제 영향을 미쳤는지?' 가 될 것이다. 유럽의 관련 분야 전문가들이 모여 이에 대해 의견을 종합한 결과 순수 복압성요실금 환자는 복압성요실금 환자의 5~36%로 보고 하였으며, 다른 위험 인자를 가진 복압성요실금 환자의 경우 수술 전 요역동학검사는 74.6%, 순수 복압성요실금 환자는 40%에서 치료 계획에 영향을 끼쳤다고 보고하였다. 이는 환자에 맞는 상담을 하도록 도움을 주었으며, 계획된 수술을 변경하거나 취소하는데 영향을 미쳤다(Finazzi–Agro E, 2018, Serati M, 2016).

복압성요실금은 병력 청취만으로 진단하기에는 민감도와 특이도가 높지 않은 것으로 알려져 있으며, 순수 복압성요실금 증상만 있다고 판단되어라도 실제로 그렇게 확인되는 양성 예측치(positive predictive value)는 73.7% 정도이다(Weidner, 2001). 그러므로 기침이나 재채기, 기타 복압을 상승시킬 수 있는 행위를 할 때 소변이 새는 증상이 있는 환자의 절반에서만 실제로 순수 복압성요실금이 있다고 볼 수 있으며, 나머지는 다른 요인들이 동반되었을 가능성이 있다. 불수의적 배뇨근수축이 있는 환자에게 기침을 연속적으로 시키면 이로 인해 방광이 수축되고 기침과 동시에 요실금이 생기므로, 복압성요실금으로 오인될 수 있다. 따라서 수술 전 요역동학검사를 생략할 수 있는 환자는 엄격하게 구분되어야 한다(표 33-1, 2).

표 33-1. **수술 전 요역동학검사를 생략할 수 있는 대상**

병력이나 복압 상승 유발 검사상 복압이 상승할 때만 요실금이 발생하는 환자
1일 8회 미만, 야간 2회 이하의 정상적인 배뇨 습관을 가진 환자
신경학적인 과거력이나 이상이 없는 환자
과거에 요실금수술이나 근치적 골반강수술을 받은 적 없는 환자
골반검사상 요도와 방광경부가 과운동성을 보이고 질벽이 유연하고 질강 용적에 여유가 있는 환자
배뇨 후 잔뇨량이 정상인 환자
임신 상태가 아님이 확인된 환자

표 33-2. **수술 전 요역동학검사가 꼭 필요한 대상**

간단한 진단 검사만으로 명확하지 않거나 하부 요로 기능에 대한 자세한 이해가 요구되는 환자
배뇨장애가 있는 환자
복압성요실금을 호소하지만 임상적으로 입증되지 않는 환자
이전 요실금 수술, 근치적골반수술, 하부요로재건수술을 시행 받은 적 있는 환자
요실금 수술을 받았으나 1년 이내에 증상이 재발한 적 있는 환자
골반강내 고용량의 방사선 치료 받은 환자
배뇨에 영향을 미칠 수 있는 신경학적 질환이 있거나 의심되는 환자

5. 복압성요실금에 대한 요역동학검사의 지표

1) 요류검사

복압성요실금 여성 환자의 경우 방광출구저항이 감소되어 있어 복압성요실금이 없는 여성보다 낮은 방광내압으로 배뇨해 높은 최대 요속을 보인다(Weber et al, 2002). 요속 검사와 배뇨 후 잔뇨 측정은 복압성요실금을 진단하기 위한 검사가 아니라, 배뇨 장애 동반 여부를 간단히 체크해 볼 수 있는 검사이다. 잔뇨량이 비정상적으로 많을 경우 검사를 반복해볼 필요가 있으며, 배뇨량이 최소 150 cc가 되어야 검사의 유효성이 인정된다. 너무 많은 양의 소변을 참고 온 경우에도 오류가 발생할 수 있어 평상시 배뇨를 할 수 있도록 적절한 안내가 필요하다. 잔뇨량 측정에 가장 정확한 방법은 카테터를 삽입하는 것이지만 침습적인 검사이므로, 초음파 검사가 주로 이용된다. 정상 잔뇨량에 대한 명확한 기준은 없으나 통상 어른의 경우 100 mL 이상인 경우 이상 소견으로 간주할 수 있다. 검사에서 최고요속, 배뇨 커브 패턴 및 배뇨 후 잔뇨량을 보게 되며, 요속이 낮거나 잔뇨량이 많을 경우 수술 후 배뇨장애가 발생할 수 있음을 충분히 설명해야 한다.

2) 방광내압측정술

방광 기능을 평가하는 요역동학 검사에 있어 가장 중요한 검사라 할 수 있다. 요실금 환자에 있어 여러 동반 위험인자를 감별하는 데 있어서 매우 중요하다. 복압성요실금의 수술 전 시행하는 요역동학검사의 방광내압측정술은 수술의 위험인자라고 할 수 있는 배뇨근불안정성에 대한 평가에 중요하다. 배뇨근불안정성은 요절박, 절박성요실금을 호소하는 환자에 있어 요실금 수술 후 예후에 대한 환자 상담에 중요한 정보가 될 수 있다. 또한 신경학적 질환이나 추간판탈출증을 가진 환자나, 항암 치료, 방사선 치료, 골반강 내 수술을 받은 과거력이 있는 환자의 경우 방광유순도에 대한 정보는 복압성요실금 수술 전 반드시 체크해 보아야 할 항목 중 하나라고 할 수 있다.

복압성 및 절박성 요실금이 혼재된 복합성요실금 환자의 수술 후 예후에 대해서는 여전히 논란의 여지가 남아있다. Gleason 등은 복합성요실금 환자 군의 수술 성공율이 순수복압성요실금 환자군에 비해 현저이 낮다고 보고하였으나(64% vs. 84.5%)(Gleason 등, 2015), 수술 전 배뇨근과활동성을 요역동학검사로 진단하는 것이 필요한 것인지에 대한 의문은 여전히 많이 대두되고 있다. McGuire 등은 중부요도슬링 수술 4주가 경과된 후 복합성요실금 환자의 경우는 31%만이 절박성요실금을 나타냈으나, 순수 복압성요실금환자의 경우는 5.8%에서 수술 후 새롭게 절박성요실금이 발생하였다고 보고하였다. 시간 경과 후 이 절박성요실금은 감소해 수술 6개월 후에는 4%, 3년 후에는 3%만이 호소한다고 하였다(McGuire, Savastano, 1985). 다른 연구에서도 복합성요실금 환자의 중부요도슬링 수술 6개월 경과 후 객관적 성공율은 90.7%, 급박뇨는 60.8%에서 소실되었다고 보고하였으며, 순수 복압성요실금 환자 군에서는 93%의 수술 성공율을 보였으나 절박성요실금은 11.2%에서 새롭게 발생하였다고 하였다(Diez-Itza, Espuna-Pons, 2014).

3) 복압성요누출압

복압성요실금은 복압이 상승하는 상황에서 요도 기능에 이상이 있을 경우 발생한다. 요도괄약근의 손상 정도와 강도에 따라 요실금이 발생하는 복압은 달라질 수 있다. 방광 내압이 정상적으로 낮게 유지되고 있을 때 정상적인 기능을 가진 요도는 복압이 260 cmH_2O 이상까지 상승하더라도 요실금이 보이지 않는다(McGuire, 1995). 그러나 근위부요도기능이 약화된 경우에는 복압 상승의 폭이 적어도 요실금이 발생할 수 있다. 이렇게 요도기능이상의 여러 가지 형태에 따라 요실금이 생길 수 있는 복압의 정도가 다르기 때문에 요실금이 발생하는 복압에 대한 평가가 필요하며 이를 통해 내인성요도괄약근기능부전을 진단할 수 있다.

1993년 McGuire 가 제창한 이 개념은 방광출구저항의 역동적인 측면을 검사한다는 점에서 정적인 측면을 평가하는 요도내압과는 다른 개념이다(오승준, 요역동학검사해석, 2018). 측정 기법은 책이나 가이드라인마다 다를 수 있다. 복압성 요누출압은 누운 상태에서 치골결합부에 영점을 맞춘 다음 환자를 일으켜 세우고 방광에 200~250 mL 정도의 물을 채우거나 최대 방광압용량의 절반용적까지 채운다. 이때 방광 내압은 배뇨근의 저항, 복압, 복강 내 내장의 무게, 방광내 물의 높이에 따른 압력 등이 합해져서 약간 상승한다. 이후 환자로 하여금 요실금이 생길 때까지 서서히 배에 힘을 주도록 하여 요실금이 생기는 때의 방광내압을 측정하며 복압이 증가시킬 때 요누출이 발생하는 최저 방광 압력을 요누출압으로 정하게 된다. 방사선 투시가 요누출을 감지하는 데 도움을 줄 수 있다. 앉은 자세에서 검사하고 복압성요실금이 쉽게 확인되지 않으면 환자에게 한쪽 허벅지를 굽혀서 외전시키도록 하여 질입구가 잘 벌어지게 해야 골반저를 지지하는 힘이 감소해 정확한 검사가 가능하다.

복압성요누출압이 120~150 cmH_2O이상으로 측정되었음에도 요누출이 감지되지 않았을 때에는 기침 유발로 측정해야 한다. 요실금이 생기지 않는다면 복압성요실금이 아닐 가능성이 있다. 그러나 요도가 방광류나 그 외 다른 골반장기탈출증에 의해 떠받쳐져 있어 요실금이 관찰되지 않는 경우도 있으므로 확인이 필요하며, 방광류나 골반장기탈출증이 있으면 탈출된 장기를 정상적인 위치로 복원시킨 후 다시 검사하는 것이 좋다.

복압이 상승할 때 요실금이 생기는 환자는 복압성요누출압 측정 수치에 따라 60 cmH_2O이하일 경우 내인성요도괄약근기능부전으로, 100 cmH_2O이상이 고압군, 그리고 나머지를 중간군으로 나눌 수 있다. 수술 전 요역동학검사에서 내인성요도괄약근기능부전 진단된 환자는 중부요도슬링의 실패 위험도가 높다는 연구는 많이 있어, 보통 낮은 복압성요누출압의 절단치를 60 cmH_2O으로 인정하고 있다. 특이도와 민감도는 각각 100%, 78%로 보고된 바 있으며(Swift, Ostergard, 1995), 신뢰도도 0.9 이상으로 알려져 있다(Bump, 1995). 민감도가 약간 낮게 나타난 이유는 환자들이 발살바법이나 기침을 정확히 할 수 없어 요실금을 일으킬 정도의 방광내압 상승이 이루어지지 않은 경우가 있기 때문이다. 또한 큰 기침을 반복적으로 하게 되면 요도괄약근긴장도가 감소되어 실제와 달리 낮은 압력에서 요실금이 발생할 수도 있음을 고려해야 한다(Hilton, Stanton, 1983).

4) 요도내압검사

요도 내에 도관을 유치시킨 후 일정 속도로 생리식염수를 주입하면서 도관을 빼내며 압력을 연속적으로 기록하는 검사로 괄약근 부위에서 압력 형성이 관찰된다. Computer-assisted virtual UPP (Wolters et al, 2002)가 소개되어 복압성요실금 환자와 정상 환자의 최대요도폐쇄압, 기능성요도길이, 요도내압검사 곡선 아래의 면적 등을 비교한 결과 통계적으로 현저한 차이를 보였지만, 별도의 장비가 필요하고 복잡하다는 단점이 있다. 이중내강 미세첨담 변환기 도관(Dual microtip transducer catheter)을 사용하면 방광내압과 요도내압을 동시에 측정할 수 있고, 이것을 기초로 요도폐쇄압을 계산할 수 있다. 앉은 자세에서 이를 이용해 측정한 최대요도폐쇄압이 20 cmH_2O이하인 경우를 저압요도라고 하며, 내인성요도괄약근기능부전을 의미한다(McGuire, 1981; Sand et al, 1987).

요도내압검사에 대한 연구 결과는 대부분 고압대에서 측정된 경우가 많고 수의적 조절이 가능한 중부요도에서 요도내압을 측정한 것이다(Bump et al, 1988). 요도내압검사는 요도 기능을 보는 검사법이긴 하지만 복압성요누출압과는 다르며, 복압성요실금 환자에서 요도내압의 민감도와 특이도에 대한 것이 증명된 것이 없고 요실금 판정을 위한 절단값도 현재까지 명확히 제기되지 않고 있다. 여성 순수 복압성요실금과 같이 신경학적 이상이 없는 경우는 요도내압검사는 큰 의미가 없다. 요도내압검사는 검사 자체만으로 복압성요실금에 대해 진단 혹은 배제할 수 없고, 수술 전후를 비교함으로써 복압성요실금의 치료에 대한 성공 여부를 판단하기도 어렵다.

5) 복압상승 시 요도내압검사

환자의 방광을 충만시키고 앉은 자세에서 시행하며, 변화기도관을 빼는 속도와 기록지의 돌아가는 속도를 동일하게 하면 그래프에 나타나는 길이가 실제 요도의 길이가 된다. 변환기 도관을 빼는 속도는 보통 1초에 0.5 mm로 한다(Swift, Ostergard, 1995). 변환기 도관을 당기면서 주기적으로 기침하게 하면서 요도내압을 측정하면 복압상승시 요도내압을 알 수 있다.

이 검사는 순수 복압성요실금에 대한 ICS정의를 그대로 반영하며, 특이도는 82.5~98%로 높지만, 민감도는 49~93.3%로 보고에 따라 차이가 있다(Hanzal et al, 1991; Swift, Ostergard, 1995). 이중내강도관을 통해 방광내압과 요도내압을 동시에 측정할 수 있는데, 요도내압에서 방광내압을 감한 요도폐쇄압을 기기가 자동적으로 계산해 그래프를 그린다. 기침할 때 요도폐쇄압이 0이 되면 방광내압과 요도내압이 동등화되었다는 것을 뜻하며 복압성요실금이 있다고 판단할 수 있다. 기침할 때 요도폐쇄압이 양성일 때 요실금이 보이는 것에 대해서 명확히 설명할 수 있는 보고는 아직 없으나, 기침할 때 상승된 복압이 요도로 얼마나 전달되는지와 관련이 있을 것으로 보인다. 기침할 때마다 압력전달비가 서로 크게 다르므로 이것이 동등화에 영향을 미칠 수 있을 것으로 보인다(Richardson, Ramahi, 1993).

이 검사는 환자의 자세, 발살바법, 기침 정도, 변화기 위치, 방광용적, 복압상승 시에 발생하는 요도와 도관 사이의 상대적 이격 현상 등 많은 요소가 영향을 미친다. 그러므로 이 검사를 통해 순수 복압성요실금을 진단하는 것은 어렵다고 할 수 있다.

6. 중부요도슬링 수술 전, 후의 요역동학검사

복압성요실금은 크게 해부학적요실금과 내인성요도괄약근기능부전으로 나눌 수 있다. 내인성요도괄약근기능부전은 근위부요도가 괄약근으로서의 기능을 하지 못하는 상태를 뜻한다. 확진을 위해서는 요역동학검사가 반드시 필요하다. 비디오요역동학검사는 내인성요도괄약근기능부전을 포함한 요실금의 유형과 다른 동반 문제를 평가하는데 매우 유용하다. 여성 복압성요실금을 평가를 위해서는 1) 복압상승유발검사, 방광조영술, 비디오요역동학 검사를 통한 객관적인 복압성요실금의 증명, 2) 배뇨근과활동성의 증명 또는 감별진단(수술 후 예후 판단에 중요), 3) 복압성요실금의 분류(해부학적 요실금과 내인성요도괄약근기능부전), 4) 방광류의 평가, 5) 동반된 골반저근의 이상 여부 확인(장류, 자궁탈출, 직장류, 회음부 약화) 등이 필요하다.

중부요도슬링 수술은 내인성요도괄약근기능부전에 대한 치료로 사용되며, 수술 후 요도내압을 증가시켜 요자제를 유지킬 수 있다. 그러므로 요역동학검사는 내인성요도괄약근기능부전 진단에 있어 필수적인 검사라고 할 수 있다. 메쉬테이프를 이용한 중부요도슬링 수술이 소개되기 전에는 해부학적 요실금으로 진단된 경우 치골질식슬링수술(pubovaginal sling), 인공요도괄약근 등의 수술이 권장되었다. 메쉬테이프를 이용한 중부요도슬링 수술이 일반화되면서 복압성요실금 치료로 수술을 선택하는 경향이 높아졌으며 이로 인해 수술 전 요역동학검사 빈도가 급격히 높아졌다. 국내 의료보험 하에서 요실금 수술의 보험급여를 위해서는 반드시 요역동학검사에서 복압성요실금이 진단되어야 한다.

수술을 고려하는 여성 복압성요실금 환자 중 많은 경우가 복압성 및 절박성 요실금을 동시에 가지는 혼합성요실금이라 할 수 있다. 이런 경우 수술 전 요역동학검사는 중요한 역할을 한다고 평가된다. Burch 수술 그리고 긴장완화질강테이프수술을 시행한 여러 연구에서는 요역동학검사상 복압성요실금 및 정상 방광내압 소견(no detrusor overactivity)을 보인 환자에서 혼합성 요실금의 두 증상이 다 호전됨을 보고하였다(Nitti, 2012). 요도내압측정술과 요노출압 측정을 사용하여 요역동학적 복압성요실금의 정도를 측정해 정도를 평가해보기 위한 연구들이 있어왔으며, 2009년에 4차 ICI 위원회는 근거중심의학에 따른 권고안을 내놓았다(Hosker 등, 2009).

1) 요노출압과 요도폐쇄압의 요도기능측정은 요실금의 정도를 등급화 하기 위한 단일 인자로 사용되지 않는다.
2) 현재 시행되는 요도기능검사로 수술적 치료의 결과에 대한 예측을 하는 데는 주의가 필요하다.

압력요류검사는 복압성요실금 환자에서 수술 전 요도 기능부전 정도의 평가나 배뇨근저수축성을 발견하여 수술 후 결과를 예측하는 데 도움을 줄 수 있다. 요실금수술을 시행받은 75명의 복압성요실금 환자들을 분석한 연구에서 수술 전 낮은 최대요속시 배뇨근압을 보였던 경우 수술 후 나타날 수 있는 배뇨 곤란의 가능성이 높고 잔뇨량이 정상으로 돌아오는 기간이 지연된다는 보고가 있었다. 또한 Burch 수술을 시행받은 209명의 복압성요실금 환자들을 분석한 결과 수술 전 낮은 배뇨근개방압을 보였던 경우 수술 후에 요실금이 지속되는 경우가 많아서 배뇨근개방압이 예후인자로서 가치가 있다고 주장하였으며(Digesu 등, 2004), 하부요로증상을 호소하는 121명의 여성에 대해 요역동학검사를 시행한 연구에서는 요도와 배뇨근의 기능을 잘 반영하는 배뇨근개방압과 최대요속시 배뇨근압은 요실금 수술의 예후인자로서 관련이 있다고 하였다(Woo 등, 2009).

중부요도슬링 수술이 여성 복압성요실금의 일차 치료로 인식되고 있는 현대에서 요역동학검사는 진단적 가치와 더불어 수술 후 예후를 예측하는 검사로서 더욱 중요성이 높아지고 있다.

전체 참고문헌 목록은
배뇨장애와 요실금 웹사이트 자료실
(http://www.kcsoffice.org)에서
확인할 수 있습니다.

제 34 장

여성 복압성요실금의 보존적, 내과적 치료

Female stress urinary incontinence -Conservative and medical treatment

이창호

여성 복압성요실금의 치료에서 보존적 치료는 수술과 약물을 사용하지 않는 치료법이다. 여성 복압성요실금의 보존적치료로는 생활방식교정, 골반하부근육훈련, 질내삽입원추, 전기자극, 자기장자극 등이 포함된다.

1. 생활방식교정(Lifestyle Modification Interventions)

생활방식교정은 건강을 유지하기 위해 생활방식을 교정하는 것으로, 체중감량, 식습관 교정, 음수량 조절, 카페인음료, 탄산음료, 알코올음료 줄이기, 변비조절, 금연, 운동과 같은 교정방법을 활용한다.

그러면 이러한 생활방식교정을 위한 조정(예를 들면, 체중감량, 식습관 교정, 운동, 금연 등)은 여성 복압성요실금 치료에 효과적인가? 먼저, 음수량은 복압성요실금과 관련이 있을까? 일부 요실금환자는 요실금을 조절하기 위해 음수량을 제한한다고 알려져 있는데(Miller et al, 2003), 본인의 음수량과 요실금의 정보를 제공한 65,167명 여성의 설문조사 분석에서, 1일 음수량정도에 다섯 군(1.1 L, 1.6 L, 2.0 L, 2.4 L, 2.9 L)에 따라 구분하였을 때, 요실금의 발생빈도는 차이가 없었고, 복압, 절박, 혼합 등 요실금의 형태에 따른 빈도도 차이가 없었다(Townsend et al, 2011). 따라서 음수량 조절이 복압성요실금 치료에 기여할 것이라는 증거는 없다.

체중감량은 어떤가? 비만은 요실금 발생의 위험인자로, 많은 역학조사 자료는 체질량지수와 복압성요실금을 포함한 여성요실금과의 관련성을 입증하고 있다(Khullar et al, 2014, Vaughan et al, 2013). 체중의 5%를 감량하면 약 19 g의 실금량 감소를 기대할 수 있고, 1 kg 감량할 때 마다 3%의 요실금 횟수 감소를 기대할 수 있다. 이 연구결과는 비만과 과체중환자를 대상으로 한 체중감량연구에서 얻어진 결과인데, 따라서, 과

체중의 여성 복압성요실금 환자에서 체중감량은 치료 방법으로 제안할 수 있다(Auwad et al, 2008).

금연은 복압성요실금과 관련이 있는가? 복압성요실금으로 수술적 치료 예정인 여성환자 650명에 대한 조사에서, 현재 흡연중인 복압성요실금 환자는 흡연하지 않는 환자에 비해 요실금의 정도가 심한 것으로 조사되었고(Richter et al, 2005), 이러한 연구 결과는 27,936 명의 여성이 설문에 답한 노르웨이의 대규모 역학조사에서도 확인되었다(Hannestad et al, 2003). 그러면, 금연은 복압성요실금의 치료방법의 하나로 제안될 수 있을까? 흡연중인 요실금 여성에게 금연은 환자의 요실금 증상을 완화할 수 있다고 설명할 수 있겠다.

2. 골반하부근육 훈련 (Pelvic Floor Muscle Training)

골반하부근육훈련은 골반하부근육의 움직임을 이해하고 골반하부근육운동을 지속하는 것이다.

골반하부근육훈련의 첫 번째 단계는 환자가 골반하부근육을 알고, 확실하게 수축하고 이완하도록 교육하는 것이다. 이는 교육자의 손가락을 환자의 질강 또는 항문에 넣어 근육을 촉지하면서 환자에게 골반하부근육의 움직임에 대한 정보를 주면서 수행할 수 있고, 생체되먹임 기구 또는 전기자극기를 활용할 수도 있다.

다음으로, 환자가 적절하게 골반하부근육을 수축하고 이완하는 능력을 보이면 매일 시행할 골반하부근육운동에 대한 안내를 한다. 매일 하는 운동의 목적은 두 가지로, 첫째는 근력을 향상하고, 둘째는 연습을 통해 골반하부근육조절기술을 높이는 것이다. 골반하부근육운동 방법은 횟수, 강도가 다양한데 아직 강력히 추천되는 운동방법은 없다. 그러나, 치료자의 지도를 받으면서 시행하는 골반하부근육훈련이 지도 없이 시행하는 훈련에 비해서는 치료 효과가 우수한 것으로 여겨진다(Ferreira et al, 2012, Fitz et al, 2015).

그러면, 골반하부근육운동은 여성 복압성요실금환자에서 어느 정도의 치료 효과를 기대할 수 있을까? 최근 보고된 코크란 검토 보고에 따르면 골반하부근육운동 치료를 시행한 경우, 치료를 시행하는 않은 여성 복압성요실금환자에 비해 완치의 경우 8배, 완치와 호전을 포함한 경우 6배 정도 높은 치료효과를 기대할 수 있다(Dumoulin et al, 2018). 또한 여성 복압성요실금환자에서 골반하부근육운동의 효과는 나이가 많다고 감소하지는 않는다. 여성요실금환자를 폐경전 여성과 폐경후 여성으로 나누어 골반하부근육운동의 효과와 환자의 만족도를 비교하였을 때 차이를 보이지 않았다(Beschart et al, 2013). 이러한 결과를 바탕으로, 치료자의 지도를 받는 골반하부근육은동은 여성 복압성요실금환자에서 나이와 관계없이 첫 번째 치료방법으로 제공되어야 한다.

3. 질내삽입 원추(Vaginal cone)

무게 있는 질내삽입 원추가 때로는 여성에서 골반하부근육을 느끼고 조절하는데 도움이 되고, 골반하부근육훈련을 지속하는데 도움이 된다(Herbison et al, 2013). 선자세에서 원추를 질내로 삽입하면, 원추가 흘러나오지 않도록 골반하부근육을 수축해야 한다. 원추가 흘러나가는 느낌이 환자가 골반하부근육을 조여 원추를 잡고 있도록 하는 것이다. 환자가 선자세에서 원추가 흘러나오지 않도록 유지할 수 있는 가장 무거운 원추를 질내에 삽입하고 걷도록 한다. 통상적으로 환자가 걸으면서 원추가 흘러나오지 않도록 골반하부근육을 수축을 15분간, 하루에 두 번 시행할 것을 추천한다. 다음으로 단계적으로 더 무거운 원추를 사용하여 훈련강도를 높인다. 코크란 메타분석 보고는 무게 있는 질내삽입 원추 훈련은 여성 복압성요실금 환자에서 치료하지 않은 군에 비해 효과가 있으며, 그 효과는 골반하부근육훈련, 골반하부근육 전기자극치료와 비슷하다고 결론지었다(Herbison et al, 2013)

4. 생체되먹임(Biofeedback)(그림 34-1)

생체되먹임은 요실금에 대한 치료라기 보다 환자에게 골반하부근육조절훈련을 교육하는 기술이다. 생체되먹임은 골반하부근육수축반응에 대한 정확하고 즉각적인 되먹임을 환자에게 제공하여 환자가 골반하부근육조절을 배우고 훈련하는 것을 돕는다. 생체되먹임은 특히 훈련하고자 하는 골반하부근육을 아는 데에 어려움을 느끼는 환자나 골반하부근육조절운동을 지속하기 위한 격려가 필요한 환자에게 도움이 된다.

생체되먹임기구는 생체되먹임을 화면으로 보여주는데, 골반하부근육활동은 항문 또는 질에 삽입한 압력계 또는 항문주위에 부착하는 근전도피부전극으로 측정한다. 환자가 자신의 골반근육조절 시도의 결과를 화면으로 보면서 골반근육조절에 대한 학습이 이루어지는 것이다.

여성 복압성요실금 환자에서 골반하부근육 훈련과 생체되먹임을 활용한 골반하부근육 훈련을 비교하여 결과를 보고한 무작위 대조연구결과를 보면, 생체되먹임을 활용하여 골반하부근육 훈련을 한 군이 골반하부근육 훈련을 정확하게 하고 있었고(72.4% 대 21.9%)(13), 골반하부근력 강화가 우수하고, 요실금이 좀 더 빠르게 호전됨을 보고하였다(Ong et al, 2015). 따라서, 생체되먹임 기구가 활용가능한 여건이라면 골반하부근육 훈련시에 생체되먹임기구를 병용하는 것이 유용하다.

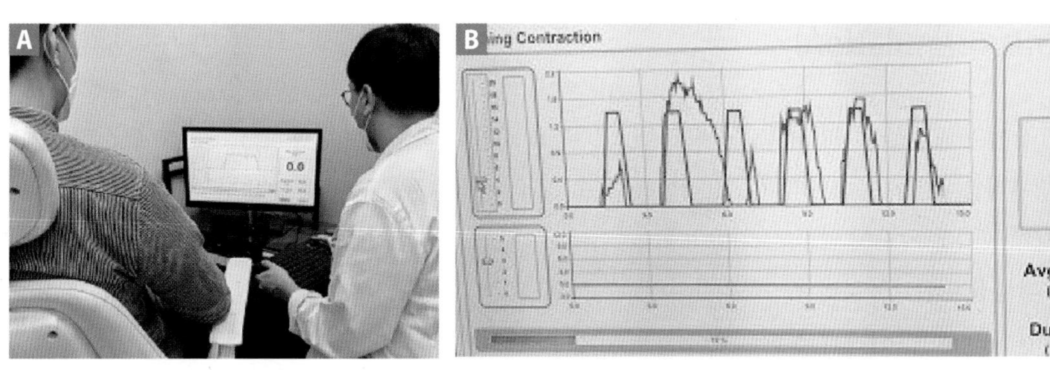

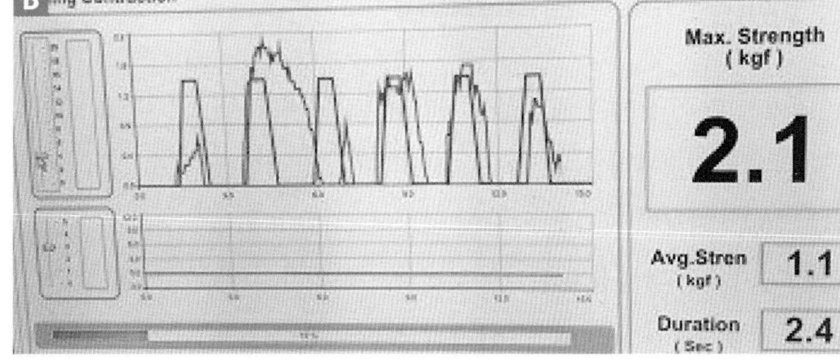

그림 34-1. **생체되먹임기구를 이용한 골반하부근육훈련.** (A) 자가 화면을 보면서 골반하부근육을 인지하는 교육을 받고 있다. (B) 환자가 화면을 보면서 골반하부근육 수축과 이완 훈련을 하고 있다.

5. 골반하부근육 전기자극치료 (Pelvic Floor Muscle Electrical Stimulation)

골반하부근육에 대한 전기자극치료는 요실금 환자에서 골반하부근육의 수축을 자극하기 위해 골반하부근육에 낮은 등급의 전기자극을 주는 것이다. 전기자극은 두 가지 활동을 하는데 하나는 골반하부근육을 수축하는 것이고, 다른 하나는 배뇨근수축을 억제하는 것이다. 전기자극은 피부전극을 통해 전달되는데, 두덩뼈상부, 천골부위, 항문주위, 질, 항문안쪽 등에 감지기를 부착한다. 여성 복압성요실금 환자에서 골반하부근육 전기자극치료는 적극적인 치료를 하지 않은 군에 비해 완치율이 높지만(22% 대 5%) 통계적으로 유의한 차이에 도달하지 못하고, 호전율은 유의하게 높다(53% 대 30%)(Duomolin et al, 2017). 여성 복압성요실금 환자에서 골반하부근육 전기자극치료는 복압성요실금 증상의 호전을 기대할 수 있다.

6. 자기장 자극 요법 (Magnetic Stimulation)

자기장 자극 요법은 체외에서 자기장으로 골반하부근육과천골신경뿌리를 자극하는 것이다(Goldberg et al, 2000). 환자가 자기장 의자에 앉고, 자기장의자와 연결된 자기장 발생장치를 가동하면 자기장의자의 바닥에서 자기장이 형성되고, 환자의 골반하부근육과 괄약근을 직접 자극한다(그림 34-2). 골반하부근육 전기자극치료와 달리 옷을 입은 상태에서, 환자의 몸에

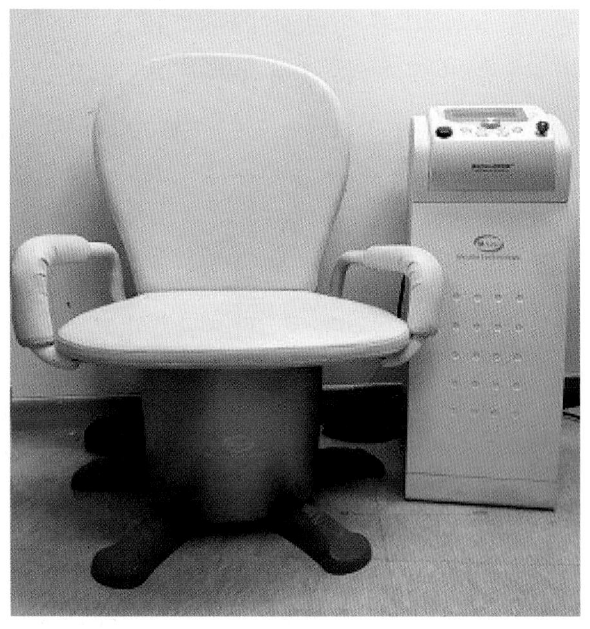

그림 34-2. **자기장의자와 자기장 발생기**

7. 약물치료(Medication)

여성 복압성요실금은 방광과 요도 및 골반하부의 지지기능, 방광과 요도의 신경기능과 근육기능 등에 영향을 받는다. 순수한 구조적 이상을 약물로 치료할 수는 없다. 그러나 복압성요실금이 있는 여성은 많은 경우에 휴식기 요도폐쇄압력, 즉 요도로의 압력전달이 감소되어 있는 것으로 여겨지는데, 따라서 요도압력을 증가시키는 것은 이론적으로 여성에서 복압성요실금의 증상호전을 기대할 수 있다.

그러면, 요도폐쇄압력을 결정하는 요인은 무엇일까? 요도의 횡문근(횡문괄약근), 평활근, 요도고유판의 혈관상태가 요도폐쇄압력에 관여한다. 이러한 요인들이 요도내압력에 기여하는 정도는 여전히 논란이 있다. 그러나 노르아드레날린의 분비가 요도평활근의 알

파아드레날린수용체를 자극하여 요도의 긴장이 유지된다는 많은 약리학적 증거가 있다. 따라서, 여성 복압성요실금의 약물치료로서 요도평활근과 횡문근의 장력을 증가하여 요도폐쇄압력을 증가시키는 시도가 있다. 복압성요실금에서 약물치료는 요도횡문근과 평활근의 장력을 증가시켜 요도내압력을 증가시키는 것을 목표로 하고 있다. 몇 개의 약제가 이러한 역할에 기여할 것으로 기대되나 상대적으로 효과가 미약하고 약제 부작용으로 인해 사용에 제한이 있다.

1) 알파아드레날린수용체작용제

알파아드레날린수용체에 작용하는 몇 개의 약제가 복압성요실금에 사용되고 있는데, Ephedrine과 norephedrine, phenylpropanolamine(PPA) 은 노르아드레날린 재흡수 억제제로 비교적 널리 사용된 약제이다. 요실금환자에서 아드레날린수용체작용제를 투여한 후 효과를 조사한 22개의 무작위 대조 연구와 무작위대조연구에 준하는 임상시험을 분석한 코크란 검토 보고서는 아드레날린수용체작용제가 위약대조군에 비해 효과가 있다는 증거가 부족하다고 하였다(Alhasso et al, 2005). Ephedrine 과 PPA 는 요도의 알파아드레날린수용체에 선택적이지 못하기 때문에 혈압상승을 초래할 수 있고 수면장애, 두통, 몸떨림, 두근거림을 유발할 수 있다(Andersson et al, 2016). Ephedrine은 국내에서 감기약제로 Acetaminophen과 복합제로 유통되고 있고, PPA 는 유통되지 않고 있다.

Midodrine과 methoxamine 은 알파1아드레날린수용체에 어느 정도 선택적이나, 무작위대조 연구결과는 항요실금 효과는 뚜렷하지 않고, 부작용으로 인해 사용에 제한적이라고 보고하고 있다(Andersson et al, 2016).

2) 베타아드레날린수용체작용제

베타아드레날린수용체 자극은 일반적으로 요도압력을 감소시킨다고 여겨지지만(Andersson et al, 1993), 제2형베타아드레날린수용체작용제는 일부 횡문근의 수축력을 증가시킨다는 보고가 있고(Fellenius et al, 1980), 일부 베타아드레날린수용체작용제는 골격근 비대를 자극한다는 보고가 있다(Kim et al, 1992). 베타아드레날린수용체작용제인 clenbuterol을 61명의 여성 복압성요실금환자에게 12주간 투여한 후 복압성요실금의 호전은 clenbuterol을 투여한 경우 76.5%, 골반저근운동을 시행한 경우 52.6%, clenbuterol과 골반하부근육운동을 병행한 경우에 89.5%로 각각 보고하였다(Ishiko et al, 2000). 또한, 14명의 광범위전립선절제술 시행 후 발생한 복압성요실금 환자에서 1개월간 clenbuterol을 투여한 경우에 9명의 환자에서 뚜렷한 호전이 있다는 보고가 있다(Noguchi et al, 1997). 복압성요실금환자의 치료에서 베타아드레날린수용체작용제의 가능성을 정확히 평가하기 위해서는 좀 더 신뢰도 높은 연구가 필요하다.

3) 베타아드레날린수용체길항제

요도에서 베타아드레날린수용체가 차단되면 알파아드레날린 수용체에 대한 노르아드레날린의 효과가 증가한다는 것이 복압성요실금 치료에서 베타아드레날린

수용체길항제 사용의 이론적 배경이며, 고혈압이 있는 복압성요실금 환자에서 알파아드레날린수용체작용제의 대체방법으로 제안되었다. 베타아드레날린수용체길항제인 propranolol이 복압성요실금의 치료에 효과가 있다는 보고가 있다(Gleason et al, 1974, Kaisary et al, 1984).

4) 이미프라민(Imipramine)

Imipramine은 아드레날린신경끝단에서 노르아드레날린과 세로토닌 재흡수를 억제하는 것이 알려져 있다. 이러한 역할은 요도에서 Imipramine이 노르아드레날린을 통해 요도평활근의 수축력을 상승시킬 것이 기대된다. 여성 복압성요실금환자 30명에서 Imipramine 75mg 을 4주간 투여한 후, 21명의 환자(71%, 21/30) 가 요실금이 치료되었다는 결과 보고가 있고(Gilija et al, 1984), 여성 복압성요실금 환자 40명에서 Imipramine 75 mg을 3개월간 투여한 후에 24명의 환자(60%, 24/40)에서 치료가 성공적이었다는 보고가 있다(Lin et al, 1999). 그러나, 이외에 후속보고가 없다.

5) 둘로세틴(Duloxetine)

Duloxetine은 세로토닌-노르아드레날린 재흡수 억제제로 동물실험에서 방광충만기에 괄약근 근육의 활성도가 증가하고, 방광용적이 증가하였다(Thor et al, 1995; Katofiasc et al, 2002; Fraser et al, 2003). 열개의 무작위 임상시험, 3,944명의 복압성요실금 환자에서 duloxetine의 효과를 분석한 코크란 보고에 따르면, duloxetine은 요실금 빈도를 약 50% 감소시켰고, 이는 골반하부근육훈련군에 비해 우수한 결과였다. 그러나 객관적 지표인 패드 무게는 위약군에 비해 차이를 보이지는 못했다(Mariappan et al, 2005). 유럽에서 복압성요실금의 치료제로 승인되었다. 우리나라에서는 우울증, 불안장애, 당뇨병성 말초 신경병증성 통증, 섬유근육통의 치료제로 승인되어 유통되고 있다.

전체 참고문헌 목록은
배뇨장애와 요실금 웹사이트 자료실
(http://www.kcsoffice.org)에서
확인할 수 있습니다.

제 35 장

여성 복압성요실금의 수술적 치료

Female stress urinary incontinence -Surgical treatment

유은상

1. 서론

여성 복압성요실금의 수술목적은 요도 지지(support)를 원상복구하고 복압 상승에 저항할 수 있는 적절한 지지판(backboard)을 재생하거나 요도 접합력을 복원하는 것이다. 복압성요실금의 수술치료에는 치골후방광경부현수술, 슬링수술, 중부요도슬링수술, 주사요법, 인공요도괄약근수술, 최근에 시도되고 있는 줄기세포치료 등이 있다.

2009년 미국비뇨의학회(AUA)의 복압성요실금 임상지침 패널(stress urinary incontinence clinical guideline panel)에 의하면, 치골후수술과 슬링수술이 장기관찰에서 가장 효과적이며, 4년 추적 결과, 완치와 호전을 합하여 각각 84%, 83%였다(Smith et al, 2009). 또한 2018년 유럽비뇨의학회(EAU) 가이드라인에서도 치골후중부요도슬링수술과 경폐쇄공 중부요도슬링수술간에는 5년 추적결과 성공율의 차이는 없다고 보고했다. 치골후수술은 주로 Burch질걸기술(colposuspension)이며, 단·중기 완치율은 80~94%이다. 슬링수술이 요도과운동성을 교정하고 복압 상승에 따른 압력전달을 높이기 위해 방광경부에 슬링 메쉬(mesh)를 위치시켰던 것에 비해 중부요도(mid-urethra)에 슬링 메쉬를 위치시키는 수술(중부요도슬링수술)이 등장하여 복압성요실금에 새로운 표준치료가 되었다. 이후 현재까지 중부요도슬링수술 중 가장 먼저 고안된 긴장완화질강테이프수술(tension-free vaginal tape; TVT수술)(Ulmsten et al, 1996)은 여성 복압성요실금의 수술에서 일반적으로 많이 사용되고 있다. 전향적 연구로 진행된 10년 추적 결과에서 TVT수술의 성공률은 93.1%였다(Serati et al, 2012). 최근 시행된 메타분석에서 Burch수술과 중부요도슬링수술은 객관적 효과에서는 차이를 보이지 않았다(Megan et al, 2014). 한편, TVT 이후에 소개된 경폐쇄공 중부요도슬링수술(TVT-O, TOT)과 TVT 간의 비교연구에서 치료성공률의 차이는 보이지 않았다(Laurikainen et al, 2014; Polen et al, 2007). 수술 후 지속되거나 혹은 재발된 복압성요실금에서 다시 중부요도슬링수술을 시행하여 볼 수 있으며, 내인성요도괄약근기능부전(intrinsic sphincter deficiency; ISD)이 동반된 환자에서는 재수술 시 TVT 수술이 TOT수술에 비하여 더 높은 성공률이 보고되고 있다(Lee et al, 2007).

주사치료는 충전물질(bulking agent)이 요도점막하층을 강화시키고 요도 내강으로 향한 압력을 상승시키는 작용을 한다. 현재까지 대부분의 치료 성적은 비교적 추적기간이 짧고 어느 한 물질이 다른 물질에 비해 우수하다는 보고는 없다. 일반적으로 25%의 완치율과 50%의 호전율이 보고되었다(Herschorn et al, 1996; Corcos·Fournier, 1999; Bent et al, 2001). 여성 복압성요실금에서도 인공요도괄약근수술을 시행할 수 있으며, 이전의 수술에 실패한 경우뿐 아니라 신경인성 혹은 비신경인성 복압성요실금의 일차적 치료로도 성공적으로 사용되었다(Kowalczyk·Mulcahy, 2000; Thomas el al, 2002; Toh·Diokno, 2002). 그러나 슬링수술의 높은 성공률로 인해, 인공요도괄약근수술은 드물게 시행되고 있으며, 요도괄약근의 심한 손상이 있거나 요로전환술을 고려하여야 하는 경우에 시행한다.

이처럼 다양한 수술방법 중 어떠한 수술방법을 선택하느냐는 기저 조건–요도과운동성과 요누출압의 정도, 여러 수술방법의 결과, 수술자의 기호와 숙련도, 환자와 관련된 인자, 즉 나이와 동반질환 등에 따라 결정된다.

2. 치골후수술 (retropubic suspension)

1950년대 중반에 시작된 요도고정술(urethropexy)은 질을 견인하여 방광경부를 올려주고 지지하는 방법이다. 1949년 Marshall–Marchetti–Krantz (MMK)가 보고한 복부를 통해 치골막에 후부요도 및 방광경부 주위조직을 고정시키는 방법(Lapitan, 2009), 1961년 Burch가 보고한 Cooper인대에 고정시키는 방법(Burch et al, 1961)등이 현재까지도 시행되고 있고 근간을 이루고 있는 중요한 수술방법들이다.

MMK수술은 오늘날에도 일부 행해지고 있다. Mainprize와 Drutz가 56개의 논문에서 2,700예의 수술결과를 메타분석한 결과(Mainprize et al, 1989)를 보면 1차적 치료로서 92%의 주관적 성공률과 2차적 치료로서 84%의 성공률을 보고하고 있으며 McDuffie 등(McDuff et al, 1981)에 의하면 성공률은 1년 후 90%, 15년 후 75%로 보고하고 있다. 합병증으로 배뇨장애가 11%로 보고되고 있으며 가장 심각한 부작용은 치골염으로 약 2.5%에 이르러 Burch수술로 대체되었으며 더 이상 여성요실금수술 치료로 권장되지 않는다 (Smith et al, 2009).

Burch술식은 복강을 열어 좀 더 외측의 결찰을 통한 방광경부를 견인을 하고 견인사를 치골 후부의 Cooper인대에 고정시켜 주는 방법으로 약 80~95%의 단기성공률과 67~90%의 장기성공률이 보고되고 있다. 합병증과 부작용은 배뇨장애가 10%, 과활동성방광이 8~27%, 골반탈출증도 보고되고 있다. MMK수술과 마찬가지로 Burch수술도 일차적으로 시행되었을 때 성적이 더 좋고, 순수한 복압성요실금 환자보다 복합성요실금 환자에서 결과가 나빴다. 그렇지만 MMK

수술과는 달리 Burch수술은 장기간의 추적관찰에서도 높은 성공률이 유지되어, Drouin 등과 Alcalay 등은 주관적, 객관적 치유율이 평균 13.8년의 추적관찰에서도 69%로 높다고 하였다(Drouin et al, 1999).

복압성요실금 환자를 치료하는 데 있어 수술성공률은 초기 결과에 있어서는 경복식과 경질식 방법 모두 매우 높은 것으로 보고되고 있으나 장기 추적결과는 경복식 수술법의 대표적인 방법인 Burch술식이 Raz 방광경부현수술 등의 다른 경질식 수술 방법보다 높은 것으로 알려져 있다(Trochman et al, 1995; Leach GE et al, 1997). 하지만 경복식 방법은 수술 절개창이 크고, 긴 입원기간과 회복기간이 필요하며 수술 후 이환율이 높다는 점 때문에 술자에 따라 경질식 방법이 더 선호되기도 한다. 2014년도 발표된 메타분석에 의하면 Burch술식과 중부요도슬링수술을 비교하였을 때 객관적 효과에서는 차이를 보이지 않았다(Megan et al, 2014). Burch술식은 개복수술이나 골반탈출증이 동반되어 있을 때 더 유용하게 치료 방법으로 고려할 수 있다.

복강경하 Burch술식은 수술경험이 많은 술자에서는 차이가 없지만 객관적 결과에서 개복하 Burch술식과 TVT와 비교 시에 떨어지고 장기 추적결과 성공률이 낮다는 보고(Smith et al, 2009)도 있다. 현재 International Consultation on Incontinence (ICI)에서는 복강경하 Burch술식은 여성요실금 환자의 일반적 수술치료로서 추천하지 않는다(Grade A, Smith et al, 2009).

치골후수술은 아래와 같이 크게 4가지 방법으로 나뉜다.

1) Burch질걸기술 방법

Burch질걸기술 방법은 Tanagho가 기술한 뒤 널리 통용되고 있는 방식이다. Pfannenstiel 절개 후 Retzius 공간으로 진입하여 치골의 후면, Cooper인대, 방광경부, 요도 주위조직과 내골반근막(endopelvic fascia)등을 노출시킨 후 요도카테터를 견인하면서 질을 통하여 전질벽의 양측 내골반근막을 확인한다. 요도카테터를 움직이면서 방광경부를 확인하고 요도와 방광 주위의 지지조직을 박리하여 결찰할 조직을 확인한다. 요도와 방광경부의 외측을 각각 결찰하여 모두 4군데의 결찰을 시행한다. 요도부위 외측과 방광경부 외측에서 각각 질벽 상피를 제외한 전질벽과 내골반근막을 포함하여 결찰하여 Cooper인대에 고정시킨다. 현수 물질로는 1–0 prolene 비흡수성 견인사를 사용하거나 폴리프로필렌메쉬(polypropylene mesh)와 tacker를 사용한다. 견인사를 쓴 경우에는 체외에서 매듭을 만든 뒤 결찰 밀대를 이용해 Cooper인대에 결찰한다(Tanagho et al, 1976).

2) Marshall–Marchetti–Krantz (MMK) 질걸기술 방법

Marshall–Marchetti–Krantz (MMK)질걸기술 방법은 요도의 전외측면을 치골후방과 그 주위 골막에 고정시키는 방법이다(Marshall et al, 1949). 기술적으로 MMK질걸기술은 요도 주위 조직뿐만 아니라 질벽을 동시에 결찰하여 고정하는 방법으로 일반적으로 cystourethropexy질걸기술이라고도 불린다. 요도손상의 위험이 있어 시술 후 방광요도내시경이 필요로 하다는 단점이 있다.

3) Paravaginal질걸기술 방법

질의 외측 sulcus와 그와 연결된 근막을 치골아래의 가장자리에서부터 좌골가시(ischial spine)까지 arcus tendineus fasciae pelvis에 1 cm 간격으로 6~8 봉합을 하여 재접합하는 술식으로 1981년 Richardson 등에 의해 소개되었다.

4) Vagino-obturator shelf (VOS) 질걸기술 방법

1986년 Turner-Warwick 등은 Paravaginal질걸기술의 변형된 형태로 VOS질걸기술을 보고하기도 하였다.

3. 슬링수술

슬링수술은 복압성요실금의 수술치료에서 중심적 역할을 하였다. Burch수술 등의 방광경부현수술의 장기추적 결과가 단기효과와는 달리 실망스러운 것으로 나타나면서 그 원인을 분석하는 과정에서 이전에는 비교적·제한적으로 평가되었던 내인성요도괄약근기능부전의 개념이 복압성요실금의 중요한 요인으로 인식되었다. 이에 따라 전부터 내인성요도괄약근기능부전의 교정에 시행되었던 슬링수술이 자연스럽게 모든 종류의 복압성요실금에 적용되었다.

슬링수술은 크게 전질벽을 이용한 술식과 근막을 이용한 술식, 합성물질을 이용한 술식으로 분류할 수 있다.

1) 전질벽을 이용한 슬링수술

Raz 등(1989)은 내인성요도괄약근기능부전에 의한 복압성요실금 환자의 치료를 위해 새로운 수술방법을 고안하였다. 초기에는 직사각형으로 질 피판을 만들어 비흡수성 견인사를 이용하여 방광경부에 삽입하였지만, 이후에는 변형하여 견인사로만 견인하였다.

이 방법의 이론적 배경은 ① 중부요도가 요자제에 중요하며, 이를 위해 중부요도와 방광경부에 탄성 지지를 제공하고, ② 질벽과 하부조직에 강한 그물침대(hammock)를 만들어 이것이 복압 상승 시에 요도를 압박한다는 것이다(Raz et al, 1996). 이 방법은 어떠한 종류의 복압성요실금에도 적용할 수 있다.

이 술식은 기존의 방광경부현수술과 비슷하나 차이점은 방광경부뿐 아니라 중부요도의 양측에서도 항문거근과 치골요도인대, 상피를 제외한 전질벽 절개 부위를 함께 봉합하여 치골상부에 걸어준다는 점이다. 이 술식은 결국 전질벽 자체가 지지판으로 작용하게 되므로 심한 질 위축이 있는 경우에는 적용하기가 어렵다. 초기의 보고에 따르면, 내인성요도괄약근기능부전이나 요도과운동성 복압성요실금 환자 160명을 17개월간 추적한 결과 152명이 완치되었다(Raz et al, 1996).

2) 근막을 이용한 슬링수술

슬링수술에 주로 이용되는 근막의 재료로는 복직근막(rectus fascia)과 대퇴근막(fascia lata)이 있다. 먼저 복직근막은 슬링수술에 가장 흔히 이용되는 재료로, 이를 이용한 술식의 성적이 수없이 보고되었다. 대퇴근막 슬링수술에 비해 통상적인 슬링수술 시 가해지는 절개 외에 별도의 피부절개가 불필요하며, 수술 도중 환자의 위치를 바꾸지 않아도 된다는 것이 장점이다 얻을 수 있는 길이가 제한적이며 장력이 상대적으로 약하다는 것이 단점이다. 초기에는 슬링에 이용되는 근막의 길이를 10 cm 이상으로 길게 하여 직접 치골상부에 복직근막 피판을 봉합하는 술식이 시행되었으나, 이를 위해 피부를 길게 절개하여야 하고 술후 요폐와 배뇨장애 등 합병증의 빈도가 높다는 단점이 지적되면서 최근에는 약 5~8 cm 복직근막 피판의 양쪽을 견인사로 복합하여 이를 치골상부에 고정하는 변형 술식이 주로 시행되고 있다.

이러한 변현 슬링수술방법은 술자에 따라 약간씩 차이가 있지만, 슬링의 재료로 방광경부와 중부요도를 받쳐주고 견인사를 치골상부에 걸어준다는 기본원리는 같다. 복직근막을 이용한 변형 슬링수술방법 중 한 가지를 소개하면 다음과 같다. 근막을 떼어내기 위해 치골상부에 5 cm 정도 Pfannenstiel 절개를 하고 복직근막을 노출시킨 후 길이 5 cm 내외, 넓이 2 cm 정도 크기의 직사각형으로 복직근막을 떼어낸다. 떼어낸 복직근막의 양쪽 끝을 봉합사로 복합한다. 전질벽에 역 U자 모양의 절재를 가하고 전질벽을 박리한다. 양쪽의 요도주위근막(periurethral fascia) 외에서 전질벽을 외측의 골반골 방향으로 박리하여 건궁 안쪽에서 요도골반인대(urethropelvic ligament)를 뚫고 치골후방으로 진입한다. 치골상부 절개 부위에서 Stamey 바늘을 이용하여 양측 치골후부 공간을 통해 질쪽으로 천자시킨 후 이전에 떼어낸 복직근막을 중부요도와 방광경부 밑에 위치하도록 한 다음 견인사를 치골상부로 끌어올린다. 치골상부 절개부위로 올려진 견인사에 장력이 가해지지 않도록 주의하면서 양측을 결찰한다.

복직근막을 이용한 변형 슬링수술은 술자마다 슬링 재료의 길이뿐 아니라 넓이에 있어서도 약간씩 차이가 있으나 대부분 1.5~2.0 cm 넓이를 선호한다. 최근 토끼의 복직근막을 이용한 실험연구에서 0.7 cm에 비해 1.5 cm 넓이의 피판을 이용하였을 때 수술 3개월 후 근막위축의 빈도가 낮고 장력이 유지되는 정도가 더 우수하다는 연구 결과가 보고되기도 하였다.

대퇴근막을 이용한 술식 역시 꾸준히 시행되고 있는 방법으로, 수술 술기는 근막을 떼어내는 과정을 제외하고는 복직근막을 이용한 술식과 별다른 차이가 없다. 이 술식은 복직근막을 이용한 슬링수술과 반대로 충분한 길이의 근막을 얻을 수 있으며 장력이 더 강한 반면, 추가적인 피부절개가 필요하며 수술 중에 환자의 위치를 바꾸어야 한다는 단점이 있다.

최근에는 환자에게서 근막을 떼어낼 때 걸리는 시간과 술후 합병증을 줄이기 위해 뇌사자의 몸에서 대퇴근막을 떼어내어 이식하는 수술이 시도되고 있다. 이 술식은 많은 양의 근막을 얻을 수 있으며 치골상부 절개를 최소화할 수 있다는 큰 장점이 있는 반면, 질병의 전이에 대한 위험성이 문제 될 수 있다. 이를 방지하기 위해 모든 근막은 각각 조직은행의 규약에 따라 용제처리, 탈수, 자외선조사 그리고 동결건조처리 등의 과정을 거치는데, 현재까지 이식근막에 의한 질병의 전이가 보고되지 않음으로써 안정성이 입증되고 있다. 아직까지 이식근막을 이용한 슬링수술의 장기추적 결과가 나오지 않았지만 중·단기성적은 대체로 자가근막을 이용한 수술과 별다른 차이가 없는 것으로 보고되고 있다. 따라서 자가근막에 비해 이식근막은 추가 비용이 드는 대신에 치골상부 피부 절개를 적게 함으로써 수술시간을 줄이고 술후 환자의 불편함을 줄일 수 있다.

3) 합성물질을 이용한 슬링수술

합성물질을 이용한 슬링수술은 1962년 mersilene을 이용한 방법이 처음으로 슬링수술에 도입된 이래 재료와 수술방법이 꾸준히 발전되어 왔다. 최근에는 고어텍스(Gore–Tex)가 슬링의 재료로 주로 이용되고 있다. 이 수술은 근막을 이용한 슬링수술에 비해 덜 침습적이며 수술시간이 짧고 전염이 없다는 장점이 있는 반면, 이물에 의한 감염과 요도미란의 가능성이 가장 큰 문제로 지적되고 있다. 이러한 이물반응을 줄이기 위해 이식편(patch)의 크기를 최대한 작게 하려는 경향이 두드러지고 있다. Norris 등(1996)은 이식편을 평균 3.5 cm에서 1.5 cm로 줄였더니 4%의 환자에서만 감염으로 고어텍스를 제거하였다고 보고하였다. 합성물질을 이용한 슬링수술의 술기는 이식근막을 이용한 슬링수술의 술기와 거의 동일하다. 그러나 감염과 외부물질에 의한 반응으로 인하여 미란 발생률이 높아서 최근에는 더 이상 이용되지 않고 있다(Niknejad et al, 2002).

4) 수술 성적과 합병증

수술 성적에 대한 평가 기준이 표준화되지 않은 상황에서 다양한 방법으로 시행되는 슬링수술의 성적을 일률적으로 비교하는 것은 무리가 있지만 최근 발표되는 연구 결과들을 종합하면 두 가지로 요약할 수 있다. 첫째, 어떠한 방법이든지 슬링수술은 최소한 복압성요실금의 치료라는 면에서 이전의 질식방광경부현수술보다 성공률이 높은 수술방법이다. 둘째, 요폐와 배뇨근불안정 등 술 후 합병증의 발병률이 질식방광경부현수술의 경우보다 좀 더 높다.

AUA의 여성 복압성요실금 임상 지침 패널에서 복압성요실금의 수술치료에 대한 1994년 1월 이전까지의 연구결과를 문헌 검색으로 분석한 결과 질식방광경부현수술의 2년 이내 단기성적은 평균 79%였지만, 4년 이상 장기성적은 67%로 12% 정도 떨어졌다. 그러나 슬링수술은 각각 82%와 83%로 상대적으로 높은 성적이 장·단기 변화 없이 유지되었다. 발표되고 있는 변형된 형태의 각종 슬링수술에 대한 성적 역시 우수하다.

전질벽을 이용한 슬링수술에 대해 살펴보면, Gousse 등(1998)이 Raz의 슬링수술을 시행 받은 환자 386명을 대상으로 평균 34개월간 추적한 결과 93%의 환자에서 수술이 성공적이었다고 보고함으로써 복압성요실금에 대한 전반적인 성적은 고무적이었다. 또한 이 술식의 내인성요도괄약근기능부전 환자만에 대한 성적도 대체로 긍정적이어서 문헌에 따라 수술 성공률이 71~90%까지 보고되었다. 부정적 결과를 보고한 경우도 있는데, Palma 등(1998)은 평균 18개월간 비교적 짧은 추적기간에 환자 43명 중 44%만 완치되었고, 44%는 증상 호전만 있어서 전질벽을 이용한 슬링수술은 내인성요도괄약근기능부전에 비효율적인 방법이라고 하였다.

반면 근막을 이용한 슬링수술은 다양한 형태의 복압성요실금에 대해 비교적 성적이 고른 편이다. 여러 연구를 통해 복직근막과 대퇴근막을 이용한 슬링수술 성공률이 82~90%로 보고되었고, 재발한 복압성요실금 환자와 70세 이상의 노인에서도 우수한 결과를 얻었다.

이처럼 슬링수술은 복압성요실금의 치료에서 이전의 질식방광경부현수술에 비해 더 뛰어난 효과를 보이지만 장기적 요폐와 이차적 배뇨근불안정 등 술 후 부작용의 빈도도 더 높은 것으로 평가되었다. 먼저 여성 복압성요실금 임상지침 패널(smith et al, 2009)의 결과 4주 이상 장기적 요폐가 있었던 경우가 질식방광경부현수술이 5%였던 반면, 슬링수술은 8%로 빈도가 약간 더 높았으며 술 후 요절박증상이 새로 발생한 빈도도 7%로 질식방광경부현수술의 5%에 비해 약간 더 높았다.

또한 Iocca 등(1998)은 복직근막을 이용한 슬링수술 후 일시적 자가도뇨가 필요한 환자가 45%였으며, 장기적 요폐와 술 후 새로 발생한 절박성요실금의 비율도 모두 9%에 달하였다고 보고하였다. 이외에도 최근 보고자들이 근막을 이용한 슬링수술의 경우 요도를 지지판(backboard) 으로 압박함에 따라 요도폐색에 의한 요폐 등의 배뇨장애와 이에 따른 이차적 배뇨근불안정 등의 합병증이 이전의 질식방광경부현수술보다 더 높은 것으로 인식하고 있다.

4. 중부요도슬링수술

기존의 슬링수술이 요도과운동성을 교정하고 복압상승에 따른 압력전달을 높이기 위해 방광경부에 슬링메쉬를 위치시켰던 것에 비해 중부요도(mid-urethra)에 슬링 메쉬를 위치시키는 수술이 등장하여 기존의 수술을 대치하며 새로운 최적표준(gold standard)으로 떠올랐다.

이 수술방법은 통합 이론 integral theory (Petros · Ulmsten, 1993)에 기초하고 있는데, 일명 중부요도이론이라고도 하며 수술, 출산, 노화 혹은 호르몬 결핍 때문에 치골요도인대(pubourethral ligament)를 약화시키거나 손상 받아 중부요도기능과 전부요도벽지지(anterior urethral wall support)에 장애가 생겨 요실금이 발생한다는 것이다. 이러한 손상은 인대뿐 아니라 중부요도 수준의 치골미골근에도 발생한다는 것이다. 또한 이 부근의 콜라겐기능 상실이 요도폐쇄기전에 관여하는 해부학적 구조를 유지하는데 필수 요소들인 요도 주위 지지조직에 지장을 주어 요실금이 발생한다고 한다. 그러므로 복압성요실금을 치료하기 위해서는 중부요도를 지지하여야 한다.

1) 긴장완화질강테이프수술(TVT수술)

1995년 최초로 Ulmsten 등이 긴장완화질강테이프(tension-free vaginal tape; TVT)수술을 발표하였다. 중부요도에 가는 메쉬를 걸어주는 이 수술방법을 사용한 결과 환자 50명 중 78%가 완치되었고, 12%가 호전되었다.

초기에 테이프의 재료로 사용한 고어텍스, 메르실린(mersilene)테이프에 대해서는 약 10%의 거부반응이 보고되었으나, 최근에는 느슨하게 짠 단섬유 폴리프로필렌메쉬(monofilament polypropylene mesh)를 사용하여 이러한 문제점들을 해결하였다. 메쉬의 구멍(pore) 크기가 75 μm 이상이 되어야 감염에 대한 감시기능과 상처 회복의 목적으로 숙주의 염증세포(백혈구와 대식세포)가 메쉬로 진입할 수 있으며, 또한 섬유세포가 메쉬로 자라 들어올 수 있다. 이러한 메쉬를 제1형 메쉬라고 한다.

(1) 수술방법

수술 전에 항생제를 사용하는 것이 권장된다. 환자를 쇄석위로 눕히고 18 Fr 도뇨관을 삽입하여 방광을 비운다. 약 80 mL의 국소마취제를 치골상부 피부, 치골 후방을 따라 Retzius 강까지 주사하고 이어서 질쪽으로 전질벽과 요도주위와 치골후공간까지 주사한다. 치골 직상부에 약 5 cm 간격으로 중앙에서 양쪽으로 1 cm의 하복부 피부 절개를 가한 후, 질 쪽도 외요도구 1 cm 하방에 1.5 cm정도의 피부 절개를 가하고 요도 양쪽으로 요도 주위 공간을 확보한다. 요도 손상을 막기 위해 TVT 카테터 유도 철사(catheter guide wire)를 도뇨관 내에 삽입한 후 시술하는 같은 방향으로 젖히고 TVT바늘을 요도 양쪽 공간을 통해 치골 후면을 따라 진입시켜 하복부의 피부 절개창으로 뚫고 나오게 한다. 방광경을 시행하여 방광과 요도손상이 없는지, TVT바늘이 방광을 천공하였는지 확인한다. 만약 천공이 발견되면 바늘을 제거한 후 다시 삽입한다. 이후 바늘을 견인하여 테이프를 복부 절개창으로 나오도록 한다. U자 모양의 테이프가 중부요도에 걸려 있는 상태에서 Mayo가위에 테이프를 걸어서 적당한 장력을 조절한 후 방광을 채우고 환자에게 기침하게 하여 요실금이 발생하지 않을 정도의 장력을 유지하면서 덮개를 벗겨 테이프를 유치한다. 이때 중부요도에 과도한 장력이 걸리지 않도록 주의하여야 한다(그림 35-1).

(2) 수술결과

다기관연구(Ulmsten et al, 1998)에서 환자 131명을 대상으로 1년 이상 추적관찰한 결과 환자 91%가 완치

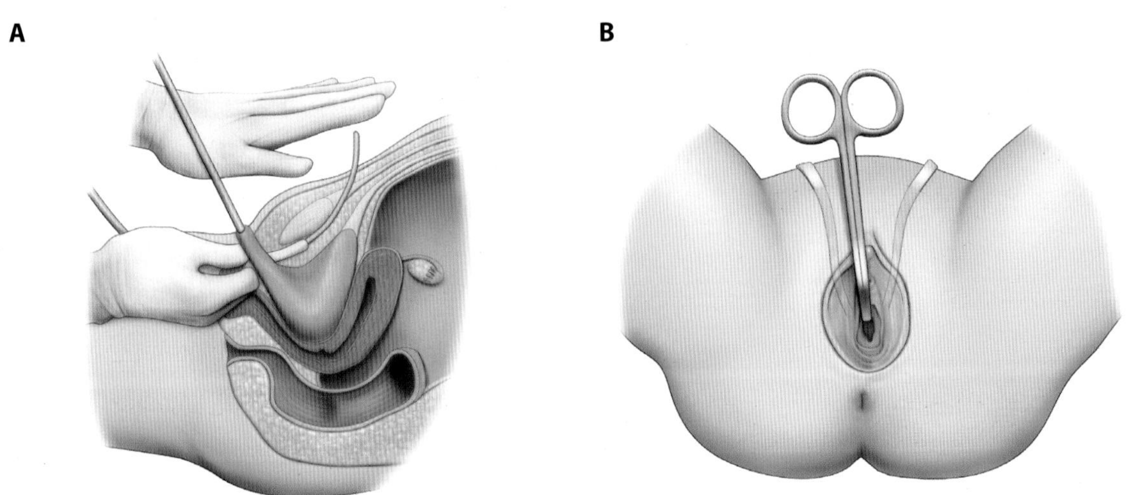

그림 35-1. **긴장완화질강테이프수술.** (A) TVT 유도 철사를 이용하여 방광과 요도를 시술 반대방향으로 젖힌 후 TVT바늘을 요도 양쪽 공간을 통해 치골후면을 따라서 하복부의 피부 절개창으로 뚫고 나오게 한다. (B) Mayo가위에 테이프를 걸어서 적당한 장력을 조절한 후 방광을 채우고 환자에게 기침하게 해서 요실금이 발생하지 않을 정도의 장력으로 테이프를 유치한다.

되었고 환자 7%가 호전되었으며, 평균 수술시간은 28분이었으며 환자 90%가 국소마취하에 당일 수술로 시행 받았다. 또한 3년간 추적관찰이 가능한 환자 50명 중 86%가 완치되었고, 11%가 호전되었으며 합성물질에 대한 거부반응이나 영구적 요도폐색이 없어(Ulmsten et al, 1999) TVT수술은 단·장기간 치료효과가 우수하다는 결론이 나왔다. TVT수술은 수술 전후 Q-tip검사로 평가한 결과 요도과운동성을 없애지 못하는 것으로 보고되었다(Klutke et al, 2000). Meschia 등(2001)은 21개월간 404명을 추적관찰하여 완치율 92%와 호전율 4%를 보고하였고, Nilsson 등(2001)도 56개월간 85명을 추적관찰하여 완치율 84.7%와 호전율 10.6%의 높은 성공률을 보고하였다. Doo 등(2006)이 수술 후 5년 이상이 지난 환자 134명을 대상으로 추적관찰을 한 결과 성공률 94.9%와 만족도 86.6%를 보였고, 술후 1년과 5년의 성공률은 유사하였지만 완치율은 90.1%에서 76.9%로 의미 있게 감소하였으며, 절박성요실금을 동반하더라도 복합성요실금만 있는 경우와 완치율은 차이가 없었다. Kim 등(2006)도 5년 이상 추적된 환자를 대상으로 한 연구에서 성공률 95.2%(완치 71.0%)를 보였고, 92.7%가 만족하였다고 발표하였다. 7년(평균 91개월) 추적관찰한 결과에서는 주관적 완치율이 81.3%, 호전율이 16.3%였고 합병증으로 무증상 골반탈출증이 7.8%, 새로 발생한 요절박증상이 6.3%, 재발성 요로감염이 7.5%에서 있었지만 테이프의 미란이나 테이프에 의한 거부반응은 없었다고 보고되었다. Nilsson 등(2004)은 7년 추적된 환자들의 요자제율을 5년 추적관찰한 결과와 비교할 때 87.5%는 변화가 없고 5%는 호전되었으며 7.5%는 악화되었는데, 이는 수술된 테이프보다는 건강 상태나 생활습관에 의한 것으로 보인다고 하였다. 11년(평균 141개월) 추적결과에서는 기침검사와 패드검사에서 모두 음성인 객관적 완치율이 90.2%였고, 환자 스스로 완치 혹은 호전되었다고 보는 경우는 77%와 20%로 3%만이 실패로 여겼다고 보고하였다. 또한 설문지조사 결과 삶의 질도 향상되었다(Nilsson et al, 2008). 전향적 연구로 진행된 10년 추적 결과에서는 stress검사에서 관찰되는 성공률이 93.1% 였으며 주관적 만족은 89.7% 환자에서 관찰되었다(Serati et al, 2012). Han 등(2014)은 12년 추적관찰 연구에서 79.6%의 성공률을 보고하고 이는 5년 결과가 그대로 유지됨을 확인하였으며 발살바요누출압(< 60 cmH_2O)만이 성공률에 영향을 주는 유일한 독립인자로 보고하였다.

TVT수술과 Burch수술을 2년간 비교한 전향연구 결과에서 각각 63%, 51%의 완치율을 보였는데, 이는 다른 연구의 결과에 비해 낮은 성공률이었다(Ward·Hilton, 2004). 2014년도 발표된 메타분석에 의하면 Burch술식과 중부요도슬링수술을 비교하였을 때 객관적 효과에서는 차이를 보이지 않았다(Megan et al, 2014).

일반적으로 요도과운동성을 가진 노인의 경우 완치율은 젊은 여성과 차이가 없다고 보고되었다. 다만 술 후 배뇨장애 혹은 새로 발생한 요절박이 좀 더 많이 발생하는데 노인에게는 큰 충격으로 작용한다. 비만이 TVT수술의 성공률에 영향을 미치는지는 논쟁거리이며 보고도 적다. 복압성요실금 환자 242명을 대상으로 한 체질량지수에 따른 완치율을 조사한 결과 비만군은 90%, 지수가 25-29인 군은 95%, 지수가 25미만인 군은 85%로 차이가 없었다(Muk-herjee·Constantine, 2001). 다만 병적인 비만군에서 술 후 감염 이환율이 44% 더 높게 보고되었다(Forse et al, 1989).

복압성요실금 환자 중 많은 경우 동시에 교정하여야

할 골반장기탈출증이 동반되어 있다. TVT수술은 최소의 이환율로 골반장기탈출증수술을 같이 할 수 있다. 동시 교정의 경우 요실금의 성공률은 88~93%로 보고되었다(Jomaa, 2001; Huang et al, 2003; Meltomaa et al, 2004). 다만 일시적 요폐가 동시 교정의 경우 좀 더 많지만 이에 의한 요도박리술의 빈도는 낮고 통계적으로도 차이가 없다(Meltomaa et al, 2004). 일관된 요폐에 대한 정의는 없지만 적절히 배뇨하기까지에 영향을 미치는 인자로는 나이, 감소된 체질량지수, 술 후 요로감염이 있다(Sokol et al, 2005).

재발성 복압성요실금의 이차적 수술로서의 중부요도슬링수술 효과에 관한 보고는 제한적이며, 완치율은 81~89.6%이다. 일반적으로 합병증은 일차적 수술 때와 유사하지만 이전에 치골후방광경부현수술을 받은 경우 방광천공의 위험이 높고 일차적 수술과 마찬가지로 비유동성(immobile) 요도의 경우 실패율이 높다(Rezapour·Ulmsten, 2001; Lo et al, 2002; Rardin et al, 2002; Kuuva·Nilsson, 2003). 중부요도슬링수술의 실패기전은 테이프를 잘못 위치시키거나 적절한 장력을 주지 못하였기 때문이다. 중부요도슬링수술에 실패한 후 테이프를 교정(revision)하거나 재수술하는 것이 가능하지만(Vilet et al, 2002) 보고들의 증례 수가 적다. 다만, 최근에 발표된 바에 의하면, 중부요도슬링수술을 재수술할 때는 후복막접근수술, 즉 TVT의 성공률이 다른 접근법보다 우수하였다(Riachi et al, 2002; Lee et al, 2007). 뿐만 아니라 2018년 Lin 등은 TVT가 TOT보다 재발성 요실금의 이차적 치료로 우수함을 보고하였다. 복압성요실금수술을 받고 재발한 87명의 환자 중에 50명은 TOT, 37명은 TVT로 이차적 수술을 시행하였다. 수술성공률은 TVT가 88%, TOT가 60%로 TVT군에서 통계적으로 우수한 성적을 보였다. 또한 2019년 Kim 등은 28개의 연구로부터 2607명의 환자를 메타분석한 결과, 중부요도슬링수술을 받고 복압성요실금이 재발하여 이차적 수술을 시행하였을 때 TVT수술이 TOT수술에 비해 객관적, 주관적 성공률이 통계적으로 유의하게 높음을 보고하였다.

TVT수술은 복합성요실금에도 성공적으로 시행될 수 있다. 진성복압성요실금과 복합성요실금이 있는 환자 112명을 후향적으로 25개월간 추적관찰하여 임상적·요역동학적 검사로 분석한 결과 객관적 완치율이 89.3%로 보고되었으며, 두 군에서 객관적 완치율의 차이는 없었다. 또한 Contilife 설문지로 본 전체적인 객관적 완치율은 66%로 낮지만 역시 두 군 사이에는 69.3%, 54.2%로 차이가 없었다. Jeffry 등(2002)은 수술 후 2~8년이 지난 환자를 대상으로 한 편지설문조사 결과에서 복합성요실금 환자의 완치율은 3년까지는 60%, 6~8년이 지나면서 30%로 감소되었다고 보고하였다. 그러나 복합성요실금 환자에서 완치율이 낮은 것은 나이, 제왕절개, 방사선치료, 체질량지수 등의 요인에 기인하는 것으로 보이며, 이 연구에서 진성복압성요실금 환자에 비해 복합성요실금 환자의 나이가 많고 체질량지수, 제왕절개의 빈도, 빈뇨의 유병률이 높았다(Holmgren et al, 2005). 핀란드에서 실시한 전화설문조사 결과에 의하면, 복합성요실금 환자는 69%인 반면, 복압성요실금만 있는 환자는 97%의 완치율을 보였다(Laurikainen·Killhoma, 2003). 그러나 Doo 등(2006)의 5년 추적 결과에 의하면, 복합성요실금의 완치율이 72%, 복압성요실금 완치율은 76.9%였으며 유의한 차이가 없었다. 복합성요실금 환자의 경우 TVT수술 후에 절박성요실금을 비롯한 과민성방광증상도 좋아지는 것으로 보고되었다. Segal 등(2004)은 절박성요실금이 63%, 빈뇨와 요절박이 57.3%에서 호전되었으며

8.7%에서 처음으로 수술 후에 항콜린제가 필요하였다고 보고하였다. 복압성요누출압이 60 cmH_2O 이하거나 최대요도폐쇄압이 20 cmH_2O 이하로 정의되는 내인성요도괄약근부전에 대한 결과를 보면, 내인성요도괄약근기능부전 환자 49명을 대상으로 4년간 추적관찰한 결과(Rezapur et al, 2001) 74%가 완치되고 12%가 호전되어 TVT수술은 내인성요도괄약근기능부전 환자에서도 성공률은 낮지만 가능한 수술이라고 할 수 있다. 단, 70세 이상 노인이나 요도과운동성 없이 요도내압이 매우 낮은 환자의 경우에는 실패할 위험이 높다고 하였다. 나이가 많은 환자에서 de novo 절박성요실금 발생률이 18%로 젊은 환자의 4%에 비해 높은 것으로 조사되었다(Gordon et al, 2005). 요도과운동성은 TVT수술의 좋은 예후인자라고 할 수 있으며(Fritel et al, 2002), 낮은 복압성요누출압이라 하더라도 TVT수술의 금기증은 아니다. 내인성요도괄약근기능부전 환자에서 중부요도슬링수술을 시행할 경우 신체검사와 복압성요누출압을 잘 연관시키고 성공률이 다른 환자에 비해 떨어지는 이유를 환자에게 잘 설명하여야 한다.

(3) 합병증

수술이 간편하고 수술시간이 짧지만 TVT수술도 합병증에 대한 많은 보고가 있어 이를 간과할 수 없다. 가장 흔히 보고되는 합병증은 방광천공으로 그 빈도는 평균 6.3%이며, 이전의 치골후부수술을 받은 경우보다 빈도가 더 높다. 방광천공은 술 중 방광경검사로 이를 발견하는 것이 중요하다.

혈종은 일반적으로 그리 흔하지 않지만 초기의 배뇨장애와 요폐의 원인이 되며, 대개는 자연적으로 흡수된다. 요로감염은 평균 7%, 상처감염은 1%에서 보고되며, 이는 1% 미만에서 발생하는 질미란과는 구분되어야 한다. 질미란은 이차적 질봉합, 항생제 투여, 국소적 에스트로젠 도포로 해결이 가능하다. 요도미란은 대개 술 후 6개월 이전에 생기지만 종종 배뇨장애나 요폐와 연관되어 있다. 도뇨를 요하는 요폐는 평균 4%(1.5~10%)이며, 환자 90%가 수술 당일 4~6시간 이내에 도뇨 없이 자발적으로 배뇨할 수 있다(Boustead, 2002; Balmforth et al, 2003). 배뇨장애는 새로 발생한 요절박이 10~15%, 절박성요실금과 지속되는 요절박이 15~25%로 가장 문제가 된다. 초기의 배뇨장애 발생은 Burch수술과 비슷하다. 술 후 발생한 배뇨장애는 0~20%로 보고되고 있다(Peschers et al, 2000).

중대한 합병증은 드물지만 보고되고 있으며, 중대한 혈관손상과 장손상은 드물지만 위험성이 있고 사망한 예도 보고되고 있다. 장미란은 TVT의 드문 합병증으로 대개 수술 후 몇 일 내에 발생하며 복막염이나 장 폐쇄 증상을 나타냈다(Bafghi et al, 2005). 치골후공간에는 정맥총이 발달되어 시술 중 손상을 입거나 뚫개(trocar)가 외측으로 빗나가 폐쇄혈관(obturator vessel)이나 외장골혈관(external iliac vessel), 하복벽혈관(inferior epigastric vessel), 대퇴혈관(femoral vessel) 등의 혈관손상(≤9/100,000)으로 많은 출혈과 골반혈종이 발생할 수 있다. 또한 메쉬에 의한 질이나 요도미란, 심각한 합병증인 장 천공, 신경 손상 등이 있다. 10년 동안 추적관찰 결과 재수술한 경우는 2.3%로 첫 수술 후 4년 만에 재수술을 하거나 충전물질 주입을 반복해서 치료하였다(Svenninqsen et al, 2013).

2) 기타 치골후중부요도슬링수술

TVT수술이 많이 사용되면서 이와 유사한 수술방법들이 등장하였다. SPARC sling system (American Medical System, Minnealpolis, MN)(그림 35-2)과 IVS Tunneller (US Surgical, Tyco Healthcare Group LP, Norwalk, CT)가 대표적이라고 할 수 있으며, 단·중기 결과는 효과와 안정성 면에서 모두 기존의 개복요실금 수술에 견줄 만하다고 보고되었다. SPARC는 유도 철사을 TVT수술과는 반대로 치골상부에서 전질벽으로 진입시켜 테이프를 걸어주는 방법이다. TVT와 같은 폴리프로필렌테이프(polypropylene tape)를 사용하며 치골상부를 hydrodissection하거나 카테터 유도철사(catheter guide wire)를 사용하지 않으며 흡수성 장력봉합사(tension suture)가 있어 술 중 테이프의 장력을 조절할 수 있는 장점이 있다.

Deval 등(2003)이 프랑스의 3개 기관에서 방광내압측정술에서 방광불안정이 없는 환자 104명을 대상으로 한 연구 결과를 발표하였다. 평균 11.9개월 추적관찰에서 임상적·요역동학적 검사로 본 객관적 성공률은 90.4%, King's Health설문지와 Bristol설문지로 본 주관적 성공률은 72%로 두 결과에 유의한 차이가 있었다. 평균 수술시간은 30분, 합병증은 전체적으로 44.2%, 수술 전후의 합병증은 11예의 방광천공을 포함하여 10.5%였다. 이전에 요실금수술을 받은 겨우 방광천공의 빈도가 36.3%로 그렇지 않은 경우의 7.5%에 비해 유의하게 높았다. 그러나 이렇게 방광천공의 빈도가 높은 것은 아직 술자들의 경험이 많지 않기 때문이며, 12예에서 새로 발생한 요절박의 빈도가 높은데도 출혈이 거의 없고 장손상이나 신경손상이 없어 안전한 수술방법이라고 하였다.

Kobashi와 Govier (2003)은 SPARC수술을 받은 140

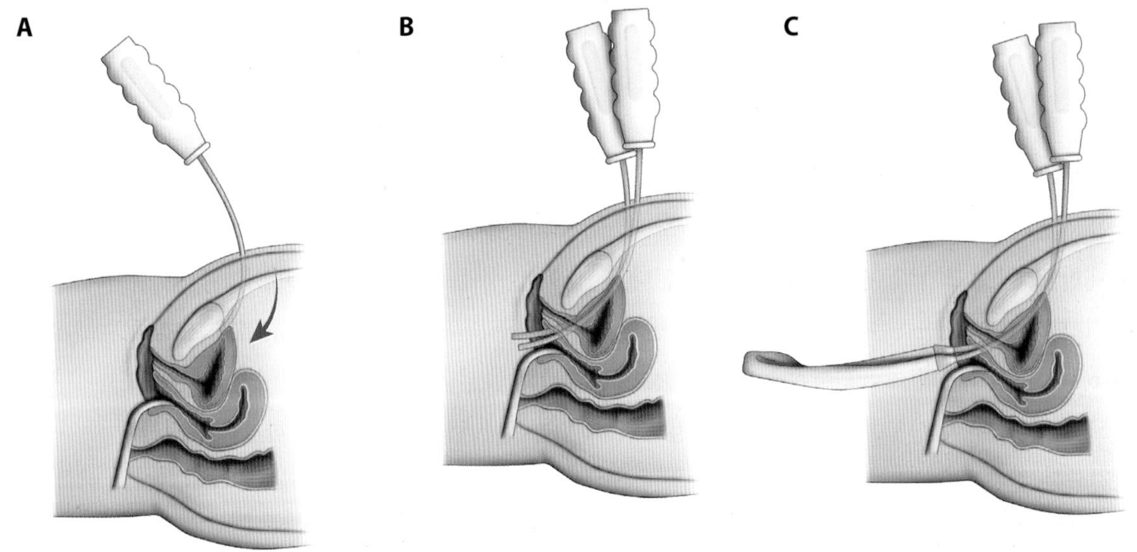

그림 35-2. SPARC 수술 . (A) 치골상부 절개 부위로 바늘을 삽입한다. (B) 치골 후면을 따라 바늘을 전질벽 절개 부위로 진입하여 천자시킨다. (C) 테이프를 바늘에 연결시킨 후 치골 상부로 견인한다.

명에 대해 중재가 필요한 초기 합병증에 대한 후향연구를 발표하였다. 총 6예에서 초기 술 후 기간에 중재가 필요하였고, 이 중 4예는 수혈을 요하였다. 1예에서는 질출혈과 골반통으로 검사한 결과 치골후부 거대혈종으로 경피적 배출을 하였고, 나머지 1예는 테이프가 소장을 관통하여 개복하여 제거하였다. 이 수술방법이 안전하고 좋은 수술이지만 항상 생길 수 있는 합병증에 대비하여 술 후 감시가 필요하다고 하였다.

3) 경폐쇄공 중부요도슬링(TOT수술)

기존의 TVT수술이 치골후부로 접근하면서 방광천공, 일시적 혹은 영구적 요폐, 동통, 요로감염, 새로 발생한 요절박 등 여러 가지 술중 혹은 술후 합병증이 발생하였다. 일부의 심한 합병증은 낮은 평가, 누락 보고 등의 가능성도 있다. 이는 치골후부로 바늘을 보지 않고 통과(blind passage)함에 따른 방광 이외의 장기, 즉 요도, 혈관, 신경, 장애 손상을 줄 가능성이 있다. 이러한 합병증을 줄이기 위한 대체 접근 수술방법이 폐쇄공(obturator foramen)으로 테이프를 통과시키는 방법이다.

해부학적 연구를 거듭한 결과 폐쇄신경(obturator nerve)이나 혈관은 폐쇄공의 외측 상단에 위치하고 있으며, 바늘이 들어가는 위치와는 약 3 cm의 거리가 있어 이들에 대한 손상의 위험이 없고 방광경을 시행하지 않아도 된다는 장점이 있다. 그러나 방광천공의 예도 보고되었다. 또한 TVT수술에 비해 좀더 자연스러운 견인기전(suspension mechanism)이라는 것이 장점이다. 바늘이 지나가는 해부학적 구조물을 살펴보면, 음핵과 같은 선상에서 장내전근 인대(adductor longus tendon)가 끝나는 부위의 직하방에서 좌골치골가지(ischiopubic ramus)의 내측 가장자리를 따라 바늘을 삽입하면 외폐쇄근(obturator externus muscle), 폐쇄막

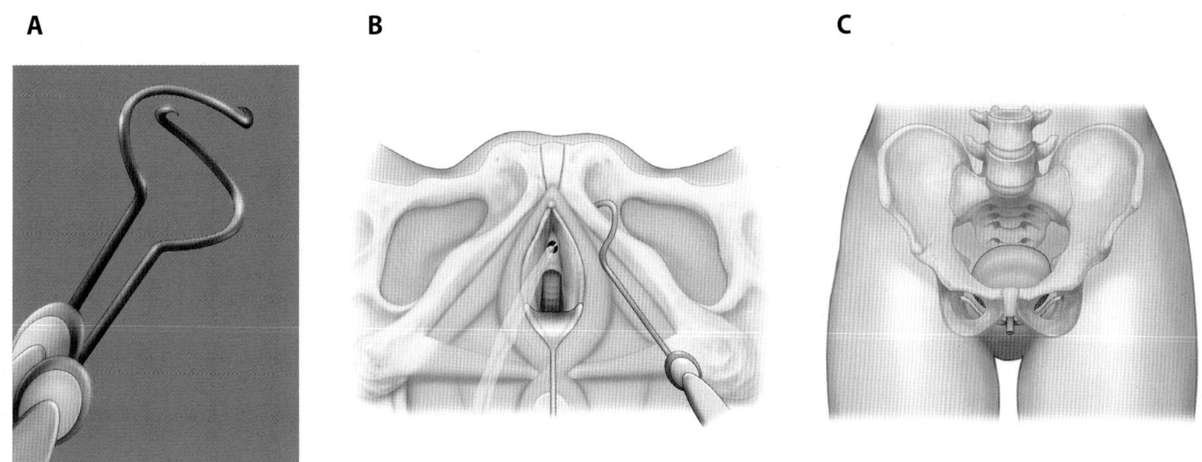

그림 35-3. 경폐쇄공 중부요도슬링(TOT수술). (A) TOT바늘(Monarc™) (B) TOT바늘의 삽입 및 통과 경로(outside in 방식) (C) TOT수술 후 유치된 테이프의 모식도(Courtesy of AmericanMedicalSystems, Inc. Minnetonka, MN)

(obturator membrane), 내폐쇄근(obturator internus muscle), 요도주위 내골반근막(endopelvic fascia)를 통과한 후 질 절개부위로 나온다(그림 35-3).

(1) 수술방법

환자는 쇄석위에서 양다리를 과굴곡(hyperflextion)(120°) 시킨 후 전질벽 중앙 중부요도 부근에 작은 세로절개를 가하고 좌골치골가지(ischiopubic ramus)를 따라서 외측으로 박리한다. 음핵 수준에서 tunneler를 이용하여 대음순 외측에 천자 절개를 하고 폐쇄근막을 뚫는다. 반대쪽 손의 검지를 질 절개창 안으로 넣고 치골가지(pubic ramus)와 내폐쇄근을 확인한 후 tunneler를 내측으로 돌리면서 손가락을 따라 질 절개창으로 빼낸다. 질천장(vaginal fornix)이나 요로의 손상이 없는지 확인한 후에 요도테이프를 tunneler를 따라 대음순 외측의 절개창으로 빼낸다. 반대쪽도 같은 방법으로 반복한다. 요도와 테이프 사이에 서 클램프(clamp)가 쉽게 통과할 정도의 장력을 준 상태에서 테이프를 위치시킨다. 남아 있는 테이프를 자른 후에 상처를 봉합한다. 이러한 방법으로 수술하는 상품화된 테이프의 종류는 Obtape, Uratape, AnsTOT, Monarc, BioArcTO, UretexTO, ObTryx, I-STOP, IRIS TOT 등이 있다.

(2) 수술결과

Delorme 등(2004)의 Transobturator Tape (TOT, Uratape)결과를 보면, 테이프의 재질은 비탄성의 15 mm 길이의 폴리프로필렌을, 요도하 부위는 실리콘 코팅을 하여 사용하였다. 환자 32명이 1년간 추적되었고 완치율은 90.6%, 호전율은 9.4%였으며 평균 수술시간은 15분이었다. 술 중 합병증은 없었고 테이프와 관련된 요도미란이나 지속적인 동통, 기능장애는 없었으며, 1명이 요폐가 있었으나 4주 후에 해결되었고 5명이 방광출구폐색을 의미하는 배뇨장애를 호소하였고 2명에서 새로 절박성요실금이 발생하였다. 결과적으로 이는 기존의 치골후부 접근법에 비해 간편하고 효과적이며 방광이나 장, 혈관손상의 위험을 피할 수 있다고 하였다.

Gilverti (2007) 등은 Obtape, Monarc, I-STOP을 이용한 TOT수술의 2년 추적한 결과 객관적 완치율이 80%(주관적 완치율은 92%)였으며 Al-Singary 등(2007)은 Uratape과 I-STOP으로 수술한 환자를 3년 추적한 결과 성공률이 79.2%였다. Heinonen (2013) 등은 6.5년의 추적관찰 결과를 보고하였는데 191명의 환자 중 139명(73%) 환자에서 객관적 완치율 89%, 주관적 완치율 83%를 보고하였다.

de Tayrac 등(2004)은 1년간 기존의 TVT와 무작위 전향적 비교연구를 하였는데, TOT군에서 TVT군보다 수술시간은 15분으로 27분의 TVT보다 짧고 방광천공도 없었고 술후 요폐도 13.3%로 TVT의 25.8%보다 적었고 완치율은 90%, 호전율은 3.3%로 TVT의 83.9%, 9.7%와 유사하였다. 압력요류검사로 비교한 술후 방광출구폐색은 두 군 사이에 차이가 없었다. Porena 등(2007)은 TVT와 TOT Obtape로 수술한 환자를 비교하였다. 호전율이 TVT는 90%, TOT는 91%로 차이가 없었으나 Obtape는 4%나 되는 메쉬미란(mesh erosion) 발생 때문에 2006년 시장에서 퇴출되었다.

4) Inside out 경폐쇄공 중부요도슬링 (TVT-O 수술)

de Leval (2003)은 TOT의 한 방법으로 폐쇄공 밖에서 안으로 테이프를 삽입하는 방법과는 다르게 질 안쪽에서 허벅지쪽으로 바늘을 통과시켜 테이프를 삽입하여 요도 밑을 지지해주는 일명 inside-out TVT를 발표하였다(TVT transobturator system, TVT-O). 이는 폐쇄공 밖에서 안으로 삽입하는 방법이 안전하다고는 하나 요도와 방광의 손상을 줄 수 있고 질 절개가 커서 테이프가 방광경부쪽으로 이동할 수 있다는 단점을 보완하기 위함이라고 설명하였다.

Waltregny 등(2006)은 전향연구의 중간 결과를 발표하였다. 환자 99명을 대상으로 술후 최소 1년 추적한 결과에서 완치율 91%, 요도미란이나 질미란은 없었고 환자 4명에서 테이프를 이완하거나 잘랐다고 보고하였다. 7년의 추적관찰 결과에서는 TVT-O만을 시행한 환자군에서 객관적 완치율 90.3%, 주관적 완치율 90.3%를 보고하였다(Athanasiou et al, 2014). TVT와 TVT-O를 전향적으로 1년간 추적관 비교연구에서 보면, TVT-O군의 수술시간이 더 짧았고 수술 전후로 합병증이 더 적었으며 완치율은 86.8-89%로 TVT의 86.8-91%와 유사하였다(Lee et al, 2007; Zullo et al, 2007). TVT-O와 TVT의 5년 결과를 비교한 전향적 연구에서 객관적 완치율은 TVT-O에서 86.2%, TVT에서 84.7%로 차이가 없었고 주관적 완치율도 TVT-O에서 91.7%, TVT 그룹에서 94.2%로 차이를 보이지 않았다(Laurikainen et al, 2014).

5) 단일절개슬링수술

최근 질 절개만으로 테이프를 위치시킬 수 있는 단일절개슬링수술(one incision sling) 혹은 mini sling이 소개되었다(그림 35-4). TVT-Secur가 mini-sling의 선발주자로, 초기 성적은 그다지 좋지 않지만 어느 정도 경험이 쌓인 술자의 결과는 비교적 높아 Martan 등(2007)에 의하면, 단기추적에서 완치율이 93%였다. Neuman (2008)은 TVT-S는 TVT에 비해 방광천공과 술후 요로폐색이 TVT-O에 비해 술후 허벅지 동통과

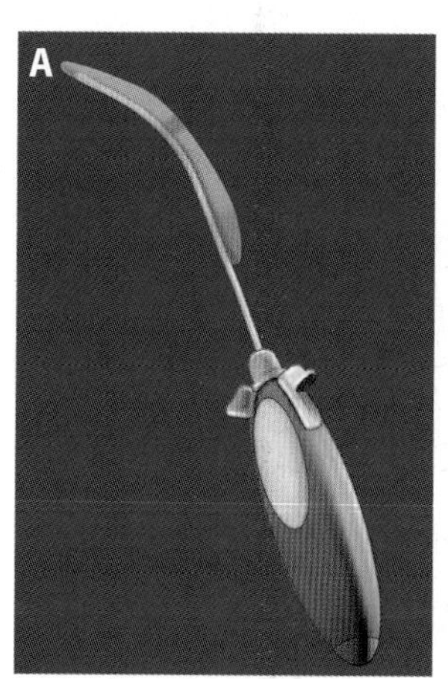

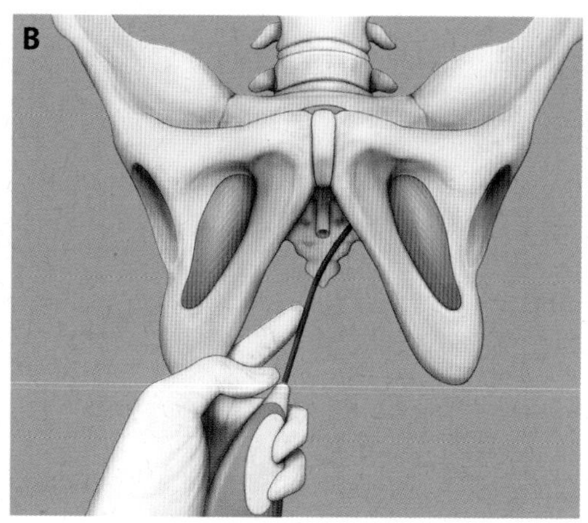

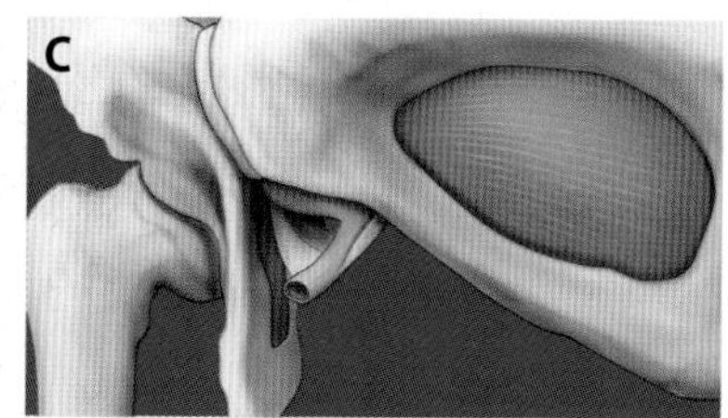

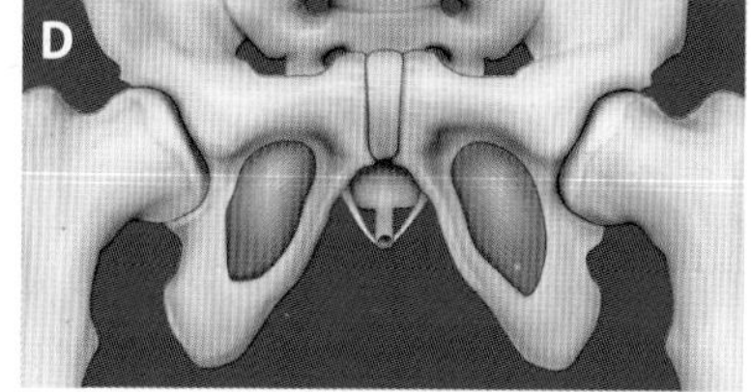

그림 35-4. 질 절개만으로 테이프를 위치시킬 수 있는 mini-sling의 예(MiniArc™). (A) 삽입바늘과 sling tip이 결합된 모습 (B) 바늘의 삽입 방향(좌측) (C, D) 수술 후 유치된 테이프의 모식도(메쉬의 tip이 양측 내폐쇄근에 고정되어 위치)(Courtesy of AmericanMedicalSystems, Inc. Minnetonka, MN)

방광출구폐색 등은 감소하였고, 처음 30예와 이후 30예의 1년 추적관찰을 비교한 결과 처음 군은 66.7%에서 만족하였지만 나중 군은 93.3%에서 만족하였다. 10개의 연구, 1178명을 대상으로 메타분석한 1년 결과에서는 객관적, 주관적 완치가 76%로 보고되었으며 1.5%에서 질미란, 2.4%에서 테이프 노출의 합병증이 있었다. 1년동안 TVT-S를 시행한 환자의 5%에서 다시 요실금 수술이 시행되었다(Walsh et al, 2011). 3년 추적관찰 결과에서는 객관적 완치율 72.9%을 보고하였다(Han et al, 2013). TVT-O와 TVT-S를 비교한 2년 추적관찰 연구에서 객관적 완치율은 TVT-O 85.7%, TVT-S 77.3%로 차이를 보이지 않았으며 주관적 완치율 또한 TVT-O 80.3%, TVT-S 75.7%로 차이를 보이지 않았다(Bianchi-Ferraro et al, 2014). 세 종류의 단일절개슬링수술(Ajust, MiniArc, TVT-S)을 비교한 2년 전향적 연구에서는 세군에서 객관적 완치율이 Ajust, MiniArc, TVT-S 각각 52.5%, 65%, 52.5%로 비슷하였으며, 요실금 재수술이 필요한 경우가 32.5%, 25%, 32.5%으로 세 수술방법 모두에서 효과가 떨어지고 재수술이 필요한 경우가 많았음이 보고되었다(Palomba et al, 2014). Cornu(2012) 등이 발표한 추적관찰 결과에서는 4.5년 기간 동안 31%의 성공률을 보여 지속기간이 짧음을 보고하였다.

최근의 TVT-S와 같은 mini sling에 대한 연구는 아래와 같다. 2012년 Mašata 등은 197명의 환자를 무작위로 TVT-O군과 TVT-S군으로 나누어 전향적 연구를 진행하였다. 술 후 3개월 째의 객관적 완치율은 TVT-O가 95.4%로 TVT-S의 76.7~82%보다 통계적으로 우수하였다. 또한 2014년 Maslow 등은 TVT-S(56명), TVT-O(50명)을 무작위 배정 후 전향적 연구를 진행하였는데 술 후 1년 째 객관적 완치율은 TVT-S가 63%, TVT-O는 88%로 TVT-O가 통계적으로 우수한 성적을 보인다고 보고하였다. 2015년 Zhou 등의 연구에 의하면 7개의 무작위대조연구에서 1,545명을 메타분석했을 때 TVT-S는 TVT-O 혹은 TOT에 비해 객관적 완치율이 떨어지고 재수술의 빈도가 높음을 보고하였다. 이로 인해 TVT-S 등의 mini sling수술은 성공률이 낮아 거의 시행되지 않고 있다.

6) 장력조절형슬링(adjustable sling)

(1) Remeex System

폴리프로필렌메쉬를 이용하여 중부요도에 걸어 주되 테이프와 연결된 실을 치골상부에 위치시키는 varitensor라는 조절기능을 가진 삽입기구(폴리프로필렌, 티타늄(titanium))에 연결하여 술후에 장력을 조절할 수 있게 고안된 방법이다.

Manitovani 등(2004)은 여성 요실금 환자 32명을 대상으로 Remeex system을 시행한 결과 환자 31명에서 요실금이 소실되었고, 이 중 2명은 일시적인 요절박을 보였으며 3명에서 힘의 재조정이 필요하였다. Iglesias 등(2003)은 평균 12개월(6~25개월)간 추적에 90.5%가 매우 만족하였고, 술후 장력 조절이 필요한 환자는 21명 중 10명이었다고 보고하였다.

5. 복압성요실금의 주사치료

요도과운동성이 있는 경우 지지를 복원하는 것이 중요하지만 낮은 발살바요누출압을 가진 무이동성 요도의 경우 압박과 접합이 중요하다(Herschorn et al, 1996). 주사치료의 목표는 요자제기전에 기여하는 점막 결합(coaptation)과 밀폐효과(sealing effect)를 복원하는 것이다. 외부의 압축력(compressive forces) 없이도 요도는 깔대기(funnel)처럼 열리므로 대부분 주사 때문에 하부요로가 폐색되지는 않지만, 원하는 효과를 얻기 위해서는 주사물질이 방광출구 위치에서 정확히 요도평활근에 주사하여야 한다. 주사치료가 여성복압성요실금의 여러 치료방법 중 하나임을 고려할 때 가장 적절한 대상 환자는 정상 배뇨근기능을 가진 내인성요도괄약근기능부전 환자이다. 요도과운동성을 가진 경우라고 하더라도 주사치료에 효과가 있다고 보고되어 배뇨근의 문제에 의한 경우가 아니라면 모두 적용할 수 있다(Faerber, 1996). 활동성 감염, 치료받지 않은 배뇨근과활동성, 주사물질에 과민반응이 있는 환자에서는 시술하지 않는다.

주사치료는 침습적 치료를 원하지 않는 환자에서 하나의 치료방법으로 빠른 효과를 보여주는 반면 그 효과나 지속기간은 침습적 수술에 비하여 떨어지며 재주사치료가 필요할 수 있다. 고령이나 마취에 리스크가 높은 환자 또는 완쾌 대신 증상의 호전만을 원하는 환자에서 시행해 볼 수 있다.

가장 이상적인 주사물질은 생체 적합하고(biocompatible) 염증반응이나 이물반응을 적게 유발하며, 이동성이 없고 오랫동안 충전효과(bulking effect)를 유지하여야 한다. 현재 복압성요실금의 가능한 주사치료제제로 생물학적으로는 콜라겐(bovine; Contigen, porcine; Permacol)과 근줄기세포가 있으며 자가지방은 치명적인 색전증의 위험성으로 더 이상 이용하지 않는다. 또한 합성물질로는 carbon-coated zirconium beads (Durasphere), silicone microimplants (Macroplastique), hyaluronic acid와 dextranomer (Deflux), polyacrylamide hydrogel (Bulkamid), calcium hydroxyapatitie (Coaptite)가 있으며 polytetrafluoroethylene (Teflon)과 ethylene vinylalcohol (Tegress)는 더 이상 이용하지 않는다. 그 외 풍선제제로 ACT, proACT가 이용가능하며 UroVive는 이용하지 않고 있다. 한 유형의 제제가 다른 유형의 제재보다 우수하다는 증거는 아직까지 없다.

1) 콜라겐

콜라겐collagen (Contigen)은 1981년부터 임상에 사용되었으며, 신체에 있어서 유용성, 다양성, 호환성이 높은 물질이다. 상품명은 Contigen은 I형 콜라겐이 95% 이상을 차지하며 사람의 몸과 호환성이 매우 높다. Contigen을 사용하기 전에 반드시 피하과민반응검사를 실시하여야 한다. 3%에서 과민반응이 나타나며, 이 중 70%는 72시간 내에 나타난다. 또한 1~2%에서는 주사 부위에 홍진, 부종, 경화 등이 발생할 수 있으나 이들은 콜라겐이 흡수되는 6개월 정도에 소실된다.

(1) 시술방법

① 경요도주사법(경요도주입법)

국소마취하 쇄석위에서 방광경 속으로 22게이지 주사침을 삽입하여 직접 요도점막의 3시와 9시 방향을 찔러서 점막하층 공간에 삽입하여 부풀어 오르는 것을 확인하면서 콜라겐을 주입한다. 주사침은 매우 날카로운 것을 사용하여야 요도점막을 뚫기 쉬우며, 요실금이 있는 남성에서는 경요도주사법(경요도주입법)(transurethral injection)만을 사용한다.

② 요도주위주사법(요도주위주입법) (periurethral injection)

부분마취하 척수천자용 20게이지 주사침을 4시와 8시 방향의 요도구주위를 통해 삽입한 후 요도점막 아래에 주사침을 위치시키고, 점막이 부풀어 오르는 것을 방광경으로 관찰하면서 콜라겐을 주입한다. 주사침 끝이 날카로우면 점막이 천공되는 경우가 있으므로 끝이 날카로운 것은 피하도록 한다.

(2) 치료결과

콜라겐의 장점으로는 육종을 형성하지 않으며, 원격이동이 없고 이물반응이나 염증반응이 낮고, 비교적 적은 압력으로 주입할 수 있다는 것이다. 주사 횟수는 평균 2~3회이며, 전체 주사량은 15~50 mL 이상까지 다양하다. Eckford와 Abrams(1991)는 72%의 환자에서 재주사를 하면서 3년 경과 후 80%의 효과를 보았다고 보고하였다. Press와 Badlani(1995)는 3개월마다 재주사를 하여 50% 정도의 효과를 보았다고 하였다. North American Study Group에서 내인성요도괄약근기능부전 여성 환자 72%에서 재주사를 하면서 1년 경과 후 96.4%가 치료효과를 보고하였다(Press·Badlani, 1995). Herschorn 등(1996)은 콜라겐을 주입한 후 최초 2개월에는 43%가 완전히 치유되었으나 1, 2, 3년이 경과하면서 치유율이 71%, 58%, 46%로 감소하였다고 보고하였다. Steele 등(2000)은 6개월 후 요도과운동성이 있는 경우는 71%가 치료효과를 보았으며, 요도과운동성이 없는 경우는 32%가 효과를 보았다고 하면서 요도과운동성이 치료예후를 나쁘게 하지 않는다고 하였다. Gorton(1999)은 5년 이상의 장기추적을 한 결과 콜라겐의 양이나 주입 횟수에 상관없이 26%만 호전되었으며 내인성요도괄약근기능부전 환자에서 치료효과가 더 떨어졌다. Winter 등(2000)은 24개월 후 60.3%에서 치료효과가 있었으며, 일차치료 실패 후 재주입술을 시행할 때에는 요실금이 호전되지 않았다.

주입된 콜라겐은 2년 이내에 거의 흡수되어 사라진다. 예전에 받은 요실금수술로 요도주위의 섬유화가 심한 경우, 불안정 방광인 경우, 자궁절제술을 받은 경우, 요도고정술이나 방광요도류수술을 받은 경우, 방사선치료를 받은 경우에는 성공률이 현저히 떨어진다.

최근, Corcos 등(2005)은 콜라겐주입술을 받은 군과 슬링수수을 받은 군을 수술 1년째에 비교하였을 때 성공율이 각각 53.1%, 82.2%로 콜라겐주입술을 받은 군에서 현격히 낮았다고 보고했다. 또한 Oremus 등(2010)은 콜라겐 주입술은 중대한 이환율 혹은 합병증 없는 시술이며 외래에서 시행될 수 있는 장점이 있으나 비용적으로도 우수하다고 할 수 없으며 슬링수술과 같은 방법에 비해 성공율이 떨어진다고 하였다.

2) 실리콘

요실금의 치료에 쓰이는 실리콘(silicon polymers)(Macroplastique) 입자는 100~400 μm (평균 162 μm)으로 비교적 입자가 커서 Teflon 입자에 비해 다른 장기로의 원격이동이 비교적 적은 것이 특징이다. 실리콘은 요도내주입 후 6주에 조직화되면서 결절군을 형성하며 고정된다(Radley et al, 2000).

(1) 시술방법

앞서 언급한 콜라겐 시술방법과 동일하며 직접 요도점막에 주입하며 요도점막이 상승되는 것을 관찰하면서 Macroplastique 2.5 mL을 주입한다. 완전히 주입한 후 30초 가량 기다렸다가 주사침을 서서히 뽑는다. 추가로 근위부요도의 2시와 10시 방향에 Macroplastique를 1.25 mL씩 주입한다. 시술 후 24시간동안 도뇨관을 유지하며, 이후 자연배뇨를 유도한다. 주입량을 보통 3~7 mL이다. 실리콘 입자는 크기 때문에 쉽게 주입하기 위해서는 유상액(oil emulsion)을 섞는다. 시술 시 요도점막이 천공된 경우에는 천공부위로 전부 누출되므로 더는 시술할 수 없다.

(2) 치료결과

실리콘 입자가 크기 때문에 전이되는 양이 매우 적으며, 입자 주위로 섬유화가 일어나면서 결절을 형성하지만 육종이나 염증반응은 보이지 않는다(Henly et al, 1996). 단기적으로는 80~90%의 높은 성공률을 보이지만(Press·Badlani, 1995), Sheriff 등(1997)은 2년간의 추적검사 결과 성공률이 48%로 저하되었다고 보고하였다. Tamanini 등(2006)은 Macroplastique를 주입한 후 6~60개월간 장기추적한 결과 발살바요누출압(Valsalva leak point pressure; VLPP) 시험상 73.3%의 완치 또는 호전된 소견을 보고하였다. Ghoniem 등의 Contigen과 전향적 비교 연구에서는 Macroplastique 그룹이 36.9%, Contigen 그룹에서 24.8%의 성공률을 보였다(2009). 최근 958명의 환자 23 cohort의 보고에서는 완치율이 6개월간 43%, 18개월 이상에서는 36%를 보고하였으며 호전율은 75%, 64%를 보고하였다(Ghoniem et al, 2013). 최근에 Serati 등(2019)은 Macroplastique주입한 85명의 여성환자들 중에 술 후 3년째에 객관적 및 주관적 성공율은 각각 47%(40명), 49%(42명)였다고 보고하였다.

3) 줄기세포

환자의 자가 근유래 세포를 이용한 복압성요실금 치료가 계속 연구되어 왔다. 2001년에 자가근모세포를 이식하여 콜라겐형성은 안 되었으나 요도내부로 세포덩어리가 자라는 것을 확인한 뒤(Yokoyama et al, 2001), 2007년에 Mitterberger 등은 주입된 자가근모세포로 인하여 요도내압이 300%이상 증가되는 것을 관찰하였다. 이 그룹에서 5개의 임상연구가 진행되어 80~90%의 치료효과를 보고하였으나 윤리적인 문제로 제제를 받았다. 이후 Carr 등은 8명의 환자 중 대퇴근에서 유래한 줄기세포를 이식하여 5명의 환자에서 증상의 호전을 보고하였다(2008). 또한 이 등도 39명의 환자에서 70~80%의 호전을 보고하였으며(2010) 최근 연구에서 12명 중 3명에서 12개월 동안 완치를 보고하였고 7명은 호전, 2명은 시술후 증상악화를 보고하였다(Sebe et al, 2011). 최근 연구에서도 완치율과 호전율을 25%, 63%에서 보고하고 있어(Gras et al, 2014), 요실금에 대한 줄기세포 치료는 고무적이며 다른 주사치료보다 더 이득이 있을 것이라 생각되나 장기간의 연구와 더 많은 환자를 대상으로 한 연구가 필요하다.

전체 참고문헌 목록은
배뇨장애와 요실금 웹사이트 자료실
(http://www.kcsoffice.org)에서
확인할 수 있습니다.

제 36 장

여성 복압성요실금의 수술 합병증과 그 치료

Female stress urinary incontinence -Surgical complications and their management

이영숙

1. 서론

보존요법으로 치료되지 않는 여성복압성요실금의 경우, 앞서 설명한 수술요법들을 환자의 상태에 맞게 선택하여 적용할 수 있다. 현재까지 효과가 입증되어 시행중인 수술법은 크게 4가지로 요도점막하주입, Burch 치골뒤질걸이술, 자가근막슬링(autologous fascial pubovaginal slings) 그리고 합성 메쉬를 이용한 중부요도슬링수술(synthetic mesh mid-urethral slings)이 있다. 1996년 처음 소개된 중부요도슬링수술은 이전에 행해졌던 Burch 치골뒤질걸이술, 자가근막슬링과 유사한 성공률을 보이는 반면 합병증은 유의하게 낮은 것으로 보고됨에 따라 앞 선 두 수술을 대체하면서 수술 빈도가 급격히 늘어나 현재 여성복압성요실금의 표준 수술법으로 인식되고 있다.

중부요도슬링수술의 합병증은 트로카 삽입 관련, 삽입된 메쉬 관련, 배뇨기능 관련, 일반적인 수술 관련 합병증으로 나눌 수 있다. 2014년 발표된 systematic review에 의하면 출혈이나 감염 등 수술에 따르는 일반적인 합병증 외에 메쉬를 삽입하는 중부요도슬링 수술 관련 합병증은 방광천공 0.7~3.6%, 장손상 0~3.1%, 신경손상 0~0.6%, 6주 이상의 요폐 2.4~7.6%로 보고되었다(Schimpf et al., 2014). 메쉬 관련 합병증은 질내 메쉬 삽입 수술이 증가함에 따라 빈도가 증가하였고 2010년 FDA는 요실금과 골반장기탈출증에 사용되는 질을 통한 메쉬 삽입수술에 대한 위험성을 발표하고 신중히 할 것을 권고하였다. 이 후 여러 고찰을 통해 관련 문제에 대해 지속적으로 모니터하였으며 추가 결과들을 발표하고 이에 따르는 규제를 강화하기도 하였다.

이 장에서는 중부요도슬링수술의 합병증과 그 치료에 대해 트로카 삽입 관련, 메쉬 관련, 배뇨기능 관련, 일반적인 수술 관련 합병증으로 나누어 정리하였다.

2. 트로카 관련 합병증

1) 방광의 메쉬 천공 또는 노출(Mesh perforation/extrusion at bladder)

방광 손상은 경폐쇠공 (0.6%)에 비해 후치골 (4.8%) 수술에서 많이 발생한다(Fusco et al., 2017). 대부분 수술 중 방광으로 트로카가 통과하면서 발생하는 것으로 이를 확인하기 위해서는 트로카 통과 후 70도 렌즈를 이용하여 방광을 충분히 채운상태에서 방광의 돔(dome)과 측벽을 주의깊게 관찰해야 한다. 또 트로카를 좌우로 흔들어 얇은 점막 아래에서 트로카가 움직이는 것이 관찰되면 트로카가 방광근육내에 위치한 것을 알 수 있다. 방광내에서 트로카가 관찰되거나 방광근육에 트로카가 위치한 경우, 삽입된 트로카를 제거하고 다시 올바른 위치에 삽입해야 한다. 그러나 트로카를 바르게 재삽입한 경우에도 이미 방광 천공이 발생한 경우에는 메쉬의 방광 노출 위험이 증가하는 것으로 알려진다(Osborn et al., 2014).

방광 천공을 예방하기 위해서는 트로카를 통과시키기 전 방광을 완전히 비워야 하며 치골뒤쪽으로 트로카를 진입시킬 때 치골뒷면과 닿은 상태를 유지하면서 트로카를 올려야 한다. 또한 수술 중 방광천공을 발견하지 못한 경우, 수술 후 골반이나 질의 출혈과 혈종으로 나타날 수 있으므로 이러한 경우에는 방광 천공을 의심해야 한다.

방광천공의 위험인자로는 체질량지수가 낮아 후치골부위에 지방조직이 적은 경우, 이전에 요실금수술을 받은 경우가 있다(Osborn et al., 2014). 방광 메쉬 노출에 따르는 증상은 하복부 통증, 혈뇨, 반복적인 요로감염, 요절박, 빈뇨, 배뇨통, 요실금 등 매우 다양하다. 진단은 요도 메쉬와 마찬가지로 방광 내시경으로 방광내 메쉬를 확인하는 것이다. 방광내 메쉬 노출이 오래된 경우 결석이 발생할 수 있으므로 중부요도슬링 수술을 받은 여성에서 방광내에 결석이 확인된 경우 반드시 방광내 메쉬 노출을 의심해야 한다.

방광 메쉬의 치료는 후치골접근의 경우 내시경을 이용하거나 개복수술을 통해 제거할 수 있으며 경폐쇠공 접근이나 메쉬가 방광경부에 가깝게 위치한 경우에는 요도 메쉬와 마찬가지로 질절개를 통해 제거할 수 있다. 내시경을 이용한 경우, 자궁내시경 가위, 홀뮴레이저, 루프를 이용하여 메쉬를 제거할 수 있다. 만약 결석이 동반된 경우에는 돌을 먼저 제거하여 메쉬를 모두 노출시켜 확인한 후 제거해야 한다. 내시경으로 메쉬를 제거한 경우, 메쉬가 근육내에 존재하므로 수술 후 방광 점막이 메쉬를 덮은 상태로 상피화가 되었는지 확인하고 추 후 재발 가능성을 염두해야 한다.

Jorin은 신장경(nephroscope)을 경요도로, 5 mm 복강경 트로카를 상치골을 통해 방광으로 삽입한 뒤 복강경으로 메쉬를 잡고 내시경으로 메쉬를 방광점막과 함께 제거하는 방법을 소개하였다(Jorion, 2002). 1개월 후 수술부위는 문제없이 치유되었으며 요실금은 발생하지 않았고 술 전 증상은 소실되었다. Tsivian 등(Tsivian et al., 2004)도 같은 방법으로 방광 메쉬를 제거한 사례를 보고하였다.

결석을 동반한 메쉬의 경우 홀뮴으로 돌과 메쉬를 성공적으로 제거한 보고들이 있다(Baracat, Mitre, Kanashiro, & Montellato, 2005; Giri, Drumm, Saunders, McDonald, & Flood, 2005; Huwyler, Springer, Kessler, & Burkhard, 2008; Jo, Lee, Oh, Ryu, & Kwak, 2011). 그러나, 이 방법은 노출된 메쉬가 작고 레이저로 메쉬천공부위의 점막하 및 근육층까지 충분

히 접근 가능한 경우로 제한하는 것이 좋다. 절단해야 하는 메쉬의 면적이 넓거나 레이저로 메쉬의 천공부위 접근이 어려운 경우에는 수술 시간이 길어지고 수술 후 메쉬가 남을 가능성이 높다(Jo et al., 2011).

내시경이 접근하기 어려운 곳에 위치하거나 내시경을 이용한 제거에 실패한 경우, 방광 또는 방광근육내에 메쉬가 넓게 위치한 경우에는 개복(Foley, Patki, & Boustead, 2010; Shah, Nikolavsky, Gilsdorf, & Flynn, 2013)이나 질절개 또는 복강경(Misrai et al., 2009)을 이용하여 메쉬를 제거하는 것이 효과적이다.

방광경부메쉬의 경우 요도메쉬와 마찬가지로 질전벽에 반전된 U (inverted U) 절개를 가한 후 요도 절개를 통해 메쉬를 제거하는 것이 방광내에 메쉬를 남기지 않는 가장 좋은 방법이다. 또한 전질벽에 위치하는 메쉬까지 제거할 수 있으며 필요한 경우, 피판(flap)으로 손상부위를 보강할 수 있어 추 후 누공의 위험을 줄일 수 있다.

메쉬가 방광의 천정부에 위치하거나 질쪽으로 접근이 어려운 위치에 있는 경우 개복을 통해 메쉬를 성공적으로 제거할 수 있다(Volkmer et al., 2003). Shah 등(Shah et al., 2013)은 7명의 방광 메쉬를 질식 또는 질식과 복부 절개를 함께 시행하여 성공적으로 제거하였다. 7명의 환자 중 1명은 이전 내시경 절제에 실패한 경우였다. 수술 후 평균 25개월 후 7명 모두 요실금은 없었으며 추가 치료는 없었다.

후치골중부요도슬링 수술 후 발생한 방광 메쉬에 대해 복강경으로 성공적으로 제거한 보고들도 있다(Rehman, Chugtai, Sukkarich, & Khan, 2008; Siow, Morris, & Lam, 2005).

방광 내로 노출된 테이프를 어디까지 제거해야 하는지에 대해 연구된 바는 없으나 방광내로 노출된 부분만을 제거한 경우가 질내에 있는 메쉬를 함께 제거한 경우에 비해 요실금 재발이 적은 경향을 보인다.

표 36-1에 방광 메쉬 제거에 대한 연구 결과를 요약하였다.

2) 요도 및 방광경부의 메쉬 천공 또는 노출 (Mesh perforation/extrusion at bladder neck or urethra)

요도천공의 발생율은 0~0.6%로 알려져 있다(Campbell Urology 12th edi. P2863, ETABLE 125.8). 위험요인으로는 방사선치료, 에스트로젠결핍, 메쉬의 과도한 장력, 요도쪽으로의 과도한 박리, 수술 시 트로카로 인한 천공, 요도 시술이나 슬링수술 후 배뇨장애 환자에서 시행한 요도확장술 등을 들 수 있다. 중부요도슬링수술 중 요도 손상이 발생한 경우에는 손상을 봉합하고 부위가 완전히 아물 때까지 메쉬 삽입을 피해야 한다(Kobashi et al., 2017). 또한 메쉬가 꼬이거나 말려서 그로 인해 요도에 압력이 가해져 천공이 발생할 수 있다. 드물게 증상이 없는 경우도 있지만 주로 요절박, 요실금, 배뇨곤란 등의 배뇨증상과 반복적인 요로감염, 혈뇨 등을 보일 수 있다. 증상 발생 후에도 요도천공을 진단하기까지 상당한 시간이 지나는 경우가 많다. 한 연구에 의하면 수술 후 요도천공 진단까지 평균 9개월이 걸린 것으로 나타났다(Amundsen, Flynn, & Webster, 2003). 호주와 뉴질랜드에서 진행한 조사에 의하면 질미란과 요도미란의 발생률은 각각 1.2%와 0.6% 이었고, 질미란 환자의 35%는 무증상으로 술 후 검사에서 우연히 발견된 반면, 요도 미란 환자의 약 90%는 증상이 있었지만 환자의 1/3에서

표 36-1. **Managemant of mesh bladder perforation**

	Total patients	Management	Symptom resolution[a]	Continence
Volkmer et al., 2003	2	2 complete transabdominal excision	100%	0%
Levin et al., 2004	2	2 endoscopic partial excision	NR	NR
Giri et al., 2005	3	3 endoscopic partial excision	100%	100%
Baracat et al., 2005	6	6 endoscopic partial excision	100%	100%
Siow et al., 2005	1	1 intraperitoneal laparoscopic partial excision	100%	100%
Starkman et al., 2006	7	7 transvaginal and retropubic partial excision	NR	NR
Huwyler et al., 2008	5	5 endoscopic partial excision	100%	100%
Rehman et al., 2008	2	2 extraperitoneal laparoscopic partial excision	100%	100%
Oh and Ryu, 2009	14	14 endoscopic partial excision	100%	93%
Foley et al., 2010	9	7 endoscopic partial excision 2 endoscopic and retropubic partial excision	100%	33%
Shah et al., 2013	7	7 transvaginal and retropubic complete excision	100%	100%
Zivanovic et al., 2014	3	2 endoscopic and transvaginal partial excision 1 endoscopic partial excision	100%	100%

NR, Not recorded.

(Baracat et al., 2005; Foley et al., 2010; Giri et al., 2005; Huwyler et al., 2008; Levin et al., 2004; Oh & Ryu, 2009; Rehman et al., 2008; Shah et al., 2013; Siow et al., 2005; Starkman, Wolter, Gomelsky, Scarpero, & Dmochowski, 2006;

확진이 될 때까지 수술 후 1년 이상 경과되었다(Hammad, Kennedy-Smith, & Robinson, 2005). 따라서 하부요로와 외부생식기 증상을 가지는 중부요도슬링수술 이력이 있는 환자를 진찰할 때는 메쉬 미란 가능성을 염두하고 골반과 방광, 요도의 세심한 검사가 필요하다. 또한, 앞서 보고된 9건 (0.6%)의 요도 미란 환자 중 3건은 이전 중부요도슬링수술을 받고 재수술을 하는 과정에서 발견된 건으로 중부요도슬링을 재시행 할 때는 질검사와 방광 및 요도 내시경을 시행하여 이전 삽입한 메쉬에 문제가 없음을 확인해야 한다.

요도 천공의 진단은 방광경 검사 시 요도에 메쉬가 관찰되는 것으로 확진할 수 있다. 질메쉬와 달리 요도와 방광의 메쉬에 대해서는 보존적 방법은 추천되지 않으며 제거를 위해 다양한 수술방법이 보고되었다.

McLennan은 내시경과 자궁내시경가위(Hysteroscopic scissors)를 이용하여 메쉬와 요도점막을 절단한 후 72시간 도뇨관을 유치하였으며 술 후 10개월 간 증상호전과 요자제를 유지할 수 있었다고 보고하였다.(McLennan, 2004) Wijffels 등(Wijffels, Elzevier, & Lycklama a Nijeholt, 2009)은 내시경을 통해 포셉으로 메쉬를 잡고 가위로 메쉬의 양 끝을 자르는 방법으로 3명의 요도 메쉬를 제거하였으며 이 중 한 명에서 복압성요실금이 재발하여 중부요도슬링을 재시행하였다고 보고하였다. Baracat 등(Baracat et al., 2005) 역시 같은 방법으로 5건의 요도 메쉬를 성공적으로 제거하였다. Velemir (Velemir, Amblard, Jacquetin, & Fatton, 2008)등은 7명의 요도 메쉬 환자에 대해 2 경질식제거, 4 경요도내시경절제, 1 경질식과 경요도내시경적 절제를 함께 시행한 결과를 발표하였다. 4명의 경요도내시경절제를 받은 환자 중 3명은 수술 후 요도내시경에서 메쉬가 관찰되지 않았으며 1명에서 추가로 내시경적 제거를 시행하였다. 경질실제거는 요도절개를 통해 메쉬를 제거하였으며 두 명 중 한 명은 요도내시경으로 메쉬가 제거되지 않아 요도절개를 통해 메쉬를 제거하였다. 경질식과 요도내시경 절제를 함께 시행한 경우는 경요도내시경으로 메쉬를 제거함과 동시에 요도절개없이 질절개를 통해 요도 주변의 메쉬를 박리한 후 제거하였는데 술 후 배뇨 증상 지속으로 요도내시경을 확인한 결과 요도내 메쉬가 남아있어 요도내시경을 통해 제거하였다. 저자들은 요도 메쉬의 경우 최소 침습적이며 기능적 결과가 우수한 내시경적 제거를 우선 시도할 것으로 권하였다.

반면 Jo 등(Jo et al., 2011)에 의하면 23건의 방광 및 요도 메쉬 노출에 대한 경요도절제술 결과, 방광의 경우 20건 중 4건 (20%), 요도의 경우 3 건 중 2 건 (67%)에서 술 후 내시경 검사 결과 메쉬 노출이 관찰되었다. 4건의 방광 노출 중 1건에 대해 경요도절제술을 재시행하였으며 2건에서는 질절개를 통해 메쉬를 제거하였다. 2건의 요도 노출에 대해서는 1건에서 질절개를 통한 메쉬제거를 시행하였으며 1건에 대해서는 환자가 희망하여 추적관찰하였다. 질절개를 통해 메쉬를 제거한 3건에서 술 후 메쉬는 관찰되지 않았다. 방광경부에 메쉬 노출이 있던 환자에서 경요도절제술 후 방광질누공이 발생하였으며 한 명은 수술 중, 한 명은 수술 후 15일 뒤 발견되어 누공을 절제 및 봉합하였고 이 후 합병증은 없었다. 요도 메쉬 환자 중 메쉬가 남아있던 1명의 환자에서 복압성요실금이 재발하였다. 결론적으로 경요도절제를 통한 방광과 요도 메쉬 제거는 익숙하고 비교적 간단한 방법으로 복압성요실금에 대한 기능적 결과는 좋은 반면, 메쉬가 노출된 위치에 따라 특히, 홀뮴레이저를 이용하여 방광경부나 요도 메쉬를 제거하는 경우, 성공적으로 이를 제거하기 어렵다. 또한 과도한 점막하 절제로 인해 누공의 위험이 높으므로 방광경부와 요도의 메쉬는 경요도절제보다는 경질식절개를 통한 제거가 더 나은 방법으로 생각된다.

질절개를 통한 요도 메쉬 제거에 대한 4건의 보고에서도 좋은 결과들을 보여준다(Haferkamp, Steiner, Muller, & Schumacher, 2002; Lieb & Das, 2003; Madjar, Tchetgen, Van Antwerp, Abdelmalak, & Rackley, 2002; Wai, Atnip, Williams, & Schaffer, 2004). 4명의 환자 모두 술 후 증상이 호전되었으며 두 명의 환자에서 경미한 복압성요실금이 재발하였으나 생체되먹임 훈련을 통해 호전되었다. 이 외에 비강스페큘럼 (nasal speculum)을 이용하여 메쉬를 직접 자르는 방법도 소개되었다(Baracat et al., 2005; Velemir et al., 2008). 이 방법은 메쉬가 요도 점막에 남아 추후 요도 내로 노출될 가능성이 있으나 최소 침습적인 방법으로 선택적으로 적용할 수 있다. 위의 연구들에서와 같이 다양한 방법을 통해 요도 메쉬가 성공적으로 제거되고 증상과 요실금에 대한 좋은 결과를 보여

주었으나 메쉬 제거 후 환자들에 대한 장기 추적 결과가 필요하다. Kowalik 등(Kowalik et al., 2018)에 의하면 요도 메쉬 천공으로 제거 수술을 받은 19명의 여성들 중 92%가 요실금을 호소하였으며 3명의 환자들이 요실금과 통증, 골반 탈출증으로 5건의 추가적인 치료를 받았다. 약 절반의 환자가 수술 후 상태(Patient global impression of improvement)가 'very much better' 또는 'much better'로 평가하였다.

Kobashi 등은 폴리에스터 슬링 후 질미란, 요도미란, 요도질누공, 통증으로 슬링을 제거한 34명 환자의 챠트를 분석한 결과, 슬링 제거 후 8명의 환자에서 요실금이 재발하였다. 저자들은 요실금에 대한 수술은 슬링 제거 후 5개월 뒤에 할 것을 권고하였으나 내인성 요도괄약근기능부전이나 요도괄약근손상이 있는 경우에는 슬링 제거와 동시에 요실금 수술을 시행할 것을 추천하였으며, 이 경우 합성물질이 아닌 자가근막을 이용한 슬링을 시행하도록 하였다.

표36-2에 요도메쉬 제거에 대한 연구 결과를 요약하였다.

3) 장손상

중부요도슬링수술 후 장손상은 심각한 합병증이지만 매우 드물다.

Meschia 등(Meschia et al., 2001)은 골반수술의 과

표 36-2. Managemant of mesh urethral perforation

	Total patients	Management	Symptom resolution[a]	Continence
Haferkamp et al., 2002	1	1 transvaginal partial excision	100%	100%
Madjar et al., 2002	1	1 transvaginal partial excision	100%	100%
Lieb and Das, 2003	1	1 transvaginal partial excision	NR	0%
Wai et al., 2004	1	1 endoscopic and transvaginal partial excision	100%	0%
Hammad et al., 2005	5	5 endoscopic partial excision	100%	100%
Velemir et al., 2008	8	2 transvaginal partial excision 4 endoscopic partial excision 1 endoscopic and transvaginal partial excision 1 observation	88%	50%
Wijiffels et al., 2009	3	3 endoscopic partial excision	100%	67%
Jo et al., 2011	3	2 endoscopic partial excision 1 endoscopic and transvaginal partial excision	100%	67%
Shah et al., 2013	14	8 transvaginal and retropubic complete excision 6 transvaginal partial excision	100%	72%
Kowalik et al., 2018	19	19 transvaginal partial excision	60% (pain)	8%

거력이 있는 환자에서 후치골중부요도슬링 수술 후 메쉬가 소장고리(loop of the small intestine)를 통과한 것을 발견하고 수술한 경험을 보고하였다. 장손상은 트로카 삽입 시 치골 후면에 밀착시켜 통과시키지 않고 복벽쪽으로 통과시킬 때 발생할 수 있으며 골반수술이나 방사선치료의 과거력이 있는 경우 위험이 증가한다.

3. 메쉬 관련 합병증

서론에서 언급한 바와 같이 중부요도슬링의 빈도가 증가하면서 메쉬관련 합병증의 빈도 역시 증가하였고 이에 대한 경각심이 높아졌다. 2011년 학계에서는 관련 연구의 통일성과 용어의 정확성을 위해 용어 표준화 작업을 진행하였고 메쉬합병증의 분류법을 제시하였다(표 36-3) (Haylen et al., 2011). 한편, 메쉬가 노출(exposure)되었을 때 일반적으로 많이 사용하는 "미란(erosion)"은 "마찰이나 압력에 의해 닳아 없어진 상태를 뜻하는 것으로 임상적으로 정확하지 않은 용어이므로 사용을 피할 것을 권고하였다. 위원회에서는 기본 용어 외에 메쉬 관련 합병증을 category, time, site로 나누어 코드화 할 수 있는 CTS classification을 제시하였다(그림 36-1).

표 36-3. **Terminology of the complications related directly to the insertion of prostheses (meshes, implants, tapes) in female pelvic floor surgery**

Terms used	여성
Exposure	A condition of displaying, revealing, exhibiting or making accessible e.g. vaginal mesh visualized through separated vaginal epithelium
Separation	Physically disconnected (e.g. vaginal epithelium)
Extrusion	Passage gradually out of a body structure of tissue
Perforation	Abnormal opening into a hollow organ or viscus
Dehiscence	A bursting open or gaping along natural or sutured lines
Contraction	Shrinkage or reduction in size
Prominence	Parts that protrude beyond the surface (e.g. due to wrinkling or folding with no epithelial separation)
Sinus tract formation	(Localized) formation of a fistulous tract towards vagina or skin, where there is no visible implant material in the vaginal lumen or overlying skin.

1) 메쉬의 질 노출 (Vaginal mesh exposure)

메쉬의 질 노출은 중부요도슬링수술 후 질 내로 합성 메쉬가 관찰되는 것을 말한다. 발병율은 후치골슬링 0~8.1%, 경폐쇄공슬링 0~4%, 단일절개슬링 1.2~7% 로 알려진다(Campbell Urology p2863 ETABLE 125.8).

증상이 없는 환자에서 우연히 발견되는 경우도 있지만, 질분비물, 악취, 질내 이물감, 질출혈, 성교 중 배우자가 통증 또는 이물감을 느낌 등의 증상을 야기하고 심한 경우 회음부 농양을 동반할 수 있다.

고령, 폐경, 방사선 치료병력, 흡연, 비만, 당뇨, 면역억제 상태, 요실금수술과 동시에 질식 자궁적출술이나 골반장기탈출교정술을 받은 경우, 이전에 요실금

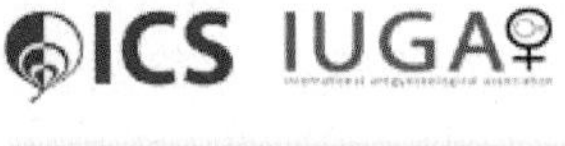

Joint project of the International Continence Society
and the International Urogynecological Association

Prosthesis/Graft Complication Classification Code:

† Native Tissue Calculator

Category:

○**1 - Vaginal: no epithelial separation**
Include prominence (e.g. due to wrinkling or folding), mesh fibre palpation or contraction (shrinkage)

○**2 - Vaginal: smaller ≤ 1cm exposure**

○**3 - Vaginal: larger >1cm exposure (or any extrusion)**

○**4 - Urinary Tract**
Compromise or perforation. Including prosthesis (graft) perforation, fistula and calculus

○**5 - Rectum or Bowel**
Compromise or perforation. Including prosthesis (graft) perforation and fistula

○**6 - Skin and / or musculoskeletal**
Complications including discharge pain lump or sinus tract formation

○**7 - Patient compromise**
Including hematoma or systemic compromise

Division:

Pain:

○**Unspecified**
○**a - Asymptomatic or no pain**
○**b - Provoked pain only**
(during vaginal examination)
○**c - Pain during sexual intercourse**
○**d - Pain during physical activities**
○**e - Spontaneous pain**

Time:

○**T1 - Intraoperative to 48 hours**
○**T2 - 48 hours to 2 months**
○**T3 - 2 months to 12 months**
○**T4 - over 12 months**

Site:

○**S0 - No site applicable**
○**S1 - Vaginal: area of suture line**
○**S2 - Vaginal: away from area of suture line**
○**S3 - Trochar passage (except intra-abdominal)**
○**S4 - Other skin or musculoskeletal site**
○**S5 - Intra-abdominal**

Notes

1. Multiple complications may occur in the same patient. There may be early and late complications in the same patient. i.e. All complications to be listed. Tables of complications may often be procedure specific.
2. The highest final category for any single complication should be used if there is a change over time.
3. Urinary tract infections and functional issues (apart from 4B) have not been included.

Table 1: Terminology involved in the Classification

TERMS USED	DEFINITION
PROSTHESIS	*A fabricated substitute to assist a damaged body part or to augment or stabilize a hypoplastic structure*
A: Mesh	*A (prosthetic) network fabric or structure*
B: Implant	*A surgically inserted or embedded (prosthetic) device*
C: Tape (Sling)	*A flat strip of synthetic material*
GRAFT	*Any tissue or organ for transplantation. This term will refer to biological materials inserted*
A: Autologous Grafts	*From the woman's own tissues e.g. dura mater, rectus sheath or fascia lata*
B: Allografts	*From post-mortem tissue banks*
C: Xenografts	*From other species e.g. modified porcine dermis, porcine small intestine, bovine pericardium*
TROCAR	*Narrow prosthetic / graft insertion needle / device*
COMPLICATION	*A morbid process or event that occurs during the course of a surgery that is not an essential part of that surgery*
CONTRACTION	*Shrinkage or reduction in size*
PROMINENCE	*Parts that protrude beyond the surface (e.g. due to wrinkling or folding with no epithelial separation)*
SEPARATION	*Physically disconnected (e.g. vaginal epithelium)*
EXPOSURE	*A condition of displaying, revealing, exhibiting or making accessible e.g. vaginal mesh exposure.*
EXTRUSION	*Passage gradually out of a body structure or tissue*
COMPROMISE	*Bring into danger*
PERFORATION	*Abnormal opening into a hollow organ or viscus*
DEHISCENCE	*A bursting open or gaping along natural or sutured line*

Reference:

IUGA/ICS Joint Terminology and Classification of Complications Related Directly to the Insertion of Prostheses (Meshes, Implants, Tapes) or Grafts In Female Pelvic Floor Surgery

*Bernard T Haylen[*a], Robert M Freeman[**a], Steven E Swift[*c], Michel Cosson[b], G Willy Davila[c], Jan Deprest[b], Peter L Dwyer[*a], Brigitte Fatton[c], Ervin Kocjancic[b], Joseph Lee[c], Chris Maher[c], Eckhard Petri[c], Diaa E Rizk[c], Peter K Sand[c], Gabriel N Schaer[c], Ralph Webb[*c]*

Standardization and Terminology Committee, International Urogynecological Association (IUGA)[*] & International Continence Society (ICS)[*]; Joint IUGA/ICS Working Group on Complications Terminology[b]

Publication:

This ICS-IUGA Joint Standardisation report is being published simultaneously in January 2011 with the permission of both publishers:

- *Neurourology and Urodynamics, Wiley-Liss Inc.*
- *International Urogynecology Journal, Springer-Verlag London Ltd.*

그림 36-1. A classification by category (C), time (T), and site (S) of complications directly related to the insertion of prostheses (meshes, implants, tapes) or grafts in female pelvic floor surgery. Available at https://www.ics.org/complication

수술을 받은 경우, 질위축이 있는 경우에 발생위험이 증가한다. 또한 질점막 박리가 너무 얇게 된 경우와 요도주위고랑(paraurethral sulcus)의 손상/질천공/질 절개 부위의 봉합이 잘 되지 못한 경우와 같은 수술적 오류와, 질 봉합 부위가 완전히 치유되기 전 이른 성생활에 의한 기계적인 외상에 의해 발생할 수 있다. 수술부위의 감염에 의해 이차적으로 발생하거나 합성메쉬의 이물반응과 작은 크기의 구멍을 가진 메쉬를 사용한 경우에도 발생할 수 있다.

메쉬의 질 노출을 예방하기 위해서는 수술 중 기술적인 오류가 발생하지 않도록 주의하며 수술을 마치기 전에 이상 소견이 없는지 주의 깊게 질 부위를 살펴보아야 한다. 그리고 수술 후 질 봉합 부위가 완전히 치유될 때까지 성생활을 피하여야 하는 것에 대해 환자에게 설명하여야 한다.

표준화된 치료법은 없으며, 경과관찰, 메쉬부분절제, 완전절제, 질점막을 메쉬 위로 덮어서 봉합하는 방법 등 다양한 방법들이 보고되었다. 메쉬의 노출 정도, 동반된 감염 여부와 정도, 환자 상태 등을 고려하여 적절한 치료방법을 선택한다. 수술 후 초기에 발견된 감염이 동반되지 않은 1 cm 이하의 메쉬 노출은 에스트로젠치료와 같은 보존요법으로 호전을 기대해볼 수 있다. 그러나 보존치료에 반응하지 않는 경우, 하부요로손상(요도나 방광의 메쉬 노출)과 동반된 경우, 메쉬 노출 범위가 넓거나 감염이 동반된 경우 등은 노출된 메쉬를 부분 또는 모두 제거해야 한다. 수술방법은 노출된 메쉬의 위치와 범위에 따라 정중절개 또는 횡절개를 가할 수 있고 경우에 따라 반전된 U (inverted U) 절개를 가할 수 있다. 최대한 메쉬와 메쉬를 싸고 있는 조직만 박리하되 이 때 메쉬가 부분적으로 잘리거나 끊어져 수술부위에 남지 않도록 주의하고 너무 예리한 도구는 사용하지 않는 것이 좋다. 동반된 요도나 방광의 메쉬 노출이 없는 경우, 경폐쇄공슬링의 경우 폐쇄공까지, 후치골슬링의 경우 치골부위까지 박리한 후 절단한다. 메쉬제거 후 박리부위를 주의깊게 관찰하여 요도나 방광에 손상이 없는 지 확인하고 필요시 도뇨관을 삽입하여 누출테스트를 시행한다.

표 36-4에 질메쉬의 치료에 대한 연구 결과를 요약하였다. 메쉬 제거 후 관련 증상들은 대부분 호전되었으며 두 연구를 제외하면 80% 이상의 요자제율을 보였다. 재발한 요실금의 치료방법으로는 주사요법이나 근막을 이용한 슬링, 합성메쉬를 이용한 중부요도슬링의 재시행 등이 있다(Abdel-Fattah, Barrington, & Arunkalaivanan, 2004; Karsenty, Boman, Elzayat, Lemieux, & Corcos, 2007). 중부요도슬링을 재시행할 경우에는 테이프를 제거한 뒤 2~3개월 후 부종과 감염이 없이 수술부위가 온전히 상피화된 것을 확인 후 해야 한다(Abdel-Fattah et al., 2004).

2) 통증

중부요도슬링수술 후 대부분 통증은 일시적으로 나타났다가 소실되며, 지속적 통증이 관찰되는 경우는 드물다. 수술방법에 따른 술 후 통증의 정도를 비교한 경우 후치골슬링을 받은 환자가 경폐쇄공슬링을 받은 환자보다 더 심한 것으로 알려진다(David-Montefiore et al., 2006; Laurikainen et al., 2007). 그러나 샅(groin) 부위 통증은 수술의 방법의 특성 상 경폐쇄공슬링에서 많이 나타난다. 메타분석의하면, 샅부위 통증은 경폐쇄공슬링에서 후치골에 비해 약 8.3배 많았다(Latthe, Foon, & Toozs-Hobson, 2007).

표 36-4. **Management of vaginal mesh exposure**

	Total patients	Conservative management	Final management	Symptom resolution[a]	Continence
Meschia et al., 2001	2	0%	2 resutured vagina	100%	100%
Karram et al., 2003	3	33%	1 partial mesh excision 1 vaginal advancement flap 1 antibiotics	100%	67%
Kobashi and Govier, 2003	4	100%	4 observation	NR	100%
Tsivian et al., 2004	5	20%	4 partial mesh excision 1 observation	100%	80%
Sharma and Oligobo, 2004	3	0%	3 partial mesh excision	100%	NR
Huang et al., 2005	6	0%	6 partial mesh excision	100%	100%
Hammad et al., 2005	17	0%	17 partial mesh excision	65%	NR
Starkman et al., 2006	11	0%	11 partial mesh excision	100%	NR
Giri et al., 2007	5	0%	5 resutured vagina	100%	NR
Ordorica et al., 2008	11	0%	11 complete mesh excision	100%	82%
Lapouge et al., 2009	12	0%	12 partial mesh excision	83%	33%
Hinoul et al., 2011	7	0%	7 resutured vagina	100%	NR
Teo et al., 2011	3	0%	2 resutured vagina 1 partial mesh excision (failed resuturing twice)	100%	NR
Bianchi-Ferraro et al., 2013	3	33%	1 resutured vagina 1 partial mesh excision 1 topical conjugated estrogen	100%	NR

NR, Not recorded.

대부분의 통증은 보존적 치료로 호전되지만 경우에 따라서는 메쉬 제거가 필요할 수 있다. Vervest 등(Vervest, Bongers, & van der Wurff, 2006)은 후치골슬링수술 후 보존치료에 반응하지 않는 후치골부 통증을 호소한 1명의 환자에서 메쉬를 제거한 후 통증이 소실된 것을 보고하였다. 제거된 메쉬의 병리학 검사 결과 메쉬가 장골서혜신경과 장골하복신경가지로 통과한 것으로 나타났다.

Wolter 등(Wolter, Starkman, Scarpero, & Dmochowski, 2008)은 경폐쇄공슬링수술 후 24개월간 지속된 대퇴부 통증을 호소하는 환자에 대해 메쉬 제거 후 통증이 소실된 경우를 보고하였다. 수술 시 신경손상은 관찰되지 않았으나 메쉬가 큰내향근(adductor magnus muscle)을 뚫고 지나간 것이 관찰되었으며 이것을 지속적인 대퇴부 통증의 유발 요인으로 분석하였다. 이러한 합병증을 예방하기 위해서는 중부요도슬링수술 시 해부학적 기준점을 완벽히 숙지해야 하며 수술 시작 전 환자의 자세를 확인하여 트로카가 해부학적인 안전범위내에서 수월하게 조작되도록 해야한다.

4. 배뇨관련합병증

1) 배뇨장애 (Voiding phase dysfunction)

요실금수술 후 배뇨장애를 진단하는 합의된 기준은 없으며 연구자마다 다양한 기준을 제시하고 있다. 연구에 따르면 후치골중부요도슬링 이 후 0~20.6%에서 배뇨장애가 발생하며, 일시적 요폐는 1.4~15%, 영구적 요폐는 2.4~2.8%에서 발생하는 것으로 알려진다(Klutke et al., 2001; Kuuva & Nilsson, 2002, 2003; Leach et al., 1997; Levin et al., 2004; Long et al., 2004; Meschia et al., 2001). 반면, 경폐쇄공슬링의 경우, 요폐는 0~1%, 배뇨장애는 6~16%에서 발생하는 것으로 보고된다(Brubaker et al., 2011; Kim et al., 2014; Richter et al., 2010). Richter 등(Richter et al., 2010)은 경폐쇄공에 비해 후치골슬링 후 도뇨관 사용이 필요한 배뇨장애가 유의하게 많다고 보고하였다. Long 등(Long et al., 2009)의 메타분석 결과에서도 후치골슬링에서 배뇨장애가 더 많이 발생하는 것으로 나타났다.

술 후 배뇨장애는 메쉬의 과다한 장력으로 인한 요도폐색, 요도주위조직의 부종, mesh로 인한 자극, 요도평활괄약근의 증가된 수축력, 요도횡문괄약근 이완장애로 인해 발생하는 것으로 생각된다(FitzGerald & Brubaker, 2001). 위험인자로는 고령, 낮은 체질량지수, 이전 요실금수술력, 술 전 낮은 최대 요속을 보인 경우, 술 후 요로감염이 있는 경우 등이 있다(Hong, Park, Kim, & Choo, 2003; Kim et al., 2014; Sokol, Jelovsek, Walters, Paraiso, & Barber, 2005; Wang, Wang, Neimark, & Davila, 2002).

요실금 수술 후 배뇨장애가 발생한 환자들은 복압배뇨, 불완전 배뇨, 요절박, 빈뇨, 요주저, 절박요실금, 배뇨 후 잔뇨량 증가, 재발성 요로감염, 요폐색 등을 호소할 수 있다. 이러한 경우 골반검사와 방광요도내시경을 시행하여 메쉬 노출 여부와 수술부위의 과도한 위축 및 섬유화가 있는지 관찰하고 요도내경을 측정하여 저항이 있는 지 확인할 수 있다.

대부분 수술 중 방광과팽창 등으로 인한 일시적 현상으로 단기간 도뇨관을 유치하거나, 간헐적도뇨, 시간배뇨, 약물치료와 같은 보존 치료로 증세가 호전될 수 있다. Kuuva와 Nilsson 등(Kuuva & Nilsson, 2002)은 후치골슬링수술을 받은 1,455명 중 34명(2.3%)에서 요폐색이 발생하였고, 이 중 6명은 술 후 24시간 이내에 정상배뇨가 가능하였고 14명은 2주 이내, 2명은 6주 이내에 정상배뇨가 가능했다고 보고하였다. 그러나, 요폐가 지속되거나 잔뇨량이 감소하지 않을 경우에는 수술적 치료를 고려해야 한다. 몇몇 보고에서 슬링메쉬로 인한 방광출구폐쇄 환자에서 요도확장술을 시행한 사례를 보고하였으나 이 방법은 요도 메쉬 노출의 위험이 있으므로 피해야 한다(Velemir et al., 2008). 수술 방법으로는 요도를 박리하여 기존 메쉬를 절단하거나 일부 또는 전체를 절제하는 방법이 있다. Long 등(Long et al., 2004)은 잔뇨량이 많은 환자 중 일부는 술 후 4일, 또 다른 일부는 술 후 2주에 질을 통한 방법으로 정중앙의 약간 오른쪽에서 메쉬를 절단하였다. 술 후 2주에 메쉬를 절단한 환자에서는 잔뇨량이 감소하였고 요실금은 재발하지 않았으나, 술 후 4일에 테이프를 절단한 환자에서는 모두 요실금이 재발하였다. 결론으로, 저자들은 최소 술 후 2주까지 보존치료를 한 후 증상 호전이 없을 때 수술을 고려하도록 권고하였다. Klutke 등(Klutke et al., 2001)에 의하면, 후치골슬링수술을 받은 환자 600명 중 17명(2.8%)에서 배뇨장애가 발생하였고, 평균 술 후 64일에 메쉬를 수술적으로 박리하여 느슨하게 하였다. 메쉬 이완을 시행한 모든 환자에서 배뇨증상이 호전되었으며, 한 명의 환자를 제외하고 메쉬 이완 이 후 요실금은 관찰되지 않았다. Meschia 등(Meschia et al., 2001)의 보고에 의하면, 후치골슬링수술을 받은 환자 404명 중 17명(4%)에서 배뇨장애가 발생하였고 4주간 보존 치료 후 15명은 정상배뇨가 가능했으며, 2명은 메쉬를 절개한 후 배뇨증상이 호전되었다. 요실금 재발은 없었다. Levin 등(Levin et al., 2004)도 수술 후 배뇨장애를 보인 환자 8명 중 7명은 4주간 보존치료 후 증상이 호전되었으며, 8주까지 증상 호전이 없었던 1명은 요도박리술과 메쉬 절제를 시행한 후 증상이 호전되었으며 요실금 재발은 없었다고 보고하였다.

결론으로, 요실금수술 후 발생한 배뇨장애의 경우, 보존요법을 시행하고 술 후 4주가 될 때까지 증상 호전이 없는 경우 수술을 고려하는 것이 좋을 것이다.

2) 저장장애(De novo urgency or urgency incontinence)

요실금 수술 후 발생한 요절박의 발생률은 0.2~27%로 보고 된다. 위험인자로는 술 전에 복합성요실금이 있었으나 절박요실금을 진단하지 못한 경우, 고령, 골반수술의 과거력, 요실금 수술 시 요도주위 박리에 의한 방광 자율신경의 탈신경화 등이 있다(Holmgren, Nilsson, Lanner, & Hellberg, 2007). 술 후 요절박을 호소하는 환자에서는 요도나 방광의 메쉬 노출이나 천공, 요로감염, 요폐색이 있을 수 있으므로 우선 이러한 가능성들을 배제해야 한다. 검사상 특이소견이 발견되지 않은 경우, 우선적인 치료는 약물치료이며 약물치료에 반응하지 않는 경우 보톡스 방광내 주사나 천수신경조정술을 고려해볼 수 있다.

5. 수술 관련 합병증

1) 출혈

후치골슬링수술 후 0.9~2.7%에서 출혈과 연관된 합병증이 발생하며, 경폐쇄공수술 후 출혈에 의한 합병증은 매우 드물다. 수술 중 관찰되는 출혈은 주로 질과 요도주위의 혈관손상에 의해 발생하며, 이러한 출혈은 대부분 출혈 부위의 압박이나 질 패킹, 전기소작으로 조절될 수 있다. 수술이 필요한 심한 출혈은 동맥손상에 의한 것으로, 치골 결합 후면의 동맥, 외장골동맥, 대퇴동맥, 하복벽동맥 등의 손상에 의한 것이다. Retzius 공간 외부에서 출혈이 발생하는 경우 보존 치료에 반응하지 않으므로 수술이 필요하다(Walters, Tulikangas, LaSala, & Muir, 2001). 한 보고에 의하면, 후치골슬링수술 시 5,578명 중 151명인 2.7%에서 출혈과 연관된 합병증이 발생하였고 151명 중 18명(0.3%)은 수혈이 필요하였으며, 45명(0.8%)은 수술이 필요하였다(Kolle et al., 2005). 또한 Elard 등 (Elard et al., 2002)은 후치골슬링수술 후 출혈로 선택적색전술이 필요한 환자사례를 보고하였다.

경폐쇄공슬링수술에서 방광과 혈관손상은 드물지만 수술이 필요한 출혈과 신경손상이 관찰된 경우가 있으며 이러한 위험을 예방하기 위해서는 트로카를 삽입할 때 올바른 각도로 삽입하는 것이 중요하다(Atassi, Reich, Rudge, Kreienberg, & Flock, 2008; Krynytska & Holmes, 2013).

2) 감염

중부요도슬링수술 후 연조직 감염은 후치골이나 경폐쇄공 술식 모두에서 발생할 수 있으나 대퇴부 연조직 감염은 주로 경폐쇄공슬링 후 발생한다(DeSouza, Shapiro, & Westney, 2007). 임상적으로 연조직 감염이 의심되면, 초음파, 전산화 단층촬영 또는 자기공명영상을 통해 진단할 수 있다. 치료는 증상의 정도에 따라 항생제로 치료할 수 있으나, 항생제로 치료가 되지 않을 경우, 절개 및 배농과 메쉬 제거, 광범위 항생제 치료가 필요하다.

전체 참고문헌 목록은
배뇨장애와 요실금 웹사이트 자료실
(http://www.kcsoffice.org)에서
확인할 수 있습니다.

제 37 장

남성 복압성요실금

Male stress urinary incontinence

김장환

1. 서론

남성의 요실금은 여성에서만큼 많이 연구되어 있지는 않다. 남성과 여성의 해부학적인 구조가 다르고 요실금의 발생 기전이 다르기 때문에 요실금의 아형도 남성과 여성 간에 차이를 보인다(Abrams 2017). 남성에 있어서는 절박성요실금(urgency urinary incontinence)이 40~80%로 가장 많고, 복합성요실금(mixed incontinence)이 10~30%를 차지하고, 복압성요실금(stress incontinence)은 10% 미만으로, 즉 남성에 있어서는 복압성요실금의 빈도수가 상대적으로 많지 않은 것으로 보고되고 있다(Herzog and Fultz 1990). 남성에 있어서 복압성요실금이 발생하는 원인은 주로 치료 후 발생하는 요도괄약근의 손상에 의한 경우가 흔한데, 전립선 암의 치료를 위해 근치적전립선절제술을 하는 경우, 방사선 치료를 하는 경우와 전립선비대증의 치료를 위하여 경요도전립선수술을 하는 경우를 대표적으로 들 수 있다. 이외에 외상이나 신경학적인 손상에 의해 괄약근의 해부학적 혹은 신경학적인 결손이 생기는 경우도 복압성요실금을 유발할 수 있다(Thiruchelvam, Cruz et al. 2015, Heesakkers, Farag et al. 2017).

그러나, 최근에는 전립선암이 조기 진단됨으로써 전립선 전 절제 수술을 받은 후 삶의 질을 저하시키는 전립선절제술 후 요실금(post-prostatectomy incontinence)의 치료에 대한 수요가 증가한 만큼 남성 요실금에 대한 관심도 증가하고 있다. 근치적전립선절제술 후 요실금의 발생률은 '요실금'의 정의가 다른 관계로 정확하지는 않으나, 5명 중 1명 정도가 장기간 패드를 사용해야 하는 것으로 알려져 있다(Prabhu, Lee et al. 2013).

2. 남성 요도괄약근의 구조

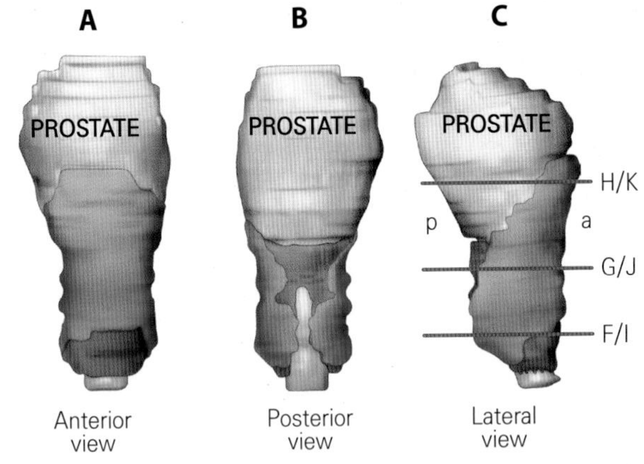

그림 37-1. 12주 남아 태아에서의 외 요도괄약근(청색)과 내요도괄약근(적색) 및 요도와 전립선(밝은 미색). (A) 앞면, (B) 뒷면, (C) 우측측면(European urology. 2009;55:932-43.에서 발췌하였음)

남성의 요도괄약근은 두 개의 다른 기능을 가진 단위(units)로 구성 되어있다; 내요도괄약근(Internal urethral sphincter)과 외요도괄약근(external urethral sphincter)이다(그림 37-1). 내요도괄약근은 방광경부, 전립선 그리고 전립선 요도에서 정구(verumontanum)에 까지 분포한다. 내요도괄약근은 아랫배 신경총(inferior hypogastric plexus)에서 나오는 부교감신경(parasympathetic nerve fiber) 및 교감신경(sympathetic fiber)의 신경의 지배를 받는다. 내요도괄약근은 주로 수동적인 요자제(passive continence)에 관여하는 것으로 알려져 있고, 방광출구(bladder outlet)에 압력(stress)이 거의 가해지지 않는 일상생활 때 요자제를 유지해 주는 역할을 한다.

외요도괄약근은 정구에서부터 근위부 구부요도(proximal bulbous urethra)까지에 분포하며 요자제에 관여하는 여러 개의 구조물들로 이루어져 있다. 외요도괄약근은 주로 능동적인 요자제(active continence)에 관여한다. 전립선-막양부요도(prostato-membranous urethra), 전립선-막양부요도를 감싸는 원통형의 횡문괄약근(cylindrical rhabdosphincter; external sphincter muscle), 요도 주변의 근육들(extrinsic paraurethral musculature), 그리고 골반의 결합조직 구조물들이 모두 외요도괄약근에 포함된다. 횡문괄약근은 세로 평활근(longitudinal smooth muscle)과 느린 연축골격근 섬유(slow twitch skeletal muscle fiber)로 이루어져 있다. 근치적전립선절제술로 내요도괄약근의 대부분이 절제된 후 요자제는 대부분 외요도괄약근에 의존하게 되는데, 바로 이 횡문괄약근(rhabdosphincter)의 평활근과 느린 연축골격근이 요자제에 주요하게 기여하게 된다. 부교감(parasympathetic-pelvic nerve) 혹은 체성 신경(somatic-pudendal nerve)의 지배를 받는다. 또한, 요도 주변에 분포하는 여러 횡문근들의 수축은 간접적으로 요자제에 역할을 하는 것으로 알려져 있다.

즉, 남성에 있어서의 요자제는 내요도괄약근, 외요도괄약근과 이들을 지지해주는 구조물들과 이를 지배하는 신경들에 의해 유지된다. 또한 방광출구폐색을 일으킬 정도로 크지 않다면, 전립선 또한 요자제에 관여하는 구조물의 하나이다. 그런데, 다양한 원인들에 의해 이들 중 어느 한 부분에라도 결손이 생긴다면 요실금이 발생하게 되는 것이다(MacLennan 2012, Wein 2016, Abrams 2017, Heesakkers, Farag et al. 2017).

3. 남성 복압성요실금의 병태 생리와 기전

본문에서는 전립선절제술 후 요실금의 해부학적인 측면을 기준으로 기전을 언급하도록 하겠다.

(1) 요도의 괄약근의 손상

근치적전립선절제술을 할 경우 내요도괄약근이 대부분 제거되므로, 이후의 요자제는 대부분 외요도괄약근에 의존하게 된다.

(2) 요도를 지지해주는 구조물들의 손상

전방요도에서 지지해주는 구조물에는 치골방광인대(pubovesical ligament), 치골전립선인대(puboprostatic ligament) 그리고 골반근막(pelvic fascia)의 건궁(tendinous arch)이 있다. 이러한 구조물들은 방광경부와 외요도괄약근의 위치를 안정화 해주며 막양부요도(membranous urethra)를 치골(pubic bone) 방향으로 고정시켜주는(secure) 역할을 하게 된다 (Steiner 1994). 후방요도에서 지지해주는 구조물로는 회음체(perineal body or central perineal tendon), Denonvilliers근막, 직장요도근육(rectourethral muscle), 그리고 항문거근복합체(levator ani complex)가 있다 (Heesakkers, Farag et al. 2017). 그리고 이와 더불어 골반저(항문거근과 이를 둘러싸는 근막으로 구성되어 있음)도 요도를 지지해 주는 데 관여하게 된다 (Kirschner-Hermanns, Wein et al. 1993). 근치적전립선절제술 중 상기 여러 구조물의 어느 한 곳에 결손이 생기는 경우에도 요실금이 발생한다.

이 이외에도 전립선수술 후 요실금에 관여하는 인자로는,

(3) 조직들의 섬유화(fibrosis)

(4) 신경구조의 손상

(5) 수술 중 혈류차단(devascularization)에 의해 발생하는 방광의 기능적 변화

(6) 환자의 노화

(7) 환자의 체질량지수

(8) 수술 전부터 있었던 환자의 하부요로증상

(9) 전립선의 크기 및 막양부요도의 길이도 관여 인자로 받아 들여지고 있다.

특히 현재까지 보고된 연구결과들은 수술 전 막양부 요도의 길이가 길었던 환자들이 전립선 전 절제수술 후 요자제측면에 있어서 유리한 것으로 알려져 있다(Mungovan, Sandhu et al. 2017).

4. 진단

전립선절제술 후 요실금의 요역동학적 원인 또한 다양하다. 괄약근 기능 상실이 2/3이상을 차지하는 주된 원인이기는 하나 동반되는 방광의 기능이상(배뇨근과활동성(detrusor overactivity), 배뇨근저활동성(detrusor underactivity) 혹은 방광유순도의 저하)도 고려해야 한다. (Heesakkers, Farag et al. 2017, Averbeck, Woodhouse et al. 2019) 따라서 환자들을 처음 평가할 때 요실금이 언제 발생하는 지(즉, 요실금이 복압성요실금 유형인지, 절박성요실금 유형인지, 아니면 일류성요실금인지 요실금 유형의 평가)와 환자의 병력을 확인하는 것이 일차적 평가에 있어서 중요하다. 그 다음 신체검사(기침을 시켜서 소변이 새는 지의 여부 평가

(cough test), 신경-비뇨의학적 검사, 배뇨일지, 패드에 일정시간 동안 소변이 새는 양을 측정하는 검사(pad-test), 소변검사, 소변 세포검사, 혈청 크레아티닌 s-creatinine, 혈청 전립선특이항원(PSA), (전립선을 절제한 환자가 아닐 경우)직장수지검사와 같은 전립선 평가를 시행한다. 방광-요도 내시경 검사는 특히 방광이나 요도의 이상유무 여부의 진단에 있어서 중요한 사전 검사이다. 특히 요실금 수술을 예상하고 있는 경우, 요도와 방광경부의 열림(patency)이 적절한지, 협착이 있지는 않은지, 방사선 치료를 받은 환자의 경우에는 요도의 조직이 수술을 시행하기에 적합한지를 사전에 확인해야 하며, 또한 방광이나 요도에 앞선 수술에 관련된 수술에 사용된 봉합용 클립 등의 존재 여부도 확인해야 한다. 아직 어느 환자에게 언제 시행해야 하는지에 대한 가이드라인 확립되어 있는 것은 아니나, 요역동학검사는 방광 기능의 이상 유무 여부에 대한 정보를 제공해 준다는 점에 있어서 주요한 검사의 하나라고 볼 수 있다(Comiter 2015, Biardeau, Aharony et al. 2016, Arcila-Ruiz and Brucker 2018, Sandhu, Breyer et al. 2019).

5. 보존적 치료

수술에 앞서 요실금의 환자들에게 일차적으로 시도해 볼 수 있는 치료법이다. 그러나 근본적인 치료방법은 아니며 보존적 용도로 적용해 볼 수 있다.

1) 생활습관 조절

과체중이거나 비만 환자의 경우, 특히 2형 당뇨를 동반한 환자의 경우, 체중조절이 요실금에 효과적인 것으로 알려져 있다. 흡연은 빈뇨를 유발할 수 있는 것으로 알려져 있으며 요실금이 있는 남성에게는 금연이 권장된다. 카페인은 빈뇨와 요절박을 유발하므로 요실금 환자에게 카페인 섭취를 줄일 것을 권장한다. 카페인에 대해서는 연구 결과마다 차이가 있으나, 카페인 섭취를 줄이는 것이 요실금에 직접적인 도움이 되지는 않다고 여겨진다(Abrams 2017, Burkhard, Bosch et al. 2018).

2) 골반저근훈련 (Pelvic Floor Muscle Training, PFMT)

골반저근훈련은 골반저근운동(pelvic floor muscle exercise), 근전도검사(electromyography), 생체되먹임(biofeedback)을 모두 종합하여 일컫는다. 골반저근(Pelvic floor muscle)은 항문거근(levator ani muscle)과 이를 둘러싸는 근막으로 구성되어 있다. 이 골반저근이 요도에 직접적으로 연결되어 있는 것은 아니다(Wallner, Dabhoiwala et al. 2009). 그러나 이 구조물은 복압을 상승시키는데 관여하여 이로 인해 간접적으로 요자제에 관여하는 것으로 여겨지고 있다(Kirschner-Hermanns, Wein et al. 1993). 골반저근을 강화시키는 행위에는 다양한 방법들이 있는데, 표준화된 가이드라인은 없다. 또한 행위가 구체적으로 어떤 근육을 강화하는 지에 대하여 보고한 연구는 많지 않다. 한 연구에 의하면 건강한 남성들에게 방광을 올리기(elevate the bladder), 음경을 짧게 하기(shorten the penis), 요류를 참기(stop the flow of urine), 항문주변 근육을 조이기와 같은 4가지 행위를 하도록 하고 각각의 행위가 활성화시키는 근육들을 관찰하였는데, 소위 전립선 전 절제 수술 후의 요자제에 관여하는, 외요도괄약근(external urethral sphincter), 횡문요도괄약근(striated urethral sphincter)이 가장 활성화이 되는 행위는 음경을 짧게 하기 혹은 요류 참기였고(이 연구에서는 횡문요도괄약근의 활성이 초음파 검사에서 중부요도의 움직임과 상관관계가 있음도 보고함) 오히려 항문주변 근육을 조이도록 하도록 한 행위는 중부요도 움직임에 직접적인 영향을 주지는 않음을 확인하였다(Stafford, Ashton-Miller et al. 2016).

즉, 흔히 많이 알려진 Kegel운동은 항문거근의 운동을 목표로 하여 골반저근을 조였다 풀었다를 반복하도록 하는 운동으로, 이는 외요도괄약근에 직접적으로 영향을 주기보다는 골반저근을 강화하여 간접적으로 요자제에 기여한다고 볼 수 있다. 골반저근운동은 요도괄약근의 닫힘기전을 돕고, 자율신경에 의한 골반저근의 수축을 도모하며, 방광배뇨근의 불안정성에 기인하는 방광근육의 수축을 방지하는 효과가 있으며, 골반저의 혈류 증가를 촉진하는 것으로 받아들여지고 있다(Van Kampen, De Weerdt et al. 2000, Filocamo, Li Marzi et al. 2005). Kegel운동에 대한 정확한 표준은 없으나 항문괄약근 주변 골반저근을 5~10초간 조인 후 5~10초간 이완하는 것을 한 세트로 하여 10~15회를 반복하고 이를 한 세션으로 하여 하루에 3~5세션을 시행하도록 교육한다(Filocamo, Li Marzi et al. 2005, Goode, Burgio et al. 201). Kegel운동은 근치적전립선절제술 후 요도 카테터를 제거한 후부터 조기 훈련을 하였을 때 요자제를 회복하기까지의 기간이 대조군에 비하여 단축되었음을 보고하였다(Filocamo, Li Marzi et al. 2005).

그러나, 골반저근훈련이 근치적전립선절제술 후 요실금에 있어서 효과가 있는지 여부에 대해서는 불분명하다. 여러 연구에서 골반저근훈련이 근치적전립선절제술 후 12개월까지의 기간을 보았을 때 요자제의 회복을 앞당기는 데는 효과는 있는 것으로 보고되고 있다(Van Kampen, De Weerdt et al. 2000, Filocamo, Li Marzi et al. 2005, Manassero, Traversi et al. 2007). 또한 근치적전립선절제술 후 1년이 지난 환자들에게도 골반저근훈련과 행동요법을 시행하였을 때 요실금의 빈도가 줄어들었다는 보고가 있기는 하다(Goode, Burgio et al. 2011). 그러나, 2015년에 발표된 Cochrane 검토보고(Cochrane review)에서는, 골반저근운동이 수술 후 12개월 시점 기준, 전립선 전 절제수술 후 골반저근훈련을 한 그룹과 대조군간 요자제에 있어서 뚜렷한 차이가 없다고 결론지었다(Anderson, Omar et al. 2015, Burkhard, Bosch et al. 2018).

또한, 현재까지 여러 비교 연구들이 상반되는 결과를 보고하고 있는데 골반저근훈련과 함께 방광훈련이나 전기자극요법 혹은 생체되먹임요법을 함께 시행하는 것이 골반저근훈련만 단독으로 시행하는 것보다 더 효과적인지에 대한 여부는 아직 확실하지 않다(Burkhard, Bosch et al. 2018).

현재까지 보고된 여러 연구들에서 환자들에게 적용하였던 골반저근훈련의 표적 근육(target muscles), 방법, 자세, 운동 횟수, 교육 및 피드백 유무 여부들이 각기 다르고 치료효과 판단 기준 또한 각기 달랐던 부분을 고려한다면, 일관된 방법을 사용한 전향적 연구 및 이에 대한 최적의 골반저근훈련 가이드라인의 제시가 향후 필요할 것으로 보인다(Hall, Aljuraifani et al. 2018).

3) 전기자극요법(Electrical Stimulation, ESTIM)

전기자극요법은 음부신경(pudendal nerve)의 운동신경섬유를 자극하여 골반저근 혹은 요도주변의 횡문근(striated peri–urethral musculature)의 수축을 야기하면서 요도괄약근의 닫힘 기전을 돕는 방법이다(Berghmans, Hendriks et al. 2013; Anderson, Omar et al. 2015). 이는 또한 음부신경의 구심성 신경섬유도 자극하여 배뇨근과활동성(detrusor overacvitiry)과 절박성요실금의 개선에도 도움이 되는 것으로 알려져 있다(Berghmans, Hendriks et al. 2013). 비침습적 전기자극의 방법으로 항문전기자극과 접착력이 있는 패치전극을 피부에 부착시키는 경피적전기자극(transcutaneous electrical nerve stimulation, TENS)의 방법이 있다. 그러나 남성 요실금에 있어서 전기 자극의 효과는 명확하지는 않다. 6개의 무작위대조시험을 비교한 2013년 Cochrane 검토보고에 의하면, 전기자극요법은 골반저근훈련과 전기자극요법을 병행할 경우 골반저근훈련 단독요법보다(6개월 이내의 단기간 동안만의) 나은 효과가 있는 것으로 결론 내렸고 장기간 사용의 효과는 확인되지 않았으며, 통증과 불편감을 유발한다는 단점도 가지고 있다(Berghmans, Hendriks et al. 2013).

4) 자기장 자극요법 (Magnetic Stimulation, MSTIM)

자기장 자극요법도 근치적전립선절제술 후의 요실금을 치료하기 위하여 사용될 수 있다(Abrams 2017). 대표적인 요법 중의 하나로, 체외자기장신경조절요법(Extra–corporeal magnetic innervation, ExMI)을 들 수 있는데, 이는 자기장 의자에 앉아 골반저근의 수축과 천수신경 회로를 자극하는 자기장 자극요법의 한 방법이다. 그러나 2015년 Cochrane 검토보고에 의하면 자기장 자극요법이 남성 요실금의 치료에 주는 효과가 명확하지 않은 것으로 보고 있다(Anderson, Omar et al. 2015).

5) 음경 진동 자극 요법(Penile Vibratory Stimulation, PVS)

음경 진동 자극 요법을 통하여 음부신경을 자극하여 외요도괄약근의 압력을 높인다는 기전으로 적용되는 방법이다. 30명의 근치적전립선절제술을 받은 환자에게 적용하여 6주 시점에 요자제에 효과가 있음을 보고한 하나의 예비 연구가 소개되어 있을 뿐(Fode and Sonksen 2015), 남성 요실금에서 권장되기 위해서는 향후 연구가 더 필요하다.

6) 음경 압박 기구 (Penile Compression Devices)

음경압박기구는 음경요도를 눌러주어 요실금을 막는 저비용의 고전적인 방법이다. 그러나 조직이 손상될 가능성이 크고, 음경 허혈의 위험이 있기 때문에 주의해서 사용하여야 한다. 2시간마다 압박 클램프를 풀어주어야 하며 취침 시에는 적용해서는 안된다. 따라서 기억력과 인지능력에 이상이 있는 환자나, 음경의 감각이나 방광의 충만감을 정상적으로 느끼지 못하는 환자에게는 사용할 수 없다(Abrams 2017).

7) 남성 복압성요실금의 약물치료

남성 복압성요실금에 대하여, 이론적으로 요도 괄약근의 닫힘에 도움을 주기 위하여 사용해 볼 수 있는 약물에는 알파 아드레날린성 수용체 자극제(alpha-adrenergic receptor agonist), 베타-2 아드레날린성 수용체 자극제(beta2-adrenergic receptor agonist) 및 세로토닌-노르에피네프린 재흡수억제제(Serotonin-norepinephrine reuptake inhibitor)가 있다(Abrams 2017). 그러나 완벽히 치료할 수 있는 것은 아니며, 다만 다른 치료에 더하여 보조적으로 사용할 수 있는 정도이다. 특히 세로토닌-노르에피네프린 재흡수억제제의 하나인 duloxetine에 대하여 근치적전립선절제술을 받은 환자들의 요자제에 효과가 있다는 보고들이 있으나(Filocamo, Li Marzi et al. 2007; Cornu and Haab 2011), 간독성과 정신과적 부작용들이 있어서, 아직 공식적으로 모든 남성 복압성요실금 환자들에게 권할 수 있는 약물은 아니다. 앞으로 대규모의 전향적 연구를 통하여 적절한 대상 환자를 제시할 수 있어야 하겠다(Abrams 2017, Burkhard; Bosch et al. 2018).

결론적으로, 근치적전립선절제술 후 요실금을 포함한 남성 요실금에 있어서 보존적인 치료의 효과는 불확실하다. 이에 대한 구체적인 해답과 적절한 적응 대상을 알기 위해서는 향후 체계적으로 계획된 무작위배정 대조시험이 진행되어야 할 것이다(Anderson, Omar et al. 2015).

6. 수술적 치료

남성 복압성요실금 중에서도 특히 근치적전립선절제술 후의 요실금에 대하여 수술적 치료의 시기에 대해서는 아직 확실히 정립되어 있지 않다. 통상적으로 수술 후 6~12개월간의 기간을 관찰한 후 호전이 없으면 수술을 하게 되는데, 이는 요실금의 자연회복기간 및 조직의 적합성을 고려한 것이라고 할 수 있다(Biardeau, Aharony et al. 2016). 전립선절제술 후 발생한 요실금에 대한 대표적인 두가지 치료법으로는 인공요도괄약근(artificial urinary sphincter, AUS)과 남성슬링(Male Sling System) 두 가지를 들 수 있다.

1) 인공요도괄약근 (Artificial Urinary Sphincter)

(1) 인공요도괄약근의 개요

인공요도괄약근은 구부요도(bulbous urethra)를 둘러서 감싸주는 역할을 하여 요자제에 기여하는 것이다. 현재 AMS 800, ZSI 375, Victo 등의 상품명을 가진 제품들이 소개되어있다(그림 37-2). 이 중에서 1972년에 소개되어 가장 오랜 기간 동안의 효과가 입증된 모델인 AMS800을 기준으로 언급하겠다. 인공요도괄약근은 세 가지의 부속품으로 이루어져 있다; 즉 요도를 감싸는 띠(커프)(occlusive cuff), 압력을 조절하는 풍선(pressure regulating balloon) 그리고 스위치 펌프(제어펌프)(switch pump)이다(그림 37-3). 그리고 수술 중 이 세 가지 부분을 연결하고 기구 안에 멸균된 액체(생리식염수가 권장된다)를 충전시킨다. 인공요도괄약근의 작동원리는 기구 시스템 안에 충전된 액체가

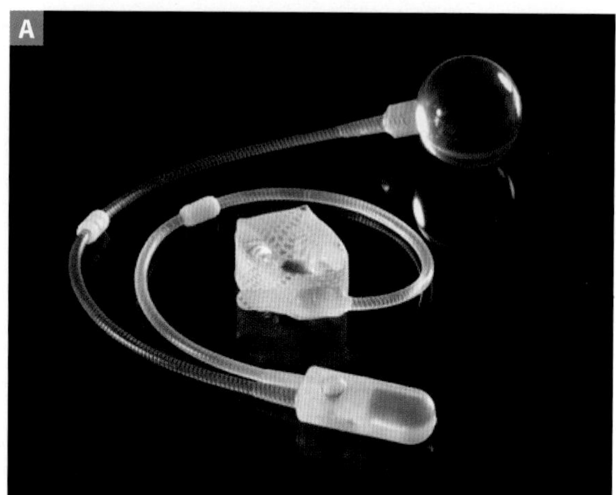

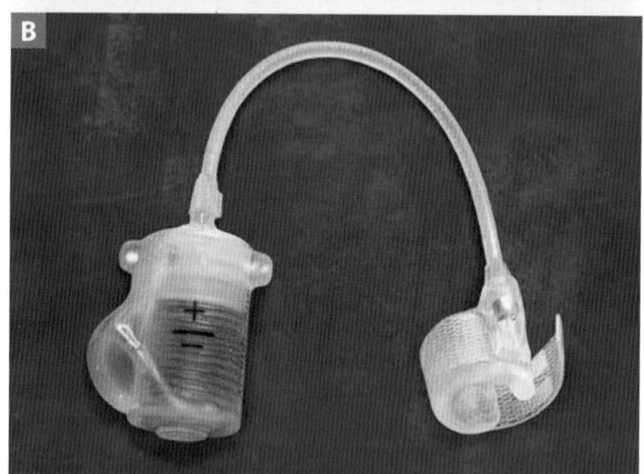

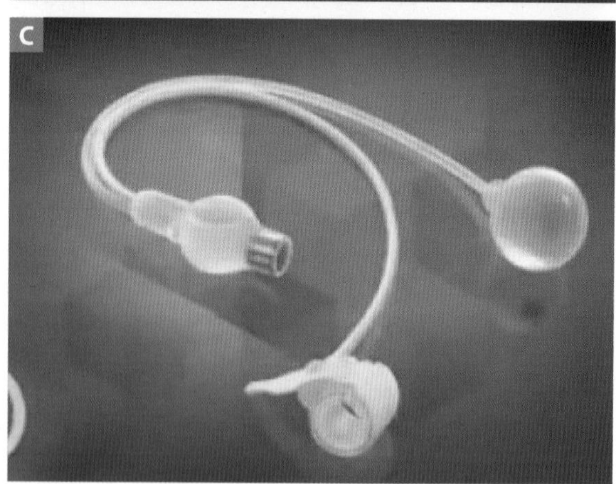

그림 37-2. (A) **인공요도괄약근의 다양한 모델들** (B) **AMS800TM (Boston scientific 미국)** (C) **ZSI 375(Zephyr surgical implant 스위스) VICTO(Promedin, 독일)**

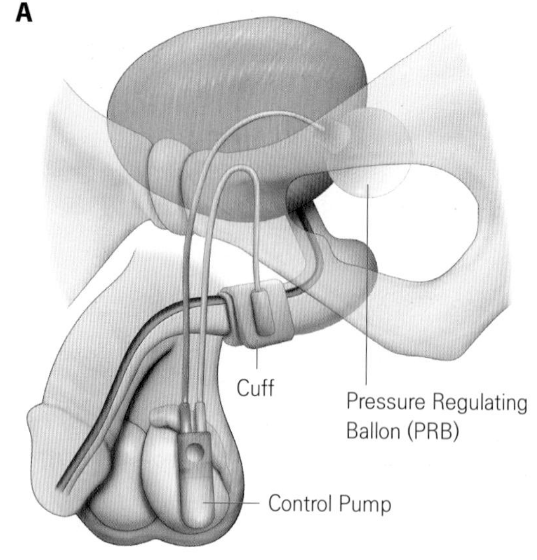

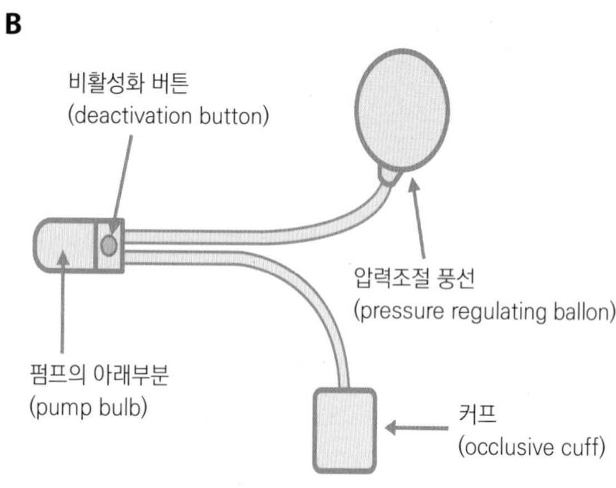

그림 37-3. **AMS 800의 구조.** (A) 앞AMS 800을 삽입, 유치하였을 때 주변 구조물과의 관계를 나타내는 모식도(https://www.fixincontinence.com/treatment-options/ams-800/에서 발췌함), (B) AMS 800의 세 구성요소

이동함에 따라 괄약근 역할을 하는 커프가 열리고 닫히는 데 있다. 환자가 요의를 느껴 배뇨하기 위해서는 수술 중 형성해 놓은 음낭 근막하 주머니(subdartos pouch)안에 위치한 스위치 펌프를 누르면 커프가 열려 배뇨할 수 있는 상태가 된다. 또한, 배뇨를 마칠 정도의 시간이 경과되면 압력을 조절하는 풍선에서 형성되는 압력에 의해 커프가 저절로 닫히게 되며 이에 따라 요자제가 유지되는 것이다. 따라서, 인공요도괄약근을 사용하기 위해서는 환자의 인지기능 및 손놀림에 문제가 없어야 한다(Biardeau, Aharony et al. 2016). 문헌마다 추적관찰 기간, 평가 방법 및 기준에 차이가 있지만, 하루에 패드를 전혀 사용하지 않거나 1개 사용하는 경우를 성공으로 정의하였을 때 인공요도괄약근의 성공률은 59~90%에 이른다(Averbeck, Woodhouse et al. 2019).

(2) Artificial Urinary Sphincter 수술 중 주의할 사항

수술 중에 사용하는 장갑은 파우더가 없는 장갑을 사용한다. 장갑에서 나오는 미세한 파우더 입자가 기구에 침착될 경우 기기의 오작동을 초래할 수 있기 때문이다. 또한 장갑은 두 개를 이중으로 착용하여 무균적 환경을 철저히 확보하여야 한다(그림 37-4A). 수술에 앞서 피부소독은 클로르헥시딘-알코올 용액으로 시행하는 것이 권장된다(Biardeau, Aharony et al. 2016). 요도 주변 조직의 박리 시에는 반드시 적절한 시야를 확보하여 무리한 힘을 가하지 않으면서 수술기구를 이용하여 요도 주변의 조직들을 예리하게 박리한다(sharp dissection). 요도 주변조직의 박리를 다 하고 나면, 요도 입구에 가는 구경의 카테터를 넣고 생리식염수(메틸렌 블루와 같은 색소를 섞으면 확인하기 더 용이함)를 주입해보면서 요도 손상이 없는지 확인한다(그림 37-4B). (Biardeau, Aharony et al. 2016); 인공요도괄약근의 모든 기구 및 부품을 다룰 때에는 날카로운 기구를 사용해서는 안된다. 수술에 사용하는 모스키토 클램프와 포셉 등 모든 기구의 끝에는 실리콘 튜브를 씌워서 사용하여야 한다(그림 37-4C). 인공요도괄약근 기구 및 부품을 체내에 넣기 전에는 광범위 항생제 용액에 충분히 세척하여야 한다(그림 37-4D).

모든 부속품을 연결하고 난 후에는 내시경으로 직접 보면서 스위치 펌프를 작동하여 보며, 기계가 잘 작동하는지 커프의 닫힘 정도는 적절한 지 확인해야 한다(Peterson and Webster 2011, Biardeau, Aharony et al. 2016). 수술 후에는 6주 정도의 조직의 안정화를 위한 기기의 비활성화(deactivation) 기간이 필요하다. 수술 후 사용하는 요도카테터는 14 Fr보다 작아야 하는데(Biardeau, Aharony et al. 2016) 12 Fr 카테터를 사용하는 것이 권장된다. 요도카테터를 거치하는 기간은 가급적 짧을수록 좋으며 통상적으로 수술 당일에서 익일 아침까지, 환자가 취침하는 동안에만 거치하는 것이 권장된다. 48시간 이상 카테터를 거치하는 행위는 커프와 요도조직의 마찰로 인해 생기는 요도의 미란의 위험을 증가시키는 것으로 보고되고 있다(Biardeau, Aharony et al. 2016).

인공요도괄약근의 단점은 비교적 재수술을 해야 하는 비율이 높다는 것인데 여러 보고들을 종합해 볼 때 평균 23% 전후의 재수술률이 보고된 바 있다(Van Bruwaene, De Ridder et al. 2015). 또한, 인공요도괄약근의 경우 요도의 위축, 요도의 미란, 및 기계의 오

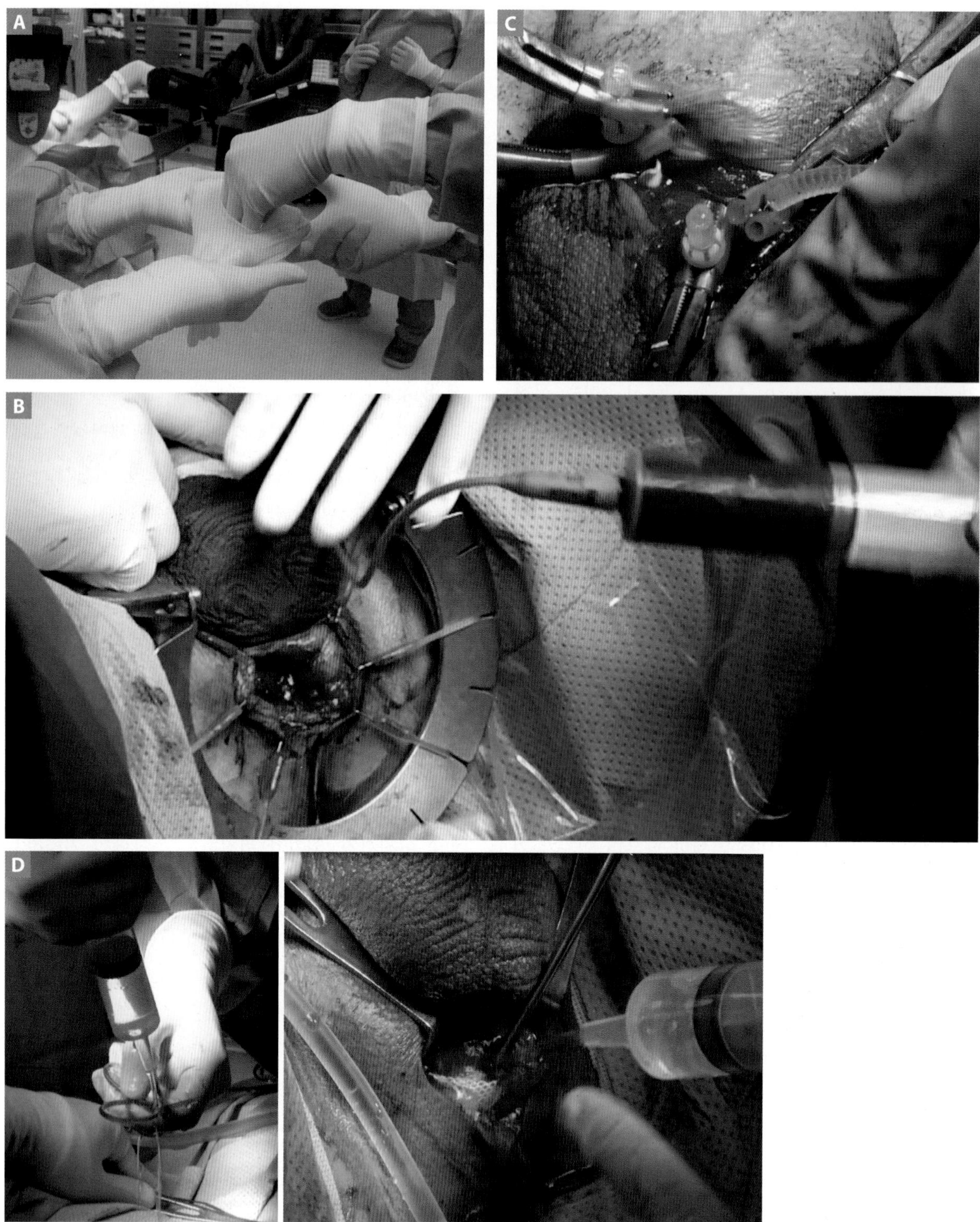

그림 37-4. **인공요도괄약근 삽입 수술 중 주의사항.** (A) 수술 장갑은 두 쌍을 착용한다. (B) 요도 박리 후 요도손상 발생 여부를 확인하는 방법. (C) 수술기구 끝에 실리콘튜브를 씌운 모습. (D) 기구 삽입 전 항생제 세척을 하는 모습(좌), 기구 삽입 후 절개창 봉합 전 기구에 항생제 세척을 하는 모습(우).

작동이 발생할 수 있다. 특히 요도의 미란의 발생률은 이전에 방사선치료를 받은 과거력이 있는 경우 높은 것으로 보고되고 있다.

(3) 기구의 활성화(activation) 및 비활성화(deactivation)

기구의 비활성화 및 활성화에 대해 알아보도록 하자. 이 두 가지의 조작은 환자가 직접 조작을 하기 보다는 통상 의료진에 의해 이루어진다.

① 비활성화(deactivation)

기구를 비활성화한다는 것은 인공요도괄약근 시스템 안의 액체의 흐름을 "고정(Freeze)"하여 기구가 작동하지 않도록 하는 것이다. 즉 커프가 열려있는 상태이든 닫혀있는 상태이든 비활성화된 상태에서는 그 상태로 "고정"되어 움직이지 않는 상태라고 보면 된다. 보통 비활성화는 커프가 열린 상태로 비활성화하게 되는데, 인공요도괄약근삽입술 후 조직의 안정화를 위하여 일정기간(대개 6주 정도)동안 기구를 비활성화한다.

인공요도괄약근을 삽인한 환자에서 수술이나 기타 응급 상황으로 요도카테타를 유치해야 하는 경우 커프를 열어놓은 상태에서 비활성화 후 12 Fr 이하의 카테타를 삽입해야 하는데 이를 위해 먼저 펌프의 아래부분(pump bulb)를 3회 이상 눌러준다(이는 펌프 안에 있는 액체를 빼기 위함인데, 펌프 안의 액체가 빠져서 펌프 아래부분이 눌린, 움푹 들어간 모양이 되면, 이는 요도를 감싸는 커프가 열렸음을 의미한다). 펌프 아래 부분이 납작하게 움푹 들어간 상태에서 비활성화 버튼을 눌러준다(그림 37-5).

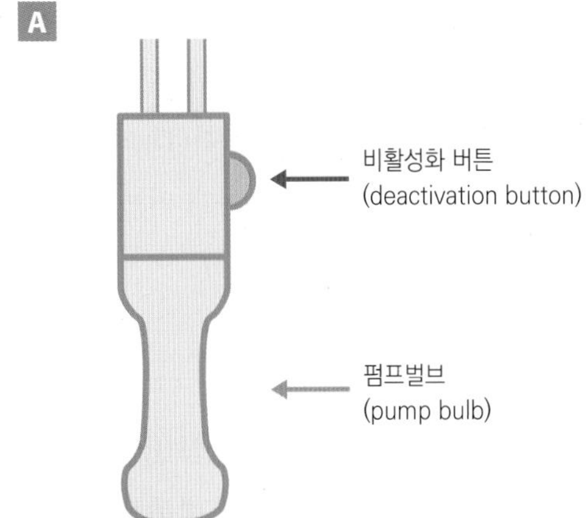

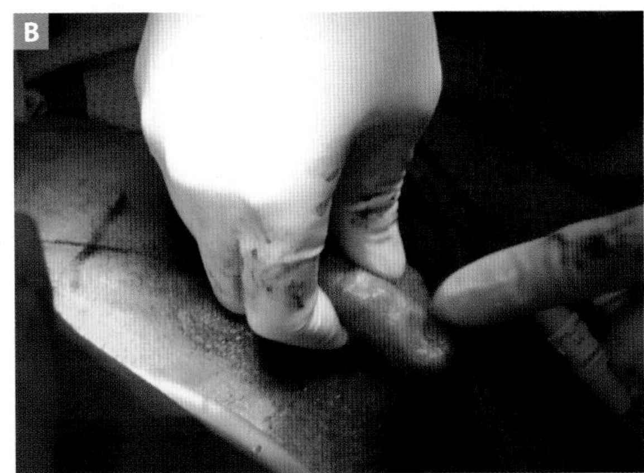

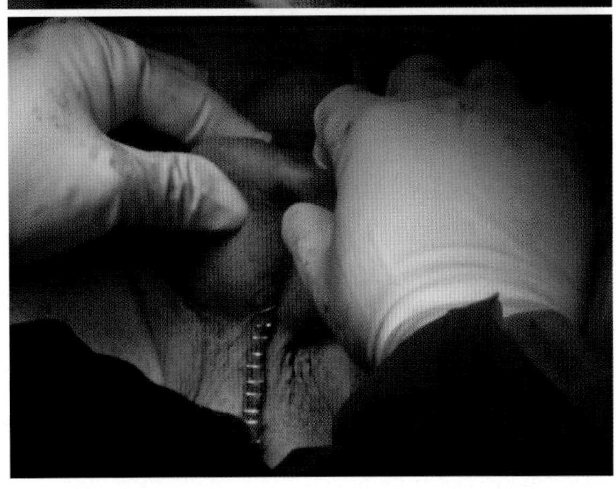

그림 37-5. 인공요도괄약근의 비활성화. (A) 펌프의 아랫부분이 움푹 들어간 상태에서 비활성화 버튼을 누른다. (B) 비활성화된 펌프가 음낭의 피부를 통해 보이는 이미지(좌), 인공요도괄약근 수술 완료 후 비활성화된 상태를 확인하는 모습(우)

② 인공요도괄약근의 활성화(activation)

기구를 활성화한다는 것은 인공요도괄약근 시스템 안의 액체의 흐름이 "자유롭게 흐르도록(Thaw)" 하여 환자가 스위치펌프의 조작으로 자유롭게 커프를 사용할 수 있는 상태로 만들어 주는 것이다.

i) 일반적 방법

비활성화 버튼을 몇번 눌러주면서 밸브(poppet)를 느슨하게 풀어준다. 그 다음 펌프 아래부분(pump bulb)을 재빠르고 세게 눌러준다. 이렇게 함으로써 앞에 설명한, 펌프에 약간 남아있던 액체의 압력으로 밸브(poppet)를 활성화 위치로 열어주게 되는 것이다(그림 37-6A). 만약, 펌프에 남아있었던 액체의 양이 적다면, 이 방법으로 활성화하는 것이 어려울 것이다.

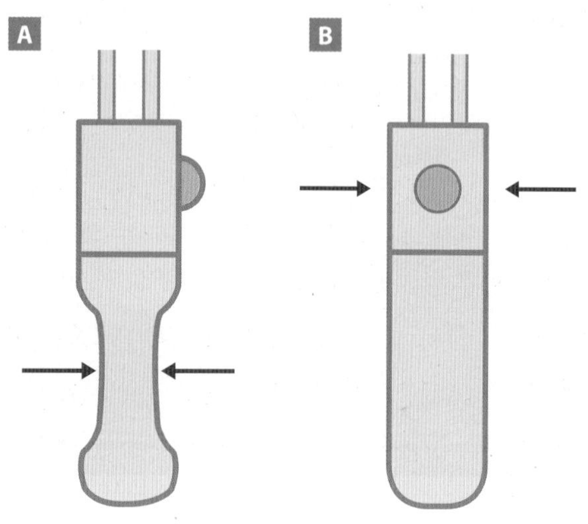

그림 37-6. 인공요도괄약근의 활성화 방법. (A) 펌프의 아랫부분을 재빠르고 세게 눌러 수압에 의해 펌프 위에 있는 밸브를 활성화되도록 열어준다. (B) 펌프에 액체가 적은 상태에서 비활성화가 된 경우, 제어펌프의 측면 양쪽을 눌러 시스템의 액체를 펌프아래쪽으로 들어오게 하는 방법

ii) 다른 방법(side squeeze method)

위에 기술한 방법으로 활성화가 잘 안될 때 사용하는 방법인데, 비활성화 버튼에 인접한 제어펌프의 측면 양쪽을 누른다(그림 37-6B). 이렇게 하면 시스템의 액체가 펌프의 아래쪽(pump bulb)으로 들어오게 된다. 충분한 액체가 펌프의 아래쪽(pump bulb)에 차게 되면 재빨리 세게 펌프의 아래쪽(pump bulb)을 눌러준다

(4) 인공요도괄약근의 문제점 해결하기 (trouble-shooting)

① 수술 후에도 완전히 요자제가 회복되지 않는 경우 (incomplete continence and partially functioning AUS)

정상적으로 인공요도괄약근이 작동하고, 기구나 조직에 결손이 없는 데에도 요실금이 있는 경우가 있다. 저장기의 방광내압이 인공요도괄약근의 압력을 넘어서는 상황이 있으며(예, 소변을 많이 참았을 때의 범람요실금(overflow incontinence)이나 과도한 운동을 하는 경우가 이에 해당한다. 또한 앉았다 일어나는 순간 요실금을 호소하는 환자들도 상당수 있는데, 이는 쿠션이 약한 회음부가 눌리면서 커프도 함께 눌려, 소변이 이를 통해 새어 나와 있다가, 일어나는 순간 새어 나왔던 소변이 나오는 현상이다. 이를 방지하기 위하여 환자들에게 앉았다 일어날 때 둔부를 한쪽을 먼저 든 후 반대편 둔부를 들면서 일어나도록 교육할 수 있다. 이 이외에, 인공요도괄약근 시스템 자체의 압력이 감소한 경우, 요도의 둘레보다 크기가 큰 커프를 사용한 경우, 기구에 기포가 찬 경우, 혹은 커프를 삽입하는 과정에서 탭을 완전히 물리지 않은 경우도 있을 수

있다. 따라서, 인공요도괄약근 수술 후 요실금을 호소하는 환자들에게는 이러한 모든 상황들을 종합해서 원인을 찾아야 한다. 만약 요도의 위축이 없이 단순히 기구의 노화로 압력이 낮아진 경우라면, 인공요도괄약근을 새 것으로 교체해주는 것이 좋다(Bugeja, Ivaz et al. 2015).

또한, cough test등의 신체검사에서 요실금이 전혀 관찰되지 않는데, 요실금이 있다고 호소하는 환자들이 있다. 이러한 소위 'pseudo-incontinence'는 인공요도괄약근 커프 상방의 근위부 요도가 소변으로 차게 되면, 요도의 감각 수용체가 자극되어 마치 요실금이 있는 것처럼 환자가 느끼는 것이다(Biardeau, Aharony et al. 2016).

다음에 열거하는 사항은 인공요도괄약근 수술 후 재수술을 하게 되는 대표적인 사항들에 해당한다.

② 커프 하방 요도의 위축(sub-cuff urethral atrophy)

인공요도괄약근을 장착하고 나서, 기계나 환자의 방광상태에는 기능에는 이상이 없는데, 점차 시간이 지나면서 다시 요실금이 나타나는 경우가 있다. 이 경우에 시간이 지나면서 요도의 위축이 와서 커프와 요도 사이에 헐겁게 간격이 생기는 현상인 커프 하방 요도의 위축을 의심해 보아야 한다. 다른 원인을 배제하기 위하여 요도내시경을 시행하여 기계의 작동이 온전한 지, 요도 조직의 미란은 없는지 확인하고, 기계의 작동이 정상적인데도 커프 하방 요도가 완전히 닫히지 않는다면 커프 하방 요도의 위축일 가능성이 있다.

이 경우 재수술 방법으로 보다 작은 사이즈의 커프로 교체하는 방법, 커프를 하나 더 추가로 장착하는 방법(tandem-cuff), 커프가 요도와 음경해면체의 일부를 감싸도록 하여 위축된 요도에 안전한 쿠션을 제공하는 방법(transcorporeal cuff placement), 압력조절풍선의 압력을 높은 것으로 교체하는 방법, 인공요도괄약근 기구 안에 더 많은 액체를 충전하는 방법 등이 있다(Bugeja, Ivaz et al. 2015, Averbeck, Woodhouse et al. 2019).

③ 감염

감염은 주로 음낭의 펌프 주변의 염증 소견으로 관찰되는 경우가 흔하다. 감염이 의심될 경우 요도 내시경으로 커프하 요도의 미란이 동반 되어있는지 여부를 확인해야 한다. 감염이 확인된 경우 전체의 기구를 모두 제거하는 것이 원칙이다(Averbeck, Woodhouse et al. 2019). 인공요도괄약근의 재삽입수술은 최소한 3개월의 회복기간 후 시행하는 것이 바람직하다. 요도에 미란이 없는 경우 수술현장에서 바로 인공요도괄약근을 새로 넣는 방법도 소개되어 있기는 하다(Bryan, Mulcahy et al. 2002). 과거에는 수술현장에서 바로 기존에 장착되었던 인공요도괄약근을 항생제로 세척하고 다시 장착하는 방법(Kowalczyk, Nelson et al. 1996)도 소개되기는 하였으나 현재 권장되는 방법은 아니다(Biardeau, Aharony et al. 2016, Averbeck, Woodhouse et al. 2019).

④ 커프에 의한 요도의 미란(urethral cuff erosion)

커프가 장착된 주변의 요도 조직의 미란(그림 37-7)이 오는 경우로 요도를 파고 들어가 있는 커프는 반드시 제거하여야 한다(Averbeck, Woodhouse et al. 2019). 이 때 인공요도괄약근 기구 전체를 제거하는 것이 커프만 교체하는 것보다 더 좋은 방법인지에 대한 객관적인 데이터는 없다. 그러나 커프-요도의 미란이 있을 경우 동반된 감염여부를 확인하여 만약 감염이

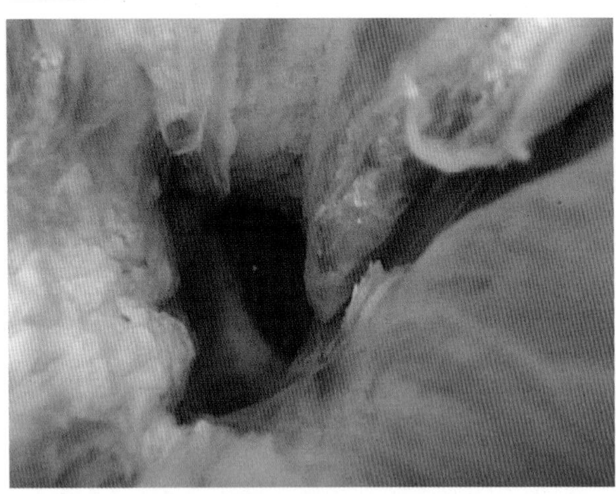
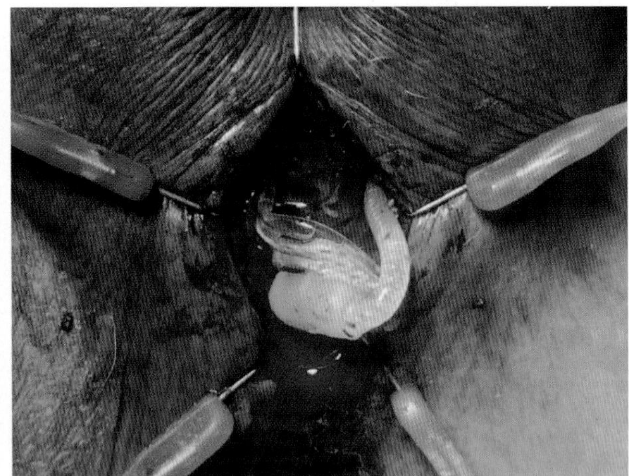

그림 37-7. **커프-요도 미란.** 요도내시경하 관찰 소견(좌), 수술 중 절개창을 통해 관찰된 모습

확인되었다면, 기구 전체를 제거하여야 한다(Averbeck, Woodhouse et al. 2019). 또한 손상된 요도를 복원하는 방법에 대해서 명확한 가이드라인이 있는 것은 아니나, 수술현장에서 바로 일차적으로 요도의 복원 수술을 하는 것이 카테터를 거치하고 관찰하는 기간을 두는 것보다 요도 협착을 줄이고 회복기간을 빠르게 한다는 보고가 있다(Rozanski, Tausch et al. 2014).

⑤ 기계의 이상(mechanical failure)

인공요도괄약근 기계에 문제가 있는 경우이다. 환자가 어느 한 시점 이후부터 갑자기 요실금을 호소하는 경우가 흔하다. 주로 압력조절풍선에 액체가 충전되어 있지 않은 것으로 확인할 수 있다(Biardeau, Aharony et al. 2016)(과거에는 압력조절풍선에 조영제를 채워 넣기도 하였다. 이 경우 X-ray상으로 확인할 수 있었다). 압력조절풍선의 충전 정도를 확인할 수 있는 다른 한 방법으로 초음파로 방광 주변 영역에서 압력조절풍선에 해당하는 액체 포켓의 존재 여부를 확인하는 것이다. 풍선의 둥근 형태가 온전한지 여부를 확인하고, 액체 포켓의 용적을 계산하여 수술 중 주입하였던 액체의 용적과 일치하는지 여부로 확인해 보는 방법도 있다.

⑥ 3.5 cm - 커프

AMS 800에서 생산되는 커프 중에 가장 작은 사이즈로 둘레 3.5 cm가 있다. 이는 요도의 둘레가 작은 경우, 환자들의 수명이 길어지면서 장기간 인공요도괄약근을 사용한 후 요도의 위축으로 인해 요도의 둘레가 작아진 경우 요자제를 회복시켜 주기 위하여 2010년부터 사용되기 시작하였다. 초반 3년 정도 사용 후에는 수술 성적이 고무적이었으나(Simhan, Morey et al. 2014) 관찰 기간이 길어지면서, 수술 후 4년의 경과 시점에서는, 특히 방사선 치료를 받은 환자에게 3.5 cm 커프를 사용하였을 경우 커프-요도의 미란 현상(21%) 발생률이 높았음을 보고하였다(Simhan, Morey et al. 2015). 또 한 연구에서는 기계적인 작동 오류가 이 발생할 확률이 3.5 cm 커프에서 더 높았음을 보고하였다(Loh–Doyle, Hartman et al. 2019). 그러나, 다른 한 연구에서는 3.5 cm 커프의 8년 성적을 보고하였는데, 3.5 cm 커프의 수술 성적은 다른 커프 사이즈를 사용한 경우와 유사하다고 하였다. 또한 방사선 치료를 받은 환자들에서는 커프–요도의 미란 현상의 발생률이 높은데 이는 커프의 크기와는 무관하게 관찰되었다(McKibben, Shakir et al. 2019).

그러나, 종합해 볼 때 3.5 cm 커프를 통상적으로 사용하는 것은 권장되지 않는다. 또한 인공요도괄약근 수술의 주된 목적이 요실금을 개선하는 것이기는 하지만, 완전히 요실금이 없는 상태를 만드는 것만이 최선은 아닌 경우도 있기 때문이다(Elliott 2019). 수술 후 단기간에 요자제가 회복되어 환자의 만족도가 좋을 수는 있어도, 장기적으로 볼 때 오랜 기간 요도를 감싸 누르기 때문에 결국 커프–요도의 미란이 발생할 위험이 증가되기 때문이다(Elliott 2019).

⑦ 음경해면체의 일부를 요도와 함께 커프로 감싸는 방법(transcorporeal cuff placement)

인공요도괄약근의 커프가 요도의 등쪽에 위치한 음경해면체의 일부(corporal tunica albugenia)를 감싸도록 하여 요도에 안전한 쿠션을 제공하는 수술방법이다. 이 수술방법은 방사선 치료를 받았거나, 위축이 확인되었거나, 재수술을 하는 경우 등 비교적 조직의 상태가 좋지 않을 경우 시행하는 방법이다(Mock, Dmochowski et al. 2015). 그러나, 음경해면체의 일부를 요도와 함께 커프로 감싸는 방법으로 수술 하였다고 하여도 방사선 치료를 받은 환자의 경우 다른 환자들에 비해서는 수술 성적이 낮은 것으로 보고되고 있다(Moser, Kaufman et al. 2018). 또한 발기력이 감소할 수 있는 위험이 있음을 미리 환자에게 설명하여야 한다(Averbeck, Woodhouse et al. 2019).

⑧ 동시에 혹은 시간적 차이를 두고 인공요도괄약근과 음경보형물을 함께 삽입하는 방법(synchronous or metachronous) AUS–(inflatable or malleable) penile prosthesis implantation

근치적전립선절제술을 받은 환자의 삶의 질에 대한 관심 및 발기부전도 함께 치료받기를 원하는 환자들의 수요도 많아졌다. 이에 인공요도괄약근과 팽창형 음경보형물(inflatable penile prosthesis)을 동시에 혹은 시간 차이를 두고 장착하는 수술하는 환자들도 늘어나고 있다. 일각에서는 인공요도괄약근과 음경보형물을 모두 장착할 경우 인공요도괄약근의 커프–요도 미란 현상이 발생할 확률이 높은 것으로 보고한 바가 있었다(이 연구에서는 118명의 인공요도괄약근과 팽창형(inflatable) 혹은 굴곡형(malleable) 음경보형물을 모두 가지고 있는 환자를 분석하였고, 모든 이들이 동시에 두 가지 기구 삽입 수술을 받은 것은 아니었다)(Sundaram, Cordon et al. 2016). 그러나 이후 각 기구를 하나만 삽입할 때와 비교하여 같은 날 인공요도괄약근과 팽창형 음경보형물을 동시에 수술 받은 환자들(62명의 환자)에서 기계의 수명이나 수술 후 합병증 측면에서 불리하지 않다는 보고가 있었다(Boysen, Cohen et al. 2019). 인공요도괄약근과 팽창형 음경보형물의 두 가지의 기구를 동시에 혹은 시간적 차이를 두고 삽입하였을 때 인공요도괄약근의 재수술 빈도에는 큰 차이가 없었으나, 팽창형 음경보형물에 대한 재 수술 빈도가 높았다는 보고도 있었다(Patel, Golan et al. 2019).

(5) 신경인성요실금에 있어서의 인공요도괄약근 삽입수술(artificial urinary sphincter for neurogenic incontinence)

신경인성 하부요로기능이상 환자에 있어서(남성슬링에서는 볼 수 없는) 인공요도괄약근만의 장점의 하나로(압력조절풍선으로), 소변이 새는 시점의 방광내압(leak–point pressure)을 일정하게 설정해 줄 수 있다는 것이다. 특히 신경인성요실금 환자에 있어서, 방광내압이 과도하게 상승하지 않도록 하는 것이 신장 기능 보존에 중요한 부분이라는 점을 고려할 때 인공요도괄약근이 가지는 장점으로 볼 수 있다(Bersch, Gocking et al. 2009). 신경인성요실금 환자의 경우 구부요도가 아닌, 방광경부에 커프를 장착하는 것이 권장된다(Biardeau, Aharony et al. 2016). 구부요도에 커프를 장착할 경우 대부분의 시간을 휠체어에 의존하는 환자들일 경우 회음부의 욕창이 발생하기 쉬우며, 자가도뇨에 의존해 배뇨하는 환자들일 경우 구부요도보다 조직이 더 두꺼운 방광경부에 커프를 장착하는 경우 커프에 의한 조직의 미란 발생률을 낮출 수 있어서 더 유리하다. 그러나 방광경부에 커프를 장착하는 수술은 개복을 하여 방광경부를 노출시켜 방광–전립선 연결부위의 둘레를 박리하는 방법으로 난이도가 높은 수술이다(Khene, Paret et al. 2018). 한 연구에 의하면 남성 이분척추증(spina bifida) 환자들을 두 그룹으로 나누어 구부요도와 방광경부에 커프 를 장착한 경우를 비교했을 때 방광경부에 커프를 장착한 경우 기구의 수명이 약간 더 긴 경향을 보였고, 이 기구의 수명 기간을 단축시키는 위험인자가 자가도뇨임을 보고한 바 있다(Khene, Paret et al. 2018). 신경인성요실금의 경우 인공요도괄약근의 수술 성적은 비신경인성 복압성요실금의 경우보다 성공률이 낮으며, 감염, 요도 조직의 미란 발생률이 더 높은 것으로 보고되고 있다. 즉, 현재까지 보고된 신경인성요실금에서(비신경인성 복압성요실금보다 더 낮은) 50%정도의 성공률을 보이고 있기는 하지만(Guillot–Tantay, Chartier–Kastler et al. 2018), 신경인성요실금 환자에 있어서도 인공요도괄약근은 가장 좋은 방법이다(Bersch, Gocking et al. 2009, Abrams 2017).

2) 남성슬링 시스템(Male Sling System)

(1) 남성슬링 시스템의 작동원리

반면 남성슬링의 주된 작동 기전은 요도를 지지(urethral support)해 주는 데 있다. 인공요도괄약근은 요도를 둘러서 감싸주는 반면, 남성슬링(male sling system)은 한 방향으로, 즉 요도를 배쪽에서 지지해 주거나 혹은 위치를 조정(relocation) 해준다는 차이가 있다. 여성에 있어서 그물침대이론(hammock theory)과 일맥 상통할 수도 있는 것인데, 소위 구부요도의 과운동성(hypermobility) 이 남성에서의 요실금을 일으킨다는 개념이다 (Kirschner–Hermanns, Najjari et al. 2012). 이를 교정하기 위한 수술방법으로 외요도괄약근 부위를 눌러주는 것이다(Comiter, Rhee et al. 2014, Abrams 2017). 또 하나의 개념으로 요도괄약근이 수술 후 후방 지지 조직의 기능저하로 요실금이 발생한다는 가설인데 이를 개선하기 위하여 위 방향으로 올려(upward movement) 구부요도–막양부요도 부분을 방광경부 방향으로 재위치시켜(relocation) 주는 것이 있다 (Montague 2009, Abrams 2017).

(2) Male sling system의 종류

현재까지 남성슬링(male sling system)의 모델에도 진보를 거듭하여 여러 종류의 모델들이 소개되어 있다. 21세기 초반 10년 동안에는 뼈에 박는 나사(bone screws)를 사용하여 슬링을 치골에 고정하는 방법을 사용하였다(bone–anchored sling (Invance™)) (Comiter, Rhee et al. 2014). 그러나 이 방법은 감염 및 뼈와 관련된 합병증, 치골 감염(pubic bone osteitis), 회음부의 통증 과 같은 부작용이 많아 현재는 사용되지 않는다(Sahai, Abrams et al. 2017). 현재 사용되는 남성 슬링은 크게 치골 뒤의 공간에 슬링을 지나게 하는 방법(retropubic sling (Remeex™, Argus™))과 폐쇄근을 뚫고 슬링을 지나게 장착하는 방법(transobturator sling (AdVance™/AdVance XP™, Argus–T™, ATOMS™, I–STOP/TOMS™))로 나누어 볼 수 있겠다(그림 37-8). 이 중에서 Remeex™, Argus™, Argus–T™, ATOMS™는 구부요도를 눌러주는 것이 주된 기전이고, AdVance/AdVance XP™는 구부–막양부요도를 방광경부방향으로 재위치해 주는 것이 주된 기전이다. 이후 폐쇄근을 지나는 두 개의 팔과 치골 앞을 지나는 두 개의 팔을 모두 가지고 있는 'four–armed sling'도 소개되었다(Virtue sling™, Surgimesh M–sling™) (Comiter, Rhee et al. 2014). 슬링 시스템은 너무 많이 조여져도(over–correction) 혹은 너무 느슨하여도(under–correction) 문제가 되는데, 상기 열거된 남성 슬링 시스템 중 Remeex™, Argus™, Argus–T™, ATOMS™가 재조절 가능한 슬링 시스템이다. 특히 Remeex™ 남성슬링 시스템(그림 37-9)은 치골 후방의 접근을 통해 슬링을 적용하고 재조절이 가능한 방법인데 한 연구에서는 전립선절제술 후 요실금환자에 있어서 71.9%의 성공률을 보였고, 방사선 치료를 받은 과거력이 있는 환자에서 실패율이 높은 것을 확인하였다(Kim, Walsh et al. 2016). 재조절 가능한 슬링(adjustable male sling)과 재조절이 불가능한 슬링(nonadjustable male sling) 중 어느 시스템이 더 좋은지에 대한 비교연구는 많지 않으나, 두 가지의 타입 모두 효과는 유사한 것으로 받아들여지고 있다 (Chung, Smith et al. 2016; Sahai, Abrams et al. 2017).

(3) Male sling system 의 적용 대상

남성슬링 시스템은 요도를 눌러 지지하거나(compression) 혹은 근위부로 요도를 재위치시키는 원리이므로 환자의 요도의 조직 상태가 적절해야 한다는 부분이 필수적이다. 방사선 치료를 받아 요도 조직의 섬유화(Urethral fibrosis)가 일어 났다거나, 혹은 이전에 요실금에 대한 어떠한 수술이나 시술을 받은 과거력이 있다거나, 혹은 요도 협착이 있는 경우에는 남성슬링 시스템을 적용하기 어렵다(Van Bruwaene, De Ridder et al. 2015; Averbeck, Woodhouse et al. 2019). 또한, 요도를 눌러 지지하고 있는 슬링의 압력의 저항에 맞서서 정상적으로 배뇨할 수 있어야 하므로 방광배뇨근의 수축력(detrusor contractility)이 정상적이어야 함은 필수적인 조건이라고 할 수 있겠다(Comiter 2015).

(4) Male sling system의 성공률 및 합병증

인공요도괄약근과 남성슬링 시스템의 작동 원리가 다르기 때문에 이의 잠재적 합병증 역시 다르다. 남성슬링 시스템의 경우에도 물론 요도의 미란이나 감염 등의 부작용이 발생할 수 있겠으나, 회음신경(perineal nerve)를 누르거나 혹은 손상을 줌으로써(disruption)

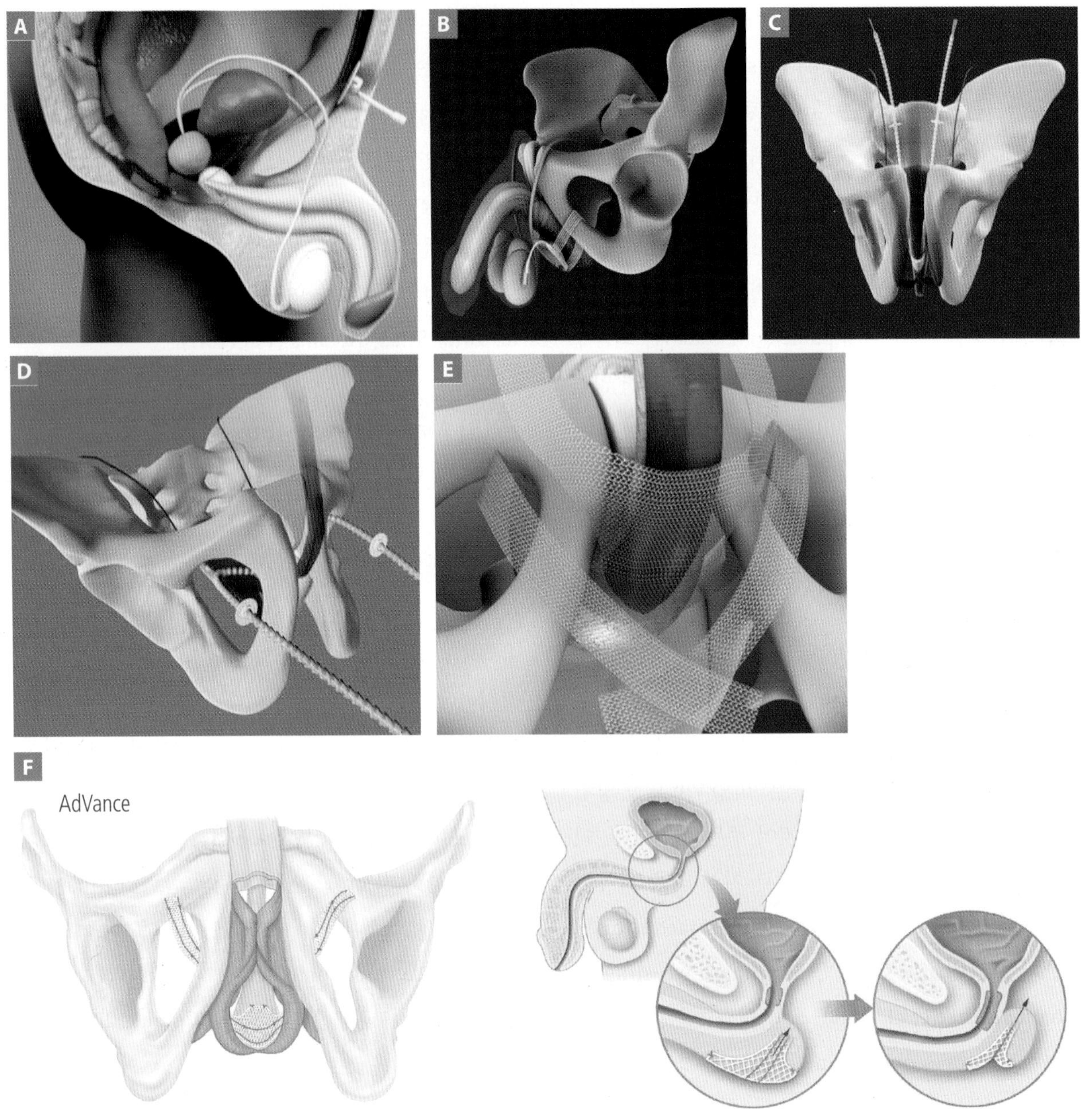

그림 37-8. **다양한 남성 슬링시스템 모델.** (A) Remeex™ retropubic sling(Neomedic, 영국) (B) ATOMS ™ -transobturator sling (AMI, 오스트리아) (C) ARGUS ™ -retropubic sling(Promedin, 독일) (D) ARGUS-T ™ - transobturator sling (Promedin, 독일) (E) VIRTUE ™ -quadratic sling (Coloplast, 덴마크, Urology 2014; 84: 433-8에서 그림 발췌함) (F) AdVance ™ - transobturator sling(Boston scientific, 미국)(이외의 그림들은 각 제조사의 웹사이트에서 발췌하였음)

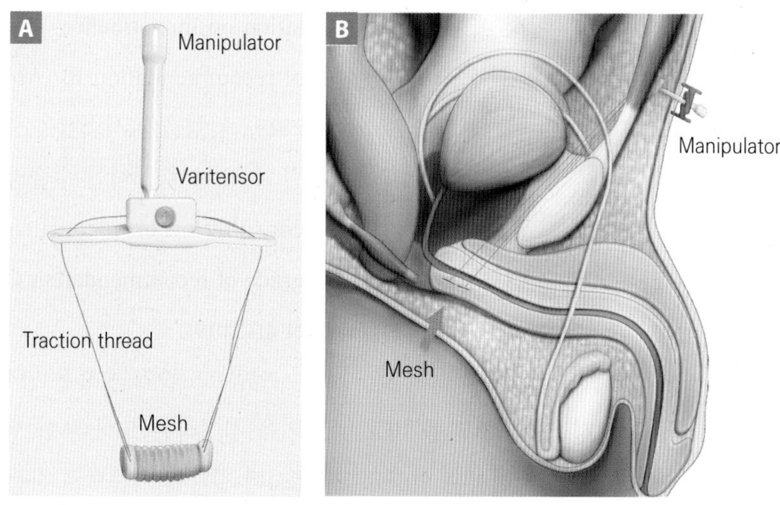

그림 37-9. **남성 Remeex 슬링시스템.** (A) 구조. (B)수술 후 모식도

수술 후의 비정상적인 통증이나 감각이상(paresthesia)이 동반될 수 있다. 특히 경폐쇄공 슬링(transobturator sling)의 경우 회음부의 통증과 수술 후 요폐가 가장 흔한 합병증이다. 남성슬링 시스템의 성공률은 문헌마다 기준에 차이가 있으나 2001년부터 2012년 까지 보고된 결과를 종합해 볼 때 "cure" 혹은 "improve"된 경우를 모두 합하여 28~100% 정도의 다양한 결과를 보였다(Averbeck, Woodhouse et al. 2019).

(5) 신경인성요실금에 있어서의 남성 슬링 시스템(Male sling system)

남성 신경인성요신근한자에 있어서 자가근막을 이용한 수술방법(autologous fascial sling)은 이미 보고되어 있다(Daneshmand, Ginsberg et al. 2003, Blok; Castro-Diaz et al. 2019). 그러나, 합성 메쉬(mesh) 테이프를 사용한 슬링 수술에 대해 보고한 연구는 매우 드물다. 6명의 남성 환자(14~20세) 에게 polypropylene 남성 회음부 슬링 수술 후 33(27~39)개월을 관찰하였을 때, 2명에서 감염으로 제거하였고, 1명은 슬링 고정의 문제로 재수술 하였으나 조직의 미란은 관찰되지 않았고, 슬링을 가지고 있는 환자 모두 요자제를 회복한 상태였음을 보고하였다(Dean and Kunkle 2009). 다른 한 연구에서는 20명의 남성 환자(6~52세)에게 AdVanceTM sling을 사용하였을 때 수술 1년 후에 65%의 환자에서 증상 호전이 있었고, 미란, 감염 혹은 슬링의 제거를 요하는 경우는 없었다고 보고하였다(Groen, Spinoit et al. 2012). 다른 한 연구에서는 13명의 남성 및 24명의 여성 환자에게 ProACT/ACTTM를 사용하고 48개월간 관찰하였을 때 54.5%의 환자가 증상의 호전을 보였으나, 20.3%에서 기구에 의한 조직의 미란이나 기구의 위치 이탈, 6.8%에서 기구에 의한 감염, 6.8%에서 기구가 장착된 부분의 통증, 2.7%에서 기구의 오작동, 방광결석 등의 합병증을 보였다고 보고하였다(Mehnert, Bastien et al. 2012). 종합해 볼 때 신경인성 남성 요실금 환자에 있어서도 합성 메쉬를 이용한 슬링도 하나의 치료 대안이 될 수 있을 것으로 보인다(Blok, Castro–Diaz et al. 2019).

3) 인공요도괄약근과 남성슬링 시스템의 수술 선택 시 고려사항

인공요도괄약근과 남성슬링 시스템의 효과를 비교하였을 때, 현재까지 요자제 효과에 있어서는 인공요도괄약근의 효과가 더 좋은 것으로 받아들여지고 있다(Grabbert, Husch et al. 2018, Averbeck, Woodhouse et al. 2019).

수술방법의 결정에 있어서 중요한 기준은 요실금의 정도이다. 이를 판단하기 위한 검사방법에는 24시간 패드 테스트와 선 자세에서 기침을 하여 요실금이 있는지의 여부를 확인해 보는 검사(standing cough test)가 있다. 남성슬링 시스템은 요실금의 정도가 경증~중간 정도인 경우에 권장되며 24시간 패드 테스트 결과 1일간 소변이 새는 량이 200 gm미만인 경우에 적절하다. 또한 1일간 소변이 새는 량이 200 gm미만이면서 배뇨근저활동성인 경우에는 요도를 많이 누르지 않는(noncompressive mechanism)방법으로 요도를 재위치 시켜주는 기전의 슬링(repositioning sling)이 적절하다. 그러나, 배뇨근의 수축력이 낮으면서 중간 정도의 요실금(200~400 g daily leakage) 인 경우에는 인공요도괄약근이 권장된다. 하루에 소변 새는 양이 400 gm을 초과할 경우에도 인공요도괄약근이 권장된다(Comiter 2015). 결론으로, 인공요도괄약근은 현재까지 전립선 절제술 후의 남성 요실금에 있어서 가장 효과적인 방법으로 받아들여지고 있으며(6th International consultation on incontinence. Level of evidence 2–3; grade of recommendation B) (Averbeck, Woodhouse et al. 2019). 남성슬링 시스템은 중간 정도의 요실금에 사용할 수 있는 대안적인 수술방법이다(6th international consultation on incontinence. Level of evidence 3; grade of recommendation C). (Averbeck, Woodhouse et al. 2019).

인공요도괄약근 혹은 남성슬링 시스템 중의 수술방법을 결정하는 또다른 한 방법으로, standing cough test의 결과를 기준으로 하는 방법(male stress incontinence grading scale)도 소개되어있다(그림 37-10). 이는 standing cough test를 할 때 각각의 소변량 유출 정도에 따라 등급을 나누는 것인데, 소변이 새지 않는 경우 grade 0, 소변이 후반부에 가서야 방울씩만 떨어지는 경우 Grade 1, 처음부터 소변이 방울씩 떨어지기는 하나 줄기(stream)는 없는 경우 Grade 2, 초반에 소변이 방울씩 떨어지다가 이내 줄기가 보이게 소변이 새는 경우 Grade 3, 초반부터 후반까지 줄기가 보이게 소변이 새는 경우 Grade 4로 나누며, Grade 0~Grade 2일 경우는 남성슬링 시스템이, Grade 3~Grade 4일 경우는 인공요도괄약근이 권장된다(Shakir, Fuchs et al. 2018).

참고적으로, 요역동학검사 중 통상적으로 요실금의 정도를 판단할 수 있다고 보는 요누출압(요누출이 발생하는 시점의 방광내압; leak point pressure)을 근치적전립선절제술 후 요실금의 심각한 정도를 판단하는 지표로 사용하기에는 부족하다. 한 연구에서 23명의 전립선 전 절제수술을 받은 남성들에서 요역동학검사 중 관찰된 복압성요누출압(abdominal leak point pressure, ALPP; 복압을 상승시켜 요누출을 일으키는 시점의 방광내압) 와 24 hr 패드 테스트 결과를 비교하였

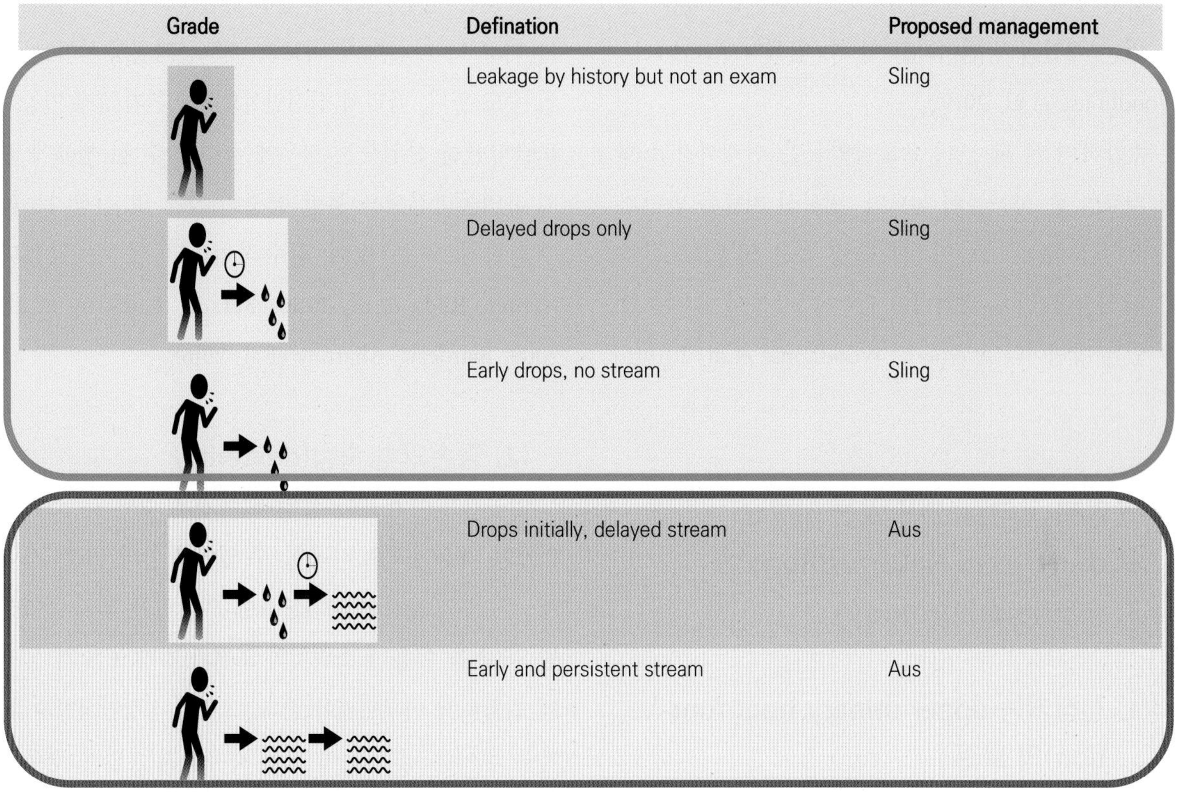

Grade	Defination	Proposed management
	Leakage by history but not an exam	Sling
	Delayed drops only	Sling
	Early drops, no stream	Sling
	Drops initially, delayed stream	Aus
	Early and persistent stream	Aus

그림 37-10. **남성 복압성요실금의 등급 시스템.** (Male Stress Incontinence Grading Scale; MSIGS)

는데, ALPP와 24 hr 패드 테스트 결과 간에 약한 음의 상관 경향성을 보이긴 하였으나 유의한 상관관계는 확인할 수 없었다(Twiss, Fleischmann et al. 2005). 즉, 전립선절제술 후의 요실금 환자에게 요누출압은 수술 방법을 결정하는 데 도움을 줄 수 있는 기준이 될 수 없다(Comiter 2015).

4) 요도에 충전물질을 주입하는 방법 (urethral bulking agent)

요도 점막하층에 충전물질을 주입하는 방법은 비수술적 방법들 다음으로 가장 비침습적으로 적용될 수 있는 방법이다. 현재까지 보고된 여러 보고들을 종합해 볼 때 치료효과는 낮으며 또한 효과는 시간이 지나면서 더 낮아지는 경향을 보였다. 따라서 요도에 충전물질을 주입하는 방법은 보다 더 효과적인 수술적 치료 방법의 금기 사항에 해당하는 환자에게 적용해 볼 수 있는 대안적 방법이라고 할 수 있겠다(Averbeck, Woodhouse et al. 2019).

종합하여 볼 때, 인공요도괄약근은 현재까지 소개된 치료법 중 성공률이 높으며, 방사선 치료를 받았거나 요실금이 심하고, 이전에 슬링 혹은 인공요도괄약근 삽입술을 받은 과거력이 있는 환자들에게 적용할 수 있는 방법이다(Averbeck, Woodhouse et al. 2019).

5) 특별히 고려할 것이 있는 치료군 (Concerns in Neurourology & Transitional Urology)

(1) 신장기능(upper urinary tract function)의 보존

자가 배뇨가 불가능하나 괄약근의 부전으로 요실금 수술을 필요로 하는 환자들이 있다. 주로 신경인성방광 환자들에서 흔한데, 이들에게 일차적인 목표는 요자제를 회복 해주는 것이며 아울러 신장기능을 보존해 주는 것이다. 신경인성요실금 환자에게 요실금 교정하기에 앞서 특히 중요한 부분은 환자들이 호소하는 증상만으로는 복압성요실금, 절박성요실금과 일류성요실금을 정확이 구별해 내기 어려운 경우가 많은데 복압성요실금의 여부를 정확히 진단하는 것이다. 만약 괄약근의 기능 실조가 아닌, 방광유순도의 저하나, 배뇨근과활동성에 기인하는 경우라면, 인공요도괄약근 삽입술 후 신장기능의 손상이 오기 때문이다(Bauer, Reda et al. 1986; Bersch, Gocking et al. 2009). 문제는 요누출압이 낮은 경우 배뇨근과활동성 자체가 관찰되지 않는 경우인데, 이 경우 인공요도괄약근 삽입술을 하고 난 다음에야 비로소 배뇨근과활동성이 관찰될 수도 있다. 따라서 신경인성요실금 환자에게 인공요도괄약근을 삽입하는 경우에는 수술 후 전 생애에 걸쳐 요역동학검사를 통한 방광의 상태 및 신장기능을 추적관찰 하는 것이 필수적이라고 할 수 있겠다(Bauer, Reda et al. 1986; Bersch, Gocking et al. 2009; Biardeau, Aharony et al. 2016).

(2) 양손의 능숙함(dexterity)

인공요도괄약근을 삽입하는 경우, 환자는 스위치 펌프를 자유자재로 사용할 수 있어야 한다. 또한 자력 배뇨가 불가능하여 자가도뇨에 의존하는 환자들이라면 양 손을 이용한 스위치의 조절과 자가 도뇨가 동시에 원활하게 이루어져야 한다. 그러나 신경인성방광 환자들 중에는 양측 손이 모두 자유롭지는 않은 경우가 있으며, 특히 상부 레벨의 척수손상 환자의 경우 상지의 움직임이 원활하지 않은 경우가 많다. 만약 양손이 모두 원활 하지는 않아도 자가도뇨를 시행할 수 있는 경우라면, 인공요도괄약근 삽입 수술 시 펌프 조작의 번거로움을 없앤 변형된 방법으로 인공요도괄약근 시스템 내의 액체의 이동(액체가 한 시스템 안에서 순환하는 것을 일컬어 흔히 cycling이라고 한다) 을 직접 조작하지 않아도 되는 "non-cycled system" 를 시도해 볼 수 있다(Herndon, Rink et al. 2004, Bersch, Gocking et al. 2009). 또한 방광경부를 막은 후 소장을 이용하여 방광과 연결하여 이의 입구를 복부 피부에 만들어 주는 소위 Mitrofanoff 개구부(Mitrofanoff stoma)를 만들어 이를 통해 도뇨할 수 있도록 하는 비실금성 요로전환술(continent urinary diversion) 도 고려해 볼 수 있겠다(Stein, Bogaert et al. 2020). 양손이 모두 원활 하지는 않아 자가도뇨 자체도 불가능한 경우에는 실금성 요로전환술(incontinent urinary diversion)을 고려할 수 있는데 이 중에서도 피부에 형성해 놓은 개구부를 통하여 소변이 배출되도록 하는 방법이며 보통 개구부로는 배꼽을 선호한다(Blok, Castro-Diaz et al. 2019).

(3) 조직의 상태(poor tissue condition)

요자제 회복률 측면에 있어서는 신경인성요실금에 있어서도 비신경인성 복압성요실금보다는 낮지만 인공요도괄약근이 가장 성적이 좋은 것으로 보고되고 있다(Blok, Castro-Diaz et al. 2019). 그러나, 신경인성방광이나 선천선 기형으로 성장기 시절에 인공요도괄약근과 같은 인공기구(prosthetic device)로 요실금 수술을 시행할 경우 전립선절제술 후 환자들과 비교해 볼 때, 생애기간동안 성장의 문제, 기구 자체의 문제, 조직의 미란이나 감염 등에 의해 여러 차례의 재수술을 받아야 할 가능성을 고려해야 한다(Daneshmand, Ginsberg et al. 2003). 따라서 인공요도괄약근과 같은 인공기구 삽입수술은 성장이 완성된 환자들(postpubertal patients)에게 적합하다(Stein, Bogaert et al. 2020). 아직 성장기 중에 있는 환자들에게는 인공기구 삽입이 아닌 수술방법(nonprosthetic incontinence procedure)이 바람직한데, 예로 방광경부 재건수술(YoungDees-Leadbetter)이나 치골-전립선의 근막 슬링수술(puboprostatic fascial sling)과 같은 수술 방법도 고려해 볼 수 있다(Daneshmand, Ginsberg et al. 2003).

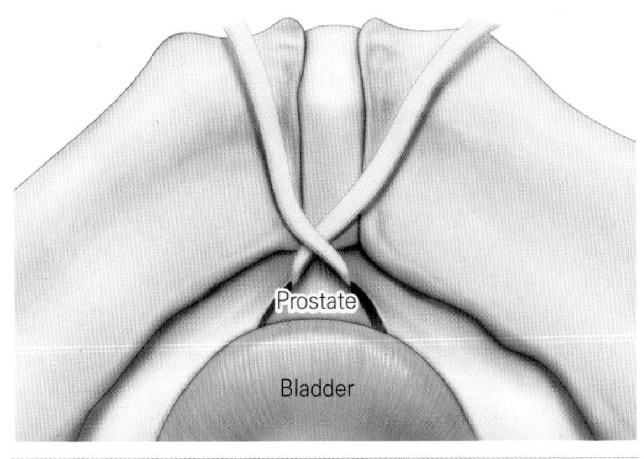

그림 37-11. **자가근막을 이용한 치골-전립선 슬링수술.** 요도주위에 슬링을 교차시켜 두르고 Cooper 인대에 봉합하여 고정한다.

(4) 가임력 보존(Fertility Preservation)

선천선 기형이나 신경인성방광 환자들은 근치적전립선절제술 후 요실금 환자들에 비해 상대적으로 연령이 낮다. 이에 이들의 전립선의 성장, 성기능, 가임력 보존에 관련된 이슈도 수술방법 결정 시 고려해야 한다. 장착될 기구가 사정 기능에 미치게 될 영향도 중요한데, 사정 기능(antegrade ejaculation)의 보존을 위해서라면 방광경부에 인공요도괄약근을 장착하는 것이 바람직하다(Jumper, McLorie et al. 1990).

(5) 전환되었던 요로를 다시 복원하는 방법 (Undiversion)

성장기에 요로전환술을 받았던 환자라도, 성인으로 성장하면서, 또한 최근 수술 기술이 발전하면서 오랜 기간 동안 유지되었던 요로전환 상태를 수술 전 상태로 복원하여, 환자의 심리적, 사회적으로 성인기에 적응할 수 있도록 도와줄 수 있다. Undiversion이 어려운 경우, 소아기 때 가지고 있었던 실금성 요로전환(incontinent diversion)을 카테터로 도뇨할 수 있는 비실금성 요로전환(continent diversion)으로 변형하는 수술도 고려해 볼 수 있다. 환자의 심리적, 사회적으로 성인기에 적응 할 수 있도록 도와줄 수 있다(Herschorn, Rangaswamy et al. 1994).

전체 참고문헌 목록은
배뇨장애와 요실금 웹사이트 자료실
(http://www.kcsoffice.org)에서
확인할 수 있습니다.

제 38 장

야간뇨

Nocturia

이상욱

1. 서론

야간뇨(nocturia)는 많은 수의 사람들에서 나타나는 아주 흔한 문제로 주로 수면방해를 통해 환자 개개인의 삶의 질을 저하할 뿐만 아니라 건강상태에도 부정적인 영향을 미친다. 매우 흔하고 중요한 문제임에도 불구하고 사람들이 야간뇨에 대해 의료진의 도움을 찾지 않는 경우가 많으며, 아직 다수에서 야간뇨가 적절히 치료되지 못하거나 충분히 관리되지 못하고 있다.

야간뇨는 하부요로증상(lower urinary tract symptoms; LUTS) 중 저장증상(storage symptoms)의 하나로 분류되며(Abrams et al, 2002; D'Ancona et al, 2019) 전통적으로 전립선비대증(benign prostatic hyperplasia; BPH)이나 과민성방광(overactive bladder; OAB)과 같은 하부요로질환에서의 전형적인 증상의 하나로 인식되어 왔다. 그러나 야간뇨가 단지 전립선비대증이나 과민성방광과 연관된 증상의 하나로 나타나는 것만은 아니며, 방광이나 전립선의 이상과는 관련 없는 다른 다양한 원인들에 의해 발생하는, 즉 하부요로질환과는 독립적인 그 나름의 문제일 수도 있다. 야간뇨가 신장질환(renal disease) 또는 전신질환(systemic disease)에서 발현되는 증상 또는 징후의 하나일 수 있고, 야간다뇨(nocturnal polyuria)가 야간뇨의 주요한 기여인자라는 것이 이제는 잘 알려져 있다.

2. 야간뇨의 정의 및 관련 용어

1) 야간뇨의 정의

(1) 2002년 국제요실금학회 정의

2002년에 국제요실금학회(International Continence Society; ICS)의 표준화 분과위원회에서는 야간뇨를 하부요로증상 중 저장증상의 하나로 분류하여 "야간에 배뇨를 하기 위해 1회 이상 잠에서 깨어나는 것을 호소하는 것(the complaint that the individual has to wake at nigh one or more time to void)"이라고 정의하였다(Abrams et al, 2002). 또한 야간뇨는 배뇨횟수 배뇨량일지(frequency volume chart)나 방광일지(bladder diary)에서 알아낼 수 있는 측정치로서 "하룻밤 수면 중에 기록된 배뇨 횟수를 말하며, 야간뇨에 해당하는 각 배뇨에 수면이 선행되고 뒤따라야 한다."고 기술하였다.

2010년에 국제요실금학회와 국제비뇨부인과학회(International Urogynecological Association; IUGA)에서 공동으로 발표한 여성 골반저기능이상에 대한 용어 보고서에도 위에 언급된 2002년 국제요실금학회 정의에 부합하게 야간뇨를 "배뇨의 필요 때문에 1회 이상 수면이 중단되는 것을 호소하는 것(complaint of interruption of sleep one or more time because of the need to micturate)"으로 정의하였고, 역시 각 배뇨에 수면이 선행되고 뒤따라야 한다고 부연하였다. 그리고 각주에 불면증이나 수유와 같이 다른 이유로 수면이 중단되어 야간에 배뇨를 하는 것은 야간뇨로 간주되지 않는다고 기술하여 "배뇨의 필요 때문에 수면이 중단되어야 함"을 야간뇨의 조건으로 명확히 하였다(Haylen et al, 2010).

(2) 2018년 국제요실금학회 정의

국제요실금학회에서는 2018년에 야간뇨와 야간하부요로기능에 관한 용어를 새로이 수정하고 업데이트하여 보고하였다(Hashim et al, 2019). 여기에서 증상으로서의 야간뇨를 "주수면시간(main sleep period) 동안 배뇨한 횟수"로 정의하였고, "처음 깨어나 소변을 볼 때부터 각 배뇨는 수면이나 수면에 들려는 의사가 뒤따라야 하며, 방광일지를 통해 정량화되어야 한다."고 덧붙여 기술하였다. 그리고 징후로서의 야간뇨는 "주수면시간 동안, 즉 잠들었을 때부터 기상하려는 의사를 가질 때까지 배뇨한 횟수로, 이는 방광일지로부터 구할 수 있다."고 정의하였다.

2002년의 야간뇨의 정의와 비교해볼 때 2018년 정의에서 우선 눈에 띄는 변화는 '주수면시간'이라는 표현의 사용이다. 주수면시간은 2018년 보고서에서 새롭게 정의된 용어이며, 침상에 들고 나서 잠들기 전까지의 시간도 포함하는 야간(night-time)이라는 용어와는 구별된다. 그리고 야간뇨로 간주되기 위한 조건이 "수면이 선행되고 뒤따라야 한다."에서 "수면이나 수면에 들려는 의도가 뒤따라야 한다."로 완화되었는데, 예를 들어 수면 중에 요의를 느껴 깨어나 배뇨를 하고 다시 잠들고자 하는데 결국 다시 잠들지 못하는 경우, 2002년 정의에 따르면 수면이 뒤따르지 않기 때문에 야간뇨에 해당하지 않으나, 2018년 정의에 따르면 야간뇨로 간주된다. 또 다른 예로 수면 중에 일어나 한 차례 배뇨를 하고 다시 잠에 들고자 하는데 잠들기 전에 또 한 차례 배뇨를 하는 경우, 2002년 정의에 따르면 첫 번째 배뇨는 수면이 뒤따르지 않기 때문에 야간뇨에 해당하지 않고, 두 번째 배뇨는 수면이 선행하지 않기 때문에 역시 야간뇨에 해당하지 않으나, 2018년 정의에 따르면 두 차례의 배뇨 모두 야간뇨로 간주될 수 있다.

2018년 야간뇨 정의에서는 '불평의 호소' 또는 '의학적 문제'를 뜻하는 'complaint'라는 표현이 없어졌는데, 이는 야간에 배뇨하기 위해 깨어나는 것이 성가시지 않을 수도 있으며, 또 반드시 병리학적인 또는 의학적인 문제가 원인이 되는 것은 아니라는 점을 반영했기 때문이다. 즉, 2018년 야간뇨 정의에서 야간뇨가 성가신지 아닌지는 고려하지 않는다. 그리고 수면 중 깨어나는 이유를 밝히는 것이 어려울 수 있고, 깨어난 것이 정말로 배뇨하기 위해 깨어난 것이었는지 확인하는 것 역시 쉽지 않을 수 있기 때문에 2018년 정의에서는 배뇨의 필요 때문에 깨어난다는 것을 야간뇨로 간주하기 위한 조건으로 명확히 제시하지는 않았다.

2) 야간뇨와 관련된 용어

2018년도에 개정된 국제요실금학회의 야간뇨와 야간하부요로기능에 관한 용어들의 정의(Hashim et al, 2019)를 표 38-1에 정리하였다. '주수면시간'은 새로이 정의된 용어이고, 24시간 다뇨(24–h polyuria)를 제외한 나머지 용어들은 기존의 정의가 수정, 변경되었다. 정확한 의미의 전달을 위해 영문 용어와 정의도 함께 기술하였다. 이 표에서의 용어의 정의는 2019년도에 출간된 국제요실금학회의 성인남성의 하부요로 및 골반저의 증상과 기능이상에 관한 용어 보고서(D'Ancona et al, 2019)에도 반영되어 있다. 유뇨증(enuresis)과 야뇨증(nocturnal enuresis) 용어 정의의 변천 그리고 야간다뇨의 여러 기준에 대해서는 아래의 본문에서 조금 더 자세히 다루었다.

(1) 유뇨증과 야뇨증

2002년 국제요실금학회 표준화 분과위원회의 하부요로기능에 관한 용어 표준화보고서에서 유뇨증은 "모든 불수의적인 요의 유실(any involuntary loss of urine)"로 그리고, 야뇨증은 "수면 중에 발생하는 요의 유실에 대한 호소(the complaint of loss of urine occurring during sleep)"로 정의하였다(Abrams et al, 2002). 이 정의에 따르면 유뇨증은 요실금의 동의어나 마찬가지이며, 야뇨증은 수면 중에 발생하는 요실금을 가리킨다.

2010년에 발표된 국제요실금학회/국제비뇨부인과학회의 여성 골반저기능이상에 관한 용어에 대한 공동보고서(Haylen et al, 2010)에서는 유뇨증은 따로 언급하지 않았고, 요실금의 한 유형으로서 야뇨증은 2002년 국제요실금학회 보고서의 정의와 동일하게 기술하였다.

한편 국제소아요실금학회(International Children's Continence Society) 표준화위원회에서 2014년에 업데이트한 소아청소년의 하부요로기능에 관한 용어 보고서에서는 요실금을 지속성요실금(continuous incontinence)과 간헐성요실금(intermittent incontinence)으로 크게 나누었는데, 간헐성요실금 중에 깨어 있을 때 발생하는 것을 주간요실금(daytime incontinence), 수면시간 중에 발생하는 것을 유뇨증(enuresis)이라 명명하였다(Austin et al, 2016). 즉, 유뇨증을 수면시간 중에 발생하는 간헐성요실금으로 정의하였다. 그리고 야뇨증(nocturnal enuresis)이라는 용어는 별도로 기술하지 않았다.

2018년 국제요실금학회의 야간뇨와 야간하부요로기능에 관한 용어 보고서에서는 유뇨증(enuresis)을 수면시간 중에 발생하는 간헐성요실금의 호소로 정의하였고, 주수면시간 중에 발생할 경우 "야간(nocturnal)"이라는 형용사를 앞에 붙여 수식할 수 있다고 기술하였다(Hashim et al, 2019). 그리고 유뇨증이 발생할 때 환자는 잠들어 있어야 하고, 대개 그것을 알아차리지 못한다고 부연하였다. 여기에서의 유뇨증에 대한 기술은 2014년에 업데이트한 국제소아요실금학회에서의 유뇨증의 정의를 그대로 반영한 것이다. 그러면서 다른 한편으로는 기존에 사용해온 야뇨증(nocturnal enuresis)이라는 용어명칭을 별도로 사용할 여지를 남겨두고 그 정의를 새롭게 하였다.

표 38-1. **야간뇨와 야간하부요로기능에 관한 용어 정의(2018)**

용어	정의
주수면시간 Main sleep period	잠들었을 때부터 다음날 기상하려는 의사를 가질 때까지의 기간 The period from the time of falling asleep to the time of intending to rise for the next "day"
아침 첫 배뇨 First morning void	주수면시간 이후의 첫 배뇨 The first void after the main sleep period
유뇨증 Enuresis	증상: 수면시간 중에 발생하는 간헐성요실금의 호소. 주수면시간 중에 발생할 경우 "야간"이라는 형용사로 수식할 수 있다. Symptom: complaint of intermittent incontinence that occurs during periods of sleep. If it occurs during the main sleep period then it could be qualified by the adjective "nocturnal".
	징후: 수면시간 중에(잠들어 있는 동안) 발생한 간헐성요실금(소변을 지림). 주수면시간 중에 발생할 경우 "야간"이라는 형용사를 앞에 붙일 수 있다. Sign: Intermittent incontinence ("wetting") that occurs during periods of sleep (while asleep). If it occurs during the main sleep period then it could be preceded by the adjective "nocturnal".
야간 Night-time	수면 의도를 갖고 침상에 들었을 때 시작되어 다음날 더 이상 잠들려고 시도하지 않고 기상하기로 결정할 때 끝난다. 개개인의 수면주기에 의해 정해진다. Commences at the time of going to bed with the intention of sleeping and concludes when the individual decides they will no longer attempt to sleep and rise for the next "day". It is defined by the individual's sleep cycle, rather than the solar cycle (from sunset to sunrise)
야간배뇨빈도 Night-time frequency	수면 의도를 갖고 침상에 들었을 때부터 기상하려는 의사를 갖고 주수면시간을 끝낼 때까지 기록되는 배뇨 횟수 The number of voids recorded from the time the individual goes to bed with the intention of going to sleep, to the time the individual ends their main sleep period with the intention of rising.
야간뇨 Nocturia	증상: 주수면시간 동안 배뇨한 횟수. 처음 깨어나 소변을 볼 때부터 각 배뇨는 수면이나 수면에 들려는 의도가 뒤따라야 하며, 방광일지를 통해 정량화되어야 한다. Symptom: The number of times urine is passed during the main sleep period. Having woken to pass urine for the first time, each urination must be followed by sleep or the intention to sleep. This should be quantified using a bladder diary.
	징후: 주수면시간 동안, 즉 잠들었을 때부터 기상하려는 의사를 가질 때까지 배뇨한 횟수. 이는 방광일지로부터 구할 수 있다. Sign: The number of times an individual passes urine during their main sleep period, from the time they have fallen asleep up to the intention to rise from that period. This is derived from the bladder diary.
야간다뇨 Nocturnal polyuria	증상: 주수면시간 동안 많은 양의 소변을 배출함. 이는 방광일지를 통해 정량화되어야 한다. Symptom: Passing large volumes of urine during the main sleep period. This should be quantified using a bladder diary.
	징후: 주수면시간 동안 과도한 소변의 생성. 이는 방광일지를 통해 정량화되어야 한다. Sign: Excessive production of urine during the individual's main sleep period. This should be quantified using a bladder diary.

용어	정의
야간뇨량 Nocturnal urine volume	징후: 주수면시간 동안 산출된 소변의 총량으로 주수면시간 후의 첫 배뇨의 양을 포함함. 이는 방광일지를 통해 정량화되어야 한다. Sign: Total volume of urine produced during the individual's main sleep period including the first void after the main sleep period. This should be quantified using a bladder diary.
24시간 배뇨량 24-h voided volume	징후: 어떤 24시간 기간 동안 배출한 소변의 총량으로 그 기간에서의 첫 아침 배뇨량은 제외함. 기상 후 첫 소변은 버리고, 그다음 배뇨할 때 24시간 기간이 시작되며, 다음날 기상 후 첫 배뇨를 포함하여 그 24시간 기간이 종료된다. Sign: Total volume of urine passed during a 24-h period excluding the first morning void of the period. The first void after rising is discarded and the 24-h period begins at the time of the next void and is completed by including the first void, after rising, the following day.
24시간 다뇨 24-h polyuria	과도한 소변의 배출을 말하며 다량의 배뇨와 빈번한 배뇨를 초래함. 24시간 동안 체중 1 kg당 40 mL를 초과하는 요량으로 정의됨. Excessive excretion of urine resulting in profuse and frequent micturition. Defined as 〉40mL per kg body weight per 24-h.

(2) 야간다뇨

2018년 국제요실금학회의 야간뇨와 야간하부요로기능에 관한 용어 보고서에서 징후로서의 야간다뇨는 "주수면시간 동안 과도한 소변의 생성"으로 정의하였고, "이는 방광일지를 통해 정량화되어야 한다."고 덧붙여 기술하였다(Hashim et al, 2019). 어느 정도의 소변 생성이 야간다뇨로 분류될 만큼 과도한 것인지에 대한 기준은 명확히 정하여 제시하지 않았는데, 이는 야간소변생성률(nocturnal urine production rate)이 연령대별로 다르고 아직 그 정상 범위가 정해져 있지 않기 때문이다.

그렇지만 기존에 야간다뇨를 정의하는 몇 가지 방식들이 있어 왔고, 그 중에 야간다뇨를 정의하는 데 가장 흔히 사용된 것은 야간다뇨지수(nocturnal polyuria index)를 이용하는 방식이다. 야간다뇨지수는 전체 24시간 배뇨량(24-h voided volume)에서 야간뇨량(nocturnal urine volume)이 차지하는 비율(야간뇨량/24시간 배뇨량)로 정의되며 대개 여기에 100을 곱해 %로 표시한다. 야간다뇨지수는 연령에 따라 변하는데(연령이 증가할수록 야간다뇨지수가 증가함) 일반적으로 노인 연령대(65세 초과)에서는 야간다뇨지수가 33%보다 클 때, 젊은 연령대(20~35세)에서는 야간다뇨지수가 20%보다 클 때 야간다뇨에 해당하는 것으로 간주한다(Abrams et al, 2002; van Kerrebroeck et al, 2002). 중년 연령대(35~65세)에서는 그 절단치가 20~33%사이에 있을 것으로 본다. 야간다뇨지수 외에 체중 1 kg당 야간소변생성량이 10 mL/kg보다 크거나 야간소변생성률이 90 mL/h보다 큰 것을 야간다뇨의 기준으로 사용하기도 한다(Hashim et al, 2019).

한 가지 혼란스럽게 하는 쟁점은 야간소변생성량이나 야간소변생성률을 야간다뇨 여부를 결정하는 지표로 삼게 되면, 야간다뇨지수가 정상 범위에 속하더라도(즉, 주간과 야간 소변배출량 분포가 정상적이더라도) 24시간 다뇨(24-h polyuria)에 해당하는 사람들은 거의 대부분이 야간다뇨에 해당하게 될 것이라는 것이다. 24시간 다뇨의 정의에 해당하는 경우는 야간다뇨에서 배제하도록 하는 야간다뇨의 기준을 제시하기도 하는데, 이런 분류기준을 적용한다면 위의 쟁점을 피할 수 있다.

또 한 가지 짚고 넘어갈 것은 2019년도에 출간된 국제요실금학회의 성인남성의 하부요로 및 골반저의 증상과 기능이상에 관한 용어 보고서(D'Ancona et al, 2019)에서의 야간다뇨의 정의가 위에서 기술한 2018년 국제요실금학회의 야간뇨와 야간하부요로기능에 관한 용어 보고서(Hashim et al, 2019)의 야간다뇨의 정의와 일치하지 않는다는 것이다. 국제요실금학회의 성인남성의 하부요로 및 골반저의 증상과 기능이상에 관한 용어 보고서(D'Ancona et al, 2019)에서는 야간다뇨를 "24시간 요량에 대한 야간(night-time)에 생성되는 소변량의 비율이 증가한 것"으로 정의하였고, 야간다뇨지수를 가장 흔히 사용되는 기준으로 제시하였다. Hashim 등(2019)이 기술한 야간다뇨의 정의인 "주수면시간 동안 과도한 소변의 생성"과는 두 가지 측면에서 차이가 있는데, 첫째, '주수면시간'과 '야간(night-time)'의 차이이다. 표 38-1에서 보다시피 주수면시간과 야간은 가리키는 시간범위가 다소 다르다. 둘째, 한 쪽에서는 "(주수면시간 동안) 과도한 소변의 생성"이라고만 표현하였는데, 다른 한 쪽에서는 "(야간에) 생성되는 소변량의 비율이 증가한 것"이라고(절대량이 아니라) 생성 비율이 과한 것으로 구체적으로 한정하여 기술하였다. 2019년도에 출간된 국제요실금학회의 성인남성의 하부요로 및 골반저의 증상과 기능이상에 관한 용어 보고서에서 2018년 국제요실금학회의 야간뇨와 야간하부요로기능에 관한 용어 보고서의 내용을 참고하고 인용하였다고 명시하고 있음에도 불구하고 야간다뇨의 정의가 두 곳에서 다르게 기술된 것은 국제요실금학회 분과위원회 간에 소통, 합의가 불완전했거나 두 보고서 내용의 대조 검토를 꼼꼼하게 하지 못한 데 기인한 것으로 추정된다.

3. 야간뇨의 역학 및 중요성

대부분의 역학연구에서 야간뇨는 가장 불편한 하부요로증상의 하나로 나타나며, 야간뇨의 유병률(prevalence)은 남녀 모두에서 높다. 남녀의 유병률은 대략 비슷한 것으로 알려져 있다(Oelke et al, 2017). 야간뇨의 유병률은 야간뇨의 기준(하룻밤에 1회 이상 vs 2회 이상 vs 3회 이상), 증상평가방법, 대상인구에 따라 다를 수 있다. Bosch와 Weiss(2010)가 43개의 역학연구를 분석했을 때, 20~40세 남성에서 1회 이상의 야간뇨의 유병률은 11~35%의 범위에 있었고, 2회 이상의 야간뇨의 유병률은 2~17%의 범위에서 보고되었다. 같은 연령대의 여성에서 1회 이상의 야간뇨의 유병률은 20~44%의 범위에 있었고, 2회 이상의 야간뇨의 유병률은 4~18%의 범위에 해당하는 것으로 나타났다. 지역사회에서 야간뇨의 유병률은 연령이 증가함에 따라 높아지며, 70~80세 남성에서 2회 이상의 야간뇨의 유병률은 29~59%의 범위에서 보고되었고, 같은 연령대의 여성에서 보고된 2회 이상의 야간뇨의 유병률은 28~62%의 범위에 있었다.

핀란드에서 시행된 대규모 인구기반 연구인 FINNO 연구(Finnish National Nocturia and Overactive Bladder Study)는 18세에서 79세의 남녀 6,000명을 대상으로 하였고, 그 결과는 야간뇨의 역학을 다룰 때 주요한 참고자료로 이용된다. 이 연구에서 야간뇨의 유병률은 1회 이상의 야간뇨를 기준으로 할 경우 40%였으며 2회 이상의 야간뇨를 기준으로 하면 12.5%였다(Tikkinen et al, 2006). 젊은 사람들에서는 야간뇨의 유병률이 남성보다 여성에서 훨씬 더 높았으나, 중년 이후에는 이러한 성별에 따른 유병률의 차이는 사라졌다. 50~60대가 되면 남성의 야간뇨의 유병률이 여성의 유병률을 따라잡게 되었고, 이후에는 오히려 남성에서 수치적으로 더 높은 야간뇨 유병률을 나타내었다. 이러한 연령 증가에 따른 남녀에서의 야간뇨 유병률 추이의 특이한 양상은 이후에 다른 연구들에서도 입증되어 특정지역이나 생활습관, 문화에 따라 나타난 결과가 아니라 전 세계적으로 일관된 현상임이 밝혀졌다.

종적 연구(longitudinal study)의 수행의 어려움 때문에 야간뇨의 발병률(incidence)이나 관해율(remission rate) 같은 자연사(natural history)에 대해서는 잘 알려져 있지 않다. 최근의 한 메타분석에 따르면 40세 미만의 남녀에서 야간뇨(1회 이상의 야간뇨)의 발병률은 0.4%/년이었고, 40~59세 연령대와 60세 이상 연령대에서의 야간뇨의 발병률은 각각 2.8%/년과 11.5%/년이었다(Pesonen et al, 2016). 50~78세 남자 1,688명을 대상으로 한 네덜란드의 지역사회기반 연구(Krimpen 연구)에서 수년간에 걸쳐 배뇨횟수배뇨량일지를 이용하여 야간뇨를 종적으로 평가하였는데, 하룻밤 2회 이상의 야간뇨의 2년 동안의 발병률은 24%, 관해율은 37%였고, 연구기간의 여러 시점에서 개개인의 야간뇨 횟수의 상당한 변동이 있음이 주목되었다(van Doorn et al, 2011). 개개인에서 짧은 기간 동안에도 야간뇨의 정도의 변동이 심한 것은 발병률에 관한 연구를 더욱 힘들게 한다.

수면장애(sleep disturbance)는 야간뇨와 연관되어 이환율(morbidity)이 증가하는 데 있어 주요한 원인이다. 그러나 한 차례의 야간뇨는 대부분의 사람에서 심각한 성가심을 유발할 만큼 지장을 주지는 않는 것으로 보인다. FINNO연구에서 야간뇨 횟수가 2회일 때 대다수의 사람들이 성가시다고 보고하였고, 2회의 야간뇨는 건강 관련 삶의 질(Health Related Quality of Life) 저하와 연관되었다(Tikkinen et al, 2010). 이런 맥락에서 흔히 2회 이상의 횟수를 일반인구에서 임상적으로 유의한 야간뇨의 기준으로 간주한다. 그러나 이러한 문턱값이 반박의 여지없이 확립된 것은 아니며 모든 소집단이나 개인에 적용될 수 있다고 보아서는 안 된다(Marshall et al, 2015).

야간뇨는 낙상, 골절, 사망, 그리고 생산성 저하의 위험을 높이는 것으로 보인다. 야간뇨와 연관된, 증가된 사망률(mortality)의 많은 부분은 배뇨를 위해 빈번하게 잠에서 깨는 사람들에서의 고관절골절의 위험에 기인한다(Marshall et al, 2015). 오스트리아의 40~80세 남성을 대상으로 한 연구에서 2회 이상의 야간뇨는 고관절 골절의 독립적인 위험인자로 나타났다(Temml et al, 2009).

4. 야간뇨의 원인과 분류

야간뇨는 그 발생에 있어 다양한 요인이 관여하는 다인성이다. 야간뇨를 발생 원인에 따라 분류하는 것은 야간뇨의 다인성을 이해하고 각각의 환자에서의 기저 병태생리에 맞춰 치료목표를 정하는 데 있어 중요하다.

1990년대 말부터 야간뇨의 원인을 흔히 네 가지 범

주-(1) 24시간 다뇨, (2) 야간다뇨, (3) 야간방광용적 저하(reduced nocturnal bladder capacity), (4) 복합원인(야간다뇨와 야간방광용적 저하의 조합)-로 나누어 분류해 왔는데, 이러한 분류는 기본적으로 배뇨횟수 배뇨량일지 또는 방광일지의 자료 및 그로부터 파생한 지표(표 38-2)에 근거하게 된다(Weiss et al, 1999; Weiss·Blaivas, 2002; Weiss·Everaert, 2019). 그러나 이러한 전통적인 분류의 범주 명칭에서 '방광용적 저하'라는 용어가 의미의 잘못된 이해를 초래할 수 있고, 저장기능의 문제 말고도 배뇨기능의 문제도 다량의 잔뇨의 발생을 통해 야간뇨의 발생에 기여할 수 있기 때문에 야간뇨의 큰 원인 범주명으로 '야간방광용적 저하'보다는 '하부요로기능이상(lower urinary tract dysfunction)'이 더 적절한 것으로 생각된다. 또한 이러한 분류는 단지 소변생성량과 배뇨양상에만 의존하고 있고 야간뇨의 임상적 맥락에서 중요한 수면이상(sleep disorder) 요인에 대한 고려가 없기 때문에 원인 범주에 수면이상을 추가하는 것이 보다 타당할 것으로 판단된다.

따라서 본 장에서는 야간뇨를 크게 네 가지 원인 범주-(1) 24시간 다뇨, (2) 야간다뇨, (3) 하부요로기능이상, (4) 수면이상-로 나누어 다루고자 한다. 어떤 야간뇨 환자들은 원인 분류상 네 가지 범주 중 하나에 딱 들어맞으나, 반면에 두 가지 이상의 범주에 속하는, 복합적인 원인을 갖는 환자들도 많다. 즉, 야간뇨 환자 전체집단을 놓고 볼 때뿐만 아니라 어떤 한 명의 환자를 놓고 볼 때도 야간뇨의 원인은 다인성일 수 있다.

2019년에 출간된 야간뇨의 진단과 치료에 대한 전문가들의 합의 보고서에서는 야간뇨의 원인이 되는 요인들을 보다 세분화하여 여섯 도메인으로 나누어 각각의

표 38-2. **야간뇨의 원인 분석을 위한 배뇨일지의 지표와 정의**

지표	정의
NUV* (nocturnal urine volume)	Total volume of urine produced during the individual's main sleep period including the first void after the main sleep period
MVV (maximum voided volume)	Highest voided volume recorded during the assessment period. This usually equals bladder capacity.
Ni (nocturia index)	Ni=NUV/MVV; when Ni >1, NUV exceeds maximum storage capacity and nocturia is predictable. In clinical practice, Ni>1.3 is suggested as a cut-off.
NPi (nocturnal polyuria index)	NPi=NUV/24-h voided volume; If NPi >0.20~0.33 (age dependent), patient has NP.
ANV (actual number of nightly voids)	Nightly voids recorded from diary
PNV** (predicted number of nightly voids)	PNV=Ni-1
NBCi*** (nocturnal bladder capacity index)	NBCi=ANV-PNV

* 2018년 국제요실금학회의 야간뇨와 야간하부요로기능에 관한 용어 보고서에서 NUV의 정의가 변경됨.
** Ni-1의 값이 정수가 아닐 경우 올림하여 정수값을 취하는 것이 통상적임(Weiss · Blaivas, 2002).
*** NBCi가 0보다 클 때 야간방광용적 저하를 의미함.

영역의 관점과 특수성을 반영한 진단 및 치료 방침을 다루고 이를 모아 종합적인 야간뇨의 진단 및 치료 패키지를 제시하였다(Everaert et al, 2019). 여기서 하부요로 요인, 신장학적 요인, 호르몬 요인, 수면 및 중추신경계 요인, 심혈관 요인, 수분 및 식이 섭취 요인이 여섯 도메인을 구성하며, 여기에 병용약물 요인 도메인을 추가하면 일곱 도메인이 된다(그림 38-1). 각 도메인이 서로 완전히 배타적인 영역은 아니며, 예를 들어 야간뇨를 유발할 수 있는 비만의 경우 과도한 칼로리 섭취와 연관되어 수분 및 식이 섭취 요인으로 분류할 수도 있지만, 대사증후군과 연관되어 심혈관 요인으로 분류할 수도 있다. 이 보고서에서의 여섯 도메인 또는 일곱 도메인 분류가 야간뇨 환자에 대한 학제적이며 종합적인 접근을 독려할 수 있다는 점에서 고무적이나 이러한 접근방법을 실제로 충실히 따를 때 의사 입장에서나 환자 입장에서나 야간뇨의 평가과정이 더욱 힘

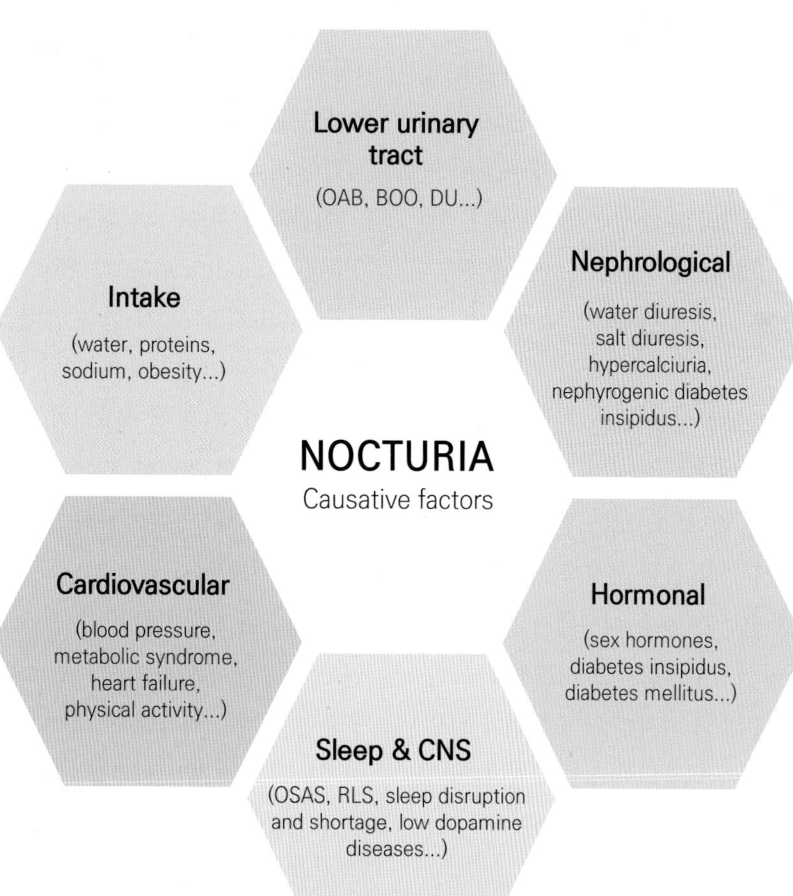

그림 38-1. 여섯 도메인으로 분류한 야간뇨의 원인 요인. BOO; bladder outlet obstruction, CNS; central nervous system, DU; detrusor underactivity, OAB; overactive bladder, OSAS; obstructive sleep apnea syndrome, RLS; restless legs syndrome

들고 부담스러워질 수 있다. 그리고 여섯 도메인에 속하는 구체적인 요인들을 앞서 언급한 네 가지 원인 범주(24시간 다뇨, 야간다뇨, 하부요로기능이상, 수면이상)로 분류하는 데 문제가 없기 때문에 기존의 분류를 통한 접근방침도 여전히 유효할 것으로 생각한다.

5. 야간뇨의 진단 및 평가

야간뇨의 치료는 그 원인이 되는 요인에 따라 이루어져야 한다. 따라서 치료를 개시하기 전에 야간뇨에 대한 포괄적인 평가가 필요하다. 정확한 평가는 자세한 병력 청취, 투약 내역 검토, 신체검사와 함께 배뇨횟수 배뇨량일지 또는 방광일지의 분석에 근거하게 된다. 야간뇨의 원인 기전을 정확히 알아내지 못하면 좋지 않은 치료결과와 부작용, 환자의 불만족으로 이어질 수 있다.

야간뇨의 진단과 치료에 대한 전문가들의 합의 보고서(Everaert et al, 2019)에서 권장된 진단 패키지를 종합, 요약하면 다음과 같다. 1) 모든 원인 요인들에 대한 병력 청취 및 설문지를 통한 임상적 평가가 요구된다. 2) 필요하다고 판단될 경우 여성에서 골반진찰을, 그리고 남성에서 직장수지검사를 시행하도록 한다. 3) 혈압측정과 부종(특히 하지부종)의 확인이 필요하다. 4) 방광일지 작성이 권장되며, 3일 작성이 일반적이다. 5) 수면, 수분 및 식이 섭취, 신체활동에 관한 기록(일지) 작성이 권장된다. 6) 배뇨후잔뇨량(post-void residual)의 측정이 권장된다. 7) 필요하다고 판단될 경우 전립선특이항원(prostate specific antigen; PSA) 측정, 혈청 나트륨 측정(serum sodium check), 신장기능 평가, 심장기능 평가, 내분비학적 선별검사를 시행하도록 한다.

6. 야간뇨의 치료

야간뇨의 치료를 시작할 때 치료목표를 명확히 설정할 필요가 있다. 야간뇨 빈도의 감소 자체도 유의미하지만 야간뇨의 발생을 하룻밤에 2회 미만으로 감소시키는 것과 방해받지 않는 수면(undisturbed sleep)이 4시간이 초과하게 연장시키는 것은 더욱 중요한 의미가 있다(Oelke et al, 2014). 물론 야간뇨의 치료의 궁극적인 목적은 건강관련 삶의 질을 향상하는 데 있다.

야간뇨의 치료는 그 원인이 무엇이든 생활습관조정(lifestyle modification)과 행동치료(behavioral treatment)부터 시작하도록 한다. 행동치료방법에는 일반적으로 야간 수분섭취제한, 저녁 이후에 카페인이나 알코올 피하기, 취침 전 배뇨하기, 적절한 신체운동, 그리고 수면환경의 최적화 등이 포함된다. 야간뇨의 진단과 치료에 대한 전문가들의 합의 보고서(Everaert et al, 2019)에서 제시된, 야간뇨의 원인 요인 도메인에 따른 생활습관조정 방침이 그림 38-2에 도식화되어 있다. 일부 환자에서는 생활습관조정과 행동치료만으로도 충분한 효과를 나타낸다. 그러나 대부분의 환자에서는 야간뇨의 개별적인 병태생리에 대응하는 추가적인 조치가 필요하다.

한편, 역학연구 자료에 따르면 야간뇨는 시간이 흐르면서 그 정도의 변동이 상당하다. 또한 많은 경우에 야간뇨의 증상과 정도가 안정적으로 유지되거나 또는 시간의 경과에 따라 감소하기도 한다. 이러한 역학적

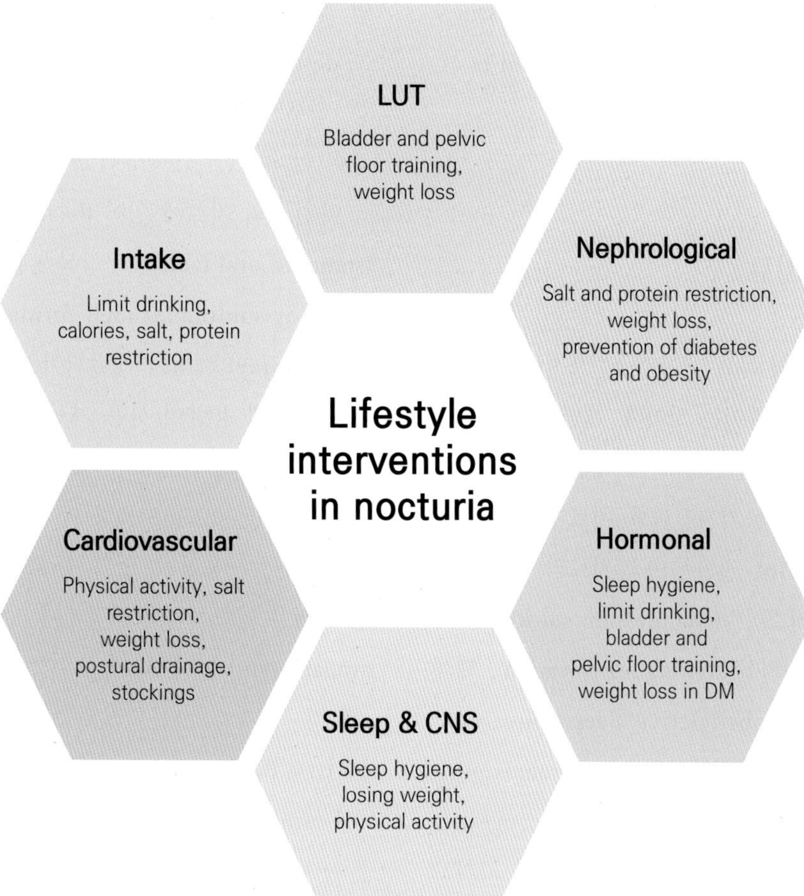

그림 38-2. **야간뇨의 병태생리에 따른 생활습관조정 방침.**
CNS; central nervous system, DM; diabetes mellitus, LUT; lower urinary tract

특징이 야간뇨를 무시하는 것을 정당화하지는 않지만, 행동치료를 시작하는 환자나 야간뇨에 대한 적극적인 치료를 미루는 환자를 다소 안심시킬 수 있는 정보가 될 수 있다.

1) 24시간 다뇨의 치료

24시간 다뇨, 즉 전반적 다뇨(global polyuria)의 치료는 기저질환을 치료하는 데 초점을 맞춘다. 문제가 되는 약제(예를 들어 lithium)를 중단하고 당뇨를 적절히 관리하고 치료하는 것은 이론적으로 다뇨와 이와 연관된 야간뇨를 개선할 수 있다. 원발성다음증(primary polydipsia)은 적절히 다루어져야 한다. 중추성요붕증(central diabetes insipidus)은 합성 vasopressin유사체인 desmopressin으로 치료해야 한다(Dani et al, 2016).

2) 야간다뇨의 치료

야간다뇨의 치료의 목표는 야간소변생성(nocturnal urine production)을 줄이는 것이다. 개별 환자들에서의 야간다뇨의 특정한 원인을 먼저 확인하고 단지 야간뇨를 치료하기보다는 기저질환을 치료할 수 있어야 한다(Dani et al, 2016). 질환특이적 치료의 예로는 하지부종에 대한 압박스타킹(compression stockings) 착용과 저녁 이후 하지거상(evening leg elevation), 폐쇄성수면무호흡증후군(obstructive sleep apnea syndrome; OSAS)에서의 지속양압호흡(continuous positive airway pressure; CPAP), 울혈성심부전(congestive heart failure)과 같은 만성질환의 최선의 치료, 그리고 복용하는 약물의 선택과 투약시각의 조정 등을 들 수 있다. 늦은 오후에 이뇨제를 복용하는 것이 체액의 'third spacing'을 감소시켜 궁극적으로 야간뇨를 감소시킬 수 있다.

Desmopressin은 vasopressin 수용체 제2형에 대한 선택적 작용제로 항이뇨작용을 유도하며 야간다뇨와 연관된 야간뇨 환자의 치료에 있어 효과적이고 안전한 것으로 알려져 있다(Cornu et al, 2012; Ebell et al, 2014). 그러나 야간 vasopressin 저하에 의한 야간다뇨, 즉 수분이뇨(water diuresis)에 의한 야간다뇨가 desmopressin 치료의 일차적인 대상이라는 점을 주지해야 한다. 염분이뇨(salt diuresis)와 관련된 야간다뇨는 다른 원인들(폐쇄성수면무호흡증후군, 부종, 비만, 고혈압, 심부전, 염분섭취 과다 등)과 연관되어 있다. 그리고 desmopressin을 안전하게 투여하기 위해서는 다음증, 심부전, 신부전, 심한 하지부종, 폐쇄성수면무호흡증이 없어야 한다(Everaert et al, 2019).

야간뇨의 치료에 있어 desmopressin의 경구정제(standard oral tablet), 구강붕해정(oral disintegrating tablet or sublingual melt formulations), 비강분무(nasal spray) 제형이 개발되어왔는데 모든 나라에서 모든 제형과 용량이 사용 가능하지는 않다. 국내에서는 2020년 현재 야간뇨의 치료제로 desmopressin 경구정제(0.1 mg, 0.2 mg 용량)와 구강붕해정(60 μg, 120 μg 용량)을 사용할 수 있다. Desmopressin의 구강붕해정 제형은 일반적인 경구정제에 비해 생체이용률(bioavailability)이 높아, 120 μg 구강붕해정은 0.2 mg (200 μg) 경구정제와 생물학적동등성(bioequivalence)을 갖는다(De Bruyne et al, 2014).

Desmopressin 반응성에 있어 남녀 간의 차이가 모든 연구에서 일관되게 나타나는 것은 아니지만, 여성이 남성에 비해 desmopressin에 보다 민감하며, 더 낮은 용량을 필요로 하는 것으로 보인다(Dani et al, 2016; Weiss·Everaert, 2019; Yamaguchi et al, 2013). 몇몇 연구에서 남성에서의 구강붕해정의 최소유효량(minimum effective dose)은 50 μg, 여성에서의 구강붕해정의 최소유효량은 25 μg이라고 제시하였다(Sand et al, 2013; Weiss et al, 2013).

Desmopressin의 약동학적 특성을 고려할 때 잠자리에 들기 1시간 전에 투약하는 것이 적절하며 투약 후 8시간 동안은 어떤 형태로든 환자들에게 수분섭취제한(갈증이 있을 때만 수분섭취를 하게 하든지 또는 엄격한 수분섭취제한을 하든지)이 요구된다.

저나트륨혈증(hyponatremia)은 desmopressin의 중

요한 부작용으로 65세 이상의 환자, 그리고 기저 혈청 나트륨 수치가 낮은 환자에서 desmopressin 투약 후 저나트륨혈증의 발생 위험이 높다(Oelke et al, 2017). 또한 여성에서 저나트륨혈증이 더 발생하기 쉽다. 일반적으로 고령 환자에서는 저용량 요법으로 시작하는 것이 권장되며, 아울러 혈청 나트륨 수치 모니터링이 필요하다(Everaert et al, 2019). 노쇠 환자(frail older patients)에서는 일반적으로 desmopressin의 사용이 금기이며, 야간뇨의 다른 요인이나 관련된 동반질환을 우선 치료해야 한다. 노쇠 환자에서 다른 요인의 치료에도 불구하고 성가신 야간뇨가 지속될 경우 desmopressin 투여를 고려해볼 수 있으나 주의 깊은 모니터링이 필요하다.

어느 연령대부터 desmopressin 치료 전에 혈청 나트륨 측정을 해야 하는지에 대해 합의가 이루어진 것은 아니나 대개 65세 이상의 환자에서는 치료 전에 혈청 나트륨 측정이 권장된다. 야간뇨의 진단과 치료에 대한 전문가들의 합의 보고서에 따르면, 치료 전 기저 혈청 나트륨 수치가 130 mmol/L 미만일 경우 desmopressin을 처방해서는 안 되며, 그 기준을 135 mmol/L 이하로 삼는 의사들도 있다(Everaert et al, 2019). 또한 신장기능이 저하되어 사구체여과율이 50 mL/min보다 작은 경우 desmopressin 처방을 해서는 안 되며, NYHA class 2 이상의 울혈성심부전, 다음증, 저나트륨혈증의 위험도가 높은 병용약물이 있는 경우도 desmopressin 사용의 금기에 해당한다. 저나트륨혈증 발생의 고위험 약물에는 thiazide, lithium, valproate, carbamazepine 등이 포함된다(Liamis et al, 2008). 표 38-3에 desmopressin 투여 고려 시 저나트륨혈증 위험 관리에 대한 전문가들의 합의가 정리되어 있다(Everaert et al, 2019).

Desmopressin 치료 전에 기저 혈청 나트륨 측정이

표 38-3. Desmopressin 투여 고려 시 저나트륨혈증 위험 관리

Standard vigilance to hyponatremia symptoms	Standard vigilance to hyponatremia + serum sodium check (SSC)	Contraindications for desmopressin
<65 years	65 years or older	Frail older people
Baseline sodium >135	Baseline sodium 130~135	Baseline sodium<130
eGFR>50~60	eGFR 50~60	eGFR<50
No concomitant medication that cause hyponatremia	Concomitant medication weakly or moderately related to hyponatremia*	concomitant medication strongly related to hyponatremia**
No leg edema	low to moderate leg edema	important leg edema
No heart failure	Heart failure (NYHA class I)	Heart failure (NYHA class II or higher)
No diabetes mellitus or hypertension	Controlled diabetes mellitus or hypertension	Uncontrolled diabetes mellitus or hypertension
		Psychogenic polydipsia (>3 L/day)
Any desmopressin formulations	Low dose desmopressin	

* loop diuretics, antidepressants, angiotensin-converting enzyme inhibitors, and angiotensin-II receptor blockers
** thiazide diuretics, lithium, valproate, and carbamazepine

필요하다고 판단된 경우에는 치료 후에도 이에 대한 추적이 필요하다. 치료 개시 후 1주일 내에(보통 3일째부터 7일째 사이에) 혈청 나트륨 수치를 측정해야 하며, 1달이 되었을 때도 측정하는 것이 권장된다. 그 이후에는 임상의사의 판단과 재량에 따라 혈청 나트륨 측정을 시행하게 된다. Desmopressin에 대한 반응이 불충분하여 증량을 고려할 경우 환자 상태에 따라 증량 전후에 혈청 나트륨 측정을 시행하는 것이 권장된다.

Desmopressin 투약 개시 후 혈청 나트륨 수치가 130 mmol/L보다 낮을 경우 증상 여부와 상관없이 투약을 중단해야 하며, 혈청 나트륨 수치가 130~135 mmol/L이면서 저나트륨혈증 증상이 있는 경우에도 투약을 중단해야 한다. 혈청 나트륨 수치가 130~135 mmol/L이면서 저나트륨혈증 증상이 없는 경우 투약을 꼭 중단해야만 하는 것은 아니나 혈청 나트륨 수치의 추적 확인이나 용량 감소 등을 시행해야 한다고 전문가들이 합의하였다(Everaert et al, 2019). 저나트륨혈증 증상에는 오심(nausea), 구토, 두통, 기력상실, 피로, 초조함과 흥분, 근력저하, 경련, 발작(seizure), 혼돈(confusion), 기면(drowsiness), 혼수(coma) 등이 포함된다. 저나트륨혈증 증상의 발생을 빨리 알아차릴 수 있도록 환자와 그 배우자를 교육하는 것이 권장된다.

몇몇 연구에서는 비스테로이드항염증제(nonsteroidal anti-inflammatory drugs; NSAIDs)가 야간다뇨 환자에서 작은 효과를 가질 수 있음을 제시하였으나(Addla et al, 2006; Saito et al, 2005) 비스테로이드항염증제의 효과에 대해 명확히 판정을 내리기 위해서는 추가적인 연구가 필요하다. 더욱이 비스테로이드항염증제의 부작용들, 특히 심혈관계, 신장, 위장관계의 심각한 부작용들은 이의 광범위한 사용을 어렵게 한다.

3) 하부요로기능이상의 치료

야간뇨는 하부요로증상 중 저장증상에 속한다. 따라서 야간뇨의 원인 범주로서의 하부요로기능이상은 일반적으로 저장증상과 방광감각의 증가와 연관된다. 그러나 소변의 불완전배출이 심각하면, 즉 배뇨후잔뇨량이 많다면 배뇨기능이상(voiding lower urinary tract dysfunction)이 야간뇨의 발생이나 악화에 기여할 수 있다. 물론 어떤 환자에서 방광기능이상(bladder dysfunction)이나 방광출구폐색(bladder outlet obstruction)이 야간뇨의 기여인자인 경우에도 하부요로 이외의 요인이 동시에 야간뇨의 주요 원인으로 작용할 수 있다. 따라서 야간뇨 환자에서, 특히 그 환자의 가장 주된 하부요로증상이 야간뇨인 경우, 하부요로기능이상의 평가와 치료는 적절하고 신중하게 이루어져야 한다. 하부요로기능이상에 대한 약물, 예를 들어 항무스카린제와 알파차단제는 야간뇨의 개선에 그리 크지 않은 효과만 나타낸다(Smith·Wein, 2011; Weiss et al, 2014). 침습적인 시술이나 경요도전립선절제술(transurethral prostatectomy)과 같은 수술이 야간뇨의 개선에 있어 작은 효과를 보일 수도 있으나, 그러한 시술이나 수술을 위한 다른 분명한 적응증이 있는 환자에서만 시행해야 한다.

4) 수면이상의 치료

야간뇨와 수면장애와의 관계는 양방향성이다. 수면교란(sleep disruption)은 야간뇨의 위험을 증가시키고, 야간뇨는 수면에 악영향을 미친다. 불면증(insomnia)

에 동시 이환된 경우, 환자들은 하부요로의 감각에 보다 더 반응하게 될 수 있고, 결과적으로 야간뇨의 빈도 증가로 이어질 수 있다. 불면증과 야간뇨가 함께 있는 환자에서 수면위생 증진을 위한 행동치료가 야간뇨의 빈도 경감에 다소 효과를 보일 수 있다(Tyagi et al, 2014). 주된 문제나 호소가 수면이 방해받는 것이라면 수면을 촉진하는 약물이 야간뇨의 치료에 효과적일 수 있다(Dani et al, 2016; Gulur et al, 2011). 진정제(sedative agent)는 야간뇨 빈도를 개선하는 것보다는 다시 잠들게 하는 데 도움이 될 수 있으며(Takami·Okada, 1993), 수면시간 중 이른 시기에 깨어나서 재입면하는 데 어려움이 있는 사람들에게는 단기작용 수면제가 유용할 수 있다(Vaughan et al, 2009). 야간뇨가 있는 방광출구폐색 남성을 대상으로 한 전향적 연구에서 멜라토닌(melatonin)이 야간뇨 빈도를 다소 줄일 수 있는 것으로 제시되었다(Drake et al, 2004).

한편, 앞서 언급한 폐쇄성수면무호흡증후군이 있는 환자에서의 지속양압호흡의 사용은 그 유효성에 대한 높은 수준의 근거(level 1a evidence)를 갖고 있다(Everaert et al, 2019).

5) 복합적인 원인에 대한 치료

야간뇨의 원인이 복합적일 경우에는 각각의 원인들에 대응할 수 있는 복합치료(multimodal treatment)가 가장 적절한 치료전략이 될 수 있다. 예를 들어 과민성방광과 야간다뇨가 동반된 경우 항무스카린제와 desmopressin 병용요법을 적용해볼 수 있다.

전체 참고문헌 목록은
배뇨장애와 요실금 웹사이트 자료실
(http://www.kcsoffice.org)에서
확인할 수 있습니다.

제 39 장 방광출구폐색

Bladder outlet obstruction

박형근

1. 개론

방광출구폐색이란 소변이 배출되는 과정에서 방광경부에서부터 요도구까지 이르는 요 배출구의 저항이 증가하여 소변이 정상적으로 배출되지 않는 것으로 정의할 수 있다. 방광출구폐색은 전립선비대증이나 요도협착과 같은 해부학적 폐색과 방광경부 또는 요도괄약근의 기능이상에 의한 기능적 폐색으로 구분할 수 있다. 소변이 잘 배출되지 않으므로 약뇨, 요주저, 복압배뇨 등의 배뇨증상이나 요폐가 주로 발생하지만 잔뇨량의 증가 및 방광의 이차적 변성으로 인해서 요절박, 빈뇨 등의 저장증상도 동반된 경우가 많다.

남성에서 방광출구폐색의 원인으로는 전립선비대증 및 요도협착이 임상적으로 가장 흔하게 접할 수 있으며, 여성에서는 주로 요실금 수술에 의한 요도압박이나 방광류 등에 의한 외인성 압박으로 인해 방광출구폐색이 발생한다. 남성과 여성 모두에서 드물게 골반저근이나 괄약근의 이완이상에 의한 기능장애성배뇨, 배뇨근괄약근협동장애 등이 원인일 수 있다. 남성에서는 유병률이 높은 전립선비대증과 연관된 방광출구폐색에 대한 많은 연구가 이루어져 발표되고 있으나, 여성에서의 방광출구폐색은 남성에 비해 드물며, 정확한 정의, 진단 및 치료방침을 확립하기 위해서는 더 많은 연구가 필요한 실정이다.

2. 남성 방광출구폐색

1) 원인

남성에서 방광출구폐색의 원인은 크게 해부학적 폐색과 기능적 폐색으로 구분할 수 있다. 해부학적 폐색은 전립선비대증, 요도협착 및 전립선수술 후 발생하는 방광경부섬유화로 인해 발생하며 드물게는 요도판막, 양성 및 악성종양 등으로 인해 발생할 수 있다. 기능적 폐색은 천수배뇨중추상부의 신경손상(배뇨근괄약근협동장애), 골반저근 이상(기능장애성배뇨), 약물부작용(알파아드레날린작용제, L-dopa, 암페타민, 항히스타민) 등의 경우에 나타날 수 있다.

배뇨근괄약근협동장애는 기능적인 방광출구폐색을 일으키는 대표적인 요인으로 배뇨근압이 상승되고 불완전한 배출이 유발되며 이로 인해 상부요로에 미치는 영향과 요역동학검사 소견은 정도에 따라 차이가 있다. 신경손상 시 완전손상의 경우가 더 좋지 않은 영향을 미치며, 지속적인 배뇨근수축이 있는 경우와 해부학적 구조상 남성의 예후가 더 좋지 않다.

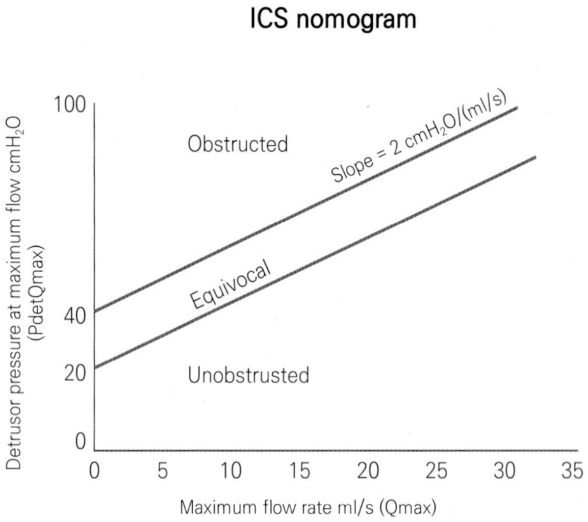

그림 39-1. **남성의 방광출구폐색 노모그램의 예**

2) 진단

방광출구폐색을 정확히 진단하기 위해서는 요역동학검사의 한 요소인 압력요류검사를 시행해야 한다. 비교적 고령(65세 이상)인 남자 환자가 하부요로증상을 보이고 요속이 매우 낮은 경우, 약물치료가 예정되어 있다면 요역동학검사가 필요하지 않을 수 있지만 (Shah, 1994), 수술이 예정되어 있는 경우에는 요역동학검사를 시행하는 것이 도움이 된다. 왜냐하면 폐색이 없는 배뇨근저활동성이나 배뇨근과활동성의 경우에도 상기 증상이나 소견을 나타낼 수 있기 때문이다. 따라서 압력요류검사를 포함한 요역동학검사를 통하여 하부요로기능이상의 정확한 병태생리를 파악하고 치료방침을 설정하는 것이 바람직하다. 폐색증상이 있으면서 심한 과민성방광 증상을 호소하는 경우, 폐색성 하부요로증상과 신경학적인 질환을 같이 가진 경우, 50세 이하의 남자에서 폐색성 하부요로증상을 가진 경우에 압력요류검사를 시행하는 것이 권장된다.

압력요류검사의 자료를 바탕으로 방광출구폐색 여부와 정도를 정확히 평가하기 위해 Abrams-Griffiths 노모그램, 국제요실금학회 잠정 노모그램(ICS provisional nomogram) (그림 39-1), Schäfer노모그램 등이 개발되어 이용되고 있다. 이러한 노모그램 외에, 방광출구폐색지수(BOO index)를 이용하여 남성 방광출구폐색을 진단할 수 있다. 방광출구폐색지수는 공식 (BOO index=$P_{det}Q_{max}-2Q_{max}$)을 이용하여 계산된 값으로 방광출구폐색지수가 40이상인 경우 폐색이 있다고 판단한다.

3) 치료

남성 방광출구폐색의 치료는 그 원인에 따라 달라지므로 그 원인을 찾아서 해결하는 것이 중요하다.

(1) 약물 치료

알파차단제는 방광출구저항을 저하시켜서 요배출을 촉진하는 대표적인 경구 약물이다. 방광경부와 전립선평활근의 수축에는 알파1수용체가 주로 관여하는데, 그 중 알파1A 수용체가 가장 중요한 아형이다. GABA는 중추신경계에서 작용하는 억제성 신경전달물질로 이와 관련하여 benzodiazepine과 baclofen이 방광출구폐색에 유용할 가능성이 있다. Benzodiazepine은 GABA가 $GABA_A$ 수용체에 결합하는 것을 촉진시킨다. 신경을 안정시키고 골반저근의 이완을 유도하여, 요도괄약근의 불완전한 이완이 의심될 때 사용해 볼 수 있다. Baclofen은 척수신경 내 $GABA_B$ 수용체를 통해 운동신경과 중간신경세포(interneuron)의 흥분을 억제하기 때문에 근육 경직의 치료약물로 사용된다. 급/만성척수손상환자에서 척수강 내 주입치료가 잔뇨량을 줄이고 방광용적을 늘렸다는 보고가 있었으나, 추가적인 최근 연구는 거의 없다. 5알파환원효소억제제는 전립선비대증 환자에서 전립선의 크기를 감소시켜 방광출구폐색을 완화시킬 수 있다.

Phosphodiesterase (PDE) 5형은 전립선과 요도에 많이 분포되어 있으며 sildenafil 등 PDE5억제제는 cGMP를 증가시켜 평활근의 이완을 유도한다. 단독으로 사용했을 때, 배뇨증상을 호전시킨다는 보고는 많이 있으나, 요속을 증가시켰다는 보고는 없고, 알파차단제와 PDE5억제제 병용군에서 알파차단제 단독군에 비해 증상과 요속이 유의하게 개선되었다. 전립선비대증과 발기부전이 동반된 방광출구폐색환자에서 PDE5억제제가 유용할 것으로 생각된다.

(2) 수술적 치료

남성의 경우에는 방광출구저항을 감소시키는 수술이 큰 효과를 가져다 줄 수 있으며 수술의 종류는 아래와 같다.

① 경요도전립선절제술(transurethral resection of prostate)

전립선비대증으로 인한 방광출구폐색을 제거하는데 일차적으로 사용되는 수술이다. 보다 자세한 내용은 전립선비대증의 수술치료를 다루는 제 47장에 자세히 기술되어 있다.

② 경요도방광경부절제술(transurethral resection of bladder neck)

방광경부에서 정구 사이의 조직을 모두 절제하는 방법이다. 비디오요역동학검사를 시행하여 방사선투시에서 배뇨 시 방광경부가 이완되지 않거나, 요도내압측정술로 방광경부와 횡문괄약근 사이의 급격한 압력하강이 관찰되는 등 방광경부의 폐색이 있는 것으로 판단되는 경우에 시행할 수 있다.

③ 경요도방광경부절개술(transurethral incision of bladder neck)

경요도방광경부절제술과 적응증이 같다. 절개는 방광의 기저부에서 정구까지 가하며, 5, 7시 방향으로 전립선 피막 깊이까지 절개한다

④ 방광경부성형술(Y-V plasty of bladder neck)

경요도방광경부절개술과 같은 적응증의 경우에 다른 이유로 개복수술을 시행할 때 동시에 시행할 수 있으며, 방광전벽에서 방광경부를 지나도록 Y자 형태의 절개를 가한 후 V자 형태로 봉합한다.

⑤ 괄약근절개술(sphincterotomy)

배뇨근괄약근협동장애가 있는 남자 환자에서 다른 치료법이 효과적이지 못할 때 고려할 수 있는 수술법으로 통상 12시 방향에서 정구로부터 구부요도의 시작 부위까지 절개한다.

출혈(5~20%), 발기부전(5%), 요실금, 수술 실패 등의 합병증이 있으며 방광경부의 기능장애가 없으면 심한 복압성요실금이나 진성요실금(true incontinence)의 발생은 흔하지 않다. 수술의 성공과 실패를 판단하는 기준은 배뇨근요누출압(40 cmH_2O 이하), 상부요로기능(BUN, Creatinine, 영상검사 소견), 방광요관역류의 유무와 정도, 자율신경반사이상의 빈도와 정도, 요로감염, 도뇨의 필요성 등이다. 수술 후 초기 실패의 원인은 불충분한 절개, 배뇨근수축력 약화, 방광경부 혹은 전립선요도의 폐색이며, 후기 실패의 원인은 절개부위의 섬유화, 배뇨근의 기능 변화, 전립선비대증, 배뇨근괄약근협동장애의 발생 등이다.

④ 괄약근 보툴리누스독소 주사

요도괄약근에 보툴리누스독소를 주입함으로써, 척수손상 환자에서 발생하는 배뇨근괄약근협동장애를 치료할 수 있다. 방광내시경을 이용하여 9시에서 3시 사이의 배부 쪽 괄약근 2~4곳에 주사한다. 최근 메타분석 결과는 보툴리누스독소 주입 후 배뇨 시 방광내압이나, 배뇨 후 잔뇨량이 유의하게 감소하였다고 보고하였다.

3. 여성 방광출구폐색

하부요로증상을 가지고 있는 여성에서 방광출구폐색의 유병률은 2.7~8%로 보고되고 있으나, 이 유병률은 1970~80년대에 보고된 것이다. 여성 방광출구폐색의 진단기준이 뚜렷이 정해지지 않았기 때문에 진단되지 않은 경우가 많을 것이다.

1) 원인

여성에서의 방광출구폐색 역시 크게 해부학적 폐색과 기능적 폐색으로 분류할 수 있다(표 39-1).

해부학적 폐색은 고정된 특정한 폐색에 의해 요의 흐름이 막히는 것으로, 여성 방광출구폐색의 주된 원인이다. 요실금이나 골반장기탈출증 수술 후에 의인성으로 발생하거나 골반장기탈출증, 요도협착, 요도게실 등으로 인해 발생한다. 과거병력과 신체검사에서 이러한 질환이나 상태가 의심되면 비교적 쉽게 방광출구폐색을 염두에 두고 진단적 검사 및 치료계획을 세울 수 있지만 기능적 방광출구폐색의 경우, 이러한 특징적인 병력과 신체검사 소견이 없고, 배뇨증상만으로는 다른 하부요로기능이상과 방광출구폐색의 구분이 어려워서 진단이 쉽지 않다.

(1) 해부학적 폐색

여성의 해부학적 방광출구폐색이 발생하는 상황 중에 임상적으로 가장 흔한 두 가지는 요실금 수술로 인한 의인성 폐색과 방광류 등으로 인한 방광출구의 외인성 압박으로, Grouts 등(2000)은 요역동학검사를 통

표 39-1. 여성 방광출구폐색의 원인

기능적·신경학적 원인으로 인한 폐색	
	불완전 골반저근 이완으로 인한 기능장애성배뇨
	가성협조장애
	배뇨근괄약근협동장애
	원발성 방광경부폐색
해부학적 원인으로 인한 폐색	
	골반장기탈출증-방광류, 직장류, 장류 등
	요실금 수술 후
	산부인과적 문제- 자궁 및 난소 종양, 질 종양
	분변매복
	부적절한 페사리 사용
	요도협착
	요도구 협착
	요도카룬클
	요도 및 방광경부 섬유화
	요도게실
	Skene선 낭종 또는 농양
	방광 및 요도 결석
	방광 및 요도 암
	요관류
	요로결석 및 이물질
복합작용제	
방광출구저항을 증가시키는 약물	삼환계 항우울제, 알파아드레날린작용제, L-dopa, 암페타민, 항히스타민 등

해 방광출구폐색으로 진단된 환자의26%와 24%가 각각 이 두 가지 요인에 해당한다고 보고하였다. 최근 요실금 수술의 대부분을 차지하고 있는 중부요도슬링 술식의 경우 슬링이 요도 후부에 과도한 압박을 가하게 되어서 폐색이 발생할 수 있으나, 과거의 요실금 수술에 비해 수술 후 요폐를 비롯한 요배출이상의 발생빈도가 현저하게 낮아졌다(Novara et al, 2008). TOMUS 연구(Trial of midurethral sling)에서 수술치료 또는 도뇨가 필요한 배뇨장애의 발생빈도는 치골후 접근에서 3%, 경폐쇄공 접근에서는 0%이었다(Brubaker et al, 2011). 폐색증상은 매우 다양하여 약뇨 외에 요절박, 빈뇨 등의 증상도 나타날 수 있다.

외인성 압박의 원인으로는 방광류가 가장 흔하며, 방광류의 탈출 정도가 심할수록 방광출구폐색의 빈도가 증가하고 심하면 요관폐색까지도 초래할 수 있다. 자궁, 난소, 자궁경부, 질 등에 발생하는 종양도 방광출구폐색을 초래할 수 있다.

여성의 요도는 길이가 짧지만 협착이 발생할 수 있으며, 방광출구폐색을 호소하는 환자의 4~18%에서 보고되고 있다(Blaivas · Groutz, 2000). 요도게실은 크기가 큰 경우 방광경부를 직접 압박할 수도 있고 재발되는 요로감염으로 요도협착을 초래하여 방광출구폐색이 발생할 수 있다(김, 2008). 이 외에도 요도의 콘딜로마(condyloma)나 요도종양, 요도카룬클(urethral caruncle), 요도판막, Skene선 농양(skene's gland abscess), Gartner관 낭종(Gartner duct cyst)도 드물지만 방광출구폐색을 초래할 수 있다.

(2) 기능적 폐색

기능적 폐색은 배뇨근이 수축하는 동안, 방광경부 또는 요도괄약근이 이완되지 않기 때문에 요류의 폐색이 발생하는 것을 의미한다. 해부학적 폐색은 수술력이나 신체검진, 내시경검사 등으로 쉽게 추정 및 진단할 수 있는 반면, 기능적 폐색을 진단하기 위해서는 배뇨시점에서의 방광경부와 요도의 형태와 기능을 평가하여야 하기 때문에 그 진단이 어렵다.

기능적 폐색의 대표적인 예로 기능장애성배뇨, 척수손상 환자에서의 배뇨근괄약근협동장애, 원발성 방광경부폐색 등이 있다. 기능장애성배뇨는 신경학적인 이상이 없는 환자에서 배뇨근수축 시에 외요도괄약근도 수축되어 폐색이 발생하는 것을 말하며, 신경학적으로 이상이 있는 환자에서 같은 현상이 나타날 때는 배뇨근괄약근협동장애라고 칭한다. 외요도괄약근 경직은 질이나 요도의 염증, Skene선 농양 등 외요도괄약근 주위의 염증으로 인하여 발생할 수 있으며 급성 요폐나 재발성 방광염의 원인이 될 수 있다(Raz et al, 1976). 원발성 방광경부폐색이란, 배뇨 시 방광경부가 적절히 깔대기 모양으로 이완되지 못해 요속이 낮고, 배뇨근압이 높은 양상을 보인다. 방광경검사나 일반 요역동학검사로는 진단하기 어렵기 때문에 비디오요역동학검사가 진단에 필수적이다. 기능장애성배뇨와 원발성 방광경부폐색은 비슷한 폐색증상이 나타나지만, 기능장애성배뇨에서 빈뇨, 요절박 증상이 보다 많이 나타난다. 원발성 방광경부폐색은 기능장애성배뇨에 비해 폐색증상이 많이 나타나고, 요속이 더 낮으며, 잔뇨량이 더 많다. 그리고 방광경부폐색의 발병연령이 더 높다(Brubaker et al, 2011).

2) 진단

여성의 방광출구폐색을 진단하는 것은 매우 어렵고, 더구나 요역동학적 진단기준이 확립되지 않았다. 요역동학적검사와 투시영상결과를 종합하여 평가하는 것이 기능적 또는 해부학적 방광출구폐색을 진단하는 데 도움이 된다(Hoffman·Nitti, 2016) .

여성의 방광출구폐색에 있어서 하부요로증상은 종종 비특이적이기 때문에 환자에 대한 철저한 병력 조사가 진단의 출발점이 된다. 방광출구폐색을 일으킬 수 있는 수술력, 해부학적 변화를 야기할 수 있는 병력, 분만력, 신경학적 과거력, 복용약물 및 장 기능에 대해서 면밀히 조사하여야 한다. 신체검사는 복부촉진으로 방광의 팽만 여부를 확인한다. 질과 골반 검사를 시행하여 요도의 위치와 과활동성 여부, 방광경부와 방광의 위치와 방광류, 직장류, 장류, 자궁탈출 등의 골반장기탈출과 자궁경부의 종양 유무 등을 확인해야 하며 복압상승 시 요실금의 유발 여부도 관찰하도록 한다. 또한 이전의 수술로 인한 질벽의 섬유화 및 회음부 감각의 변화, 항문긴장도의 변화 등을 확인하는 것도 진단에 도움이 된다. 다음으로 천수(S2-4)의 지배를 받는 피부분절과 괄약근에 대한 제한적인 신경학적 검사와 함께 하지에서 심부건반사를 시행한다. 요검사도 방광염이나 요도염을 배제하기 위해 반드시 시행한다. 배뇨일지, 요류검사, 배뇨 후 잔뇨량 검사를 시행한다. 요류검사에서 가장 중요한 지표는 최대요속으로 방광출구폐색을 배제하기 위해서는 20 mL/sec 이상이어야 한다. 15 mL/sec 이하인 경우 일반적으로 방광출구폐색을 의심하게 되는데 특정한 한 명의 환자에 있어서도 결과가 항상 일정하지 않다는 점을 명심하여야 한다(Bass et al, 1991). 초음파를 이용한 잔뇨량 측정은 방광출구폐색의 원인을 감별하는 데 있어 정확도가 높지 않지만, 비침습적인 측면에서 불완전한 소변배출을 선별하는 데 유용한 검사이다(Al-Shahrani et al, 2005).

현재까지 방광출구폐색을 진단하는 데 있어 가장 유용하고 정확한 단일검사는 비디오요역동학검사이다. Nitti 등(1999)은 비디오요역동학검사에서 어느 정도 배뇨근수축이 지속될 때 방광경부와 요도 사이에서 영상학적인 폐색이 있는 경우로 방광출구폐색을 정의하였다(Nitti et al; 1999). 요도압력 측정은 여성 방광출구폐색을 진단하는 데 도움이 되지 못하며, 압력요류검사의 여러 지표들을 이용한 다양한 진단 기준들이 제시되어 왔다(표 39-2). Defreitas 등(2004)은 12 mL/sec이하의 요속과 25 cmH_2O 이상의 최대요속 시 배뇨근압이 가장 좋은 절단치(cut-off value)라고 하였다. 여성 방광출구폐색의 진단에 도움을 주는 노모그램도 개발되어 있으며 Blaivas-Groutz 노모그램(그림 39-2)이 가장 흔히 이용된다(Blaivas·Groutz, 2000).

요역동학검사로 여성 방광출구폐색을 진단하기 위한 일정한 기준이 없는 상황에서 반드시 고려해야 하는 중요한 점은 일부 여성은 배뇨 시 남성과는 달리 배뇨근을 강하게 수축하지 않고 낮은 배뇨근압에서도 정상적인 배뇨가 가능하다는 점이다(Blaivas et al, 2007).

표 39-2. **여성 방광출구폐색 진단을 위한 요역동학검사 지표의 절단치 및 기타 기준**

Author	Year	Flow	Pressure	Other
Massey and Abrams	1988	<12 mL/s	>50 cmH_2O	$P_{det}Q_{max}/Q_{max}^2$ >0.2; also raised PVR
Chassagne et al.	1998	≤12 mL/s	≥20 cmH_2O	
Nitti et al.	1999	ND	ND	Radiological evidence, with sustained P_{det} rise
Blaivas and Groutz	2000		Moderate: >57 cmH_2O, Severe: >107 cmH_2O,	Mild: $P_{detmax}>Q_{max}+7$
Lemack and Zimmem	2000	≤11 mL/s	≥21 cmH_2O	
Schoefer et al.	2000	$P_{det}Q_{max}/(40+2\times Q_{max})>0.75$		
Cormier et al.	2002	ND	ND	Area under P_{det} curve
Defreitas et al.	2004	≤12 mL/s	≥25 cmH_2O	
Kuo	2005	<15 mL/s	>35 cmH_2O	Radiological evidence
		No limit	>40 cmH_2O	
Nager et al.	2007	≤12 mL/s		In the absence of prolapse
Rodrigues et al.	2013	<10 mL/s		>30 cmH_2O
Dybowski et al.	2014	$P_{det}Q_{max}>1.5\times Q_{max}+10$		
King and Goldman	2014	<12 mL/s	>20 cmH_2O	
		12~15 mL/s	>30 cmH_2O	
Orasanu et al.	2014	<12 mL/s	>20 cmH_2O	History and symptoms
Solomon et al.	2014	$P_{det}Q_{max}>2\times Q_{max}$		
Gammie et al.	2016	<12 mL/s	≥40 cmH_2O	BE≥90%

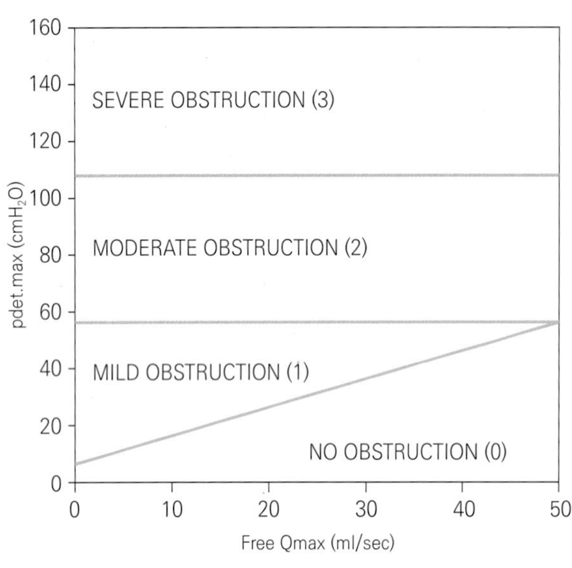

그림 39-2. **여성의 방광출구폐색 노모그램의 예**

여성의 경우 요도 저항이 너무 낮아서, 배뇨근반사가 활성화되어 있을 때에도 배뇨근압이 전혀 오르지 않거나 매우 낮은 수준으로 유지될 때가 있다. 이것은 정상의 한 변형으로 볼 수 있으며, 따라서 여성의 경우에는 최대요속 시 배뇨근압이 높지 않다고 하여 방광출구폐색이 없다고 단정할 수 없다(Scarpero, 2014). 따라서 요역동학검사 지표의 특정한 절단치를 이용하는 것보다는 비디오요역동학검사를 통해 해부학적, 기능적 폐색을 평가하는 것이 가장 정확한 방법이다.

한편 하부요로증상에 대한 설문지가 증상의 정도와 불편함을 평가하고, 추후 치료의 효과를 평가하는 데 유용하게 사용될 수 있다.

방광경을 통해 요도와 방광의 종물이나 점막을 평가할 수 있다. 특히 중부요도슬링 등을 시행 후 하부요로증상이 발생한 경우에는 미란 등을 평가하기 위해 방광내시경을 시행하는 것이 좋다. 방광 내 육주(trabeculation) 소견은 만성적으로 폐색된 경우에 보이는 경우가 많으나, 폐색이 없는 과민성방광 환자에서도 관찰될 수 있는 비특이적인 소견이다.

3) 치료

여성 방광출구폐색의 근본적인 치료는 그 원인을 제거하는 것이므로 원인을 찾으려는 노력이 필요하다.

(1) 해부학적 이상

① 골반장기탈출증

침습적인 치료 전 페사리를 유치하여 증상의 호전 여부를 확인한다. 또는 요역동학검사를 시행 시 페사리를 유치한 상태와 제거한 상태 각각에서 시행하여 골반장기탈출의 정복 시 요류의 호전이 있는지 확인한다. 골반장기탈출증의 치료로는 페사리를 유치하거나 수술적인 교정을 하여야 한다. 골반장기탈출증에 의한 여성방광출구폐색은 치료 후 90% 이상에서 증상의 개선을 보인다(Romanzi et al, 1999).

② 항요실금수술 후 발생한 경우

요실금 수술 후에 방광출구폐색이 발생하였을 때, 치료의 적절한 시점은 명확히 정하기 어렵다. 통상의 수술 후에도, 요폐를 포함한 일시적인 배뇨증상이 발생할 수 있으며, 초기 수 주간 간헐적자가도뇨를 통해 배뇨증상이 호전되는 경우가 종종 있다. 수 주간의 간헐적자가도뇨로도 배뇨증상이 호전되지 않는다면, 요도박리술(urethrolysis)을 시행해야 한다.

③ 요도 협착 또는 섬유화

요도협착에는 요도사운드(urethral sound)를 이용한 요도확장술을 시행하나, 이로 인해 방광출구폐색이 더 심해질 수도 있으므로 출혈이 생길 정도의 과도한 확장은 피하는 것이 바람직하다. 장기간 성적은 50% 미만으로 높지 않다. 질피판(vaginal flap)이나 볼점막이식편(buccal mucosal graft)를 이용한 요도성형술(urethroplasty)이 가장 성공률이 높다(Osman et al, 2013).

④ 요도게실

환상형 요도게실이 존재할 경우 방광출구폐색이 발생할 수 있다. 게실제거술(diverticulectomy)을 시행한다.

⑤ Skene선 농양 또는 Gartner관 낭종

절개 및 배농을 하며 필요하다면 조대술(marsupialization)을 시행한다.

(2) 기능적 이상

① 원발성 방광경부폐색

증상이 없으며, 수신증, 방광요관역류, 높은 방광내압 같은 위험인자가 동반되지 않은 환자는 경과관찰만으로도 충분하다. 증상이 심하거나, 위험인자가 있는 경우에는 우선 알파차단제를 이용한 약물치료를 시도한다. 만일 약물치료에 반응하지 않는다면, 경요도방광경부절개술(transurethral incision of bladder neck)이나 방광경부성형술(Y-V bladder neck plasty)같은 수술적 치료를 시행한다.

② 배뇨근괄약근협동장애

자가도뇨, 근육이완제 등의 약물치료, 천수신경조정술(sacral neuromodulation), 보툴리누스독소 주사법을 시행한다. 외요도괄약근 이상으로 발생하는 방광출구폐색에는 일차적으로 행동치료와 약물치료를 시행하지만 이에 실패한 경우 생체되먹임(biofeedback)도 유용할 수 있다.

③ 가성협조장애(pseudodyssynergia)

골반저근 이완을 먼저 시행하며, diazepam과 같은 근이완제를 사용한다. 조절되지 않는 경우에 천수신경조정술도 시행될 수 있다.

(3) 방광출구저항을 저하시켜 방광배출을 촉진하는 경구 약물

① 알파차단제

방광경부와 근위부요도에는 베타수용체도 일부 있지만 알파수용체가 주종을 이룬다. 특히 전립선이나 하부요로의 수축에는 알파1-수용체가 주로 관여하는데 그 중 알파1A수용체가 가장 중요한 아형이다. 알파차단제는 배뇨근수축력이 충분하고 괄약근협조장애가 없는 경우에 소변배출을 촉진하는 약물로 널리 사용된다.

② Benzodiazepine

항불안제로 널리 사용되는 약물로서 신경안정작용, 근이완작용, 항경련작용을 한다. $GABA_A$ 수용체를 통하여 GABA의 작용을 항진시킨다. 요역동학검사 결과 골반저횡문근의 불완전한 이완이 의심될 때 사용되고 있다.

③ Baclofen

척수신경 내의 $GABA_B$ 수용체를 통하여 운동신경과 중간신경세포의 흥분을 억제한다. 주로 근육강직에 널리 사용된다. 급/만성 척수손상 환자의 73%에서 잔뇨량이 감소하는 효과가 있었다는 보고도 있으나, 방광출구폐색을 감소시킨다는 최근 연구는 없는 실정이다. 졸음, 불면, 허약 등의 부작용이 있으며, 갑자기 투여를 중단하면 환각이나 불안 등이 생기므로 주의해야 한다.

전체 참고문헌 목록은
배뇨장애와 요실금 웹사이트 자료실
(http://www.kcsoffice.org)에서
확인할 수 있습니다.

제 40 장

배뇨근저활동성

Detrusor underactivity

정현철, 이성호

배뇨 중 방광을 적절한 시간 내에 비우지 못하는 증상은 임상에서 배뇨장애를 호소하는 환자 중에서 흔하게 볼 수 있다(Jeong et al, 2012). 방광을 비워내는 데는 방광의 수축뿐만 아니라 괄약근의 이완, 그리고 남성의 경우 전립선, 요도의 상태까지 많은 요소들이 영향을 미친다. 이러한 요소 중 방광의 부족한 수축력으로 인해 여러 증상을 보이는 것을 배뇨근저활동성(detrusor underactivity; DU)이라 하는데 아직 진단기준이 명확하지 않고, 병태생리와 진단방침 또한 분명히 정립되지 않았으며 현재 이에 대해 뚜렷하게 효과적인 치료가 없는 실정이다(Abrams et al, 2002).

1. 정의

대부분의 배뇨근저활동성 환자들은 방광이 충만될 때 감각이 저하되어 있거나 배뇨근수축력이 충분하지 않아 불완전 배뇨(incomplete emptying)를 하게 된다. 국제요실금학회에서 2019년에 발표한 용어 정의에 의하면 배뇨근저활동성(detrusor underactivity)은 배뇨근 수축의 압력 또는 지속기간이 감소하여 방광을 비우는 데 소요되는 시간이 연장되거나 정상적인 시간 범위 내에 방광을 완전히 비우지 못하는 것을 말한다(D'Ancona et al, 2019). 이는 신경인성 일 수도 있고 신경인성이 아닐 수도 있다. 그러나 이 정의에는 감소된 강도, 감소된 지속시간, 연장된 배뇨시간, 완전한 방광 비우기 또는 "정상"적인 배뇨 시간 범위를 규정하기 위한 특정 문턱값이 포함되어 있지 않다. 따라서 이 정의는 배뇨근수축력의 감소, 배뇨근수축시간의 감소, 그리고 일정 시간 내에 완전한 배뇨가 일어나지 않음과 같은 배뇨근저활동성의 특징적인 요소들을 기술하고 있으나 이러한 진단을 내릴 수 있는 정확한 기준을 제시하지 못하는 모호한 면을 가지고 있다.

배뇨근저활동성과 연관된 용어로 하나의 임상적 증후군으로서 사용되고 있는 저활동성방광증후군

(underactive bladder syndrome)이 있다. 2018년 국제 요실금 학회에서 발표된 용어정의에 의하면 배뇨근 저활동성에 비하여 보다 임상적인 내용으로 구성되어있다(Chapple et al, 2018). 소변이 떨어지거나 느린 소변흐름, 소변 주저, 배뇨를 위해 힘주기 증상들을 호소하며 완전히 방광을 비우지 못한 느낌은 있거나 없을 수도 있고 가끔 저장 증상들의 동반도 호소하는 것; 배뇨근저활동성(detrusor underactivity)를 암시하는 것으로 제안된 증상 그룹으로 정의되고 있다.

마지막으로 최근 2019년에 용어가 바뀐 배뇨근과활동성 및 배뇨근저활동성(DO−DU)가 있다(D'Ancona et al, 2019). 이는 과거 용어인 배뇨근과활동성 및 수축장애(detrusor hyperactivity and impaired contractility, DHIC; detrusor overactivity with impaired contractility, DOIC)"를 대체하기 위한 것으로 압력요류검사에서 요역동학적 배뇨근저활동성과 함께 충전방광내압측정술에서 요역동학적 배뇨근과활동성이 관찰되는 것으로 정의된다.

2. 역학

하부요로증상(lower urinary tract symptoms, LUTS)은 개인의 삶의 질에 중대한 영향을 미치는 문제이다. 하부요로증상의 유병률에 대한 대규모 역학연구인 EpiLUTS연구는 40세 이상 연령의 30,000명의 참가자를 대상으로 했는데, 남성의 45.7%와 여성의 66.8%에서 저장증상(storage symptoms)이 있는 것으로 보고되었다(Sexton et al, 2009). 배뇨증상은 남성의 57.1%와 여성의 48%에서 보고되었다. 배뇨근저활동성이 이러한 증상들의 발생이나 진행에 기여한 정도는 알 수 없으며 그 자연경과 및 수반되는 증상에 대한 지식 역시 제한적이다. 현재까지의 역학연구로는 배뇨근저활동성의 유병률이나 발병률을 평가할 수 없는데 그 주된 이유는 배뇨근저활동성이 요역동학적 진단이며 모든 연구 참가자 또는 환자에서 침습적인 요역동학 검사를 수행하는 것이 현실적으로 어렵기 때문이다.

3. 원인과 병태생리

배뇨근저활동성은 한 가지 원인에 의해서도 발생할 수 있겠지만 대부분에서 여러 가지 원인이 복합적으로 작용하여 발생한다. 자연스러운 노화의 한 부분으로 발생할 수 있지만 당뇨에 의해 발생하는 경우가 많으며, 젊은 사람에서 특발성으로 발생할 수도 있다. 지금까지 알려진 바로는 방광으로 가는 원심성신경(efferent nerve), 방광으로부터의 구심성신경(afferent nerve)의 이상, 요천추 부위의 척수손상, 그리고 배뇨근 자체의 기능부전 때문에 발생할 수 있다.

배뇨근수축력 자체의 변화가 가장 중요한 병태생리 기전이다. 정상적인 노화에서도 배뇨근의 현미경적인 변화는 발생하며 하부요로증상 환자에서의 변화와 유사하다고 보고되고 있다(Elbadawi et al, 1993). 남성에서는 전립선비대증, 여성에서는 심한 골반장기탈출증에서 발생할 수 있는 방광출구폐색, 당뇨 등으로 인해 배뇨근수축력이 직접적으로 영향을 받은 경우 배뇨근저활동성이 발생할 수 있다. 수축력을 발생시키는 근세포의 본질적인 기능 이상, 광범위한 배뇨근세포의 파괴, 축삭변성(axonal degeneration) 등이 발생하며 이로 인해 세포 내 이온 저장과 교환, 흥분-수축 기전(excitation-contraction coupling mechanisms), 칼슘 저장 그리고 에너지 생성 등에 이상이 발생한다(Brierly et al, 2003). 방광출구폐색과 관련된 배뇨근저활동성 동물모델에서 이런 현상들이 잘 밝혀져 있으며 결국 배뇨근 기능부전이 발생하게 된다(Levin et al, 1992).

배뇨근 자체뿐 아니라 구심성 기능(afferent function), 중앙 제어 메커니즘 또는 원심성 신경 분포(efferent innervations)의 변화로 인해 발생할 수도 있다. 급성뇌졸중, 당뇨신경병증, 파킨슨병, 다발성경화증, Guillain-Barré증후군, 척수손상, 추간판탈출증과 같은 척수질환 등에서 배뇨근수축력이 감소할 수 있다.

과거에는 하부요로증상을 다룰 때 원심성 시스템의 역할에 중점을 두었으나 최근 몇 년 동안 구심성 시스템의 중요성에 대한 인식이 점점 높아지고 있다. 적절한 방광 감각은 배뇨반사의 원심성 신경계의 정상적인 기능에 중요하다. 구심성 시스템은 저장시기 동안 방광 충전용적을 모니터링하며, 배뇨에 대한 신호에 반응하여 교뇌배뇨중추(pontine micturition center; PMC)의 억제가 완화된다. 인간의 뇌간에는 또한 배뇨의 제어를 담당하는 특정 신경핵이 포함되어 있다. 이는 무증상 환자의 기능적자기공명영상 연구에 의해 입증되었는데, 노인 환자의 경우 방광이 채워졌을 때 절연 피질의 반응이 감소했다. 그러므로 뇌를 비롯한 중추신경계는 저장과 배뇨 기능의 통합과 미세 조정에 필수적인 역할을 하는데 이에 장애가 발생하면 또한 배뇨근저활동성이 발생할 수 있다(Smith et al, 2012).

특발성 배뇨근저활동성은 "명확한 신경병증이 없고, 기능적 또는 해부학적 방광출구폐색(bladder outlet obstruction)이 없을 때, 최대요속이 10 mL/s 미만이면서 배뇨근압(P_{det})이 낮거나 없고, 150 mL 이상의 큰 잔뇨량 또는 요저류가 있는 것"으로 정의된다. 즉 명백한 원인이 없거나 노화가 배뇨근저활동성의 주요 원인인 경우 특발성 배뇨근저활동성이 있는 것으로 분류된다(Kuo et al, 2007).

4. 진단

배뇨근저활동성의 주요 임상증상은 요주저, 세뇨, 간헐뇨와 복압배뇨 등이며, 재발성요로감염이 발생할 수 있다. 하지만 이런 증상들은 다른 질환에 의한 하부요로증상, 특히 전립선비대증과 같은 방광출구폐색으로 인한 것과 구별하기 어렵다. 임상적으로 배뇨근저활동성을 평가할 수 있는 유일한 도구는 침습적 요역동학검사이지만 배뇨근저활동성에 대해 보편적으로 합의되어 받아들여지는 진단 기준은 없다.

현재까지 배뇨근저활동성 여부를 가늠할 수 있는 유일한 방법은 압력요류검사이다. 기존에 여러 연구들에서 배뇨근저활동성을 진단하기 위한 요역동학적 기준이 다양하게 보고되어 왔다. 대부분의 연구들에서 배뇨근의 수축 속도나 수축 지속력(sustainability)보다는 수축력만을 평가하였으며, 수축력의 평가는 최대요속과 최대요속시배뇨근압($P_{det}Q_{max}$)을 통해 이루어졌다. 하지만 이런 방법들 중에 합의되어 정해진 기준은 없다(Osman et al, 2014). 배뇨근은 수축하면서 요류와 압력변화를 동시에 만들어 내기 때문에 정확한 배뇨근수축력을 평가하는 데 어려움이 있다(Griffiths, 2003). 따라서 등용성배뇨근수축(isovolumetric detrusor contraction)을 측정하기 위한 여러 가지 방법들이 시도되고 있다.

방광수축력지수(bladder contractility index; BCI = $P_{det}Q_{max}$ + $5Q_{max}$)는 중년 이상 남성에서 배뇨근수축력을 신속하게 평가하는 간단한 공식이며 임상에서 실용적이다. BCI>150은 배뇨근수축력이 강한 것으로 간주된다. 그리고 BCI 100~150은 정상 수축력으로 간주되며 BCI<100을 보인다면 배뇨근저활동성을 의심해볼 수 있다. 이론적으로 환자가 배뇨를 멈추었을 때 배뇨근저활동성이 있는지 여부를 평가할 수 있으며 등용성 배뇨근수축이 방광의 수축력을 나타낼 수 있다. 일부 학자들은 남성일 경우 BCI<100, 여성의 경우 Q_{max}<12 mL/s 및 $P_{det}Q_{max}$<10 cmH_2O 일 때 배뇨근저활동성으로 진단할 수 있다고 제안한바 있다(Abrams et al, 1999).

Schäfer 노모그램은 주로 방광출구폐색 또는 진성 배뇨근저활동성을 가진 환자를 구별하는 데 사용된다. X축은 Pdet, Y축은 Q_{max}를 의미하는데 두 축의 특정 지점 사이의 선은 요도 저항을 나타낸다. 상이한 기준에 따라, 노모그램은 7가지 등급의 요로폐색을 나타내는 7개의 구역으로 분류된다. 0–I 등급은 폐색 없음, II 등급은 경미하거나 중간 정도의 폐색, III–VI 등급은 심각한 수준의 폐색을 시사한다. Schäfer 노모그램은 환자의 방광기능 및 방광출구폐색과 관련하여 임상양상을 보다 포괄적으로 묘사할 수 있는 방법이다(Schäfer et al, 1995).

Watts factor (WF)는 방광의 단위면적당 배뇨근에 의해 생성되는 힘을 측정하는 방법으로 다음과 같은 공식에 의해 계산된다.

$$WF = [(P_{det} + a)(V_{det} + b) - ab]/2\pi$$

V_{det}: detrusor shortening velocity,

a, b: constant (a = 25 cmH_2O, b = 6 mm/s)

V_{det}와 P_{det}가 배뇨주기의 한 시점에 따라 계속 변하기 때문에 배뇨근수축력을 가장 잘 대표할 수 있는 지점으로 최대 WF (WF_{max})와 최대 요속 시의 WF (WFQ_{max})를 사용하고 있다. 방광용적에 따른 영향이 없고 방광출구폐색에 영향을 받지 않는다는 장점이 있고, 단점으로는 수축지속력을 반영하지 못하고 계산식이 복잡해서 쉽게 사용하기 어렵고, 일부 전문가들은 7점을 기준값으로 제시하고 있지만 합의된 기준값이 없다는 점이다(Griffiths et al, 1986; Griffiths, 1991; Lecamwasam et al, 1998).

위의 세 가지 도구 중 Schäfer 노모그램은 방광출구폐색을 평가하는 유일한 도구이지만 V_{det}는 포함하지 않으며 WF에만 V_{det}가 포함되어 있다. BCI는 사용하기 쉽지만 V_{det}를 포함하지 않으며 방광출구폐색이 있는지 평가할 수 없다. 위의 모든 방법은 서로 다른 장점과 단점이 있으며 현재까지 완벽하고 간단한 평가 방법은 없다고 결론지을 수 있겠다.

등용성배뇨근수축을 측정하기 위한 다른 방법으로는 배뇨 중 자발적 혹은 기계의 도움으로 요류를 중단시키면서 압력을 측정하는 방법이 있다(Sullivan et al, 2007). 배뇨 중 환자에게 외요도괄약근을 수축해서 소변을 자발적으로 중단시키게 하거나 요류 중간에 도뇨관 풍선을 이용하여 방광경부를 막는 기계적 방법을 이용해서 배뇨근수축력을 측정할 수 있다. 자발적 중단 검사는 외요도괄약근 수축 시 반사적인 배뇨근 수축 억제 효과 때문에 20% 정도 수축력이 낮게 측정된다고 보고되고 있으며 신경계 질환이나 요실금 환자 등에서는 사용할 수 없는 단점이 있다(Sullivan et al, 1995). 기계적인 중단검사 등은 재현성이 우수하지만 침습적인 단점이 있다(Tan et al, 2003).

그 외에도 배뇨근수축력을 평가할 수 있는 비침습적 검사가 개발되어 왔지만 압력요류검사를 대체하지는 못하고 있다. 팽창성 음경띠(inflatable penile cuff)를 이용하여 요류를 중단시키면서 압력을 측정하는 방법이 개발되었는데, 이 방법은 음경부에 띠를 감기 때문에 압력이 실제보다 높게 측정되어 보정이 필요하고 재현성이 떨어져 많은 개선을 요한다(McIntosh et al, 2004). 그 외에도 콘돔 카테터를 이용하는 방법 등이 개발되었으나 잘 사용되지는 않고 있다(Pel et al, 1999).

5. 치료

배뇨근저활동성에 대한 치료는 상부요로손상 예방, 방광 과팽창 방지, 잔뇨량을 줄이는 것을 목표로 한다. 하지만 현재까지 배뇨근저활동성에 대해 확립된 치료방침이 없는 실정이고 효과적인 약물 또한 없다. 가장 흔하고 기본이 되는 치료는 이중배뇨, 배뇨를 위해 힘주기, 그리고 도뇨관을 통한 지속적도뇨 또는 간헐적도뇨 등이다(Miyazato et al, 2013).

방광의 과팽창을 피하고 잔뇨량을 줄이기 위해서는 환자는 증상이 없더라도 시간에 맞춰 배뇨하는 것이 좋으며, 만일 필요하다면 이중 또는 삼중 배뇨가 권장된다. 이런 방법으로도 배뇨가 원활치 않을 경우 하복부를 직접 누르거나(Crede법), 복부 힘주기(Valsalva법)가 잔뇨량을 줄이는 데 도움이 될 수 있다. 그러나 방광요관역류가 발생할 수 있으므로 방광출구폐색이 없는 환자만이 이 방법에 적합한 후보가 될 수 있다.

약물치료로는 방광출구의 긴장도를 감소시킬 수 있는 알파차단제와 방광배뇨근의 수축력을 증가시킬 수 있는 무스카린수용체작용제(예, bethanechol), cholinesterase억제제(예, distigmine) 등이 있다. 그러나 이런 약물들도 확실한 효과가 입증되지 않았고 부작용을 발생시킬 수 있다(van Koeveringe et al, 2011; Chancellor et al, 2008). 시냅스 전 M2-수용체 길항제 또는 시냅스 후 알로스테릭 수용체(allosteric receptor) 길항제와 같은 대안적인 약제 또한 개발되고 있다. 한편 방광 내 프로스타노이드(prostanoids)의 투여는 방광 과팽창을 감소시킬 수 있는 것으로 알려져 있다. PGE1 및 PGE2와 같은 프로스타노이드는 배뇨반사의 신호전달물질이다. PGE1과 PGE2는 방광의 수축력을 증가시키고 괄약근 이완을 유발하므로 유망한 치료약물 후보이다(Rahnama et al, 2012).

신경조정술(neuromodulation), 특히 천수신경조정술(sacral neuromodulation)이 수의적 배뇨를 회복시키는 데 시도되고 있으며(Chancellor et al, 2000), 동물실험 결과 기계수용(mechanosensitive) 방광 구심성 신경을 활성화함으로써 방광 내 전기치료(intravesical electrotherapy)가 작동하는 것을 입증된 바 있다. 지속적인 자극은 방광 감각과 운동 신경 경로를 정상화하여 배뇨 기능을 향상시킬 수 있었다.

줄기세포 요법은 새로운 치료 방식은 아니지만 최근의 연구에서 비뇨의학과 질환 치료에 있어 유망한 대안으로 떠오르고 있다. 방광과 요도평활근세포의 재생능력은 매우 제한적이다. 연구는 특히 조직 복구 단계에서 다능성 줄기세포의 사용에 중점을 두고 있다. Huard 그룹은 근골격세포를 면역 손상된 생쥐의 방광벽에 주사 후 미오신 중쇄(myosin heavy chain) 및 베타-갈락토시다제-발현 세포(beta-galactosidase-expressing cells)를 함유하는 세포를 확인한 바 있으며 (Huard et al, 2002) Tamaki 그룹은 이들 세포의 다능성 줄기세포로의 변환 및 심지어 Schwann 세포로의 분화를 조사하였다(Tamaki et al, 2014). 여러 연구들에서 지속적으로 장기 말초신경 손상에서 재생 가능성을 보여주고 있다.

배뇨근저활동성과 마찬가지로 배뇨근과활동성 및 배뇨근저활동성(DO-DU) 역시 아직까지 확실한 치료법이 없는 상황이다. 이것은 질병 자체의 복잡성과 환자 증례의 다양성 때문이라고 생각된다. 기본적인 DO-DU의 관리 목표는 배뇨근과활동성의 증상을 줄이고 잔뇨량을 줄이고 비뇨의학과 합병증을 예방하는 것이다. 증상이 경미한 환자의 경우, DO-DU의 저장증상을 완화시키기위한 골반 운동을 포함하는 수액섭취 조절, 방광 훈련 및 행동요법으로 관리 할 수 있다. 증상의 정도에 따라, 요실금 유무에 관계없이 빈뇨 및 요절박과 같은 DO-DU의 저장증상을 완화하기 위해 적정 용량의 항무스카린제를 투여하는 것이 좋다. 방광 기능의 약화로 잔뇨가 생기게 되면 항콜린제 사용으로 급성요폐가 발생할 수 있어 치료하기가 까다로우며 항콜린제와 함께 간헐적도뇨를 이용한 병용 요법이 필요할 가능성이 많다. 고령의 노인 등의 연약한 피험자는 정신 상태와 배뇨후잔뇨량을 평가하기 위해 치료 전반에 걸쳐 면밀히 모니터링 되어야 한다. 이러한 환자의 성공적인 관리를 위해서는 배뇨증상을 고려할 뿐만 아니라 각 환자의 배뇨증상을 넘어서는 포괄적이고 단계적인 접근이 필요하다(Lee et al, 2015).

전체 참고문헌 목록은
배뇨장애와 요실금 웹사이트 자료실
(http://www.kcsoffice.org)에서
확인할 수 있습니다.

요도협착

Urethral stricture

김수웅

1. 서론

남성의 요도는 전부요도와 후부요도로 구분된다. 요도해면체(corpus spongiosum)로 둘러싸여 있는 전부요도는 구부요도(bulbous urethra), 음경요도, 요도구로 구성되며, 후부요도는 전립선요도와 막양부요도(membranous urethra)로 이루어져 있다(그림 41-1). 요도협착은 그 정의상 해면체섬유화(spongiofibrosis)와 동반되어 요도가 좁아지는 질환이므로 요도해면체가 없는 후부요도에는 적용되지 않는 질환명이다(Chapple et al, 2004). 골반골절로 발생하는 막양부요도의 손상은 'pelvic fracture urethral injuries, PFUI'로 부르며 부분 손상과 완전 절단에 의한 당김결손(distraction defect) 모두를 포함한다.

2. 원인

요도상피 혹은 요도해면체의 손상 후 회복과정에서 섬유화가 진행되면 요도협착이 발생한다. 요도를 통한 수술이나 시술, 기구삽입, 카테터 유치, 요도하열 수술 등과 연관된 의인(iatrogenic) 요도협착이 중요한 원인을 차지한다. 감염이나 염증으로 발생하는 요도협착은 음경요도에 흔히 발생한다. 과거에는 임질(gonorrhea)이 중요한 원인을 차지하였다. 구미에서는 경화태선(lichen sclerosus)이 난치성 요도협착의 원인이 되기도 한다. 손상에 의한 요도협착은 주로 회음부의 기마손상(straddle injury)에 의한 구부요도의 협착이 주를 이룬다. 그 외 선천성 혹은 원인을 알 수 없는 경우도 종종 있다.

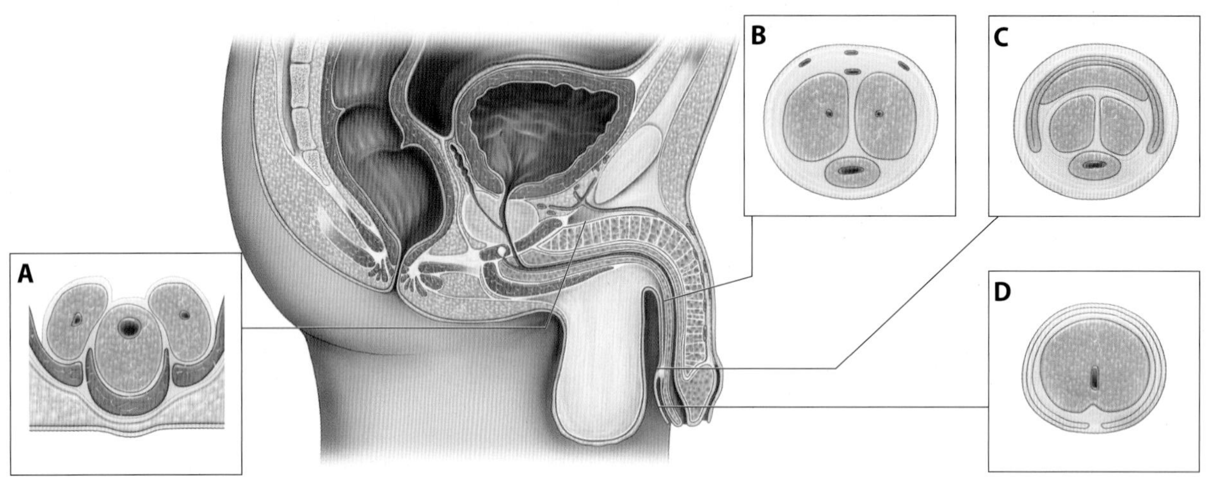

그림 41-1. 요도의 해부학. (A) 구요도해면체근으로 덮여있다. 요도는 등쪽으로 치우쳐 위치하며 배쪽에 위치한 요도해면체가 상대적으로 풍부하다. 근위부로 가면 요도해면체를 중심으로 음경해면체가 양측crus로 나뉜다. (B) 음경요도. 구부요도에 비하여 요도해면체가 풍부하지 않으며 요도는 거의 가운데에 위치한다. 양측 음경해면체는 사이막을 경계로 단단하게 결합되어 있다. (C) 관상구(coronary sulcus)에서 요도는 여전히 가운데 위치하며 요도해면체는 귀두조직으로 연결된다. (D) 주상와(fossa navicularis). 요도는 구경이 다소 넓어지고 귀두조직으로만 둘러싸여 있다. 요도는 약간 배쪽에 위치한다.

3. 진단

요도협착 환자들의 대부분은 약뇨, 복압배뇨와 같은 배뇨증상이나 요로감염(전립선염, 부고환염 등)으로 병원을 방문하며, 일부는 요폐를 경험하기도 한다. 요도협착이 서서히 진행되어 특별한 증상을 느끼지 못하는 경우도 있으며, 요절박이나 절박요실금과 같은 저장증상으로 병원을 방문하기도 한다. 요도를 통한 수술이나 시술, 회음부 손상 이후에 배뇨증상이 나타난 경우 요도협착을 쉬이 진단할 수 있지만 요도협착을 유발할 만한 뚜렷한 과거력이 없는 경우 진단이 지연될 수 있다.

적절한 치료계획을 수립하기 위해서 요도협착의 위치, 길이, 심한 정도, 동반된 해면체섬유화의 정도를 알아야 한다. 요도협착의 위치, 길이, 심한 정도는 역행성요도조영술(retrograde urethrography; RGU), 배뇨중방광요도조영술(voiding cystourethrography; VCUG)과 같은 영상검사와 요도경검사로 결정된다. 역행요도조영술시 주입하는 조영제의 양과 압력에 따라 역동적인 영상을 얻을 수 있으므로 향후 치료를 담당할 의사가 직접 시행하는 것이 이상적이다. 협착이 심한 경우 방광을 조영제로 채워 배뇨중방광요도조영술을 시행하는 것은 현실적으로 어려운 일이다. 배뇨중방광요도조영술은 주로 치골상부방광루(suprapubic cystostomy)를 가지고 있는 환자에서 시행된다. 완전 요도협착의 경우 환자의 적극적인 노력에도 불구하고 배뇨중방광요도조영술로 원하는 정보를 얻지 못할 수도 있다. 요도경 검사 때 소아용 요도경이 도움을 줄 수 있으며 요관경을 사용할 수도 있다. 해면체 섬유화의 범위와 정도를 객관적으로 결정하기는 어렵지만 우선 신체검사가 도움을 준다. 초음파검사를 통하여 좀 더 정확하게 해면체섬유화의 범위와 정도를 진단하려는 노력도 있다(Buckley et al, 2012).

4. 치료의 원칙

요도협착으로 인하여 배뇨가 어려운 경우 역행요도조영술 후 요도확장술을 우선 시행해 볼 수 있다. 요도경 등을 이용하여 유도철사(guide wire)를 유치하고 확장술을 시행하는 것이 권장된다. 그러나 이러한 요도확장술이 항상 치료에 도움을 주는 것은 아니다. 완전 협착 등으로 확장술 자체가 불가능한 경우도 있으며, 중한 요로감염이 동반된 경우, 염증 등으로 국소 조건이 좋지 못한 경우, 다른 질환으로 당장 요도협착에 대한 치료가 어려운 경우 등에는 치골상부방광루 설치술 시행을 적극적으로 고려해야 한다.

요도협착의 치료에 있어 "reconstructive ladder"는 잘못된 개념이다. "Reconstructive ladder"는 요도확장술이나 직시내요도절개술(direct vision internal urethrotomy; DVIU)은 덜 침습적인 치료법이므로 요도협착의 치료에 있어 우선 적용하고 이들이 실패한 경우에 요도성형술(urethroplasty)을 고려해야 한다는 개념이다. 2007년도에 미국 비뇨의학과 의사들을 대상으로 한 조사연구에서 많은 비뇨의학과 의사들이 "reconstructive ladder"의 개념을 믿고 있어 요도협착의 치료에 있어 요도성형술은 요도확장술이나 내요도절개술이 실패한 경우에 한해서만 고려될 수 있다고 응답하였다(Bullock·Brandes, 2007). 국내에서 시행된 조사연구는 없지만 우리나라의 많은 비뇨의학과 의사들도 "reconstructive ladder"라는 잘못된 개념을 올바르다고 믿고 있으리라 생각한다. 실제로 요도확장술이나 내요도절개술이 덜 침습적인 치료법은 아니다. 반복적인 내요도절개술은 해면체섬유화의 길이나 정도를 더욱 악화시켜 나중에 시행될 요도성형술에 나쁜 영향을 미칠 수도 있다(Barbagli et al, 2001).

치료방법을 결정하기 전에 담당의사는 각 환자가 선택할 수 있는 치료방법의 종류와 기대되는 결과에 대해 상세히 설명하고 의논한 이후 치료방법을 결정해야 한다. 가능한 완치를 목적으로 치료방법을 결정해야 하지만 환자의 상태와 요구 등에 의하여 완화치료(palliative treatment)가 시행될 수도 있다. 요도협착 발생 부위에 따라 구부요도협착, 음경요도협착, 범요도협착(panurethral stricture)으로 구분하여 치료방법, 술기, 결과에 대해 설명하고자 한다.

5. 구부요도협착의 치료

구부요도는 전부요도 중 구요도해면체근(bulbospongiosus muscle)으로 덮여있는 부위이다. 음경요도에 비하여 구부요도를 둘러싸고 있는 요도해면체는 두텁다. 특히 배쪽(ventral)에 위치한 요도해면체가 상대적으로 풍부하여 실제 요도는 등쪽(dorsal)으로 주행한다.

1) 직시내요도절개술

해면체섬유화가 심하지 않은 짧은 구부요도협착에서 가장 좋은 성적을 기대할 수 있으며, 한 번 실패한 경우 비용-효율 측면에서 요도성형술을 시행해야 한다는 주장이 설득력을 얻고 있다(Wright et al, 2006). 지금까지 보고된 임상성적들을 분석한 결과에서도 직시내요도절개술은 길이가 짧은(<1~2 cm) 단일 구부요도협착에서 가장 좋은 성적을 기대할 수 있다(Buckley et al, 2014). 협착의 길이가 길거나, 다발성, 음경요도나 전체 전부요도에 협착이 있는 경우, 완전협착의 경우에는 직시내요도절개술로 성공을 기대하기 어려우므로 첫 치료법으로 요도성형술을 권장하였다. 길이가 짧은 구부요도협착의 경우 내요도절개술 후 3개월보다 늦게 재발이 된다면 1회에 한하여 내요도절개술의 재시행을 고려할 수 있다고 하였다(Buckley et al, 2014). 해면체섬유화가 요도 바깥에 위치해 있는 외상에 의한 구부요도협착은 직시내요도절개술로는 좋은 결과를 기대하기 어렵다.

2) 절제 및 일차연결술

(1) 적응증

'절제 및 일차연결술'(excision and primary anastomosis)은 협착이 있는 요도 부분을 완전 절제하고 건강한 요도의 양 단면을 확보하여 연결해 주는 술식이다. 길이가 짧은 구부요도협착에 적용하는 술식으로 회음부 손상에 의한 완전 구부요도협착이 가장 알맞은 적응증이다. 길이가 짧은 음경요도협착에서도 시행될 수는 있지만 음경굽음(chordee)을 유발하므로 일반적으로는 권장되지 않는다. 의인성 또는 염증에 의한 짧은 구부요도협착에서도 적용이 가능하나 완전협착이 아닌 경우 최근에는 볼점막(buccal mucosa)과 같은 이식편(graft)을 이용한 요도성형술이 우선 고려되어야 한다.

(2) 협착의 길이

Guralnick과 Webster (2001)는 절제 및 일차연결술 중 요도단면에 어긋나게 각각 1 cm 길이의 spatulation을 시행하면 1 cm의 요도 단축이 초래되므로 요도협착의 길이가 1 cm 이상이면 실제 수술 때 줄어드는 요도길이는 2 cm이상이 된다고 하였다. 이런 이유로 이들은 1 cm 이하의 요도협착에서만 절제 및 일차연결술을 시행해야 한다고 주장하였다. 그렇지만 절제 및 일차연결술의 적응증이 되는 요도협착의 길이는 일반적으로 2 cm 이하로 인정된다(Eltahawy et al, 2007). 경우에 따라 요도협착의 길이가 2 cm를 초과하는 경우에도 성공적인 절제 및 일차연결술을 시행이 가능하다(Morey·Kizer, 2006).

(3) 수술술기

성공적인 수술을 위하여 준수해야 할 술기의 원칙은 다음과 같다. 첫째, 섬유화가 동반된 협착 부위를 완전히 제거해야 한다. 매우 중요한 원칙으로 요도점막뿐 아니라 섬유화가 동반된 요도해면체도 완전히 절제해야 한다. 연결부의 긴장(tension)을 우려하여 건강하지 못한 조직을 남겨두면 재발로 이어진다. 둘째, 문합부의 내강이 좁아지지 않도록 건강한 요도단면의 양측에 spatulation을 시행한다. 일반적으로 근위부 요도는 배쪽에서, 원위부 요도는 등쪽에서 각 1 cm 길이로 spatulation을 시행한다. 셋째, 연결부의 긴장

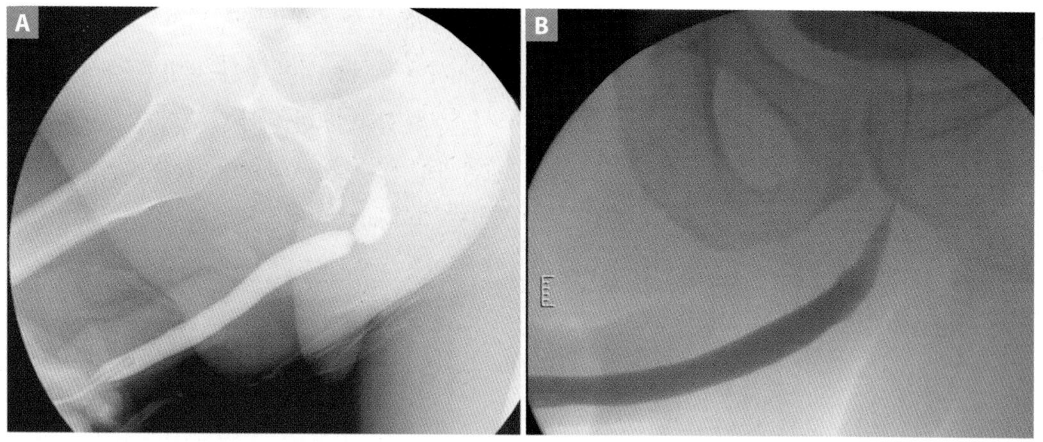

그림 41-2. **회음부 손상으로 발생한 구부요도협착으로 절제 및 일차연결술을 시행한 환자의 수술 전과 후의 역행요도조영술 사진.** (A) 수술 전 역행요도조영술에서 길이가 짧은 구부요도의 협착이 관찰된다. (B) 절제및일차연결술 후 2주째 요도카테터를 제거하고 찍은 역행요도조영술에서 정상적인 요도가 관찰된다.

이 없어야 한다. 협착 부위의 완전 제거 후 요도 결손의 길이가 긴 경우 무리하게 단단연결술을 시행하면 연결부의 긴장으로 인한 조직 허혈(ischemia)로 요도협착이 재발할 수 있다. 건강한 요도단면을 확보한 이후 원위부 요도를 등쪽에서 음경해면체의 백막으로부터 박리하면 추가 길이를 얻을 수 있는데 음경굽음이 발생하지 않도록 음경음낭접합부까지 박리의 범위를 제한한다. 구부요도는 탄성이 뛰어나 근위부로 박리를 시행하여 추가 길이를 확보할 수 있다. 이러한 조치에도 불구하고 연결부의 긴장이 우려되는 경우에는 골반골절에 의해 발생된 후부요도 당김결손의 단단연결술 때 요도 길이 확보를 위하여 시행하는 해면체분리(corporal separation)와 같은 술식을 시행해야 한다. 짧은 길이의 구부요도협착에서 시행되는 절제 및 일차연결술은 술기 측면에서 어렵지 않은 수술이다. 회음부 손상에 의한 협착인 경우에는 요도 주변의 유착이 심해 건강한 요도단면을 확보하는 데 다소 어려울 수 있다. 단단연결술을 계획하였으나 수술 상황이 이를 허용하지 않을 수도 있다. 그러므로 요도협착을 다루는 의사는 상황에 맞게 적용할 수 있는 다양한 요도성형술의 술기를 갖추고 있어야 한다. 일반적으로 술 후 2주째 요도카테터 주변으로 역행요도조영술을 시행하여 누출이 없음을 확인하고 요도카테터를 제거한다(그림 41-2).

(4) 수술성적

숙련된 술자가 시행했을 때 수술 성공률은 95%를 상회한다(Santucci et al, 2002; Eltahawy et al, 2007). Barbagli 등(2007)은 평균 추적기간이 68개월이었던 153명 환자의 장기 성공률을 90.8%로 보고하였다. 이전에 시행된 요도확장술, 직시내요도절개술이나 요도성형술이 수술성적에 미치는 영향에 대해서는 다소 논란이 있다. 이전에 시행되었던 이러한 치료들이 수술성적에 영향을 미치지 않는다는 보고도 있으나

(Santucci et al, 2002; Eltahawy et al, 2007) 2회 이상의 치료 과거력이 있는 경우에는 그렇지 않은 경우에 비하여 수술성적이 유의하게 좋지 않다는 보고도 있다(Barbagli et al, 2007).

(5) 변형술식: 비절단연결술(nontransecting anastomosis)

Andrich와 Mundy (2011)가 고안한 방법으로, 구부요도협착에서 협착이 있는 요도부분을 완전히 절제하지 않고 요도해면체를 보존하는 술식이다. 요도해면체까지 포함하여 협착 요도부분을 완전히 절제하는 통상적인 절제 및 일차연결술에 비하여 더 나은 혈류 보존이 가능하므로 성기능 보존 및 회복에 도움을 줄 수 있다고 주장된다(Barbagli et al, 2012). 협착이 있는 요도를 중심으로 근위부와 원위부 요도를 박리하고 등쪽 요도를 세로로 절개하여 정상 구경을 가진 요도를 노출시킨 뒤 협착이 있는 요도점막과 주변의 해면체섬유화를 절제한다. 이 때 정상적인 배쪽의 요도해면체는 보존된다. 요도 내부에서 연결을 시행하고 세로로 절개한 요도는 가로로 닫아준다(Andrich·Mundy, 2011). 아직까지 많은 환자들을 대상으로 한 장기 수술성적이 보고되지는 않았으나 앞으로 널리 시행될 가능성이 높은 유망한 술식이다. 그러나 회음부 손상에 의한 구부요도의 완전 협착처럼 요도해면체의 손상과 섬유화가 심한 경우에는 적용하기 어려운 술식이다.

3) 치환요도성형술 (substitution urethroplasty)

(1) 적응증

요도 내강이 어느 정도 유지가 되어 있으며, 해면체 섬유화의 범위가 국한되어 있는 경우가 치환요도성형술의 가장 이상적인 적응증이다. 협착의 길이는 이 수술법의 결정에 영향을 미치는 중요 인자는 아니다.

(2) 수술술기

협착이 있는 요도부분을 세로로 절개하고 이식편을 이용하여 요도 내강을 확장시키는 것이 수술의 원리이다. 협착 부위 요도를 등쪽으로 절개하고 이식편도 등 쪽 얹기(dorsal onlay)를 시행하는 술식을 'Bar-

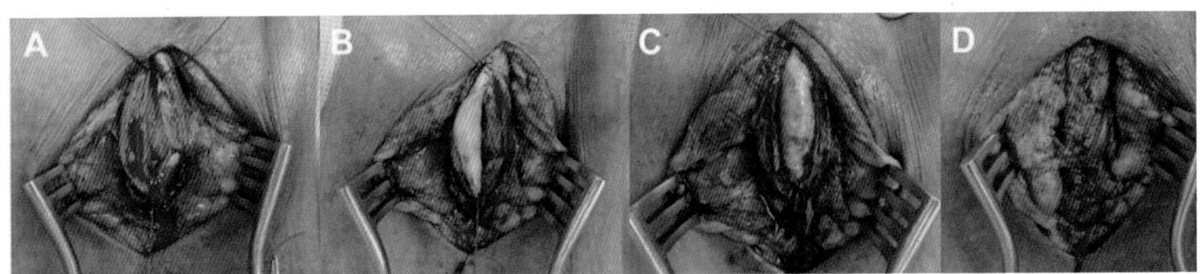

그림 41-3. **이전 요도카테터 유치 후 발생한 구부요도협착 환자에서 시행된 볼점막 이식편을 이용한 치환요도성형술의 수술 사진.** (A) 구부요도를 배쪽에서 수직 절개하여 협착이 있는 부위와 그 근위부와 원위부로 정상 구경을 가진 요도를 노출시킨다. (B) 너비가 2 cm, 길이가 4 cm인 볼점막 이식편을 채취하여 요도 구경에 맞게 재단한다. (C) 볼점막을 요도점막에 연결한다(배 쪽 얹기). (D) 요도해면체를 봉합하여 볼점막 이식편을 덮어준다.

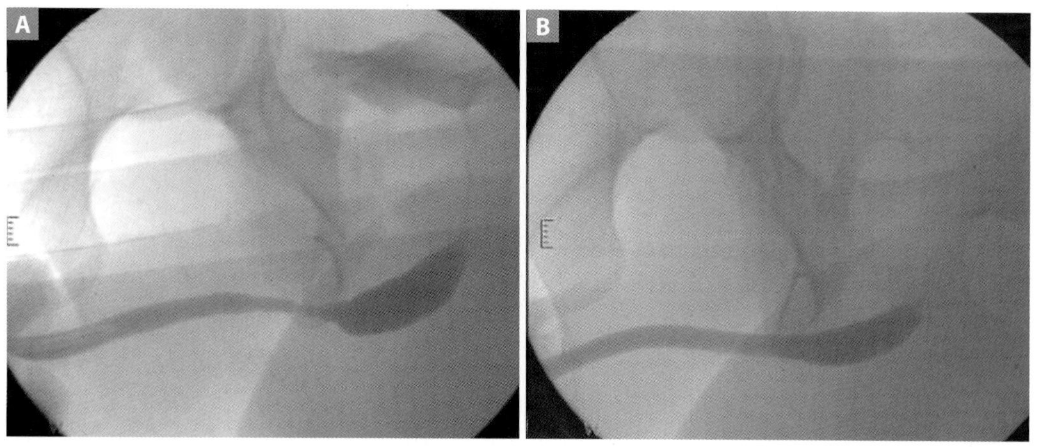

그림 41-4. **그림 41-3 환자의 수술 전과 후의 역행요도조영술 사진.** (A) 수술 전 역행요도조영술에서 구부요도의 원위부에서 2 cm 이상의 요도협착이 관찰된다. (B) 볼점막을 이용한 치환요도성형술 후 3주째 요도카테터를 제거하고 찍은 역행요도조영술에서 정상적인 요도가 관찰된다.

bagli 기술'이라 부른다(Barbagli et al, 1996). 이식편의 재료로는 볼점막이 가장 흔히 이용된다. 이식편의 생존 가능성을 높이고 수술 후 가성게실(pseudodiverticulum)의 발생 위험성을 최소화하기 위하여 초기에는 등 쪽 얹기만 시행되었다. 등 쪽 얹기와 비교하였을 때 배 쪽 얹기(ventral onlay)는 등 쪽 요도를 박리하지 않고 요도의 배쪽으로 쉽게 접근할 수 있다는 장점이 있으나 출혈이 심하여 수술시야 확보에는 다소 어려움이 있으며 이식편의 생존 실패에 대한 우려가 있어 왔다(Andrich·Mundy, 2011; Barbagli et al, 2011). 최근에는 수술 성적의 향상에 힘입어 배 쪽 얹기도 널리 이용된다(Wang et al, 2009)(그림 41-3, 4). 일반적으로 원위부 구부요도협착의 경우에는 등 쪽 얹기가 권장되고 요도해면체가 상대적으로 풍부한 근위부 구부요도협착의 경우에는 배 쪽 얹기가 권장된다. 술 후 3주째 요도카테터 주변으로 역행요도조영술을 시행하여 누출이 없음을 확인하고 요도카테터를 제거한다.

(3) 수술성적

49개 연구(1263례)의 메타분석 결과 이식편의 재료로 볼점막을 이용한 치환요도성형술의 수술성적이 가장 좋았고(88.1%), 등 쪽 얹기와 배 쪽 얹기의 성공률은 각각 89.2%와 87.6%로 차이를 보이지 않았다(Wang et al, 2009). 최근에 시행된 체계적고찰(systematic review)에서도 비슷한 결과가 나왔다(Chapple et al, 2014).

4) 확대연결요도성형술(augmented anastomotic urethroplasty)

(1) 적응증

심한 협착이 있는 부위를 절제한 이후에도 절단면에 인접한 요도가 정상적이지 않는 경우에 이식편을 이용하여 요도를 확대하는 술식이다. 수술 전에는 절제 및 일차연결술이나 치환요도성형술을 계획하였으나 수술 도중 확대연결요도성형술의 시행을 결정할 수도 있다. 구부요도협착의 절제 및 일차연결술 때 연결부의 긴장이 우려되는 경우 이식편이나 피판을 이용한 요도성형술의 추가는 이미 1990년대 초반 Turner-Warwick이 기술한 바 있다(Turner-Warwick, 1993). 이후 Webster는 이 술식을 '확대연결요도성형술'라 명명하였다(Guralnick·Webster, 2001).

(2) 수술술기

이 술기의 요체는 2 cm 미만 길이의 심한 요도협착 부위를 절제하고도 양측 요도단면이 정상적이지 않을 때 요도단면의 절반 정도는 단단연결술을 시행하고 그 반대편에서 정상적인 요도부가 나타날 때까지 spatulation을 시행하고 다이아몬드 형태의 결손부를 이식편으로 대체하는 것이다. 단단연결술을 요도의 배쪽에서 시행하면 이식편은 등쪽에서 얹고(그림 41-5), 단단연결술을 등쪽에서 시행하면 이식편은 배쪽으로 얹는다(Guralnick·Webster, 2001).

(3) 수술성적

Guralnick과 Webster (2001)는 29명의 환자에서 이 술식을 시행하여 평균 28개월의 추적조사에서 93%의 성공률을 보고하였다. 이들은 20명의 환자에서 이식편의 등 쪽 얹기를 시행하였다. Abouassaly와 Angermeier (2007)는 69명의 환자에서 평균 34개월의 추적조사에서 90%의 성공률을 보고하였다. 대부분(84%)의 환자에서 이식편의 배 쪽 얹기가 시행되었다. 233명의 환자를 대상으로 한 최대 규모의 연구에서 볼점막 배 쪽 얹기를 이용한 확대연결요도성형술(그림 41-6)의 수술 성공률은 평균 36개월 추적조사에서 93.7%였다

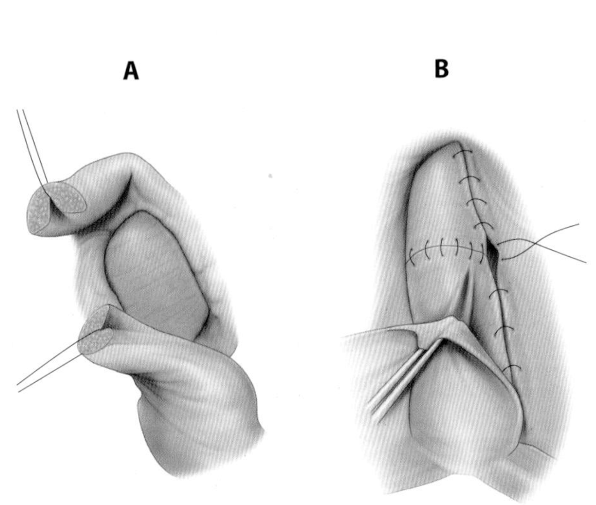

그림 41-5. **이식편의 등 쪽 얹기를 이용한 확대연결요도성형술 모식도.** (A) 심한 협착 부분을 절제하고 양쪽 요도의 등쪽으로 건강한 요도 단면이 노출될 때까지 spatulation을 시행한다. 요도의 결손부에 맞게 이식편을 요도의 등쪽 음경해면체 위에 고정한다. (B) 배쪽 요도를 반 정도 단단연결하고 등쪽에 고정한 이식편과 등쪽 요도를 연결한다.

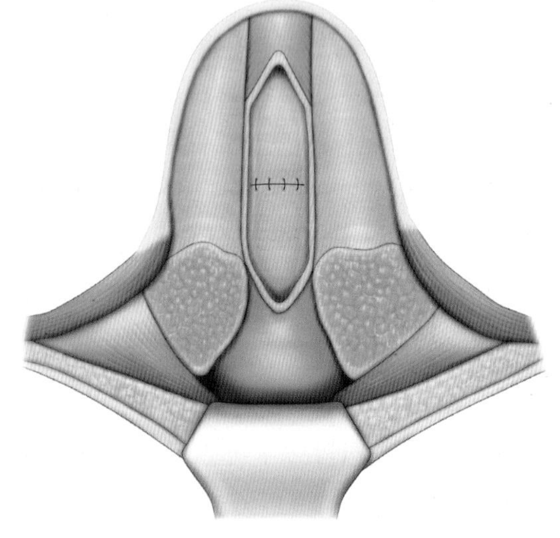

그림 41-6. 이식편의 배 쪽 얹기를 이용한 확대연결요도성형술 모식도 심한 협착 부분을 절제하고 요도의 배쪽으로 건강한 요도 단면이 노출될 때까지 spatulation을 시행하고 등쪽 요도를 반 정도 연결한다. 이후 배쪽 요도 결손부를 볼점막으로 덮어 요도 구경을 확대한다.

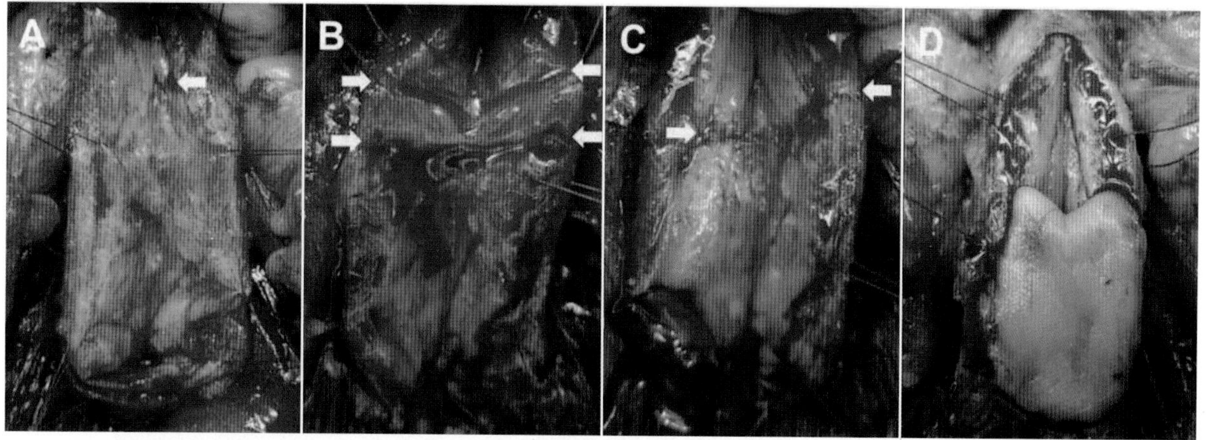

그림 41-7. **볼점막 이식편을 이용한 비절단확대연결요도성형술의 수술 사진.** (A) 구부요도를 배쪽에서 세로로 절개하니 전체적으로 요도 내강이 좁아져 있으며 특히 심한 협착부위(화살표)가 관찰된다. (B) 가장 협착이 심한 부위를 표시하고(화살표) 일부의 요도해면체를 포함하여 요도점막을 절제한다. (C) 요도의 안쪽에서 양측 요도점막을 연결한다. (D) 요도의 배쪽으로 볼점막을 얹어 요도 내강을 확대한다.

(El–Kassaby et al, 2008). 체계적 고찰에서도 확대연결요도성형술의 수술성적은 이식편의 등 쪽 얹기와 배쪽 얹기에 따른 차이를 보이지 않았다(Mangera et al, 2011).

(4) 변형술식: 비절단확대연결요도성형술

비절단확대연결요도성형술(augmented nontransected anastomotic urethroplasty)의 기본 원리는 확대연결요도성형술과 동일하나 심한 협착이 있는 요도 부분을 완전히 절제하지 않고 요도해면체를 보존하는 술식이다(Welk·Kodama, 2012). 볼점막 이식편의 등 쪽 얹기를 이용하여 21명의 환자에서 시행되었고, 2.3년 추적조사에서 수술 성공률은 90%를 상회하였다(Welk·Kodama, 2012). 비절단연결술을 등쪽에서 시행하고 볼점막을 배쪽에서 얹을 수도 있다(그림 41-7, 8).

6. 음경요도협착의 치료

음경요도는 구부요도에 비하여 요도를 둘러싸고 있는 요도해면체가 부족하다. 음경요도의 협착은 직시내요도절개술로 좋은 성적을 기대하기 힘들고, 음경굽음의 위험성으로 절제 및 일차연결술은 일반적으로 시행되지 않는다. 음경요도협착의 수술방법은 협착의 원인과 음경 및 요도의 상태에 따라 결정된다(Barbagli · Lazzeri, 2006). 음경과 음경피부, 요도판(urethral plate) 등이 정상적인 경우에는 일단계 수술이 권장된다. 그러나 이전 수술에 실패한 요도하열 환자와 같이 음경피부나 요도판의 상태가 좋지 못하여 요도성형술에 사용할 수 없는 경우에는 단계적 요도성형술(staged urethroplasty)이 권장된다(Bracka, 1995).

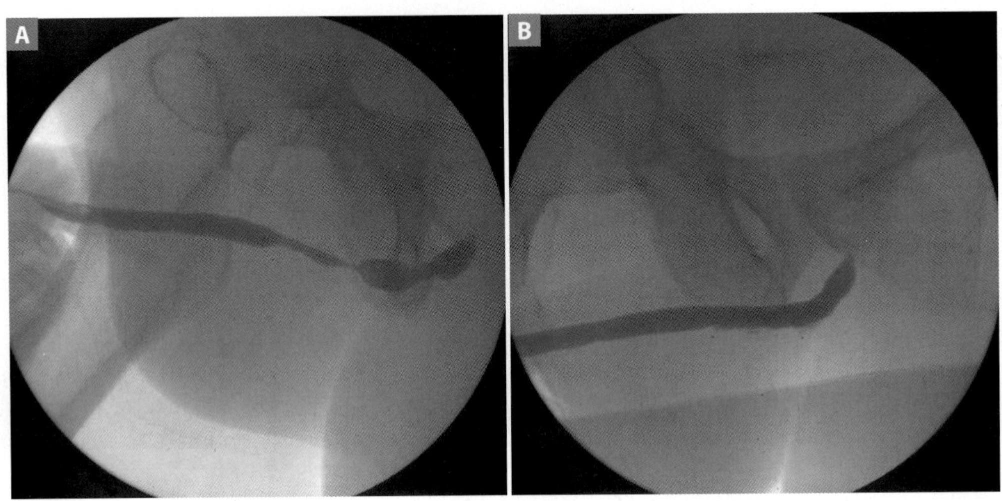

그림 41-8. **그림 41-7 환자의 수술 전과 후의 역행요도조영술 사진.** (A) 수술 전 역행요도조영술에서 구부요도에서 4 cm 정도의 요도협착이 관찰된다. 부분적으로 요도협착의 정도가 심해 보인다. (B) 볼점막 이식편을 이용한 비절단확대연결요도성형술 후 3주째 요도카테터를 제거하고 찍은 역행요도조영술에서 정상적인 요도가 관찰된다.

1) 피판을 이용한 일단계 요도성형술

(1) Orandi 술식

1968년 미국의 비뇨의학과 의사 Dr. Orandi가 처음으로 소개한 술식으로 이후 개발된 여러 종류의 일단계 피판요도성형술의 효시라 할 수 있으며 아직까지 그 유용성이 인정되고 있다(Orandi, 1968). 우리나라에서는 드물지만 경화태선에 의한 협착이거나 요도의 내강이 완전히 소실된 완전 협착이 아닌 경우에는 대부분의 음경요도협착에 적용이 가능한 술식이다. 협착부의 음경 배쪽에서 수직절개를 가하여 박리 후 근위부와 원위부에 적어도 1 cm 이상 길이의 건강한 요도를 포함하여 요도에 수직절개를 가한다. 요도 결손부에 적합한 길이와 너비의 음경피부를 결정한 뒤 dartos근막을 보존하며 피판을 형성한 이후 요도에 연결한다(그림 41-9). 일종의 배 쪽 얹기에 해당되는 술식으로 일반적으로 사용되는 음경피부 피판의 너비는 18~25 mm 정도이며 길이는 8 cm 이하가 권장된다(Flynn · Webster, 2004). 쉬이 익힐 수 있는 술식이나 적절한 피판 너비의 결정이 쉽지는 않으며 음모가 포함되지 않아야 하므로 일부 환자에서는 적용이 제한된다. 수술 후 요도카테터는 2주간 유지한다. 전통적으로 수술 성공률은 85% 정도로 알려져 있다(Wessels · McAninch, 1998).

(2) Orandi 술식의 변형술식

Jordan 피판은 주상와(fossa navicularis)의 협착이 동반된 음경요도협착에서 귀두를 수직으로 절개한 이후 시행하는 변형 Orandi 술식이다(Jordan, 1999). 변형술식들 중 가장 유용한 술식은 McAninch가 고안한 원형근막피부판circular fasciocutaneous flap이다(McAninch, 1993). 이 술식은 2개의 원위부 음경피부

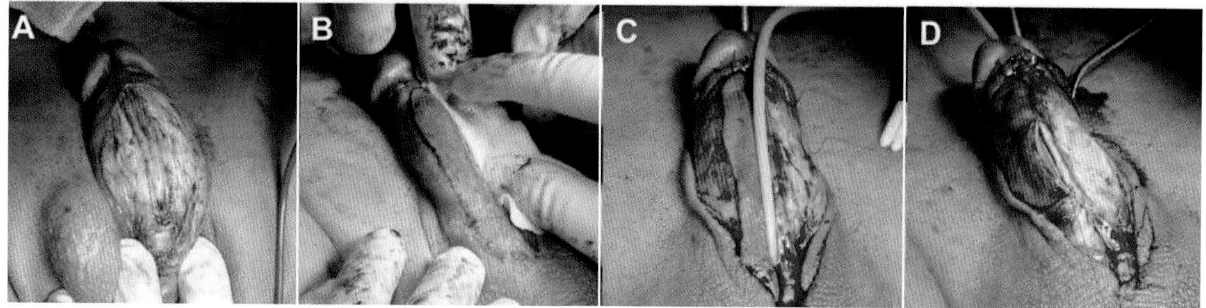

그림 41-9. **음경피부를 이용한 일단계 피판요도성형술(Orandi 술식)의 수술 사진.** (A) 협착부의 음경요도를 배쪽에서 접근하여 수직으로 절개한다. 이 때 협착부 근위부와 원위부의 건강한 요도까지 노출시킨다. (B) 요도 결손부에 적합한 길이와 너비(대개 2 cm 내외)의 음경피부를 디자인한 뒤 dartos근막을 보존하며 피판을 형성한다. 음모가 포함되지 않도록 하며 요도의 우측 혹은 좌측에서 피판 형성을 결정한다. (C) 흡수봉합사를 이용한 연속봉합으로 피판의 안쪽 경계를 요도와 연결한다. (D) 피판의 바깥 경계를 요도와 연결하여 문합을 완료한다.

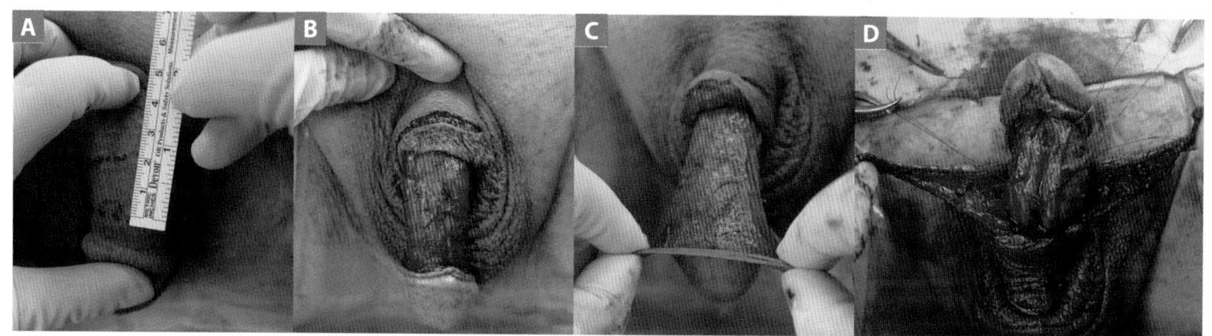

그림 41-10. **음경 원형근막피부판을 이용한 요도성형술의 수술 사진.** (A) 관상구에 인접한 음경피부에 환상으로 표시를 하고 대개 17-20 mm 근위부에서 두 번째 환상절개면을 표시한다. (B) 원위부 환상절개를 가하여 Buck근막의 표재층 직하부 층에서 박리를 시행하여 음경 기저부까지 박리한다. (C) 근위부 환상절개의 박리는 그 깊이를 dartos근막 직하부까지 얕게 하여 피하 혈관만을 보존해 준다. (D) 원형 피판이 완성되면 음경의 배쪽에서 수직 절개하여 띠 모양의 피판으로 바꾼다.

환상절개를 통하여 얻어진 원형 피판을 이용하여 음모가 없는 12~15 cm 길이의 긴 피판을 얻을 수 있다는 장점이 있다. 귀두 직하부 관상구coronal sulcus에 인접하여 두 개의 환상절개면을 표시한 이후 원위부 환상절개를 가하여 Buck근막의 표재층 직하부 층에서, 근위부 환상절개의 박리는 dartos근막 직하부까지 얇게 하여 피하 혈관을 보존한다(그림 41-10). 서로 층이 다른 환상절개의 박리가 완료되어 원형 피판이 완성되면 음경의 배쪽에서 수직 절개를 가하여 원형 피판을 띠 모양의 피판으로 바꾼다. 피판을 요도에 연결하는 이후의 과정은 Orandi 술식과 동일하다(그림 41-11). 124명의 환자들을 대상으로 한 이 술식의 장기

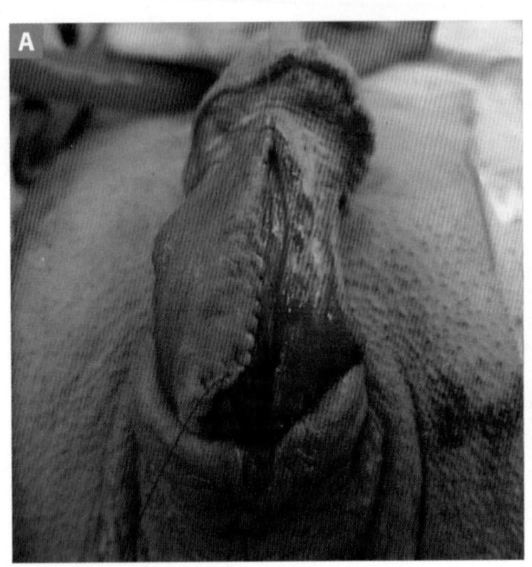

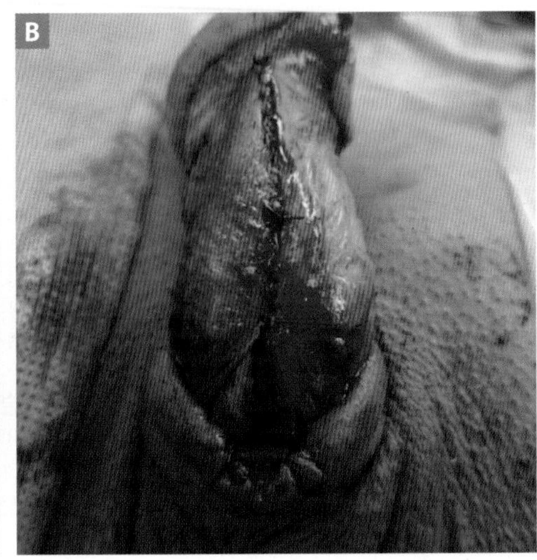

그림 41-11. **음경근막피부판과 요도의 연결 사진.** (A) 요도의 원위부부터 연속봉합으로 음경근막피부판을 요도에 연결한다. (B) 피판의 음경 피부를 요도 쪽으로 향하게 하고 다른 쪽의 연결을 시행한다.

추적결과는 1, 3, 5, 10년 성공률이 각각 95%, 89%, 84%, 79%로 우수하였다(Whitson et al, 2008).

2) 이식편을 이용한 일단계 요도성형술

(1) Asopa 술식

가장 대표적인 술식으로 배쪽에서 요도를 열고 협착부의 등쪽 요도판을 수직절개하고 형성된 요도 결손부에 볼점막과 같은 이식편을 속넣기(inlay)한다(그림 41-12) (Asopa et al, 2001). Asopa 술식은 구부요도의 협착에서도 시행 가능한 술식이다. 음경요도 혹은 구부요도협착 환자 58명에서 시행된 Asopa 술식의 성공률은 평균 42개월의 추적조사에서 87%였다(Pisapati et al, 2009). Asopa 술식은 음경요도협착에서 수월하게 시행할 수 있는 술식으로 인정되고 있다. 그러나 전체 음경요도를 침범한 광범위한 요도협착에는 적용이 곤란하며, 요도내강과 요도판이 어느 정도 보존되어 있으며 요도해면체의 섬유화가 심하지 않은 경우에만 제한적으로 사용할 수 있는 술식이라는 지적도 있다(Whitson et al, 2008; Andrich · Mundy, 2008).

(2) Kulkarni 술식

요도의 한 쪽 면만 박리하여 반대편 혈류공급의 유지가 가능하게 하면서 볼점막의 등 쪽 얹기를 시행하는 술식이다(Kulkarni et al, 2009). 협착부 요도를 등쪽으로 절개하고 이식편의 등 쪽 얹기를 시행하는 'Barbagli 기술'(Barbagli et al, 1996)의 변형술식이라 할 수 있다. 충분한 길이의 볼점막을 얻을 수만 있다면 길이가 긴 음경요도협착뿐 아니라 구부요도까지 침범

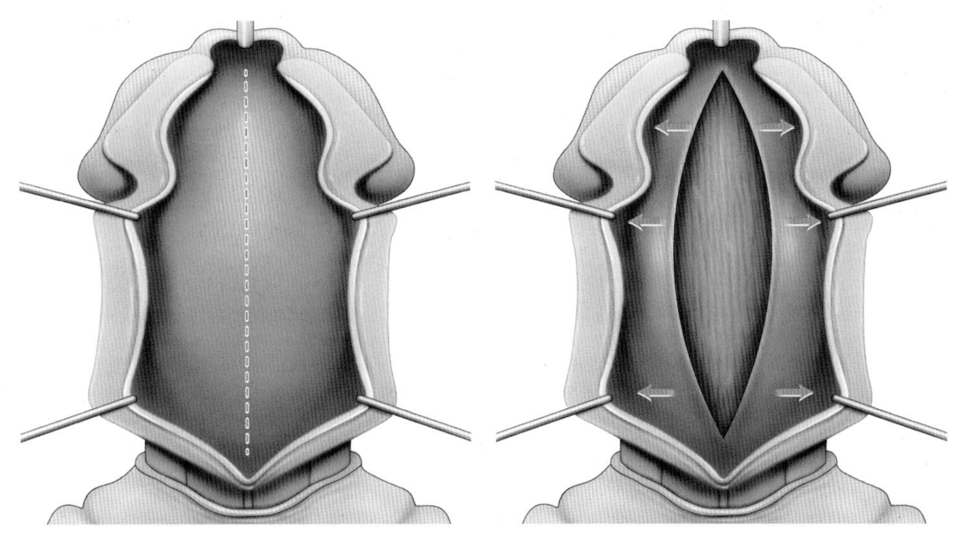

그림 41-12. **Asopa 술식의 모식도.** 협착부의 요도를 배쪽에서 열고 등쪽 요도를 수직으로 절개한다. 절개된 요도를 박리하여 가운데 공간을 확보하고 볼점막과 같은 이식편을 넣어준다(속넣기).

한 범요도협착에서도 적용 가능한 술식이다(Kulkarni et al, 2009). 수술성적에 대한 임상보고는 아직 제한적이다.

3) 피판과 이식편의 선택

음경요도협착의 요도성형술에 있어 피판을 사용할지 혹은 이식편을 사용할지 결정하는 데 있어 술자의 경험이나 선호도가 영향을 미칠 수 있지만 일반적으로 요도판과 요도해면체의 상태가 더 중요하게 작용한다(Barbagli et al, 2008). 상대적으로 요도판의 너비가 넓고 부드러우며 요도해면체 섬유화가 거의 없는 경우에는 이식편의 사용이 권장되나 그렇지 않은 경우에는 피판 사용이 권장된다(Barbagli et al, 2008).

4) 단계적 요도성형술

음경요도협착의 요도성형술은 가능한 일단계로 시행하는 것이 좋지만 이전 수술에 실패한 요도하열 환자와 같이 음경피부나 요도판의 상태가 좋지 못한 경우에는 단계적 요도성형술이 권장된다. 원래 이단계 수술을 목표로 하지만 상황에 따라 추가 수술이 필요할 수 있으므로 다단계 수술이라는 용어를 사용하기도 한다. 최근 볼점막 이식편을 이용한 요도성형술이 보편화 되면서 단계적 요도성형술의 시행이 감소하고 있다(Barbagli et al, 2006). 그러나 요도판의 상태가 불량하고 요도해면체의 섬유화가 심한 긴 길이의 협착이 있을 때는 부득이하게 단계적 요도성형술을 시행해야 한다. 초기에는 음낭피판을 이용한 단계적 요도성형술이 시행되었으나 음모가 풍부하고 신축성이 뛰어난 음

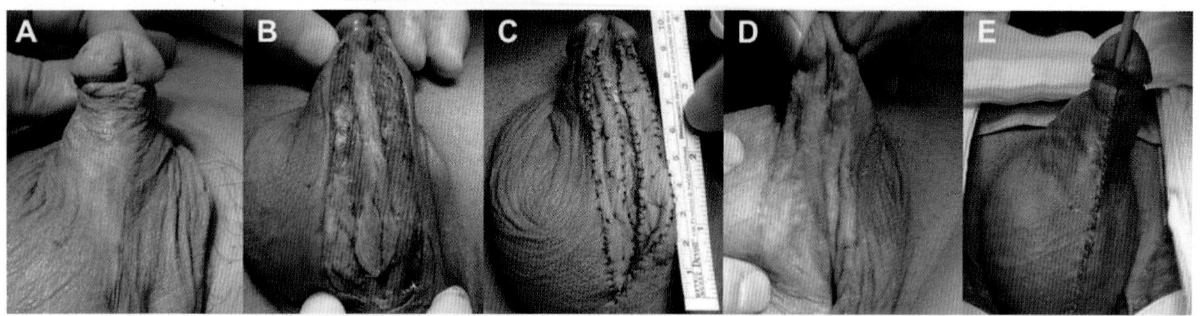

그림 41-13. 전층피부이식편을 이용한 이단계 요도성형술의 수술 사진. (A) 수차례의 요도하열 교정술 후 발생한 요도협착 환자로서 반흔화된 음경피부가 관찰된다. (B) 일단계 요도성형술 때 요도를 수직으로 절개하니 좁고 건강하지 못한 요도판과 근위부로 정상 구경을 가진 음경피부로 형성된 요도가 관찰된다. (C) 서혜부에서 채취한 전층피부이식편을 요도판과 요도에 연결한다. (D) 일단계 수술 후 4개월째 전층피부이식편이 정상적으로 자리잡은 것이 확인된다. (E) 전층피부이식편으로 새로운 요도를 형성한다.

낭피부는 요도로 사용되기에 적합하지 않으며 합병증이 흔히 발생하여 최근에는 거의 이용되지 않는다(Blandy et al, 1971).

(1) Swinney–Johanson 술식

1950년대부터 소개된 오래된 수술법이다(Swinney, 1957; Johanson, 1953). 여러 번 수술에도 교정되지 않는 음경요도의 협착에 주로 적용된 술식으로 협착요도를 수직으로 절개하고 펼쳐 요도가 완전히 노출되도록 한 이후 3~6개월이 경과하여 노출된 요도조직이 안정화되면 다시 요도를 만들어 주는 이차수술을 시행한다. 최근 그 필요성이 감소한 술식이지만 아직도 유용성이 인정되고 있는 술식이다(Al–Ali·Al–hajaj, 2001).

(2) 이식편을 이용한 단계적 요도성형술

Carr 등(1997)은 음경표피가 넉넉하지 못한 경우 넓적다리의 안쪽에서 얻은 부분층피부이식편split–thickness skin graft을 메쉬(mesh) 모양으로 만들어 이식하는 단계적 요도성형술의 유용성을 보고하였다. 이식 3개월 후 이식편의 위축은 전층(full–thickness)과 부분층이식편에서 각각 20%, 50%로 부분층 이식편의 경우 위축의 정도가 심하다는 단점은 있으나 이식 생존율이 전층 이식편에 비하여 더 낫다는데 이론적 근거를 두고 있다(Carr et al, 1997). 그러나 증례수는 적지만 이전 수술에 실패한 요도하열 환자에서 하복부의 전층피부이식편을 이용한 2단계 수술로 좋은 성적을 얻은 보고도 있으며(Meeks et al, 2009), 저자도 개인적으로는 음경피부가 아닌 피부이더라도 전층이식편의 사용을 선호한다(그림 41-13). 최근에는 구강점막이 단계적 요도성형술의 이식편으로 널리 이용된다. Shukla 등(2004)은 이단계 요도성형술을 계획하더라도 70%의 환자가 평균 1.6회의 추가 수술이 필요하다고 하였다.

7. 범요도협착의 치료

전부요도 전체를 침범한 범요도협착의 치료는 비뇨의학과 의사들에게 여전히 큰 도전으로 남아있으며 다양한 수술법들이 시도되고 있다. 음경피부나 요도판의 상태가 불량한 음경요도의 광범위한 협착 때는 Swinney–Johanson 술식을 이용한 단계적 요도성형술을 고려할 수 있으나 협착이 근위부의 구부요도까지 침범한 경우에는 추가적인 술식이 필요하다. 음경피부의 상태가 양호한 음경요도의 광범위한 협착 때는 McAninch가 고안한 음경피부의 원형근막피부판을 이용할 수 있다(McAninch, 1993). 음모가 없는 긴 길이의 피부판을 얻을 수 있으므로 원위부의 구부요도협착까지도 교정이 가능하다. 좀 더 긴 길이의 피부판을 얻기 위하여 Q–피판(Morey et al, 2000)이나 지그재그형 환상절개를 가하는(El Dahshoury, 2009) 원형근막피부판의 변형술식들이 고안되었다.

Berglund와 Angermeier (2006)는 음경이나 음낭피부판을 이용한 요도성형술과 볼점막 이식편을 이용한 요도성형술을 동시에 시행함으로써 범요도협착을 일단계 수술로 교정이 가능하다고 하였다. 18명 대상군의 평균 요도협착 길이는 15.1 cm (9.5~22 cm)였고 사용된 볼점막 이식편과 피부판의 평균 길이는 각각 6.3 cm와 8.5 cm였다. 추적조사 중 3례(16.7%)에서 협착이 재발하였다. Erickson 등(2011)은 14명의 범요도협착 환자에서 볼점막의 등 쪽 얹기와 음경피부 원형근막피부판을 이용한 요도성형술을 동시에 시행하여 비슷한 수술성적을 보고하였다. 저자도 제한된 경험이지만 범요도협착 환자에서 동일한 술식을 시행하고 있다(그림 41-14).

Tavakkoli Tabassi 등(2011)은 협착의 평균길이가 20.7±4.6 cm인 17명의 범요도협착 환자에서 회음부 접근으로 볼점막 등 쪽 얹기를 이용한 일단계 요도성형술을 시행하여 평균 8.5개월의 추적조사에서 88.2%의 성공률을 보고하였다. Kulkarni 등(2012)은 자신들이 고안한 일측 요도 박리 후 볼점막의 등 쪽 얹기 술식(Kulkarni et al, 2009)을 117명의 범요도협착 환자에서 시행한 후 그 결과를 보고하였다. 평균 요도협착의 길이는 14 cm였고, 평균 59개월의 추적조사에서 수술 성공률은 83.7%였다(Kulkarni et al, 2012).

8. 결론

요도협착의 치료에 있어 “reconstructive ladder”는 잘못된 개념이다. 요도확장술이나 직시내요도절개술이 덜 침습적인 치료법은 아니며, 반복적인 직시내요도절개술은 해면체섬유화의 길이나 정도를 더욱 악화시켜 나중에 시행될 요도성형술에 악영향을 미칠 수 있다. 지금까지 보고된 임상성적들을 분석한 결과 직시내요도절개술은 길이가 짧은(<1~2 cm) 단일 구부요도협착에서 가장 좋은 성적을 기대할 수 있다.

요도협착의 수술법은 기본적으로 협착의 발생 부위, 원인, 길이 등에 의하여 결정된다. 가능한 일단계 수술을 원칙으로 하고 있지만 음경피부나 요도판의 상태가 불량한 경우에는 부득이하게 단계적 요도성형술의 시행이 고려되어야 한다. 회음부 손상에 의한 구부요도의 완전 협착인 경우 협착부위를 절제하고 건강한 단면을 연결하는 절제 및 일차연결술이 최선의 방법이다. 그렇지만 대부분의 경우 술자의 경험이나 선호도에 따라 다양한 술식이 선택될 수 있다. 수술 전 어떤 수

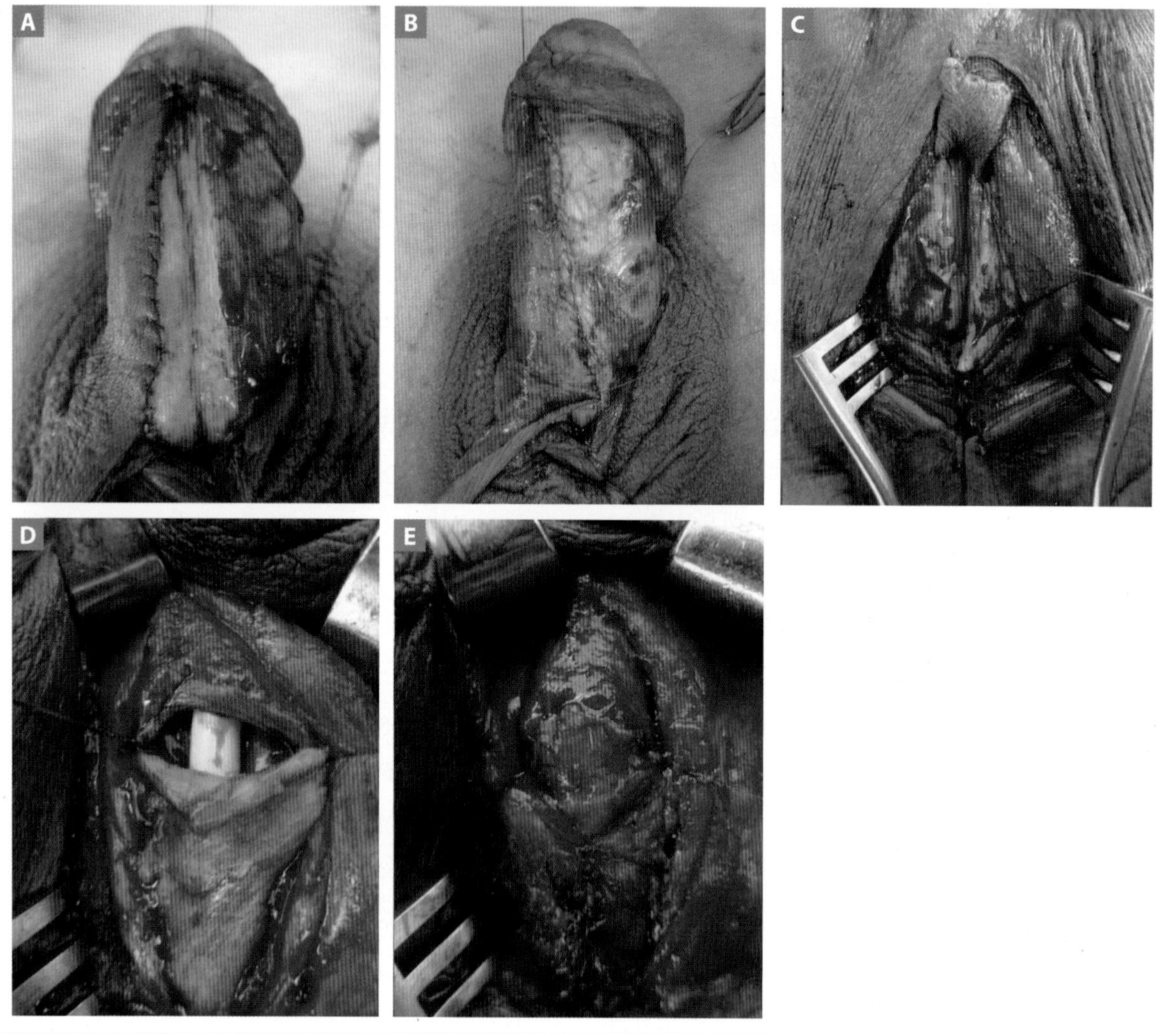

그림 41-14. **범요도협착 환자에서 시행된 음경 원형근막피부판과 볼점막 이식편을 이용한 요도성형술의 수술 사진.** (A) 음경근막피부판을 연속봉합으로 음경요도 절개창의 한 쪽 경계에 연결한다. (B) 음경근막피부판을 요도의 다른 쪽 경계에 연결한다. (C) 회음부 절개창을 통하여 아직 연결하지 않은 음경근막피부판과 구부요도 절개창이 관찰된다. (D) 음경근막피부판을 연결을 완료하고 구부요도에 볼점막을 배 쪽 얹기로 연결한다. (E) 음경근막피부판과 볼점막을 연결하고 구부요도의 요도해면체로 볼점막을 덮어준다.

술법을 구체적으로 계획했다 하더라도 술 중 상황에 따라 계획된 수술법이 바뀔 수도 있고 다른 수술이 추가될 수도 있다. 그러므로 요도협착을 담당하는 비뇨의학과 의사들은 다양한 요도성형술의 술식에 익숙해야만 한다.

최근에는 볼점막 이식편이 요도성형술에 널리 사용되고 있다. 쉽게 채취할 수 있으며 제공부위의 합병증도 드물며 조직의 특성이 요도와 유사하다. 구부요도협착의 요도성형술에 있어 배 쪽 얹기 혹은 등 쪽 얹기로 이용되며, 음경요도협착의 수술에 있어 등 쪽 얹기 혹은 속넣기로 이용된다. 단계적 요도성형술의 일단계 수술에 이용되기도 한다.

복잡한 전부요도의 협착을 교정하기 위하여 고난이도의 다양한 수술법들이 동시에 시행될 수도 있다. 그렇지만 이러한 경우 수술 실패와 합병증 발생 빈도가 증가한다. 환자의 전신 건강과 치료의 목표 등에 대한 충분한 상담과 고려가 수술 전 선행되어야 한다. 때로는 회음요도루조성술(perineal urethrostomy)이 가장 현실적인 치료법이 될 수도 있다.

전체 참고문헌 목록은
배뇨장애와 요실금 웹사이트 자료실
(http://www.kcsoffice.org)에서
확인할 수 있습니다.

제 42 장

요폐

Urinary retention

김준철

1. 총론

요폐(요저류)는 방광에 저장된 소변을 배출하려는 노력에도 불구하고 자발적으로 방광을 완전히 비울 수 없어 소변이 정체되어 있는 상태를 말하며, 증상 발현의 완급에 따라 급성요폐와 만성요폐로 나눌 수 있고, 요폐로 인해 방광은 전혀 비워지지 않거나 불완전하게 비워지게 된다. 요폐의 객관적 평가는 배뇨 후 잔뇨량이나 배뇨를 못한 환자의 방광내 소변량의 측정으로 이루어진다. 일부에서는 만성요폐의 기준치를 배뇨 후 잔뇨량 300 mL 이상으로 하는 경우도 있고, 400 mL 이상으로 정한 경우도 있지만, 아직까지 이에 대해 명확히 정립된 기준치는 없다(Kaplan et al, 2008).

요폐의 발생률은 남성에서 여성보다 높고, 나이가 증가할수록, 하부요로증상이 심할수록 높아지는 것으로 알려져 있다. 미국에서 시행된 대규모 코호트연구에 의하면, 요폐의 발생률은 하부요로증상이 없거나 경미한 40대 남성에서는 매년 1,000명당 2.6명, 70대 남성에서는 매년 1,000명당 9.3명이었고, 하부요로증상이 중등도이거나 심한 40대 남성에서는 매년 1,000명당 3.0명, 70대 남성에서는 매년 1,000명당 34.7명으로 보고된 바 있다(Jacobsen et al, 1997). 여성에서 요폐의 발생률은 잘 알려져 있지 않지만, 유럽에서 시행된 한 연구에서는 매년 100,000명당 7명 정도로 보고하였다(Klarskov et al, 1987).

요폐는 다양한 원인에 의해 발생할 수 있고, 감별할 질환은 광범위하며, 적절히 치료하지 않을 경우 수신증과 신부전으로 이어질 수 있으므로 정확한 진단과 치료가 필요하다.

1) 요폐의 원인

요폐는 다양한 원인에 의해 발생할 수 있는데, 주요 원인으로는 하부요로의 폐색, 신경학적 손상, 배뇨근의 기능 저하가 있고, 그 외에 약제, 감염 및 염증, 외상 등이 있다.

(1) 하부요로의 폐색

폐색은 요폐의 가장 흔한 원인으로 하부요로의 내부적 원인과 외부에서의 압박과 같은 외인적 원인으로 나눌 수 있다. 남성에서는 전립선비대증이 가장 흔한 폐색의 원인이며(Curtis et al, 2001), 다른 원인으로는 전립선암, 요도협착, 포경(phimosis), 감돈포경(paraphimosis) 등이 있다. 여성에서는 주로 해부학적 변화에 따른 이차적 폐색에 의한 요폐가 많다. 방광류(cystocele), 직장류(rectocele)와 같은 골반장기탈출증, 골반내 종물(부인과적 악성종양, 자궁근종, 난소낭종) 등이 있고, 드물게 요도게실에 의해 발생하기도 한다. 남성과 여성 모두에서 요도 또는 방광의 결석이나 이물질, 요도 또는 방광의 종양, 변비, 방광출혈로 인해 형성된 혈괴에 의해서도 요폐가 발생할 수 있다.

(2) 신경학적 손상

방광 또는 요도괄약근에 대한 신경지배에 이상이 있는 경우 요폐가 발생할 수 있다. 신경 손상으로 인해 방광이 가득 채워져 있는 것을 중추신경이 전달을 받지 못하거나, 소변을 배출하도록 배뇨근을 수축하게 하는 신호가 방광으로 내려오지 못하거나, 조화로운 소변 배출을 위하여 요도괄약근이 이완되게 하는 신호가 전달되지 못하는 경우 요폐가 나타난다. 요폐의 신경학적 원인이 될 수 있는 다양한 질환들을 신경 손상 부위에 따라 분류할 수 있다(표 42-1).

(3) 배뇨근 기능저하

배뇨근 기능저하는 방광을 완전히 비울 정도로 배뇨근이 강하게 수축하지 못하거나, 지속적인 수축이 되지 않아 요폐가 발생하는 경우로, 노화가 흔한 원인 중 하나이다. 이것은 갑자기 방광이 확장되는 경우 악화될 수 있는데, 예를 들면 도뇨관을 삽입하지 않은 채 전신 또는 척수 마취하 수술이 오래 지속되는 경우가 해당된다(Thomas et al, 2004).

(4) 약물에 의한 요폐

다양한 약물들이 하부요로에 대한 정상적인 신경전달을 저해함으로써 요폐를 유발할 수 있으며(표 42-2), 전체 요폐 중 약물이 원인이 되는 경우는 약 10%까지 이를 것으로 추정된다(Verhamme et al, 2008). 대표적인 약물로는 항콜린제와 교감신경작용약물(sympathomimetic drug)이 있는데, 항콜린제는 배뇨근수축력을 저하시키고, 교감신경작용약물은 방광출구 부위의 평활근 수축을 증가시킴으로써 요폐를

표 42-1. **요폐 및 배뇨장애의 신경인성 원인**

손상부위	원인
자율신경 또는 말초신경	당뇨, 대상포진바이러스 감염, 자율신경병증, Gulillain-Barré증후군, 골반골절, Lyme병, 근치적골반수술, 악성빈혈 등
뇌	뇌혈관질환, 뇌진탕, 다발성경화증, 뇌종양, 정상압수두증, 파킨슨병 등
척수	척수손상, 척수 혈종 또는 농양, 척추강협착증, 척수혈관질환, 척수수막류, 이분척추증, 다발성경화증, 횡단척수염, 척수원뿔 또는 마미 내 종양 또는 종물 등

표 42-2. **요폐와 관련된 약물**

항콜린 작용을 가진 약물	과민성방광 치료용 항콜린제(oxybutynin, solifenacin, tolterodine 등), 항우울제(amitriptyline, imipramine 등), 항히스타민제(hydroxyzine, chlorpheniramine, diphenhydramine 등), 항정신병제(haloperidole, chlorpromazine 등), 항부정맥제(disopyramide, procainamide, quinidine 등)
알파아드레날린성제제	Pseudoephedrine, ephedrine, phyenylephrine, phenylpropanolamine
베타아드레날린성제제	Isoproterenol, metaproterenol, terbutaline
비스테로이드항염증제	Indomethacin
Benzodiazepines	Clonazepam, diazepam
항파킨슨제제	amantadine, benztropine, bromocriptine, levodopa 등
아편유사제(opioid)	Morphine, oxycodone, fentanyl
근이완제	Baclofen, cyclobenzaprine
호르몬제제	Estrogen, progesterone, testosterone
항고혈압제	Hydralazine, nifedipine
기타	Amphetamine, carbamazepine, mercurial diuretics, vincristine

유발한다.

기저질환이 동반된 경우가 많아 이로 인해 복용하는 약제도 많은 고령의 환자, 전신 또는 척추 마취 수술을 받는 환자들은 특히 약물에 의한 요폐 위험도가 높아 주의를 요한다.

(5) 기타 원인

임신과 관련하여 요폐가 발생할 수 있는데, 대개 자궁에 의한 요도 압박에 의해 발생할 수 있으며, 요폐가 생길 위험도가 증가하는 시기는 임신 9-16주경으로 보고되고 있다(Chen et al, 2016). 이외에 요도, 음경, 방광 등 하부요로와 관련된 장기의 외상에 의해서도 요폐가 발생할 수 있다.

2) 요폐의 진단 및 치료

요폐 증상은 소변이 제대로 나오지 않는 것이며, 보통 하복부나 치골상부의 불편감 또는 팽만이 동반될 수 있다. 요폐의 진단 및 치료에 대해서는 급성요폐, 수술 후 급성요폐, 만성요폐로 나누어 세부적으로 다루고자 한다.

2. 급성요폐

1) 정의

급성요폐(acute urinary retention)는 방광이 가득

차서 요의는 있으나 갑자기 배뇨를 할 수 없는 상태를 말한다. 대개 통증을 동반하고 하복부에서 방광이 만져지지만, 그렇지 않은 경우도 있다. 급성요폐에서의 방광용적은 표준화되어 있지 않지만, 예상되는 정상 방광용적보다 반드시 커야 한다. 70대 남성에서는 5년 내에 약 10%에서 급성요폐를 경험하며, 10년 내로는 약 1/3에서 급성요폐를 경험할 수 있다(Jacobsen et al, 1997).

Jacobsen 등(1998)은 남성에서 급성요폐의 위험인자를 고령, 낮은 최대 요속, 전립선 크기 증가, 높은 국제전립선증상점수(IPSS)로 보고하였는데, 급성요폐의 위험도는 70대는 40대보다 8배, 국제전립선증상점수가 7점 초과인 경우 그렇지 않은 경우보다 4배, 경직장초음파상 전립선 크기가 30 mL 이상인 경우 3배, 최대 요속이 12 mL/s 미만인 경우 약 4배까지 높을 수 있다고 제시하였다.

2) 병인 및 위험인자

급성요폐의 원인은 총론에서 기술한 것처럼 다양한데, 남성에서 가장 흔한 원인은 전립선비대증에 의한 하부요로폐색이다(Verhamme et al, 2005). 급성요폐 환자의 전립선에 대한 병리학적 조직검사에서 전립선경색(prostatic infarction)이 85%에서 보여 전립선경색이 급성요폐와 밀접한 관련이 있다는 보고도 있었지만(Spiro et al, 1974), 다른 연구에서는 전립선경색이나 염증은 전립선비대로 인한 급성요폐와 관련이 없다는 결과가 보고된 바 있다(Anjum et al, 1998). 한 연구에서는 급성요폐 환자에서 전립선의 상피 조직에 대한 기질 조직의 비율(ratio of stromal to epithelial tissue)이 대조군에 비해 유의하게 감소되어 있음을 보고한 바 있는데(Saboorian, 1998), 이것의 기전은 명확하지 않지만 상피 부분에 작용하는 finasteride가 어떻게 급성요폐의 발생을 줄일 수 있는지에 대해 설명할 수 있게 한다. 그리고 아세틸콜린(acetylcholine), 노르아드레날린(noradrenaline), 산화질소(nitric oxide) 등의 여러 신경전달물질들이 방광과 요도에 관여하는 신경에 영향을 주는데, 이런 신경전달물질의 변화가 급성요폐와 관련이 있다는 보고도 있다(Zhou·Ling, 1997).

3) 진단

급성요폐의 진단을 위해서는 원인 및 위험인자에 대한 자세한 병력청취와 적절한 신체검사가 필요하다(표 42-3). 병력청취에는 하부요로증상이나 이전에 요폐를 경험한 적이 있는지에 대한 문진, 전립선질환 병력, 골반장기 또는 하부요로에 대한 수술 병력, 방사선치료 병력이나 골반 외상력을 포함해야 하며, 추가적으로 혈뇨, 배뇨통, 발열, 하복부 통증, 신경학적 증상, 현재 복용 중인 약물에 대해서도 확인을 해야 한다. 신체검사에는 하복부 촉진 및 타진, 직장수지검사, 골반검사, 신경학적 검사 등이 포함된다. 잔뇨량 측정은 급성요폐의 진단에 필수적 검사로서 도뇨관 삽입을 통해서도 할 수 있지만 최근에는 방광스캔을 이용하여 비침습적으로 쉽게 시행할 수 있다. 검사실 검사로는 소변검사를 시행해야 하며, 혈액검사(CBC, serum chemistries including creatinine)를 추가적으로 해볼 수 있다. 그 외에 요도협착, 방광결석 등을 진단하기 위한 방광경 검사, 요로결석, 종양, 외상에 의한 손상 등을 확인하기 위한 컴퓨터단층촬영, 그리고 요역동학 검사도 진단 및 원인 규명에 도움이 될 수 있다.

표 42-3. **급성요폐의 원인 진단을 위한 병력청취 및 신체검사**

잠재적 질환	병력청취	신체검사
남성		
급성세균성전립선염	발열, 배뇨통, 항문이나 회음부 통증	직장수지검사상 전립선부위의 압통, 열감, 부종
양성전립선비대증	이전의 급성요폐 병력	직장수지검사상 전립선의 비대 소견, 압통이나 촉지되는 결절은 없음.
포경, 감돈포경	음경 포피의 통증, 열감, 발적	포피의 부종, 압통
전립선암	증상 없음, 체중감소	직장수지검사상 전립선 부위의 비대 또는 정상, 결절의 촉지 또는 비촉지
여성		
골반장기탈출증(방광류, 직장류, 자궁탈출증)	질을 통한 골반장기의 촉지	방광, 직장, 자궁이 질강을 통해 돌출
골반강 내 종양	골반이나 하복부 통증, 월경불순	자궁, 난소의 촉지
질염	질 분비물, 질 가려움, 배뇨통	외음부, 질의 발적, 분비물
공통		
방광종양	무통성 혈뇨	육안적 혈뇨, 혈종
방광염, 요도염 요로감염, 성매개감염, 포진바이러스감염	배뇨통, 혈뇨, 발열, 측복통, 요도분비물, 외부생식기 발적, 최근 성생활 관련 문진	치골상부 압통, 늑골척추각 압통, 요도분비물, 회음부 수포
신경인성방광	신경학적 질환 병력(당뇨병성 신경병증, 파킨슨병, 뇌졸중 등), 요실금	신경학적 검사 소견의 이상

4) 치료

요도협착 병력, 하부요로 수술력, 골반이나 회음부 외상력을 확인한 후 도뇨관 유치를 시행하여 방광 안의 소변을 배출함으로써 급성요폐를 완화시킬 수 있다. 도뇨관 삽입은 요도를 통해 주로 시행하며, 이를 실패했거나 금기 상황일 경우 치골상부방광루 설치를 통해 도뇨관 유치를 시행한다. 이후 요폐의 원인을 찾고, 이에 대한 적절한 치료를 시행하여야 한다.

(1) 도뇨관

도뇨관의 크기는 상황에 따라 다를 수 있지만 일반적으로 14~18 Fr 카테터를 이용하는 것이 추천된다. 도뇨관 삽입 후 바로 배출되는 소변량이 200 mL 이하인 경우 도뇨관을 바로 제거하고 급성요폐가 재발하는지 관찰해볼 수 있다. 배출되는 소변량이 400 mL 이상일 경우 도뇨관을 지속적으로 남겨두는 것이 일반적이며, 200~400 mL 일 경우 임상적 상황에 따라 결정할 수 있다. 일반적으로 급성요폐에서 도뇨관을 유치하는 기간은 3~5일이지만, 아직까지 명확히 확립된 기간은 없으며, 요폐의 원인에 따라 다를 수 있다.

최근에 하부요로 수술(예를 들어 근치적전립선적출술 또는 요도재건술 등)을 받았거나 급성세균성전립선염이 의심되는 경우, 요도파열이 의심되는 경우 요도를 통한 도뇨관 삽입의 금기 상황이 될 수 있다. 그리고 요도협착, 기존에 경요도적 수술을 시행 받은 경우, 골반 외상, 방사선 치료를 받은 경우 등은 요도를 통한 도뇨관 삽입이 어려울 수 있어, 방광요도경과 유도철사(guidewire)를 이용하여 도뇨관을 넣거나, 이것도 실패할 경우 치골상부방광루 설치를 시행하여야 한다. 치골상부방광루는 도뇨관으로 인한 요도협착 발생 위험을 줄여주고, 요도를 통해 도뇨관을 유치하는 것보다 환자가 느끼는 불편감이 적고, 도뇨관 제거 시 발생하는 불편감도 줄일 수 있는 장점이 있다. 그러나 치골상부방광루 설치 시 장천공, 감염된 요누출로 인한 이차적인 급성복막염, 방광 후벽의 천공 등이 발생할 수 있으며, 도뇨관의 요도 내로의 잘못된 거치, 방광암이 동반된 경우 방광루를 통한 암의 파급 등의 가능성이 있다.

도뇨관 삽입을 통한 방광 내의 신속한 감압은 혈뇨, 일시적 저혈압, 폐색후이뇨(postobstructive diuresis)와 같은 합병증을 유발할 수 있으나, 천천히 감압한다 하더라도 이런 합병증이 감소한다는 증거가 부족하고, 오히려 요로감염의 위험도를 증가시킬 수 있다는 주장이 있다(Nyman et al, 1997). 청결간헐적도뇨(clean intermittent catheterization)는 도뇨관을 지속적으로 유치하는 것과 비교해 요로감염과 같은 합병증이 적고, 급성요폐 후 조기에 자가배뇨를 할 수 있는 가능성을 증가시킬 수 있다(Patel et al, 2001).

도뇨관 유치 후 대부분의 환자는 귀가 후 외래에서 치료를 지속해도 안전할 수 있지만(Pickard et al, 1998), 패혈증, 급성 신부전, 악성종양이나 급성 척수병증(myelopathy)과 관련된 요폐의 경우 입원 치료가 필요하다. 귀가하기 전 도뇨관 관리에 대한 교육이 필요하며, 도뇨관 유치에 대한 예방적 항생제는 필요치 않다.

(2) 도뇨관 제거 시도

급성요폐 환자에서 도뇨관을 통한 방광 감압과 약물치료를 한 후 도뇨관 제거 시도(trial without catheter; TWOC)를 통해 자가배뇨를 할 수 있는지 확인하게 된다. 전립선질환과 관련된 급성요폐 환자에서 초기 TWOC 성공률은 20~40%로 알려져 있다. TWOC가 성공하는 데 관여하는 인자로는 70세 미만의 나이, 전립선 크기 50 g 미만, 배뇨근압 35 cmH_2O 이상, 급성요폐 시 도뇨관 삽입 후 배출된 소변량이 1,000 mL 미만인 경우 등이 있다(Fitzpatrick et al, 2012; Fitzpatrick·Kirby, 2006). 도뇨관 제거를 언제 시도할 것인지에 대해서는 아직 명확히 정립되어 있지 않은데, 한 연구에서 2일 후 제거하는 것보다 7일 후 제거하는 경우 자가배뇨 성공률이 높았다고 보고하였고(Djavan B, 1988), 다른 연구에서는 도뇨관을 3일째 제거하는 경우가 3일 이후 제거하는 경우보다 성공률이 높고 합병증이 적었다는 보고도 있었다(Desgrandchamps et al, 2006). 일반적으로 급성요폐의 원인에 대한 수술적 치료를 고려하기 전에 2회 정도의 TWOC를 해보는 것이 권장되며, 첫 번째 TWOC가 실패한 환자에 대한 두 번째 TWOC는 최초 TWOC보다 성공률이 낮으며, 도뇨관 유치 기간을 더 늘린 후 시도하는 것이 제안되고 있다.

(3) 약물치료

도뇨관을 삽입하는 시점부터 알파차단제(tamsulosin, alfuzosin, silodosin 등)를 투여하는 것은 도뇨관 제거 후 자가배뇨를 할 수 있는 성공률을 높여줄 수 있고, 일부에서는 급성요폐의 발병률을 낮출 수 있다는 보고도 있다. 그러나 추가적 수술적 치료 위험도를 줄일 수 있다는 증거는 부족하며, 도뇨관 제거 후 알파차단제를 얼마나 더 지속해야 하는지에 대해서는 아직 정립되어 있지 않다(Fisher et al, 2014). 5알파환원효소억제제(finasteride, dutasteride)는 전립선비대증이 있는 남성에서 급성요폐 발병률을 낮출 수 있지만, 급성요폐의 조기 재발을 예방할 수 있다는 증거는 아직 부족하다(McConnell et al, 1998). 콜린성제제(bethanechol)는 배뇨근수축을 유도해 방광 내 소변 배출을 개선시킬 수 있다는 이론적 근거로 급성요폐나 배뇨근저활동성 환자에서 처방되고 있으나, 임상적으로 치료 효과에 대한 근거가 부족하고, 부교감신경항진으로 인한 부작용 위험성이 있어, 요폐의 치료 약제로 추천되고 있지는 않다.

3. 수술 후 급성요폐

1) 정의

수술 후 요폐(postoperative urinary retention; POUR)은 수술 후 방광이 충만되어 있으나 배뇨할 수 없는 경우로 정의될 수 있다. 방광의 충만 정도는 400~600 mL를 기준으로 하며, 시간적으로는 수술 후 8시간 이내에 자가배뇨를 하지 못하는 경우로 정의할 수 있으나, 아직까지 명확한 기준은 없다. 수술 후 요폐의 발병률은 5~70%까지 다양하게 보고되고 있다(Baldini et al, 2009; Changchien et al, 2007). 수술 후 요폐는 서혜부탈장수술이나 항문직장수술 같은 외과 수술, 산부인과 수술 후에 흔히 나타나며, 척추수술 같은 신경외과 수술, 하지수술 같은 정형외과 수술 후에도 자주 발생한다.

수술 후 요폐는 환자에게 불편함과 통증을 유발하고, 배뇨근 기능에 비가역적 손상을 줄 수도 있고, 요정체와 도뇨관 삽입으로 요로감염 등의 합병증의 발생과 환자의 입원기간을 증가시키는 원인이 된다. 또한 고령의 환자에서 수술 후 요폐는 수술 후 첫 1년간 사망률 증가와도 관련이 있다는 보고도 있다(Smith·Albazzaz, 1996).

2) 원인 및 위험인자

수술 후 요폐의 발생에 직접적으로 영향을 미치는 요인으로는 방광과 요도에 손상을 줄 수 있는 조작, 방광과팽창, 방광충만감각의 감소, 배뇨근수축력의 감소, 방광출구저항의 증가, 배뇨반사활동의 감소, 동통성 자극에 의한 억제반사(nociceptive inhibitory reflex), 기존의 방광출구폐색질환 등이 있다.

수술 후 요폐의 위험인자는 매우 다양한데, 환자의 나이와 성별, 수술의 종류와 시간, 수술 후 도뇨관 유치의 방법과 기간, 마취의 종류, 수술 중의 수액공급량, 요폐에 영향을 미칠 수 있는 약물의 사용 여부, 통증과 불안을 포함한 수술의 스트레스, 골반신경이나 요수신경 등의 수술 중 손상 유무, 술 전 동반된 환자의 방광출구폐색질환, 수술 중 요도손상을 줄 수 있는 조작 등이다(Bodker · Lose, 2003).

수술 후 요폐에 의한 방광팽창이 몇 시간 이상 지속되면 배뇨근 기능에 영향을 미치고 배뇨근수축력의 감소와 이에 의한 배뇨장애가 생긴다. 이는 1~2시간의 방광과팽창으로도 발생할 수 있다(Lamonerie et al, 2004). 골반 내 양성질환 수술 후 요폐가 발생하는 원인은 통증에 의한 회음부 이완장애가 배뇨근수축을 억제하는 것, 수술 중이나 후에 사용된 마약성진통제가 배뇨근에 대한 부교감신경의 활성도를 억제하는 것, 그리고 방광과팽창에 의한 배뇨근 손상 등이 제시된 바 있다(Fitz Gerald · Brubaker, 2001).

비뇨의학적 시술이나 수술 후에도 요폐는 흔히 관찰될 수 있는데, 초음파유도하전립선생검 후 7~12%의 배뇨장애와 0.7~1.6%의 요폐를 보이며, 위험인자로 시술 전 큰 전립선이행대용적(42 cc이상)과 시술 전 IPSS (20이상)가 보고되었다(Zisman et al, 2001). 정위인공방광대치술(orthotopic neobladder substitution)을 시행한 환자 중 수술 후 요실금을 보이는 환자를 대상으로 한 연구에서 수술 후 요폐의 발생률은 9.6%였고, 요폐의 원인은 해부학적 원인이라기보다는 기능적 원인으로 보였으며, 요역동학검사에서 요폐를 보인 환자의 기능적요도길이가 유의하게 길게 나타났다(Park · Montie, 1998).

3) 진단

수술 후 환자가 호소하는 하복부통증이나 하부요로증상(약뇨, 요주저, 배뇨불능, 빈뇨, 요절박 등), 하복부의 신체검사 등으로 진단이 이루어지는 경우가 흔하다. 방광스캔을 이용한 방광 내 요량 측정은 하복부의 신체검사보다 정확하고 효과적이며, 도뇨를 이용한 측정 소견과 큰 차이를 보이지 않는다. 특히 수술 후 요폐의 발생 위험이 높은 척추마취, 경막외마취, 탈장수술, 항문수술, 골반장기수술을 시행한 후 환자가 하부요로증상을 호소할 경우 신체검사와 방광스캔을 이용한 방광 내 소변량의 확인이 권장된다.

수술 후 환자가 하부요로증상을 호소하지 않더라도 수술 중에 도뇨관 삽입을 하지 않았고, 수술 시간이 4시간 이상이거나, 수술 중 수액이 2,000 mL 이상 공급되었는데 수술 후 6시간 이내에 배뇨하지 않았다면 요폐에 대한 검사가 필요하다(Warner et al, 2000).

소아의 경우 3세 이상에서는 초음파를 이용한 방광 내 소변량 측정이 도뇨관을 이용한 측정과 큰 차이가 없으나 3세 미만의 소아는 초음파를 이용한 측정이 실제보다 작게 측정될 수 있으므로 주의해야 한다(Rosseland et al, 2005).

요역동학검사는 예후 예측이나 근본적 원인에 대한 치료에 도움이 될 수 있다. Anderson 등(1991)은 수술 후 요폐가 발생한 노인 남성 22명에서 요역동학검사를 시행하였는데, 23%에서 방광출구폐색, 32%에서 저활동성방광(underactive bladder), 36%에서 배뇨근무반사(detrusor areflexia) 소견을 보였다고 한다. 그리고 배뇨근무반사를 보인 경우 저활동성방광 환자보다 정상 배뇨기능을 회복하는 데 시간이 더 걸렸다고 한다.

4) 치료

수술 후 요폐가 발생할 위험인자를 갖고 있는 경우 수술 중 출혈을 최소화하고, 수액공급도 제한적으로 시행함으로써 수술 후 요폐를 예방할 수 있다. 수술 후 마약성진통제의 사용을 피하고, 조기에 활동을 하도록 하고, 알파차단제를 미리 사용하는 것도 예방에 도움이 될 수 있다(Jackson et al, 2019).

수술 후 요폐의 치료는 앞에서 언급한 급성요폐의 치료와 같이 주로 도뇨관 삽입을 통한 방광의감압이다. 청결 간헐 도뇨(clean intermittent catheterization) 또는 요도를 통한 도뇨관 유치가 주로 이용되는데, 그 각각의 적응 기준은 아직 없다. 배뇨근 기능저하의 정도는 요폐가 얼마나 오래 지속되었는지와 비례하므로 조기에 수술 후 요폐를 인지하고 방광을 감압해주는 것이 중요하다.

4. 만성요폐

1) 정의

만성요폐는 만성적으로 잔뇨량이 많으나 통증은 없는 방광 상태로 정의된다. 이런 환자들은 역설적으로 범람요실금(overflow incontinence)이 발생할 수 있다. 만성요폐는 요실금 수술 후 일시적 배뇨곤란과 같은 상태는 제외하며, 일반적으로 최소한 300 mL의 잔뇨량이 6개월 이상 지속되는 경우가 해당한다.

대부분은 만성요폐에서 잔뇨량의 기준을 300 mL 이상으로 정하고 있는데, 이 용적은 치골상부에서 촉진이 가능한 방광의 최소용적을 의미한다(Abrams et al, 1978). 그러나 남성에서 만성요폐의 잔뇨량 기준은 100~1,000 mL로 다양하게 언급되고 있으며(Kaplan et al, 2008), 여성에서는 기준을 뒷받침할만한 자료가 더 부족한 상태여서, 만성요폐에 대한 명확한 기준은 아직 없는 상태이다.

2) 분류

만성요폐는 일반적으로 고압(high pressure)요폐와 저압(low pressure)요폐로 분류된다. 이 분류는 배뇨 후 잔뇨량 300 mL 이상 되는 만성요폐 환자들의 요역동학검사를 통해 이루어졌는데, 방광의 충전기말압(end filling pressure)이 25 cmH_2O 미만인 경우를 저압, 그보다 높은 경우를 고압으로 분류하였다(Abrams et al, 1978). 두 군은 증상에서 차이를 보일 수 있는데, 저압군은 요주저, 약뇨, 잔뇨감을 주로 호소하는 반면, 고압군은 주로 요절박을 호소할 수 있다. 그리고 만성요폐를 보이는 남성의 약 50%에서 혈청 크레아티닌 수치의 상승과 상부요로의 확장이 동반되었는데, 이는 대개 고압만성요폐에서 흔하다.

고위험(high−risk) 요폐와 저위험(low−risk) 요폐로도 나눌 수 있는데, 고위험 요폐는 만성요폐로 인해 장기 손상이 발생할 위험성이 높은 경우를 의미한다. 고위험 요폐에 해당하는 소견으로 수신증, 요관의 확장, 방광결석, eGFR 30~59 mL/min/1.73 m^2의 만성콩팥병 3기, 반복적이고 증상이 있으며 배양검사상 양성인 요로감염, 회음부 피부 변화나 욕창을 동반하는 요실금 등이 있다.

신경학적 원인에 의한 만성요폐와 비신경학적 원인에 의한 만성요폐로 나눌 수도 있으며, 신경학적 원인에 의한 만성요폐는 신경인성방광에서 자세히 다루어지므로 여기서 더 언급하지는 않을 것이다. 비신경학적

표 42-4. **비신경학적 원인에 의한 만성요폐와 관련된 임상 상황 및 원인**

하부요로 출구폐색 (outlet obstruction)	방광수축력 저하 (poor bladder contractility)
양성전립선폐색(benign prostatic obstruc-tion)	장기적으로 지속된 출구폐색
약제의 장기사용: 항히스타민제, 알파아드레날린항진제, 항정신병약물	약제의 장기사용: 항콜린제, 삼환성항우울제, 베타아드레날린항진제, 칼슘통로차단제, 비스테로이드항염증제, 아편유사제, benzodiazepine, 항정신병약물
요도나 방광경부의 협착	당뇨
요도결석, 종양, 판막	변비
고등급 골반장기탈출	쇠약(frailty)
여성 요도게실	특발성(idiopathic)
이전 항요실금수술 이전 질원개탈출증(vaginal vault prolapse) 교정수술 일차적 방광경부폐색 기능장애성배뇨 (dysfunctional voiding)	

원인에 의한 만성요폐는 하부요로 폐색과 방광수축력 저하로 원인을 나눌 수 있고, 다양한 원인으로 발생할 수 있다(표 42-4).

3) 진단

하부요로증상, 기저질환, 복용하는 약제 등에 대한 자세한 병력청취가 필요하다. 이후 복부 및 골반을 포함한 전반적인 신체검사를 시행하여야 한다. 요역동학검사에서 저압요폐 환자들은 복부 촉진 시 만성요폐를 진단하기 어려운 방광을 가지고 있고, 고압요폐 환자들은 긴장되고 촉지가 가능한 방광을 가질 수 있으나(Abrams et al, 1978), 직관적으로 얻은 촉진이나 타진 결과만으로 만성요폐를 복강 내 혹은 골반 내 종양과 감별하기 어려우며, 비만이나 복수를 가지고 있는 환자에서는 방광이 채워졌는지 비워졌는지 신체검사만으로 알기 어렵다. 따라서 도뇨관이나 방광스캔을 통한 잔뇨량의 측정이 중요하다. 배뇨 후 잔뇨량은 측정하는 시기에 따라 변동이 있다는 보고도 있으므로(Dunsmuir et al, 1996), 배뇨 후 잔뇨량을 기준으로 치료 계획을 세워야 한다면, 반복적인 검사로 정확성과 일관성을 확보하는 것이 중요하다. 현재까지 만성요폐를 정의하기 위해 방광 내에 존재하는 최소한의 소변량을 표준화하는 연구나 방광을 촉지할 수 있는 소변의 양이 어느 정도인지 객관적으로 평가한 자료는 아직 부족한 상태이다. 요역동학검사는 원인 감별 및 치료 후 예후를 예측하는 데 도움이 될 수 있으며, 복부 초음파나 컴퓨터단층촬영과 같은 영상검사는 만성요폐와 동반된 양측 수신증의 원인이 되는 다른 질환을 감별하는 데 도움이 된다(그림 42-1).

4) 치료

만성요폐에 대한 정의가 확실하지 않은 만큼 이에 대한 치료 역시 아직 체계적으로 정립되지 않았고, 연구도 충분치 않은 상태이다. 만성요폐는 급성요폐와 관련되어 나타나는 경우가 흔하며, 또한 수신증, 신부전, 요로감염 등의 합병증을 유발할 수 있으나, 고위험도의 합병증이 흔하게 동반되지는 않는 것으로 알려져

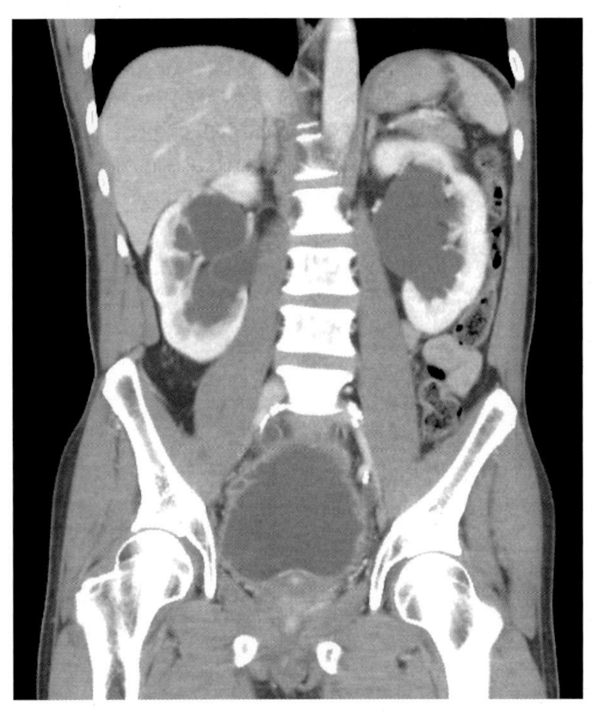

그림 42-1. **고압만성요폐에서 양측 수신증과 팽창된 방광을 보여주는 복부 컴퓨터단층촬영 소견**

있다(Abello et al, 2019). 합병증은 방광 내 압력에 따라 다르게 발생하므로, 치료도 고압형인지 저압형인지에 따라 차이가 있을 수 있다.

(1) 저압만성요폐

정상 신기능을 갖고 있고 하부요로증상도 경미한 저압요폐 환자라면 증상에 대한 약물 치료나 추적관찰, 대기요법을 해 볼 수 있다. 수신증이 없는 정상 신기능 환자에서 잔뇨가 많더라도 증상이 없다면 도뇨관 삽입을 시행하지 않고 지켜볼 수 있으나, 잔뇨량이 500 mL 이상일 정도라면 도뇨관 삽입을 고려해야 한다. 환자의 삶의 질을 위해 치료 방법에 대해 환자와 충분히 상의해야 하며, 만약 환자가 요폐 유발 위험성이 있는 복용 약제가 있다면 중단을 고려해야 한다.

반복적으로 잔뇨량 측정을 하면서 외래에서 추적관찰하는 것만으로 저압만성요폐 환자에서는 적절한 치료가 될 수 있다. 알파차단제는 하부요로증상을 개선시킬 수 있으며, 청결간헐적도뇨는 하부요로증상, 반복적 요로감염이 있는 경우 좋은 치료방법이 될 수 있다. 방광출구폐색에 대한 수술(경요도전립선절제술이나 Holmium레이저전립선적출술 등)은 저압만성요폐 남성 환자에서 방광유순도나 방광수축력을 항상 보존해 줄 수는 없다. 그리고 수술 전에 청결간헐적도뇨를 시행하는 것이 수술 결과를 개선시킬 수 있다는 보고도 있다(Ghalayini et al, 2005).

(2) 고압만성요폐

수신증이 동반되거나 신기능이 악화된 고압만성요폐 환자의 경우 조기에 도뇨관 삽입을 해야한다. 방광감압을 하면서 혈뇨가 발생할 수 있고, 수 일 동안 다량의 소변이 배출될 수도 있다. 그러나 도뇨관을 간헐적으로 막아 점진적으로 방광감압을 한다고 해서 합병증을 줄일 수 있는 근거는 부족하며(Boettcher et al, 2013), 폐색후이뇨(postobstructive diuresis)와 관련하여 환자의 체중, 수액의 공급과 소변배출 양, 혈압, 혈청 전해질 수치 등에 대한 정밀한 관찰이 필요하다. 심각한 이뇨가 발생한 경우를 제외하고는 일반적으로 경정맥 수액 공급은 필요치 않다.

고압만성요폐 환자에서는 요폐가 장기간 지속되었기 때문에 근본적인 치료(예를 들어 수술적 치료)가 시행되기 전에 삽입된 도뇨관 제거 시도를 하는 것은 추천되지 않는다. 그리고 방광의 수축력을 유지하고 있는 대부분의 환자들은 방광출구에 대한 수술을 통해 근본적인 치료를 시행하면 좋은 결과를 얻을 수 있다(Abrams et al, 1978). 그러나 수술적 치료의 대상이 아닌 고압만성요폐라면 장기적으로 도뇨관 유치를 해야 하며, 환자가 시행할 수 있는 능력이 된다면 청결간헐적도뇨가 더 추천된다.

전체 참고문헌 목록은
배뇨장애와 요실금 웹사이트 자료실
(http://www.kcsoffice.org)에서
확인할 수 있습니다.

제 43 장

전립선비대증의 개관, 용어, 병태생리

Benign prostatic hyperplasia -Overview, terminology, etiology, and pathophysiology

이정주

1. 서론

전립선비대증(benign prostatic hyperplasia, BPH)은 중년 남성에서 하부요로증상(lower urinary tract symptom, LUTS)을 초래하는 병적 상태이다. 하지만 전립선비대증이 하부요로증상을 초래하는 유일한 원인은 아니다. 지난 50여 년 넘게 전립선비대의 원인을 규명하기 위한 많은 노력에도 불구하고 현재까지 가설로 제시되는 원인이 전립선비대증을 온전히 설명하지는 못하고 있다. 예를 들면, 안드로젠은 전립선비대에 필수적이긴 하지만 그렇다고 이를 원인이라고 하기에는 다소 무리가 있다. 이전에는 전립선의 비대에 따른 요도저항의 증가가 전립선비대증에 의한 하부요로증상을 초래하는 것으로 알려져 있었다. 그러나, 이제 하부요로증상의 상당 부분은 연령증가에 따른 배뇨근의 기능이상, 다뇨, 수면장애 그리고 전신질환 등에서 기인한다는 것이 명확하다.

여기에서는 전립선비대에 관여하는 여러 요인에 대해 알아보고, 전립선비대에 따른 하부요로기능이상의 병적 진행과정에 대해 알아보고자 한다.

2. 용어의 정의

하부요로증상 중 배뇨증상(배출증상)은 방광출구폐색에 의한 것으로 여겨 왔는데(Chapple et al, 2008), 남성에서 이러한 방광출구폐색은 전립선에 의한 것으로 간주하여 이러한 증상을 '전립선증(prostatism)'이라 불러오기도 했다. 하지만 이제는 방광출구폐색을 진단하는 압력요류검사와 배뇨증상의 상관관계가 없어서 증상만으로 방광출구폐색을 진단하지 못한다(de la Rosette et al, 1998). 이와 비슷한 증상은 요도협착과 같은 다른 형태의 방광출구폐색이나 배뇨근수축력 저하와 같은 하부요로의 기능저하에서도 발생한다. 이러한 사실은 조직학적 전립선 증식의 결과인 전립선비대

(benign prostatic enlargement, BPE), 전립선의 비대에 의한 폐색, 그리고 그 결과인 방광출구폐색(bladder outlet obstruction, BOO) 이 하부요로증상과 흔히 관련이 있지만, 모든 경우의 배뇨증상을 설명하지는 못한다는 것을 시사한다. 한 예로, 전립선이 없는 여성에서도 배뇨증상을 흔히 호소하는 것이 있겠다(Irwin et al, 2006). 요배출장애는 출구폐색 또는 배뇨근기능저하 또는 이 두 가지가 병합하여 발생할 수 있다. 배뇨후점적과 같은 배뇨후증상은 비록 남성에서 흔히 관찰되지만 여성에서도 발생하고 이러한 증상은 삶의 질에 상당히 부정적인 영향을 끼치는 것으로 알려져 있다(Reynard et al, 1996). 저장증상은 현재 과민성방광(overactive bladder, OAB) 증상이라는 용어가 포괄하고 있는데 이는 흔히 요절박, 빈뇨, 야간뇨 그리고 절박성요실금으로 정의되고, 배뇨근과활동성이 병태생리인 것으로 이해되고 있다(Abrams et al, 2003). 이러한 저장증상(storage symptoms)은 배뇨증상보다 더 큰 불편을 초래하는데 특히 요실금을 겪는 환자들이 큰 불편감을 호소한다. 저장증상은 흔히 요로감염 또는 드물게 방광결석, 방광종물과 연관이 있다.

40대 이상의 많은 남성은 조직학적인 전립선 증식이 발생하지만, 이들 모두가 하부요로증상을 경험하지는 않는다. 하부요로증상이 있는 남성들 중 일부에서는 전립선의 용적이 커지는 전립선비대를 경험할 것이다. 전립선비대가 있어도 하부요로증상이 없는 경우가 흔하지만, 전립선비대가 없이 하부요로증상이 있는 경우도 흔하다. 방광출구폐색은 하부요로증상과 함께 관찰될 수도 있고, 하부요로증상 없이 관찰되기도 하는데, 방광출구폐색은 전립선비대와 함께 관찰되기도 하고, 요도협착에서와 같이 전립선비대 소견 없이도 관찰되기도 한다. 즉, 방광출구폐색의 일부만이 전립선비대를 동반한다(Roehrborn et al, 2008).

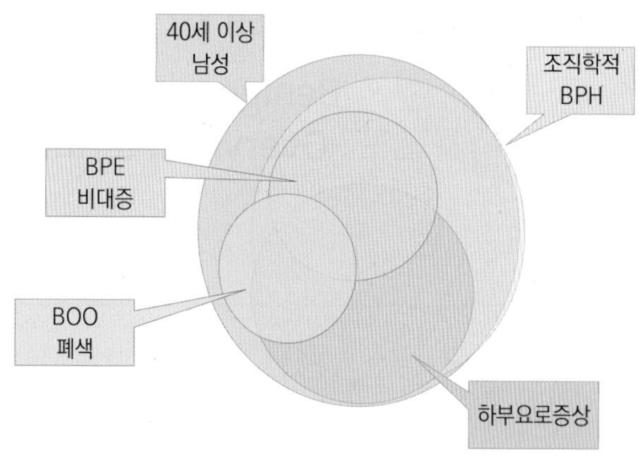

그림 43-1. **조직학적인 전립선증식, 하부요로증상, 전립선비대, 그리고 방광출구폐색의 연관성을 보여주는 다이어그램.**

의심의 여지 없이 전립선의 조직학적 변화로부터 하부요로증상까지의 과정은 우리가 기존에 알고 있던 내용보다 훨씬 복잡한 과정이다. 이러한 복잡한 과정을 밝혀가는 것이 여러 다른 성공적인 치료법을 가능하도록 하고, 더 나아가 전립선비대증이 하부요로기능에 끼치는 부정적인 영향을 예방할 수 있도록 할 것이다.

3. 원인

조직학적인 측면에서 전립선비대는 전립선 부위의 요도 주위에서 상피세포와 기질세포의 수가 증가하는 것이다. 새로운 선조직의 형성은 정상적으로는 태아에서 전립선의 기질(간질)이 상피세포의 발생을 유도하는 전립선의 발생과정에서만 관찰되는데, 성인의 전립선비대는 기질세포의 이러한 유도기능이 다시 활성화되는 것이라는 주장이 있다(Cunha et al, 1983; Issacs, 2008). 이러한 비대과정의 원인은 명확하지 않으나 상피세포와 기질세포의 증식 또는 세포사멸의 부전이 세포의 축적을 초래하는 것으로 추정된다. 안드로젠, 에스트로젠, 기질세포와 상피세포의 상호작용, 성장인자, 신경전달물질 등이 단독적으로 또는 복합적으로 이 과정에 관여할 것으로 생각된다(홍, 2005).

1) 증식

특정 장기에서 세포의 수에 의한 장기의 부피는 세포 증식과 세포 사멸 사이의 균형에 의존하고 있다(Isaacs and Coffey, 1989). 장기는 세포 증식의 증가뿐만 아니라 세포 사멸을 감소시켜서도 커진다. 실험 모델에서 안드로젠과 성장인자는 세포 증식을 자극하지만, 증식 과정의 명확한 증거가 없기 때문에 인간 전립선비대의 세포 증식의 상대적인 역할은 의문시되고 있다. 전립선비대의 초기 단계는 세포의 급속한 증식과 관련 있을 수 있지만 이미 발생한 전립선비대는 세포 복제의 속도가 같거나 감소되고 있는 상태로 유지되도록 한다. 항세포사멸경로 유전자(BCL2 등)의 발현 증가는 이 가설을 뒷받침하고 있다(Kyprianou et al, 1996; Colombel et al, 1998). 안드로젠은 전립선 정상 세포 증식과 분화에 필요할 뿐만 아니라 세포 사멸을 적극적으로 억제한다(Isaacs et al, 1984). 개를 이용한 동물실험 결과에 의하면 전립선비대를 에스트라니올과 안드로젠을 이용해 만들어 낼 수 있는데(Walsh and Wilson, 1976; DeKlerk et al, 1979; Berry et al, 1986; Juniewicz et al, 1994), 이들은 전립선 비대를 발생시키지 않은 대조군과 비교해보면 DNA 합성 속도가 저하되며(Barrack and Berry 1987) 이는 안드로젠과 에스트로젠이 모두 세포 사멸 속도를 억제시킨다는 것을 시사한다. 신경신호전달경로, 특히 알파아드레날린성 경로도 세포사 및 세포 증식의 균형을 잡는 역할을 하고 있을 가능성이 있다(Anglin et al, 2002).

전립선비대는 줄기 세포 질환으로 간주 될 수 있다(Barrack and Berry, 1987). 아마도 정상적인 전립선의 휴면 줄기 세포는 거의 분열하지 않지만 만일 분열한다면 DNA의 합성과 증식을 할 수 있는 일시적인 제 2 유형의 세포를 증가시켜 전립선의 세포 수가 유지된다. 증식 세포가 최종 분화 과정을 거쳐 성숙하면 프로그램 된 세포사멸로 가기전에 수명을 다한다. 이 패러다임에서는 노화 과정이 성숙 과정을 저해하므로 최종 분화 세포로의 진행이 감소하고 세포 사멸의 전체적인 비율이 감소한다. 이 가설의 간접적인 증거로는 상피세포분화의 하나의 척도인 분비가 나이가 들면서 감소하는 현상이 있는데, 이는 분비가 가능한 분화 세포의 수가 감소할 가능성이 있음을 시사하고 있다(Isaacs and Coffey 1989). 세포 노화(노화 관련 베타갈락토시다아제)의 마커에 대한 인간 전립선비대증 표본 연구에 의하면 큰 전립선을 가진 남성의 경우 노화 상피 세포가 높은 비율을 차지하고 있으며 이러한 세포들의 축적이 전립선비대를 야기시키는 역할을 할 가능성을 보여주었다(Choi et al, 2000). 더 최근의 연구에서는 세포 노화의 장애가 전립선비대의 병인에 중요한 역할을 할 가능성이 있다는 가설을 뒷받침하고있다(Castro et al, 2003).

호르몬은 노화뿐만 아니라 태아 및 신생아의 발달 중에 줄기 세포군에 영향을 미칠 수 있다(Naslund and Coffey 1986). 전립선의 크기는 샘에 존재하는 잠재적인 줄기 세포의 절대 수에 따라 정의 될 수 있으며, 이는 배아 발생시에 결정되는 경우가 있다. 동물 모델에서의 연구에 의하면 출생 후 안드로젠 분비에 의한 전립선 조직의 조기 각인이 호르몬에 의해 유발되는 전립선 증식에 중요하다는 것을 시사하고 있다. 성인 전립선 조직의 호르몬 조절과 마찬가지로 성 스테로이드 호르몬은 일련의 복잡한 신호 전달 경로를 통해 직접 또는 간접적으로 각인 효과를 발휘할 가능성이 있다(Lee and Peehl, 2004).

2) 안드로젠의 역할

안드로젠이 전립선비대증을 초래하지 않지만, 전립선비대증의 발생에는 안드로젠이 필요하다(McConnell, 1995; Marcelli·Cunningham, 1999). 사춘기 이전에 거세가 되었거나 유전질환으로 안드로젠의 형성과 작용이 상실된 경우에는 전립선비대증이 발병하지 않는다. 나이가 들면서 혈중 테스토스테론은 감소하지만 디하이드로테스토스테론과 안드로젠수용체는 전립선 내에서 높은 상태로 유지되며, 안드로젠을 차단하면 부분적으로 비대된 전립선 조직을 퇴축시킬 수 있다(Peters·Walsh, 1987; Issacs, 2008).

안드로젠의 정상 범위에서는 노인 남성의 순환 안드로젠 농도와 전립선 크기 사이에 명확한 상관관계가 없다. 한 남성 코호트 연구(평균 60.9세)에 의하면 혈청 생체 이용 테스토스테론 농도는 나이가 증가함에 따라 감소하는 반면, 에스트라디올/생체 이용 테스토스테론 비율은 증가했다(Roberts et al, 2004). 생체 이용 테스토스테론은 음의 상관 관계를 보였고, 에스트라디올/생체 이용 테스토스테론 비율은 전립선 부피와 양의 상관 관계를 보였지만, 이러한 연관성은 연령 조정 후에는 훨씬 덜 분명했다. 한 대규모 전립선비대증 약제 치료 연구의 데이터에 의하면 혈청 테스토스테론, 혈청 전립선 특이 항원(PSA), 그리고 전립선 부피 사이에는 서로 상관관계가 없음을 확인했다(Marberger et al, 2006). 하지만, Parsons 등(2010)에 의한 20년 관찰 연구에서는 기준 혈청 디하이드로테스토스테론이 높을수록 전립선비대증의 발생이 증가하는 것을 보였다.

전립선조직에서 테스토스테론은 5알파환원효소에 의해 디하이드로테스토스테론(dihydrotestosterone, DHT)으로 전환되는데, 디하이드로테스토스테론은 전립선조직 내 안드로젠의 90%를 차지하는 주된 안드로젠이다(McConnell, 1995). 테스토스테론과 디하이드로테스토스테론은 전립선조직에서 안드로젠수용체와 결합하는데, 디하이드로테스토스테론의 친화도가 테스토스테론보다 높다(Chatterjee, 2003). 안드로젠과 수용체의 결합체는 핵 내에서 DNA의 특정 부위에 결합하여 단백질 생성을 유도하고 반대로 안드로젠을 차단하면 단백질 생성의 감소와 함께 조직의 퇴축을 유도하는데, 이러한 현상은 안드로젠 차단이 세포자멸사와 연관된 유전자를 활성화하기 때문이다(Kyprianou·Issacs, 1989; Martikainen et al, 1990).

정상적인 전립선의 발달과정과 분비 생리에 안드로젠이 중요한데도 테스토스테론이나 디하이드로테스토스테론이 노인에서 전립선비대의 촉진물질이라는 직접적인 증거는 없다. 전립선 상피세포 배양실험에서 안드로젠은 성장촉진물질로서 역할을 하지 않았고(McKeehan et al, 1984), 쥐의 전립선전엽에서 시행한 유전자발현실험에서 분열촉진물질경로(mitogen pathway)의 활성화는 확인되지 않았다(Wang et al, 1997). 그러나 안드로젠은 많은 성장인자와 이 수용체들의 조절에 관여한다. 따라서 전립선에서 테스토스테론과 디하이드로테스토스테론은 자가분비(autocrine) 또는 주변분비(paracrine) 형태로 전립선비대에 간접적으로 작용하는 것으로 추정된다.

(1) 안드로젠수용체

전립선은 다른 안드로젠 의존성 기관과 달리 평생 안드로젠에 반응을 보인다. 하나의 예로 음경은 사춘기가 끝나면 안드로젠수용체의 발현이 무시할 정도이지만(Roehrborn et al, 1987; Takene et al, 1991), 전립선에서 안드로젠수용체는 나이가 들어도 높게 유지된다(Barrack et al, 1983; Rennie et al, 1988). 실제로 전립선비대증 환자의 핵 내 안드로젠수용체의 발현은 정상에 비해 증가된다는 보고가 있다(Barrack et al, 1983). 나이가 들면서 증가하는 에스트로젠도 전립선에서 전립선의 증식을 유도하거나 세포사멸을 감소시켜 전립선 성장을 촉진할 것으로 추정된다. 안드로젠수용체의 돌연변이나 다형태(polymorphism)가 전립선비대증의 병인에 어떠한 역할을 할 것인지는 보고에 따라 결과가 상이하여 명확하지 않다.

(2) 디하이드로테스토스테론과 5알파환원효소

전립선 내 디하이드로테스토스테론 농도가 전립선비대증 환자에서 증가된 것은 아니지만 노인의 전립선에서 디하이드로테스토스테론과 안드로젠수용체의 발현이 높은 농도로 유지되어 안드로젠에 의존하는 세포성장은 유지된다.

현재까지 5알파환원효소는 두 가지가 있고 제1형 5알파환원효소는 피부, 간과 같은 전립선 이외의 조직에 풍부하며, dutasteride에 의해서는 억제되고 finasteride에 의해서는 억제되지 않는다. 제2형 5알파환원효소는 전립선 이외의 조직에도 있으나 전립선에 풍부하다. 제2형 5알파환원효소의 돌연변이가 임상적으로 5알파환원효소결핍증후군을 초래하며, 제2형 5알파환원효소는 finasteride와 dutasteride에 의해 억제된다(Carson·Tittmaster, 2003). 제2형 5알파환원효소는 전립선의 발생과 전립선의 비대에 중심적 역할을 하지만, 제1형 5알파환원효소가 전립선의 발생과 전립선의 비대에 어떠한 역할을 수행하는지에 대해서는 아직까지 명확하게 밝혀지지 않았다. Finasteride는 dutasteride와 비슷한 정도로 전립선 크기를 작게 하는데, 거세 시 전립선 크기의 감소와 유사한 것을 보면 제1형 5알파환원효소에서 생성된 디하이드로테스토스테론이 전립선비대에 미치는 영향은 크지 않을 것으로 추정된다. 제2형 5알파환원효소에 대한 면역염색 결과 일차적으로 기질세포에 염색되고(Silver et al, 1994b), 상피세포에서는 제2형 5알파환원효소가 발현되지 않으며 일부 기저세포만 염색된다. 제1형 5알파환원효소의 전령 messenger RNA가 정상 전립선, 전립선비대증, 전립선암에서 약하게 발현되지만(Shirakawa et al, 2004; Silver et al, 1994a)은 제1형 5알파환원효소의 단백질은 전립선비대증과 전립선암에서 발현이 확인되지 않았다고 보고하였다. 또 다른 보고에서도 전립선비대증의 7%에서만 염색되는 것을 확인하였다(Thomas et al, 2003). 이러한 연구 결과는 기질세포와 기질세포 내 제2형 5알파환원효소가 안드로젠 의존성 전립선 성장에 중심적 역할을 한다는 것을 보여준다. 이는 전립선비대에 대한 주변분비활동(paracrine action)의 증거가 되고 피부나 간에서 형성되어 순환하는 디하이드로테스토스테론은 내분비활동으로 전립선 상피세포에 영향을 미칠 수 있음을 시사한다. 만약 1형과 2형수용체를 모두 차단하는 약제가 2형만을 선택적으로 차단하는 약제보다 임상적인 유용성이 있다면 이는 순환하는 디하이드로테스토스테론의 억제효과일 것이다.

3) 에스트로젠

에스트로젠은 안드로젠과 협력하여 전립선비대증을 유발한다는 가설이 개를 이용한 동물실험에서 입증되었는데, 에스트로젠이 안드로젠수용체를 유도하며(Moore et al, 1979) 전립선이 안드로젠의 효과에 예민하도록 하는 것으로 생각된다(Barrack·Berry, 1987). 개의 전립선은 에스트로젠과 친화력이 높은 에스트로젠수용체가 풍부한데, 개의 전립선을 에스트로젠으로 치료하면 에스트로젠은 전립선 기질에 작용하여 콜라겐의 양을 증가시킨다(Berry et al, 1986a, 1986b). 전립선에는 적어도 두 종류의 에스트로젠 수용체가 존재한다. 알파에스트로젠수용체는 전립선 기질세포에서 발현되고, 베타에스트로젠수용체는 상피세포에서 발현된다(Prins et al, 1998).

혈중 에스트로젠은 남성의 경우 나이가 듦에 따라 증가하는데 테스토스테론에 대한 에스트로젠의 상대적 비율은 더욱 뚜렷하게 증가한다. 전립선비대증 환자는 전립선 내 에스트로젠 수치가 증가되며, 전립선용적이 큰 환자는 혈중 에스트라디올이 높은 농도로 존재한다는 보고가 있다(Partin et al, 1991). Omsted County 연구에서는 활성화된 테스토스테론이 평균값 이상인 경우, 혈중 에스트라디올과 전립선용적은 양의 상관관계를 보였다(Roberts et al, 2004b). 전립선조직 내 에스트로젠 수치를 감소시키는 방향화효소억제제(aromatase inhibitor)를 이용하면 약제에 의해 유발된 전립선비대증의 기질을 감소시킬 수 있다는 실험도 있으나(Farnsworth, 1999) 현재까지 전립선비대증에서 에스트로젠의 역할은 안드로젠만큼 명확하지는 않다.

4) 세포자멸사의 조절

예정된 세포자멸사는 항상성을 유지하는 데 필수이고 생리적인 과정이다(Kerr·Searle, 1973). 쥐의 전립선에서 특정 부분은 세포자멸사작용이 활발한데(Lee et al, 1990), 안드로젠은 이러한 예정된 세포사멸을 억제하는 것처럼 보인다. 또한 거세 후에는 상피세포에서 세포사멸의 증가가 확인된다. 쥐의 전립선에서 보면 적어도 25개 유전자가 거세에 의해 유도된다(Montpetit et al, 1986). 전립선조직의 항상성은 성장억제와 성장촉진의 균형, 세포증식억제와 세포증식유도의 균형, 즉 세포사멸의 조절에 의해 이루어진다. 전립선비대증과 같은 비정상적인 증식성 성장은 성장인자 또는 성장인자수용체의 변화에 의해 세포증식이 증가하거나 세포자멸사가 감소하여 유도된 것으로 이해할 수 있지만 이에 대한 연구는 아직 부족하다.

5) 기질과 상피의 상호관계

전립선 상피세포의 성장은 기저막과 기질세포의 상호작용에 의해 조절된다. 전립선의 상피세포기능을 측정할 수 있는 표지자를 이용한 연구에서 상피세포를 플라스틱 용기 위에서 배양하면 분비기능이 사라지며 성장속도가 빨라지고 세포골격에 대한 염색 양상이 변화한다(Issacs·Coffey, 1987).

반면 상피세포를 전립선 콜라겐 위에서 배양하면

분비기능이 유지되며 성장속도가 빠르지 않고 세포골격에 대한 염색 양상이 변화하지 않는다. 이는 기질세포에서 분비되는 단백질이 상피세포의 분화를 부분적으로 조절한다는 강력한 증거가 된다. 따라서 전립선비대증은 기질의 구성성분에 장애가 초래되어 세포증식에 대한 정상적인 억제기능이 소실된 것으로 이해할 수 있다. 이러한 기능이상은 자가분비 양상으로 작동하여 기질세포의 증식도 유발할 수 있을 것이다.

기질과 상피세포의 상호관계에 대한 또 다른 연구로 배아전립선중간엽의 중요성을 밝힌 보고가 있다(Cunha et al, 1983). 배아기에서 전립선 기질은 상피세포의 발달을 유도하는데, 전립선비대증에서 새로운 선조직을 형성하는 과정이 이러한 과정을 모방하고 있음을 입증하였다(Cunha et al, 1983; McNeal, 1990).

세포외기질의 신호전달 단백질인 CYR61은 기질세포와 상피세포의 유착, 이동, 증식을 항진시킨다. 여러 성장인자가 CYR61의 발현을 증가시키는데, CYR61의 발현을 억제하면 세포 모양이 변화한다(Sakamoto et al, 2004). 사람의 전립선비대증 조직에서 CYR61의 발현은 증가된다(Sakamoto et al, 2003, 2004).

6) 성장인자

성장인자는 작은 펩티드 분자로 세포의 분열과 분화를 자극 또는 억제한다(Steiner, 1995; Lee·Peehl, 2004). 세포성장인자에 반응하는 세포는 표면에 특정 수용체를 가지고 있으며, 이는 세포표면이나 세포 내 여러 형태의 신호전달체계와 연관이 있다. 세포성장인자와 스테로이드호르몬의 상호작용은 세포증식과 사망의 균형에 영향을 미쳐 전립선비대증을 유발할 수 있다.

Lawson 그룹은 전립선비대증의 추출물이 세포성장을 자극한다는 가설을 최초로 입증하였는데, 세포성장을 자극하는 이 물질은 후에 알칼리성 섬유모세포성장인자 FGF-2로 확인되었다(Story et al, 1989). 이 외에도 산성 섬유모세포성장인자 FGF-1, 또 다른 섬유모세포성장인자 FGF-3 또는 Int-2, 각질세포성장인자 KGF 또는 FGF-7, 전환성장인자 TGF-β, 표피성장인자 EGF 등이 전립선 성장에 관여하는 것으로 생각된다. 성장인자와 수용체 그리고 스테로이드호르몬 환경은 상호의존적이라는 증거들이 많아지고 있다. 비록 정상 조직에 비교한 비대된 전립선조직에서 성장인자, 수용체의 절대적인 양에 대한 보고는 일정하지 않지만 성장인자는 전립선비대증의 병태생리에 일정한 역할을 할 것으로 생각된다.

7) 신호전달체계

교감신경 신호전달체계는 하부요로증상의 병태생리에 중요하다. 그러나 교감신경 신호전달체계가 전립선의 비대과정에도 중요한 역할을 수행한다는 보고들이 있다. 실제로 일부 연구는 알파차단제를 통해 세포자멸사를 유도하였고(Anglin et al, 2002; Partin et al, 2003), 알파아드레날린성 경로는 전립선평활근세포의 형태를 조절하였다(Lin et al, 2001).

전립선조직 내에는 모든 형태의 renin-angiontensin system (RAS)가 존재하는데, 전립선비대증에서 활성화된다는 보고(Dinh et al, 2001a, 2001b, 2002; Fabianin et al, 2001, 2003; Nasis et al, 2001)들이 있다. 또한 전립선비대증 세포주에서 early growth response gene-1 (EGR-1)의 전사조절경로transcription regulation pathway가 활성화되었음을 확인한 보고도 있다(Mora et al, 2005).

8) 염증과 사이토카인

전립선비대증 조직에서 성장인자의 또 다른 제공자로 전립선비대증에서 많이 관찰되는 염증세포의 침윤을 거론할 수 있다. 현재까지 염증과 전립선비대증의 연관을 시사하는 여러 연구가 있었는데, 사람의 전립선비대조직에서 활성화된 T세포가 광범위하게 침윤되었음이 보고되었다(Theyer et al, 1992). 말초혈액과 종양에 침윤한 T세포는 혈관내피성장인자(vascular endothelial growth factor; VEGF)를 발현하는 상피세포의 촉진물질이다(Blotnik et al, 1994; Feeman et al, 1995). T세포는 헤파린결합표피성장인자유사성장인자(heparinbinding epidermal growth factor-like growth factor; HB-EGF), FGF-2와 같은 성장인자를 생성하고 분비한다(Blotnik et al, 1994). 따라서 T세포는 상피세포와 기질세포의 촉진물질을 분비하여 비대를 촉진한다. 전립선비대증의 병태생리에서 염증전달계의 역할을 규명하기 위해 많은 연구가 진행되고 있다. 전립선비대조직에서 많은 수의 사이토카인과 수용체가 확인되었다(Konig et al, 2004). 특히 IL-2, IL-4, IL-7, IL-17, interferon-γ (IFN-γ)와 수용체가 확인되었다(Kramer et al, 2002; Steiner et al, 2003a, 2003b). IL-2, IL-7, IFN-γ는 전립선 기질세포의 증식을 촉진하고(Kramer et al, 2002), IL-8은 노화하지 않은 전립선 상피세포와 기질세포의 증식을 촉진한다(Castro et al, 2004). 대식세포억제사이토카인(macrophage inhibitory cytokine 1)은 정상 전립선조직에서 발현되지만 전립선비대조직에서는 발현이 감소된다(Kakehi et al, 2004; Taoka et al, 2004). 전립선비대증에서 만성염증은 선상피세포에서 cyclooxygenase (COX) 2의 발현증가와 연관이 있다. 그러나 현재까지 전립선의 염증 그리고 이와 관련된 사이토카인의 경로와 전립선비대증의 인과관계는 뚜렷하지 않다.

9) 유전인자와 가족력

전립선비대증이 유전적 요소가 있다는 연구 결과가 있다. 전립선비대증으로 수술을 받은 환자 중 절제량이 많은 1/4에 포함되고, 수술 당시 나이가 적은 1/4에 포함된 환자를 대상으로 한 연구 결과 아버지가 전립선비대증이었을 경우가 그렇지 않은 경우에 비해 전립선비대증으로 수술할 위험도가 4.2배 높았다(Sanda et al, 1994). 이 결과는 우성유전의 양상으로, 60세 이전에 전립선비대증으로 수술을 받는 환자의 경우 50%에서 이러한 유전 양상에 부합하며, 60세 이후에 수술을 받는 경우에는 대략 9%에서 이러한 가족력을 보인다. 추가로 일란성 쌍생아의 경우 이란성 쌍생아에 비해 일치율이 더 높았다(Partin et al, 1994).

지역기반조사에서 전립선이 크거나 전립선비대증의 가족력이 있는 경우가 가족력이 없는 경우에 비해 중등도 이상의 비뇨기계 증상을 보일 위험도가 높았다(Roberts et al, 1997). 미국에서 finasteride 임상 연구에 참가한 환자를 대상으로 한 분석연구 결과 가족력이 있는 전립선비대증 환자는 평균 전립선 크기가 82.7 cc로 가족력이 없는 환자의 55.5 cc에 비해 전립선 크기가 컸다(Sanda et al, 1997). 위의 임상 연구자료를 기반으로 한 또 다른 관찰연구에서 조기발병과 큰 전립선의 가족력이 증상의 정도 또는 다른 요인들에 비해 유전성 전립선비대증의 위험인자임을 보고하였다(Pearson et al, 2003). 이와 관련된 유전자 또는 유전자의 변형에 대한 일부 연구가 진행되고 있지만 아직까지 명확하게 밝혀지지 않았다.

10) 기타 원인이 될 수 있는 요인

현재까지 연구된 모든 포유동물의 전립선에는 테스토스테론, 디하이드로테스토스테론, 안드로젠수용체 그리고 여러 성장인자가 있으나 사람이외에 개와 침팬치에서만 노화로 인한 전립선비대증이 발생한다. 또한 전립선과 함께 평생 안드로젠에 반응하는 정낭은 비대를 일으키지 않는다. 이는 사람과 개에서는 전립선비대증이 유발되기 쉬운 다른 기전 또는 다른 보조인자들이 있을 것으로 추정된다. 이와 관련하여 고환에서 유래하는 비안드로젠물질 nonandrogenic substance 이 정관 또는 정관 주위의 혈관을 따라 이동하여 어떠한 역할을 할 것이라는 주장이 있는데(Dalton et al, 1990), 고환이 보존된 쥐에 외부에서 안드로젠을 투여하면 거세한 후 안드로젠을 투여한 쥐에 비해 전립선이 더 크게 성장한 사실이 이를 뒷받침한다.

4. 병태생리

전립선비대는 요도저항을 증가시키고, 이에 의한 방광기능의 변화를 초래한다. 요배출에 대한 저항이 있는 상태에서 요류를 유지하기 위한 배뇨근압의 증가는 방광의 요저장 기능에 부정적 영향을 미친다. 폐색에 의해 유도된 배뇨근기능의 변화, 나이에 따른 방광과 신경 기능의 변화는 서로 복합되어 빈뇨, 요절박, 야간뇨 등 전립선비대증에 연관된 가장 불편한 증상을 유발한다. 따라서 전립선비대증의 병태생리를 이해하기 위해서는 폐색에 의해 유도된 방광 기능에 대한 자세한 이해가 필요하다.

1) 병리

(1) 해부학적 특징

사람의 전립선은 외측에 막이 있는데, 이는 사람의 전립선에서만 확인되는 고유한 특징으로 하부요로증상의 발생 요인이다(Caine·Schuger, 1987). 이 막은 전립선비대에 따른 압력을 요도에 전달하여 요도저항을 증가시킬 것으로 추정된다. 따라서 전립선비대증에 따른 임상 증상은 나이에 따른 전립선비대뿐 아니라 전립선 외측에 단단한 막이 존재하는 전립선의 해부학적 특성에 의해 발생한다고 이해하여야 한다. 전립선 크기가 폐색의 정도와 일치하지 않는다. 이는 전립선 크기 이외의 여러 요소, 즉 전립선평활근수축과 같은 역동적 폐색 요소, 전립선외막이나 전립선 모양의 다양성 등이 임상 증상의 유발에는 더 중요한 요인이기 때문이다.

전립선의 크기는 폐색의 정도와 관련이 없다. 따라서 임상 증상의 발생에는 역학적 요도 저항, 전립선 막 및 해부학적 다형성과 같은 다른 요인이 전립선의 절대 크기보다 더 중요하다. 어떤 경우에는 방광경부의 요도주변 전립선 결절의 비대가 "중엽"을 발생시킨다. 이 부위에는 이행대조직이 없기 때문에 중엽은 요도주변 기원이어야 한다. 전립선비대증을 가진 남성에서 중엽의 비대가 무작위로 발생하는지 근본적인 유전적 감수성이 있는지는 확실하지 않다.

(2) 조직학적 특징

전립선비대증은 세포 수가 증가하는 증식과정이다(McNeal, 1990). 따라서 병리학적으로 양성전립선비대는 틀린 용어이다. 초기 요도 주위 결절의 대부분은 기질조직으로(McNeal, 1990) 이 작은 기질성 결절은 배아기의 중간엽조직과 유사하여 연한 바탕질(pale ground substance)이 많고 콜라겐이 적다. 이와는 달리 이행대의 초기 결절은 선조직의 증식에 의한 것으로 상대적으로 기질 용적이 적다. 이 선조직의 결절들은 새로이 형성된 작은 관의 가지들로, 이는 기존에 존재하는 관에서 유래한 것이다. 새로이 형성되는 선조직은 태생기 전립선의 발달과정을 제외하면 아주 드문 경우이다. 이러한 증식과정은 선조직들이 일정한 공간에 촘촘하게 자리 잡도록 하는 한편, 상피세포의 높이가 커지는데 이는 개별세포가 커지는 것이다. 따라서 나이들면서 커지는 이행대의 용적은 결절 수가 증가할 뿐 아니라 이행대의 크기 또한 커진다. 전립선비대증이 진행하는 초기 20년 동안 전립선비대증은 결절 수의 증가로 특징지어지고 이후로는 새로이 형성된 결절이 천천히 성장하여(McNeal, 1990) 이 두 번째 시기에는 결절들이 아주 커진다.

절제된 조직에서 기질과 상피의 비율은 다양하여 작은 전립선에서 적은 양이 절제된 경우에는 섬유근기질이 뚜렷하고(Shapiro et al, 1992b), 큰 전립선에서는 일차로 상피결절이 많다는 보고가 있다(Franks, 1976).

2) 전립선평활근

비대된 전립선조직에서 평활근은 전립선용적의 상당부분을 차지한다(Shapiro et al, 1992a). 전립선 내 평활근의 특성에 대해 자세히 알려지지 않았지만 수축하는 특성은 다른 장기의 평활근과 유사하다고 생각된다. 전립선 내에서 평활근의 배열은 수축력을 만들어 낸다는 측면에서 보면 이상적인 배열은 아니지만 전립선조직 내 수축이 전립선비대증의 병태생리에서 주요한 측면이라는 것에는 이견이 없다(Shapiro et al, 1992a). 전립선에서 수동적 긴장을 유지하는 요인이 무엇인지 밝혀져야 하는데, 기질세포와 상피세포 그리고 세포외기질의 탄력성이 있는 부분이 평활근의 능동적 수축과 무관하게 수동적 긴장을 유지하는 데 관여할 것으로 생각된다. 아드레날린성 신경계의 자극은 전립선부 요도의 저항을 높이고, 이 자극을 알파차단제로 억제하면 이러한 전립선요도의 저항을 낮출 수 있다.

일반적으로 기질세포는 안드로젠 차단효과에 저항하는 것으로 여겨져 왔다. 안드로젠 차단 후 일정시간이 지나 관찰하면 일차로 상피세포에 영향을 미친다. 그러나 대개 기질세포는 상피세포보다 순환주기가 느리므로 안드로젠차단이 세포사망률을 증가시킨다고 해도 기질세포 수의 저하 여부에 대한 평가는 1년 또는 그 이후에 하는 것이 타당하다. 따라서 기질세포가 안드로젠 차단에 저항하는지 여부에 대해서는 추가적인 연구가 필요하다. 같은 이유에서 호르몬치료 후에 기질세포 용적에 변화가 없더라도 이러한 치료가 기질에 아무런 영향을 미치지 않았다고 단정해서는 안 된다. 사람의 여러 형태 평활근(혈관계의 평활근, 자궁근육)수축에 관여하는 단백질, 신경수용체, 세포외기질단백은 여러 호르몬과 성장인자에 의해 조절된다. 실험실연구에서 안드로겐은 전립선평활근에서 알파차단제의 효과를 조절하고 있음이 확인되었다(Smith et al, 2000). 따라서 이러한 치료는 세포 수나 용적을 감소시키지 않으면서 기질세포의 기능에 영향을 미치는 것으로 추정된다. 사람의 능동적인 전립선평활근 긴장은 아드레날린성 신경계에 의해 조절된다(Schwinn, 1994; Roehrborn·Schwinn, 2004). 수용체 결합연구 결과 전립선에서는 알파1A수용체가 가장 풍부한 수용체로(Lepor et al, 1993a, 1993b; Price et al, 1993; Roehrborn·Schwinn, 2004) 전립선평활근에서 능동적 장력을 매개한다. 이외에 평활근수축을 조절하는 다른 인자가 존재하는지 여부는 확실하지 않다. 엔도텔린과 이의 수용체가 전립선에 존재하는데(Kobayashi et al, 1994a, 1994b; Imajo et al, 1997; Walden et al, 1998), 수축에 관여할 것으로 생각되는 이 물질이 전립선평활근에서 어떠한 역할을 수행하는지는 좀 더 밝혀져야 한다. Bradykinin과 같은 kallikrein–kinin 체계의 여러인자도 전립선평활근의 증식과 수축 조절에 역할을 할 것으로 추정된다(Walden et al, 1999; Srinivasan et al, 2004). 또한 전립선에서 phosphodiesterase (PDE)의 두 아형인 4형과 5형이 존재하는데, 이는 PDE억제제가 전립선비대증에 의한 하부요로증상의 치료에 이용될 가능성을 시사한다(Uckert et al, 2001).

전립선에서 아드레날린성 자극은 평활근수축이상의 기능을 할 것으로 생각된다. 심근세포에서 아드레날린성 신경전달물질은 수축에 관여하는 단백질 유전자 발현을 조절하며(Kariya et al, 1993), 심근비대의 발병과 연관이 있다(Matsui et al, 1994). 테스토스테론이 아드레날린수용체의 발현을 조절할 수 있다는 보고(Gong et al, 1995)도 있어 아드레날린성 신경전달물질이 전립선평활근세포의 수축뿐 아니라 세포증식과 세포사멸 조절에도 관여할 수 있음이 추정된다(Smith et al, 2000). 알파차단제는 전립선비대증환자에서 정상적인 수축에 관여하는 유전자 발현을 감소시킨다(Lin et al, 2001). 자율신경계의 기능항진이 전립선비대증 환자의 하부요로증상에 영향을 미칠 수 있다는 증거가 있는데, 자율신경계 기능항진을 시사하는 소변과 혈장의 여러 인자가 전립선비대증 환자의 증상점수와 양의 상관관계를 보인다(McVary et al, 2005).

3) 방광의 반응

폐색에 대한 방광의 반응은 넓은 의미에서 폐색에 대한 적응과정으로 볼 수 있는데, 전립선비대증 환자의 하부요로증상 중 많은 부분은 폐색 그 자체보다는 폐색에 의한 방광기능의 변화 때문이다. 수술치료로 폐색을 제거한 후에도 대략 1/3의 환자에서는 하부요로기능이상이 지속되었다는 보고가 있다(Abrams et al, 1979). 폐색에 의한 방광의 변화는 크게 두 가지로 나타난다. 하나는 배뇨근불안정 또는 저방광유순도를 초래하는 것으로 임상적으로 빈뇨, 요절박과 관련이 있다. 다른 하나는 배뇨근수축력 저하에 의한 것으로 요속 저하, 요주저, 간헐뇨, 잔뇨량의 증가와 관련이 있다. 내시경을 통해 확인되는 폐색에 의한 대표적인 방광의 변화인 육주형성은 배뇨근 콜라겐의 증가에 의한 것이다(Gosling · Dixon, 1980; Gosling et al, 1986). 또 심한 방광육주형성은 잔뇨와 깊은 연관이 있다(Barry et al, 1993). 이러한 보고들로 전립선비대증 환자의 잔뇨는 배뇨근기능부전보다는 배뇨근 콜라겐의 증가에 의한 것이라고 추정된다. 동물실험 결과에 의하면, 폐색에 의한 배뇨근의 최초 반응은 평활근의 비대이다(Levin et al, 1995, 2000). 이러한 근육의 비대는 평활근세포나 세포외기질에 변화를 초래하고, 이는 배뇨근 불안정을, 일부에서는 배뇨근수축력 저하를 초래한다. 폐색은 또한 평활근수축에 관여하는 단백질 발현의 변화를 초래하고 사립체 mitochondria의 기능부전을 일으켜 에너지 생성부전, 칼슘 신호전달체계 이상, 세포 간 소통부전 등을 초래한다(Levin et al, 1995, 2000). 외부 자극에 대한 배뇨근평활근의 반응이 외부 자극에 대한 골격근의 반응과는 다르다는 여러 증거가 있다. 후자의 경우에는 근육수축에 관여하는 단백질 유전자의 발현이 증가되고, 정상적인 수축단위들은 그 수가 증가된다. 그러나 배뇨근평활근세포의 경우에 평활근의 비대는 myosin heavy chain 아형의 발현 변화를 초래하고(Lin · McConnell, 1994; Cher et al, 1996) 얇은 미세섬유와 관련된 여러 단백질 발현이 변화를 보인다(Mannikarottu et al, 2006). 전립선폐색에 의한 증상 유발에 배뇨근세포는 핵심적인 부분으로 많은 연구가 요구되는 부분이기도 하다(Christ · Liebert, 2005). 동물실험에서 폐색이 호전되지 않으면 배뇨근의 세포외기질에서 콜라겐이 증가하는데(Levin et al, 1995, 2000), 어느 것이 원인이고 어느 것이 결과인지 명확하지 않지만 사람에서도 유사한 보고가 있다(Gosling · Dixon, 1980; Levin et al, 2000). 이러한 평활근세포와 세포외기질에 대한 영향 이외에 폐색은 신경-배뇨근 반응에도 영향을 미친다(Steers et al, 1990, 1999; Clemow et al, 1999, 2000).

전체 참고문헌 목록은
배뇨장애와 요실금 웹사이트 자료실
(http://www.kcsoffice.org)에서
확인할 수 있습니다.

제 44 장 전립선비대증의 역학, 자연경과

Benign prostatic hyperplasia -Epidemiology and natural history

최훈

1. 서론

전립선비대증은 고령의 남성에게 배뇨장애를 일으키는 가장 흔한 질환으로 이행대와 요도 주위에서 주로 발생한다. 전립선비대증은 남성호르몬이 정상적으로 분비되는 대다수의 남성에서 발생 할 수 있으며 전립선비대증의 발생률은 50대에 50%정도에서 발생, 점점 증가하여 80대의 경우 90%에 이른다(Barry, 1993). 그러나 임상 증상을 보이는 전립선비대증은 조직학적 전립선비대증 환자의 20~50%를 차지하며, 실제 치료를 위해 병원을 찾는 비율은 다양한 이유로 인하여 실제 연구에서 보고되는 것보다 더 낮을 것으로 생각되고 있다. 또한 전립선비대증에 대한 정의가 다양해서 실제 전립선비대증의 유병률에 대한 추정 결과도 매우 다양하다(Ziada et al, 1999). 전립선비대증의 정확한 의학적 정의는 전립선이 조직병리 학적으로 비대해지는 변화를 의미하나 하부요로증상(lower urinary tract symptom), 전립선비대(benign prostatic enlagement), 방광출구폐색의 세 가지 요소로 구성된 임상 증후군을 흔히 전립선비대증이라고 말한다. 또한 방광출구폐색과 전립선비대가 동시에 있는 경우를 전립선폐색(benign prostatic obstruction) 이라고 말한다. 이렇게 서로 다른 속성들의 결합이 다양한 형태의 임상 양상을 나타낸다(Emberton et al, 2003).

2. 자연경과

출생 이후부터 사춘기까지 전립선 크기는 거의 변화하지 않는다. 사춘기가 되면 전립선은 급격히 커지기 시작하는데, 이러한 급격한 성장은 20대까지 계속된다. 이 시기에 전립선은 매년 1.6 gm씩 증가하지만 30세 이후부터는 성장속도가 둔화되어 매년 0.4 gm씩 증가한다(Berry et al, 1984). 부검상 조직학적으로 확인할 수 있는 전립선비대증 남성의 비율은 30대 이후 매년 증가하기 시작하여 50대에 50%, 80대에 90%가 된다. Johns Hopkins 병원의 연구에 따르면, 전립선의 크기는 나이가 들면서 점점 더 커지는데, 31~50세 남성의 경우 비대해진 전립선 조직의 무게가 2배가 되는 데 걸리는 시간은 4.5년으로 추정되며, 55~70세 남성의 경우에는 10년, 70세 이후 남성의 경우에는 100년 이상으로 예상된다(Berry et al, 1984). 40세 이상의 건강한 성인 남성에서 5년간 전립선 크기를 조사한 보고에 따르면, 전립선의 성장률은 나이가 증가함에 따라 높아지는 경향을 보이며, 평균 성장률은 매년 1.6%이고 전립선 크기가 큰 사람일수록 성장률도 높은 것으로 나타났다(Rhodes et al, 1999). 조직학적인 전립선비대증은 40대 이 후에 시작되지만, 임상 증상을 보이는 환자는 주로 50대 이후이다(O'Leary, 2001).

일반적으로 특정 질환의 자연사는 치료하지 않은 상태에서 그 질환의 진행 상황을 관찰하는 것을 말하는데, 전립선비대증의 자연사는 전립선비대증의 정의가 다양하고 아직까지 정확한 연구가 부족하기 때문에 명확하게 알려지지 않았다. 과거에는 전립선비대증이 급성요폐와 직접적인 연관은 없고 모든 환자에서 항상 진행하지는 않는다고 하였으며(Craigen et al, 1969), 전립선비대증 환자를 대상으로 5년간 추적관찰을 한 결과 52%에서는 증상의 변화가 없다고 하였다(Ball et al, 1981). 그러나 1990년 Baltimore 연구에서는 전립선비대증이 급성요폐로 진행될 수도 있고 수술을 요하는 배뇨곤란 등의 증상이 나타날 수도 있다고 보고 하였다. 이러한 위험인자로 요속 감소, 잔뇨량 증가, 전립선 용적 증가 등을 제시하였고, 위험인자를 많이 가진 환자일수록 급성요폐가 발생하거나 수술을 받게 될 가능성이 높았다. 한 가지 위험인자가 있을 경우 9%, 두 가지 위험인자가 있을 경우 16%, 그리고 세 가지 모두 있을 경우 37%에서 급성요폐가 발생하였거나 수술을 받은 것으로 나타났는데 이중 나이가 매우 중요한 독립적인 결정인자였으며, 언급한 세 가지 위험인자를 모두 가진 70세 남자는 역시 같은 위험인자를 가진 40세 남자와 비교하였을 때 급성요폐나 수술을 받을 가능성이 11배나 높았다(Arrighi et al, 1990). 중등도의 전립선비대증 환자를 대상으로 추적관찰한 군과 경요도전립선절제술을 시행한 군으로 나누어 연구한 결과에서는 경요도전립선절제술이 더 효과적이었다(Wasson et al, 1995). 3년간 추적관찰을 한 결과, 관찰한 군 중 47명(17%)은 치료에 실패하였으나 전립선절제술을 시행한 군에서는 단 1명에서만 급성요폐가 발생하였다. 많은 연구자가 증상과 요속, 폐색, 전립선 크기 사이에 상호연관관계가 없거나 미약함을 보고하였다. 이것은 여러 인자로 설명할 수 있는데, 전립선 내 간질조직과 선조직의 상대적인 분포의 차이, 전립선평활근의 교감신경자극에 대한 변화, 크기와는 다른 개념의 다양한 전립선의 형태, 그리고 폐색과 노화에 대한 방광의 반응 변화 등이다(Emberton et al, 2003).

전립선비대증의 질병의 진행은 여러 임상 지표들의 악화로 정의할 수 있는데, 여기에는 배뇨증상, 질병에 따른 삶의 질 지수의 악화, 요속 감소, 전립선 용적 증가, 급성요폐나 이에 의한 수술의 필요성 등이 포함된다. 전립선비대증의 자연경과에 대한 대표적인 조사는 미국 Minnesota주의 Omsted County 연구이다. Omsted 지역에 거주한 40~79세 남성 2,115명의 무작위 추출집단을 대상으로 1990년부터 12년간 추적관찰을 통해 하부요로증상, 최대요속, 혈중 전립선특이항원 Prostate Specific Antigen, 전립선 크기와 급성요폐의 변화를 연구하였다. 그 결과 전립선증상점수는 매년 평균 0.18점이 증가하였고(Jacobsen et al, 1996), 최대요속은 매년 2%씩 감소하였다. 요속은 나이가 듦에 따라 점차 감소하였으며, 특히 70세 이상의 고령에서 현저히 감소하였다(Roberts et al, 2000)(그림 44-1). 평균적인 전립선의 성장은 기저치에 비해 매년 1.9% 증가하였는데 전립선 크기가 30 gm 미만인 경우 매년 1.7% 성장한 반면, 전립선 크기가 30 gm 이상인 경우는 2.2%로 성장속도에 차이가 있었다(Rhodes et al, 2000).

전립선비대증의 주요 합병증인 급성요폐의 위험도는 나이가 들수록, 배뇨증상이 안좋을수록, 최대 요속이 낮을수록, 전립선 크기가 클수록 증가하였다. 최대요속이 12 mL/sec 미만인 경우 급성요폐의 위험도가 4배 높았고, 경직장초음파로 측정된 전립선 크기가 30 cm^3 이상인 경우 위험도는 3배 높은 것으로 조사되었다(Jacobsen et al, 1997). 또 전립선 크기가 큰 경우, 최대요속이 감소한 경우, 증상이 중등도 이상으로 심한 경우는 치료의 필요성에 대한 독립적인 예측 인자인 것으로 드러났다(Jacobsen et al, 1999). 다른 대규모 연구조사인 finasteride의 장기 유효성과 안전성 연구 proscar long-term efficacy and safety study; PLESS 에 따르면, 위약군에서 초기의 위약효과 후에 시간이 지남에 따라 하부요로증상과 관련된 괴로움의 정도가 증가 되며 일상생활을 방해하는 하부요로증상의 정도가 심해지고, 그리고 하부요로기능에 대한 염려의 정도가 악화된다고 하였다(Bruskewitz et al, 1999). 기저 전립선특이항원 수치에 따른 세부분석에서는 기저 전립선특이항원 수치가 1.4 ng/mL 미만인 남성들은 위약효과로 지속적인 호전을 보인 반면, 1.4 ng/mL 이상의 기저 전립선특이항원 수치를 보였던 남성들은 조사 첫해에 일시적인 위약효과를 보인 후 시간이 지남에 따라 점진적이지만 지속적으로 증상이 악화되었다(Bruskewitz et al, 1999). 여러 연구 결과 전립선비대증의 진행에 대한 가장 중요한 인자로는 나이, 전립선특이항원 수치, 전립선용적으로 알려졌으며, 이 외에도 다른 기저 위험인자로 증상 중증도와 요속 감소가 있으나 최근 연구 결과에는 나이, 전립선특이항원 수치, 전립선용적만큼은 유력하지 않음이 밝혀 졌다(Emberton et al, 2003). 나이가 들면 전립선 크기의 증가와 더불어 전립선비대증의 발생률도 증가하는데 이러한 현상은 남성에서 하부요로폐색증상의 발생과 밀접한 관련이 있다. 55세에 약 25%의 남성이 요속의 감소를 느끼는데, 75세에는 이 비율이 50%로 증가한다(Arrighi et al, 1990). 하부요로 폐색증상도 나이가 듦에 따라 점차 심해지는데, 오스트리아에서 발표된 보고에 따르면, 40세 이상의 남성 456명을 대상으로 5년간 추적관찰을 한 결과, 평균 국제전립선증상점수가 매년 4%, 삶의 질 평가지수는 매년 7.6%가 증가하였으며, 조사 대상의 50%는 5년간 증상이 더 악화되었다(Temml et al, 2003). 그러나 비교적 경한 전립선증상지수와 방광출구폐색이 있는 환자에서 평균 17개월간 추적관찰을 한 결과, 환자 68%가 증상이 진행되지 않고 비교적 안정되어 여전히 치료가 필요하지 않다고 하였고, 방광출구폐색이 동반된 나머지 환자 중 75%는 여전히 폐색이 존재 하였으며, 단지 18.3%만 증상이 악화되어 치료를 받았다고 하였다(Nelson et al, 1999). 40세 남성이 80세까지 생존할 경우 전립선비대증의 누적 발생률은 78%이며, 전립선절제술을 받게 될 가능성은 29% (Glynn et al, 1985), 급성요폐의 10년 누적 발생률은 4%에서 많게는 73%까지 다양하게 보고되었다(Barry, 1990, Meigs et al, 1996). 연간 약 8,000명을 대상으로 한 급성요폐 발생률 조사 결과, 매년 인구 1,000명당 6.8 회의 빈도로 급성요폐가 발생하였으며,

전립선증상지수가 중등도 이상으로 높은 군(8점 이상)은 낮은 군(7점 이하)에 비해 급성요폐의 발생률이 더 높았다(Jacobsen et al, 1997). 위약에 대한 finasteride의 효과를 비교하기 위해 유럽, 캐나다, 아시아인을 대상으로 2년간 다민족 다기관 임상 연구를 실시하였다. 이 연구에서는 중등도 이상의 하부 요로증상, 요속 감소(5~15 mL/sec), 혈중 전립선특이항원 수치가 10 ng/mL 미만, 직장수지검사에서 전립선암의 증거가 없으면서 전립선이 커진 4,222명의 남성을 대상으로 급성요폐에 대한 위험도를 조사하였다. 위약만 투여한 군은 전립선이 커져 있으면서 전립선특이항원 수치가 높은 남성들이 급성요폐가 발생할 가능성이 더 높은 것으로 나타났다. 2년간 추적관찰을 한 결과 기저 전립선 크기가 40 gm 미만인 남성의 1.6%에서만 급성요폐가 발생한 반면, 40 gm 이상인 남성에서는 4.2%에서 급성요폐가 발생하였다. 또한 기저 전립선특이항원 수치가 1.4 ng/mL 미만인 군에서는 2년 후 0.5%, 1.4 ng/mL 이상인 군에서는 3.9%에서 급성요폐가 발생하였다. 이러한 결과는 전립선특이항원 수치가 급성요폐의 가능성을 예측할 수 있는 중요한 인자임을 의미하며, PLESS의 결과와 일치한다(Roehrborn et al, 1999).

3. 역학

전립선비대증의 발생에 대한 위험인자는 아직 정확하게 알려지지 않았으나 나이, 인종, 민족, 가족력, 흡연, 만성 질환(고혈압, 관상동맥질환, 당뇨) 등이 관련 있는 것으로 생각된다(Ziada et al, 1999). 전립선비대증의 발생률에 대한 인종 간의 연구에서 흑인의 발생률이 가장 높고 일본인이 가장 낮은 것으로 보고되었으나 서구 국가로 이민 온 일본계와 중국계 사람의 전립선비대증 발생률이 증가하는 것으로 보아 환경적·식이적 요인의 영향이 있을 것으로 추정된다(Ekman, 1989). 다른 연구에서도 흑인의 발생률이 백인과 비슷하거나 약간 더 높다고 하였으나(Barry, 1990) 최근 연구에서는 흑인이 백인에 비해 전립선비대증의 위험도가 높지 않으며, 아시아계 남성은 백인과 증상에 대한 상대적 위험도가 비슷한데도 수술을 받게 될 위험도는 낮다고 하였다(Platz et al, 2000). 미국과 일본에서 발표한 나이에 따른 임상적 전립선비대증에 대한 공동연구에서도 서로 비슷한 발생률을 보고 하여 인종 간의 차이는 없는 것으로 생각된다(Chute et al, 1993; Tsukamoto et al, 1995). 국가 간의 차이에 있어서는 조상이 남부 유럽계인 백인이 전립선비대증으로 수술을 받게 될 위험도와 증상 발현의 위험도가 약간 더 높은 반면, 스칸디나비아계의 백인은 다른 계통의 백인에 비해 증상에 대한 위험도가 약간 낮은 것으로 나타났다. 고혈압, 관상동맥질환, 당뇨의 발생률은 전립선비대증의 유무와 관계없이 나이가 듦에 따라 증가하므로 서로 연관성은 적어 보인다(Ziada et al, 1999). 반면 간경화증 환자는 전립선비대증의 발생률이 낮은 것으로 보고되었는데, 이는 에스트로젠 과다분비의 이차적 효과 때문으로 생각된다(Frea et al, 1987). 가족력은 임상적인 전립선비대증의 발생에 대한 위험 인자로 간주되는데, 전립선비대증의 가족력이 있는 환자들이 대조군에 비해 더 큰 전립선을 가지고 있는 것으로 나타났다(Sanda et al, 1997). 안드로겐 비의존성 성장인자(androgen-independent growth factor)가 가족력이 있는 전립선비대증 환자군에서 이 질환과 밀접한 관계가 있는 것으로 생각되며, 일란성 쌍생아의 전립선비대증 발생률이 이란성 쌍생아보다 높다는 소견도 전립선비대증의 병인론에 있어서 유전학적인 연관성을 시사한다(Partin et al, 1994). 다른 연구에서도 전립선비대증으로 수술을 받은 60세 이하 남성의 50%가 유전적인 형태를 보였다고 발표하였는데, 주로 상염색체 우성을 보이며 환자의 사촌 남성이 전립선비대증을 가질 위험도는 정상인보다 4배 가량 높은 것으로 조사되었다(Sanda et al, 1994). 비만, 지방식 섭취, 비타민제 공급 등도 호르몬의 균형에 장애를 일으킬 수 있으므로 위험인자로 볼 수 있다. 그러나 호르몬 변화의 역할, 환경적인 요인과 식이의 영향효과를 정확히 알기 위해서는 더 많은 연구가 필요하다.

전체 참고문헌 목록은
배뇨장애와 요실금 웹사이트 자료실
(http://www.kcsoffice.org)에서
확인할 수 있습니다.

제 45 장 전립선비대증의 진단

Benign prostatic hyperplasia -Diagnosis

이규원, 김현우

1. 서론

전립선비대증은 남성 하부요로증상의 가장 흔한 원인으로 노년 남성의 삶의 질을 위협하는 대표적인 질환이다. 우리나라에서도 인구의 급격한 고령화와 식생활의 서구화에 따라 전립선비대증의 유병률이 급격히 증가하고 있다.

전립선비대증은 조직학적으로 전립선의 간질(기질)과 상피세포의 증식에 의해 나타나는 일련의 병리 과정으로 정의되지만, 이로 인한 하부요로증상 발현과의 인과관계는 명확하지 않다. 남성 하부요로증상의 상당 부분은 전립선 조직의 비대뿐 아니라 방광기능장애나 다뇨증, 수면장애 등의 전신상태의 영향을 받기 때문에, 조직학적으로 전립선비대증이 있는 모든 사람에게서 하부요로증상이 나타나는 것이 아니며 전립선비대증이 없는 사람에게서 하부요로증상이 나타나기도 한다. 오히려 환자들은 전립선비대 및 방광출구폐색으로 인한 배뇨증상보다 과민성방광증후군으로 인한 저장증상을 더 불편해 하는 경우가 많으며, 따라서 하부요로증상에 영향을 미치는 복잡한 요인들을 모두 고려하여야 성공적인 치료가 가능하다.

이에 따라 1997년 제4차 전립선비대증 국제자문회의에서 '전립선증' 대신 '하부요로증상' 혹은 '전립선비대증으로 인한 하부요로증상'으로 명명하기를 권장하였고, 2003년 미국 비뇨기과학회 진료지침에서도 조직학적 전립선증식으로 인한 경우이든 전립선요도의 긴장도가 증가한 경우이든 그 원인에 관계없이 하부요로증상이 나타나는 상태를 전립선비대증으로 명명하기로 결정하여 현재까지 이어지고 있다.

2. 진단방법

1) 기본진단방법

(1) 병력청취

병력청취는 모든 질환에서 진단의 기본이며, 전립선비대증에서도 증상에 대한 주의 깊은 문진이 필요하다. 먼저 환자가 가장 심하게 호소하는 증상이 빈뇨, 야간뇨, 요절박과 같은 저장증상인지, 세뇨, 간헐뇨, 복압배뇨와 같은 배뇨증상인지를 확인해야 한다. 또한 환자가 겪고 있는 일반적인 건강 문제, 특히 당뇨, 파킨슨병, 뇌졸중 등과 같은 하부요로증상을 유발할 수 있는 질환들의 병력에 대해 잘 파악하는 것이 중요하다. 그 외에 과거 수술력, 증상의 특징과 기간, 성생활 문제, 알파교감신경작용제나 부교감신경억제제 등 배뇨 기능에 영향을 주는 약물의 복용력 등을 조사해야 한다. 요도협착으로 인한 하부요로증상은 흔히 전립선비대와 혼동되므로 과거에 요도가 손상되었거나 장기간 요도카테터를 삽입한 경우, 임질 같은 요도염의 후유증에 대한 병력도 조사하여야 한다. 동반 증상으로 혈뇨 여부, 성기능장애, 전립선암의 가족력 등도 물어봐야 한다.

(2) 증상점수

증상 설문지를 통해 환자의 증상을 정량화 할 수 있는데 대개 국제전립선증상점수(International Prostate Symptom Score; IPSS)가 이용된다(표 45-1). IPSS는 1992년 미국 비뇨기과학회가 주관하여 만들어졌으며, 본래 명칭은 미국비뇨기과학회증상설문(AUA-7)이다. 이후 1993년 세계보건기구가 주관한 전립선비대증 국제자문회의에서 기본적인 평가 기준으로 채택되었고, 한글을 포함한 각국의 언어로 번역되어 역학조사나 치료효과 판정 등에 대한 다양한 연구의 바탕이 되고 있다. IPSS는 잔뇨감, 빈뇨, 간헐뇨, 요절박, 약뇨, 복압배뇨, 야간뇨의 7가지 항목 각각에 대해 증상의 정도에 따라 0~5점까지 점수를 부여하며, 7가지 항목의 증상점수 총합에 따라 하부요로증상을 경증(0~7), 중등도(8~19) 및 중증(20~35)으로 분류한다. 또한 IPSS 삶의 질 점수QoL score는 전립선비대증으로 인한 전반적인 삶의 질을 평가하기 위한 문항점수로서 하부요로증상으로 인한 불편함의 정도를 측정한다. IPSS와 다른 전립선비대증 평가도구에서의 임상적 중요성이 완전히 일치하지는 않으며 증상점수만으로 환자가 느끼는 문제의 정도를 전적으로 판단할 수는 없지만, IPSS는 치료에 대한 반응이나 추적관찰 중 증상 악화를 판단하는 데 있어 가장 중요한 요소이다.

하부요로증상의 빈도나 정도, 증상으로 인한 생활 불편도, 일상생활에의 제한 정도, 요실금, 성기능장애, 건강과 관련된 일반적, 또는 질환에 의한 삶의 질을 측정할 수 있는 다른 평가방법도 도움이 될 수 있다. International Consultation on Incontinence Questionnaire Male Lower Urinary Tract Symptoms Module; ICIQ-MLUTS 와 Danish Prostatic Symptoms Score; DAN-PSS 1은 요실금을 포함하여 보다 다양한 하부요로증상 각각에 대해 심한 정도와 불편함의 정도를 측정하는 설문지로 역시 국제적으로 유용성이 입증된 것들이다. BPH Impact Index는 증상이 일상생활에 미치는 영향의 정도를 측정한다.

(3) 신체검사

신체검사에서 직장수지검사(그림 45-1)와 신경학적 검사를 시행한다. 직장수지검사는 전립선비대증의 초

표 45-1. 국제전립선증상점수표

	0	1	2	3	4	5
1. 최근 한 달간 배뇨 후 시원하지 않고 소변이 남아있다는 느낌이 얼마나 자주 있었습니까?	전혀없음	5회 중 1회 이하	2회 중 1회 이하	절반 정도	절반 이상	거의 항상
2. 최근 한 달간 배뇨 후 2시간 이내에 다시 소변보는 경우가 얼마나 자주 있었습니까?	전혀없음	5회 중 1회 이하	2회 중 1회 이하	절반 정도	절반 이상	거의 항상
3. 최근 한 달간 한 번 소변볼 때마다 소변 줄기가 여러 번 끊긴 경우가 얼마나 자주 있었습니까?	전혀없음	5회 중 1회 이하	2회 중 1회 이하	절반 정도	절반 이상	거의 항상
4. 최근 한 달간 소변이 마려울 때 참기 어려운 경우가 얼마나 자주 있었습니까?	전혀없음	5회 중 1회 이하	2회 중 1회 이하	절반 정도	절반 이상	거의 항상
5. 최근 한 달간 소변 줄기가 약하다고 느낀 경우가 얼마나 자주 있었습니까?	전혀없음	5회 중 1회 이하	2회 중 1회 이하	절반 정도	절반 이상	거의 항상
6. 최근 한 달간 소변볼 때 마다 금방 나오지 않아 힘주어야 하는 경우가 얼마나 자주 있었습니까?	전혀없음	5회 중 1회 이하	2회 중 1회 이하	절반 정도	절반 이상	거의 항상
7. 최근 한 달간 하룻밤에 잠을 자다가 소변보기 위해 몇 번이나 일어났습니까?	전혀없음	1회	2회	3회	4회	5회 이상
IPSS 총 점수 =						

배뇨 증상에 따른 만족도

	0	1	2	3	4	5	6
만약 지금 같은 배뇨 상태가 지속된다면 기분이 어떻겠습니까?	매우 만족	만족	대체로 만족	만족, 불만족 반반	대체로 불만족	불만족	매우 불만족
QIL 점수 =							

기 평가에 필수적인 검사로, 전립선을 직접 만져봄으로써 전립선비대증뿐 아니라 전립선암, 전립선염, 전립선결핵 등 전립선에서 발생하는 질병을 진단하는데 도움이 되며, 검사시 손가락에 느껴지는 항문괄약근긴장도를 바탕으로 신경이상을 추정하는 데 유용하다. 직장의 전벽 너머로 위치한 전립선을 만지게 되며, 이때 크기, 모양, 표면, 딱딱한 정도, 압통 유무, 정낭을 포함한 주위조직의 상태 등을 주의 깊게 관찰하여야 한다. 정상 전립선은 호두와 비슷한 크기로 가로와 세로가 약 3.5~4 cm이고 무게는 약 20 g이다. 방광 인접한 부위의 가로가 더 길고 음경쪽은 짧으면서 뾰족한 듯 만져진다. 직장 내에서 만져지는 부분은 전립선의 일부인 후엽의 좌우측엽이고, 중엽과 전엽은 만져지지 않는다. 정상 전립선을 만질 경우 주먹을 쥐었을 때 엄지손가락 근방의 손바닥을 만질 때와 비슷한 정도의 단단함이 느껴지며 표면은 매끄럽고 편평하며 탄성이 있으나 압통은 없다. 전립선조직의 비대가 심한 경우 정상보다 큰 전립선이 만져지고, 급성전립선염의 경우 부드

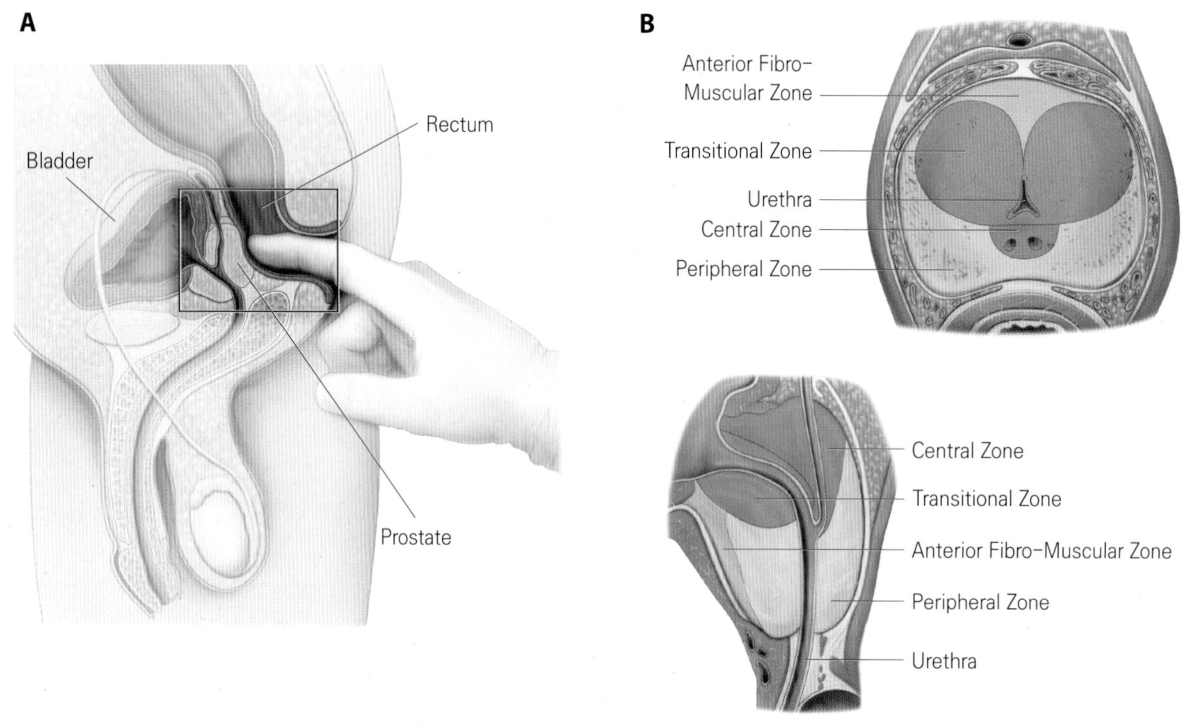

그림 45-1. (A) Digital rectal examination (DRE), (B) Prostate 구조

럽고 뜨거우며 압통이 심하다. 전립선암이나 전립선결핵, 전립선결석 등의 경우 돌처럼 단단하게 만져지거나 표면이 불규칙하고 딱딱한 결절이 만져질 수도 있다.

신경학적 검사에는 항문괄약근의 긴장도, 회음부의 감각과 구부해면체근반사 측정, 하지의 운동 및 감각 기능검사 등이 포함되는데, 이를 통해 특정한 신경학적 질환을 정확히 진단하기는 어려우나 직장수지검사 시 동시에 시행할 수 있으며 비침습적이고 시간도 적게 걸리므로 모든 환자에게 시행하는 것이 바람직하다. 이외에도 외요도구의 협착 유무를 확인하고 치골상부에서 방광을 촉진하여 방광의 팽만이나 요폐를 진단하는 것도 중요하다. 급성요폐나 소변배출이상이 있을 때 치골상부 타진이나 촉진 시 하복부에서 충만된 방광을 촉지함으로써 방광내 소변이 다량 있음을 추정할 수 있으며, 방광에 압통이 있는 경우 염증을 의심할 수 있다. 또한 측복부 촉진이나 타진에서 이상이 있을 경우 수신증 유무를 의심해볼 수 있다.

(4) 검사실검사

① 요검사

전립선비대증 외에 요로감염이나, 방광암 환자에서도 하부요로증상이 나타날 수 있기 때문에 남성하부요로증상 환자에서 요침사현미경검사를 포함한 요검사는 필수적이다. 그러나 요침사현미경검사는 아직까지 악성종양을 포함한 비뇨기계 질환의 선별검사로는 채택되지 않았다.

② 혈청 전립선특이항원

전립선비대증으로 내원한 환자들에게 전립선암의 가능성을 감별하기 위해 혈청 전립선특이항원(prostate specific antigen, PSA) 을 측정한다. 전립선특이항원은 전립선의 상피세포에서 합성되는 당단백질이며 세린 단백질분해효소로, 전립선 이외의 조직에서는 거의 발현되지 않아 전립선암의 선별에 이용되는 유용한 종양 표지자이다. 전립선구조에 손상이 발생된 경우 전립선 특이항원이 전립선 상피 내에서 혈액순환계로 유출이 일어나면서 혈청 전립선특이항원치가 상승하게 된다. 혈청 전립선항원치의 상승은 전립선암뿐만 아니라, 전립선비대증, 전립선염과 급성요폐 시에도 발생할 수 있다. 따라서 전립선특이항원 검사가 암 특이성을 가진다기보다는 장기 특이성을 가진다고 볼 수 있다. 혈청 전립선특이항원치 상승의 또 다른 원인으로는 전립선조직검사와 사정이 있으며, 직장수지검사에 의하여서도 비록 소량이고 임상적으로 무의미하지만 혈청 전립선특이항원치의 변화가 일어날 수 있다. 일반적으로 직장수지검사, 경직장초음파, 정액사정의 경우 약 20% 정도의 혈청 전립선특이항원치의 상승을 유발할 수 있고 다시 초기수준으로 회복되려면 24시간정도 걸리기 때문에, 이러한 유발요인이 있었던 경우에는 정확한 결과를 얻기 위해 검사를 다시 시행하는 것이 필요하다.

전립선의 염증은 혈청 전립선특이항원치의 상승의 주요 원인으로, 세균성전립선염의 경우 발병 5~7일 사이에 PSA는 최고치에 도달하고 8주간에 걸쳐 서서히 감소한다. 급성요폐에 의한 경우 초기에 비교적 급격한 혈청 전립선특이항원치의 상승을 초래한다. 급성요폐에 의한 혈청 전립선특이항원치의 상승은 전립선 내 미세혈관의 경색으로 혈중으로 혈청전립선특이항원이 유출되기 때문이라고 추정되며 대부분 3개월 내에 정상화되나, 전립선이 60 cc 이상으로 크거나 지속적인 배뇨장애 증상이 있는 경우(특히 전립선염을 동반한 경우) 정상으로 감소하지 않을 수 있다.

반면 체질량지수(body mass index; BMI) 가 높거나 대사증후군이 있는 경우 혈청 전립선특이항원치가 낮아질 수 있다고 알려져 있으며, 전립선비대증의 치료에 사용되는 5-알파환원효소차단제를 복용할 경우 치료 12개월 이후 혈청 전립선특이항원의 농도가 50%로 감소한다. 따라서 5-알파환원효소차단제를 복용한 환자의 경우 혈청 전립선특이항원치를 2배로 환산하여 전립선암의 위험을 평가하는 기준에 적용시켜야 한다. 다만 5-알파환원효소차단제 복용기간이 6개월 이내로 짧거나, 수년 이상 길었던 경우 혈청 전립선특이항원치의 정확한 평가가 어려울 수 있다.

전립선암의 선별검사로 전립선특이항원이 사용되기 시작하면서 전립선암의 조기 발견에 크게 기여하였으나, 이에 따른 전립선암의 과도한 진단과 치료의 득실을 고려할 때 전립선특이항원의 선별검사는 기대여명이 10년 이상이고 전립선암의 진단이 환자의 치료 방향에 영향을 미칠 경우에 한하여 시행되어야 한다. 혈청 전립선특이항원치의 정상 상한치는 명확히 확립되어 있진 않지만 일반적으로 4 ng/mL을 기준으로 삼고 있으며, 그 이상 상승한 경우 전립선생검의 근거가 될 수 있다. 젊은 남성에서는 혈중 전립선특이항원치의 정상 상한치를 낮추어 전립선 조직검사를 시행하는 것이 혈중 전립선특이항원치의 전립선암 선별검사로서의 유용성을 높일 수 있다. 최근 국내에서 전립선생검을 위한 전립선특이항원 절단치를 3 ng/mL로 낮추는 것이 적절하다고 주장하는 보고가 있다.

③ 혈청 크레아티닌 검사

전립선비대증으로 인한 방광출구폐색이 수신증과 신부전을 유발할 수 있다. 따라서 혈청 크레아티닌치를 측정하는 것이 권장되며, 혈청 크레아티닌치가 상승된 경우 상부요로에 대한 평가를 위해 신장초음파의 시행을 고려할 수 있고, 원인에 대한 적절한 치료가 필요하다. 혈청 크레아티닌치를 측정함으로써 치료의 대상이 되는 환자에서 적절한 치료를 시행할 수 있도록 하고 결국 치료하지 않는 경우에 발생할 수 있는 장기간에 걸친 신기능 저하와 수술 후 합병증으로 인한 비용의 증가를 예방할 수 있다.

(5) 요류검사와 배뇨 후 잔뇨량 측정

요류검사(uroflowmetry)와 배뇨 후 잔뇨량 측정은 요배출기능을 평가하고 치료 후 추적관찰을 하는 데 필수적이다. 요류검사는 간단하며 비침습적이기 때문에 배뇨증상이 있는 환자에서 방광출구폐색 가능성을 선별하는 데 유용하다. 그러나 요류검사만으로 요배출이상의 원인을 감별하거나 방광출구폐색을 평가하는 데는 한계가 있다. 정상적인 남성에서는 최대요속이 20~25 mL/sec 이상이고 종 모양을 보이는 반면, 전립선비대증 환자에서는 최대요속이 15 mL/sec 이하이고 지리멸렬한 모양을 보이며 배뇨시간이 지연된다(그림 45-2). 그러나 최대요속은 배뇨량과 밀접한 관계가 있으므로 적어도 150 mL 이상의 배뇨량을 기준으로 2번 이상의 검사를 권장한다. 배뇨 후 잔뇨량은 배뇨량의 10% 이하 또는 50 mL 이하가 정상범위이다.

(6) 배뇨일지

배뇨일지란 환자가 소변을 본 시간과 소변의 양을 측정하여 직접 기록하는 것이다. 배뇨일지는 환자들이 느끼는 주관적인 증상을 의사들이 더 객관적으로 판단할 수 있게 도와주며 환자들도 자신의 배뇨 행태를 이해할 수 있게 해준다. 전립선비대증 환자들은 흔히 빈뇨, 야간뇨 등의 저장증상을 호소하는데 배뇨일지를 이용하면 저장증상의 유무와 정도를 객관적으로 파악

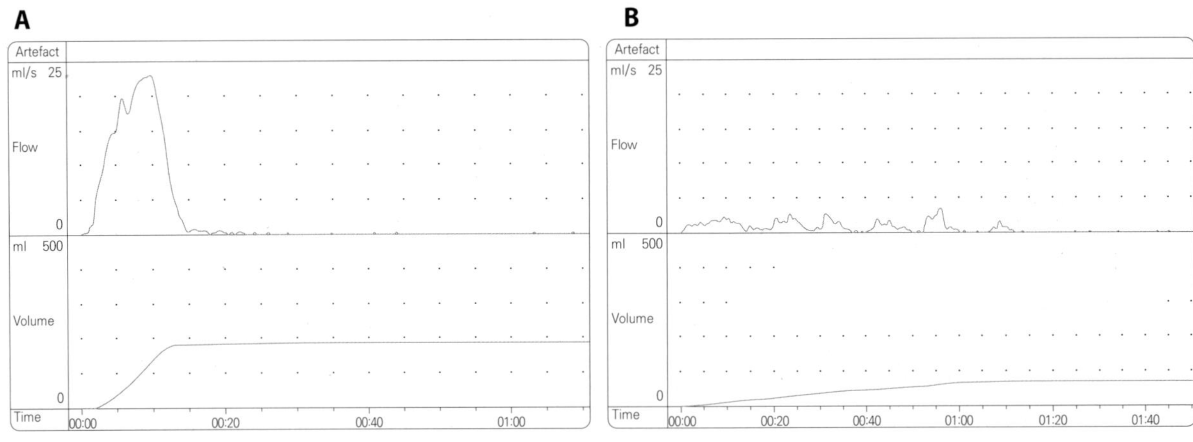

그림 45-2. **정상인과 전립선비대증 환자의 요류검사 결과.** (A) 정상: 350 mL 정도로 배뇨량이 충분하고 최대요속이 20 mL/sec 이상이며, 전체적으로 종 모양을 보인다. (B) 전립선비대증: 배뇨량도 감소하였고 최대요속도 매우 낮으며, 전체적으로 지리멸렬한 모양을 보인다.

할 수 있다. 특히 야간뇨 환자인 경우 주간과 야간의 소변량과 배뇨횟수를 비교하여, 그 원인이 기능적방광용적이 감소해 나타나는 것인지 또는 야간의 소변량 증가 때문인지를 파악할 수 있기 때문에 진단 및 치료 계획 수립에 도움을 준다. 배뇨일지를 작성할 때에는 일반적으로 24시간 동안의 배뇨횟수와 배뇨시각, 소변량을 최소 3일동안 빠짐없이 기록하도록 한다.

(7) 경직장전립선초음파검사

대개 환자가 옆으로 누운 상태에서 항문을 통해 막대 모양의 초음파 탐색자를 직장 내로 삽입하여 영상을 얻게 된다. 경직장전립선초음파로 전립선의 전체적 모양과 크기, 대칭성, 정낭의 모양 등을 관찰한다(그림 45-3). 전립선을 검사하는 데에는 경복부초음파(transabdominal ultrasonography)도 가능하지만 전립선의 크기가 작고 좁은 골반강의 최하부에 있기 때문에 좋은 음창(sonic window)을 얻기 어려울 수 있다. 전립선은 하부 직장의 전방에 인접하고 있어 경직장초음파를 이용하면 적절한 음창을 얻을 뿐만 아니라 해부학적인 구조물인 말초대(peripheral zone), 중심대(central zone)를 자세히 볼 수 있다. 경직장전립선초음파의 경우 전립선비대증의 평가에 있어 전립선의 크기와 부피를 측정하는 데 유용하다. 경직장전립선초음파는 전립선의 모양과 크기에 대해 비교적 정확히 알 수 있으나 전립선암의 여부를 평가하는 데에는 그 역할이 제한적이다.

2) 선택적 진단검사

(1) 요역동학검사

요역동학검사는 하부요로의 저장기능과 배출기능을 평가하는 검사로 환자가 호소하는 증상의 기능적인 원인을 밝혀 치료에 이용하고자 시행한다. 이 검사를 위해 다경로압력측정기와 컴퓨터가 필요하며 비디오요역동학검사에는 방사선투시 장비가 추가로 필요하다. 넓은 의미의 요역동학검사에는 앞에서 설명된 단순한 요류검사도 포함되지만, 여기서 의미하는 요역동학검사는 방광내압측정술이 포함된 검사를 의미한다. 요역동학검사는 방광내압측정술, 요도내압측정술, 근전도검사, 압력요류검사(pressure-flow study) 등으로 구성된다.

방광내압측정술은 방광근의 활성도, 감각, 방광용

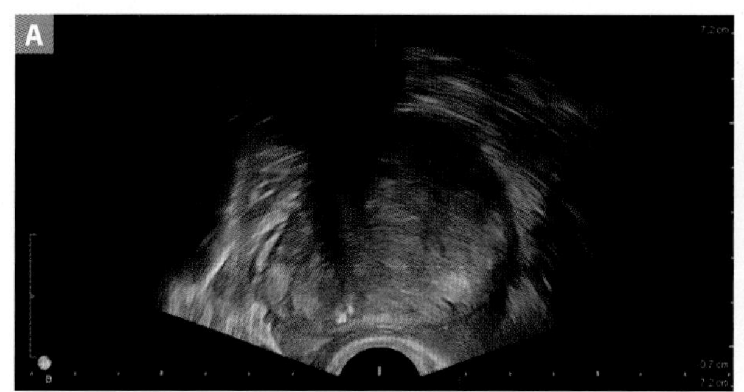

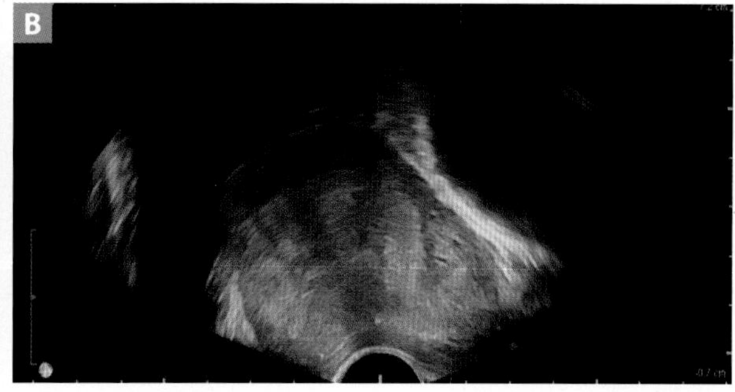

그림 45-3. 심한 전립선비대증 환자의 경직장초음파검사 소견. (A) 횡단면: 전립선의 대부분이 이행대로 대체되었고 말초대와 중심대는 얇게 바뀌었다. (B) 시상면: 전립선이 방광 안쪽으로 튀어나와 있는 모습을 볼 수 있다.

적, 방광유순도와 같은 배뇨과정을 제어하는 저장기에 대한 지표를 제공한다. 방광내압과 복압을 각각 측정하며, 방광내압에서 복압을 빼서 배뇨근압을 계산할 수 있다. 환자가 더 이상 배뇨를 참을 수 없을 때까지 방광을 충전시켜 최대방광용량을 알아내고, 충전된 만큼의 용량을 충전 중에 변화한 배뇨근압으로 나누어 방광유순도를 계산한다.

압력요류검사는 배뇨중배뇨근압과 요속을 이용하여 방광출구의 폐색 정도를 파악할 수 있는 검사이다. 압력요류검사를 통해 방광출구의 폐색과 배뇨근의 기능저하 중 어떤 요인이 주로 환자의 배뇨곤란에 영향을 주는지 알 수 있기 때문에 중요하다. 전립선비대증으로 방광출구의 폐색이 심해 소변 배출에 이상이 생긴 경우는 배뇨 시 배뇨근압이 정상 또는 정상 이상으로 나타나며, 배뇨근수축력에 장애가 있는 경우 배뇨 시 배뇨근압이 정상 이하로 낮게 측정된다. 배뇨곤란의 원인이 폐색에 의한 경우에는 수술적 치료를 통해 호전 가능성이 높지만 배뇨근의 기능저하가 동반된 경우에는 수술후에도 증상이 해결되지 않을 수 있다.

압력요류검사의 원리는 배뇨중배뇨근압과 방광출구저항이 요속에 반영된다는 점이다. 방광출구폐색이 있는 경우 방광출구폐색에 의한 저항을 이기기 위해 배뇨근압이 상승하지만 이에 비해 요속은 낮게 측정된다. 정상적인 남성은 보통 40~60 cmH_2O의 배뇨근압을, 여성은 남성보다 낮은 배뇨근압을 보인다(Stephenson, 1994). 압력요류검사에서 폐색을 진단할 수 있는 기준치에 대한 일치된 의견은 아직 없지만 일반적으로 압력요류검사에서 적절한 강도와 기간, 그리고 적절한 속도로 배뇨근이 수축하는데도 불구하고 요속이 낮을 경우 폐색으로 간주한다(Chancellor et al, 1991). 이러한 원리에 따라 방광출구폐색이 의심되는 환자에서 매우 높은 배뇨근압과 함께 낮은 요속이 동반되면 폐색을 진단하기 어렵지 않으나 모호한 결과가 나타나는 경우에는 압력요류검사 결과에 대해 더욱 정밀한 분석이 필요하다.

압력요류검사의 분석을 위한 기본적인 방법은 전 배뇨과정에서 각 시점마다 배뇨근압에 대한 요속을 도면에 나타내는 것으로, 이것을 압력요류곡선(pressure-flow loop) 또는 요도저항관계(urethral resistance relation; URR)라고 한다. 이것은 배뇨의 각 시점마다 요도를 통한 요속의 발생에 필요한 배뇨근압을 나타낸 것이다. 이러한 자료를 바탕으로 방광출구폐색을 정확히 진단하기 위해 Abrams-Griffiths 노모그램, 수동적 요도저항관계(passive urethral resistance relation; PURR), 군특이적 요도저항계수(group-specific urethral resistance factor; URA), 국제요실금학회 잠정 노모그램(ICS provisional nomogram) 등 여러 종류의 방법이 개발되어 이용되고 있다.

① Abrams-Griffiths 노모그램

Abrams-Griffiths 노모그램은 압력요류검사의 최대요속과 최대요속시배뇨근압(detrusor pressure at maximal flow)에 해당하는 지점을 표시하여 폐색군, 비폐색군, 모호군으로 분류하는 방법이다. 모호군으로 분류된 경우 최소배뇨압(minimum voiding pressure)이 40 cmH_2O 이상이거나 최소배뇨압이 40 cmH_2O이하더라도 배뇨종료시배뇨근압(최소요속시배뇨근압 $P_{det}Q_{min}$)지점과(최대요속시배뇨근압 $P_{det}Q_{max}$, 최대요속 Q_{max}) 지점(좌표)을 이은 직선의 기울기가 2 cmH_2O/mL/sec 이상이면 폐색으로 진단하고 그렇지 않은 경우 폐색이 없는 것으로 진단한다. Abrams-Griffiths 노모그램은 폐색 정도를 정량화할 수 있으며, AG number가 폐색의 정량화에 이용된다(Lim·Abrams, 1995).

$$\text{AG number} = P_{det}Q_{max} - 2Q_{max}$$

AG number는 배뇨종료시배뇨근압(최소요속시배뇨근압$P_{det}Q_{min}$)에 대한 추정 값이며, 40 초과인 경우 폐색으로, 20 미만인 경우 폐색이 없는 것으로 정의된다.

② Schäfer 노모그램

Schäfer 노모그램은 요도를 수동적이고 탄력적인 관으로 간주하여 요도저항을 결정하는 방법이다. 요도괄약근을 개방하기 위해 최소요도개방압(minimal urethral opening pressure); Pmuo(배뇨 시 가장 최소의 배뇨근압을 뜻하는데, Abrams–Griffiths 노모그램의 PdetQmin과 같은 의미)이 필요하다.

Schäfer(1990)는 요도저항이 가장 낮은 압력과 요속관계를 의미하는 수동적요도저항관계를 고안하였다. 이는 방광출구저항을 책임지는 수동적인 해부학적 요인을 반영하며 요도괄약근수축 등 근육의 활동성에 대한 효과를 최소화한다.

하지만 수동적요도저항관계는 분석이 복잡하여 Schäfer는 수동적요도저항관계를 최대한 선형화한 선형수동적요도저항관계(linear PURR, linPURR)를 개발하였다. 이는 최소 요도개방압과 최대요속시배뇨근압을 연결하는 선으로 그려지며, 이에 대한 위치와 기울기는 요배출 상황에 대한 임상적 정보를 제공한다. Schäfer는 선형수동적요도저항관계를 이용하여 폐색등급을 결정할 수 있는 Schäfer 노모그램을 고안하였다. 이 노모그램은 폐색 정도에 따라 0~6까지의 등급

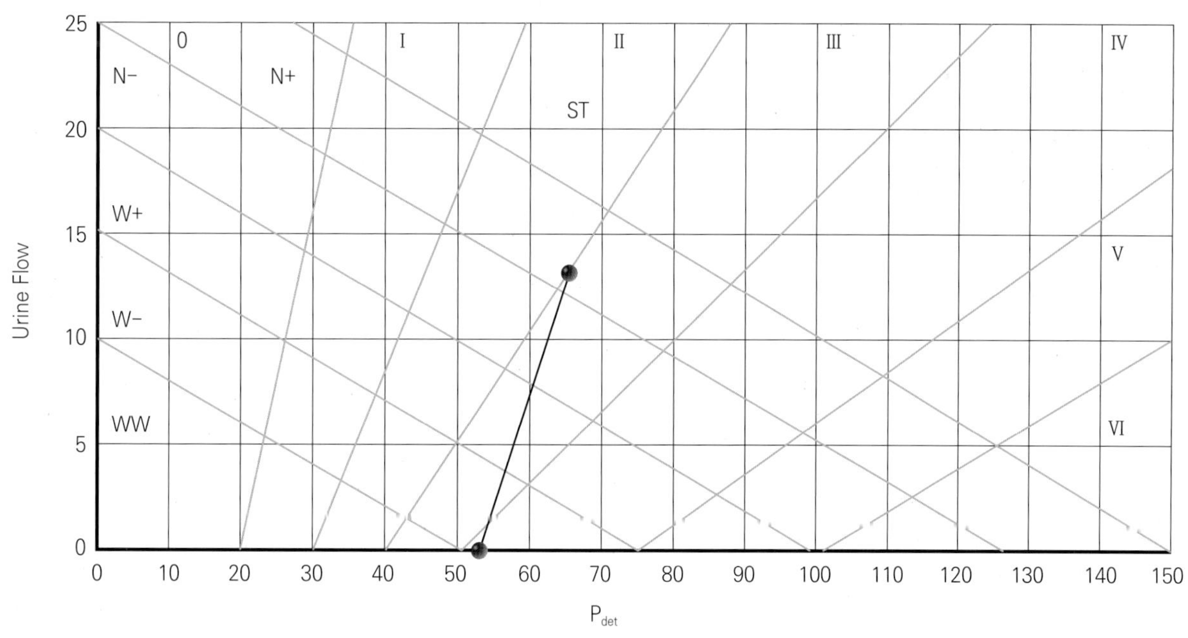

그림 45-4. **Schäfer 노모그램.** 노모그램에서 등급 III의 폐색과 정상적인 방광수축력을 가진 것으로 나타나고 있다.

으로 나뉘며 방광수축력에 대한 구분이 가능하고 선형수동적요도저항관계를 노모그램에 표시하거나 더 간단한 방법으로 압력요류검사의($P_{det}Q_{max}$, Q_{max}) 지점을 Schäfer 노모그램에 표시하여 그 위치에 따라 폐색 정도와 방광수축력을 결정할 수 있다(Schäfer, 1995)

③ 군특이적 요도저항계수 노모그램

군특이적 요도저항계수는 최소요도개방압과 수동적요도저항관계 곡선 사이에 연관성이 있고 이를 이용하여 폐색을 정의할 수 있다. 이 노모그램은 방광출구폐색의 유무를 기준으로 삼아 남성 환자 다수의 자료를 바탕으로 만든 것이다. 각각 다른 최소요도개방압에 해당하는 여러 개 포물선 형태의 평균적인 압력요류곡선으로 구성되어 있다. 각각의 곡선은 다른 요도저항을 의미하며, 각각의 곡선에 해당하는 최소요도개방압을 군특이적 요도저항계수로 간주한다. 압력요류검사의($P_{det}Q_{max}$, Q_{max}) 지점을 노모그램에 표시하여 군특이적 요도저항계수를 구하고 29 cmH_2O 이상이면 폐색으로 진단한다. 군특이적 요도저항계수 노모그램은 방광출구폐색처럼 같은 종류의 폐색이 있는 군에 대한 특징적인 노모그램이기 때문에 다른 형태의 폐색에 대해서는 사용하면 안 된다(Griffiths et al, 1989)(그림 45-5).

④ 국제요실금학회 잠정 노모그램

현재까지 폐색을 진단하기 위해 압력요류검사를 기준으로 여러 가지 노모그램이 이용되고 있고 서로 다른 방법간에 폐색 진단은 대체로 일치한다. Abrams-Griffiths 노모그램과 군특이적 요도저항계수는 폐색 진단에 94%가 일치하며 Abrams-Griffiths 노모그램에서 폐색군과 모호군을 나누는 경계는 Schäfer 노모그램에서 등급 Ⅱ와 등급 Ⅲ의 폐색을 나누는 경계에 해당한다(Lim·Abrams, 1995). 이렇듯 여러 분석방법 간의 유사성에 대한 인식과 압력요류검사의 자료 분석에 대한 표준화의 필요성에 따라 국제요실금학회에서는 잠정 노모그램을 제시하였다(Griffiths et al, 1997;

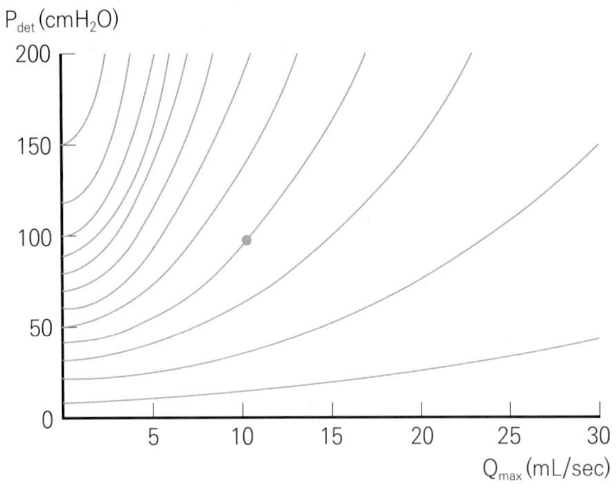

그림 45-5. **배뇨 시 요속과 배뇨근압을 이용한 군특이적 요도저항계수 노모그램.** 최대요속 10 mL/sec, 최대배뇨근압 100 cmH_2O일 경우 군특이적 요도저항계수는 40 cmH_2O이다.

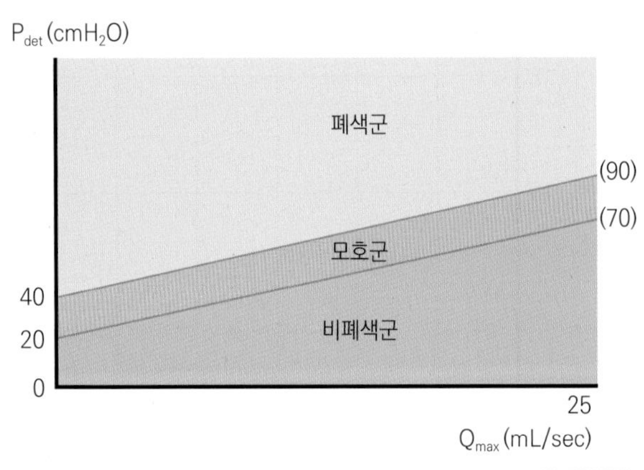

그림 45-6. **국제요실금학회 잠정 노모그램.** 방광출구폐색지수에 따라 환자를 폐색군(BOOI≥40), 모호군(BOOI=20~40), 비폐색군(BOOI≤20)으로 분류한다.

Abrams, 1999).

이 노모그램은 Abrams–Griffiths 노모그램과 매우 유사하지만, Abrams–Griffiths 노모그램에서 폐색군은 그대로 둔 채 모호군을 좁히고 비폐색군을 넓혔다. 압력요류검사의 결과를 보고할 때 연구자가 선택한 방법과 함께 국제요실금학회 잠정 노모그램을 이용하라고 권장된다(그림 45-6).

이 노모그램 역시 Abrams–Griffiths 노모그램처럼 폐색 정도를 정량화할 수 있으며, AG number와 의미가 같은 방광출구폐색지수bladder outlet obstruction index; BOOI가 폐색의 정량화에 이용된다. BOOI가 40 이상이면 폐색군으로, 20 이하이면 비폐색군으로, 20~40이면 모호군으로 분류한다.

$$BOOI = P_{det}Q_{max} - 2Q_{max}$$

또한 Schäfer(1995)의 방광수축력에 대한 분류를 이용하여 방광수축력지수bladder contractility index; BCI를 계산할 수 있다. BCI가 150 이상이면 강한 수축력을, 100 이하이면 약한 수축력을, 100~150이면 정상 수축력을 가진 것으로 분류한다. 이것을 노모그램에 적용하면 폐색과 수축력에 대해 각각 3단계의 분류에 따라 환자를 9단계로 구분할 수 있다(Abrams, 1999)(그림 45-7, 8).

$$BCI = P_{det}Q_{max} + 5Q_{max}$$

(2) 요도방광내시경검사

검사 과정에서 환자의 고통이 큰데 비해 이 검사를 통해 상대적으로 얻을 수 있는 정보는 적다. 방광과 요도 내의 다른 병변을 확인할 필요가 있거나 치료방법을 결정하기 위해 전립선의 크기와 모양을 미리 알 필요가 있는 경우에 선택적으로 시행하는 것이 바람직하다(그림 45-9).

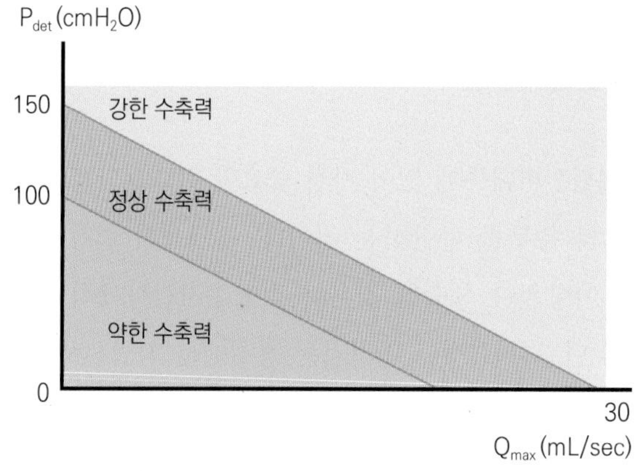

그림 45-7. **방광수축력에 대한 노모그램.** 방광수축력지수에 따라 환자를 강한 수축력(BCI≥150), 정상 수축력(BCI=100~150), 약한 수축력(BCI≤100)을 가진 군으로 분류한다.

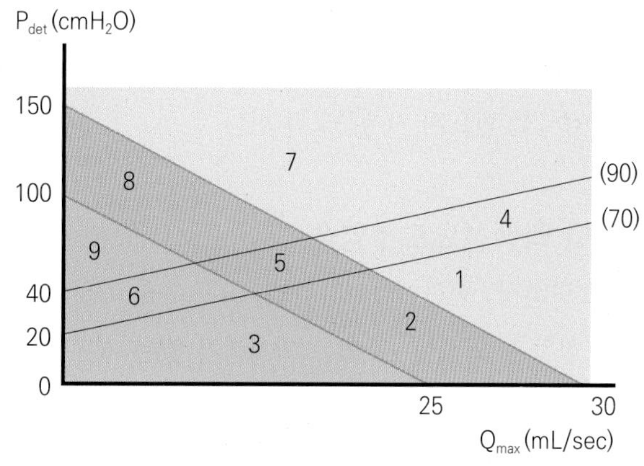

그림 45-8. **국제요실금학회 잠정 노모그램과 방광수축력에 대한 노모그램을 합하여 방광출구폐색 여부와 방광수축력에 따라 환자를 9단계로 구분한 노모그램**

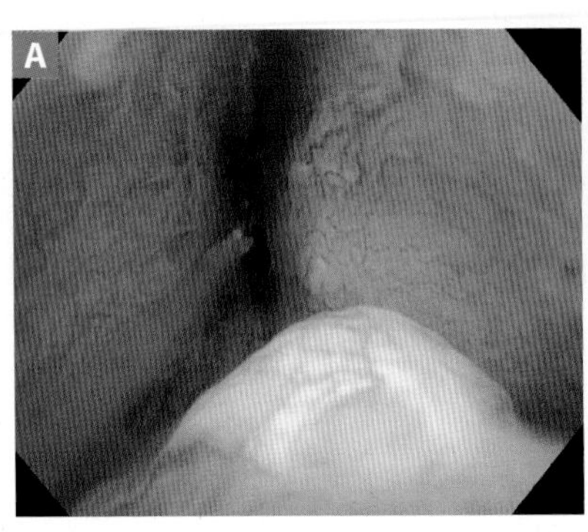

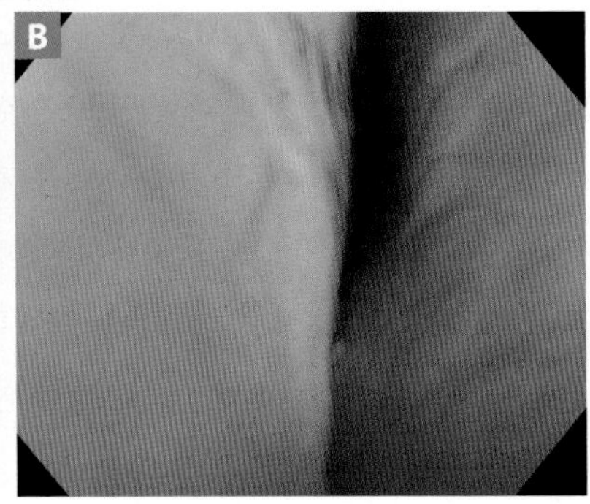

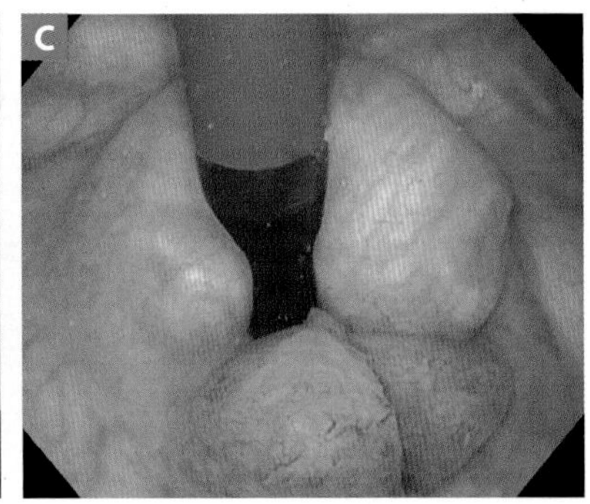

그림 45-9. **심한 전립선비대증 환자의 방광경(연성방광경) 검사 소견.** 전립선요도의 폐색 및 방광내부로 돌출되어 있는 전립선을 관찰할 수 있다.

(3) 요세포검사

방광암 환자에서 하부요로증상을 호소할 수 있어 혈뇨가 동반된 경우와 같이 방광암이 의심될 때 시행할 수 있다.

(4) 상부요로영상검사

경정맥요로조영술(intravenous urography; IVU), 초음파, CT 등을 이용하며 전립선비대증으로 인한 상부요로의 이상, 즉 수신증이 의심되는 경우 또는 배뇨곤란의 다른 원인을 감별해야 하는 경우에 검사를 시행할 수 있다. 특히 혈뇨가 동반된 경우에는 상부요로영상검사를 반드시 시행하도록 한다.

(5) 역행성요도조영술

요도손상, 심한 요도의 감염, 요도수술 기왕력 등 요도협착을 의심할 수 있는 과거력이 있는 경우 이의 감별을 위해 시행할 수 있다.

(6) 전립선생검

전립선생검은 직장수지검사, 혈청 전립선특이항원치, 전립선초음파 등에서 전립선암이 의심될 경우 시행할 수 있다.

(7) 자기공명영상

전립선비대증에 대한 진단검사로는 사용되는 일이 드물다. 전립선암으로 진단된 후 병변 위치확인 및 병기측정 목적으로 사용된다.

3. 감별진단

전립선비대증에 있어 가장 중요한 감별진단은 전립선암의 유무를 판단하는 것이다. 혈액에서 혈청 전립선특이항원이 상승한 경우나 직장수지검사에서 돌과 같이 단단한 결절이 만져지는 경우에는 전립선생검을 통해 전립선암의 유무를 확인해야 한다. 또한 방광경부구축(bladder neck contracture), 요도협착, 방광결석, 방광종양, 만성전립선염, 신경인성방광 등도 전립선비대증과 비슷한 임상증상이 나타날 수 있다.

수술 이후 합병증으로 발생한 방광경부구축이나 외상, 감염에 의해 발생한 요도협착은 소변 줄기의 약화를 유발하여 전립선비대증과 증상이 유사하므로 요류검사, 요도방광내시경검사, 요도조영술로 확인해야 한다. 신경인성방광의 경우 배뇨괄약근협조장애나 배뇨근수축력 저하 등으로 인해 배뇨곤란이 발생하며, 배뇨근수축력이 저하되어 있는 경우에는 경도의 전립선비대증만 있더라도 급성요폐가 나타날 수 있다. 신경인성방광은 요역동학검사 또는 신경학적 검사를 통해 평가해야 한다. 방광종양이나 방광결석 등이 의심되는 경우에는 요도방광내시경검사와 영상검사를 시행하는 것이 좋다.

전체 참고문헌 목록은
배뇨장애와 요실금 웹사이트 자료실
(http://www.kcsoffice.org)에서
확인할 수 있습니다.

제 46 장

전립선비대증의 치료 개관, 대기요법, 내과적 치료

Benign prostatic hyperplasia - Treatment overview, watchful waiting, and medical treatment with lower urinary tract function and dysfunction

여정균

노화가 진행되면서 전립선비대증도 진행되고 일부에서는 하부요로증상이 악화되어 수술적 치료가 필요하기도 한다. 약물치료가 발달하면서 긴 작용시간으로 인한 1일 1회 복용의 편의성, 일주일 내 빠른 효과 발생, 부작용의 감소로 남성 하부요로증상의 1차 치료로 확고하게 자리를 잡았다.

전립선 및 방광경부 평활근을 이완하는 알파1-아드레날린 길항제(doxazosin, terazosin, alfuzosin, tamsulosin)는 국제전립선증상점수는 30~45% 감소로 위약대비 10~20% 효과가 있고, 최대요속은 15~30% 증가로 위약보다 10~15배 효과를 보인다고 보고하였다(Djavan, 2004). 부작용으로 혈관 이완 효과로 인한 비충혈로 코막힘을 호소하는 경우가 있고, floppy iris syndrome이 드물게 발생하여 백내장 수술이 필요한 경우 일시적인 약물 중단이 필요하다. 알파1A-아드레날린 길항제(tamsulosin, silodosin)은 사정장애 발생이 증가하여 사용 전 정액감소 또는 소실이 몸에 해가 없음을 주지시켜야 한다. 고령에서 고혈압 약을 복용하거나 발기부전제를 복용하는 경우 기립성저혈압으로 인한 낙상사고의 위험성이 증가할 수 있어 주의를 기울여야 한다(Fine, 2008).

메타분석연구에서 알파1 차단제 단독요법 후 중단하게 되는 경우 유지하는 군에 비해 3개월째 IPSS 점수가 악화(MD 4.17; 95% CI: 2.91, 5.43; I2=0%, $p<0.00001$)되었고 최고요속은 감소(MD 2.59; 95% CI: 1.40, 3.77; I2=0%, $p<0.0001$)하였다. 재치료율은 0~49%로 다양하게 보고하고 있어 잘 디자인된 추가 연구가 필요하다(Henk, 2019).

전립선비대증이 커지면서 발생하는 기계적 폐색은 5알파환원효소억제제(finasteride, dutasteride)의 1년이상 장기적 사용으로 20~25% 정도 전립선비대증 크기를 줄일 수 있게 되었고, 전립선비대증의 진행을 억제하여 수술적 치료로 넘어가는 경우가 현저히 감소하였다(McConnell 1998). 부작용으로 성욕감퇴, 발기력 감소가 일부 발생할 수 있어 성생활이 왕성한 연령대에서는 사용에 주의가 필요하다.

발기부전 치료로 사용되는 Phosphodiesterase (PDE) type5 억제제(sildenafil, tadalafil, Vardenafil)의 남성 하부요로증상에 대한 효과가 확인되면서 전립선비대증의 약물치료도 지속적인 발전을 이어가고 있다. 최근에는 전립선비대증과 과민성방광의 병리적 연관성이 주목 받으면서 남성에서 항콜린제와 베타3항진제의 병용요법이 사용되고 있다.

1. 대기치료

국제전립선증상점수표의 증상점수가 7점 이하이면서 불편하지 않은 하부요로증상을 가진 환자는 생활습관 교정 및 주기적인 증상 평가를 하는 대기치료를 해 볼 수 있다.

대기치료 시행 시 6개월에서 1년마다 국제전립선증상점수, 신체검사, 검사실 검사, 요류검사, 잔뇨량 측정 등을 이용하여 경과 관찰을 한다. 또 증상을 악화시킬 수 있는 생활습관을 교정한다(표 46-1). 무작위 연구에서 1, 2, 6주 간격으로 3회 2시간 집중적인 생활습관교정에 대한 교육을 받은 환자는 교육받지 않은 환자보다 1년 후 국제전립선증상점수가 약 5점 더 낮았으며, 약물 또는 수술 치료를 받게 되는 경우가 약 30% 더 적었다(Brown 2007). 전립선비대증 환자(전립선용적 30 g 이상, 증상점수 8~19) 742명을 대상으로 2년간 tamsulosin+dutasteride 복합제와 대기치료로 나누어 시행한 무작위연구에서 증상점수가 악화 또는 호전이 없어 대기치료군에서 tamsulosin치료를 시행한 환자는 61%였고 그 중 83%는 6개월 이내였다(Roehrborn 2015). 증상점수가 중등도인 전립선비대증 환자에서 대기치료는 권장하지 않으며 필요한 경우 6개월이내에 경과관찰을 하여 알파차단제 등 약물을 투여하는 것이 바람직하다.

2. 약물치료

1) 알파차단제(alpha blocker)

(1) 약물 작용 기전

1975년 체외실험에서 인간 전립선 조직이 norepinephrine의 반응으로 수축하는 것을 보고하였다. 이후

표 46-1. **하부요로증상 환자에서 생활습관 개선방법**

• 하부요로증상의 원인이 암으로 인한 것이 아님을 확인하고 주기적인 추적관찰을 받도록 한다.
• 빈뇨와 야간뇨로 불편한 경우 특정 시간대의 수분 섭취량을 줄이도록 한다. 특히 야간뇨가 문제인 경우 늦은 오후와 저녁 시간의 수분 섭취를 제한하도록 한다.
• 이뇨작용과 방광자극효과가 있어 빈뇨, 급박뇨, 야간뇨를 일으킬 수 있는 카페인과 알코올 섭취를 줄이거나 피하도록 한다.
• 긴장을 푼 편안한 상태에서 소변을 나누어 보는 이중배뇨(double voiding technique)를 시도해본다.
• 배뇨 후 소변이 몇 방울 흘러나오는 점적이 문제인 경우 요도를 훑어내는 방법(urethral milking)을 시도해본다.
• 저장 증상의 개선을 위해 방광 용적이나 배뇨 간격을 늘릴 필요가 있을 경우 소변이 마려운 느낌이 들 때 소변을 참아보는 방광 훈련을 시도해본다.
• 복용 중인 약물들을 확인하고 배뇨에 영향을 주는 약(예, 이뇨제)의 복용 시간을 조정하거나 가급적 배뇨에 영향이 적은 약으로 교체한다.
• 배뇨를 악화시킬 수 있는 변비를 치료하도록 한다.

(전립선비대증 진료권고안 2015)

비선택적 알파차단제인 phenoxybenzamine이 전립선 조직의 수축을 막는 것을 확인하였고 임상실험에서 전립선비대증 환자의 배뇨증상을 개선할 수 있다고 최초로 보고하였다(Caine 1975, 1978). 하지만 부작용이 심하여 전립선비대증의 치료약으로 사용되지는 못하였다. 알파1수용체를 길항제의 약리학적인 친화성(affinity)과 민감도에 따라서 알파1A수용체와 알파1B수용체 아형으로 분류하였고(Minneman, 1988), 전립선적출술을 시행 받은 환자의 전립선조직을 얻어 최초로 전립선에 알파1수용체 아형인 알파1A수용체와 알파1B수용체가 모두 존재하는 것을 결합방사측정법(radioligand binding study)으로 확인하였다(Lepor, 1984). 이후 전립선에는 주로 알파1A수용체가 존재한다는 것을 증명하였다(Lepor, 1993). 이는 알파1A차단제가 알파1B수용체로 인한 불필요한 부작용을 줄이면서 전립선 평활근을 효과적으로 이완하여 방광출구폐색을 해결할 수 있다는 가설을 가능하게 해주었다. 하부요로에서 알파1A수용체는 전립선과 요도 그리고 방광삼각부에, 알파1D수용체는 방광에 많이 분포하지만 알파1B수용체는 전립선이나 방광배뇨근에 없거나 적게 발현된다. 하지만 실제 임상에서 알파1A차단제로 하부요로증상을 모두 해결할 수는 없었다. 이는 하부요로증상의 원인이 전립선 평활근 수축으로 인한 방광출구폐색 이외에 매우 다양하며 여러 다른 기전으로 일어나는 것임을 알 수 있다.

(2) 알파차단제의 종류 및 특징

① Terazosin

최초로 비선택적 알파차단제인 Phenoxybenzamine을 전립선비대증 치료에 효과가 있다고 보고하였으나

표 46-2. **알파차단제 특징 요약**

알파차단제	복용법	효과	부작용 특징	비고
Phenoxybenzamine	수회	최초 보고	혈압저하 포함 다양	비선택적 알파차단제
Prazosin	수회	유효	혈압저하	선택적 알파1차단제
Terazosin	단회, 용량조절 (1,2,5,10 mg)	위약 대비 우수한 효과, 비슷한 효과	고혈압환자 혈압저하	최초 지속형 선택적 알파1차단제
Doxazosin	단회, 용량조절 (4, 8 mg)	비슷한 효과	고혈압환자 혈압저하	Terazosin 유사
Tamsulosin	단회, 용량조절 (0.2, 0.4 mg)		심혈관 안정성, 사정장애	최초 알파1A수용체차단제 (10배 특이친화성)
Alfuzosin	단회 10 mg		혈압안정, 사정장애 없음.	서방형기술로 부작용 완화
Silodosin	단회, 용량조절 (0.4, 0.8 mg)		심혈관 가장 안정, 높은 사정장애	높은 알파1A수용체 특이친화성(162배)
Naftopidil	단회, 용량조절 (25, 50, 75 mg)		Tamsulosin과 비슷	최초 알파1D수용체 특이친화성(3배)

부작용이 심하였고(Caine, 1978), 선택적 알파1차단제인 Prazosin이 전립선비대증 증상 완화에 효과가 있다고 보고하였으나 반감기가 짧아 하루에 수회 복용해야 하였고 혈압저하 부작용이 문제가 되었다(Kirby, 1987).

Terazosin은 최초의 지속성 선택적 알파1-수용체차단제로서 1980년대 혈압강하제로 개발되었지만, 전립선비대증의 증상 개선이나 최대요속 증가효과가 입증되어 1992년 미국FDA 승인을 받고 전립선비대증 치료제로 사용되었다. Terazosin(2, 5, 10 mg 투약군) 장기추적에서 3개월째에 증상점수가 4.0~5.4점 호전되었고, 총 증상점수가 최소 30% 이상 호전된 환자가 62.4~77.1%였으며, 증상 호전은 대개 6개월 이내에 이루어지고 이후 42개월까지 유지된다고 하였다. 부작용은 어지럼증14%, 무력증 11%, 두통이나 기면 5%, 인두염과 기립성 저혈압 증상, 비충혈이 각각 3% 미만에서 보고되었지만 그 정도가 심하지 않고 약물을 중단하면 부작용이 사라진다(Lepor, 1992). 반감기가 길어 1일 1회 경구투여로 적절한 효과를 기대할 수 있지만 용량조절이 필요하였다.

② Doxazosin

Doxazosin은 두번째로 미국FDA 승인을 받았다. Terazosin과 화학적 구조가 비슷하나 약물 반감기가 terazosin보다 2배가량 길었으나 이로 인한 추가적인 임상적 효과를 보이지는 않았다. 1일 1회 경구투여가 가능하며, 일반적인 유효량은 1일 4 mg이나 최대 8 mg까지 사용가능하다. 투여 2~3시간 내에 혈장 내 최고 농도에 도달하며 상대적으로 작용이 빠르다. Doxazosin은 위약에 비해 최대요속과 평균요속을 증가시키고 잔뇨량을 감소시키며, 환자의 2/3에서 30%이상 증상점수가 감소되었다. Doxazosin gastrointestinal therapeutic system (GITS)를 12개월간 투여한 후 유효성과 안전성을 평가하였는데, 이전에 보고된 8주간 결과와 유사하게 증상점수, 삶의 질, 최대요속, 배뇨후잔뇨량을 유의하게 개선시켰고, 내약성이 우수하였으며, doxazosin GITS 투여 8주에 증상점수가 7.1±5.3, 12개월에 9.0±6.8의 감소를 보였다(Chung, 2004, 2005). 13주간 투여하였을 때 증상점수가 8.0±10.3의 감소를 보였고(Andersen, 2000), Gratzke 등(2000)의 보고에서 증상점수가 8.00±0.3의 감소를 보인 것과 비슷하다. 전립선비대증 환자 91명을 대상으로 시행한 이중맹검 위약대조연구 결과 방광자극증상의 감소가 치료군 중 80%, 위약군 중 45%에서 나타났다. 폐색증상은 치료군 중 63%에서 감소하였으나 위약군에서는 31%에서만 감소하였으며, 최대요속은 치료군에서 25% 증가하였으나 위약군에서는 변화가 없었다(Holme 1994). 여러 연구에서 전립선비대증의 일차 치료약제로서 doxazosin GITS는 장기간 사용하여도 부작용이 적은 약물로 충분한 효과를 기대할 수 있으며, 안전하게 임상에서 사용할 수 있다고 보고되었다. Doxazosin에서 나타나는 흔한 부작용은 혈관에 분포하는 알파1B수용체의 차단으로 일어나며, 심혈관계와 중추신경계의 증상을 보이나 시간의 경과에 따라 빈도가 증가하지 않으며, 주된 부작용으로는 두통, 어지럼증, 무력증, 코막힘 등이 10~15%에서 나타나며, 기립성저혈압이 2~5%에서 발생한다. 부작용의 정도는 용량에 따라 다르게 나타나며, 용량을 줄이면 그 빈도를 낮출 수 있다. Terazosin과 Doxazosin은 전립선비대증이 있는 고혈압 환자에서 혈압을 낮추는 부작용이 보고되었다. 이러한 혈관관련 부작용을 줄일 수 있는 약물이 필요하였다.

③ Tamsulosin

Tamsulosin은 세 번째로 미국FDA승인을 받은 알파차단제이나 이전과 달리 처음 개발된 알파1수용체 아형인 알파1A차단제로서 혈관 평활근에 존재하는 알파1B수용체보다 전립선, 방광경부의 평활근에 풍부하게 존재하는 알파1A수용체 아형에 10배 정도 더 높은 친화성을 나타내어 상대적으로 혈관 평활근의 이완이 적어 고혈압을 동반한 환자에서 고혈압치료제 병용투여 시 혈압 저하를 유발하는 부작용이 적다. 하지만 10배 높은 친화성으로 전립선비대증의 증상을 이전 알파차단제보다 더욱 효과적으로 줄이지는 못하였다. Abrams 등(1995)은 tamsulosin 1일 0.4 mg, 12주간의 단기간 효과에서 국제전립선증상점수는 35~45% 감소, 최대요속은 13~18% 증가를 보고하였다. Schulman 등(1996)은 tamsulosin 1일 0.4 mg을 60주간 투여하여 IPSS는 36.2% 감소, 최대요속은 13.7% 증가하였고 부작용으로 사정장애가 5.3%, 어지럼증이 5.7%에서 발생하였으며, 8%에서는 부작용으로 치료를 중단하였다고 보고하였다. 또한 3년간 투여하고 관찰한 연구에서도 증상의 개선효과가 잘 유지되었으며, 16%에서 어지럼증이나 사정장애 등의 부작용으로 치료를 중단하였다고 하였다. 서양과 다르게 국내에서는 tamsulosin 0.2 mg 저용량으로 허가되었다. Park 등(2004)이 알파1A차단제인 tamsulosin의 효과와 부작용에 대해 12개월 연구를 시행하여 저용량인 1일 0.2 mg으로도 치료효과는 동일 하였고, 부작용은 적게 발생하였다고 보고하였다. 최근에 tamsulosin 0.4 mg 무작위 연구가 보고되면서 국제전립선증상점수가 심한 경우 초회부터 0.4 mg을 투여하는 것이 효과가 우수하다고 하였다(Chung 2018). 알파1A차단제인 tamsulosin은 이전 알파1차단제에 비해 효과는 비슷하나 심혈관계 부작용이 적었다. 하지만 비정상적 사정(역행사정, 무정액증 등)의 빈도가 높아 사정장애가 적고 혈압에 영향이 적으면서 용량 조절 하지 않는 약물이 필요하게 되었다.

④ Alfuzosin

Alfuzosin은 네번째 미국FDA 승인을 받은 약물로 선택성 알파1수용체 차단제이나 알파1수용체 아형에 선택적 친화성을 보이지는 않았다. 그러나 장시간 방출 시스템인 geomatrix를 이용한 서방형으로 개발되어 부작용을 줄일 수 있었고 용량 조절 없이 1일 1회 10 mg 복용이 가능하였다. Jardin 등(1994)은 전립선비대증의 하부요로증상이 있는 환자 518명을 대상으로 한 대규모의 다기관 위약대조연구에서 위약, alfuzosin 7.5 mg 또는 10 mg/day를 6개월간 투여한 결과 alfuzosin 투여군이 위약군에 비해 배뇨와 저장증상점수의 의미있는 호전을 보였으며, 급성요폐의 발생률도 alfuzosin 투여군에서 낮았고(0.4% 대 2.6%, P=0.04), 6개월까지 alfuzosin을 투여한 군에서 평균요속이 유의하게 증가하였으며, 잔뇨량은 유의하게 감소하였다고 보고하였다. 서방형 alfuzosin에 대한 대표 연구로는 ALFORTI 연구와 ALFUS연구가 있다. ALFORTI연구는 alfuzosin을 1일 1회 10 mg 투여군, 1일 3회 2.5 mg 투여군, 위약군에 대한 비교연구이다. ALFUS연구는 alfuzosin을 1일 1회 10 mg 투여군, 1일 1회 15 mg 투여군, 위약군에 대한 비교연구이다(Roehrborn, 2001; van Kerrebroec, 2002). 이 연구에서 서방형 alfuzosin 10 mg은 전립선비대증의 증상을 완화하는 데 효과가 있었으며, 일반형 alfuzosin이나 서방형 alfuzosin 15 mg과 유사한 효과를 보였다. 국제전립선증상점수는 두 연구에서 서방형 alfuzosin군이 위약군에 비해 의미있게 개선되었다. Alfuzosin은 장기투약 시에도 환자의 순응도가 높다는 보고가 있다. Jardin 등(1994)은 1년 이상 연구한 결과 환자 131명 중 6%가 alfuzosin과 관계된 부작용을 경험하였으며, 혈관확장과 관련된 부작용의 전체 빈도는 5.3%였다. 이 연구에서 부작용에 의한 투약 중단은 없었으며, 24~30개월간 조사에서도 같은 결과를 보고하였다. Alfuzosin의 가장 흔한 부작용은 어지럼증이다. alfuzosin투여와 관련된 사정장애는 발생하지 않았으며, 치료 도중 혈액학적 측정치의 의미 있는 변화는 없었다.

⑤ Silodosin

Silodosin은 다섯 번째 미국FDA 승인을 받은 약물로 알파1A수용체에 가장 높은 선택성을 갖는다. 알파1B수용체보다 162배, 알파1D수용체보다 50배 정도 알파1A수용체에 더 높은 친화성을 나타낸다(Tatemichi, 2006). Chapple 등(2011)은 12주간 955명을 세 군으로 나누어 silodosin 8 mg 하루 1번 복용, tamsulosin 0.4 mg 하루 1번 복용 또는 위약으로 배정하여 국제전립선증상점수 변화를 확인하였다. 12주 후 국제전립선증상점수 변화는 silodosin −2.3점, tamsulosin −2.0점으로 위약에 비해 유의한 효과를 보였다. 국제전립선증상점수가 25%이상 감소하고, 최대요속이 30%이상 호전되는 경우 효과 있는 것으로 정의하고, 이 기준을 만족하는 경우는 silodosin 66.8%, tamsulosin 65.4%로 위약 50.8%에 비해 유의하게 높았다. 알파1A수용체에 가장 높은 선택성을 갖는 약물로 사정장애 발생률은 silodosin 14.2%로 tamsulosin 2.1%과 위약 1.1%보다 많이 높았다. 하지만 부작용으로 약물을 중단한 경우는 silodosin 2.1%, tamsulosin 1%로 위약 1.6%과 차이는 없었다. Kawabe 등(2006)은 12주간 457명을 세 군으로 나누어 silodosin 4 mg 하루 2번 복용, tamsulosin 0.2 mg 하루 1번 복용과 위약으로 나누어 비교하였고 silodosin, tamsulosin과 위약군의 국제전립선증상점수 변화는 −8.3, −6.8, −5.3점, 삶의 질 점수 변화는 −1.7, −1.4, −1.1점으로 silodosin 투여한 경우 위약에 비해 유의하게 호전되었다고 보고하였다. 약물과 관련된 부작용으로 사정장애가 가장 많았다. 하지만 약물을 중단한 경우는 2.9%로 낮았다. silodosin의 높은 알파1A수용체 선택성 때문에 심혈관 관련 부작용은 알파1차단제 중 가장 안전하지만, 높은 발생률을 보이는 사정장애로 젊거나 성생활이 활발한 경우 환자에게 설명 후 사용해야 환자가 갑작스러운 사정장애로 인하여 놀라는 경우를 막을 수 있다. 다른 알파차단제에 비해 심혈관 관련 부작용이 매우 적고 QT 간격 연장이 없어서, 부정맥 등 심혈관질환을 동반한 환자에서 사용할 수 있는 유용한 약물이다(Lepor, 2010). 알파1A수용체에 매우 높은 친화성을 보이지만 하부요로증상을 이전 알파차단제에 비하여 더욱 효과적으로 완화시키지는 않았다. 이는 알파1수용체 아형에 따른 약물작용이 효과보다는 심혈관 부작용 감소에 더욱 의미가 있음을 알 수 있다.

⑥ Naftopidil

Naftopidil은 알파1A수용체보다 알파1D 수용체에 약 3배정도 더 친화적인 약물로 방광평활근에 많이 분포하는 알파1D수용체의 특성상 저장증상을 완화시키는데 유리할 것으로 기대 하였다. naftopidil은 하루 1번 복용하며, 치료 효과에 따라 25 mg에서 하루 최대 75 mg까지 증량 가능하다. Ukimura 등(2008)은 tamsulosin 1일 0.2 mg과 naftopidil 1일 50 mg을 6~8주간 사용하여 임상 효과를 비교하였다. naftopidil 투여 2주째 국제전립선증상점수의 주간배뇨점수는 3.5에서

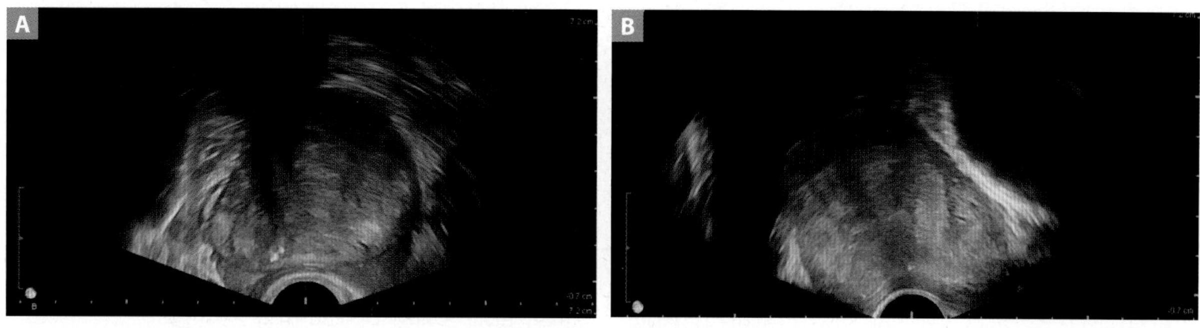

그림 46-1. **심한 전립선비대증 환자의 경직장초음파검사 소견.** (A) 횡단면: 전립선의 대부분이 이행대로 대체되었고 말초대와 중심대는 얇게 바뀌었다. (B) 시상면: 전립선이 방광 안쪽으로 튀어나와 있는 모습을 볼 수 있다.

2.2로, 야간뇨점수는 3.5에서 2.2로 통계학적으로 유의하게 호전되었으나, tamsulosin을 투여한 경우는 2주째 유의한 호전이 없었다. 그러나 약물 투여 6~8주째 양 군간 국제전립선증상점수의 호전 정도는 유의한 차이는 없었으며, naftopidil은 주간빈뇨, 야간뇨와 같은 저장증상 개선에 tamsulosin보다 효과가 일찍 나타난다고 보고하였다. Gotoh 등(2005)은 tamsulosin 1일 0.2 mg을 12주간, naftopidil은 1일 25 mg을 2주간 사용후 나머지 10주 동안은 naftopidil 1일 50 mg 투약하여 비교한 연구에서 국제전립선증상점수, 최대요속은 양 군에서 유의한 호전이 있었다고 보고하였으나, 배뇨후 잔뇨량은 naftopidil 투약한 경우 유의하게 줄었으나, tamsulosin에서는 통계학적으로 유의하게 감소하지 않았다고 보고하였다. 그리고 이 연구에서 부작용은 tamsulosin 9.5%, naftopidil 10%로 차이는 없었다. Naftopidil 투여 용량에 따른 연구로 Yokoyama 등(2006)은 naftopidil 25 mg과 75 mg을 비교하였으며, 국제전립선증상점수는 4.5점, 5.4점, 최대요속은 0.2 mL/s, 1.2 mL/s로 양 군에서 모두 유의하게 호전되었고, 양 군간 차이는 없었다고 보고하였다. 그리고 용량에 따른 부작용도 양 군간 차이가 없었다고 하며, 중등도의 하부요로증상을 가진 환자에서는 naftopidil 25 mg보다 75 mg이 치료 시작용량으로 더 적절하다고 주장하였다. 가장 흔히 보고되는 부작용은 어지럼증, 저혈압이며, tamsulosin과 naftopidil을 비교한 3개 임상연구들의 통합자료에서 naftopidil 부작용 발생률은 tamsulosin에 비해 유의한 차이는 없었다(Gotoh, 2005; Ikemoto, 2003; Maruyama, 2006). 이전과 다른 알파1수용체 아형인 알파1D수용체에 친화성을 갖으나 기대했던 저장증상 완화 효과는 뚜렷한 차이를 보이지 않았다. 아직 장기간 무작위배정 연구는 없으며 아시아 이외 환자를 대상으로 하는 연구도 없다.

2) 5알파환원효소억제제 (5-alpha-reductase inhibitor)

(1) 약물 작용 기전

전립선은 남성호르몬(testosterone)의 증가에 반응하여 3번의 성장기를 보인다. 임신 8~16주 사이에 남성

호르몬이 증가하여 첫 성장기를 보이고, 사춘기에 두 번째 성장기가 나타나 전체 전립선이 커진다. 하지만 세번째 성장기인 중년에서 노년기는 남성호르몬은 감소하는데 전립선은 커지고, 특이하게 전체 전립선보다 이행대(transition zone)의 성장이 나타난다(Schauer, 2011). 전립선의 성장에 중요한 인자인 남성호르몬은 전립선내에서 5알파환원효소에 의해 디하이드로테스토스테론(dihydrotestosterone, DHT)으로 변한다. 디하이드로테스토스테론은 안드로겐수용체에 남성호르몬보다 3배이상의 친화성을 보여 안드로겐수용체에 용이하게 작용하여 전립선 성장을 유발한다. 혈중 남성호르몬 농도가 높지 않지만 전립선내 디하이드로테스토스테론 농도는 높게 나타나는 현상이 노년기 전립선의 성장을 설명해준다(van der Sluis, 2012). 5알파환원효소에는 1형과 2형으로 두 가지 아형이 있다. 1형 5알파환원효소는 피부와 간에서 발견되며, 2형 5알파환원효소는 주로 전립선에 존재한다. 2형 5알파환원효소를 억제하면 안드로겐이 디하이드로테스토스테론으로 바뀌는 것을 차단하여 전립선의 위축이 일어나고 전립선으로 인한 기계적 방광출구폐색을 막을 수 있다(Rittmaster, 1996).

(2) 종류 및 특징

① Finasteride

Finasteride는 1992년 미국FDA승인을 받은 2형 5알파환원효소 억제제로 혈중과 전립선 내 디하이드로테스토스테론 수치를 낮춘다(Steiner, 1996). 사람에서는 finasteride가 전립선 내 디하이드로테스토스테론을 90% 이상 감소시키지만(Gellar, 1990), 혈중 디하이드로테스토스테론 수치를 거세 정도로 낮출 수 없다. 이는 피부와 간에 존재하는 1형 5알파환원효소가 혈중 테스토스테론을 디하이드로테스토스테론으로 바꾸기 때문이다. Finasteride는 주로 간질조직보다는 선조직에 대해 효과가 있기 때문에 비교적 용적이 큰 전립선에 효과적이다(Boyle, 1996). Finasteride 5 mg을 12개월간 복용하면 전립선특이항원치가 원래의 1/2로 낮아져 전립선암 선별검사나 전립선암 환자의 전립선특이항원 변화 측정에 영향을 미칠 수 있다.

전립선비대증 환자 707명을 대상으로 2년간 하루 finasteride 5 mg을 복용군과 위약군을 비교한 결과 전립선용적은 위약군에서 12% 증가하였으나 finasteride군은 19% 감소하였다. 최대요속은 위약군보다 1.8 mL/sec 감소하였고, 증상점수는 2점 감소하였다(Andersen, 1995). 이후 전립선비대증 환자 3,040명을 대상으로 4년 장기간 연구에서 전립선비대증의 진행을 억제하여 위약군에 비해 finasteride군에서 급성요폐률이 57% 감소하고 수술적 치료률이 55% 감소하는 것을 확인하였다(McConnell, 1998). 4년간 진행된 Proscar Long-term Efficacy and Safety Study (PLESS)에서 급성요폐 또는 전립선 수술률은 65세이상 환자군에서 위약군은 16%로 finasteride군 8%보다 두 배 높았다(Kaplan, 2001).

② Dutasteride

Dutasteride는 2002년 미국 FDA승인을 받은 1형 및 2형 5알파환원효소 억제제로 전립선비대증 환자 4,325명을 대상으로 2년간 dutasteride 0.5 mg군과 위약군을 비교한 결과 혈중 DHT 92% 감소시키고 전립선용적을 25% 감소시켰다. 최대요속은 위약군보다 2.2 mL/sec 증가하였고, 증상점수는 4.5점 감소하였다. 전립선비대증의 진행을 억제하여 위약군에 비해 급성요폐률이 57% 감소하고 수술적 치료률이 48% 감소하는 것을 확인하였다(Roehrborn 2002). 1형 또는 2형 5알파환원효소를 억제하는 차이를 갖는 Finasteride와 Dutasteride의 효과를 확인하기 위해서 직접 비교하는 1년간 대규모 연구가 진행되었으나 결과는 두 군간 임상적으로 의미있는 차이를 보이지 않았다. 전립선비대증 환자 1,630명을 대상으로 1년간 dutasteride 0.5 mg군과 finasteride 5 mg군을 비교한 EPICS결과 전립선용적(−14.3% vs −13.9%), 최대요속(2 mL/sec vs. 1.7 mL/sec), 증상점수(− 5.8 vs. −5.5) 그리고 PSA(−2.13 vs. −2) 모두 의미있는 차이는 없었다(Nickel, 2011).

③ 알파차단제와 5알파환원효소억제제 병용치료

알파차단제의 빠른 증상완화효과와 5알파환원효소억제제의 장기간 전립선비대증 진행억제효과의 조합은 전립선비대증 치료에서 이상적으로 여겨졌다. 이러한 근거를 제시한 여러 연구들이 있다. Finasteride와 알파차단제의 병용치료 효과를 알아보기 위한 연구인 Medical Therapy of Prostatic Symptoms (MTOPS) 연구에서 전립선비대증 환자(전립선용적 제한 없음, 평균 36 g) 3,047명을 대상으로 4년 이상의 장기간 이중맹검 연구를 위약, doxazosin 10 mg, finasteride 5 mg 그리고 병용치료로 나누어 시행하였다(McConnell et al, 2003). 평균 추적기간은 4.5년이었으며, 임상적 진행 clinical progression(증상점수 4점이상 악화, 급성요폐, 요실금, 신기능악화 또는 재발성 요로감염)은 병용치료 5%, finasteride 10%, 위약 17%로 큰 차이를 보였고, 위약에 비해 doxazosin 39% 감소, finasteride 34% 감소 그리고 병용치료 66% 감소를 보였다. 이는 장기간의 알파차단제와 5알파환원효소억제제 병용치료가 단독치료보다 전립선비대증의 임상적 진행을 유의하게 감소시키는 것을 보여준다. 급성요폐와 침습적 치료는 병용치료와 finasteride 단독치료군에서 유의하게 감소하였지만 doxazosin 단독치료군에서는 감소하지 않았다. 알파차단제 치료의 한계를 보여주고 있으며, 병용치료가 전립선비대증의 합병증 및 침습적 치료를 줄이는 데 효과적임을 나타낸다. 다른 연구에서도 비슷한 결과를 보여주고 있다. Dutasteride와 tamsulosin 병용치료가 dutasteride 또는 tamsulosin 단독치료에 비해 더 효과적인지 비교한 Combination of Avodart and Tamsulosin (CombAT) 연구에서 2년 결과는 전립선이 큰 환자(전립선용적 30 g 이상, 평균 55 g)에서 tamsulosin 0.4 mg군은 빠른 증상 개선 효과가 있었지만 시간이 지날수록 dutasteride가 더 효과적이었다. 그리고 병용치료는 dutasteride 단독치료보다 3개월, tamsulosin 단독치료보다 9개월 뒤부터 더 효과가 우수하였으며, 증상 개선 효과는 유지되었고, 이후 2년간 더 진행된 이 연구에서 전립선이 크고, 중등도 이상의 하부요로증상을 가진 환자에서 dutasteride와 tamsulosin 병용치료는 dutasteride 또는 tamsulosin 단독치료보다 증상 정도는 일찍 개선되었고 증상 개선 효과는 잘 유지되었으며 급성요폐와 전립선수술의 위험을 감소시켰다(Roehrborn, 2010). Lin 등(2014)은 2년 간 doxazosin 4mg과 dutasteride 0.5 mg 병용치료 후 무작위로 한 약물을 중단 후 doxazosin 단독치료와 dutasteride 단독치료로 나누어 1년간 변화를 연구하였다. 병용치료 재개률은 doxazosin 단독치료군이 dutasteride 단독치료군보다 20% 정도 높았고(51.3% vs. 31%; p=0.005), 병용치료 중단 후 재개하는 기간도 2.8개월 정도 빨랐다(5개월 vs. 7.8개월). 전립선용적 증가률은 21% 높았고(29.1% vs. 8.0%; p<0.001), 경요도전립선절제술(transurethral resection of prostate, TURP) 수술률은 2배 높았다(14.5% vs. 7.1%; p=0.043). 장기간의 알파차

단제와 5알파환원효소억제제 병용치료는 단독치료에 비해 전립선비대증의 진행을 효과적으로 예방하였으나, 5알파환원효소억제제를 중단하는 경우 전립선비대증의 침습적 치료률이 증가하여 병용치료에서 단독치료로 전환해야하는 경우 알파차단제 중단을 우선 고려해 볼 수 있다.

④ 부작용

5알파환원효소억제제는 발기부전 11~15%(위약 6%), 사정장애 3~7%(위약 0.1~1%), 성욕감퇴 6~18%(위약 3~6%), 여성형유방 1.2~3.5%를 일으킨다(Traish 2011; Kaplan 2012). 두 약물을 직접 비교한 EPICS에서 발기부전 8~9%, 사정장애 2%, 성욕감퇴 5~6%, 여성형유방 1%로 두 약물 간 부작용 발생률은 의미있는 차이는 보이지 않았다. 알파차단제와 5알파환원효소억제제의 병용요법 연구들에서 약물 관련 부작용은 단독치료에 비해 증가하였으나 두 약물로 인한 상승효과를 나타내지는 않았다. 하지만 사정장애는 알파1A차단제와 5알파환원효소억제제 모두에서 발생하는 부작용으로 상승효과를 보일 수 있어 주의를 요한다. 성생활이 활발한 젊은 연령에서 5알파환원효소억제제의 장기간 사용은 원하지 않는 성기능 장애를 유발할 수 있으므로 환자와 충분한 상의 후 사용하여야 한다. 노령에서는 일부 성기능장애가 발생하는 부작용이 있지만 비교적 심한 합병증을 수반하지 않으면서 전립선비대증의 진행을 억제하여 침습적 치료나 급성요폐 등 합병증을 예방할 수 있는 장점이 있다. 5알파환원효소억제제의 전립선암 예방효과를 확인하기 위한 두가지(PCPT, REDUCE) 대규모 연구가 진행되었다. 55세이상 18,882명을 대상으로 7년간 위약 또는 finasteride를 복용 후 전립선 조직검사를 시행하여 암양성률을 확인하였다. Finasteride 군에서 암양성률은 위약군보다 25% 감소하는 의미있는 결과를 보였으나 고위험 암양성률이 위약군보다 15% 높게 나왔다(Thompson, 2003). REDUCE 연구에서도 dutasteride 군이 위약군보다 암양성률이 22% 감소하였으나 고위험암 양성률이 높게 나와 5알파환원효소억제제의 암예방효과를 확인할 수 있었지만 고위험암을 유발하는 위험성에 대한 검증이 필요하게 되었다(Andriole, 2010). 아직 임상에서 전립선암 예방 목적으로 사용을 권하지 않는다.

3) Phosphodiesterase (PDE) type5 억제제

(1) 약물 작용 기전

전립선비대증과 발기부전은 노화에 따라 발생이 증가하는 질환으로 여러 연구에서 나이에 대한 보정 후에도 전립선비대증과 발기부전이 밀접한 연관이 있다고 보고하고 있다. 이러한 연구 결과를 바탕으로 전립선비대증과 발기부전이 병태생리학적으로 연관이 있다는 가능성이 제시되어 왔고 골반 죽상경화증, 자율신경과활성(autonomic hyperactivity), 칼슘 비의존성 Rho-kinase 활성경로 그리고 산화질소nitric oxide의 감소 등이 가능한 기전으로 추정되고 있다(McVary, 2006). 특히 PDE type 5 isoenzyme은 발기조직 외에 전립선, 방광에도 분포하여 PDE5억제제는 NO/cGMP 경로를 활성화시켜 평활근 이완을 일으켜 방광출구폐색에 도움을 줄 것으로 여겨진다.

(2) 종류 및 특징

Sairam 등(2002)은 처음으로 sildenafil이 전립선비대증의 증상을 호전 시킨다는 보고를 하였고, 현재까지 PDE5억제제(sildenafil, tadalafil, Vardenafil)를 이용한 전립선비대증의 치료에 대한 많은 연구들이 보고되고 있다. 전립선비대증과 발기부전이 동반된 369명을 대상으로 한 12주 무작위 비교연구에서 매일 sildenafil 100 mg을 투여한 군에서 국제전립선증상점수와 삶의 질 점수가 위약군에 비해 유의하게 호전되었다(McVary 2007). 1,058명의 전립선비대증 환자를 대상으로 위약과 tadalafil 2.5, 5, 10, 20 mg을 12주간 투여하여 tadalafil 5 mg에서 위약에 비해 국제전립선증상점수가 −2.6점 감소하였으나 10, 20 mg에서는 5 mg에 비해 유의한 증상 호전은 없었다(Roehrborn, 2008). 두 연구 모두에서 PDE5억제제투여로 인한 최대요속의 호전은 관찰되지 않았다.

알파차단제와 PDE5억제제의 비교연구에서 전립선비대증과 발기부전이 동반된 652명을 위약, tamsulosin 0.4mg 그리고 tadalafil 5 mg로 나누어 12주 후 분석하였다(Oelke, 2012). 위약에 비해 tamsulosin 또는 tadalafil 복용군에서 국제전립선증상점수는 −1.5, −2.1이 감소하였고 최대요속은 2.4, 2.2로 개선되어 알파차단제와 비슷한 증상 개선 효과를 보고하였다. 이후 PDE5억제제의 최고요속 개선효과에 대한 논란이 있었으나 Panagiotis 등(2020)이 발표한 메타분석연구에서 알파차단제와 PDE억제제의 병용요법이 알파차단제 단독요법보다 IPSS 점수를 더 감소 시키나(MD −1.72; 95% CI: −2.55, −0.89; I2=37%, $p<0.0001$), 최고요속과 배뇨후 잔뇨량은 의미있는 차이를 보이지 않았다. IIEF 점수는 PDE억제제 단독요법 또는 병용요법에서 비슷한 증가를 보였다. 병용요법에 사용한 알파차단제의 종류에서 효과 차이를 보이지 않았고, 심각한 부작용은 없었고 안전하게 사용되어졌다(Panagiotis, 2020).

발기부전 부작용이 있는 5알파환원효소억제제와 같이 사용하였을 때 증상변화를 확인하고자 659명(45세 이상, IPSS 13점이상, 전립선용적 30 g이상)을 26주 간 tadalafil과 finasteride 병합요법, 위약과 finasteride 요법으로 나누어 증상변화를 관찰하였다. 국제전립선증상점수는 tadalafil과 finasteride 병합요법이 −5.5, 위약과 finasteride 요법이 −4.5로 감소하였고 국제발기능점수는 위약과 finasteride 요법에서 변화가 없었고 tadalafil과 finasteride 병합요법에서만 12점 증가하였다. 발기부전이 있거나 5알파환원효소억제제로 인한 발기부전 부작용이 발생하는 경우 PDE5억제제와의 병용치료가 발기부전을 호전시킬 수 있을 것이다. IPSS 점수가 25%이상 감소한 경우 효과가 있다고 정의하였고 효과율은 tadalafil과 finasteride 병합요법이 4주(44.8% vs. 32.9%), 12주(55.5% vs. 51.9%) 그리고 26주(62% vs. 58.3%)로 4주, 12주에서 위약과 finasteride 요법보다 의미있는 차이를 보여주었다(Roehrborn 2015). tadalafil이 초기 증상 완화에 효과를 보여주는 것을 알 수 있다. 현재까지의 연구결과로 PDE억제제는 전립선비대증의 증상 호전에 있어 의미있는 치료효과가 있고 특히 전립선비대증과 발기부전이 동반된 경우에 더욱 유용할 것이다. 하지만 12개월이상 장기추적과 대규모 연구가 부족하다.

4) 약용식물제제

(1) 약물 작용 기전

하부요로증상을 경험한 환자는 쉽게 접근이 용이한

건강식품을 이용한 자가 처치에 관심이 높고 이로 인한 보완대체치료에 대한 기대가 커지면서 관련 시장도 늘고 있다. 약용식물요법(phytotherapy)은 다양한 기전이 있는 것으로 알려진 천연 약초 처방이다. 이러한 약용식물요법의 이점은 대체로 낮은 부작용, 적은 비용, 환자의 높은 순응도 등이다. 하지만 약제 간의 상호작용이 잘 알려지지 않았고 부작용에 대한 자료가 없으며, 효과에 대한 충분한 검증 없이 전립선 건강보조제로 인식되어 사용되고 있다(Hirsch, 2000).

(2) 종류 및 특징

① 쏘팔메토(serenoa repens)

최근 전립선비대증의 치료에서 약용식물제제의 활용은 보편화되고 있다. 특히 유럽의 의사는 약용식물제제를 자주 처방하고 있으며, 미국의 경우는 환자가 스스로 처방전 없이 슈퍼마켓에서 쉽게 구입할 수 있다. 하부요로증상이나 전립선비대증으로 의사에게 오는 환자의 30~90%가 이러한 제제들을 사용한 적이 있다는 보고도 있다(Gerber 1998).

약용식물제제의 효능을 확인하기 위한 가장 좋은 방법은 위약대조군 연구이지만 매우 적은 수만이 보고되었다. 전립선비대증 환자에서 위약과 비교하여 효능이 입증된 약용식물제제는 beta-sitosterol로 요속과 증상이 개선되었다(Berges, 1995). 쏘팔메토는 톱야자나무의 열매 추출물로 국내에 광범위하게 사용되고 있는 약용식물제제이다. 하지만 72주간 시행한 위약과 비교연구에서 그 효능을 입증하지 못 하였다(Barry, 2011). 320 mg까지 증량하여도 위약 대비 의미있는 국제증상점수의 감소(위약 −2.99 vs. 쏘팔메토 −2.2)를 보이지 못하였고, 최대요속, 잔뇨량, PSA도 의미있는 차이를 보이지 않았다. 코크라인 리뷰(Tacklind 2012)에서도 국제증상점수, 야간뇨, 최대요속, 전립선용적에 쏘팔메토가 위약보다 우수한 효과를 보이지 않는다고 결론지었다. 이러한 약용식물제제들의 안전성은 비교적 잘 알려졌으나 효과적 측면에서는 그렇지 못하며 효능을 입증하기 위해서는 더 많은 위약대조연구가 시행되어야 한다. 표 46-3에는 흔히 사용되는 약용식물제제를 정리하였다.

표 46-3. **전립선비대증의 치료에 사용되는 약용식물제제**

The root of Hypoxis rooperi(South African star-grass)
The fruit of Sabal serulatum(Dwarf palm)
The fruit of Serenoa repens B(American dwarf palm)
The seeds of Cucurbita pepo(Pumpkin seed)
The bark of Pygeum africanum(African plum)
The leaves of Populus tremula(Aspen)
The roots of Echinacea purpurea(Purple coneflower)
Pollen extract of Secale cereale(Rye)

전체 참고문헌 목록은
배뇨장애와 요실금 웹사이트 자료실
(http://www.kcsoffice.org)에서
확인할 수 있습니다.

제 47 장

전립선비대증의 수술적 치료

Benign prostatic hyperplasia -Surgical treatment

신정현, 주명수

전립선비대증과 연관된 합병증으로 신기능저하, 반복적인 급성요폐, 반복적인 요로감염, 방광결석 재발, 육안적 혈뇨가 발생하거나 약물치료에 반응하지 않는 중등도 이상의 하부요로증상이 있는 경우, 혹은 약물치료를 원하지 않는 경우 수술적 치료를 고려할 수 있다.

전립선비대증의 전통적인 수술방법에는 경요도전립선절개술, 경요도전립선절제술, 개복전립선절제술이 있고, 근래에 들어 홀뮴 레이저를 이용한 경요도전립선적출술의 뛰어난 안전성과 치료 효과가 입증되어 흔하게 시행된다. 그 외 최소침습수술방법으로 열치료, 레이저절제술/기화술, 전기기화술, 전립선내주사요법, 전립선요도부목유치 등이 있는데, 최근에는 수압 혹은 수증기를 이용한 전립선소작술, 전립선동맥색전술 등 새로운 수술방법의 치료효과와 안전성이 보고되고 있다. 미국비뇨기과학회에서 전립선의 크기에 따른 수술적 치료법을 다음과 같이 도식화하였다(그림 47-1).

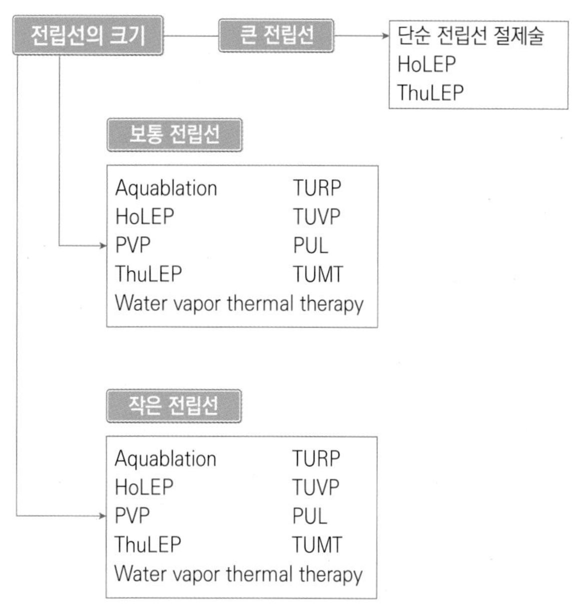

그림 47-1. 전립선의 크기에 따른 수술적 치료법.
(출처: Foster et al, 2019)

1. 수술 전 평가

전립선비대증의 수술적 치료를 시행하기 전에는 반드시 병력청취, 소변검사, 직장수지검사, 증상설문지, 신기능검사를 시행해야 한다. 소변검사는 환자의 증상과 요로감염의 연관성 여부를 파악하는데 도움이 되며 전립선비대증 환자 8~24%에서 나타나는 요로감염은 수술 전에 치료하여야 한다. 요로감염이 없더라도 수술후 감염을 줄이기 위해 예방적 항생제 사용이 권고된다. 직장수지검사를 통해 전립선크기를 측정할 수 있고 종양 동반여부를 의심할 수 있고, 혈중 크레아티닌 검사를 통해 신기능을 평가한다. 전립선의 크기와 모양을 평가하기 위해 경직장초음파를 시행할 수도 있다.

이외에도 요속검사 및 일부 환자에서 선택적으로 압력요류검사를 고려할 수 있다. 요속검사는 하부요로의 폐색의 진단을 위한 가장 간단한 검사이지만 하부요로폐색과 배뇨근 기능저하를 감별할 수 없다는 단점이 있다. 압력요류검사는 침습적이며 검사과정이 복잡하고 고가의 장비 및 숙련된 검사자가 필요하지만 폐색과 배뇨근기능저하를 구분할 수 있는 유일한 검사로 진단이 불확실할 때 수술 전 검사를 시행해야 한다. 무반사성방광 환자를 폐색으로 오인 할 경우 수술 후 증상 개선이 되지 않을 수 있다. 방광경검사는 전립선선종의 크기와 형태를 파악하고 방광내 동반 병변을 찾아낼 목적으로 시행하였으나 실제로 수술방법의 변화를 준 경우는 극히 드물어 관행적인 술 전 방광경검사는 권장하지 않는다.

2. 전통적 수술방법

1) 경요도전립선절개술

경요도전립선절개술(transurethral incision of the prostate, TUIP)은 Collings knife나 레이저를 이용하여 양측 요관구 원위부부터 정구 근위부까지 5시와 7시 방향으로 절개를 가하거나 6시 방향으로 단일절개를 가하여 전립선조직의 제거 없이 전립선비대로 인한 폐색을 완화시키는 방법으로 절개의 깊이는 전립선피막까지 도달하여야 하지만 너무 깊게 절개를 가해 관류액의 누출이나 직장 손상이 발생하지 않도록 주의하여야 한다. 일반적으로 전립선크기가 30 g이하이고 전립선 중엽의 비대가 없을 때 시행된다.

현재까지의 여러 연구를 종합해보면 경요도전립선절개술은 30 g보다 적은 전립선에서 경요도전립선절제술과 비슷한 정도의 증상 개선을 보이며 치료효과는 장기간 유지되고 역행성 사정 등의 합병증 발생이 적어 특히 비교적 젊은 전립선비대증 환자에서 중요한 치료적 역할이 있다.

2) 경요도전립선절제술

최근 다양한 최소침습치료법이 개발되어 도입되고 있지만 경요도전립선절제술(transurethral resection of the prostate, TURP)은 전립선비대증에서 가장 효과적인 치료방법이다.

(1) 단극성과 양극성 시스템

전통적으로 경요도전립선절제술은 단극성(monopolar) 시스템을 이용하였다. 단극성 시스템은 전기적 특성상 관류액으로 1.5% 글라이신이나 만니톨을 이용해야 하며 관류액의 흡수로 인해 경요도전립선절제술증후군이 발생할 수 있고 이러한 우려로 인해 양극성(bipolar) 시스템이 개발되었다. 양극성 시스템은 단극성과는 다르게 관류액으로 생리식염수의 사용이 가능하여 경요도전립선절제술증후군의 발생 우려가 없어 안전성 측면에서 단극성 시스템에 비해 장점이 있으며 점차 단극성 시스템을 대치할 것으로 기대되고 있다.

(2) 술기

수술 전에 수술에 필요한 기구를 점검하고 환자의 위치를 정돈하며 절제경을 원활하게 삽입하기 위해 요도를 26~28 Fr까지 확장한다. 전립선 절제 전, 방광경부-방광삼각부와 좌우 요관구, 그리고 정구와 외요도괄약근의 위치를 확인한다(그림 47-2). 전립선첨부조직은 정구와 외요도괄약근 사이에 위치하며, 외요도괄약근은 절제경을 전후로 움직일 때 정구 하부 요도에

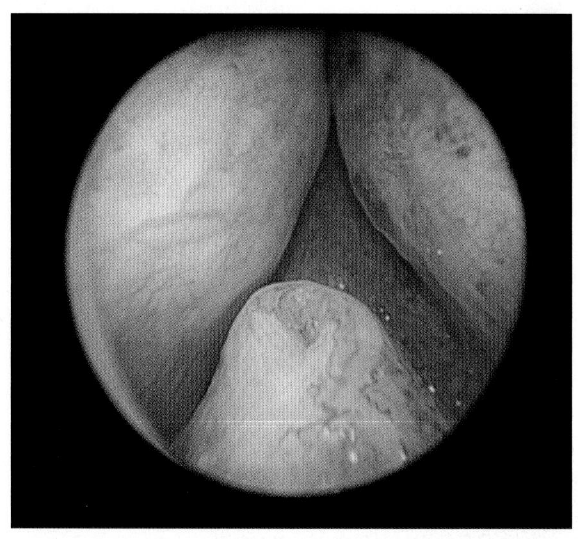

그림 47-2. **정구와 비대된 전립선**

주름이 잡힌 것으로 위치를 확인한다. 절제경을 삽입한 후 움직임이 용이하지 못한 경우에는 요도구를 배면절개(dorsal incision)한다.

경요도전립선절제술 방법은 전통적으로 Nesbit 방법이 많이 이용되어 왔고, 다양한 변형된 방법들이 소개되고 있지만 모든 방법이 전립선선종을 일정한 방법을 통해 단계적으로 절제한다는 점은 동일하다.

① Nesbit 술기(그림 47-3)

i) 1단계

절제는 방광경부에서 12시 방향부터 시작하고 9시 방향으로 단계적으로 시행한다. 이 위치에서 선종의 절제는 방광경부의 환상의 섬유가 보일 때까지 시행하며 그 이상의 과한 절제는 방광경부구축을 유발할 수 있다. 같은 방법으로 12시부터 3시까지 절제한 후 6시 방향으로 절제를 연장한다.

ii) 2단계

전립선종을 4분면으로 나누어 절제한다. 절제경을 정구 바로 앞에 위치시키고 12시 방향부터 절제를 시작해 전립선 측엽을 전립선와 중간까지 떨어뜨린다. 절제는 전립선피막의 섬유조직이 노출될 때까지 시행하며 양측 측엽을 계속해서 절제하면 측엽이 전립선와 바닥으로 떨어지고 떨어진 측엽을 3시와 9시 방향부터 시작하여 절제한 후 측엽 후면을 정구 방향으로 절제한다.

iii) 3단계

전립선선종의 첨부를 절제하는 시기로 정구를 보존하며 외요도괄약근 전까지 선종을 절제한다.

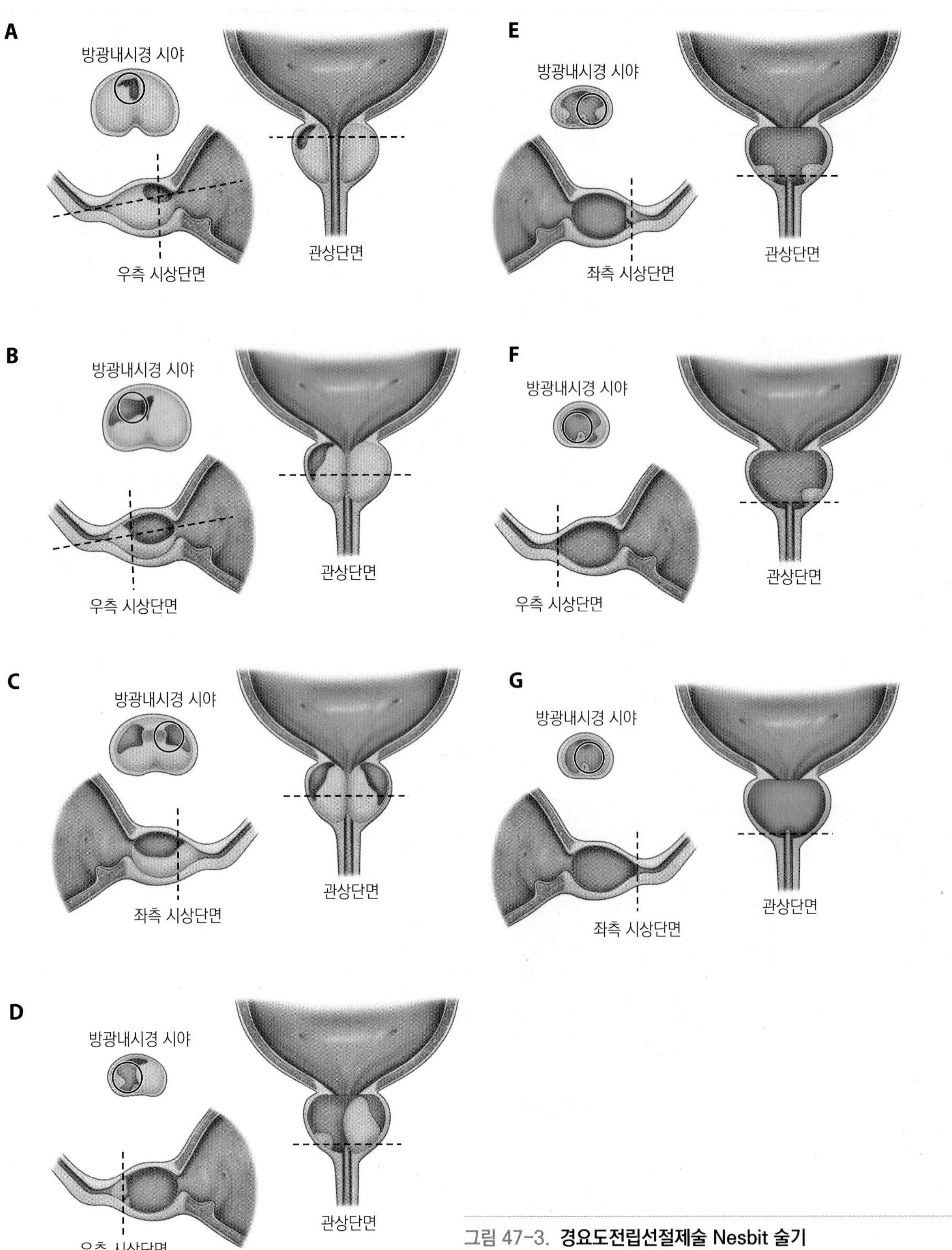

그림 47-3. **경요도전립선절제술 Nesbit 술기**

② May & Hartung 술기(May-Hartung, 2006)

6시 방향으로부터 절제를 시작하며 7시부터 5시 방향까지 중엽을 전립선피막까지 완전히 절제한다. 선종이 작을 경우 12시 방향을 향해 양측으로 절제를 연장하여 선종을 완전히 제거한다. 선종이 클 경우에는 중엽절제 후 3시와 9시방향의 양측 측엽에 전립선 피막이 노출될 정도의 틈을 낸 후 9~6시, 3~6시 방향의 선종을 절제한 후 3~12시, 9~12시 방향의 선종을 절제한다. 이렇게 선종 중간에 틈을 내어 절제하면 절제시간을 줄일 수 있고 출혈 조절이 수월하다. 이러한 과정 후 남게 되는 전립선 첨부의 선종은 정구 측면으로부터 시작해 시계방향으로 여러 번의 짧은 절제를 이용하여 완전히 제거한다(그림 47-4).

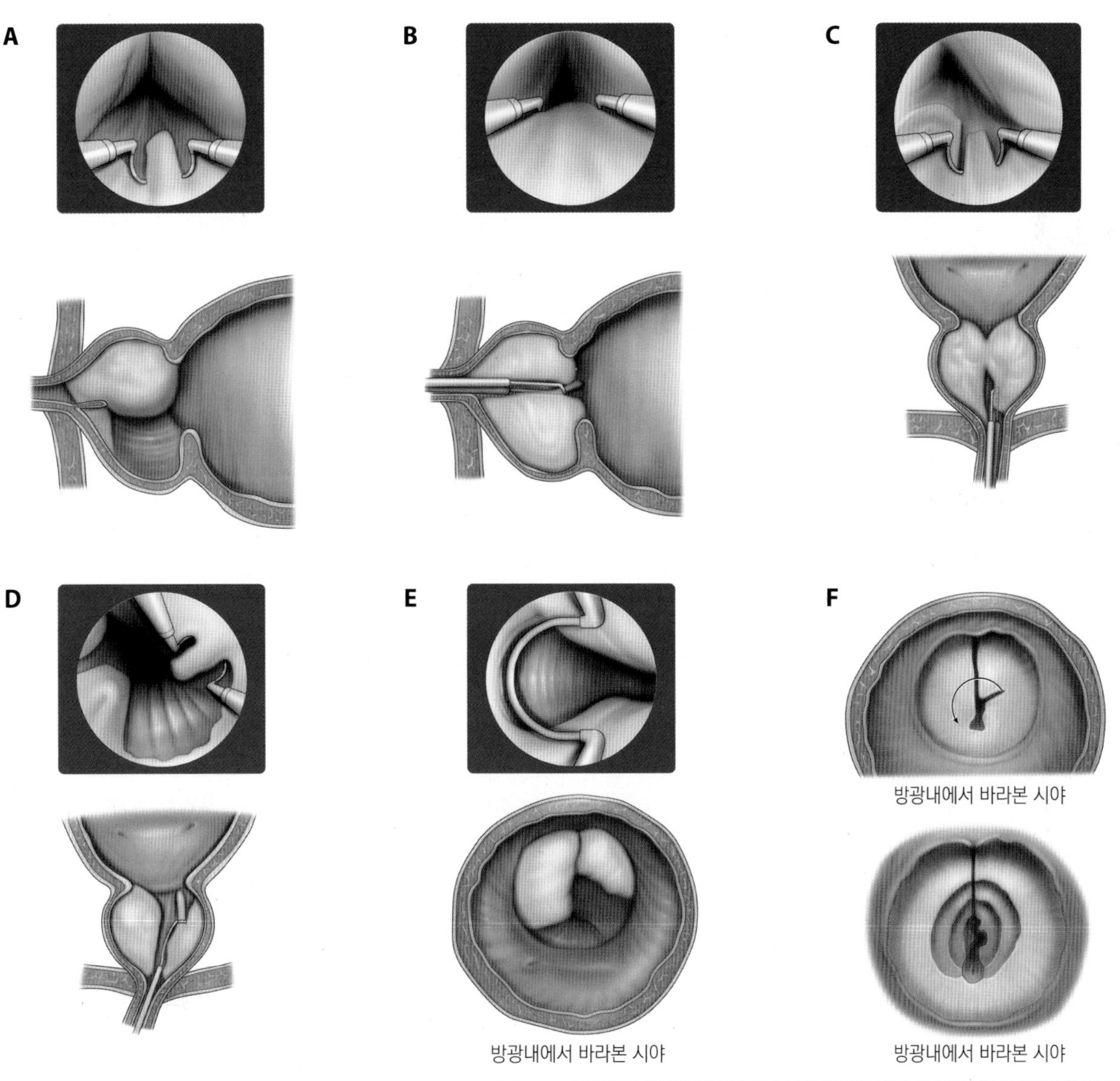

그림 47-4. **경요도전립선절제술 May & Hartung 술기**

(3) 합병증

① 수술 중 또는 수술 후 초기 합병증

i) 출혈

수술 중 출혈량은 전립선의 크기, 수술 시간, 술자의 숙련도와 관련이 있다. 동맥성 출혈은 전기소작을 통해 바로 지혈한 후 다음단계로 넘어가야 한다. 수술 후 도뇨관을 유치했을 때 관류액은 옅은 분홍색을 띠는 것이 정상이며 만약 관류액이 계속해서 붉은 색을 보이면 동맥성 출혈이 있을 수 있기 때문에 절제경을 다시 넣어 지혈을 해야한다. 정맥성 출혈은 방광을 100 mL 정도 채운 후 도뇨관 풍선을 50 mL까지 부풀린 후 7분 정도 도뇨관을 견인하여 조절할 수 있다.

ii) 관류액 유출

전립선 정맥의 출혈이나 피막천공 또는 방광천공 시 관류액이 유출되는데, 천공의 크기뿐 아니라 시술 중 얼마나 일찍 관류액 유출이 발생하였는지에 따라 증상 정도에 차이가 난다. 보통 2% 정도의 환자에서 발생하며 관류액 유출 시 복통, 오심, 구토, 불안 등의 증상이 나타나며, 이러한 증상이 발생하면 지혈한 후 시술을 중단하는 것이 좋다. 방광조영술이 관류액 유출에 대한 진단과 정도를 파악하는데 도움이 되며 치료는 보통 도뇨관 유치로 충분하지만 복부강직이 나타나면 심한 누출을 의심하여 치골상부에 배액관이나 방광루를 설치하기도 한다.

iii) 경요도전립선절제술증후군 (TURP syndrome)

경요도전립선젤제술 중 관류액의 전신 흡수 때문에 나타나는 증상으로 2%에서 발생한다. 주로 관류액이 개방된 정맥총을 통해 전신 흡수되어 저나트륨혈증, 혈장 삼투압의 감소, 고칼슘혈증, 고혈당, 고암모니아혈증 등을 일으켜 발생한다. 위험요소는 나이, 45 mg 이상의 전립선 비대, 90분 이상의 절제시간, 전립선 정맥총의 개방, 고압의 관류, 저장성 관류액의 사용 등이다.

관류액이 전신 흡수되면 심장, 폐, 혈액, 신장, 중추신경계에 다양한 영향을 주어 고혈압, 서맥, 오심, 구토, 의식혼란, 시야장애, 기민, 호흡곤란 등의 증상이 나타나고 심한 경우에는 쇼크, 급성신부전, 경련, 혼수, 사망에 이를 수 있다. 저나트륨혈증에 의한 경요도전립선절제술증후군은 200 mL의 3% 생리식염수를 천천히 정주하여 교정할 수 있다.

기존의 단극성 경요도전립선절제술과는 달리 양극성 경요도전립선절제술은 생리식염수를 관류액으로 이용하여 경요도전립선절제술증후군의 발생위험이 없다는 장점이 있다.

iv) 부고환염과 요로감염

부고환염은 1.1%에서 요로감염은 15.5%에서 나타난다. 과거에는 부고환염을 예방하기 위해 정관수술을 실시하였다.

② 후기합병증

i) 발기부전과 역행성사정

경요도전립선절제술 후 발기부전의 발생률 은 3~40%이며 나이 또는 수술 전 발기부전과 관련이 있다. 경요도전립선절제술 중 3시와 5시, 7시와 9시 방향의 전립선피막에 근접한 신경혈관다발의 열전도에 의한 손상과 전기소작에 의한 혈류 차단이 발기부전의 원인으로 추정된다. 역행성사정은 경요도전립선절제술 후 75%에서 보고되었다.

ii) 요실금과 배뇨이상

경요도전립선절제술 후 복압성요실금은 1~2%에서 발생하며, 대개 절제 중 외요도괄약근손상에 기인한다. 요절박이나 절박성요실금은 5~25%에서 발생하며 대개 술 전에 존재하는 배뇨근과활동성이 증상 지속의 원인이다.

iii) 증상 지속과 재발

경요도전립선절제술의 성공률은 80~90%로 보고되지만 환자 15%는 증상이 지속되어 추가적인 치료가 필요하다. 가장 흔한 증상은 야간뇨, 요절박, 주간빈뇨 등이며, 증상 지속의 원인으로는 불완전한 전립선 절제, 선종의 재증식, 방광경부구축, 요도협착, 방광기능이상 등을 고려할 수 있다. 증상이 지속되는 환자에 대한 요역동학 검사 시 증상을 호소하는 환자의 67%에서 배뇨근과활동성과 저방광유순도가 발견된다. 이는 지속적인 증상이 전립선폐색보다 방광기능이상에 기인하기 때문이다.

iv) 요도협착과 방광경부구축

전립선절제술 후 1.9~3.1%에서 요도협착이 발생한다고 알려져 있다. 방광경부구축은 0.5~3%에서 발생하며, 작은 전립선 선종의 절제 후 위험성이 더 증가한다. 이에 따라 전립선이 작은 환자에게는 경요도전립선절제술보다 경요도전립선절개술을 권장하기도 한다.

v) 사망

지난 50~60년간 경요도전립선절제술과 관련된 술후 사망률은 의미있게 감소되었다. 1930년대 5%에서 1960년대 2.5%, 1970년대 1.3%, 1980년대 0.2%였으며 최근 보고에 따르면 수술 후 30일 이내에 사망할 전체 위험률은 0.1%이며, 대부분의 사망은 심근경색에 기인한다.

3) 단순전립선절제술

Belfield가 1986년 치골상부를 통해 처음으로 개복전립선절제술을 시행한 이후, 단순전립선절제술은 지난 100여 년 이상 시행되었다. 단순전립선절제술은 경요도전립선절제술에 비해 재치료율이 낮고 전립선 선종을 더욱 완벽하게 제거할 수 있으며 경요도전립선절제술증후군의 발생을 피할 수 있다는 장점이 있는 반면, 복부의 절개가 필요하며 입원기간이 길어지고 출혈의 위험성이 높다는 단점이 있다. 과거에는 단순전립선절제술을 치골상부 혹은 치골후방을 통한 개복단순전립선을 시행하였으나 최근에는 로봇보조단순전립선절제술이 시도되고 있다.

전립선비대증의 치료로서 단순전립선절제술은 전립선이 매우 커서 짧은 시간 내에 경요도절제술로 제거하기 곤란한 경우, 방광게실이나 경요도로 제거하기 어려운 크기가 큰 방광석 등이 동반된 경우, 요도협착이 심하여 요도경의 삽입이 곤란한 경우, 근골격계 질환이 있어 경요도절제술에 필요한 쇄석위를 취하기 어려운 경우 등 일부 환자에서 선택적으로 시행된다.

개복전립선절제술은 두 가지의 접근방법이 가능하다. 하나는 치골상부전립선절제술로 방광에 절개를 가하고 방광을 통해 전립선을 적출하는 방법이다. 다른 하나는 치골후전립선절제술로 전립선피막에 절개를 가하고 손가락으로 선종을 적출하는 방법이다. 치골상부전립선절제술은 전립선의 중엽이 큰 경우나 방광결석제거술 또는 방광게실절제술 등의 추가적인 시술이 필요한 경우에 적용되며, 치골후전립선절제술은 방광을 절개하지 않으며 지혈이 용이하다.

로봇보조단순전립선절제술은 로봇보조근치전전립선 절제술과 유사한 방법으로 시행되는데 경복막접근이 복막외접근방법보다 선호된다. 방광을 하방으로 내리며 Retzius space를 확보, 전립선 주변의 지방조직을 제거한 후 방광목에 절개를 가하여 전립선 선종에 접근한다. 로봇보조단순전립선절제술은 개복단순전립선절제술에 비하여 수술 시야가 더 좋고 입원기간이 짧으며 수술 전후로 출혈의 위험성이 현저하게 낮다는 장점이 있다.

3. 레이저 수술

레이저(LASER)는 Light Amplification by Stimulated Emission of Radiation의 앞글자로 이루어진 말로, 광선에너지가 열로 치환됨으로써 치료효과가 나타나며, 열로 야기되는 온도에 따라 두 가지 단계로 나뉜다. 60~100도에서는 비가역적 응고괴사가 일어나고 100도 이상에서는 조직이 타서 기화된다. 레이저는 전립선비대증의 수술적 치료에서 전립선 조직을 태워 기화시키거나 내시경적 적출술(enucleation)에 활용된다.

전립선비대증의 치료에 적합한 레이저로는 Nd:YAG, KTP, Holmium:YAG와 Thulium:YAG가 있다. 처음에는 Nd:YAG가 널리 이용되었으나 십 수년 전부터 KTP와 Holmium:YAG가 이용되었으며 최근에는 Thulium:YAG가 치료영역을 넓히면서 주로 Holmium과 Thulium의 사용되고 있다.

1) Nd:YAG 레이저

Nd:YAG는 1,064 nm 파장의 빛을 방출하며 물에 대한 흡수성이 낮아 전립선조직에 대부분 응고효과를 미치고 지혈에 용이하지만 전립선 절제술이나 적출술이 불가능하다. Nd:YAG 레이저를 이용한 전립선 소작술은 경요도전립선절제술에 비해 낮은 이환율과 단기간의 주관적, 객관적 호전을 보였으나 치료 효과가 장기간 유지되지 않아 재수술 비율이 높고(수술 후 1년: TURP 0% vs. Nd:YAG 7.5~20%) 장기간(4주 가량) 도뇨관 유치를 필요로 하는 요폐 등의 문제가 있어 최근에는 흔하게 사용되지 않는다(Hoffman et al, 2003; Muschter, 2003; Wilson et al, 2005).

2) Potassium-Titanyl-Phosphate (KTP) 레이저

KTP는 KTP crystal을 이용하여 Nd:YAG 레이저의 주파수를 증폭시켜 532mnm 파장의 빛을 발생시킨다. KTP는 물보다 혈관 내 혈색소에 10,000배 이상 선택적으로 흡수되기 때문에(McAllister et al, 2004(5)) 이를 이용한 시술방법을 광선택적전립선기화술이라고 하며, 혈관이 풍부한 전립선에 효과적으로 사용할 수 있다. 또한 침투 깊이가 평균 0.8 mm이므로 열이 조직의 표층에만 작용하여 즉각적인 지혈과 기화작용, 주위조직으로 열이 확산되지 않아 수술 시야가 탁월하며 수술 후 부종이 발생하지 않는다. 시술 중 관류액인 생리식염수의 흡수가 일어나지 않아 에너지가 소실 없이 조직에 전달된다.

KTP 레이저의 출력은 기존 40 W의 낮은 에너지에

서 80 W로 높아지며 지속적인 조직 기화를 유도할 수 있으며 현재 120 W 이상의 고에너지를 이용하는 기구들도 사용되고 있다. 섬유가 측면에서 발사되며 섬유와 조직 간의 거리가 0.5 mm로 가까운 경우 즉각적인 기화가 발생하나 거리가 3~4 mm로 멀어지면 레이저가 넓은 공간에 도달하여 가열이 천천히 진행되므로 괴사가 발생하고 기화는 발생하지 않는다.

KTP는 조직에 0.5 mm 정도만 침투되고 응고괴사가 일어나는 범위도 1~2 mm이기 때문에 대부분 조직은 기화되어 없어지고 남아 있는 조직에는 거의 영향을 주지 않는다(그림 47-5). 따라서 시술시간이 짧고 증상 개선시간이 빠르며 도뇨관을 유지하는 짧다. 하지만 KTP를 이용한 전립선비대증 치료에 대한 대단위 연구와 장기간 추적 관찰 연구는 많지 않다(Kuntz RM, 2006).

KTP 레이저를 이용한 전립선 수술의 적응증은 경요도전립선절제술과 동일하고 특히 출혈성 소인이 있는 환자에서도 사용할 수 있다. 마취는 국소마취로도 시술이 가능하며, 전립선조직과의 거리를 0.5~1 mm

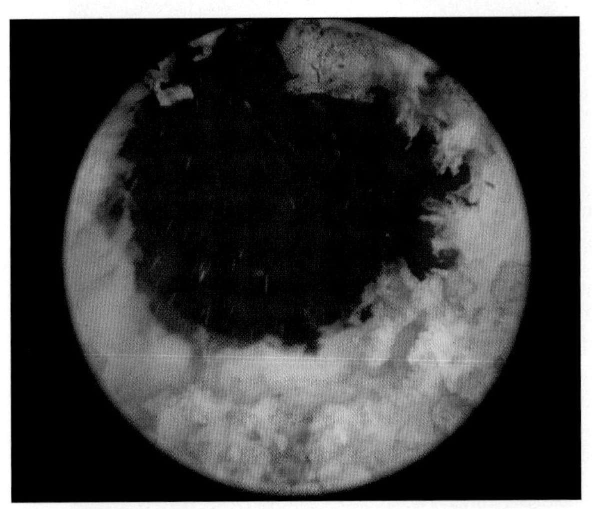

그림 47-5. **KTP 후 방광출구의 모습**

로 유지하면서 레이저를 쏘이면 전립선조직이 순간적으로 기화되어 없어진다. 비대된 전립선 제거는 방광경부에서 시작하여 정구 부위를 향하여 진행하며, 비대된 중엽이 있는 경우 내시경 조작을 쉽게 하고 관류액이 적절하게 유입될 수 있도록 이를 먼저 제거한다. 중엽을 제거할 경우 5시와 7시 방향에서 중앙부를 향하게 양측면을 먼저 제거하고, 이후 중앙을 제거한다. 양측엽의 제거는 방광경부의 1~2시 방향에서 시작하여 5~6시 방향으로 진행하여 양측을 대칭적으로 제거하고 전부를 제거한다. 경요도전립선절제술을 시행할 때의 원칙과 같이 시술 시 정구와 외요도괄약근에 손상을 주지 않아야 하며, 한 곳만 너무 깊게 시술하지 않아야 한다. 가능하면 방광경부를 보존하는 것이 역행성 사정의 빈도를 줄일 수 있다.

3) Holmium:YAG 레이저(Holmium laser enucleation of the prostate, HoLEP)

2,140 nm 파장의 Holmium:YAG는 다양한 출력을 낼 수 있고, 높은 출력에서는 조직을 기화시킨다. Holmium:YAG는 조직 침투 깊이가 500 miM 이하로 낮고, 물에서 잘 흡수되어 Nd:YAG보다는 전립선 조직의 기화에 유리하지만 기화속도가 비교적 느려 초기에는 20~30 g의 작은 전립선에 이용되었다. Holmium:YAG는 전립선조직에 대한 기화뿐만 아니라 섬유 전방에 생기는 기화 공기방울이 조직에 충돌하면서 조직에 균열이 생겨 일어나는 광기계적절개효과를 이용하여 전립선조직에 대한 절제가 가능하며 조직을 분쇄할 수 있는 분쇄기의 개발로 레이저를 이용한 전립선적출술이 가능해졌다.

Holmium:YAG를 이용한 전립선비대증의 치료는 단순 기화술부터 전립선 절제술, 전립선 적출술까지 계속 발전하고 있고 현재는 경요도전립선Holmium적출술이 기존의 경요도전립선절제술 보다 많이 이용되며 이전에는 개복전립선절제술이 필요했던 큰 전립선비대증의 치료로도 영역을 넓혀가고 있다. 2010년에서 2017년까지 국내 건강보험자료에 따르면 경요도 전립선 절제술은 2010년 6,801건에서 2017년 6,645건으로 약간 감소하였으며 홀뮴레이저를 이용한 전립선 적출술은 2010년에 278건에서 2017년에 3,805건으로 기하급수적으로 증가하였다(Jeon et al, 2019).

홀뮴레이저를 이용한 경요도전립선적출술(HoLEP)은 전립선종을 외과적 전립선피막으로부터 분리시키는 방법으로 조직을 분쇄하는 기구를 사용함으로써 수술이 가능해졌다. 레이저를 이용하여 전립선조직의 정확한 절개로 외과적 전립선피막으로부터 분엽을 분리하여 방광내로 조직을 밀어넣은 후 분쇄기를 이용하여 조직을 분쇄한 후 흡인기등을 사용하여 조직을 제거한다(그림 47-6). HoLEP의 학습곡선은 약 25~50건으로 80 cc 이하의 전립선비대증, 암 혹은 골반방사선 치료를 받지 않거나 항응고제를 복용하거나 수술 전 유치도뇨관을 삽입하지 않은 환자군에서 체계적인 지도아래 수행할 때 가능하고 보고된다(Kampantais et al, 2018).

제거방법은 방광경부 양측으로부터 정구 직전까지의 절개를 시작으로 전립선 첨부로부터 방광경부 방향으로 전립선 중엽을 먼저 제거한 후 양 측엽을 제거하는 three-lobe 방법이 주로 이용되며(그림 47-7) 일측 절개 후 한쪽 측엽과 반대측 측엽과 중간엽을 같이 제거하는 two-lobe 방법 혹은 전립선 선종을 en bloc으로 제거하는 방법이 이용되기도 한다(Oh, 2019). 전립선조직을 적출 후 방광으로 밀어넣고 분쇄기를 이용하여 전립선조직을 조각낸 후 배출시키는데 전립선조직의 분쇄 시 방광점막손상 등의 합병증이 발생할 수 있기 때문에 주의가 필요하다.

홀뮴레이저를 이용한 전립선 적출술을 시행하는 중

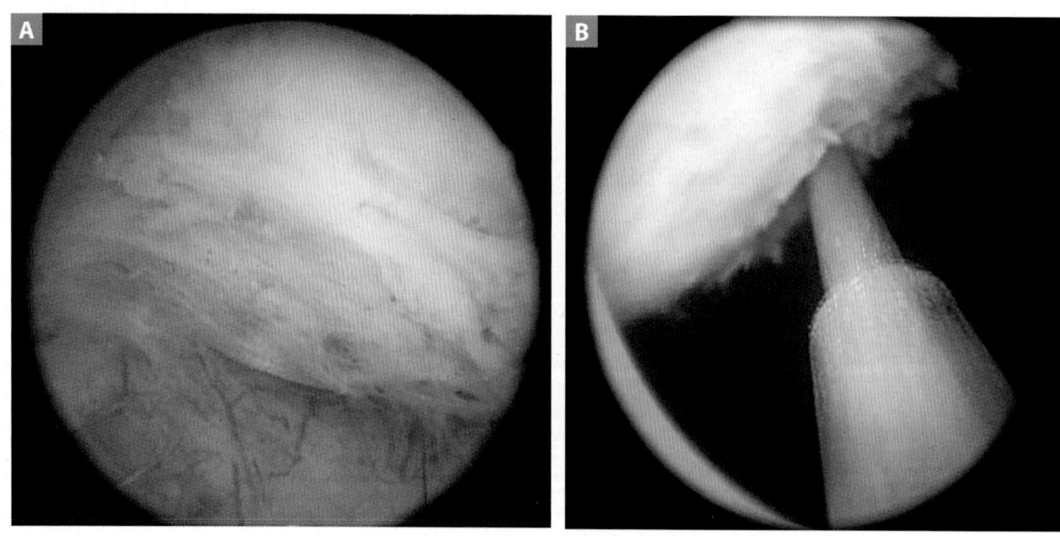

그림 47-6. **심한 전립선비대증 환자의 경직장초음파검사 소견.** (A) 전립선종의 분리 (B) 절제한 전립선 조직을 방광 내로 밀어 넣음

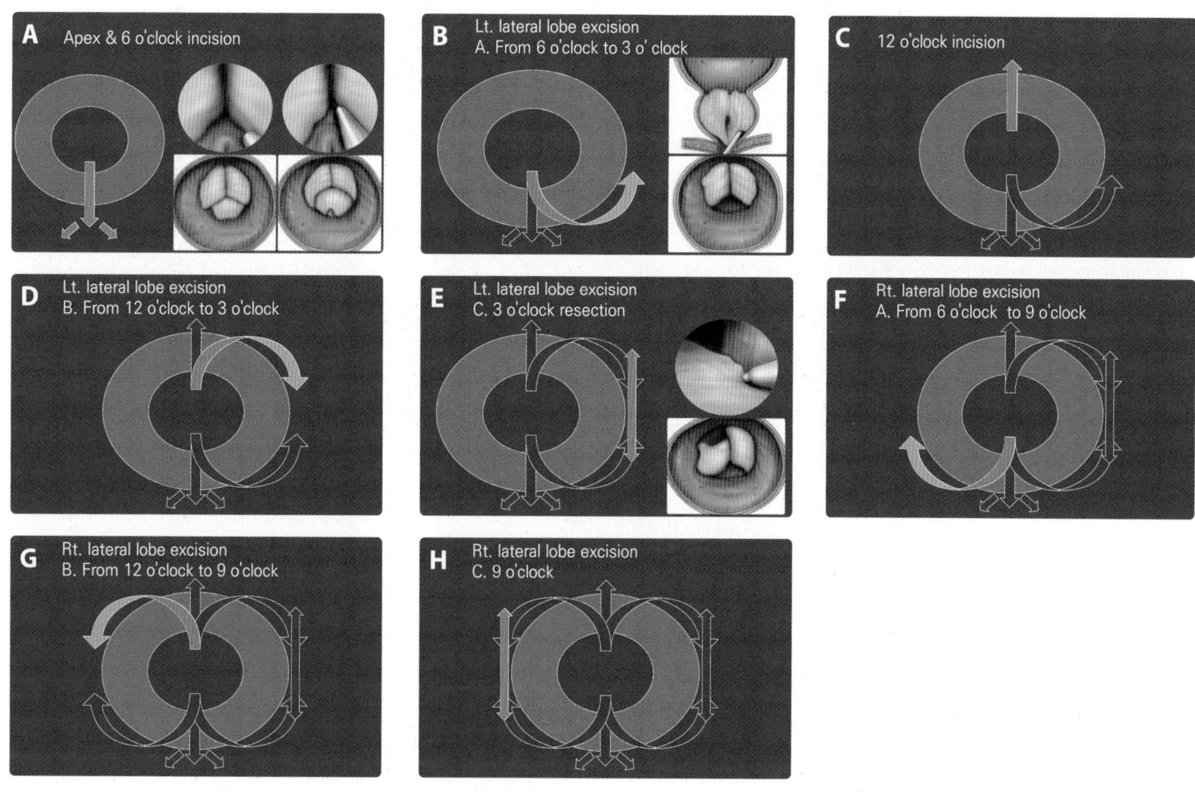

그림 47-7. **홀뮴레이저를 이용한 전립선 적출술의 예.** (Courtesy of Dr. Kyu-Sung Lee, 3판)

약 2.1%에서 요관 입구가 손상되거나 외과적 피막 보다 더 깊이 레이저 절개한 경우 약 1.5%에서 9.6%에서 피막천공이 발생한다고 보고된다. 또한 분쇄기(morcellator) 사용 중 방광벽이 표면적으로 손상 혹은 파열되어 방광천공이 일어나거나, 출혈로 시야가 좋지 않은 상태에서 방광으로 밀어 넣은 선종을 불완전하게 제거하는 경우도 있다. 홀뮴레이저를 이용한 전립선 적출술은 기존의 경요도전립선절제술 보다 출혈의 위험이 낮아(상대적 위험도 0.27) 수혈 가능성은 약 1.7% 이내로 알려져 있다.

경요도전립선절제술과 홀뮴레이저를 이용한 전립선 적출술을 비교한 체계적 고찰 및 메타분석에 따르면 작거나 보통크기의 전립선에서 홀뮴레이저를 이용한 전립선 적출술은 경요도 전립선 절제술에 비해 수술시간이 상대적으로 길지만 출혈 위험도가 낮고 도뇨관 유지 기간이 짧아 입원 기간이 단축되며 수술 후 12개월의 잔뇨와 IPSS 점수, 수술 후 24개월의 최대 요속이 더 좋았다(Zhong et al, 2019). 또한 홀뮴레이저를 이용한 전립선 적출술은 수술 후 요폐, 요로감염, 복압성요실금, 역행성 사정의 위험도가 제일 낮았다(Sun et al, 2018). 단순전립선절제술과 홀뮴레이저를 이용한 전립선 적출술을 비교한 무작위 배정 연구에서 수술 후 배뇨양상과 삶의 질 선문지 점수, 방광 경부 협착과 요도 협착 등의 합병증 발생 빈도에는 큰 차이가 없었다.

홀뮴레이저를 이용한 전립선 적출술 후 절박뇨 등의 저장 증상은 수술 시 다량의 레이저 에너지를 사용하기 때문으로 추정되는데 대부분 그 정도가 경미하다. 하지만 수술 전 요역동학 검사에서 배뇨근 과활동성이 있는 환자군의 경우 수술 후 저장증상이 호전되기도 하지만 많은 경우 증상이 지속되거나 악화되어 항콜린제 등의 약물치료빈도가 더 높다(Jeong et al, 2015). 일시적인 요실금은 일부 환자에서 흔하게 발생하나 영구적으로 요실금이 남는 것은 약 0.5~2%로 보고된다. 방광경부 협착은 0~3.2%에서 발생할 수 있고 요도협착은 4.4~7.0%에서 발생할 수 있다. 역행성 사정은 홀뮴레이저를 이용한 전립선 적출술에서 흔하게 발생한다.

4) Thulium:YAG 레이저(Thulium laser enucleation of the prostate, ThuLEP)

2,000 nm 파장의 Thulium:YAG는 홀뮴레이저와 비슷하게 전립선 조직의 기화, 절제, 적출이 가능하며 현재까지 Tm:YAG vaporization of the prostate (ThuVaP), Tm:YAH vaporesection of the prostate (ThuVaRP), Tm:YAG vapoenucleation of the prostate (ThuVEP), 그리고 Tm:YAG laser enucleation of the prostate (ThuLEP)의 네 가지 방법이 이용되고 있다.

208명의 환자를 대상으로 ThuLEP과 경요도 전립선 절제술을 비교한 연구에서 ThuLEP은 경요도전립선절제술에 비해 출혈이 적고 입원기간이 짧았으나 수술 후 3개월 추적관찰에서 최대요속, IPSS 점수, 잔뇨에는 유의미한 차이가 없었다(Bozzini et al, 2017). 116명의 전립선비대증 환자 (>80 cc)를 대상으로 HoLEP과 ThuLEP의 수술 후 18개월 째 치료성적을 비교한 무작위 대조군 연구에서 ThuLEP은 HoLEP에 비해 상대적으로 입원기간이 짧고 출혈량이 적었으나 총IPSS 총점과 삶의 질 점수, 최대 요속, 잔뇨는 큰 차이가 없었다(Zhang et al, 2019).

4. 열치료(Thermotherapy)

열치료에는 여러 가지 방법이 있으며, 그 명칭에 관계없이 모두 전립선에 열을 가하는 방법을 사용하므로 통틀어 열치료라고 한다. 회음부 불쾌감이 있을 때 뜨거운 물속(보통 40~42도 정도)에서 좌욕하는 것도 열치료방법에 해당된다. 이 정도의 온도에서는 조직의 변화는 발생하지 않고 혈관만 확장되어 혈류가 증가하지만, 50도 이상이 되면 단백질 응고가 일어나서 세포가 손상된다. 70도 이상의 고열에서는 단백질 변성뿐 아니라 세포 내 수분까지 증발하면서 세포가 터지는데, 이를 열파괴라고 한다. 이러한 원리를 이용하여 전립선을 정상 체온 이상의 적절한 온도로 유지시켜 증상을 완화하는 것이 열치료 방법이다. 45도 미만의 열로 치료하는 것을 온열치료, 45도 이상 65도 미만의 열로 치료하는 것을 고온치료, 65도 이상의 열로 치료하는 것을 열소작이라고 한다. 최근에는 흔하게 사용되지 않는다.

1) 경요도근초단파온열치료 (Transurethral microwave thermotherapy (TUMT))

경요도극초단파온열치료는 내부에 안테나를 장착한 도관 모양의 탐색자를 전립선요도에 유치시킨 후 요도를 통해 극초단파를 전립선조직에 가하여 비대해진 전립선조직내로 45~80℃의 열에너지를 전달하는 치료방법이다. 극초단파온열치료의 작용기전은 크게 고열에 의한 조직의 괴사, 전립선조직 내 교감신경수용체의 파괴와 전립선조직의 세포자멸사 유발이다. 전립선조직을 더 광범위하게 괴사시키려면 60℃ 이상의 고열이 필요하다. 60℃ 이상의 고열에서는 전립선조직의 광범위한 응고괴사가 일어나며, 수주 내에 열에 노출되었던 조직이 위축되어 압박 폐색되어 있던 전립선요도의 통로가 열리게 되므로 중등도의 폐색성 전립선비대증에 좋은 치료방법으로 생각되었다.

치료 후에 환자 93%가 배뇨통과 빈뇨를, 40%가 치료 중에 회음부동통을 호소하지만 부작용은 적다. 경요도근초단파온열치료를 실시하면 전립선세포손상이 일상적으로 일어나므로 전립선특이항원 수치는 극적으로 올라간다. 경요도전립선절제술과 치료효과에 대한 비교연구의 메타분석에서 경요도극초단파온열치료는 경요도전립선절제술에 비해 합병증 발생은 드물지만 증상호전이나 방광출구폐색의 호전에 있어서는 경요도전립선절제술만큼 효과적이지 못하며 상대적으로 긴 도뇨관 유치기간으로 요로감염과 요폐의 발생률이 높다고 보고하였다(Hoffman et al, 2004; Gravas et al, 2007).

2) 경요도침소작술(Transurethral needle ablation, TUNA)

경요도침소작술의 기본 원리는 고주파를 주요 에너지원으로 사용하여 요도점막을 손상하지 않고 침으로 전립선조직을 찔러 에너지를 직접 전달하여 조직을 응고괴사시키는 것이다. 에너지의 전달이 조직에 직접 접촉하여 이루어지므로 요도점막을 보존하여 괴사조직이 떨어져 나오는 것을 최소화하는 것이 최대 장점이다.

가장 흔한 합병증은 요폐이며, 13.3~41.6%까지 발생하며 수술 후 발생하는 저장증상이 두 번째로 흔한 합병증이다. 요로감염은 3.1% 정도로 비교적 드물게 발생하며 혈뇨는 많은 경우에 발생하지만 대부분에서 경미하며 단기간내에 호전된다. 경요도전립선절제술과 비교한 무작위 배정 전향연구에서 경요도침소작술은 전립선이 70 g보다 작고 최대 요속이 초당 15 mL보다 낮은 40세 이상의 환자군에서 18개월까지 추적관찰하였을 때 역행성 사정, 발기부전, 요도협착, 요실금 등의 합병증이 유의하게 적게 보고되었다(Cimentepe et al, 2003).

5. 경요도전립선전기기화술 (Transurethral electrovaporization of the prostate (TVP))

경요도전립선전기기화술는 경요도전립선절제술처럼 조직을 절제하는 대신 기화, 건조과정을 통해 폐색을 완화시키는 방법으로 1995년 처음 도입되었다. 경요도

전립선절제술에 이용되는 wire loop 대신에 grooved rollerbar를 이용하여 조직을 기화시킨다. 현재까지의 경요도전립선절제술과의 비교연구들에서 경요도전립선전기기화술은 단기간 동안의 증상호전, 최대요속증가는 비슷하지만 수술 후 저장증상과 요폐의 발생률과 재수술률이 높으며 아직까지 경요도전립선절제술보다 치료효과가 뛰어나다는 보고는 없다(Kupeli et al, 1998; Erdagi et al, 1999).

6. 새로 등장한 치료법

1) Water vapor thermal therapy (Rezum)

Rezum은 2015년에 FDA 승인되었으며 radiofrequency로 만든 수증기와 열에너지를 전립선 조직에 전달하여 액화시킨다. 기구의 끝에는 120도 간격으로 12개의 수증기 배출구가 있는 18 gauge 폴리에테르-에테르 케톤 바늘이 있어 전립선 조직에만 선택적으로 수증기를 균일하게 전달한다. 방광경 하 목표하는 위치에 90도로 바늘을 삽입하고 9초간 수증기를 주입한다. 보통 측엽은 1번에서 3번, 중간엽은 1번에서 2번 주입하는데 전립선의 크기와 전립선요도의 길이에 따라 주입 횟수를 조절할 수 있다. 4년까지 추적관찰 시 Rezum의 재치료율은 4.4%로 중장기 치료효과가 증명되었고 발기와 성기는 부전에 대한 합병증은 없었다. (Green el al, 2019; McVary et al, 2019)

2) Aquablation

AquaBeam (Aqualation - image guided robotic waterjet ablation, Procept BioRobotics, Red-wood Shores, CA, USA)는 고속의 물줄기로 전립선 조직을 선택적으로 소작하여 전립선비대와 방광출구폐색을 해소한다. 콘솔/페달, 로봇으로 조절되는 hand-piece, 경직장초음파프로브로 구성되는데, hand-piece를 방광경을 통해 삽입한 후 초음파로 시술 부위를 지정하면 고속의 물줄기가 배출되어 전립선 조직을 제거한다. Aquablation은 경직장초음파와 방광경을 통해 실시간으로 위치를 확인하면서 지정된 시술 범위만 소작하기에 주변 조직의 손상을 최소화할 수 있고, hand-piece가 로봇으로 조절되어 더욱 정교하다는 장점이 있다.

최근 30~80 cc의 전립선에서 경요도전립선절제술과 Aquablation을 비교한 전향적, 이중맹검, 다기관 임상연구인 WATER I과 80~150 cc의 전립선에서 Aquablation을 시행한 전향적, 다기관연구인WATER II 연구가 있었다. 수술 후 1년째 치료 효과를 두 연구에서 비교했을 때, IPSS 점수는 두 군간 차이가 없었고, 수술 3개월 째 Clavien-Dindo grade 2 이상의 합병증 비율은 WATER I에서 19.1%, WATER II에서 34.7%로 통계적으로 유의한 차이는 나지 않았다. 또한 Aquablation은 중간엽이 있고 방광내 전립선이 돌출된 경우에도 치료 효과가 비교할 만 하였으며 수술 후 새롭게 발생한 요실금과 역행성 사정의 비율도 홀뮴레이저를 이용한 전립선 적출술에 비해 현저하게 낮았다(Bhojani et al, 2019). Aquablation은 경요도전립선절제술과 비교하였을 때 그 효과와 안전성이 비교할 만 하였으나 추후 장기간 추적관찰 등 더 많은 연구가 진행되어야 할 것이다(Misrai et al, 2019; Gilling et al, 2019; Nguyen et al, 2019; Hwang et al, 2019).

7. 전립선 부목

전립선 부목(Prostate stent)은 스프링과 비슷한 코일 장치를 전립선요도에 일시적 또는 반영구적으로 유치하여 전립선요도 내 통로를 확장하여 요흐름을 돕도록 하는 것이다. 이 치료방법은 급성 또는 만성적으로 소변을 보지 못하여 전립선절제술을 시행받아야 될 환자가 마취의 위험성이 높아 수술받기 힘들 때 시도한다. 초기에는 삽입이 번거롭고 이물반응의 문제점이 있어 임상적 사용이 제한되었지만 근래에는 전립선초음파와 투시 유도하에 간단하게 유치할 수 있고 영구적인 부목도 개발되었다.

부목은 일시적 부목과 연구적 부목이 있는데, 일시적 부목은 비흡수성 혹은 생체내분행성 물질로 만든 것이다. 영구적 부목과 달리 육아조직의 성장이 적고 부분 마취하여 쉽게 제거할 수 있으나 부목의 이동, 육아종 형성, 요실금, 동통, 요로폐색이나 결석 생성이 단점이다. 영구적 부목은 금속과 유사한 물질(티타늄 혹은 니켈 티타늄)로 만든 것이다. 부목이 팽창되는 힘에 의해 요도벽을 유지하기 대문에 영구적 요로폐색의 원인인 육아종 형성이 많은 것이 단점이다. 하지만 무작위 비교 임상시험이 없으며, 장기 결과보고도 없어 효용성에 대해서 사용 전 충분한 상담과 주의가 필요하다.

1) 일시적 부목

일시적 부목은 비흡수성물질이나 생체내분해성물질로 만들어지며 수술적 치료에 적합하지 않은 전립선비대증환자에서 폐색의 완화를 위해 도뇨관 유치 대신에 이용되며 6개월에서 36개월에 한번씩 교체가 필요하다.

(1) 나선형부목

① Prosta Kath

Prosta Kath는 금이 도금된 21Fr 스테인리스강으로 만들어졌고 용수철같이 생긴 요도보철물을 방광경을 이용하거나 투시 유도하에 전립선요도부에 삽입하는 방법이다. 일부 환자에서 배뇨를 가능하게 하였지만 방광 자극증상이 심하고 요절박과 방광결석, 감염등의 합병증이 발생하였으며 부목을 제거하기가 용이하지 않았다는 보고가 있다.

② Prosta Coil

니켈-티타늄 합성물질로 만든 자가팽창성, 자가고정형 부목이다. 투시 유도하에 17 Fr 삽입도관으로 요도 내에 정확히 위치시킨다. 삽입후에는 자가팽창하여 24~30 Fr까지 확장된다. 일부 연구에서 삽입초기에 자극증상이 발생하지만 1개월 내에 호전이 되고 부목의 위치 이동을 줄이기 위해 삽입하기 전에 48시간 동안 20Fr 유치도관이 필요하다고 보고하였다.

③ Memokath

니켈-티타늄 합성물질로 만든 기억형상합금이며, 45~50도에서 팽창한다. 초기모델의 경우 일부에서 전립선 첨부에서 상피의 과형성이 보고되었고 현재 폐색을 줄이기 위해 변형된 형태가 시판되고 있다. Memokath를 삽입한 221명의 전립선비대증환자에서 IPSS는 3개월만에 20.3점에서 8.2점으로 호전되었고 많은 환자에서 7년간 이러한 증상의 호전이 유지되었다고 보고하였다. 13%의 환자에서 부목이 이동하였고 16%에서 부목의 위치조정이 23%에서 부목의 제거가 필요했고 이러한 보고를 통해 Memokath는 폐색의 치료에 있어 우수한 장기효과를 기대할 수 있지만 일부 환자에서는 실패할 수 있다는 것을 제시하였다.

(2) 폴리우레탄부목

① Intraurethral catheter

폴리우레탄으로 만들어진 16Fr 직경의 부목으로 방광경을 이용하거나 방사선 투시하에 정확한 위치에 부목을 삽입한 후 배뇨가 원활이 이루어질 때 도관에 달린 실을 끊어서 전립선요도 내에 고정한다. 6개월마다 교환하여야 하고 육아종 형성, 저장증상 등의 부작용이 있지만 삽입하기 쉽고 가격이 싸기 때문에 많이 사용된다.

(3) TIND

TIND (temporary implantable nitinol device, TIND; Medi–Tate, Or Akiva, Israel)은 전립선 요도에 물리적 압력으로 절개를 만들어 하부요로증상을 완화하는 기구이다(그림 47-8). 방광경을 이용하여 접힌 상태로 방광에 삽입 후 팽창시키고 방광경하 방광목 6시 방향에 건다. 삽입한 기구는 5일 후 제거하며, 전립선 요도의 5시, 7시 12시 방향에 물리적 압력을 가해 조직 괴사를 유도하여 폐색을 줄이는 데 목표가 있다. Porpigilia 등은 총 32명의 환자를 대상으로 TIND의 치료 효과를 12개월, 36개월까지 추적 관찰하였는데 9%의 환자만이 약물치료를 재개했고 성적으로 활동적인 환자 중 사정장애를 호소한 환자는 없었다고 보고하였다(Marcon et al, 2018).

(4) Prostatic urethral lift (PUL, Urolift)

Prostatic urethral lift (PUL)은 방광 목에서 정구까지 전립선 요도의 내강을 확보하는 것을 목표로 한다. Urolift (Neotract Inc., Pleasanton, California, USA)

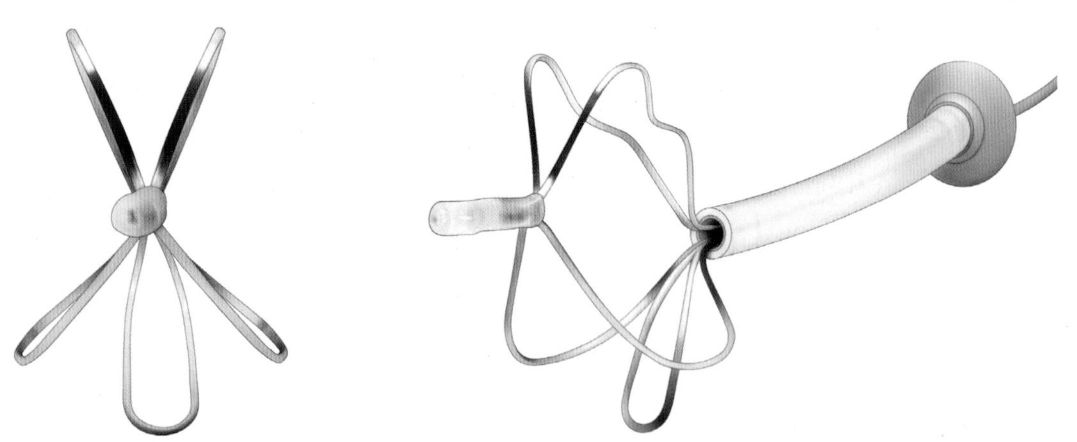

그림 47-8. **팽창한 TIND의 모습.** (출처: Marcon et al, 2018, Figure 1)

은 캡슐 모양의 니티놀 탭(길이 8 mm 직경 0.6 mm), 비흡수성 폴리에틸렌 모노필라멘트(직경 0.4 mm), 요도에 위치하는 스테인리스 말단부(8 × 1 × 0.5mm)로 구성된다. 방광경하 전립선의 측엽의 2시와 10시 방향에 삽입한다(그림 47-9). 요도 내부로 노출되는 스테인리스 말단부는 매우 작아 빠르게 상피화되어 encrustation의 위험도가 낮다. 전립선의 양측 측엽이 비대하고 크기가 20~70 cc 일 때 효과가 있다고 보고되는데 100 cc가 넘는 큰 전립선, 방광목이 높은 경우, 중간엽이 큰 경우는 상대적인 금기이다. 24개월 이상 추적관찰 하였을 때, PUL은 비뇨기계 증상과 삶의질 설문지 점수는 상대적으로 낮았으나 사정장애는 거의 보이지 않았다(Jung et al, 2019(25)). PUL은 중간엽이 거의 없고 작거나 보통크기의 전립선비대증 환자 중 성기능을 보존하고 일상생활에 조기 복귀하는데 관심이 있는 일부군에게 매력적인 선택지일 수 있다(Sonksen et al, 2015; Gratzke et al, 2017).

2) 생체내분해성 부목

생체내분해성 부목은 시술 후 일시적인 폐색이 일

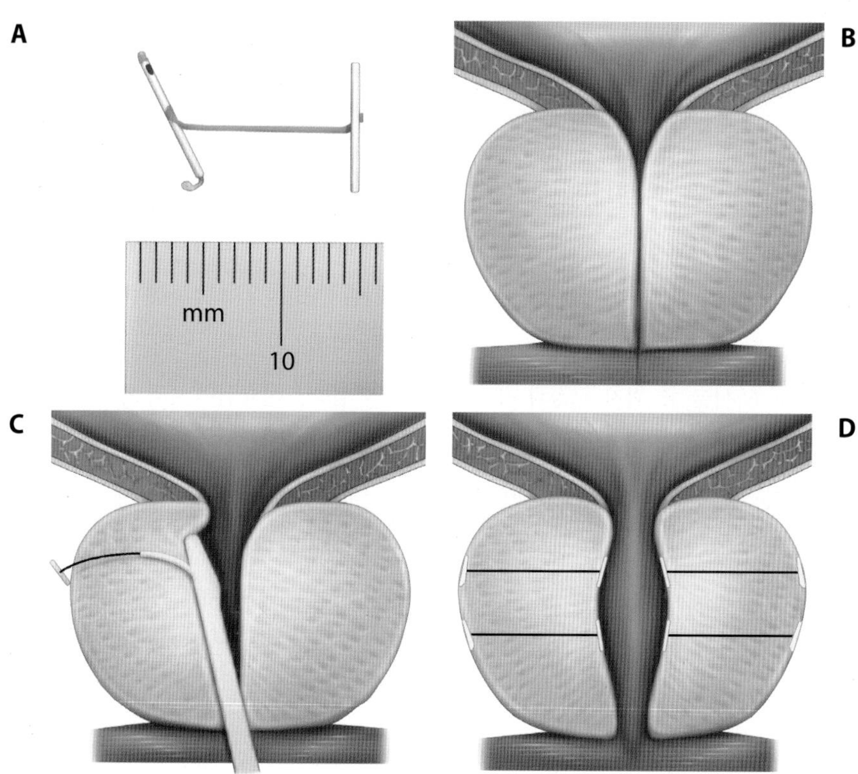

그림 47-9. (A) **Urolift의 구성: 캡슐 모양의 니티놀 탭(길이 8 mm 직경 0.6 mm), 비흡수성 폴리에틸렌 모노필라멘트(직경 0.4 mm), 요도에 위치하는 스테인리스 말단부(8 x 1 x 0.5 mm).** (B) **양측 전립선 측엽 비대로 인한 방광출구폐색** (C) **Urolift 삽입** (D) **Urolift로 확장된 전립선 요도.** (출처: Magistro et al, 2017- Figure 2)

어날 수 있는 레이저나 열치료 후 삽입하여 나중에 부목을 제거할 필요없이 일정기간 후 생체내분해로 인해 체내에서 사라지게 하기 위해 제작된 부목이다. 생체내분해성 물질인 polyglycolic aicd로 만든 제품이 임상에서 시도되고 있고 전립선비대증뿐만 아니라 요관 등 다른 분야로 관심이 확대되고 있다. 그러나 이러한 생체내분해성 부목이 전립선비대증에서 어떠한 치료적 역할이 있는지 정립하기 위해 규모가 큰 장기간의 연구가 필요하다.

3) 영구적 부목

(1) Urolume

Urolume은 메쉬로 짜여진 원통모양의 부목으로 삽입과 제거 시 특수 장치를 이용한다. 삽입 후 2~3개월간 배뇨곤란과 빈뇨, 요절박이 많이 나타나며, 부목 이동과 육아종 형성이 발생할 수 있다.

(2) Memotherm

티타늄-니켈 합성물질로 시술 중 위치 교정과 제거가 용이하다는 장점이 있다. 48례 중 15례에서 평균요속이 증가하는 만족스러운 결과가 있었으나 10계에서 심한 자극증상과 요실금, 부목 이동등이 발생하여 부목을 제거한 보고가 있다.

(3) UltraFlex

티타늄-니켈 합성물질로 만든 자가팽창성 부목이다. 부목 이동이나 육아종 형성의 빈도가 낮다는 장점이 있으나 현재 임상에서 사용되지 않는다.

8. 전립선 내 주사요법

1) 알코올

전립선비대증 치료에서 알코올의 작용기전은 탈수작용과 고정작용을 통해 조직의 울혈괴사유도와 알코올에 의해 알파수용체가 파괴되어 전립선요도의 김장도 저하로 추정되며 알코올의 주입은 경요도, 경회음부, 경직장의 경로로 투여할 수 있고 경요도 투여가 가장 많이 이용된다. 아직까지 적정 주입량에 대한 일치된 의견은 없고 2 mL에서 25 mL까지의 투여가 보고되고 있다. 합병증으로 급성부고환염과 만성전립선염이 보고된 바 있다.

2) 보툴리누스독소와 NX-1207

보툴리누스독소의 작용기전은 시냅스전신경에서 아세틸콜린이나 노르아드레날린과 같은 신경전달물질의 분비 억제, 전립선세포의 세포자멸사를 통한 전립선크기의 감소, 전립선에서의 감각신경세포억제와 중추신경계로의 구심성신경의 감소, 전립선평활근의 이완, 전립선 알파아드레날린수용체의 하향조정 등으로 추정된다. 하지만 임상시험과 메타분석에서 회음부를 통해 전립선 내 보툴리누스독소 주사는 전립선비대증으로 하부요로증상을 호소하는 남성환자에서 위약군에 비해 유의한 치료효과를 보이지 않아 치료방법으로 권고되지 않는다.

NX-1207은 선택적으로 세포자멸사를 유도하는 cysteine을 함유한 물질로 경직장초음파를 통해 전립선에 주입 시 치료효과가 있을 것으로 예측되었으나 실제 임상시험에서 기대한만큼의 효과를 보이지 않아 연구가 조기 종료 되었다(Magistro et al, 2017).

9. 전립선동맥색전술(Prostate arterial embolization (PAE))

전립선동맥색전술은 대퇴동맥을 통해 카터를 주입 후 내장골동맥, 하방광동맥을 통해 혈관조영술을 시행해서 전립선 동맥을 확인 후 선택적으로 막는 시술로 전립선의 성장을 억제하여 하부요로증상을 개선한다. 주로 영상의학과에서 시행되며 죽상경화증, 혈관이 지나치게 구불구불한 경우, 측부혈관이 발달한 경우 시술에 어려움이 있을 수 있다. 혈과조영술을 시행하며 방사선에 노출된다는 단점이 있으며 단기 합병증은 요도 작열감, 오심, 구토가 보고된 바 있다. 아직 양질의 무작위배정연구가 충분하지 않아 실험적인 치료방법이다(Teichgraber et al, 2018). 현재 국내에서 신의료기술로 사용되고 있으나, 장기간의 연구가 필요하다.

전체 참고문헌 목록은
배뇨장애와 요실금 웹사이트 자료실
(http://www.kcsoffice.org)에서
확인할 수 있습니다.

골반통증의 개관

Chronic pelvic pain: overview

김용태

1. 서론

1) 만성골반통의 정의

만성골반통은 악성종양 등의 다른 기질적 질환 없이, 6개월 이상 지속되거나 재발되는 골반통증을 말하며, 6개월이 경과하지 않았더라도 중추통증감각계가 과민화되어 있으면 만성골반통으로 진단할 수 있다. 방광염과 같은 다른 질환이 있더라도 이 질환의 치료에도 불구하고 통증이 지속되면 방광경 등 추가검사를 시행하게 되며 이러한 검사에서도 기질적인 이상 소견이 발견되지 않으면 만성골반통으로 진단할 수 있다(Fall et al, 2010).

2) 통증의 분류 및 병태생리

만성골반통에서 통증의 부위 및 양상, 신체검사 소견이 진단에 가장 중요한 요소이며 따라서 정확한 진단을 위해서 통증의 분류 및 병태생리를 이해하는 것이 필요하다.

(1) 내장통증(visceral pain)과 몸통증 (somatic pain)

내장통증은 몸통증과 다른 여러가지 특징이 있다. 첫째, 모든 내장기관이 통증감각을 느끼는 것은 아니다. 둘째, 내장통증이 항상 내장의 손상을 의미하는 것은 아니다. 이런 두가지 특징은 내장신경에 통각수용체가 없는 경우가 흔하기 때문이다. 셋째, 다른 신체부위에서 연관통증을 느낀다. 넷째, 정확한 통증의 위치가 확인되지 않고 넓은 부위에서 느껴진다. 다섯째, 과장된 운동신경 및 자율신경 반사를 동반한다. 이런 특징들은 상대적으로 수가 적은 내장신경 신호가 척수와 뇌에서의 재구성과정(central organization)에서 몸신경의 자극으로 오인되어 발생한다(Cervero, 2009).

(2) 통각과민(hyperalgesia)

과거에는 통증을 통각수용성통증(nociceptive pain: 조직 손상에 의해 신경 말단의 통각 수용체가 자극되어 발생하는 통증)과 신경병증통증(neuropathic pain: 신경의 과민화로 발생하는 통증)으로 구분하였으나 최근 신경병증통증의 정의가 몸감각신경계(somatosensory nervous system)의 질환으로 발생한 통증으로 바뀌어 과거에 사용하던 신경병증통증은 통각과민으로 표기하는 것이 더 적절한 표현이다(Cervero, 2009; Jensen et al, 2011).

통각과민은 일차적 통각과민과 이차적 통각과민으로 구분할 수 있으며, 일차적 통각과민은 조직손상에 의한 통각수용체의 자극에 대하여 감각신경이 과도한 반응을 보이는 것이며 따라서 일차적 통각과민은 조직 손상 부위에서 발생한다. 반면 이차적 통각과민은 중추신경계의 반응이 과도해지는 것으로 조직손상 부위의 주변 또는 멀리 떨어진 부위에서 발생한다. 내장통증에서 나타나는 연관통증은 내장신경의 이차적 통각과민에 의한 것이다(Cervero, 2009).

(3) 병태생리

만성통증은 통각수용성통증이 오래 지속되거나 자주 재발하여 발생할 수도 있지만, 통각과민이 발생하여 급성 조직 손상이 없는 상태에서 지속적으로 통증을 느끼는 경우도 있으며, 이 경우 비통증성 자극을 통증으로 감지하는 무해자극통증(allodynia), 통증성 자극을 더 강한 통증으로 감지하는 통각과민의 특징이 있고, 핵심근육(core muscle)의 통각과민으로 유발점(trigger point)이 발생하며, 자궁이나 장 등 다른 내장 기관도 예민해진다. 중추신경의 변화는 원심성신경의 변화도 동반하여 과민대장증후군과 같은 기능의 변화를 동반할 수 있고 심리적 변화도 유발한다(Fall M, 2010).

2. 만성골반통의 분류 및 진단

1) 만성골반통의 분류

유럽비뇨의학회(European Association of Urology, EAU) 가이드라인에서는 만성골반통을 비뇨기계, 부인과계, 직장항문계, 신경계, 근육계로 분류하고 비뇨기계 만성골반통은 다시 방광통증후군, 요도통증후군, 전립선통증후군, 음낭통증후군, 음경통증후군으로 분류하였다(표 48-1).

표 48-1. 만성골반통의 European Association of Urology 분류

대분류	기관별 분류	질환
만성골반통	비뇨기계	방광통증후군 전립선통증후군 요도통증후군 음낭통증후군 음경통증후군
	부인과계	자궁내막증 질통증후군 음순통증후군
	직장항문계	
	신경계	음부신경통증후군
	근육계	
비골반통증후군	비뇨기계	감별진단 참조
	신경계	음부신경통

2) 진단

골반통증후군은 증상으로 진단한다. 비뇨기계 만성골반통 환자에서는 통증의 부위 등에 대한 병력청취, 신체검사, 증상설문지 등으로 통증의 위치를 확인한 후 요검사, 요배양검사, 혈청 전립선특이항원(prostate specific antigen; PSA)(40세 이상의 남성에서) 검사를 시행하며 하부요로증상이 동반되어 있으면 요류검사, 배뇨후잔뇨량검사를 시행한다(van de Merwe et al, 2008). 진단이 내려지는 경우 이에 대한 적절한 치료를 한다. 적절한 치료에 반응하지 않거나 진단이 확실하지 않으면 통증이 있는 각 기관별로 검사를 시행한다(Fall M et al, 2010).

전립선통증후군은 종양, 결석, 감염 등 다른 질환 없이 지속적인 골반통증이 있는 경우 4배분뇨법검사(4-glass test)에서 원인균이 발견되지 않으면 진단할 수 있으며 경직장초음파검사와 혈청 PSA 검사를 시행한다. 방광통증후군은 하부요로증상을 동반하며 방광충만 시 심해지는 치골상부 통증이 특징이며 배뇨 후 호전된다. 염화칼륨 방광투과성검사(potassium chloride permeability test)의 유용성은 논란의 여지가 있다. 방광경검사/수압방광확장술을 통해 궤양성(Hunner궤양 또는 Hunner병변 양성) 또는 비궤양성으로 분류한다(Hanno et al, 2015). 음낭통증후군의 경우 음낭 촉진으로 결절, 압통 여부를 확인해야 하고 음낭초음파검사를 시행할 수 있으나 효용성은 제한적이며(van Haarst et al, 1999), 수술의 효과도 제한적이다. 요도통증후군은 요도의 통증, 배뇨통, 압통이 주 증상이며 요도내시경에서 요도 점막의 충혈이 관찰된다. 대부분 방광통증후군, 만성골반통증후군 등 다른 골반통에 동반되어 발생하며, 요도확장술, 국소 스테로이드연고, 항생제, 알파차단제 등이 치료에 사용되지만 근거는 희박하다(Fall et al, 2010).

모든 비뇨기계 만성골반통 환자에서 골반진찰을 시행하여 통증 유발점 유무를 확인한다. 만성골반통의 발생, 유지, 진행 등의 과정에서 심리적 요인이 관여하며 불안, 우울이 흔하고 성폭력 과거력이 있는 경우가 드물지 않으므로 모든 환자에서 정신건강의학과 자문을 의뢰하는 것이 바람직하다(Fall et al, 2010).

3) 감별진단

만성골반통의 진단은 주로 병력청취, 신체검사로 이루어지며 각 질환에 대한 검사로 확진을 내리기 어려운 경우가 많으며 유사한 증상을 일으키는 다른 질환이 동시에 있을 수 있으므로 감별진단이 매우 중요하다(van de Merwe et al, 2008).

특히 하부요로증상을 동반한 만성골반통의 경우 요검사에서 이상 소견이 없으면 전립선통증후군이나 방광통증후군으로 진단하고 치료하는 사례가 흔하며 이 경우 유사한 증상을 일으키는 다른 질환의 진단이 늦어질 수 있다. 유럽간질성방광염연구회(European Society for the Study of Interstitial Cystitis; ESSIC)에서는 방광통증후군과 혼동될 수 있는 질환의 감별진단을 권고하였다(van de Merwe et al, 2008)(표 48-2).

표 48-2. **방광통증후군과 혼동될 수 있는 질환**

감별진단	진단법
방광종양/방광상피내암	방광경검사/조직검사
감염	요배양검사/결핵균검사 /핵산증폭검사
포진바이러스감염/첨규콘딜로마	신체검사
칸디다질염	병력청취/신체검사
방사선방광염	병력청취/방광경검사
항암제방광염	병력청취/방광경검사
신경인성방광/방광경부구축	요역동학검사
방광결석	방광경검사/컴퓨터단층촬영
하부요관결석	요검사/컴퓨터단층촬영
요도게실	병력청취/신체검사
골반장기탈출증	병력청취/신체검사
자궁내막증	병력청취/신체검사
골반내 종양	신체검사/컴퓨터단층촬영
전립선암	직장수지검사/PSA
요폐	잔뇨량측정
과민성방광	병력청취/요역동학검사
전립선비대증	요역동학검사
만성세균성전립선염	병력청취/신체검사/4배분뇨법검사
음부신경통	병력청취/신체검사/신경차단마취
골반저근통	병력청취/신체검사

3. 만성골반통에서 통증의 일반적인 치료

만성골반통에서 통각수용성통증의 경우 비스테로이드항염증제(nonsteroidal anti-inflammatory drugs, NSAIDs)의 효과에 대한 연구는 거의 없으나 acetaminophen은 효과적이며 부작용이 적어 사용할 수 있으며, 효과가 없으면 마약성진통제의 사용을 고려한다. 신경병증통증에는 amitriptyline 등 삼환계항우울제가 효과적이며 fluoxetine 등의 선택적세로토닌재흡수억제제(selective serotonin reuptake inhibitor; SSRI)도 사용해 볼 수 있다. Gabapentin, pregabalin과 같은 항경련제도 시도해 볼 수 있으나 진통효과가 서서히 나타나 급성 통증의 치료에는 효과적이지 않으므로 단기간의 acetaminophen 또는 마약성진통제 병용이 필요하다. 약물치료 이외에 통증 유발점 주사법, 신경차단술, 보툴리누스독소(botulinum toxin) 주사법, 신경조정술, 재활치료법 등이 사용될 수 있다(Fall et al, 2010).

전체 참고문헌 목록은
배뇨장애와 요실금 웹사이트 자료실
(http://www.kcsoffice.org)에서
확인할 수 있습니다.

만성전립선염/만성골반통증후군

Chronic prostatitis/Chronic pelvic pain syndrome

정홍

1. 서론

만성골반통증후군은 남녀 골반과 관련된 기관 또는 구조물에서 유발되는 만성적이고 지속적인 통증이나 불편감이 3개월 이상 지속되는 상태의 질환군으로 신체적, 정신적 측면에서 여러 가지 부정적인 영향을 미친다. 만성골반통증후군을 유발하는 대표적 질환으로는 방광통증후군/간질성방광염 외에도 여성에서는 골반 및 부인과적 기능 이상이 있으며, 이차적으로 배뇨장애 및 성기능장애를 유발하기도 한다. 남성에서는 만성전립선염이 만성골반통증후군의 주요 원인 중 하나로 생각되고 있다(Campbell's Urology 11th edit). 남성에서 골반통증과 관련된 만성비세균성전립선염은 미국국립보건원(national institutes of health; NIH)에서 분류한 전립선염 증후군의 4가지 범주(표 49-1) 중 카테고리 3의 염증성(3a) 및 비염증성(3b) 만성골반통증후군을 말한다(Kriegger JN et al, 1999). 비뇨의학과 의사들은 만성비세균성전립선염 혹은 만성골반통증후군 환자를 자주 접하지만 진단 및 치료에 있어서 효과적이지 못한 경우가 빈번하다(대한비뇨기과학회, 2014;

표 49-1. 미국국립보건원 만성전립선염 분류

카테고리 1. 급성세균성전립선염	급성 증상을 동반한 전립선의 세균 감염
카테고리 2. 만성세균성전립선염	전립선에 감염병소가 있어 요로감염이 재발함
카테고리 3. 만성비세균성전립선염/만성골반통증후군	전립선에 요로병원균의 국소감염이 없음
3a. 염증성만성골반통증후군	정액이나 전립선액 혹은 전립선마사지 후의 첫 소변에서 백혈구의 증가
3b. 염증성만성골반통증후군	정액이나 전립선액 혹은 전립선마사지 후의 첫 소변에서 백혈구가 증가되어 있지 않음
카테고리 4. 무증상염증성전립선염	주관적 증상은 없으나 정액이나 전립선액에서 백혈구가 증가하거나 전립선 조직에서 염증 소견을 보임

대한요로생식기감염학회, 2013). 그 이유는 급성전립선염이나 만성세균성전립선염의 경우 감염이 주요 원인으로 알려져 있어 감염에 대한 적절한 치료를 선택할 수 있으나, 만성비세균성전립선염/만성골반통증후군은 감염보다는 염증성 질환 혹은 여러 요인이 관여하는 복합적인 원인에 의한 것으로 이해하여야 하기 때문이다(대한배뇨장애요실금학회, 2015). 1995년 미국국립보건원 산하 전립선염 연구회에서 제시한 전립선염 분류를 바탕으로 여러 연구들이 진행되었음에도 불구하고 병인 및 치료에 대해 밝혀지지 않은 것이 많다.

2. 평가 및 치료

만성비세균성전립선염/만성골반통증후군에 의한 통증은 발생 원인이 복합적이며, 통증의 호소 부위가 다양하여 정확한 평가 및 진단을 어렵게 한다. 그러므로 치료 역시 한 가지 방법으로 국한하기에는 어려움이 있다. 만성전립선염 및 만성골반통의 평가 및 진단 시 유사한 증상을 유발하는 질환을 우선적으로 고려하고 배제하여야 한다. 세균성전립선염, 하부요로결석, 요로생식기계 감염, 간질성방광염, 비뇨기계 종양 외에도 염증성 대장 질환, 직장이나 항문 주위 질환 역시 유사한 증상을 유발할 수 있다.

만성전립선염은 남성의 50%가 평생 동안 한 번 이상 경험하는 것으로 알려져 있으며, 우리나라 비뇨의학과의원 내원 환자의 15~25%가 만성전립선염 환자로 추정될 만큼 흔한 비뇨기계 질환이다. 특히 만성비세균성전립선염/만성골반통증후군은 전체 전립선염 환자의 85%를 차지하며, 정액이나 전립선액 혹은 전립선마사지 후의 첫 소변에서 백혈구의 증가를 보이는 염증형(3a)과 보이지 않는 비염증형(3b)로 나눌 수 있다. 이러한 만성전립선염/만성골반통증후군의 진단을 위해서는 병력 청취 및 신체검사가 우선되어야 한다. 이후 질환의 특성을 고려하여 골반의 통증이나 불편감을 일으킬 수 있는 질환들을 우선적으로 감별진단하여야 한다. 만성골반통증을 유발할 수 있는 질환이나 병력으로는 요도염, 세균성전립선염 과거력, 요로감염, 전립선비대증, 과민성방광 및 골반저근 질환, 요로결석, 변비, 설사, 과민성대장증후군, 골반내 악성 종양 등이 있다. 그 외에도 방광통증후군/간질성방광염 역시 만성적 골반통증을 유발할 수 있는 질환이다. 이에 대한 감별진단을 위해서 소변검사, 요세포검사, 전립선액검사, 혈액검사 및 초음파 검사 등이 시행될 수 있으며, 필요시 요도방광내시경, 요역동학검사, 컴퓨터단층촬영이나 자기공명영상촬영을 시행할 수 있다.

통증 혹은 불쾌감, 배뇨, 삶의 영향 및 질 평가 등 3개분야 9개 항목으로 이루어져 있는 미국국립보건원 만성전립선염 증상점수표(표 49-2)는 만성비세균성전립선염/만성골반통증후군의 진단 및 치료 효과 판정에 도움이 된다. 통증 및 불쾌감 점수는 0~21점, 배뇨 증상은 0~10점, 삶의 영향 및 질에 대한 평가는 0~12점으로 측정되어 총 43점이 만점이며, 점수가 높을수록 증상이 심한 것을 의미한다(Litwin MS et al, 1999). 만성전립선염/만성골반통증후군은 단일 치료법보다는 증상에 따른 복합적 치료가 필요하며 일반적으로 5가지 A의 치료가 근간이 된다(Doiron RC and Nickel JC, 2018, Zaidi N et al, 2017).

표 49-2. 미국국립보건원 만성전립선염 증상점수표

통증 혹은 불쾌감		
1. 지난 1주일 동안에 다음의 부위에서 통증이나 불쾌감을 경험한 적이 있습니까?	예	아니요
가. 고환과 항문 사이(회음부)	□ 0	□ 1
나. 고환	□ 0	□ 1
다. 성기의 끝(소변보는 것과 관계없이)	□ 0	□ 1
라. 허리 이하의 치골(불두덩이) 혹은 방광 부위(아랫배)	□ 0	□ 1
2. 지난 1주일 동안에 다음의 증상이 있었습니까?	예	아니요
가. 소변볼 때 통증이나 뜨끔뜨끔한 느낌	□ 0	□ 1
나. 성관계 시 절정감을 느낄 때(사정 시), 또는 그 이후에 통증이나 불쾌한 느낌	□ 0	□ 1
3. 위의 부위에서 통증이나 불쾌감을 느낀적이 있다면 지난 1주일 동안에 얼마나 자주 느꼈습니까?		
□ 0 전혀 없음 □ 1 드물게 □ 2 가끔 □ 3 자주 □ 4 아주 자주 □ 5 항상		
4. 지난 1주일 동안에 느꼈던 통증이나 불쾌감의 정도를 숫자로 바꾼다면 평균적으로 어디에 해당됩니까?		
□ 0 □ 1 □ 2 □ 3 □ 4 □ 5 □ 6 □ 7 □ 8 □ 9 □ 10		
↑ 전혀 없음 ... ↑ 상상할 수 있는 가장 심한 통증		
배뇨증상		
5. 지난 1주일 동안 소변본 후에도 소변이 방광에 남아 있는 것 같이 느끼는 경우가 얼마나 자주 있었습니까?		
□ 0 전혀 없음 □ 1 5번 중에 1번 이하 □ 2 반 이하		
□ 3 반 정도 □ 4 반 이상 □ 5 거의 항상		
6. 지난 1주일 동안 소변본 뒤 2시간이 채 지나기도 전에 또 소변 본 경우가 얼마나 자주 있었습니까?		
□ 0 전혀 없음 □ 1 5번 중에 1번 이하 □ 2 반 이하		
□ 3 반 정도 □ 4 반 이상 □ 5 거의 항상		
삶의 질에 미치는 영향		
7. 지난 1주일 동안에 상기 증상으로 일상생활에 지장을 받은 적이 어느 정도 됩니까?		
□ 0 없음 □ 1 단지 조금 □ 2 어느 정도 □ 3 아주 많이		
8. 지난 1주일 동안에 얼마나 자주 상기 증상으로 고민하였습니까?		
□ 0 없음 □ 1 단지 조금 □ 2 어느 정도 □ 3 아주 많이		
9. 만약 지난 1주일 동안의 증상이 남은 평생 지속된다면 이것을 어떻게 생각하십니까?		
□ 0 매우 기쁘다 □ 1 기쁘다 □ 2 대체로 만족스럽다 □ 3 반반이다(만족, 불만족)		
□ 4 대체로 불만족스럽다 □ 5 불행하다 □ 6 끔찍하다		
※ 만성전립선염 증상점수 통증 혹은 불쾌감: 1가, 1나, 1다, 1라, 2가, 2나, 3, 4의 합계 = 점 배뇨 증상: 5, 6의 합계 = 점 삶의 질에 대한 영향: 7, 8, 9의 합계 = 점		

1) 회피(Avoidance)

환자의 증상을 악화시키는 식이 혹은 운동(예, 자전거 타기) 등은 피한다.

2) 항생제(Antibiotics)

환자가 만성전립선염/만성골반통증후군으로 진단받은 후 한번도 항생제에 노출이 되지 않았던 경우 4~6주까지 항생제의 투여를 고려할 수 있다. 또한 요로감염의 과거력이 있는 경우 혹은 이전의 치료에서 항생제의 투여 시 증상의 호전을 보인 경우에도 투여를 고려할 수 있다. 퀴놀론제가 우선적으로 사용되며, tetracycline 등의 투여 시 효과를 보이는 경우도 있다(Zhou Z et al, 2008).

3) 알파차단제(Alpha-blockers)

알파차단제의 투여는 배뇨증상을 호소하는 만성전립선염/만성골반통증후군 환자에서 고려되어야 한다.

4) 소염제(Anti-inflammatories)

소염제는 몇몇 환자에서 치료 효과가 좋게 보고되고 있어 선택적 투여가 필요하다.

5) 5알파환원효소차단제 (5-alpha reductase inhibitors)

만성전립선염 환자의 12~16%에서 전립선의 비대를 동반하고 있다. 50세 이상의 남성 환자 혹은 전립선비대증이 동반된 환자에서 사용할 수 있다.

만성전립선염/만성골반통증후군의 치료로서 위의 5A 이외에도 생활습관 변화(lifestyle modification), 심리적 지지요법(psychological support) 전립선마사지(prostate massage), 골반저근 물리치료(pelvic floor muscle physiotherapy), 바이오피드백(biofeedback), 음부신경포착에 대한 치료(pudendal nerve entrapment therapy), acupuncture(침술) 등이 일부 환자에서는 증상 개선에 도움이 되기도 한다(Chang SC et al, 2017; Magistro G et al, 2016). 그러나 이러한 치료법들은 장기간의 치료에도 환자 개개인의 치료 만족도가 높지 않은 경우가 많다. 지속적인 치료에도 완전한 증상의 호전을 기대하기 어려우며, 통증, 배뇨증상 등은 지속적으로 환자의 삶의 질을 저하시킨다. 최근에는 환자의 개인적 증상 표현형에 맞춘 치료의 필요성이 대두되었으며, 흔히 UPOINT (Urinary, Psychosocial, Organ specific, Infection, Neurology, Tenderness) 체계의 임상표현형 평가(phenotyping)를 바탕으로 복합치료계획을 수립하고 있다.

3. UPOINT (S) 체계에 따른 복합치료 계획(Multimodal Treatment Plan)

만성전립선염/만성골반통증후군 환자가 호소하는 임상 증상이 다양하고 그 원인이 복합적이며, 확실하지 않은 경우들이 많다. 이에 각각의 환자가 호소하는 임상 증상에 따른 개별적인 접근을 통한 적절한 평가의 필요성이 대두되었다. 이러한 평가는 배뇨영역(urinary), 정신사회영역(psychosocial), 전립선 또는 방광 등 특정장기영역(organ specific), 감염영역(infection), 신경학적 영역(neurology), 압통영역(tenderness)으로 분류한 임상표현형 진단을 바탕으로 한다(그림 49-1). 환자가 호소하는 증상에 대하여 복합적으로 평가 및 진단을 하고 이를 바탕으로 한 치료를 결정하는 것이 권장되고 있으며, 최근 UPOINT 체계에 성기능영역(sexual; S)을 추가하여 평가 및 치료에 UPOINTS 체계를 적용하고 있다. 만성전립선염/만성골반통증후군 환자는 대부분 항생제, 소염진통제를 포함한 다양한 약제를 투여 받은 경우가 많다는 특징이 있다. 또한 통증 이외의 증상들도 충분히 파악하여 그 치료를 통증 치료와 함께 복합적으로 시도하는 것이 단일 치료보다 효과가 더 좋다는 것은 이미 입증된 사실이다. 감염과 염증에 의한 통증이 아님을 확인하였다면 신경병증통증에 대한 치료를 지체없이 시도해 보는 것이 최근의 권고안이다.

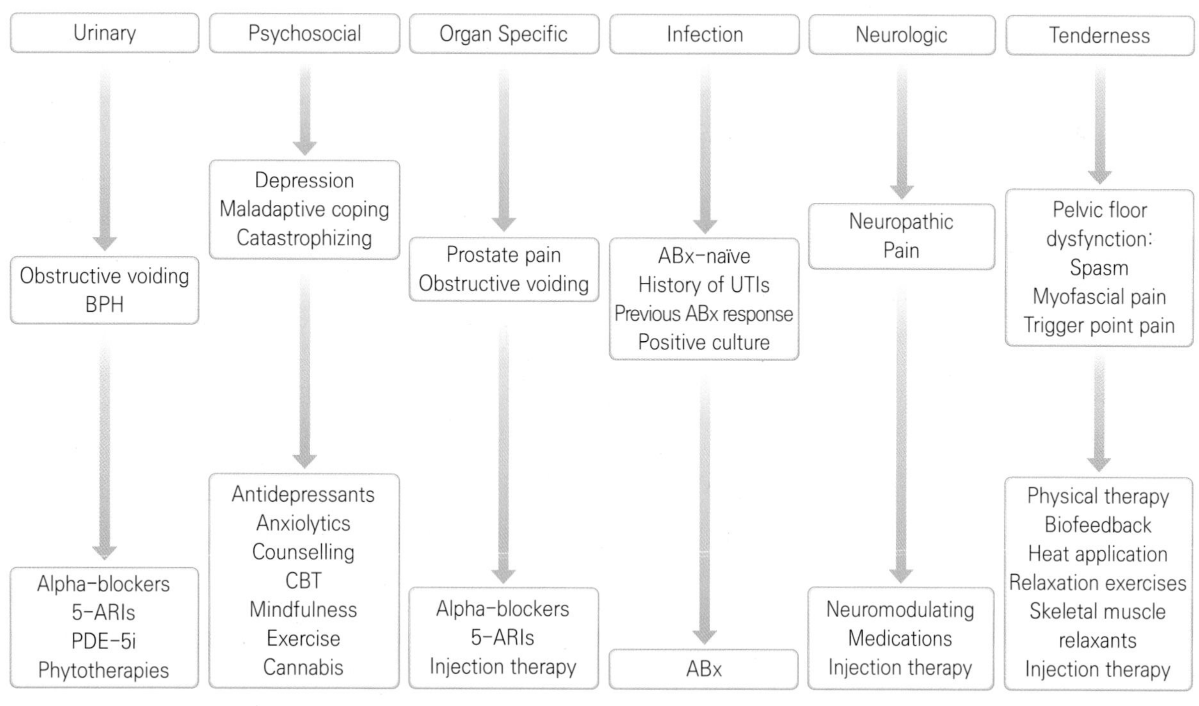

그림 49-1. UPOINT를체계에 따른 임상표현형을 근간으로 한 복합치료계획

1) 배뇨영역(urinary)

배뇨영역과 만성골반통증과의 연관성을 평가하기 위해서는 하부요로증상, 전립선비대증, 야간뇨에 대한 평가가 필요하다. 일반적인 소변검사 등에서 이상소견을 보이지 않는 경우, 국제전립선증상점수표, 배뇨일지, 요류검사 및 배뇨후잔뇨량측정, 경직장전립선초음파 등은 환자의 증상과 질환의 연관성 판단에 도움이 된다. 배뇨영역 증상에 의한 만성골반통증후군으로 확인된 경우 식이조절요법으로 수분섭취량 조절, 카페인 제한, 자극적 음식 제한 등을 고려해야 하며 약물치료로는 증상에 따라 알파차단제, 항콜린제, 베타3작용제, 항이뇨호르몬제제 등을 단독 혹은 복합요법으로 시도해 볼 수 있다.

2) 정신사회영역(psychosocial)

환자의 정신사회영역을 평가하기 위해서는 우울증, 불안장애, 스트레스의 과거력 및 동반 유무를 확인하여야 하며 필요한 경우 정신건강의학과 전문의에게 의뢰를 고려한다. 적절한 정신사회영역의 평가를 위해서는 환자에 대한 관심과 상담이 전제되어야 하며 이 영역에 이상이 의심되는 경우 증상에 따라 항우울제 혹은 항불안제를 처방할 수 있다.

3) 특정장기영역(organ specific)

특정 장기와 관련되어 골반통증이 발생할 수 있으며, 이러한 비뇨기계 장기로는 전립선과 방광을 생각해 볼 수 있다. 전립선영역을 평가하기 위해서는 직장수지검사에서 전립선의 특정부위에서 국소적인 압통이 있는지 확인해야 하며, 전립선분비물에서 염증세포 혹은 혈액이 검출되는지 확인해야 한다. 또한 경직장전립선초음파에서 전립선 내 과도한 석회화가 있는지 확인하고, 필요한 경우 방광내시경을 통해 전립선의 폐색 여부를 확인해야 한다. 전립선영역의 이상이 발견된 경우 필요에 따라 전립선비대증의 약물 혹은 수술적 치료를 시행할 수 있으며 비스테로이드항염증제, 항히스타민제, 전립선 마사지 등을 시행할 수 있다. 방광영역을 확인하기 위해서는 방광염 등 감염성 질환의 감별이 필요하며, 방광 충만 시에 골반 통증이 있는지 확인하여야 한다. 자극 증상의 유무 및 필요한 경우 방광내시경을 통해 방광 내 Hunner궤양(Hunner병변) 유무를 확인해야 한다. 방광영역의 통증이 의심되는 경우 방광통증후군/간질성방광염의 치료가 필요할 수 있다.

4) 감염영역(infection)

골반통증에서 감염 여부를 확인하는 것은 가장 기본적인 검사라고 할 수 있다. 골반염의 과거력이 있는지 확인하고 소변배양검사를 시행해야 한다. 남성의 경우 전립선분비물 배양 검사를 시행하고 여성의 경우 질분비물을 채취하고 골반 내진을 시행한다. 필요한 경우 골반 컴퓨터단층촬영 혹은 자기공명영상촬영을 시행할 수 있다. 감염영역 질환이 의심되는 경우 배양검사에서 음성인 경우라도 2~4주간의 항생제 치료를 시행해 볼 수 있으며 효과가 있는 경우 치료 기간의 연장을 고려한다. 배양검사 결과 양성으로 확인된 경우

6~12주간 항생제를 사용하고 농양이 발견된 경우 배액이 필요할 수 있다.

5) 신경학적 영역(neurologic)

신경학적 영역은 과민성대장증후군, 섬유근육통의 병력을 확인하고 전신통증후근(systemic pain syndrome)을 감별해야 한다. 골반 내진 시 천수신경반사 및 감각신경의 이상 유무를 확인하고 필요한 경우 소화기내과, 재활의학과, 신경과, 통증의학과와 협진을 고려해야 한다. 전신 통증을 완화하기 위해서 gabapentin, pregablin, amitriptyline 등의 약물치료를 시도해 볼 수 있다.

6) 압통영역(Tenderness)

압통 여부를 확인하기 위해서는 신체검사가 매우 중요하다. 특정부위의 압박 혹은 기타의 자극에 의하여 특수한 감각이나 증상을 일으킬 수 있는 발통점을 찾아봐야 한다. 발통점이 회음부에 있는 경우 도넛 방석, 좌욕 등을 권유해 볼 수 있으며 근육스트레칭 및 바이오피드백을 시행할 수 있다.

7) 성적영역(sexual)

성적영역을 평가하기 위해서는 발기부전 여부, 새벽발기 유무, 성교통, 성욕감퇴의 병력을 확인해야 하며 국제발기능측정설문지에서의 발기능지수(International index of erectile function, IIEF), 남성갱년기증상설문지 작성, 혈중남성호르몬농도를 측정을 시행해야 하며 이상이 발견된 경우 필요에 따라 금연, 운동, 스트레스 조절 등의 행동치료를 권유하고 약물치료로는 phosphodiesterase (PDE) 5 억제제 투여 혹은 남성호르몬 보충요법을 고려해야 한다.

전체 참고문헌 목록은
배뇨장애와 요실금 웹사이트 자료실
(http://www.kcsoffice.org)에서
확인할 수 있습니다.

제 50 장 방광통증후군/간질성방광염

Bladder pain syndrome/Interstitial cystitis

윤하나

1. 서론

1) 정의

방광통증후군과 간질성방광염은 혼용하고 있는 용어이나, 두 용어의 정의는 엄밀하게는 약간의 차이가 있다. 방광통증후군은 국제요실금학회(International Continence Society, ICS) 정의에 의하면 방광과 관련된 것으로 느껴지는 지속적이거나 재발성인 만성적인 골반의 통증, 압박감, 또는 불편감이 적어도 하나 이상의 하부요로증상(요절박, 빈뇨 등)과 동반되어 나타나는 것을 말한다. 이 때 이러한 증상을 일으킬 수 있는 다른 명백한 병리적 원인이 없어야 한다. 간질성방광염은 방광통증후군과 같은 증상을 가질 수 있으나 방광부위 통증과 같은 증상에 기반한 진단이 아닌 방광점막의 출혈소견인 구상화(glomerulation)병변이나 Hunner궤양(Hunner병변)과 같은 특징적인 방광경 소견과 비만세포(mast cell) 군집의 조직학적 소견을 동반한 경우로 정의한다.

방광통증후군/간질성방광염은 아직까지도 나라마다 진단적 정의가 조금씩 차이가 있다. 미국 비뇨의학회(American Urological Association, AUA)에서는 하부요로증상을 동반한 통증, 압박감 또는 불편감이 6주 이상 지속되고 그 원인을 설명할 수 있는 타 질환이 없는 경우를 방광통증후군/간질성방광염으로 정의한다. 이 과정에서 방광내시경은 필수적이지는 않으며, AUA의 정의에서는 방광통증후군과 간질성방광염을 구분하고 있지 않다. 유럽의 가이드라인에서도 마찬가지이나 가능한 조기에 방광내시경 검사를 하여 방광점막의 Hunner병변이나 구상화의 유무 및 정도 등을 조기에 구분할 것을 권장한다. 일본이 주축이 된 동아시아 가이드라인에서는 추가적으로 'hypersensitive bladder, HSB'라는 용어를 써서 방광내시경에서는 정상소견을 보이나 방광의 통증, 압박감, 불편감이 빈뇨, 야간뇨와 주로 동반되는 경우로 정의하고 있다.

방광통증후군/간질성방광염의 표준화된 정의에 대

해서는 아직도 논란이 있어 향후 좀 더 정리되고 일원화된 정의가 요구되고 있다.

2) 유병률

이 질환은 특징적으로 여성에서 더 많이 나타난다. 남녀 유병률의 비는 일본의 유병률 연구에서는 1대 1.2, 미국에서는 1대 9였다. 국내에서는 전국단위의 표준화된 유병률 연구는 아직 없으나 대한배뇨장애요실금학회에서 성인 남녀 3,000명을 대상으로 조사하였던 연구에서 전체 대상자의 16.1%(483명)이 방광통증후군 증상을 보였다. 이는 미국에서 최근 1,218명을 대상으로 진행한 연구(12.6%)보다 높은 수치였다. 이 연구에서는 여성(21.4%)에서의 유병률이 남성(10.7%)에서보다 2배 더 높았다.

2. 원인과 진단

1) 원인과 병인

(1) 면역세포의 활성화 (immune cell activation)

비만세포와 같은 면역관련 세포의 활성화는 방광통증후군/간질성방광염의 원인 또는 병인으로 기여할 것으로 여겨지고 있다. 비만세포는 다양한 기능을 가진 면역세포로 히스타민, 세로토닌, 사이토카인(cytokine) 등의 강력한 염증반응 매개체를 포함하고 있다. 따라서, 이 비만세포와 면역글로불린E(IgE)가 다른 염증관련 세포들이나 신경계와 상호작용하는 과정이 이 질환의 병태생리에 관련되는 것으로 여겨진다(Peeker et al, 2000; Elbadawi·Light, 1996).

궤양형 간질성방광염에서는 방광의 비만세포수가 10배 증가되나 비궤양형 간질성방광염에서는 그 수가 정상 또는 약간 증가된다(Peeker et al, 2000). 다른 소견들로는 증가된 교감신경성 신경지배가 증가하고, 점막하 신경세포의 염색이 증가하는 것들이 포함된다(Hohenfellner et al, 1992).

(2) 요로상피의 기능이상 (urothelial dysfunction)

Parsons 등(1991)은 간질성방광염에서 glycosaminoglycan (GAG)층의 결함, 즉 기능이상이 있는 요로상피(dysfunctional urothelium)가 방광의 투과성을 변화시킨다고 주장하였다. 간질성방광염의 전자현미경 소견에서 치밀연결(tight junction)이 벌어지고 침투성이 증가하는 것을 볼 수 있다(Anderstrom et al, 1989).

(3) 방광 내 요로상피 증식의 억제(inhibition of bladder urothelial cell proliferation)

요로상피세포의 기능 이상을 설명하는 한 가지 가설로 방광통증후군에서 헤파린 결합 상피성장인자 유사성장인자(heparin-binding epidermal growth factor-like growth factor)의 억제제를 생성한다는 것이다. 방광통증후군환자의 요로상피세포에서는 상피성장인자의 생성을 억제할 뿐 아니라 증식의 속도를 조절하며 증식을 억제하는 antiprolierative factor (APF)를 생성한다(Keay et al, 1996). 그러나, 이런 APF의 발현이 다른 연구에서도 동일하게 검출되지 않아 임상적으로 어느 정도의 의미가 있는지에 대해서는 아직 정립된 바 없다.

(4) 자가면역 기전

방광통증후군/간질성방광염은 전신홍반루푸스, Sjögren증후군, 그리고 천식, 음식 알레르기, 섬유근육통과 같은 질환들과 연관성이 있으며(Alagiri et al, 1997; van de Merwe et al, 1993; Ratliff et al, 1995) 자가항체 등 면역학적 반응에 대한 많은 보고들이 있다(Anderson et al, 1989; Mattila, 1990; Hanno et al, 1990).

또한, 궤양형 간질성방광염 환자에서 T세포 침착과 B세포 결절 형성이 더 심하고 비궤양형에서는 T cell 침착이 현저히 덜함이 보고된 바 있다(Harrington et al, 1990).

그러나, 자가항체는 모든 간질성방광염 환자에서 발견되지는 않으며, 방광통증후군/간질성방광염에서 면역반응은 아직까지는 일부에서 보이는 양상으로 여겨지고 있다.

(5) 감염

간질성방광염의 원인으로 밝혀진 미생물은 없다. 배양하기 힘든 세균이나 바이러스를 포함하는 미생물을 발견하기 위해 특수한 기술을 이용한 많은 연구가 있으나 미생물은 발견되지 않았다(Duncan·Schäffer, 1997). 미생물학적 원인은 간질성방광염의 만성 진행에 영향을 미치기보다는 초기 유발인자로 작용할 수 있을 것으로 추측된다

그러나, 최근의 연구는 세균이 죽지 않고 세포 속에 들어가서 상주하는 요로상피에 대한 연구가 활발히 이루어지고 있는데, 균이 분비한 내독소endotoxin에 의해 자극된 숙주의 면역반응이 지속되는 경우, 이런 반응이 만성 염증을 유발하며 간질성방광염의 원인이 될 수도 있다는 연구결과가 보고되면서 세균 감염은 전혀 새로운 방향의 원인인자로 관심을 받고 있다(Saban et al, 2001).

또한, 소변 내 미생물군집(microbiota)의 변화, nanobacteria의 존재 등도 간질성방광염 여성에서 그렇지 않은 여성과 구별되는 소견들로 보고되고 있다.

(6) Neurobiology/pelvic cross-talk

방광통증후군/간질성방광염에서 자율신경계의 변화에 대한 다수의 연구에서 교감신경이 활성화되고 퓨린성 신경전달이 활발해지는 것이 보고되었다. 그 예로 tyrosine hydroxylase의 발현이 증가되는 것을 들 수 있다(Peeker et al 2000).

한편, 동물모델에서 장기 사이의 양방향 상호 소통(bidirectional cross-talk)이 특히 대장과 하부요로간에 일어날 수 있으며 이와 같은 장기 사이의 교차 민감화(cross sensitization)는 방광통증과 염증성장질환과 같은 만성골반통증 질환군의 증상이 겹치는 것을 설명해준다(Towner et al, 2015).

(7) 기타

그 이외 원인으로 소변 내 독성물질(toxic agent), 방광의 저산소증(hypoxia), 산화질소의 대사 이상 등이 원인으로 추측되고 있으며, 유전적 관련성도 연구되고 있다.

2) 진단

(1) 병력 청취 및 신체검사

방광통증후군/간질성방광염 진단에서 가장 중요한 것은 요로감염력을 비롯한 자세한 병력 청취와 통증 양상의 확인이다. 과거력에는 요로감염, 골반장기의 수술력 등이 포함되어야 하며, 통증은 그 정도와 빈도, 위치, 방사통 등 전반적인 통증의 특징을 알아봐야 한다. 통증의 위치와 특징 등을 통증지도(pain map)를 이용하여 표시하는 것도 도움이 된다(표 50-1).

전통적으로 간질성방광염은 자극성 배뇨증상 및 동통이 있고, 다른 방광 질환이 존재하지 않으며, 방광경검사에서 방광점막의 출혈성 병변인 구상화(glomerulation) 또는 Hunner궤양이 존재하는 경우에 진단하였다(그림 50-1, 2). 국제학회들의 최근 행보를 보면 간질성방광염 진단의 임상적 진단기준을 특징적 방광경소견과 조직학적 특징이 있는 경우로 정하고 특징적 소견이 없는 경우는 방광통증후군으로 분류하고 있다. 그러나, 아직까지 국제적으로 표준화된 공통적인 진단검사나 진단적 분류법이 없기 때문에 대다수의 방광통증후군/간질성방광염은 임상 증상에 의존하여 진단된다. 이런 현실에서 방광통증후군/간질성방광염의 진단에서 중요한 것은 증상을 일으킬 수 있는 다른 원인 질환을 면밀히 감별해 내는 것이라고 할 수 있으며, 이는 미국 국립 당뇨·소화기질환·신장질환 연구소(National Institute of Diabetes and Digestive and Kidney Diseases, NIDDK)의 간질성방광염 진단기준에도 부합된다(표 50-2). 특히 방광통증후군의 경우 혼동하지 말아야 할 것이 과민성방광과의 관계이며 통증이 동반된 하부요로증상은 과민성방광이라고 할 수 없다.

표 50-1. **방광통증후군/간질성방광염의 진단**

1. 병력 청취	골반장기 수술의 병력 요로감염력 방광/비뇨의학적 질환력 골반통의 위치 및 방광의 충만 또는 배뇨와 관련 여부 통증의 특징; 발생시기, 통증에 대한 기술 등 골반장기 방사선 치료력 자가면역질환 유무
2. 신체검사	척추측만증, 탈장, 고관절의 내전/외전, 과민감각부위 특정 자세에서 통증이 심해지거나 경감되는 지 통증 지도 작성
	〈여성〉 질 검사 - 외음부 /질전정의 통증을 제외하여야 함 - 여성생식기의 자궁내막증 여부 - 자궁경부의 병변 확인 Bimanual examination - 요도, 방광삼각부, 방광의 통증 - 질의 진입부/심부 통증 구분 - 골반저근 및 내전근의 통증 - 자궁부속기와 주변부의 통증
	〈남성〉 직장수지 검사 - 고환-회음부-항문 부위의 통증 - 전립선, 방광, 골반저근, 내전근의 통증 고환/부고환 등의 통증

일반적으로 소변검사 및 소변배양검사는 감염 여부를 확인하기 위해 기본적으로 필요하여, 특히 무균성 농뇨가 보이는 경우 결핵에 대한 검사를 병행한다. 암의 위험군에서는 소변 세포 검사가 필요하다. 질 분비물이나 전립선액의 ureaplasma나 chlamydia 검사는 선별적으로 권장된다.

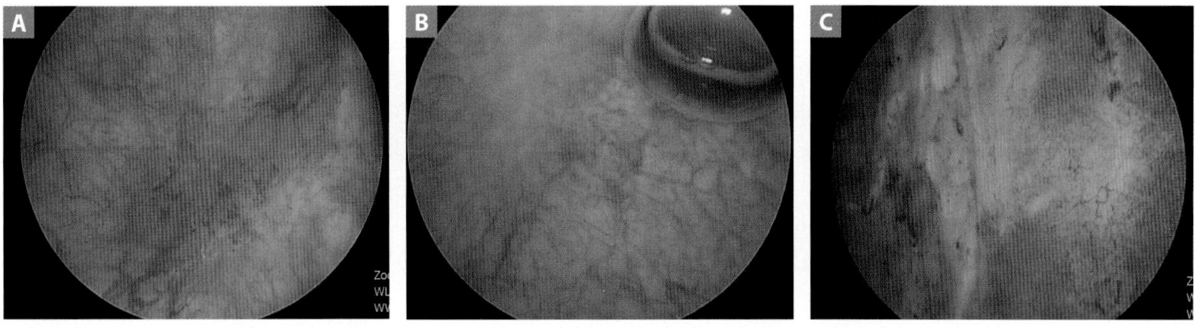

그림 50-1. **간질성방광염 방광경 검사 소견.** (A) Hunner 궤양과 출혈 (B) Hunner 궤양의 확장 (C) 궤양 부위의 방광 확장 후 점막 파열 및 출혈

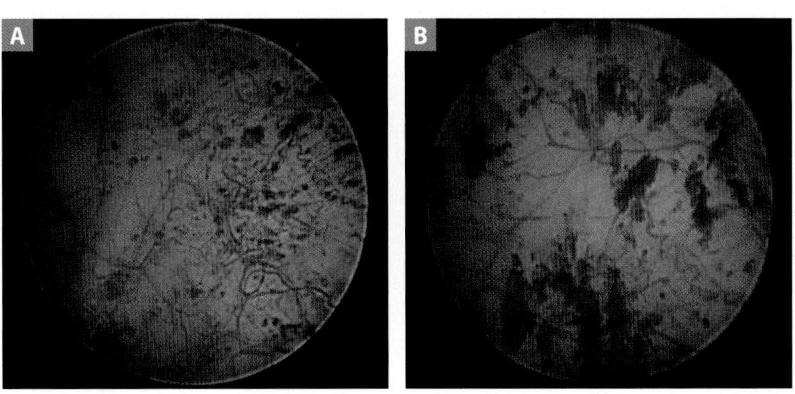

그림 50-2. **비궤양성 간질성방광염의 방광 내시경 소견.** (A) 방광 확장 후 구상화병변과 혈관 충혈 (B) 방광 확장 후 심한 방광점막 출혈

(2) 하부요로증상 및 통증의 객관화

하부요로증상의 객관적 평가 및 1회 소변량의 확인을 위해 3일간 배뇨일지의 작성이 도움이 된다. 통증과 같은 주관적 증상을 객관화하려는 방법의 하나로 다양한 증상 설문지가 개발되었다. 가장 간단한 통증의 객관적 척도화 도구는 시각화아날로그점수(visual analogue scale, VAS)이며, 환자가 주관적으로 느끼는 통증의 정도를 객관적으로 점수화하여 비교할 수 있다. 그 밖에 University of Wisconsin IC Scale, O'Leary-Sant IC Symptom Index and IC Problem Index 그리고 Pelvic Pain and Urgency/Frequency (PUF) Scale이 사용된다(Keller et al, 1994; O'Leary et al, 1997; Parsons et al, 2002). 국내에서는 PUF가 국문 번역본의 언어 타당도 평가(linguistic validation)를 거쳤으나 주로 연구용으로 사용하며, 아직 진료용으로 공인되지는 않았다.

(3) 요역동학검사

NIDDK 진단기준에 의하면 요역동학검사에서 배뇨근과활동성(detrusor overactivity)을 보이는 경우에는 혼란을 피하기 위해 방광통증후군/간질성방광염의 임상연구에서는 제외해야 한다. 하지만, 간질성방광염

표 50-2. NIDDK의 간질성방광염 진단 기준

간질성방광염으로 진단하려면 방광경검사상 구상화 glomerulation나 Hunner궤양이 존재하고 방광과 관련된 동통이나 요절박이 있어야 한다. 구상화에 대한 검사는 마취하에서 90~100 cmH_2O로 1~2분간 유지한 후 시행 한다. 구상화 관찰 시에는 방광의 3/4 이상을 관찰하여야 하며, 4분 구획당 10개 이상이 존재하여야 진단할 수 있다. 또한 다음 중 하나 이상에 해당되면 간질성방광염의 가능성을 배제한다.

- 각성 상태의 방광내압측정술에서 350 mL 이상의 방광 용적
- 30~100 mL/min의 속도로 방광내압측정술을 시행하는 동안 100 mL 의 가스 혹은 150 mL의 수액으로 방광이 충만될 때까지 요절박이나 배뇨 욕구가 없는 경우
- 위와 같은 속도로 방광내압측정술을 시행하는 동안 주기 적인 비억제성 배뇨근수축이 있는 경우
- 증상의 발현기간이 9개월 이내인 경우
- 야간뇨가 없는 경우
- 항생제, 항콜린제 혹은 항경련제 투여로 증상이 호전된 경우
- 각성 시 배뇨 횟수가 8회 이하인 경우
- 3개월 이내에 세균성방광염이나 전립선염이 진단된 경우
- 방광 혹은 요관 내 요석
- 활동성 생식기 포진
- 자궁, 자궁경부, 질 혹은 요도의 악성종양
- 요도게실
- cyclophosphamide 혹은 다른 종류의 화학물질에 의한 방광염
- 결핵성 방광염
- 방사선조사에 의한 방광염
- 방광의 양성 혹은 악성종양
- 질염
- 18세 이하의 환자

환자의 약 14%가 요역동학검사에서 배뇨근과활동성이 동반되어 있다(Abrams et al, 2005). 여성의 경우 요류검사(uroflowmetry) 및 배뇨 후 잔뇨량 측정, 압력요류검사(pressure-flow study) 등의 시행은 선택적이며, 남성은 모두 요류검사를 해야 하고, 최대요속이 20 mL/s 이하인 경우 배뇨 후 잔뇨량 측정과 압력요류검사를 하는 것이 권장된다.

(4) 칼륨민감성검사

칼륨민감성검사(potassium sensitivity test)는 급성방광염, 방사선방광염의 100%, 배뇨근불안정(비신경인성 배뇨근과활동성) 환자의 25%, 간질성방광염의 75%에서 양성을 보이나 정상인은 4%에서만 양성을 보인다(Parsons et al, 1998). 그러나, 특이도와 민감도에 대한 논란이 많아 권장되는 검사법은 아니다.

(5) 방광내시경

간질성방광염은 방광내시경에서 특징적인 소견인 Hunner병변, 구상화, 점막의 균열(mucosal cracking), 출혈 등을 확인할 수 있다(그림 50-1, 2).

(6) 생체표지자 및 기타 검사

소변 또는 방광조직에서 검출되는 특정한 생체표지자(biomarker)를 방광통증후군/간질성방광염의 진단에 의미 있게 사용할 수 있는지에 대한 연구가 지속적으로 이루어지고 있다. 대표적으로 APF, 헤파린결합표피성장인자(heparin binding–epidermal growth factor, HB–EGF), 표피성장인자(epidermal growth factor, EGF), GP–51, IL–6를 들 수 있다(Wilkinson · Erickson, 2006).

3. 치료

현재의 방광통증후군/간질성방광염 치료는 대증적 치료를 토대로 증상의 개선과 궤양의 재발 또는 확산을 방지하는 데에 중점을 두고 있다. 방광통증후군/간질성방광염은 방광 점막의 방어막, 감각신경, 비만세포 기능 등의 변화가 유기적으로 이루어져 발생하므로 이 세 부분에 대한 복합적인 치료가 필요할 것이다.

1) 행동치료

방광통증후군/간질성방광염의 행동치료에는 교육, 시간제 배뇨, 수분 섭취 조절, 골반저근운동(pelvic floor exercise), 방광훈련 등이 포함된다.

간질성방광염의 행동치료로서 배뇨일지, 방광훈련, 골반저근운동, 시간제 배뇨 등을 시행하는 경우 빈뇨의 개선에는 효과가 있다고 보고되고 있으나 지속적인 방광충만감이나 잔뇨감은 변화가 없다(Parsons · Koprowski, 1991, Chaiken et al 1993). 빈뇨보다 통증을 주로 호소하는 환자들은 방광훈련 단독만으로는 순응도가 떨어진다.

2) 물리치료

골반저 물리치료는 기능성 골반–회음부증후군을 치료하는 한 분야로 고려되지만(Markwell, 2001) 간질성방광염에서의 효과를 나타내는 무작위배정 대조연구 결과는 없다.

바이오피드백과 연부조직 마사지는 골반저의 근육이완에 도움이 될 수 있다(Mendelowitz · Moldwin, 1997). 일부 소규모 연구에 의하면 통증 부위의 직접 근막 이완법, 관절 운동과 가정 운동 프로그램, 마사지와 근전도 바이오피드백 등과 같은 다양한 방법으로 통증의 개선에 효과를 볼 수 있으나 대규모의 무작위배정 대조연구는 아직 시행된 바 없다.

3) 스트레스 조절

오랫동안 여러 연구에서 방광통증후군/간질성방광염의 증상 경과가 정신적/육체적 스트레스와 관련이 깊다는 것이 관찰되어 왔다(Koziol et al, 1993; Rothrock et al 2001; Nickel et al 2010). 또한, 방광통증후군/간질성방광염 환자들은 자주 우울증이 동반되거나 증상으로 인해 우울증이 악화되므로 삶의 질은 더욱 악화될 수 있다. 스트레스 감소를 위한 운동, 명상, 이완요법 등이 증상 감소에 도움이 될 수 있으며 이에 대한 교육과 자가 조절 요법 등을 보조적으로 진행하면 도움이 될 것으로 생각된다.

4) 음식조절

특정 음식과 음료 섭취로 증상이 악화될 수 있는데, 이에 대해 정리된 대조연구 결과는 없다. 보통 산성이 강한 음식이나 음료, 커피, 매운 음식, 알코올 음료 등에 영향을 받는 경우가 많다. 그러나 실제로는 환자마다 증상을 유발하는 음식이 다르므로 모든 환자에서 이들 음식을 금지하는 것은 바람직하지 않다 (Koziol, 1994).

5) 약물치료

(1) 삼환계항우울제

중추 및 말초의 항콜린작용과 신경말단 부위에서 세로토닌과 노르아드레날린의 재흡수를 억제하고 중추에서 항히스타민작용에 의한 진정 효과를 나타낸다. 삼환계항우울제(tricyclic antidepressants)인 amitriptyline은 보통 취침 시에 25 mg으로 투여하기 시작하여 증상의 변화에 따라 최대 100 mg까지 증량할 수 있다. 간질성방광염에 대한 이중맹검 위약대조연구에서 위약군 4%, amitriptyline군 63%의 치료 만족도가 보고된 바 있다(van Ophoven et al 2004).

세로토닌-노르에피네프린 재흡수억제제의 하나인 duloxetine이 이 질환의 치료제로 경험적으로 사용되고 있으나 임상적 자료는 아직 부족하다.

(2) Sodium Pentosan polysulfate (PPS)

헤파린과 비슷한 구조를 가지고 있으며 방광점막을 덮고 있는 점액다당류(glycosaminoglycan, GAG)의 합성제제로 투여 시 손상된 GAG층을 보호, 재생시키는 작용과 염증반응을 억제하는 작용을 한다.

Parsons 등(1993)은 148명의 간질성방광염 환자를 대상으로 PPS에 대한 이중맹검 위약대조연구를 시행하였다. 위약군(16%)에 비해 PPS군(32%)에서 더 호전이 있었으며 통증 감소에 있어서도 위약군(18%)에 비해 PPS군(38%)에서 효과가 있었다.

이 약제는 장기 복용하는 것이 효과적이며 위장관계 출혈, 탈모 등의 부작용이 있을 수 있으므로 부작용에 주의하도록 한다.

(3) 항히스타민제

항히스타민제(antihistamines)는 비만세포의 탈과립(degranulation) 시 분비되는 히스타민 등의 통각물질을 억제함으로써 증상의 호전을 기대할 수 있다. 그러나 인체로의 흡수율이 낮아 치료효과는 미약한 편이다. Theoharides와 Sant(1997)는 H1-항히스타민제인 hydroxyzine으로 간질성방광염 환자를 치료한 결과 40%에서 증상의 호전을 보였으며 이 환자들 중 55%가 알레르기의 과거력이 있었다고 보고하였다.

(4) 진통제

방광통증후군/간질성방광염과 같은 만성 통증성 질환에서 통증의 관리는 매우 중요하다. 특히 통증이 중추감작화central sensitization 되면 통증의 역치가 낮아지고 필요한 약물의 용량이 증가하므로 적절한 시기에 적절한 통증의 관리가 증상 조절의 핵심이다.

신경병증성 통증에 사용하는 삼환계항우울제, 항뇌전증제(antiepileptic drugs), 마약성진통제 등을 사용할 수 있으며, 아세트아미노펜, 아스피린 그리고 비스테로이드항염증제, cyclooxygenase 억제제 등도 병용 시 효과적이다. Sasaki 등(2001)과 Hansen(2000)은 항뇌전증제인 gabapentin의 효과를 보고하기도 하였다.

마약성진통제를 사용 할 때는 변비, 호흡저하, 졸림, 오심, 경미한 혼란상태, 가려움증 등의 부작용을 주의하여야 하며 일정한 농도로 유지될 수 있는 지속작용제제를 사용하는 것이 좋다.

(5) 면역억제제

Cyclosporine은 면역억제제로서 T세포의 활동과 사이토카인의 분비를 억제한다. Forsell 등(1996)은 cyclosporine으로 치료한 간질성방광염 환자 11명 중 10명에서 효과가 있었다고 보고하였으나 치료를 중단하면 대부분의 환자에서 증상이 재발되었다.

Suplatast tosilate는 사이토카인의 생성을 억제하는 새로운 면역조절제로 간질성방광염 환자의 치료에서도 그 가능성이 제시되었지만 아직까지는 효과가 입증되지 않았다(Ueda et al, 2000).

스테로이드 또한 간질성방광염의 치료제로서 시도되었으나 효과가 일정하지 않았고, 심각한 부작용이 동반될 수 있어 치료제로 선택하기에는 어렵다(Taneja · Jawade, 2007; Soucy · Gregore, 2005).

(6) 기타 방광통증후군/간질성방광염의 치료에 이용될 수 있는 약제들

아직 임상적 효과에 대해 광범위한 연구를 통한 입증이 부족하지만 일부 제한적 연구에서 방광통증후군/간질성방광염 치료에 효과가 있다고 보고된 약제들로는 misoprostol(프로스타글란딘 유사물질)(Kelly et al, 1998), nifedipine(칼슘통로차단제)(Fleischmann et al, 1991), L-arginine, montelukast (leukotriene D 수용체 길항제)(Bouchelouche et al, 2001) 등이 있다.

표 50-3. **방광 내 주입 요법(Oxford criteria에 의함)**

Intervention	Grade of recommendation	Level of evidence
DMSO	B	2
Heparin	C	3
Hyaluronic acid (HA)	C	1
Chondroitin sulfate (CS)	C	1
HA + CS	C	2
Pentosan polysulfate	D	4
Vanilloids	Not recommended	1
BCG	Not recommended	1
Oxybutinin	D	4
Lidocaine	C	1

6) 방광 내 주입 요법(표 50-3)

(1) Dimethyl sulfoxide (DMSO)

DMSO는 하부요로의 구심성통각경로의 탈민감(탈감작)(desensitization), 항염증작용, 진통작용, 근이완작용 및 콜라겐 용해 등의 다양한 약리학적 기전을 가지고 있어 간질성방광염의 치료에 유용하다(Sant·LaRock, 1994). DMSO는 1~2주 간격으로 4~8회 치료하며 방광 내 주입 15~20분 후 배뇨시키는 방법이 널리 사용되고 있다. 50~80%에서 증상 호전이 보고되었으나 이 중 35~40%에서는 재발하였다. DMSO는 미국식품의약국(FDA)에서 간질성방광염의 방광 내 주입 치료제로 승인받은 유일한 약제이다.

(2) 헤파린

헤파린은 방광 내 GAG층과 유사하여 손상된 GAG층을 재생시키는 데 기여할 수 있다. Parsons 등(1994)의 연구에서는 48명의 간질성방광염 환자를 대상으로 3개월 동안 일주일에 3회씩 헤파린을 방광 내에 주입하여 56%의 환자에서 증상 개선의 효과가 있었다. 부작용으로 방광 출혈의 위험성이 약간 증가할 수 있다.

(3) Bacillus Calmette-Guerin (BCG)

BCG는 국소적인 면역반응 조절, 즉 type1 조력T세포의 자극을 통해 작용하는 것으로 추정되고 있다. Peter 등(1997)은 BCG를 총 6주 동안 매주 주입한 후 평균 8개월의 추적관찰에서 위약군의 27%에 비하여 더 많은 60%의 환자에서 호전이 있었다고 보고하였으며, 장기간 추적관찰 결과 89%의 환자가 부작용없이 지속적인 증상 개선의 효과가 유지되었다고 하여 그 효과를 입증하였지만 현재는 부작용으로 인해 권장되는 치료법은 아니다.

(4) 레시니페라톡신

레시니페라톡신(resiniferatoxin; RTX)은 바닐로이드(vanilloid)수용체에 대한 작용제로 감각신경말단부에서 신경전달물질인 substance P, 칼시토닌유전자관련펩티드(calcitonin gene related peptide, CGRP) 등을 분비하여 방광 내 감각신경을 탈감작시켜 통증감각을 마비시키는 작용을 한다. 레시니페라톡신은 독성으로 인해 사용이 금지되었다.

(5) Hyaluronic acid

Hyaluronic acid는 비황산화 점액다당류로서 GAG의 성분으로 알려져 있으며 점막하 결합조직에 풍부하게 존재한다. 간질성방광염 환자에서 hyaluronic acid의 작용기전으로 hyaluronate의 보충, 자유기(free radical) 제거, 면역반응 조절 등이 알려져 있다. Morales 등(1997)은 기존 치료에 반응하지 않았던 간질성방광염 환자 25명에서 4주 동안 매주 hyaluronic acid를 방광 내로 주입한 결과, 12주째에 71%의 환자에서 반응이 관찰되었다고 보고하였으며, Porru 등(1997)은 hyaluronic acid 6주 치료에서 10명의 환자 중 30%의 환자가 치료에 반응을 보였다고 하였다.

(6) Chondroitin sulfate

Chondroitin sulfate는 요로상피에 존재하는 유일한 sulfated glycosaminoglycan으로 요로상피의 방어벽 역할을 한다. 이 물질은 단독으로 혹은 hyaluronic acid와 병합하여 방광 내 주입 치료에 사용되고 있다. Chondroitin sulfate의 방광 내 주입 치료는 일부에서 효과적으로 보고된 바 있으나 대규모의 무작위대조연구에서 단독요법으로서는 효과가 없었다(Steinhoff et al, 2002; Porru et al, 2008; Sorensen, 2003).

(7) Chondroitin sulfate – hyaluronic acid 병합치료

Hyaluronic acid와 chondroitin sulfate의 복합제는 간질성방광염의 치료제로서 수년 간 사용되고 있으며 아직 연구 중이다. 2016년에 진행된 무작위배정, 다기관 임상연구에서 3개월 동안 매주 hyaluronic acid와 chondroitin sulfate 복합제 또는 DMSO(참가자를 각각의 군에 2:1의 비율로 배정)를 방광 내 주입하였을 때 이 복합제가 DMSO만큼 효과가 있었으며 잠재적으로 좀 더 안전한 결과를 보였다(Cervini et al, 2017).

(8) Liposomes

방광점막의 방어막효과를 증진하기 위해 liposome의 방광 내 주입을 시도할 수 있다. Fraser 등(2003)은 쥐 모델에서 liposome의 방광 내 주입으로 방광의 과활동성을 억제하는 것을 확인하였으며 간질성방광염 환자의 새로운 치료법이 될 것이라고 하였다.

7) 수술

(1) 방광수압확장술

간질성방광염의 최초 치료로서 많이 사용하고 있으며, 수압을 이용하여 방광을 확장시키는 방법으로 일시적으로 증상이 호전될 수 있지만 그 효과가 영구적인 것은 아니며 반복 시술이 필요할 수 있다. Hanno와 Wein(2002)은 8분 동안 80 cmH_2O의 수압으로 방광확장을 시행하여 방광용적이 큰 군에서는 12%, 방광용적이 작은 군에서는 26%에서 효과가 있었다고 보고하였다. 그러나 6개월 이상 증상 호전이 지속되지는 않았다.

(2) 궤양 소작술

방광 내 궤양의 경요도절제 또는 전기나 레이저를 이용한 소작으로 동통을 조절할 수 있다(Hohenfellner et al, 2000). 내시경적 수술법인 궤양 소작술 또는 절제술은 빠른 증상 완화와 높은 환자의 편의성, 자체 방광의 보존 등의 장점은 있으나 재발률이 높게 보고되고 있다.

(3) 방광 절제 및 기타 수술

내시경적 수술 외에 부분방광절제술, 방광성형술(cystoplasty), 방광삼각부상부 방광절제술(supratrigonal cystectomy) 또는 방광삼각부하부 방광절제술(subtrigonal cystectomy), 방광절제술 및 비실금형요로전환술(cystectomy with continent urinary diversion) 등이 고려될 수 있다. 선택적 방광탈신경술(cystolysis) 혹은 말초 탈신경술과 교감/부교감 탈신경술은 모두 장기적으로 증상이 재발할 수 있을 뿐만 아니라 배뇨장애를 초래할 수 있어 간질성방광염에 대해서는 적용되지 않는다(Worth, 1980; Albers·Geyer, 1988). 불응성 간질성방광염에 방광확대성형술이 적용되어 왔는데, 수술 성공률은 25~100%로 다양하게 보고되었다(Nielsen et al, 1990; Webster·Maggio, 1989). 방광삼각부하부 방광절제술은 방광삼각부상부 방광절제술에 비해 이득이 없으며, 문합부의 누출, 협착, 역류 등으로 방광요관재문합술이 요구되거나 자가도뇨가 필요할 정도의 배뇨장애를 초래할 수도 있다(Linn et al,

1998).

다른 모든 치료에 반응하지 않을 때 최후의 방법으로 방광절제술과 요도절제술을 단순 혹은 비실금형요로전환술과 함께 시행하는 것을 고려할 수 있을 것이다(Gershbaum · Moldwin, 2001). Lotenfoe(1995)는 방광절제술이나 요도절제술을 시행한 22명의 불응성 간질성방광염 환자를 분석한 결과 마취하 방광용적이 400ml 미만이거나 고령인 군에서 수술결과가 좋았다고 보고하였다. 그러나 방광암 환자에서도 장을 이용한 요로전환술은 삶의 질에 나쁜 영향을 미쳐 신중히 선택하는 방법이므로 간질성방광염 환자에서는 최후의 방법으로 더욱 신중히 선택되어야 한다.

8) Multimodality 치료

간질성방광염은 여러 원인 인자들이 복합적으로 관여하는 것으로 생각되므로 다방법 병합치료로를 통해 서로 다른 약물들에 의한 추가 효과와 상승작용에 대한 가능성을 기대할 수 있다. Wammack 등(2002)은 37명의 환자를 대상으로 삼환계항우울제인 doxepin 75 mg과 cyclooxygenase (COX) 억제제인 piroxicam 40 mg을 함께 투여하였을 때 5명은 부작용으로 치료를 중단하였으나 나머지 환자의 81%에서는 증상이 완전 소실되었고 19%에서는 증상이 의미 있게 호전되었다고 보고하였다. 그러나 무작위배정 위약대조연구가 아니므로 편향이 있을 수 있다. Leppilahti 등(2002)은 진단적 방광수압확장술 후에 4주간 매주 hyaluronic acid를 방광 내 주입하여 환자 대부분에서 증상의 호전이 있었다고 보고하였다. Ghoniem 등(1993)은 단일 약제의 방광 내 주입술에 반응이 없었던 간질성방광염 환자 25명을 대상으로 DMSO, methylprednisolone 그리고 heparin sulfate의 복합 치료를 6주간 시행하여 92%에서 평균 8.1개월 동안의 증상 완화가 있었다고 보고하였다. Whitmore (1995)는 gentamicin, 헤파린, bupivacaine, 중탄산나트륨(sodium bicarbonate), 그리고 hydrocortisone의 칵테일 요법을 시행하기도 하였다.

9) 보툴리누스독소 (Botulinum Toxin, BTX)

보툴리누스독소는 신경말단에서 아세틸콜린의 분비를 선택적으로 억제하는 것으로 보고되고 있다. 보툴리누스독소의 배뇨근 내 주사는 배뇨근과활동성을 효과적으로 차단하고, 배뇨근괄약근협동장애 및 배뇨근저활동성에서의 외요도괄약근내 주사는 요도의 활성을 저하시켜 임상에 적용되고 있다(Smith et al, 2004). 쥐 모델에서 보툴리누스독소가 배근신경절(dorsal root ganglia)로부터 substance P의 분비를 억제하는 것으로 보고되어 간질성방광염에 대해서도 시도되고 있지만 아직 발표된 연구결과는 없다.

10) 천수신경조정술

천수신경을 자극함으로써 불안정한 신경반사를 억제하고 정상적인 배뇨로 되돌릴 수 있다고 보고됨에 따라 요절박, 특발성 만성요폐에 적용될 뿐만 아니라, 골반통증, 간질성방광염에서도 천수신경조정술의 시행 적응증이 확대되고 있다. Fall과 Lindstrom(1994)은 간질성방광염 환자에서 경피전기신경자극(transcutaneous electrical nerve stimulation)을 시행하여 궤양이 동반된 군에서는 54%, 동반되지 않은 군에서는 26%에서 증상의 호전이 있었다고 보고하였다. Maher 등(2001)은 표준적 치료에 반응하지 않는 15명의 간질성방광염 환자에서 7~10일간 경피천수신경자극술(percutaneous sacral nerve stimulation)을 시행하여 평균 배뇨량은 90 mL에서 143 mL로 증가하였고 빈뇨 및 야간뇨는 각각 20회에서 11회, 6회에서 2회로 감소하였고, 대상환자의 73%가 영구적 신경조정기를 삽입하였다고 보고하였다. 영구적 천수신경조정기를 삽입한 간질성방광염 환자들에서 방광용적이 증가하며 증상이 개선되고, 진정제의 사용량도 감소함을 보여줘 그 유망성을 기대하게 하는 연구들이 있다(Comiter, 2003; Peters & Konstandt, 2004). 그러나, 천수신경조정술의 간질성방광염에서의 장기간 치료 효과 및 부작용 등에 대한 더 많은 연구가 필요하다.

4. 결론

방광통증후군/간질성방광염의 진단은 방광 불편감 혹은 통증, 빈뇨 등을 일으킬 수 있는 다른 모든 원인 질환을 배제하는 것이 중요하다. 정밀검사로 요침사현미경검사 및 일반 및 특수 요배양검사, 방광경검사가 포함된다. 증상 설문지는 진단적 가치보다는 예후를 추적하는 데 도움이 될 수 있다.

방광통증후군/간질성방광염의 원인은 다양한 것으로 추정되고 있으며, 그 중에서 요로상피기능이상과 신경인성염증에 대한 연구가 많이 이루어지면서 그 역할에 대한 관심이 집중되고 있다.

방광통증후군/간질성방광염은 개인의 삶에 미치는 영향이 매우 큰 난치성 질환으로 다른 많은 만성통증 질환과 비슷하다. 치료로는 질환을 이해하는 것부터 식이조절, 행동치료, 경구제 투여, 방광 내 약물투여 그리고 수술적 치료 등이 있다. 진통제, 소염제, 전기적 자극을 포함한 물리치료, 기타의 경구 또는 방광 내 약물치료, 나아가 수술 등을 포함한 많은 치료법들이 널리 시행되며, 특히 천수신경조정술과 보툴리누스 독소의 방광 내 주입과 같은 새로운 치료법의 도입과 함께 치료의 가능성은 확대되고 있다. 그러나 질환의 특성상 무분별한 치료의 범람을 막기 위해서는 이러한 치료법에 대한 엄격한 평가가 이루어져 방광통증후군/간질성방광염증후군 환자에게 보다 정확한 정보와 치료가 제공되어야 할 것이다.

전체 참고문헌 목록은
배뇨장애와 요실금 웹사이트 자료실
(http://www.kcsoffice.org)에서
확인할 수 있습니다.

제 51 장

골반장기탈출증의 분류, 병태생리, 역학

Pelvic organ prolapse -Classification, pathophysiology, and epidemiology

오미미

1. 골반장기탈출증의 분류

골반장기탈출증은 전질벽(anterior vaginal wall), 후질벽(posterior vaginal wall), 자궁 또는 자궁경부 혹은 질둥근천장(vaginal vault)의 탈출인 첨부구획탈출증(apical compartment prolapse)으로 정의한다(Haylen et al, 2016). 의미있는 골반장기탈출증의 징후는 연관된 골반장기탈출증의 증상과 동반되어야 한다(Bo et al, 2015; Swift et al, 2003; Swift et al, 2005; Barber et al, 2009)

1) 전질벽 탈출증 혹은 전방구획탈출증 (Anterior Compartment Prolapse)

전방구획의 결손으로 인하여 방광이 질강 내 하강하여 발생한다. 방광탈출증(cystocele)이 대부분을 차지한다(Chow et al, 2002; Hendrix et al, 2013). 고등도의 탈출증의 경우 자궁이나 질둥근천장의 탈출이 동반된다(Haylen et al, 2016). 전방구획의 결손은 특징적으로 중심부 방광탈출증(central cystocele)과 측부 방광탈출증(lateral cystocele)의 두가지 형태로 나타난다. 중심부 방광탈출증은 치골자궁경부근막(pubocervical fascia)의 중앙부위가 손상되어 발생하며 전질벽의 돌출이 특징적이다. 측부 방광탈출증(Lateral cystocele)은 질벽이 골반근막건궁(arcus tendineus fasciae pelvis)에 부착부위의 결손으로 인해 발생한다(Shull et al, 1989). 대부분의 방광탈출증은 중심부 방광탈출증과 측부 방광탈출증이 동시에 발생한다.

2) 후질벽 탈출증 혹은 후방구획탈출증 (Posterior Compartment Prolapse)

후방구획탈출증은 직장류(rectocele)과 후부탈질(enterocele)의 두가지 아형으로 구분된다.

직장류는 Denovilliers 근막으로 알려진 직장질중격(rectovaginal septum)의 손상으로 직장이 질쪽으로 탈출된 것이다. Denovilliers 근막은 후질벽의 내층과 연합되어 있고 출산 시에 미부와 측부에서 회음체와의 연결이 손상되는 것으로 인해 발생한다. 증상이 동반된 후방구탈출증이 있는 환자는 밑이 부풀어 오르는 증상과 함께 변비, 뒤뭉직 그리고 변실금이 동반되기도 한다(Richardson et al, 2012).

후부탈질(enterocele)은 소장이나 망(omentum)을 포함하는 복강주머니가 직장전벽과 후질벽 사이에 있는 직장질공간(rectovaginal space)으로 빠져 나오는 진성 탈장이다. 첨부구획 탈출증(apical compartment prolapse)나 상위부 후방구획탈출증(high posterior compartment prolapse)에 동반된다.

3) 첨부구획 탈출증 (Apical Compartment Prolapse)

첨부구획탈출증은 자궁천골인대(uterosacral ligament)와 기인대(cardinal ligament) 복합체(complex)의 손상으로 인해 발생한다. 자궁 적출술 후에 이 조직들을 다시 연결해주지 않거나 이들이 약화되는 경우 탈출증이 발생할 수 있으며, 맹낭(culdesac)을 막아주지 않으면 장류가 발생한다.

2. 골반장기탈출증의 병태 생리

1) 골반저의 해부학 및 병인

자궁과 질의 주 지지대는 항문거근들(levator ani muscles)과 자궁경부와 질을 골반벽에 고정하는 결합조직(connective tissue)로 이루어져 있다. 골반횡격막(pelvic diaphragm)은 항문거근육(levator ani muscles)들로 형성되며 골반장기들을 지지하는 주체가 된다. 항문거근은 횡문근인 치골미골근(striated pubococcygeus muscle), 장미골근(iliococcygeus muscle)과 좌골미골근(ischiococcygeus muscle)으로 구성된다.

골반인대들은 실제로 진성 인대가 아니고 골반구조물들은 덮고 있는 내골반근막(endopelvic fascia)이 압축된 것으로 신경, 혈관들이 포함되어 있으며 골반횡격막과 함께 골반장기를 지지하는 역할을 함으로써 골반저 근육과 인대들이 연합하여 골반장기를 지지한다. 골반장기들의 하중은 대부분 골반거근(levator ani muscle)에 의해 지지되며 인대들은 이 구조물들이 균형을 이루게 된다. 골반횡격막이 손상되면 과도한 힘이 인대들에 가해짐으로써 골반장기탈출증이 발생하며(Smith et al, 1989), 탈출증의 형태는 어떤 구조가 손상되었는지에 따라 결정된다(DeLancey, 1992). 내골반근막(endopelvic fascia)은 복막과 항문거근사이에 위치하는 섬유근육망을 총칭한다. 내골반근막은 방광, 자궁, 질 및 직장을 골반벽에 부착하는 기능을 한다.

회음막(prineal membrane)은 이전 비뇨생식막(urogenital diaphragm)으로 불리었으며 수 십 년 동안 그 역할에 대한 논쟁이 지속되었다. 회음막은 질의 원위부와 요도를 골반뼈에 부착함으로써 지지대의 역할을 하는 것으로 알려져 있다(Corton et al, 2009).

2) DeLancey의 분류 (DeLancey, 1992) (그림 51-1)

(1) 근위부

질둥근천장(vaginal vault) 혹은 질 절단(vaginal cuff)라고 불리우며 기인대(cardinal ligament)와 자궁천골인대(uterosacral ligament) 를 포함하는 자궁주위조직(parametrium)에 의해 안정된다. 자궁이나 질원개의 탈출증은 이 부위의 약화로 인해 생긴다.

(2) 중간부

측부위가 상외측질구(superior lateral vaginal sulci)를 만드는 골반근막건궁(arcus tendinus fascia pelvis, ATFP)에 부착되는 부위이다. 치골자궁경부근막(pubocervical fascia)이 ATFP 사이에서 뻗어 있어 전질벽과 방광을 지지한다. 방광류는 중앙부 혹은 측부에서 이 치골자궁경부근막이 손상을 받게 되면 방광탈출증이 발생한다. 같은 원리로, 후질벽은 중앙부 및 측부가 항문거근의 근막에 붙어있는 직장질근막(rectovaginal fascia)에 의해 지지되고 있는데 이들이 손상을 받게 되면 직장류가 발생한다.

(3) 원위부

앞쪽으로 요도와 치골결합, 옆쪽으로는 항문거근, 뒤쪽으로는 회음부 근육 등의 주위 구조물에 단단히 부착되어 있다. 이 부위 조직의 약화는 요도과운동성, 회음부결손은 직장류의 원인으로 작용한다.

3) 골반장기탈출증의 위험인자

여러 위험인자가 제시되었지만 정립된 명확한 위험

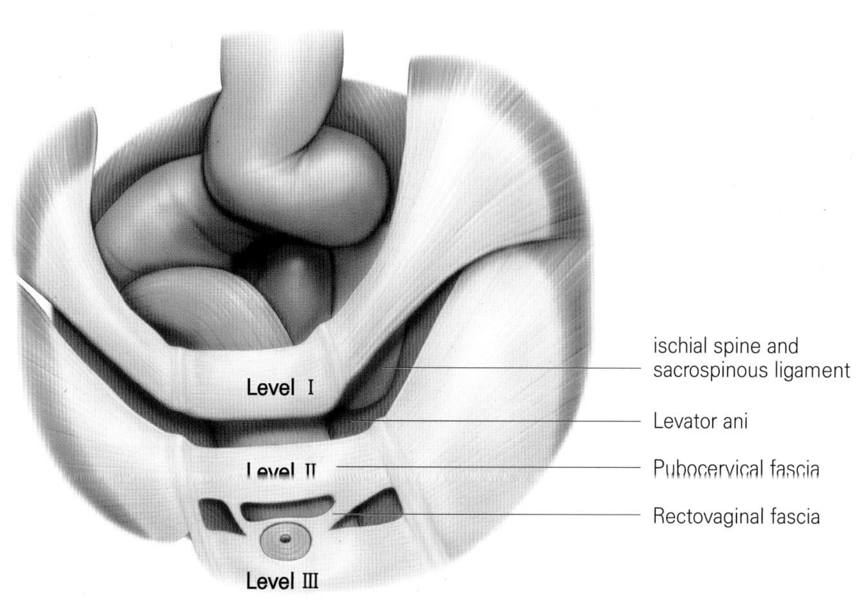

그림 51-1. DeLancey의 분류

인자는 질식분만, 고령 그리고 비만이다(Hunskaar et al, 2005). 대부분이 여러 위험인자들의 상호작용으로 인해 발생하는 것으로 알려져 있다(Schaeffer et al, 2005). Oxford Family Planning Study에 따르면 60세 이하에서 질식분만의 횟수가 증가할수록 골반장기탈출증의 위험도가 증가하였다(Mant et al, 1997). 또한 난산이나 임신 중기의 지연이나 과체중아의 출산 등이 위험인자로 보고되었다. 그러나 임신자체로 인한 골반장기탈출증의 위험도의 증가 여부는 아직까지 확립되지 않았다(Swift et al, 2003; Moalli et al, 2003).

3. 골반장기탈출증의 역학

골반장기탈출증의 발생율에 대한 연구는 국내 및 국외 모두 거의 미미하다. 골반장기탈출증의 역학에 대한 연구가 거의 없는 이유는 골반장기탈출증의 정도와 유무를 측정하는 표준화된 방법론이 정립되어 있지 않고 골반탈출증이 연관된 증상에 미치는 영향을 평가하는 것이 제한적이기 때문이다.

Women's Health Initiative (WHI)에서 50~79세의 환자들을 대상으로 골반내진을 통해 조사한 결과 grade 1~3의 골반탈출증의 유병율은 41.1%로 보고하였다. 방광탈출증은 24.6~34.3%, 직장류는 12.9~18.6%, 그리고 자궁탈출증은 3.8~14.2%의 유병율을 보였다(Handa et al, 2004; Hendrix et al, 2002). 2010년 미국에서 65세 이상의 노년층을 대상으로 한 유병율 조사에서는 약 미국전체 인구의 약 7.4%의 유병율을 보고하였고 이 추세로 증가 시 2030년에는 2배이상의 유병율 증가를 보일 것이라 하였다. 또한 80세 이상이 인구에서는 37%까지 그 유병율이 증가하였다(Morley et al, 1996).

구획별로 보았을 때 전방구획탈출증이 가장 빈번하게 보고되어, 후방구획탈출증의 2배, 첨부구획탈출증의 3배정도 더 많은 것으로 알려져 있다(Inou et al, 2009). 특히 자궁적출술을 받은 환자에 있어서 수술을 요하는 골반장기탈출증이 1,000명당 3.6명이 발생하며 수술 이후 15년까지 5%의 누적 위험률을 보였다(Mant et al, 1997).

골반장기탈출증으로 인한 수술 빈도는 일년에 천명당 1.5에서 4.9명이며(Browns et al, 2002; Mant et al, 1997; Boyles et al, 2003; Olsen et al, 1997), 80세경에 골반장기탈출증으로 인한 평생위험도는 약 7%정도이다(Olsen et al, 1997).

골반장기탈출증의 자연경과에 대한 역학보고는 더욱 희박하다. Handa 등의 연구에서 골반장기탈출증의 완화율을 조사하였는데 grade 2에서 3의 탈출증이 grade 0으로 완화되는 것은 방광탈출증의 경우 9% 직장류의 경우 3%. Grade 2–3의 자궁탈출증의 완화는 없었다. 탈출증의 진행의 경우 grade 1에서 grades 2 또는 3로 악화된 경우는 방광탈출증의 경우 9.5%, 직장류는 14% 그리고 자궁탈출증은 1.9%였다(Handa et al, 2004). 또한 출산력이 있는 경우 나이가 더 많은 경우 새로운 탈출증이 발생하거나 진행하였다(Bradley et al, 2007)

전체 참고문헌 목록은
배뇨장애와 요실금 웹사이트 자료실
(http://www.kcsoffice.org)에서
확인할 수 있습니다.

제 52 장

골반장기탈출증의 진단

Pelvic organ prolapse -Clinical presentation and diagnosis

김영호

1. 골반장기탈출증의 임상증상

골반장기탈출증으로 환자가 호소하는 가장 흔한 증상은 질부가 돌출될 것 같은 느낌 및 압박감 그리고 실제 질의 돌출이며 환자는 주로 "밑이 빠지는 것 같다" 라던지 "밑이 빠졌다"로 표현하는 경우가 많다. 하지만 골반검사의 결과와 환자의 호소 증상은 일치하지 않는 경우가 많으며 비전형적인 증상을 호소하기도 하기 때문에 신체검사 이전에 다각도의 자세한 문진이 필요하다.

1) 질 부위 증상

환자는 가장 흔히 질 부위가 돌출된 증상을 호소하며, 실제로는 돌출되지 않았으나 돌출될 것 같은 느낌을 호소하기도 한다. 골반이나 하복부의 중량감의 변화나 압박감으로 표현하기도 한다. 심한 골반장기탈출이 있는 환자의 경우 질이나 자궁경부의 미란이 발생하여 출혈이나 통증, 염증이 발생하기도 한다.

2) 배뇨 관련 증상

동반될 수 있는 하부요로 증상으로는 복압성요실금, 절박성요실금, 절박뇨를 동반하거나 동반하지 않는 빈뇨, 소변주저, 잔뇨감 등이 있을 수 있다. 환자에 따라 배뇨의 시작이나 완전한 배뇨를 위해 손을 이용해 탈출부위를 눌러야 함(splinting to void)을 호소하는 경우도 있으며, 같은 이유로 자세 변경이 필요하다고 호소하는 경우도 흔하므로 반드시 이에 대한 문진이 필요하다. 심한 탈출증이 있는 환자에서 탈출증의 치료가 이루어지면 요실금 증상이 감소하는 경우가 있을 수 있고, 반대로 탈출증의 치료 후 이전에 없던 요실금이 발생하는 경우도 있다. 후자의 경우는 골반장기탈출에 의한 요도의 물리적인 압박이 해소되며 발생하는 잠복성요실금이며 치료 전 반드시 고려해야 할 사항이다. 수신증이나 급성요폐가 발생할 가능성이 있어 심한 탈출증이 동반된 환자에서는 영상의학 검사가 필요할 수도 있다.

3) 배변 관련 증상

배뇨증상과 마찬가지로 배변과 관련한 증상으로 변실금이나 잔변감, 절박변, 후중감이 나타날 수 있으며, 배변을 위해 손을 이용해 압박하거나 힘을 많이 주어야 함을 호소하는 경우가 있다. 이 중 변실금은 과거 질식 분만 시 발생한 항문괄약근의 손상이나 골반 저 신경의 손상 등에 의한 것으로 생각된다.

4) 성기능 관련 증상

골반장기탈출은 여성생식기의 형태적 변화를 가져옴으로써 성기능에 영향을 주며 또한 정신적 스트레스나 자존감과 같은 정신적 요인으로 인해서도 성생활에 영향을 줄 수 있다. 주로 호소하는 성기능 관련 증상으로는 성교통, 감각저하, 성욕이나 오르가슴의 감소 등이 있다. 또한 골반장기탈출의 치료가 이루어지면 질 입구의 크기변화나 질 용적이 변화할 가능성으로 인해 또 다른 성기능 문제가 발생할 수 있으므로 치료 시 환자를 이해시키는 과정이 필요하다.

5) 통증

비특이적인 골반부위나 회음부, 허리통증을 호소하는 경우가 있으며 탈출부위의 염증에 의한 직접적인 통증과 구분하여 치료가 이루어져야 한다.

2. 골반장기탈출의 검사방법

1) 신체 검사

골반장기탈출증의 존재 여부는 물론 임상적인 병기를 분류하기 위해 매우 중요한 검사이다. 또한 수술적 치료가 필요한 경우에 수술의 계획을 수립하는데 있어 필수적인 정보를 제공해준다. 기본적으로 환자를 쇄석위로 눕힌 상태에서 검사를 시작한다. 이 때 방광에 적당량의 소변이 있는 상태가 적합하다. 골반장기탈출의 정량적인 측정에 앞서 외성기의 피부과적 병변이나 염증이 있는지 확인한 후 내성기의 에스트로젠 부족 여부, 소변이나 비정상적 질 분비물의 존재 여부를 확인한다. 환자에게 하복부에 힘을 주게 하여 질의 각 부위의 탈출증의 정도와 형태를 각각 평가하여야 한다. 쇄석위에서는 요실금이나 골반장기탈출이 명확하게 관찰되지 않는 경우가 있을 수 있으므로 필요에 따라 환자를 직립상태로 하고 관찰하기도 한다. 골반 진찰 시 심스(Sims) 질 확대기 혹은 각이 없는 그레이브(Grave) 질 확대기를 사용하여 질 내부를 관찰한다. 방광류는 질전벽의 팽창으로 관찰되며 위치나 발생기전에 따라 전방질벽 주름이 소실되는 중앙부 방광류(central cystocele)과 상 외측 질구가 축지되지 않는 측부 방광류(lateral cystocele)로 나뉘며 두 가지 형태가 혼재되어 나타나는 경우도 있다. 큐팁(Q-tip) 검사는 복압 증가 시 30°이상 각도의 변화가 있을 때 비정상으로 간주하며 이 경우를 요도 과 활동성으로 평가할 수 있다. 그러나 과 운동성이 심하더라도 요실금증상은 나타나지 않을 수 있고, 내인성 요도괄약근 기능부전 환자는 과 운동성이 없더라도 심한 요실금을 보일 수 있기 때문에 큐팁 검사는 요 자제 자체에 대한 검사로 볼 수 없다. 요 누출 여부는 환자에게 발살바(valsalva)나 기침을 세게 하도록 하여 평가한다. 만약 심한 탈출증이 있는 환자에서 요누출이 관찰되지 않는 경우 요도를 막지 않는 범위에서 골반장기탈출을 정복한 상태로 만든 후 검사를 진행한다. 이렇게 하면 심한 탈출증을 가진 환자들의 20~80%에서 잠복성요실금을 진단할 수 있다. 환자의 부인과적 병력 및 검사력에 대한 정보를 알고 있어야 하며 최근 1년간의 자궁경부세포진검사(pap smear test)의 결과를 확인하는 것이 도움을 줄 수 있다. 복압증가 시 관찰되는 후 질벽의 돌출이나 팽창은 장류 혹은 직장류로 진단할 수 있으며 보통 처녀막보다 하방부위가 돌출하는 경우는 직장류이고 처녀막 상방의 질 첨부 부위 탈출은 장류 혹은 고위 직장류인 경우가 많다. 장류를 확인하기 위해서는 두 손가락을 이용해야 하며 한 손가락은 질 내에, 다른 한 손가락은 직장에 넣어 검사를 시행한다.

2) POPQ 분류법

표준화된 골반장기의 탈출 정도를 평가하기 위해 International Continence Society에서 고안한 골반장기탈출 정량화(Pelvic Organ Prolapsed Quantification, POPQ) 분류법이 흔히 사용된다. POPQ는 처녀막(hymen)을 기준점으로 하여 3개의 전질벽 기준점(Aa, Ba, C)와 3개의 후질벽 기준점(Ap, Bp, D)을 사용한다. Aa와 Ap는 처녀막에서 3 cm 근위부 지점이며, Ba와 Bp는 Aa 혹은 Ap와 질 첨부 사이에서 돌출된 부위의 가장 낮은 점을 가리킨다. 앞쪽의 정점은 자궁경부로 C라고 표기하며, 뒤쪽의 정점은 D (pouch of Douglas)로 표기한다. 자궁적출술을 받은 환자인 경우에는 vaginal cuff가 C가 되며 D지점은 생략한다. 또한 이완 시 총 질 길이(tvl)와 생식기 틈새(gh)길이, 회음체(pb)길이를 사용한다. 처녀막을 기준점으로 하여 처녀막을 0으로 하며 처녀막을 넘지 않은 경우를 음수로, 처녀막을 넘어서 돌출된 경우를 양수로 표기하며 cm 단위를 사용한다(그림 52-1, 표 52-1).

각각의 항목이 측정되면 0기(탈출증이 없는 경우), 1기(탈출된 장기의 가장 원위부가 처녀막 위치보다 1 cm 이상 상방에 있는 경우), 2기(탈출된 장기의 가장 원위부가 처녀막 위치보다 1 cm 미만 상방에 있는 경우), 3기(탈출된 장기의 가장 원위부가 처녀막 위치보다 1 cm 이상 하강하였지만 전체 질 길이에서 2 cm를 뺀 수치 이상으로는 하강하지 않은 경우, 4기(완전 질 외반이 있는 경우)로 분류한다. 신체검사만으로는 탈출된 실제 장기가 무엇인지 정확히 알 수 없기 때문에 POPQ병기에서는 방광류와 직장류 같은 용어는 사용하지 않는다(표 52-2, 표 52-3).

3) 영상 검사

과거에는 골반장기탈출의 진단이 대부분 문진 및 골반신체검사를 통해 이루어졌으나 많은 환자에서 신

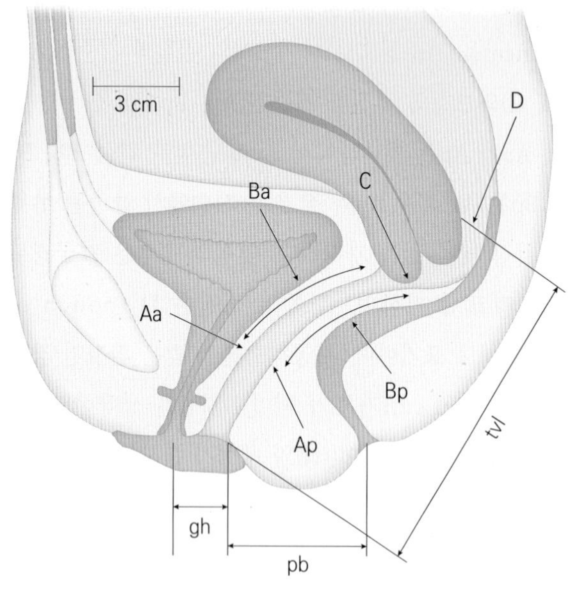

그림 52-1. **POPQ분류법의 기준점.** Aa: point A anterior(전질벽의 처녀막에서 3 cm 근위부의 지점), Ap: point A posterior(후질벽의 처녀막에서 3 cm 근위부의 지점), Ba: point B anterior(Aa와 질첨부 사이에서 돌출된 부위의 가장 낮은 점), Bp: point B posterior(Ap와 질첨부 사이에서 돌출된 부위의 가장 낮은 점), C: 자궁경부 혹은 vaginal cuff, D: Douglas강(자궁경부가 존재하는 경우), gh: 생식기 틈새(요도구의 중간 부위에서 뒤쪽 처녀막까지의 길이), pb: 회음체(생식기 틈새의 뒤에서 항문 중간 부위까지의 길이), tvl: 전체 질 길이

표 52-2. **POP-Q 분류법의 stsging 표기법 및 도식도.**
각 stage마다 약간의 표준편차를 적용함.

POP-Q Staging Criteria	
Stage 0	Aa, Ap, Ba, Bp = -3 cm and C or ≤ - (tvl-2) cm
Stage Ⅰ	Stage 0 criteria not met and leading edge < -1 cm
Stage Ⅱ	Leading edge ≥ -1 cm but ≤ + 1 cm
Stage Ⅲ	Leading edge > + 1 cm but < + (tvl-2) cm
Stage Ⅳ	Leading edge ≥ + (tvl-2) cm

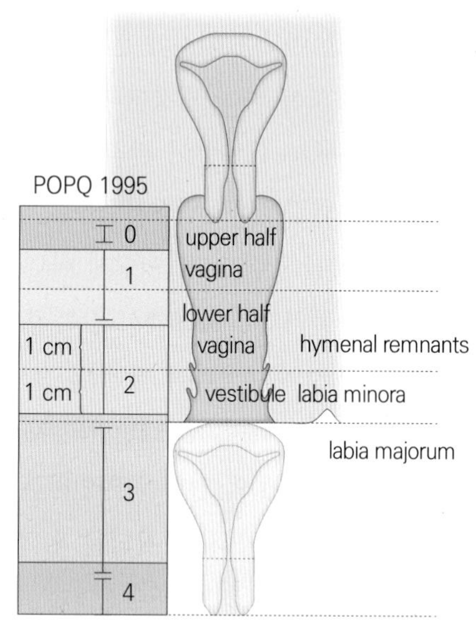

표 52-1. **POPQ 분류법의 표기를 위한 3X3 격자 기록 방식**

Aa (전질벽)	Ba (전질벽)	C (자궁경부 or vaginal cuff)
gh (생식기 틈새)	pb (회음체 길이)	tvl (전체 질 길이)
Ap (후질벽)	Bp (후질벽)	D (Douglas 강)

체검사상에서 관찰되지 않는 골반장기탈출을 놓치는 경우가 많다고 보고되고 있다. 증상을 통해 골반장기 탈출이 강하게 의심되나 신체검사 상 탈출이 관찰되지 않는 경우에 확진 및 치료계획의 수립을 위해 영상검사를 진행할 수 있다. 또한 해부학적 구조가 복잡하거나 과거 골반 장기나 구조 수술을 시행 받은 과거력이 있는 환자에서는 영상검사가 큰 도움이 된다. 영상검사에는 방광류의 진단에 방광조영술(cystography), 직장류의 진단에 배변조영술(defecography)을 시행할 수 있으며, 복합장기탈출이 의심되는 경우에는 역동적 자

표 52-3. POPQ 분류법의 격자기록 방식과 staging 표기법을 종합한 도식도.

anterior wall **Aa**	anterior wall **Ba**	cervix or cuff **C**
genital hiatus **gh**	perineal body **pb**	total vaginal length **tvl**
posterior wall **Ap**	posterior wall **Bp**	posterior fornix **D**

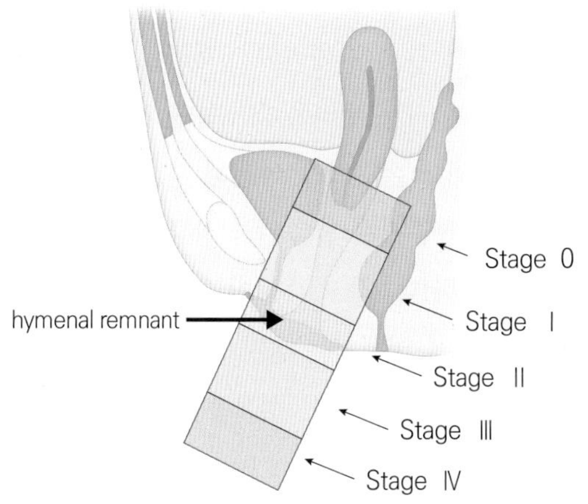

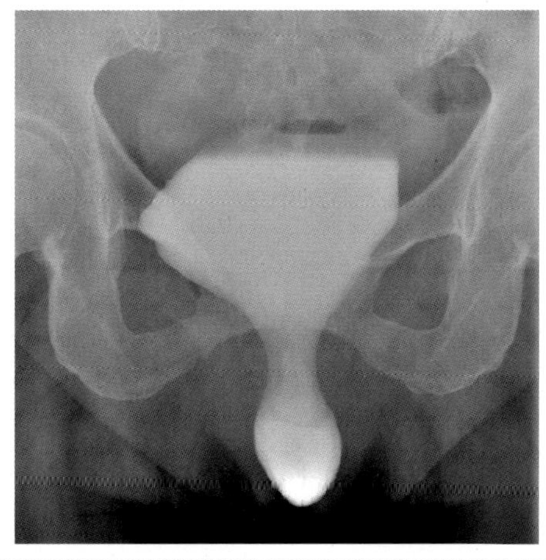

그림 52-2. **방광조영술.** Grade IV의 방광탈출증으로 중앙부(central)와 측부(lateral) 탈출증이 모두 동반된 형태.

궁방광배변조영술(dynamic colpocystodefecography)을 시행한다. 최근에는 동적 자기공명영상(dynamic magnetic resonance) 및 동적 경 회음부 초음파검사(dynamic transperineal ultrasound)와 같은 덜 침습적인 영상검사 기술이 소개되고 있다(그림 52-2).

4) 기타 검사

골반장기 탈출은 기본적으로 골반신체검사와 Q-tip 검사로 진단 및 치료 계획수립이 이루어진다. 환자의 증상이나 검사자의 판단에 따라 필요 시 추가적인 검사가 필요한 경우 시행한다. 환자가 배뇨증상을 심하게 혹은 다양하게 호소하는 경우에는 방광기능을 평가하기 위해 배뇨일지(voiding diary)와 요속검사(uroflowmetry), 잔뇨량 측정을 시행하며 방광기능부전 및 잠복요실금에 대한 의심이 있다면 요역동학검사(urodynamic study)를 시행하여 평가한다. 잠복요실금은 탈출증을 거즈나 페사리를 이용하여 교정한 후 시행하는 장벽요역동학적검사(barrier urodynamic study)를 해야만 발견되는 경우가 흔하다. 폐경이 지난 환자가 질 부위에 명확한 미란이나 궤양 없이 질 출혈을 호소하는 경우 자궁내막에 대한 초음파검사나 자궁내막생검이 이루어져야 한다. 매우 심한 탈출로 인해 요관의 폐색이 의심되는 경우 수신증을 확인하기 위해 상부요로에 대한 영상검사가 필요할 수 있다.

3. 각각의 골반장기탈출증에 대한 진단법(그림 52-3)

1) 방광류(Cystocele)

방광류는 간단하게 정의하면 골반저의 지지가 약하여 방광이 질로 탈출된 경우이다. 방광 조영검사 시행 시 탈출이 심하지 않은 경우 일반적인 자세에서는 정상으로 보일 수 있으나 복부에 힘을 주어 검사를 시행할 때 방광기저부가 치골결합 밑으로 하강 되어 보다. 방광류는 발생기전과 형태에 따라 두 가지로 분류할 수 있다. 중앙부 방광류는 치골 경부 근막의 중앙부 부위가 손상되어 발생하고 전 질벽의 돌출과 다양한 정도의 질 점막주름의 손실로 특징지어지는데, 이 경우 상외측질구는 정상이다. 측부 방광류는 질벽이 골반근막의 반근막건궁(arcus tendinous fasciae pelvis)에 부착되는 것에 장애가 생긴 경우로 정상적인 질 점막 주름을 보이는 반면, 상외측질구는 소실된다. 그러나 많은 경우 이 두 가지 손상이 동시에 존재하며, 이 둘은 반드시 동시에 교정하여야 한다. 방광류는 그 크기가 작을 때는 방광경부 약화가 동반되어 생길 수 있는 복압성요실금 외에는 대개 증상이 없다. 큰 방광류가 있는 환자들은 방광과 요도 사이에 생긴 심한 굴곡 때문에 요도가 막혀 배뇨곤란을 호소할 수 있다. 이러한 환자들은 누워 있을 때나 탈출한 장기를 고정하였을 때 요실금이 관찰된다. 중등도의 방광류 환자에서는 방광이 정상적인 수축력을 가지고 있으면 배뇨 후 잔뇨량이 비교적 적다. 전체적인 질 전 벽의 팽창 없이 요도부위에만 작은 팽창된 병변이 관찰되면서 환자가 배뇨통, 성교통, 배뇨 후 요점적 등의 특징적인 증상을 보일 때는 요도게실을 의심해야 한다.

2) 직장류(Rectocele)

직장류는 직장질격막 부위의 약화나 손상으로 인해 직장이 후방질벽 방향으로 돌출된 상태를 말하며 출산이 흔한 원인이다. 직장 질 격막내에서 가장 중요한 근막인 denonvillers 근막이 후질벽과 연결되어있는데, 출산 시 미부와 측부에서 회음체와의 탈락이 발생하여 이 연결이 손상되는 것으로 생각된다. 직장류가 존재하는 경우 해당 부위에 대변이 정체하는 경우가 많으며, 이로 인해 환자는 변비를 호소하게 된다. 환자는 배변을 하기 위해서 손가락을 이용해 후 질벽을 자극해야 하며 이러한 증상은 탈출된 직장류의 크기가 클수록 심하게 관찰된다. 작고 증상이 없는 직장류를 교정하여야 하는지에 대해서는 술자 간에 이견이 있다. 일부는 술 후 발생할 수 있는 성교통 때문에 작은 무증상 직장류의 교정을 기피하는 반면, 다른 술자들은 요실금수술 시 동시에 후질벽을 교정하여 다른 골반저에 가해지는 과도한 압력을 피해야 부가적인 골반탈출증의 수술을 피하는데 도움을 줄 수 있다.

3) 장류(Enterocele)

장류는 소장을 포함하는 복강주머니가 직장 전 벽과 후질벽 사이에 있는 직장질 공간으로 빠져나오는 진성탈장이다. 임상적으로는 장류는 질 첨부 근처의 후질벽 탈장처럼 보인다. 자궁절제술 후 발생하는 장류는 보통 질전벽과 방광후벽 사이에서 보인다. 산부인과 수술 후 전반적으로 16%에서 발생하며, 심한 전벽탈출증이 있을 때는 더 흔하다. 장류는 발생기전에 따라 선천성, 의인성, 견인형, 내압형의 네 가지로 분류된다.

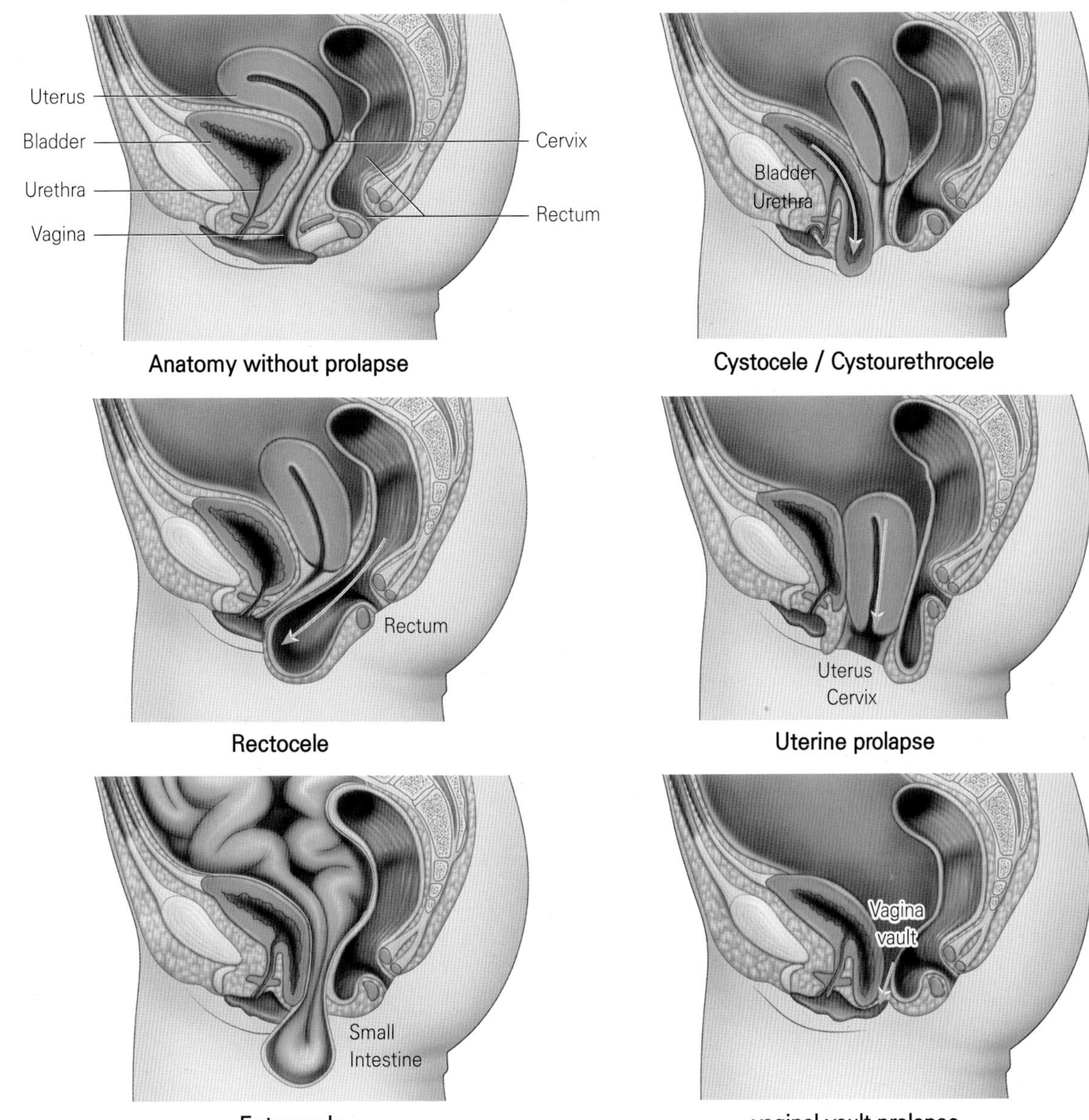

그림 52-3. **골반장기탈출증의 종류 및 진단**

4) 자궁탈출증(Prolapse of Uterus)

자궁탈출증 환자들은 무거운 짐을 들 때, 운동량이 많을 때, 쪼그려 앉아있을 때와 같이 하복부에 힘이 가해지는 상황에 질부 종물감이나 팽창감을 호소하며, 증상의 호소가 없는 환자에서도 일상적인 골반 진찰 시 자궁탈출증이 발견되기도 한다. 주로 주간에 증상을 호소하며 수면 후인 아침에는 증상이 호전됨을 문진을 통해 확인할 수 있는 경우가 많다. 자궁탈출증이 심하지 않은 환자에서 증상이 매우 심하여 이 증상이 탈출증에 의한 것인지를 알아야 할 때에는 페사리를 사용하여 증상이 호전되는지를 알아보는 것이 도움이 된다. 다발성경화증, 이분척추증 같은 신경계 질환과 비정상 적인 치골구조를 가진 방광외번증 환자들은 분만의 과거력 없이도 자궁탈출증이 발생할 위험성이 있지만 건강한 여성에서 가장 중요한 원인은 다산이다.

5) 질둥근천장탈출증 (Vaginal Vault Prolapse)

질둥근천장탈출은 자궁적출술 후 발생하는 합병증으로 배뇨, 배변, 성기능 장애 등을 유발하여 여성의 삶의 질에 부정적인 영향을 주는 대표적인 합병증 중 하나이다. 자궁적출술 후에 지지조직인 기인대와 자궁천골인대가 늘어나거나 질 천장으로부터 탈락하여 발생한다. 자궁적출술 후 최고 18.2%의 발생율이 보고되었고 질둥근천장탈출증이 있는 환자의 약 72%에서 다른 골반장기 탈출증이 동반되는 것으로 보고되었다.

전체 참고문헌 목록은
배뇨장애와 요실금 웹사이트 자료실
(http://www.kcsoffice.org)에서
확인할 수 있습니다.

제 53 장

골반장기탈출증의 치료 개관 및 비침습적치료

Pelvic organ prolapse -Treatment overview and devices for vaginal support

권준범, 김덕윤

1. 치료 개요

골반장기탈출증을 주소로 내원한 대부분의 환자는 탈출증의 상태보다는 증상의 소실이나 호전, 정상적인 활동 가능성 등에 관심을 가지므로 이제는 증상의 개선, 해부학적인 회복, 만족도 획득이 기존의 개념 즉, 지지구조의 유지실패나 조직 통합성의 손상, 신경근육기능의 부전같은 원인에 기초한 해부학적 구조 회복과 교정을 목표로 하는 것과 현저히 다르게 접근하여야 한다(Brincat et al 2019). Olsen등의 보고에 의하면 미국 포틀랜드 지역의 후향적 연구에서 80세 생존까지 11.1%가 수술을 받았고 이중 29%는 재수술을 받았다고 한다(Olsen et al, 1997). 또한 골반 지지구조에 결함이 있는 여성의 10~30%가 수술을 받았다고 하였다. 최근의 수명 연장으로 인한 노년인구의 급격한 증가와 신체 활동의 증가, 비만인구의 증가 등은 이러한 위험요인들에 더 오래 노출되기 때문에 치료가 필요한 대상과 빈도도 더불어 증가하여 출산 횟수의 감소에도 불구하고 치료가 요구될 가능성이 더 높아질 것으로 예상된다.

골반장기탈출증의 치료는 비수술적 방법과 수술적 방법으로 나누어 고려된다. 비수술적 방법에는 경과관찰, 생활습관개선, 골반근육운동, 에스트로젠요법 및 페사리(pessary) 등이 있다. 비수술적 치료법으로 증상 개선 등 효과를 기대할 수 있으나 근본 치료는 수술적 교정으로써만 가능하다. 수술로 손상된 골반 연부조직, 근육, 신경 기능을 모두 회복시킬 수는 없고, 정상 해부구조의 결손에 의한 증상을 없애고 방광, 대장, 성기능을 회복하는 것이 수술의 목적이 된다. 따라서 수술을 통하여 의도하는 바 목적과 제한점을 잘 지킨다면 수술적 치료는 좋은 결과를 도출할 수 있을 것으로 기대할 수 있다. 주요 수술 접근 방법은 복강을 통한 천골 질고정술질식과 메쉬(mesh) 이용 유무에 따른 질식 접근술이며, 특히 고령의 환자에서는 질식 수술이 선호된다. 접근방법이나 수술방법은 환자의 상태에 따라 충분한 검토와 의논 후에 결정하는 것이 필요하다(Meyer et al. 2019). 수술적 치료는 제 54장에서 다루기 때문에 여기에서는 비수술적인 치료방법에 대하여 기술하고자 한다.

2. 비수술 치료법

골반장기탈출증의 비수술 치료방법으로는 주기적 경과관찰, 생활방식 개선, 골반저근훈련, 에스트로젠 연고 도포, 페사리등이 있다. 이 중 생활방식 개선법은 발생 원인으로 알려진 비만, 흡연 등을 개선하는 체중감소 또는 복압을 지속적으로 상승시키는 과도한 운동이나 신체활동의 제한, 변비 치료, 금연 등 환자의 상태에 따라 지속적이고 적절한 방법을 정하여 유지하는 것이다. 다음으로 신체적 중재는 골반저근훈련으로 골반저근의 수축의 강도와 기간, 지구력을 증가시키는 것이다. 매일 운동을 하거나 전기자극 혹은 바이오 피드백을 이용하기도 한다(Hagen, 2011). 두 가지 방법을 동시에 실시하거나 혹은 개별적으로 시행할 수 있다.

1) 골반저근훈련

골반저근훈련은 역사적으로는 1861년부터 골반의 회복효과에 대해 시도되어 1900년 초기에 많은 지지를 얻다가 Kegel에 의해 정립되었다고 볼 수 있다(Kegel. 1948). Greenhill은 골반탈출증 뿐아니라 요실금개선, 성기능 향상에도 효과가 있다고 하였다(Greenhill JP. 1972). 주로 요실금 치료에 대한 성공적인 보고를 하고 있으며 골반탈출증에 대해서는 연구결과가 적으나 근육 손상과 부가적인 탈신경화, 근위축을 회복시키는 효과가 있는 것으로 경증 혹은 심하지 않은 골반장기탈출증에서도 적용되고 있다(Knorst et al, 2012). 치료자는 적극적인 치료 의지를 가진 환자의 골반근상태를 손가락 혹은 perineometry로 수축능을 파악하며 빈도나 강도는 정해진 바 없이 대개 환자의 상태에 따라 개별적으로 시행된다. 많지 않은 무작위 대상 연구 결과 47명의 경도의 질전벽탈출증에서 치료군에서 유의한 증상의 개선을(Ghroubi et al. 2008), staeg I, II를 대상으로 16주 골반근훈련과 생활개선군에서 POP Q 및 증상의 유의한 호전을(Hagen et al, 2009), 37명의 staeg II 환자를 16주 치료한 군에서 해부학 및 증상의 유의한 개선을(Stupp et al. 2011) 보고하였으며, 다른 대조군을 대상으로 한 연구에서는 59명의 POP-Q stages I, II, and III 환자와 50명의 대조군을 비교하여 적어도 stage I 이상 호전된 경우가 18%로 대조군의 8%보다 유의하게 호전되었다(Braekken et al. 2010). 또한 62명의 여성환자를 대상으로 필라테스와 전통적인 골반저근운동의 12주간 관찰연구에서는 두 방법 모두 골반저근의 강화효과가 관찰되었다(Culligan et al. 2012). 따라서 골반저근훈련은 경도 혹은 중등의의 골반탈출증에서 해부학적 호전 및 증상의 호전까지 가능하다.

2) 페사리

페사리는 질내 삽입하여 자궁, 방광, 직장을 지지하는 모든 도구를 지칭한다. 5세기부터 자궁 탈출증에 사용되기 시작하여 나무, 밀랍, 코르크, 상아, 고

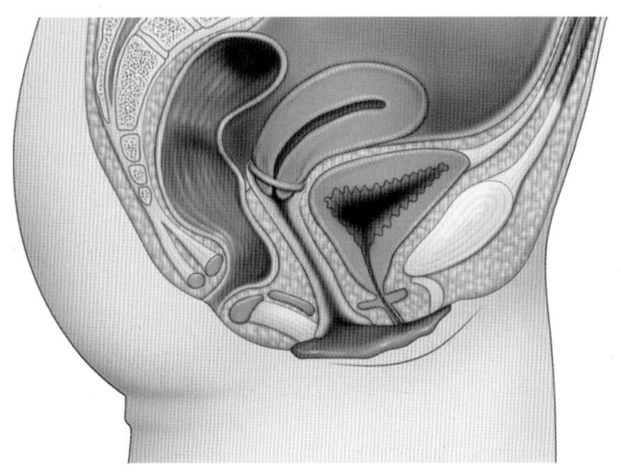

그림 53-1. **Ring 페사리의 위치**

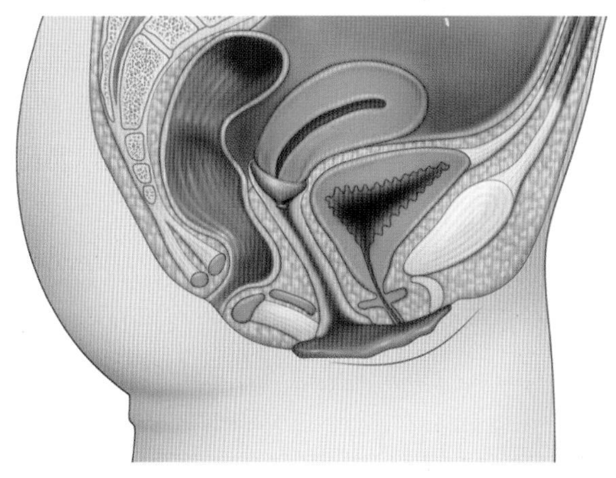

그림 53-2. **Gelhorn 페사리의 위치**

무, 금속, 섬유, 해면체, 고래뼈, 석류같은 과일 등으로 만들어져 사용이 되었다(Shah et al, 2006). 아크릴, 라텍스 혹은 고무 등으로 만든 제품은 감염, 악취 유발등이 있어 더 이상 사용되지 않고 현재는 실리콘 제제가 안정성, 비흡수성, 생체안정성등의 장점을 가지고 있어 널리 사용되고 있으며 가압증기멸균기 혹은 끓는 물을 이용한 소독이 가능하다. 페사리는 즉시 효과를 볼 수 있고 장단기간 사용가능하며 특히 수술 관련 합병증이 우려되는 고령, 당뇨병, 이전 골반 방사선 조사 병력 등이 있는 경우 외래에서 진단 후 처방되어 제공될 수 있어 골반장기탈출증의 일차치료로 가장 흔히 추천되고 있다(Clemons et al, 2004). 환자의 만족을 위해서 정확한 상태를 확인해야하고 질의 크기, 모양, 동반 탈출증 등을 평가하여 편안하고 효과적인 페사리를 정해야 한다.

(1) 페사리의 선택

다양한 페사리가 있으므로 환자나 의사의 협의에 의해 가장 적절한 것부터 선택한다. 흔히 사용되는 것에는 Lever: Hodge, Smith-Hodge, Risser, Ring, Shaaz, Gelhorn, Gehrung, Inflato-ball, Cube, Donut가 있으며(Cundiff et al, 2007) 일반적으로 일차에는 ring pessary를 사용하고 실패 시 Gelhorn, cube, donut를 이차로 선택할 수 있다(그림 53-1, 2). Ring과 Gelhorn이 가장 많이 사용되는 것으로 ring은 큰 막 형태이고 Gelhorn 은 버섯형태이다. 성생활이 가능한 제품들은 ring, oval, lever, inflatable donut, cube 등 있다. 페사리의 관리는 첫 2주는 방문 및 첫 삽입, 3개월 후 잘 유지되는지 경과 관찰하고 다음 6개월 후 성공적인 사용유지를 확인하고 2년째부터는 매 6개월마다 상태를 확인하는 방법을 추천한다(Wu et al, 1997).

(2) 페사리의 효과

3~12개월 추적관찰 결과 골반장기탈출증으로 인한 불편감, 장증상, 요실금등의 배뇨증상은 많은 연구에서 페사리의 사용으로 호전된다(Patel et al. 2010; Mamik et al. 2013; Kuhn et al. 2009; Gundiff et al. 2007). 전체의 성공적인 적용은 85%, 1년간의 중간 기간 성공률은 50~80%, 5년간의 지속율은 14~48%에 이른다(Bash. 2000). 탈출증의 정도나 위치에 관계없이 높은 유지율을 보이며 증상의 호전으로 일상생활로 복귀 가능, 자존감의 회복으로 환자의 만족도가 높다. 수술이 근본적인 치료법이지만 재수술의 위험도 등 전체 위험도가 43~56%에 이르므로(Kjølhede et al. 1996) 수술과 비슷한 만족도를 나타내는 페사리의 사용은 효과적인 대안치료방법이라고 할 수 있다. 다만 페사리의 효율성을 떨어뜨리는 요인으로는 짧은 질 길이, 약한 골반막, 큰 생식기공, 이전 자궁절제술, 자궁완전탈출증등이 있으며, 삽입환자의 약 20%에서는 제거 등으로 사용이 중단된다.

(3) 페사리의 부작용과 금기증

페사리는 위험이 낮은 치료방법이지만 질분비물, 냄새, 출혈, 감염, 미란, 비정형 세포검사, 누공형성, 요로감염, 요폐유발, 요실금 유발등의 많은 합병증이 생길 수 있다. 금기로는 급성의 요로감염, 질감염, 원인 미상의 지속적인 질의 병변, 출혈과 미란, 혹은 궤양 혹은 심한 질 위축 등이 있다. 인지장애에 의한 환자의 순응도가 떨어지는 경우에는 가족이나 의료진의 도움이 없으면 선택을 할 수 없다.

3. 결론

경도나 중등도의 골반장기탈출증을 가진 환자, 고령, 장애로 인해 수술을 받을 수 없는 상태나 수술을 거부하는 경우 비수술적인 방법을 단계적으로 환자에게 적용할 수 있다. 골반저근훈련 또는 페사리는 환자에게 부작용이 적은 치료법이며 증상의 완화와 해부학 교정을 기대할 수 있다. 비만, 변비, 심한 기침, 과도한 물건 들기나 골반의 하중을 지속적으로 요구하는 운동의 중지 등 예방을 위한 관리나 조치도 중요하다.

전체 참고문헌 목록은
배뇨장애와 요실금 웹사이트 자료실
(http://www.kcsoffice.org)에서
확인할 수 있습니다.

제 54 장 골반장기탈출증의 수술적 치료

Pelvic organ prolapse -Surgical treatment

이규성

1. 서론

골반장기탈출증(pelvic organ prolapse)은 골반저이완(pelvic floor relaxation)과 관련되어 나타나는 증상으로, 골반장기를 지지하는 근육, 근막, 인대 등의 손상으로 인해 전질벽, 후질벽, 자궁, 질첨부의 하강이 발생한다(Haylen, 2010). 수술치료의 목적은 손상된 해부학적 골반장기를 원상 복귀시킴으로써 골반장기탈출증에 의한 증상을 경감시키는 데 있다.

2. 골반저의 해부학구조

골반 내 장기는 근육으로 구성된 골반횡격막(pelvic diaphragm)과 회음근육에 의해 지지된다. 골반횡격막은 항문거근인 치골미골근(pubococcygeus muscle), 장골미골근(iliococcygeus muscle), 좌골미골근(ischiococcygeus muscle), 미골근(coccygeus muscle)으로 구성되어 근육의 슬링을 구성한 후 골반 내 장기를 그물침대hammock 모양으로 지지한다. 질 상부와 하부의 각도가 정상인의 경우 110~130°를 유지하는 것도 골반 내 장기를 지지하는 데 중요한 역할을 한다.

전질벽에서 골반횡격막은 치골요도인대(pubourethral ligament), 요도골반인대(urethropelvic ligament), 방광골반인대(vesicopelvic ligament) 또는 치골자궁경부인대(pubocervical ligament), 자궁천골-기인대복합체(uterosacral and cardinal ligament complex)의 4개 인대와 요도주위근막(periurethral fascia), 치골자궁경부근막(pubocervical fascia)의 2개 근막으로 방광과 질을 지지한다.

치골요도인대는 요도의 중간 부위를 지지하는데, 이 인대가 약해지면 요도탈출증과 요도과운동성으로 요실금이 발생한다(Stothers, 1995). 자궁천골-기인대복합체는 자궁과 질천장을 지지하므로 이 인대가 양쪽으로 분리되어 방광주위근막(paravesical fascia)이 약해져 질 중앙부가 손상되면 질 중앙부 결손(central defect)과 자궁탈출증(uterine prolapse)이 유발된다. 방광을 측면에서 지지하는 양쪽 요도골반인대와 방광골반인대가 약해지면 측부 결손(lateral defect)이 발생한다.

그러므로 중앙부와 측부가 함께 결손된 등급 4 방광류의 경우 치골요도인대, 자궁천골-기인대복합체, 양쪽 요도골반인대, 방광골반인대의 결손을 확인하고 수술하여야 방광류와 복압성요실금을 동시에 교정할 수 있고 재발도 방지할 수 있다(Thompson, 1997).

3. 비수술적 치료

수술을 시행하기 어렵거나 힘들 경우, 증상이 경한 경우 등에서 다음과 같은 방법을 시행할 수 있다. 첫째, 질 페서리(pessary)를 삽입할 수 있다. 그러나 질 점막의 궤양 및 방광과의 누공 등이 발생 가능하므로 적절한 크기를 측정하고, 세심한 관리 및 추적관찰이 필요하다. 두번째, 질 에스트로젠 크림은 질 상피세포의 vascularity 및 collagen content를 향상시키므로 수술적 치료 전단계에서 사용하면 도움이 된다. 마지막으로 골반저근육운동을 시행하면 기침, 비만, 변비 등과 관련된 증상들을 완화시키고, 골반장기탈출증의 악화를 예방하는데 도움이 되지만 결국 근본적인 교정은 필요하다.

4. 수술에 사용되는 물질

일반적으로 의료에 사용되는 인체에 삽입하는 물질의 요건으로는 생체적합성(biocompatibility), 화학적 불활성, 비발암성, 최소한의 염증반응, 기계적으로 튼튼하고 무균의 상태 등의 요건을 갖추고 있어야 한다. 이러한 요건을 갖춘 물질로는 우선 크게 생체조직과 합성물질로 크게 나누어 볼 수 있다. 또한, 합성조직의 경우 흡수성과 비흡수성으로 다시 나뉜다(Greenberg, 2009).

1) 생체조직

생체조직(native tissue)을 이용함에 있어서 생체조직의 출처에 따라 세분화된다. 자신의 조직을 이용하는 자가조직이식(autograft), 타인의 조직 혹은 시체의 조직을 이용하는 동종이식(allograft)과 돼지 등의 다른 종의 조직을 이용하는 이종개체이식(xenograft)이 있다. 생체조직의 장점으로는 조직학적으로 원래의 구조와 비슷하다는 것과 국소적으로 발생하는 부작용이 적다는 점이다.

자가이식으로 가장 많이 사용되는 조직으로는 복직근막(rectus fascia), 대퇴근막(fascia lata)과 질상피조직(vaginal epithelium)이 있다. 자가이식의 경우 질병의 전염 위험성이 없으며 이식편대 숙주반응 등의 부작용 등이 없어 이상적이라 할 수 있다. 하지만, 문제점으로는 해당 조직을 채취하는데 추가적인 시간이 소모되며 조직 채취 부위에 추가적인 위험성 및 부작용이 증가할 가능성이 있다. 이러한 위험성은 동종이식 혹은 이종개체이식으로 해결할 수 있다.

2) 합성물질

합성물질은 영구적인 것과 흡수되는 것, 구멍의 크기와 섬유의 종류에 따라 분류할 수 있다. 흡수성 합성물질의 경우 감염의 위험성도 적고, 수술 후 섬유모세포의 활동을 촉진시키며 거부반응이 발생할 가능성이 적다. 하지만, 수술 후 발생하는 흉터가 기존의 조직 정도의 강도를 유지 못하는 단점이 있다.

합성 메쉬의 경우 구멍의 크기가 중요한 인자이다. 구멍의 크기는 75 μm보다 큰 것과, 10 μm보다 작은 것으로 나누어 볼 수 있다. 구멍의 크기는 염증의 관점에서 보면 백혈구 통과가 가능한 것이 중요하기 때문이다. 또한, 추가적으로 섬유모세포, 혈관과 콜라겐 섬유가 구멍을 통과하여 성장 여부가 중요하다. 대부분의 미생물은 1 μm보다 작으며 대식세포는 10 μm보다 크다. 하지만 75 μm가 조직이 구멍을 통과하여 자랄 수 있는 중요한 크기이다. 또한, 구멍의 크기가 크면 메쉬가 좀더 유연하여 수술 부위에 좀 더 쉽게 적용할 수 있다. 최근 많이 사용되는 메쉬는 단사를 이용한 구멍이 큰, 폴리프로필렌(polypropylene)으로 제작된 메쉬이다.

5. 전질벽 지지결손의 교정

1) 수술 전 주의사항

수술 방법은 수술 후 성기능 보존 유무와 질 길이, 환자의 나이와 건강 상태, 호르몬 부족에 의한 질 상태에 따라 결정한다(Benson, 1996; Raz, 1998). 등급 3 또는 4 정도의 큰 방광류인 경우에는 수술 전 동반된 복압성요실금 유무, 배뇨근불안정, 배뇨근수축력 저하, 잔뇨 유무 등의 정확한 방광기능을 평가하기 위해 요역동학검사를 시행하며, 골반장기탈출증으로 신장이나 요관에 발생한 합병증을 진단하기 위해 상부요로에 대한 영상검사를 시행한다(Albo, 1996).

방광류는 방광요도 이행부의 꼬임(kinking)으로 폐색을 유발하여 요실금증상이 관찰되지 않을 수 있으며, 이러한 환자의 약 80%는 수술 후 복압성요실금이 새로 발생할 수 있으므로 수술 전에 주의하여야 한다(Harris·Bent, 1990; MacDonald, 2016). 복압성요실금이 동반된 방광류의 경우 측부와 중앙부 결손을 봉합하는 수술만을 시행한 경우 복압성요실금 또는 배뇨근불안정 증상이 새로 발생할 수 있으므로 수술 시 반드시 방광요도이행부의 과운동성을 교정하는 수술을 함께 실시한다(Leach, 1997; Shull, 1999). 등급4 방광류는 직장류, 자궁탈출증 등 다른 골반장기탈출증과 동반되는 경우가 많으므로 수술 전에 다른 질탈출증의 유무를 잘 파악하고 수술 후에 자궁탈출증, 직장류 등 다른 장기의 탈출증을 초래할 가능성이 있는지 분석하여야 한다(Cross·McGuire, 1997; Cundeff, 1998).

2) 수술방법

(1) 중앙부 결손의 수술

① 전질벽봉합술

전질벽봉합술(anterior colporrhaphy)은 1914년에 처음 소개된 수술 방법으로 Kelly주름형성Kelly plication 이라고도 불리며, 전질벽을 외요도구 입구까지 절개한 후 양쪽 요도골반인대와 방광골반인대를 봉합하는 수술방법이다. 그러나, 일반적인 성공률은 39.8~75.0%로 지지구조의 외부적 보강 없이 기존의 약화된 조직을 이용하므로 재발의 위험성이 높다. 20년 추적연구에서 질식 접근을 통한 방광류교정술의 재발률을 22%로 보고하였다(Macer, 1978; Carey, 2009).

(2) 측부와 복합 결손의 수술

① 복식접근(치골후질주위교정술)

경도나 중등도 방광류의 원인인 측부 결손의 경우에는 질주위교정술(paravaginal repair)이나 Burch수술로 복강 내 접근한 후 건궁(tendinous arc)을 확인하고 질주위 측부 결손을 교정하며, Burch수술은 Cooper인대를 포함하여 시행한다. 재발률이 낮으나 질주위교정술의 합병증으로 장류나 질둥근천장탈출증(vaginal vault prolapse)이 발생할 수 있으며, 질주위교정술만으로는 복압성요실금을 치료할 수 없다.

② 질식질주위교정술

치골자궁경부근막을 골반의 양쪽 벽에서 분리하여 폐쇄근막(obturator fascia)과 건궁을 노출시킨 후 4~6개 봉합사를 사용하여 폐쇄근막이 외측에, 치골자궁경부근막이 내측에 위치하도록 건궁 사이에서 봉합을 시행한다. 이 수술은 질상부탈출증의 재발률이 높지만 일반적으로 결손이 심하지 않을 때 사용된다.

③ 네부위·여섯부위현수술

네부위현수술four-corner suspension은 복압성요실금, 요도과운동성이 동반된 경도나 중증의 측부 결손 방광류 환자에게 적용된다. 등급 3 중등도 측부 방광류의 경우 항문거근과 요도골반인대를 질벽에 봉합하여 복압성요실금을 교정하기 위해 중부요도를 고정하고, 양쪽 요도골반인대와 방광골반인대를 각 질벽에 봉합한다(Safir 등, 1999). 등급 4 측부 결손과 중앙부 결손이 함께 존재하는 방광류 수술에 적용되는 여섯부위현수술(six-corner suspension)은 골대(goalpost) 모양 절개를 시행하여 중부요도를 고정하고, 요도골반인대와 방광골반인대를 봉합하여 측부 결손을 교정한 후 기인대에서 양쪽 인대와 방광주위근막을 봉합하는 술식으로, 중앙부 결손이 심할 때는 전질벽봉합술을 같이 시행한다.

④ 질경유 메쉬삽입을 통한 방광탈출증교정술

기존의 약화된 자가조직을 이용하는 수술방법들의 낮은 성공률을 극복하기 위한 방법으로 외부 물질을 삽입하여 약해진 골반 내 구조를 보강하는 술식의 개발이 이루어 졌으며, 대표적인 외부 물질로 탈장 수술에서 오랫동안 안전하게 활용되고 있던 폴리프로필렌 메쉬(polypropylene mesh)를 이용한 술식이 되겠다(그림 54-1). 질 전벽을 박리한 뒤 방광의 뒤부분이 적절하게 노출시키고, 메쉬의 한쪽 팔은 폐쇄근에, 다른 팔은 골반근막건궁(arcus tendineus of pelvic fascia)을 통과시켜 걸어주고 좌우를 동일하게 접근한다. 메쉬의 몸통은 방광목부위의 근막 및 최대로 박리된 방광의 근위부의 근막에 고정을 해준다. 메쉬를 통한 방광탈출증의 치료 성공률은 수술 후 1년째 81~95%, 수술 후 2년에서 3년사이 39.5~91.4%로 매우 높게 보고가 되고 있다(Ko, 2019). 국내에서도 2016년에 보고된 바에 따르면 총 163명의 환자들에서 수술 후 성공률은 76.7%, 수술 후 만족도는 84.7%였다(Song, 2016).

그러나, 메쉬를 이용한 방광탈출증 수술의 치료 효과는 매우 우수하지만 메쉬의 질 미란(mesh erosion)이 3.1~30%로 적지 않게 발생한다고 보고하였으며, 수

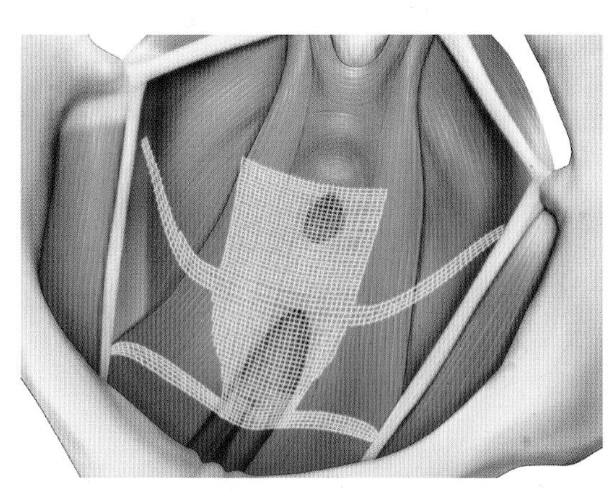

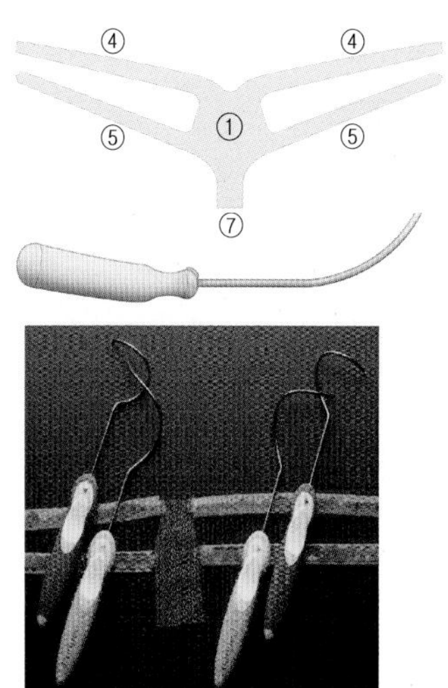

그림 54-1. **질경유 메쉬삽입을 통한 방광탈출증교정술**

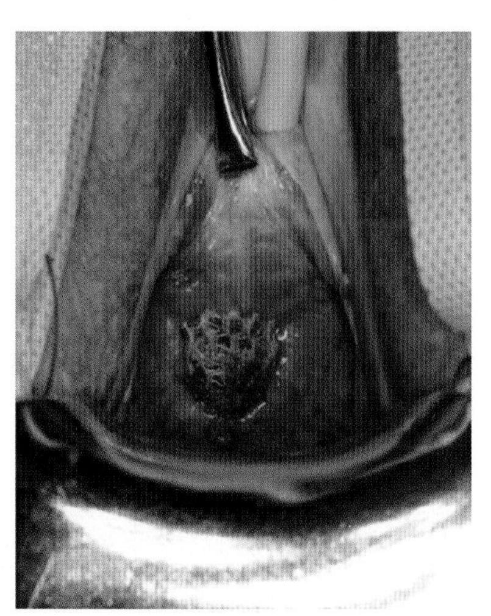

그림 54-2. **메쉬의 질 미란(mesh erosion)**

술 후 12개월 이내에 주로 발생하며, 메쉬 노출이 발생한 환자들의 약 절반은 제거술을 받는다(Feiner, 2009, Ko, 2019)(그림 54-2)(표 54-1). 또 다른 합병증으로는 주변장기손상 1~4%, 요로감염 0~19%, 누공 1%, 메쉬의 수축 등이 발생할 수 있다(Feiner B, 2010).

질경유 메쉬를 이용한 골반장기탈출증 교정술 시행 시, 수술 전 메쉬로 인한 위험성과 유용성에 대하여 고려를 해야 되며, 환자들에게 충분한 설명이 선행이 되어야 될 것이다. 또한, 수술 후에도 정기적인 검사를 시행하여 합병증이 추가적으로 발생하지 않는지 관찰할 것을 권고하고 있다.

⑤ 복강경 혹은 로봇보조복강경하 메쉬 천골고정술

이러한 합병증은 주로 질식접근법을 사용하는 수술 후 발생할 가능성이 많으며, 복식접근법에서는 발생할 확률이 더 적다(Maher C, 2010). 질 경유 이식용 메쉬 사용을 규제한 미국, 영국, 호주에서도 복강내로 접근하여 골반장기탈출증을 교정하는데 삽입하는 메쉬는 안전하며 사용해도 무방하다는 기조를 유지하고 있다.

표 54-1. **질경유 메쉬 삽입 방광탈출증 교정술 시행 후 메쉬 노출 발생률**

Study	Year	Follow-up (mo)	Exposure rate	Management	Reoperation rate due to mesh exposure
Randomized control study					
Dos Reis Brandão da	2015	12	20.5% (18/88)	15:conservative 3:surgical excision	3.4% (3/88)
Nieminen et al.	2010	12	20.8% (20/96)	6:conservative 14:surgical excision	14.6% (14/96)
Rudnicki et al.	2016	36	14.7% (10/68)	10:conservative	0.0% (0/68)
Dias et al.	2016	24	11.6% (5/43)	3:conservative 2:surgical excision	4.7% (2/43)
Glazener et al.	2017	24	5.7% (25/435)	17:surgical excision 4:conservative 4:no treatment	3.9% (17/435)
Single arm study					
Bjelic-Radisic et al.	2014	19	12.1% (28/231)	21:conservative 4:surgical excision	1.7% (4/231)
Song et al.	2016	38	3.1% (5/163)	5:surgical excision	3.1% (5/163)
Barski et al.	2017	12	5.9% (2/34)	1:surgical excision 1:conservative	2.9% (1/34)
Aubé et al.	2018	36	6.0% (20/334)	10:surgical excision 10:conservative	3.0% (10/334)

이러한 규제와 권고는 수술 치료의 유형 변화에 영향을 미쳐 질 경유 메쉬 사용은 사용률이 약 27% 정도 보고되던 것이 2008년 부작용과 위험성에 대한 첫 발표 이후 15%, 2011년 2차 발표 이후 5%까지 떨어졌으며, 이와 반대로 복강경이나 로봇을 이용한 복강 내 메쉬 사용의 술식이 증가하는 현상을 야기하였다(Skoczylas LC, 2014).

메쉬 천골고정술은 일반적으로 골반장기탈출증 중 자궁 및 자궁경부의 탈출이 심한 환자에서 사용되는 표준 술기방법으로 이를 방광탈출증 환자에서 적용한 것이다(그림 54-3). 방광탈출이 심한 환자들은 이와 비례하여 자궁 및 자궁경부 또한 밀려 내려오는 증상이 수반되어 있기 때문에 복강 내에서 방광과 자궁(경부) 사이를 충분히 박리하여 최대한 방광목 부위까지 접근하여 메쉬를 고정하고 천골부위로 당겨 고정을 시켜주면, 질을 경유하여 메쉬를 통해 방광탈출증을 교정하는 것과 같은 좋은 효과를 얻을 수 있을 것으로 기대할 수 있겠다(Jean-Philippe, 2018).

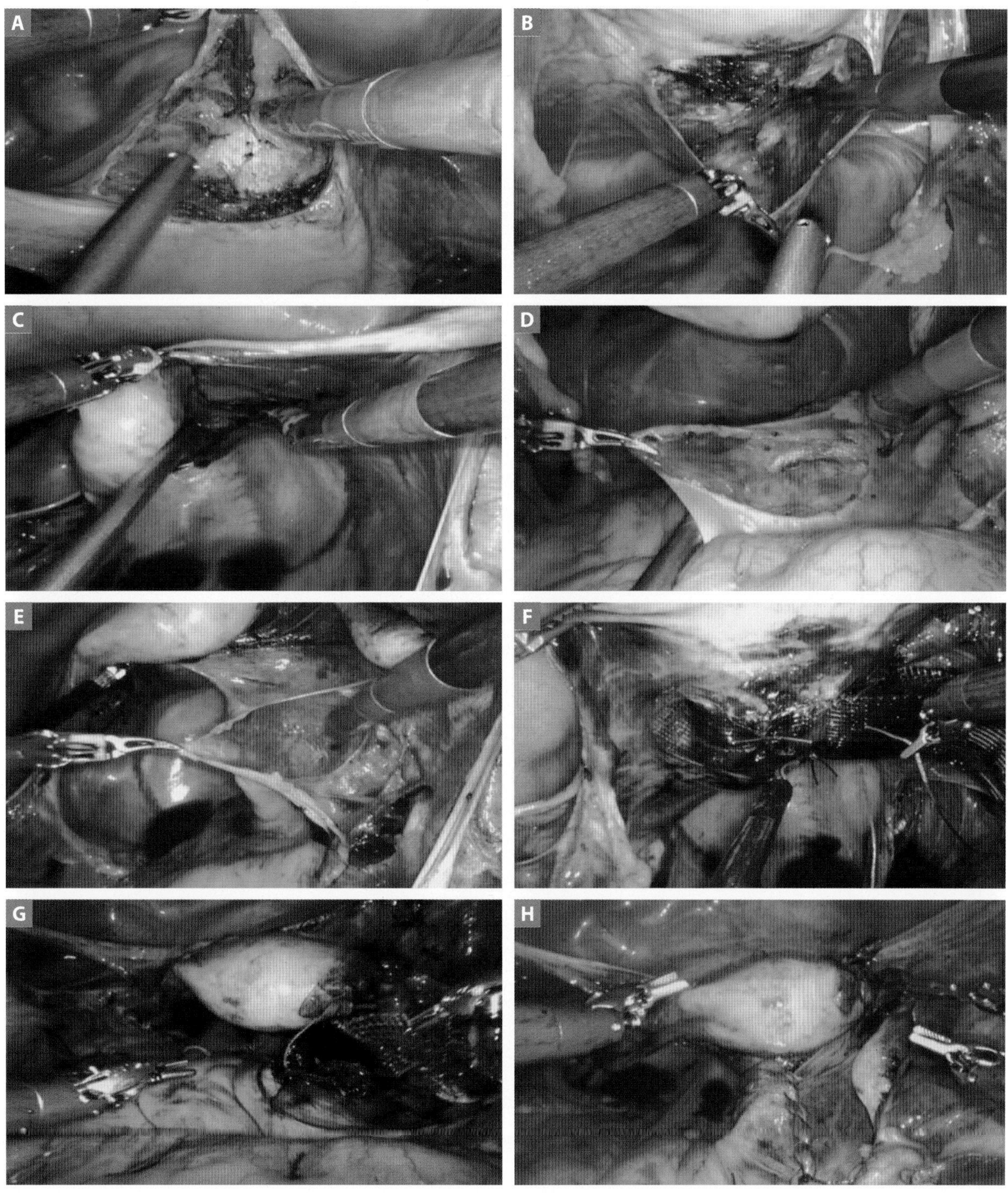

그림 54-3. 로봇 천골자궁고정술 예. (A) 방광자궁오목(vesicouterine pouch)에 절개를 가한 뒤 방광을 박리하여 방광목부위까지 최대한 접근한다. (B) 직장과 자궁사이를 절개하여 자궁경부부위까지 박리한다. (C) 자궁의 넓은 인대(broad ligament)를 통과시켜 접근한다. (D) 천골갑각(sacral promontory) 앞의 후복막을 절개하여 세로인대(anterior longitudinal ligament)를 노출시킨다. (E) 후복막 아래쪽으로 메쉬가 통과하도록 tunneling을 해준다. (F) 상품화된 비흡수성 Y 모양의 메쉬(DynaMesh® - PRS, Germany) 앞쪽 팔을 박리된 질 벽에 고정하고 뒤쪽은 직장과 자궁사이를 박리하여 적절한 위치에 고정한다. (G) 반대측 메쉬의 팔은 천골갑각 앞의 세로인대에 고정을 한다. 최종적으로 긴장 없이 메쉬의 위치와 장력을 조절하고 길이가 남은 메쉬를 절단한다. (H) 복막을 재봉합한다.

6. 질첨부 지지결손의 교정

첨부지지결손(apical support defect) 또는 질원개탈출증은 자궁적출술이나 Burch수술 후 합병증으로 자궁천골-기인대복합체, 치골자궁경부근막, 직장질근막(rectovaginal fascia)의 상부가 약화되어 발생한다. 방광류, 장류, 직장류가 동반될 수 있으므로 술 전에 정확하게 진단한다(Nicholas, 1997).

방광류가 동반된 질원개탈출증의 치료원칙은 질을 원위치로 고정시키며, 방광경부를 지지하는 수술을 시행하여 복압성요실금을 예방하고, 직장질중격(rectovaginal septum)을 재건하며, 회음부와 질축(vaginal axis)을 재건하는 것이다.

1) 장류의 치료

(1) 질식접근

장류의 원인을 인지한 후 낭(sac)을 노출시켜 박리, 제거하고 가능한 한 상부에서 낭의 입구를 봉합한 후 자궁천골-기인대복합체를 봉합한다.

(2) 복식접근

자궁적출술 같은 다른 복식접근법과 병행하며, 자궁천골인대를 포함하여 환상봉합으로 맹낭(cul-de-sac)을 폐쇄한다.

2) 질원개탈출증 교정술

질원개탈출증 교정술의 경우 접근방식에 따라서 복식접근과 질식접근으로 분류될 수 있다.

(1) 천극인대고정술

천극인대고정술(sacrospinous ligament fixation; SSLF)은 질식접근수술법 중 많이 사용되는 방법으로, 주로 전자궁탈출증(total procidentia), 자궁적출술 후 질원개탈출증이나 장류를 교정하는 데 사용된다. 질첨부를 복막외 접근법으로 한쪽 혹은 양쪽 천극인대에 고정하는 것이다(그림 54-4).

천극인대주위에는 내장골혈관(internal iliac vessels), 좌골신경(sciatic nerve), 하둔동맥(inferior gluteal artery), 음부혈관(pudendal vessel), 신경 같은 중요한 구조물들이 많으므로 수술 중 조심하여야 한다(Carey·Slack, 1994; Sauer·Kluke, 1995).

수술 합병증으로는 전질벽과 후질벽과 질원개에서의 재발, 질이 좁거나 짧아지는 증상이 있다. 보다 심각한 합병증으로는 둔부통(buttock pain)과 천수(sacral)/음부(pudendal) 신경다발의 손상이 발생할 수 있으나, 빈도는 적다(SzeEH, 1997). 여성 성기능장애도 보고되었으나 질 구조학적 변화와의 관계는 아직 명확하지 않다.

(2) 자궁천골 인대 현수술

자궁천골인대현수술(uterosacral ligatment suspension; USLS)은 1927년 Miller에 의해 처음 소개되었으며 질첨부를 복막내접근방법으로 자궁천골인대의 기시부에 고정하는 것이다. 이는 정상적인 질 축을 회복하며 천극인대고정술 후 발생되는 자궁의 후굴(retroflexion)을 방지한다. 2014년도에 발표된 총 374명(USLS 188, SSLF 186명)의 환자들에게 시행된 다기관, 무작위 연구에 의하면 수술 후 2년째 composite out-

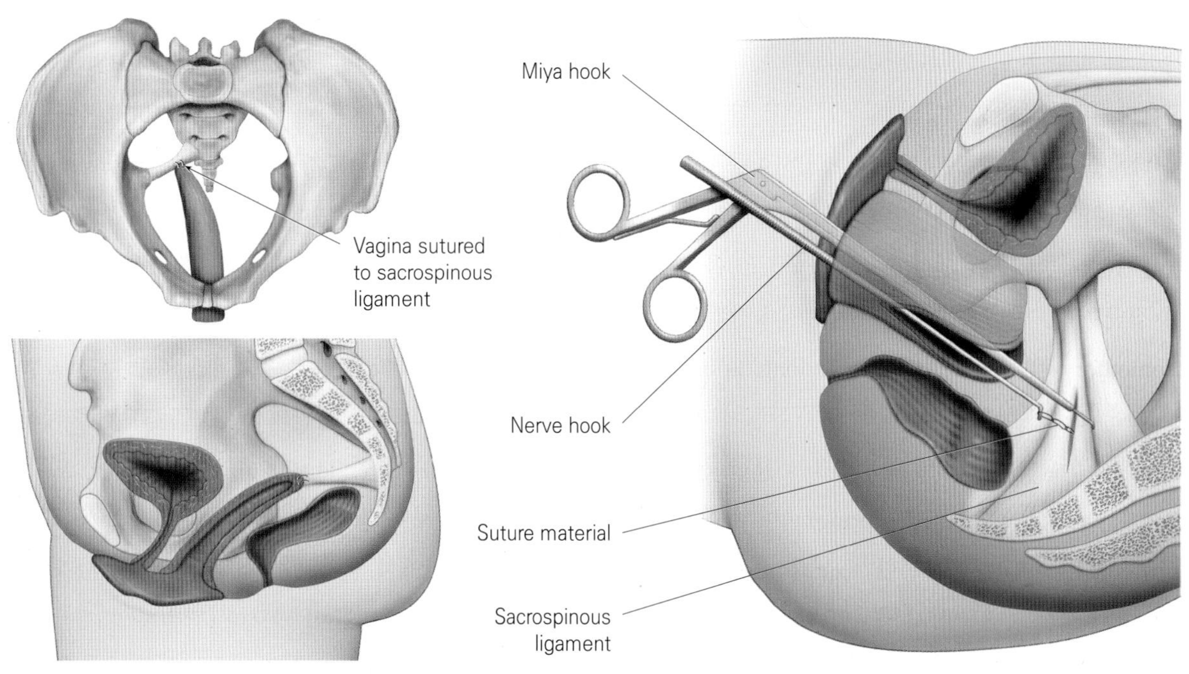

그림 54-4. **천극인대고정술(sacrospinous ligament fixation)**

come은 64.5%, 63.1%로 비슷하였으나 수술 후 치료를 요하는 신경학적 통증의 합병증은 SSLF 군에서 12.4%로 USLS군의 6.9%보다 높게 나왔다고 보고하였다(Barber MD, 2014).

(3) 장골미골근현수술

장골미골근현수술(iliococcygeus suspension)은 질원개를 장골미골근막에 고정하는 방법으로, 성공률은 81~96%이다.

(4) 복식 천골질고정술

복식 천골질고정술(abdominal sacrocolpopexy)은 질첨부를 천골갑각(promontary of the sacrum)에 고정하는 술식으로 질원개탈출증교정술 중 매우 효과적인 수술 방법이다. 질식접근에 실패한 경우, 동반된 개복술이 있는 경우, 수술자가 질식접근에 익숙하지 않은 경우 등에 적용된다. 이 수술의 장점은 정상 질각을 유지하며, 신경과 혈관구조물주위의 봉합에 의한 손상을 피할 수 있다는 것이다. 수술 후 성공률은 약 78%에서 100%까지 보고되고 있다. 수술 이후 재수술이 필요한 경우는 약 4.4%이며 수술 후 복압성요실금이 발생하는 경우는 약 4.9%로 보고되고 있다(Nygaard IE, 2004; MacDonald, 2016).

수술방법은 복식접근과 질식접근이 동시에 가능하도록 저쇄석위(low lithotomy position)가 좋으며, 필요한 경우에는 전질벽성형술과 후질벽성형술을 먼저 시행한다. 방광자궁오목(vesicouterine pouch)에 절개를 가한 뒤 방광을 박리하여 방광목부위까지 최대한 접근한다. 비흡수성 Y 모양의 메쉬의 앞쪽 팔을 박리된 질 벽에 고정하고 뒤쪽은 직장과 자궁사이를 박리하여 적절한 위치에 고정한다. 만약 자궁이 보존되어 있는 경우에는 자궁의 넓은인대(broad ligament)를 통과시켜 접근한다. 반대측 메쉬의 팔은 천골갑각(sacral promontory) 앞의 세로인대(anterior longitudinal ligament)에 고정을 한다.

복강경수술의 발전으로 복강경을 이용한 천골질고정술(laparoscopic sacrocolpopexy)이 사용되었다(Ostrzenski, 1992). 자동봉합기(autosuture)로 고정함으로써 복식접근 때보다 시간과 합병증이 많이 줄어들었다. 복강경을 이용한 천골질고정술의 수술 성공률은 1회 이상 추적관찰 하였을 경우 80~96%이다(Anger, 2014; Costantini, 2016). 그러나 일반적인 복강경을 이용한 천골질고정술의 경우 술자가 일정 수준 이상으로 학습이 되는 기간이 길다.

최근 수술로봇 da Vinci을 이용한 천골질고정술(robot sacrocolpopexy)이 보편화되었다. 미국의 경우 2010년에 약 34,000건 시행되었으며, 골반장기탈출증 수술의 약 11%를 차지하고 있다(Salamon, 2013). 수술 방법은 복강경을 이용하여 고정하는 방식과 동일하다(그림 54-3). 반면, 로봇을 이용한 경우 학습기간이 상대적으로 짧다(Pan, 2016). 이는 da Vinci로봇의 넓은 입체 시야, 로봇 팔의 조작 용이성 등의 장점 덕분이다(Elliot, 2006). 로봇 천골질고정술의 장점으로는 신체 손상을 최소화할 수 있다는 것, 출혈량이 적어 수혈 빈도가 줄어든다는 것, 수술 후 통증이 적다는 것, 감염 위험이 적다는 것, 입원기간을 줄일 수 있다는 것, 회복이 빨라 일상생활로의 복귀가 쉽다는 것, 흉터가 덜 생기므로 미용적으로 우월하다는 것 등이 있다(Hemal, 2004). 국내에서도 2017년에 보고된 바에 따르면 총 16명의 환자들에서 수술 후 100% 성공률을 보이며 수술 후 만족도가 높았으며 mesh erosion 등의 합병증은 발생하지 않았다(Sung, 2017).

(5) 질폐쇄술(Colpocleisis)

전체 또는 LeFort 부분 질폐쇄술은 탈출된 골반장기를 원위치 시킨 후 질관의 전체 또는 부분을 폐쇄하는 방법이다(FitzGerald, 2006). 유럽, 아시아, 호주 등에서는 드물게 시행되며 미국에서는 고령에서 동반질환이 많고 취약한 환자에서 시행된다. 수술시간이 짧고, 수술 관련 사망률이 낮으며, 탈출증의 재발 위험도가 매우 낮다는 장점이 있다. 그러나 수술 전 성적 활동의 유무 등에 따른 적절한 선택이 필수적이다.

7. 후질벽 지지결손의 교정

직장류는 직장질중격인 직장전근막(prerectal fascia)과 직장주위근막(pararectal fascia)이 약화되어 나타난다. 이 지지부위는 맹낭 부위에서 시작하여 질입구에서 끝나며, 특히 질원개는 자궁천골-기인대복합체에 의해 지지되므로 수술 시 이 인대의 손상에 의한 탈출증의 치료를 함께 고려하여야 한다(Marvin·Terry, 1997).

직장류의 약 80%는 무증상이며 변비, 배변곤란, 성교통(dyspareunia) 등의 증상이 있을 때 후질벽봉합술(posterior colporrhaphy)을 시행하며, 다른 결손교정술과 같이 시행할 수 있다. 후질벽봉합술의 목적은 중앙에서 직장질근막(rectovaginal fascia)에 주름형성(plication)을 하고, 항문거근 후방을 좁혀 질강을 좁히며 회음체(perineal body)를 강화하는 것이다(Paraiso, 2006).

회음봉합술(perineorrhaphy)의 목적은 후질벽봉합술 후 하부지지(inferior support)를 강화하는 것이다. 그러나 후질벽봉합술이 전질벽을 지지하거나 요실금 재발에 영향을 미치는지에 대해서는 알려지지 않았다. 수술방법은 먼저 근막을 봉합하고 거근열공(levator hiatus)을 봉합하여 정상 질의 각인 110~130°를 유지시킨 후 회음부를 봉합하여 회음체를 강화한다. 수술 후 환자의 62~88%에서 장증상이 호전되지만 질을 과도하게 좁히기 때문에 21~50%가 성교통을 호소한다. 직장손상은 질주위근막을 과도하게 박리하는 과정에서 발생할 수 있다(Jordaan, 2006).

최근 Cochrane review에 의하면 후질벽봉합술이 메쉬나 조직이식을 이용한 교정술보다 더 효과적이다. 이는 높은 성공률과 낮은 재발률을 보여준다(Mowat, 2018).

신세 참고문헌 목록은
배뇨장애와 요실금 웹사이트 자료실
(http://www.kcsoffice.org)에서
확인할 수 있습니다.

제 55 장 요생식기누공
Urogynecological fistulae

오철영

1. 방광질루

방광질루는 고대 이집트와 Homer 시대의 문헌에 처음으로 기술되었다. 고대 이집트의 문헌에는 상형문자로 방광질루에 대해 시술을 피하라고 언급되어 있다. 산과적 누공(fistula)의 외과적 치료는 르네상스 시대에 처음 시도되었지만 모두 실패한 것으로 알려져 있다. 1600년대 후반 Van Ronnhuyse 가 기술한 기법을 사용한 스위스의 Fatio는 최초로 외과적으로 누공을 치료한 사람이며, 1800년대 중반 Marion Sims (1852)는 처음으로 비반응성(nonreactive) 봉합사와 배출도관을 사용하여 치료에 성공하였다. 외과적 접근법은 1890년 Treadelenburg의 경복부접근법과 1914년 Lequen 의 경방광접근법으로 더욱 향상되었다. 누공 재건을 위한 중재적 조직에 대한 개념은 1920년대 후반 Martius와 Garlock에 의해 도입되었으며, 누공에 대한 외과적 처치는 Raz(1993), Arrow-smith(1994) 등에 의해 끊임없이 발전하였다. 여전히 많은 후진국에서는 방광질루의 원인이 대부분 지연분만이며, 출산 시 외상과 감염질환으로 방광기저부와 요도조직이 괴사되어 발생한다. 반면 선진국에서는 현대의 산과적 치료로 방광질루의 위험률이 점차 감소하고 있으며, 누공은 보통 부인과적 골반 수술이 아닌 방사선 치료의 결과로 나타난다.

1) 원인

방광질루는 신요로계의 누공 중 가장 흔한 누공이다. 후진국에서는 산과적 외상이 방광질루의 가장 많은 원인을 차지한다(표 55-1). 아프리카에서 흔한 원인은 폐쇄적 분만 시에 일어나는 압력괴사(84%)와 압력괴사를 막기 위해 질의 앞벽을 자르는 Gishiri cutting(13%)이다. 젊은 초산부의 경우 가장 빈번한 원인은 비의료인을 통한 질식분만(63%)이다. 선진국에서는 출산에 의한 방광질루는 현저히 줄어들었으나 부인과

표 55-1. **방광질루의 원인**

• 선천성(드문 경우)	• 방사선치료
• 염증성	• 경복부전자궁적출술
• 감염(결핵, 주혈흡충증)	• 질수술
• 방광 또는 질의 이물	• 비뇨기과 시술
• 장기간 도뇨관유치	• 산과적 외상
• 자궁내막증	• 지연분만
• 손상	• 겸자분만
• 골반수술	• 제왕절개
• 자궁경부암, 방광암	• 기타 종양

적 수술, 대개 자궁적출술 시에 일어나는 의인성 손상이나 악성종양의 방사선치료 후에 발생하는 경우가 흔하다. 방광질루는 질 말단의 봉합지점에서 방광의 무혈관 괴사와 미란 때문에 일어나는 것으로 생각되는데, 누공은 간단한 수술 후에도 골반부의 혈종이 방광으로 파열되어 일어날 수 있다. 자궁적출술 후 누공 발생의 위험인자라고 생각되는 요인으로는 이전의 제왕절개술, 자궁내막증 같은 자궁내질환, 방사선항암치료 등이 있다. 자궁적출술 후의 누공 발생률은 일반적으로 0.1~0.2% 정도로 생각된다. 다른 요인으로는 악성종양, 제왕절개술, 자궁내막증, 위장관수술, 염증성장질환, 당뇨, 감염, 동맥경화증, 요로결핵, 피임용 좌약 등이 있다. 방광경부에 대한 적극적인 경요도절제술이나 후벽에 위치한 방광종양의 경요도절제술에 의한 누공은 드물다. 방사선에 의한 누공은 흔히 자궁경부의 악성종양과 관련되어 있고, 질암, 자궁내막암과 같은 다른 골반부 악성종양의 방사선치료 후에도 나타날 수 있다. 지나친 방사선치료가 원인으로 추정되며, 누공은 폐색성 말초혈관염과 방광 또는 질벽의 괴사를 일으킬 수도 있다. 이러한 누공은 대개 치료 후 2년 이내에 생기고 심지어는 20~30년 후에도 발생할 수 있다. 현재는 방사선치료의 기술 발달로 이와 관련해서 발생하는 누공의 발생률이 감소하고 있다.

2) 임상 양상

방광질루의 가장 흔한 증상은 질에서 지속적으로 소변이 누출되는 것이다. 수술로 발생한 방광질루에 의한 요실금은 술 후 1~2주 이내에 일어난다. 요 누출은 누공의 크기, 위치와 직접 관련된다. 작은 누공이 있는 환자는 요 누출이 소량이며, 큰 누공이 있는 환자는 요누출이 지속적이고 요도를 통해 전혀 배뇨가 안 될 수도 있다. 소변이 누출되면 질, 외음부, 회음부에서 불쾌한 암모니아 냄새가 난다. 오래되면 인산염의 가피가 형성되기도 한다. 자궁적출술 후 발생한 누공은 전형적으로 질천장(vaginal fornix)에 위치하고, 산과적 누공은 대개 낮은 부위에 위치 하며 크기는 더 크고 요도손상과 더 많이 관련되어 있다. Graham(1965)은 방사선치료 후 누공 환자의 40%가 통증을 느끼며, 이는 대개 알칼리성 소변과 삼인산 결정의 침착과 관련되어 있고 악화된 조직을 더욱 자극하기 때문 이라고 하였다. 요누출은 사회생활의 불편함, 성생활의 어려움, 심각한 우울증, 불면증을 야기하고 환자의 자존감을 상하게 할 수 있다. 자궁적출술 후 질분비물이 나올 때 방광질루와 감별할 증상은 복막동관(peritoneal sinus tract)을 통해 질천장에서 유출된 복막액, 나팔관 누출과 림프관루, 방광기능이상에 의한 요실금(배뇨근불안정 혹은 저방광유순도), 이소성요관, 요관질루, 자궁과 하부요로 사이의 누공 교통과 정상적 질분비물 등이다.

3) 진단

신체검사는 여성 요로생식기누공이 의심되는 환자를 검사하는 데 가장 중요하다. 질검사에서는 누공을 확인하는 것뿐 아니라 질 내면과 깊이의 이상을 배제하기 위한 질 용적, 질점막 통합성(integrity)과 의심되는 누공 주위의 외과적 봉합에 방해될 만한 심한 경화나 섬유화 여부를 평가한다. 자궁적출술 후 누공이 가장 잘 생기는 위치는 질천장 부위이다. 신체검사로 질첨부 이외에 질천장 뒤쪽으로 소변이 차는 것을 알 수 있다. 정확한 비뇨의학과적 검사는 필수이며, 특히 요관질루를 배제하는 데 필요하다. 이러한 검사로는 요검사, 요배양검사, 배설성요로조영술 등이 있으며, 역행성요로조영술은 필요한 경우에만 시행한다(표 55-2). 악성종양이 의심되는 경우에는 요세포검사도 필요하다. 누공이 확인되지 않는 경우 간단한 이중염료검사를 시행 한다. 질에 젖은 4개 무균거즈를 좌우측 질 천장, 질 중간 부위, 질의 바깥쪽에 위치시킨 다음 1% 카르민(붉은색)으로 방광을 채우고 5분 후 5 mL의 인디고카르민(푸른색)을 정맥 내에 주사한 뒤 10분 후 거즈를 제거한다. 질 중간 부위의 붉은 염색은 방광질루를, 질천장의 푸른 염색은 요관질루를, 질 바깥쪽의 붉은 염색은 요도를 통한 누출을 의미한다. 인디고카르민은 신장에 의해 배출되며, 가끔 카르민 용액은 요관으로 역류하고 요관질루를 통해 질로 들어가서 방광질루에 대해 위양성을 나타낸다. 이외에도 메틸렌블루 등을 사용할 수 있다. 최근에는 단순화된 이중염료검사가 다양한 질누공의 진단에 사용되는데, 소변이 주황색으로 염색 될 때까지 경구 phenazopyridine(주황색)을 사용한다. 탐폰을 삽입한 후 방광에 도관을 유치하여 방광을 비우고 식염수와 메틸렌블루의 혼합액으로 채운 뒤 10분 후 방광을 비우고 탐폰을 제거한다. 윗부분의 탐폰이 주황색으로 염색되면 요관질루를, 푸른색으로 염색되면 방광질루를 의미한다. 위음성이 나올 수 있으므로 질에 거즈를 여러 장 넣거나 잠깐 동안 보행을 시키면 진단에 도움된다. 방광경검사는 요관구의 위치뿐 아니라 누공의 위치와 크기를 알 수 있으며, 방광점막의 부종과 괴사 부위까지 알 수 있고, 외과적 수술의 적절한 시기를 잡는 데 필수이다. 다중 누공의 가능성뿐 아니라 방광과 질 사이 사행성 관의 누공 가능성도 방광경의 적응증이 된다. 골반종양의 과거력이 있는 누공관은 정확한 치료를 위해 반드시 생검을 시행한다. 생검은 질경이나 방광경을 통해 시행할 수 있다. 배설성요로조영술과 역행성요로조영술을 통해 요관을 정확히 평가하여야 한다. 방광질루가 의심되는 경우에 여성 요로생식기누공의 평가를 위한 알고리즘은 그림 55-1과 같다. 경정맥요로조영술은 근거리 상부요관의 수신증과 중복 요관뿐 아니라 누공관의 요관 포함 여부를 밝히는 데 매우 유용하다. Symmonds (1984)는 방광질루 환자의 10%는 요관질루와 관련이 있다고 발표하였다. 요관폐색이 방광질루에서 일어날 수도 있고 일어나지 않을 수도 있다. 이러한 경우에 수신증의 부재는 누공 내로 요관이 자발적으로 감압하여 일어날 수 있으며, 위음성 배설성요로조영술 소견이 나타난다. 역행성요로조영술은 요관질루나 요관질루와 방광질루가 복합될 가능성을 가장 정확히 진단

표 55-2. 방광질루 진단검사

• 요검사	• 방광경검사
• 요배양검사	• 염료검사
• 배설성요로조영술	• 전산화단층촬영술
• 역행성요로조영술	• 자기공명영상

한다. 배설성요로조영술의 방광조영에서 질에 조기 요 저류나 요누출이 있으면 누공이 있을 수 있다. 배뇨중 방광요도조영술은 누공의 존재와 위치를 찾는데 도움이 되며, 이 검사로 외과적 재건에 영향을 주는 하부 비뇨기계이상(방광요관역류, 방광류, 요도게실)을 알 수 있다. 때때로 질조영술은 불규칙한 누공을 진단하는 데 도움이 된다. Zimmern 등(1994)은 질 입구를 막는 큰 풍선을 사용하여 질을 통해 조영제를 주입하는 시술방법을 발표하였다. Hilton(1998)은 하부요로에 누공이 있는 여성에게 요역동학검사가 필요하다는 논문을 발표하였다. 해당 연구에서는 누공이 있는 여성 30명에서 요역동학검사의 이상 소견을 관찰되었는데, 47%에서 복압성요실금이, 44%에서 배뇨근불안정이, 17%에서 저방광유순도가 나타났다. 그는 이 결과가 환자 상담뿐 아니라 결과와 관련해서도 중요하다고 주장하였다. 전산화단층촬영은 적은 수의 환자에서 발견율 60%라는 제한적인 성공을 거두었다. 전산화단층촬영술로는 누공에 의한 영상학적 변화, 근접한 골반부 종괴, 장유착 여부 등을 알 수 있다. 이 검사는 기저 원인과 술 전 질환의 정도를 확인하는 데 유용하다. 자기공명영상술은 제한적으로 사용되고 있으나 T2 강조영상에서 누공 내 액체 여부로 누공을 진단할 수 있다. Adetiloye 등(2000)은 방광질루의 초음파검사에 대한 연구에서 마취하에 검사한 환자의 경우 방광질루가 87%에 서 증명된 것과 비교하여 단 29%에서만 증명되었다고 하였다. 초음파검사는 아직까지 보조적인 수단으로 사용되 고 있으며, 누공의 위치를 확인하기 위해서는 세밀한 검사를 시행하여야 한다(표 55-3).

표 55-3. 질루의 감별진단

• 방광질루	• 절박성요실금
• 요관질루	• 질염
• 심각한 복압성요실금	• 장질루

4) 치료

여성 요로생식기누공의 치료원칙으로는 ① 적절한 영양공급, ② 감염의 최소화, ③ 비뇨기계 폐색이 없을 것, ④ 악성종양의 구분이 있다.

(1) 보존치료

대부분의 방광질루는 수술 후에 발견된다. 발생 시기 와 관계없이 항콜린제와 함께 지속적으로 도뇨관을 유치 하는 보존치료를 시도할 수 있으나 수술 후 3주 이상 경과한 성숙한 누공을 가진 환자에게는 효과적이지 못하다. Tancer(1992)는 이러한 방법으로 환자 151명 중 3명에서 누공이 자연폐쇄되는 것을 보고하였다. 또 다른 보존치료는 누공의 내면에 전기소작이나 고주파치료를 시행하는 것이다. Stovsky 등(1994)은 작은 누공(3 mm 미만)을 가진 환자 17명 중 11명(73%)이 전기고 주파치료와 2주간의 도뇨관 배출로 치료되었음을 보고하였다. 이 방법은 큰 누공에는 사용하기는 어렵고, 전류의 강도 크기가 최소여야 한다. 또한 염증성 변화, 미성숙, 악성누공에는 사용해서는 안 된다. 금속물질을 사용하여 누공을 물리적으로 붕괴하여 염증반응을 일으켜 누공폐쇄를 유도한다. McKay(1997)는 방광질루를 이차적 절개 없이 방광경을 이용하여 성공적으로 봉합하였다. 이 외 Morita 등(1999)이 fibrin glue를 이용한 성공적인 누공 폐쇄를 보고하였으며, Evans 등(2003)은 추가로 bovine collagen을 사용하여 누공이 자연폐쇄된 것을 보고하였다.

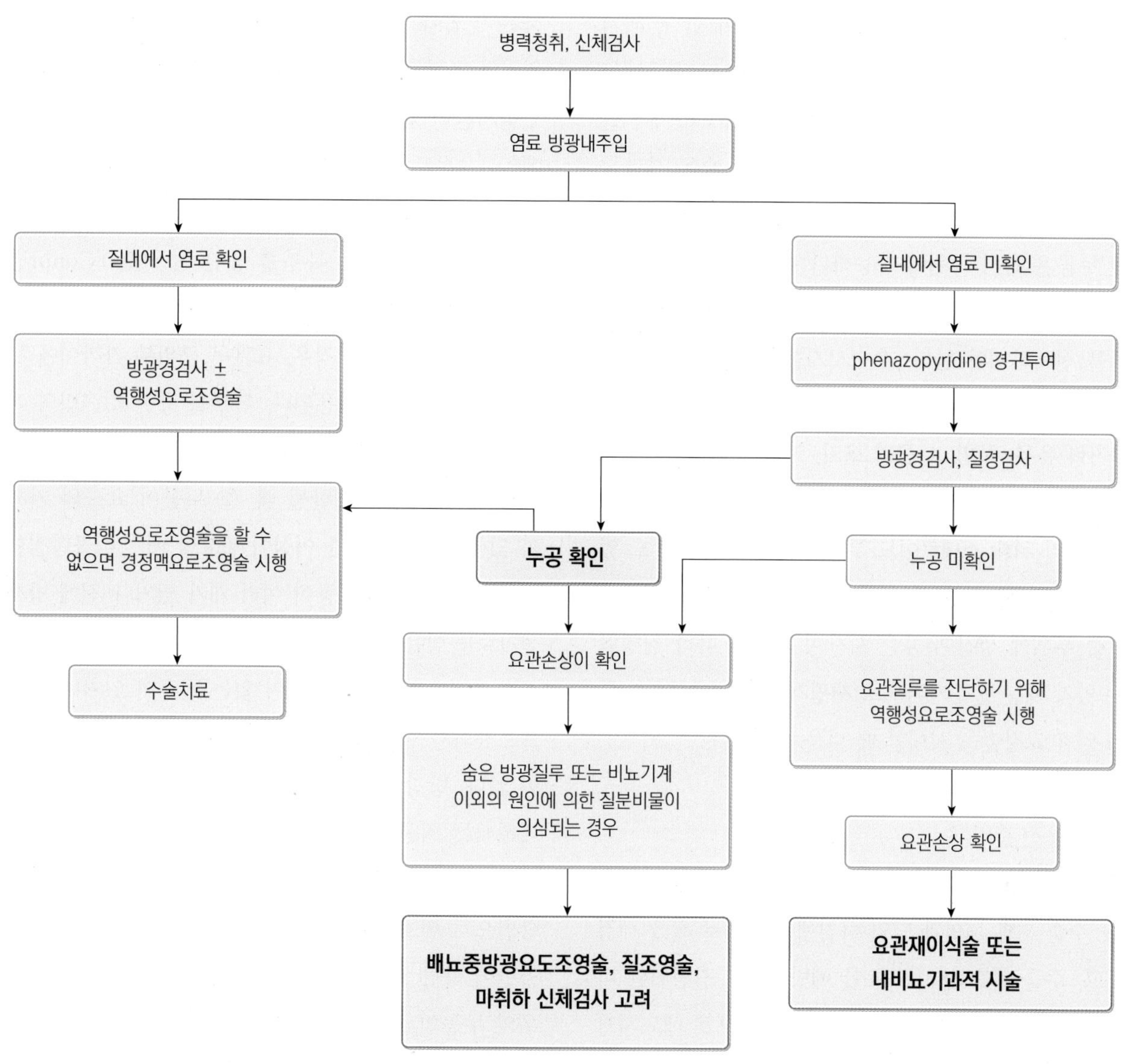

그림 55-1. **여성요로생식기누공의 평가를 위한 알고리즘**

(2) 외과적 치료

① 일반 개념

성숙한 누공을 수술할 때 첫 번째 시도가 성공 가능성이 가장 크다. 방사선조사의 과거력이 없고, 누공의 원인으로 활동성의 암이 없는 여성의 일차 수술 시 90%가 성공하였다. 누공 교정의 성공에 영향을 끼치는 인자는 누공 교통 기간, 원인, 괴사조직 유무, 술식, 술자의 경험 등이다. 누공 부위를 성공적으로 복원하려면 모든 봉합은 빈틈과 장력이 없고, 겹치지 않으며, 감염의 염려가 없는 환경에서 시술하여야 한다. 만약 복원이 어렵다면 피판물을 삽입하여야 한다. 과거에는 수술 전 최소한 3~6개월간 기다렸으나 최근에는 관찰시기 없이 개인의 임상양상에 맞게 치료하여야 한다는 주장이 있고, 조기 수술적 처치가 좋은 결과를 보인다는 보고도 있다. 수술 후 24~48시간 내에 발견된 누공은 즉시 복원이 가능하나 수술 후 수일에서 수주 후 발견된 누공의 경우에는 계획을 세우고 치료시기를 선택하여야 한다. 수술시기를 결정할 때는 반드시 외과적으로 판단하여야 한다. 그리고 방사선치료의 과거력 유무, 감염, 누공의 크기, 조직 상태, 환자의 전반적인 건강 상태를 고려하여야 한다. 누공의 성숙을 촉진하기 위해 스테로이드 투여를 주장하는 사람도 있으나 이것이 조직 상태를 향상시키지는 못한다. 방사선 노출 부위에 생긴 누공은 시간이 지남에 따라 진행할 수 있기 때문에 주기적으로 재평가를 하여야 한다. 특히 일차 교정술을 시행할 때 더욱 필요하다.

② 술 전 준비

무균 환경을 만들기 위해서는 항생제치료가 중요하다. 수술 전날 저녁과 당일 아침에 향균제로 질을 세정하고, 수술 전후 48시간 동안 예방적으로 광범위한 비경구적 항생제를 투여하고 그 후 도뇨관으로 배뇨시키는 동안 소량의 항생제를 투여하는 것을 권장한다. 질 조직 상태가 좋지 않은 경우 4~6주간 에스트로젠보충요법을 시행하기도 하지만 그 결과에 대해서는 상반된 연구 결과가 보고되고 있음을 참고 하여야 한다.

(3) 외과적 접근법

방광질루에 이용되는 수술접근법에는 복부와 질을 통해 동시에 접근하는 방법, 복부를 통해 접근하는 방법, 질을 통해 접근하는 방법, 직접 방광을 통해 접근하는 방법이 있다. 접근법을 결정하는 인자는 누공의 위치와 조직 상태, 수술 경험이다. 질을 통한 접근법은 수술시간이 짧고 이환율이 적고 회복이 빠르지만, 질에 어느 정도의 섬유화가 있고 골반운동에 장애가 있거나 요관구 근위부 가까이에 있는 큰 누공의 경우에는 시행하기 어렵다. 복부를 통한 접근법(O'Conor방법)은 잘 보이지 않는 누공이 있는 경우, 질이 좁거나 혹은 운동성이 없는 경우, 요관구 근위부 가까이에 누공이 있는 경우에 이용된다. 복부를 통한 접근법의 적응증으로는 ① 좁은 질내에서 깊게 뒤로 끌려 있는 누공 때문에 접근이 제한될 때, ② 누공이 요도와 가까이 있을 때 또는 요관 이식이 필요할 때, ③ 골반질환이 동반될 때, ④ 누공이 여러 개가 있거나 전에 방사선치료를 받은 경우, ⑤ 질구가 좁을 때, ⑥ 술 전의 에스트로젠보충요법에 반응이 없는 반흔이 있거나 에스트로젠화가 불량한 경우, ⑦ 병적으로 비만인 경우 등이 있다. 방광을 통한 접근법이나 질을 통한 접근법에 대해서는 최근 관심이 있는데도 O'Conor방법은 오랫동안 효과가 입증되었으며 성공률도 좋아 여전히 표준방법으로 여겨지 고 있다. 질과 복부를 통한 접근법은 골반에 악성 소견이 있거나 전에 방사선치료를 받은 경우의 누공인 경우 도움이 될 수 있다. 이 방법을 통해 질과 방광 또는 요도 사이에서 대망을 상호전위하고 완전 이동시킬 수 있다. 모든 접근법은 시술 중에 이식물을 삽입할 수 있다.

① 질을 통한 접근법

질을 통해 접근할 때에는 전질벽의 점막 피판을 만들어 이용한다. 그 후 polyglycolic acid 또는 polydioxanone 같은 봉합사로 봉합선이 겹치지 않게 긴장 없는 봉합을 한다. 삽입조직으로는 음순과 복막을 이용하거나 질 전진피판(advancement flaps)을 이용한다. 치골상부방광루를 통해 도뇨관을 유치하고 도뇨관을 통한 요배출도 같이 시행한다. 요관구에 가깝게 누공이 있다면 누공폐쇄 전에 방광경을 통해 요관부목을 설치하여야 한다. 최적의 시야 확보는 조직의 이동성에 의해 결정되고, 측부를 이완시키는 절개를 하면 수술 시야가 좋아 누공에 접근하기가 용이하다. 박리를 돕기 위해 자가고정견인기로 질을 견인하고 작은 풍선도뇨관(Forgaty 또는 Foley)을 누공에 설치한다. 질 절개 시에는 누공기저부와 피판을 융합시킬 수 있게 U자 혹은 J자 모양으로 절개한다. 누공이 질천장 부위에 위치 할 경우 일반적으로 누공의 전방부를 점막 피판으로 이용하지만 누공의 위치에 따라 후방부 피판을 사용할 수도 있다. 누공을 절제하더라도 주위조직은 봉합 시 지지조직 이기 때문에 넓게 절제할 필요는 없다. 복부를 통해 접근 할 때처럼 누공을 절제하면 큰 결손이 생겨

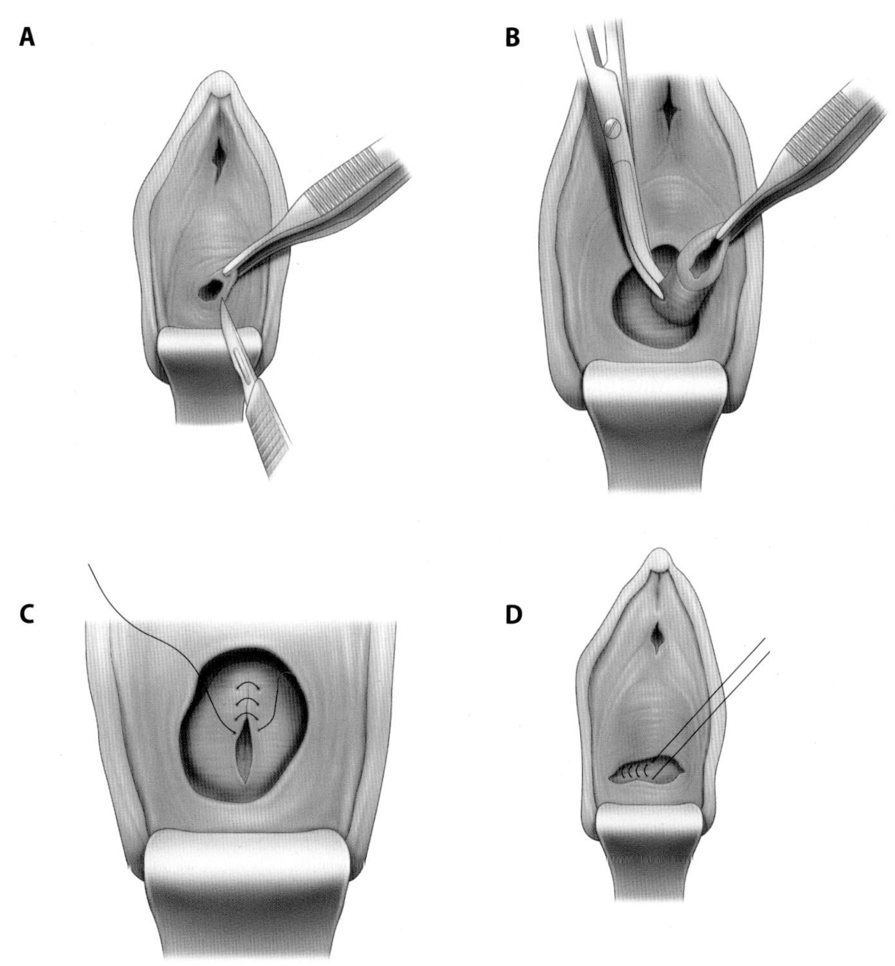

그림 55-2. **방광질루의 경질 교정법.** (A) 누공 주위를 환상하고 절개한다. (B) 누공을 제거한다. (C) 봉합선이 겹치지 않게 방광과 질을 봉합한다. (D) 질벽을 봉합한다.

봉합의 강도가 떨어진다. 누공의 가장자리로부터 멀리 질벽을 완전히 이동시키고, 피판 반대편의 질벽을 절제하여 누공의 교정 부위를 넘어서 피판이 확장할 수 있도록 한다. 봉합 후 조직의 모임현상(bunching effect)을 피하기 위해 누공 가장자리의 변연절제술이 필요할 수 있다. 누공은 2-0 혹 은 3-0의 polyglycolic 봉합사로 봉합한다. 두 번째 봉합층은 방광주위조직에서 봉합선에 수직이 되게 시행한다. 방광내에 물을 넣고 질을 통해 누공을 재검사함으로써 봉합의 강도를 점검할 수 있다. 흡수성 봉합사(polyglycolic acid 혹은 chromic catgut)를 사용하여 누공 봉합 부위로 질벽을 진행시켜 세 번째 층 봉합을 시행한다(그림 55-2). 질패킹(vaginal packing)을 시행하고 치골상부와 도뇨관을 통한 지속적 도뇨를 유지한다. 누공 교정이 힘들거나 봉합선에 문제가 있다면 Martius피판술식을 사용할 수 있으며, 그 외 복막피판이나 박근(gracilis muscle)을 이용할 수 있다. 복막은 방광 후방에서 분리되므로 봉합층들을 덮을 만큼 쉽게 확장된다. Martius피판술식은 대음순의 섬유지방조직을 이용하는데 이 조직은 혈관이 풍부하다. 혈액공급의 일정성 때문에 음부 혹은 복벽 혈관(pudendal or epigastric vessels)을 이용한 지방패드(fat pad)를 사용할 수 있다. 지방대를 이동시킨 후 이식물을 음순에서 질 절개 부위까지 질벽 밑으로 진입시켜 누공 교정 부위에서 흡수사로 봉합한다. 그 다음 그 위로 질점막 피판을 봉합한다. 혈종의 축적을 막기 위해 작은 배액관을 음순에 유치한다. 수술하기에 좋지 않은 환자에서는 근위부 질누공 교정법인 Latzko방법을 시도한다. 이 방법은 누공 주위의 질상피를 절제하고 전방부에서 후방부까지 몇 층으로 흡수사 봉합을 하는 것이다. 이 시술 중에는 누공을 절제하지 않으므로 요관의 재이식술이 필요없다. Raz 등(1992)은 질 깊이가 이 시술로 약화될 수 있으나 성기능에 미치는 영향은 없다고 보고하였다. 대부분 의 누공은 앞서 기술한 방법으로 한 번에 치료할 수 있다.

② 복부를 통한 접근법

요도까지 확장된 경우를 제외한 모든 방광누공에는 복부를 통한 접근법을 시행한다. 특히 요관의 재이식술이나 방광확대성형술이 필요한 환자에게 더 좋다. 먼저 요관 개구부의 위치를 확인하기 위해 요관부목을 유치한다. 그 후 복부를 절개하고 누공과 같은 위치에서 방광을 이분한다. 방광질중격을 따라 박리함으로써 방광과 질이 서로 분리되고 누공이 완전히 절제된다. 만약 이 통로가 광범위하게 경결화되어 있으면 결손을 복구하기 위해 후방 방광 피판을 이동시킬 수 있다. 방광과 질은 흡수성 봉합사(polydioxanone 혹은 polyglycolic)를 이용하여 분리하며 봉합한다. 복강 밖에서 접근하는 방법을 사용할 수도 있으나 이 술식은 가장 빠른 복강내접근법이다. 복강내접근법에는 망(omentum)이라는 얻기 쉬운 재료가 사용되지만, 복강외 접근법은 방광 주위의 섬유지방조직에 의존한다. 우측 위대망동맥(gastroepiploic artery)에 기반한 대망은 질과 방광 사이에 넣을 만큼 길이가 적당하고, 긴장 없이 삽입 할 수 있다. 대망은 방광과 질 사이에서 3-0 흡수성 봉합사로 고정한다. 또한 방광확대성형술은 복강내접근법으로 시행하며, 대장이나 소장을 이용한다. 대망이식편(omentum pedicle graft)으로 이러한 봉합을 강화할 수 있다(그림 55-3).

③ 복잡성방광질루

복잡성방광질루는 직경 3 cm 이상의 누공, 이전의 봉합 시도 후나 방사선치료로 생긴 누공, 악성종양과

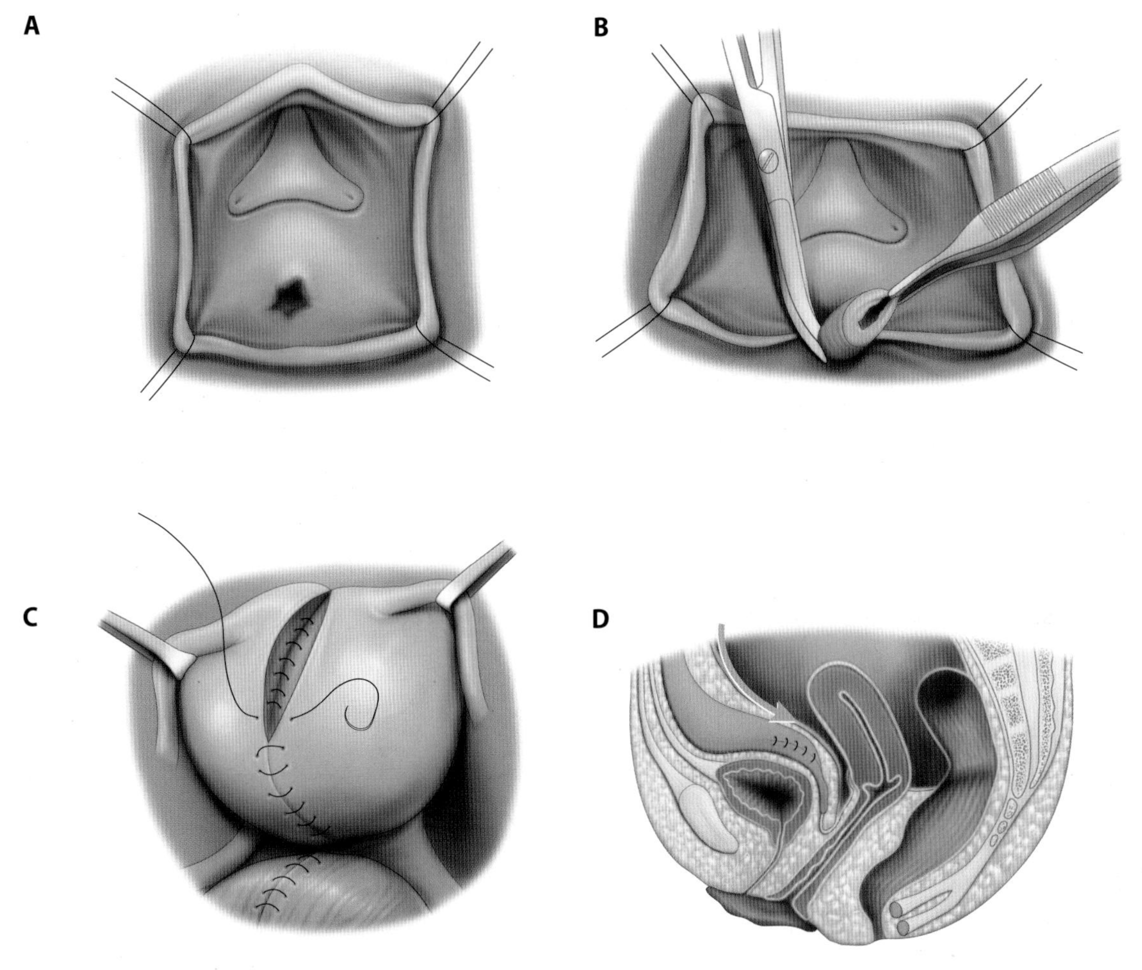

그림 55-3. **방광질루의 복부 교정법.** (A) 방광 절개 후 삼각부 상방의 누공의 입구를 확인한다. (B) 누방광벽을 절개하고 질벽을 포함한 누공을 노출시키고 제거한다. (C) 방광과 질을 각각 봉합한다. (D) 누공 형성을 방지하기 위해 방광과 질 사이에 대망을 넣는다.

관련되거나 방광삼각부, 방광경부, 요도를 침범한 누공을 말한다. 복잡성방광질루의 교정에 부가적으로 시행하는 재건술 시에는 음순의 섬유지방조직, 앞뒤 방광 피판(자가 조직)과 근피피판(myocutaneous flap), 복직근(rectus), 봉공근(Sartorius), 둔근(gluteus), 박근(gracilis) 등을 포함한 다양한 삽입물을 사용할 수 있다. 박근은 큰 누공을 치료할 때 아주 편리하게 사용된다. 박근을 분리하려면 먼저 대퇴의 내측 과돌기(medial condyle)에서 치골결합의 하연까지 박근 내측으로 피부 절개를 한다. 박근의 원위부 건 부착부를 찾아 가로절개를 하고, 근의 근위부는 박리한다. 이때 기시부로부터 10 cm 정도에 신경혈관경(pedicle)이 손상되지 않게 한다. 피하터널은 근수축과 가성구획효과(pseudo-compartment effect)를 피하게 위해 충분히 커야 한다. 질상피가 덮이지 않는다면 근을 노출시켜 재상피화되게 한다. 공여부는 배액관을 넣고 흡수성 봉합사로 봉합한다. 방사선조사 후에 생긴 방광질루는 미세혈관손상 때문에 치료가 잘 안 될 위험성이 높다. 방사선조사 후에 생긴 누공은 암의 재발을 배제하기 위해 반드시 봉합 전에 조직검사를 시행한다. 방광유순도뿐 아니라 부가적으로 방광확대가 필요한지를 결정하기 위해 방광용적을 검사하여야 한다. 방광용적이 적절하다면 질쪽으로 접근하여 방사선에 노출된 골반에서 수술하면 복막내접근법의 위험성을 피할 수 있다. 방사선치료 과거력이 있는 경우에는 삽입피판을 고려한다. 국소피판이 불가능하다면 박근삽입술이 유용하며, 조직삽입술을 시행하여도 다시 누공이 발생할 가능성이 크다. 봉합의 성공률은 50% 정도이지만, Bissada 등(1997)은 환자 10명에서 방사선치료를 한 후 80%의 성공률을 보고 하였다.

(4) 복강경 및 기방광접근법(pneumovesicoscopy)을 이용한 접근법

최근에는 최소침습수술(minimal invasive surgery)이 많은 의학분야에 적용되면서 복강경이나 기방광접근법을 이용한 방광질루의 수술적 치료가 시도되고 있으며, 초기 치료 효과를 분석한 연구에 따르면 기존 복부나 질을 통한 접근법과 비교하여 수술 성공율이나 재발율등의 수술 후 성적이 비슷하거나 우월한 것으로 보고되었다. 이외에도 로봇보조복강경하 방광질루 수술법도 시도되고 있다.

(5) 술 후 관리

질복부 또는 복잡성누공의 교정 접근 후 환자 관리는 비슷하다. 큰 도뇨관과 치골상부도뇨관을 사용하여 반드시 소변을 배출하게 하고 경구나 경직장 항콜린제로 방광경련을 줄인다. 비경구 또는 경구항생제는 도관이 있는 한 술 후에도 계속 사용한다. 도뇨관은 누공 봉합을 확인하기 위해 술 후 10~14일 에 제거한다. 배뇨중방광요도조영술을 시행하기 전에 24~48시간 정도 항콜린제 투여를 중단하고 요누출이 없으면 환자는 배뇨할 수 있으며 이때 도뇨관을 제거한다. 나중에 치골상부도뇨관도 제거한다. 요누출이 지속되면 방광감압과 함께 6주간 도뇨관유치를 한다. 에스트로젠은 경구와 국소를 동시에 술 전과 수술시기에 사용하고, 술 후 3개월간 성생활을 자제하여야 한다.

(6) 합병증

누공 재발, 요관 등 주위조직손상, 반흔성 질협착에 의한 성교통 등의 합병증이 있다. 누공이 재발하면 보존치료를 시행하나 누공이 지속될 때에는 점막의 염증이 가라 앉은 후 이차적 교정을 한다. Raz 등(1992)은 이차적 누공 교정이 대부분 성공적이라고 발표하였다. 요관폐색이 병발하면 내시경적·경피적 처치를 하여야 한다. 심한 질협착이 있는 경우에는 이완성 질피판삽입술로 질 용적을 늘려야 한다.

2. 요관질루

1) 원인

요관은 혈관수술, 부인과 수술, 비뇨기과 수술, 장관수술을 하는 동안 손상에 민감하다. 부인과 수술은 요관질루나 요관피부루의 가장 흔한 원인이 되며, 경복부완전자 궁적출술은 요관손상의 가장 흔한 원인이 된다. 자궁내막증, 비만, 골반염증성질환은 합병증의 원인이 된다. 술 전 방사선치료를 받았다면 더 쉽게 손상된다. 술 후 방사선 치료가 협착이나 누공 발생률의 증가와 관련이 없다는 보고도 있으나 그 반대의 보고도 있다.

2) 임상양상

수술 후 설명할 수 없는 복통, 측복부압통, 복부종괴, 발열이 있다면 요관손상이 의심된다. 손상 후 며칠이나 몇 주 후에 요누출이 나타나고 가끔 배액관을 통해 다량의 요누출이 나타난다. 환자는 보통 정상적으로 배뇨하지만 질에서 요누출이 지속되면 요관질루가 생긴다.

3) 진단

배설성요로조영술에서 대부분 요관폐색이 나타난다. 역행성요로조영술로는 손상 여부와 정도를 알 수 있고, 명확하지 않은 경우 염료검사가 도움될 수도 있다. 때때로 이미 있던 비정상 교통은 이소성요관과 질 사이에 존재할 수 있지만 일상적인 검사로는 발견하기 어려울 수 있다. 기능이 손상되면 신상극이 배설성요로조영술에서 보이지 않을 수 있다. 중복요관은 신하극이 처진 백합(drooping lily) 모양 이라면 의심해볼 수 있다. 이소성요관 입구를 놓칠 수도 있기 때문에 정확한 방광요도경검사와 주의 깊은 질의 관찰은 필수이다. 때로는 종괴가 방광삼각부에서 보일 수도 있으며, 질벽을 따라 생긴 종괴는 침천자나 조영제를 주입하여 검사한다.

4) 치료

치료의 일차적인 목적은 신기능 보존과 패혈증의 방지에 있다. 일차적인 신절제술은 과거에 자주 시행되었지만 Goodwin과 Scardino(1980)는 신절제술이 5% 감소하였다고 보고하였다. 만약 요관손상이 의심되어 검사한 결과 요관질루로 진단되었다면, 대부분의 환자들은 요관질루 에 대한 신절제를 요구하지 않을 것이다. 그러나 요관질루의 처치는 아직도 논쟁의 여지가 많다. 조기 교정은 영구적 신손상을 방지할 수 있다. 도관이나 부목은 배뇨하기 위해 유치할 수 있고, 경피적신루설치술도 시행할 수 있다. 경피적신루설치술은 역행성 요관 부목 유치보다 환자가 참는 데 더 수월하며, 배뇨하기에도 용이하다. 요관부목과 경피적신루설치술을 이용한 보존적 접근법을 적절한 시기에 시행하면 요관을 치료할 수 있다. 이러한 내비뇨기과적 처치는 손상이 최근 3주 미만 이고 요관손상 길이가 2 cm 미만이며 요관의 연속성이 남아 있다면 추천할 수 있다. 여러 조사기관에서 보고한 결 과 이러한 술기를 시행한 요관손상 환자의 술 후 처치에 대한 성공률은 25~50%였다. 비록 개복수술이 예정되어 있더라도 이러한 형식의 요로전환술은 신기능을 보존하는 역할을 할 수 있다. 만약 요관부목을 제거한 후에도 요누출이나 폐색이 지속된다면 가능한 한 빨리 감염을 조절한 후 복원술을 시행한다. 요관재이식술은 이러한 경우에 효과적인 술식이 될 수 있다. 방광내로 손가락을 집어넣고 밀어서 한쪽 방광을 높이 위치시킨 후 방광 밖에서 고정한다. 요관을 노출시켜 고정하기 위해 방광내압을 이용하며, 방광을 의도적으로 팽창시키면 요관의 재건에 필요한 유동성을 얻을 수 있다. 요관손상으로 인한 결손부위가 더 크다면 Boari피판술식을 할 수 있으나 요관 연속성의 재형성에 필요한 길이를 확보하는데 실패한다면 신하강, 신자가이식, 회장대체술을 고려한다. 잘 선택된 경우에 한 번의 요관누공에 대한 수술적 처치가 성공할 확률은 거의 100%이다.

3. 방광자궁루

1) 원인

방광자궁루의 발생빈도는 드물지만 하부절개 제왕절개수술 중에 가장 많이 발생하며 유도 유산, 자궁적출술, dilatation and curettage (D&C) 같은 질수술 중에도 발생한다. 과거 제왕절개수술을 시행받은 자가 질 분만 시에 위험도가 높아진다. 출산 과정에서 자궁파열로 자발적으로 발생하기도 하며 방광후벽 찢김으로 발생 한다. 또한 피임기구 같은 이물질, 자궁동맥색전술, 근접요법(brachytherapy), 방광에 됴뇨관 삽입 시 손상을 줄 경우에도 발생할 수 있다.

2) 임상증상

해부학적으로 방광후벽 가운데와 안쪽 자궁경부 입구에 호발하며 임상증상은 요실금, 주기성혈뇨(menouria)가 있고 드물지만 요실금을 호소하지 않는 경우도 있음에 유의하여야 한다.

3) 진단

방광내시경으로 방광 후벽의 가운데 병변을 확인할 수 있고 소변 세포학적 검사로 상피내세포가 검출된다. 영상검사로는 방광조영술은 자궁 공간을 확인할 수 있고 자궁난관조영술(hysterosalpingography)로 방광이 차는 것을 확인할 수 있다. 자기공명영상, 컴퓨터단층촬영, IVU로도 확인할 수 있다.

4) 치료

크기가 작고 최근 발생한 경우에는 방광 도뇨관 유치 또는 고주파 요법을 시행할 수 있다. 비수술적 치료로 도뇨관을 유치하고 폐경을 유발하는 호르몬 유도를 할 수 있으며, 수술적 치료는 임신을 원하지 않을 경우 복식자궁절제술과 방광 봉합을 고려할 수 있다. 임신을 원할 경우에는 자궁보존수술을 고려할 수 있다.

4. 요도질루

1) 원인

요도질루는 요도게실절제술, 전질벽봉합술, 방광경부의 요도를 통한 절제나 외상과 같은 수술과정의 합병증결과로서 드물게 발생한다. 가장 흔한 원인은 조직 탈락, 치유 지연, 이차 감염을 유발하는 혈액공급의 차단이다. 후진국에서는 전질벽의 압박괴사를 동반하는 폐색분만에 의한 이차적인 산과적 외상이 요도질루의 가장 주요한 원인이다. 누공은 특히 골반골 골절과 요도 질부 열상 같은 외상 후에 발생할 수 있고, 방사선치료를 받는 질과 요도종양은 괴사가 진행되어 누공이 형성될 수 있으며, 도뇨관을 오래 유치하면 압박괴사가 발생할 수 있다. 드물게 성전환수술과 요도 주위의 배농이 누공을 초래한다. 요도질루는 선천적으로 발생할 수도 있다.

2) 임상 양상

방광경부와 근위부 요도 2 cm를 포함하는 누공은 지속적 요실금을 만들 수 있고, 외요도괄약근의 원위부 누공은 무증상일 수 있으나 소변이 갈라져서 나오는 분사 형태가 나타날 수도 있다. 증상은 소변이 질로 배출되는 것인데, 특히 서 있을 때 심하다. 환자 20/40%는 복압성요실금도 있다. 질검사에서 누공은 명백하지만 때때로 거칠고 불규칙한 질표면에 가려질 수 있다. 이러한 형태의 누공이 있는 환자 중에서 19%는 방광과 질 사이가 이차적으로 연결되어 있다.

3) 진단

신체검사로서 요도손상의 범위와 정도를 확인하고 동반된 질병변을 확인하는 것이 중요하다. 앙와위와 직립위에서 동반하는 골반장기탈출증이 있는지 확인한다. 위축성질염은 국소적 에스트로젠으로 치료하며, 복압성요실금이나 절박성요실금의 가능성을 배제하기 위해 관련된 검사를 실시한다. 요도내시경 혹은 특별하게 고안된 여성용 요도경검사와 동시에 질검사를 하는 것은 누공의 위치와 크기를 알아보는 데 도움이 된다. 방광을 평가하는 것은 방광경부와 방광삼각부 병변을 배제하는 데 중요하다.

외관상 정상 방광삼각부인 경우에도 상부요로이상을 배제하는 선별검사로서 신초음파검사나 배설성요로조영술을 시행한다. 감별진단할 상황은 방광질루, 요관질루, 심각한 복압성요실금이나 절박성요실금, 다량의질분비물 등이다. 직립위에서 비디오요역동학검사와 배뇨중방광요도조영술로는 동반된 방광질루를 확인할 수 있고, 복압성요실금과 저방광유순도와 배뇨근불안정을 확인할 수 있다.

4) 치료

여성에서 요자제를 유지하기 위해 정상 방광경부기능은 필수이다. 근위부 요도 2 cm와 방광경부가 요자제 영역이라는 것이 여러 연구를 통해 알려졌다. 요자제능력이 있는 폐경 여성 49%가 방광경부기능에 문제가 있고, 요자제를 유지하기 위해 정상 근위부요도기능이 매우 중요하다. 누공은 요도폐쇄기전의 부전을 초래할 수 있어 누공에 의한 문제뿐 아니라 복압성요실금도 초래할 수 있다. 치료는 방광질루와 유사하다. 치료는 증상, 원인, 크기와 누공의 위치 그리고 다른 요소의 영향을 받는다. 복압성요실금이 발견되면 요도과운동성, 반흔, 고정 등의 평가가 포함되고, 질위축이 발견되면 내과적으로 금기가 없을 때 에스트로젠보충요법이 도움이 된다. 이러한 종류의 누공에는 비디오 요역동학검사가 술 전 검사로서 중요하다. 술 전 검사에서 복압성요실금도 동시에 교정하여야할 경우에는 치골질식슬링수술이 요도를 지지하는 기능측면이나 삽입물로서의 적합성 측면에서 권장할 만한 수술이다. 방광경부가 파괴된 경우에는 Young-Dees-Leadbetter 방광경부재건술이 유용할 수 있다. 경치골접근법은 추가적인 노출을 제공할 수 있으나 합병증 발생률이 높다(Waterhouse 등, 1972). 음순지방패드를 이용한 교정술labial fat pad repair, 박근피판삽입(gracilis muscle flapinterposition), 회음부혈관경피판(pedicled perineal flap), 구부해면체근 근육피판(island bulbocavernosus musculocutaneous flap), 전층피부이식편 등은 여성요도의 재건에 사용되어 왔다. 작은 누공의 경우에는 섬유지방음순조직을 사용하는 Martius피판술식으로 충분하다. 후방에서 혈액공급을 유지하는 이 조직은 피하터널을 통해 질 내강을 지나서 재생된 요도 위에서 봉합된다. 이 피판은 사용하기 쉽고 장점도 많다. Hendren이 기술한 궁둥이 피판(pedicled buttockflap)은 혈관조직이 좋고, 특히 누공이 큰 경우 성공률이 높다. 한 가지 이상의 수술이 요구되지만 교정 성공률은 75~100%로 다양하다. 만약 복압성요실금이 요도질루와 연관되어 있다면 누공 교정이 끝난 후 동시에 요자제를 위한 수술도 시행할수 있다. 요도질루를 교정할 때는 술 전 계획 시 40%에달하는 방광경부 약화나 복압성요실금의 위험성을 고려한다. 특히 방사선조사 경험, 방광 섬유화, 수술 과거력이 많은 환자의 경우에는 주의한다. 방사선조사에 의한 누공의 경우 요도의 병리학적 측면에서뿐 아니라 방광유순도의 이상까지 있기 때문에 성공적으로 교정하기가 가장 어렵다. 방광과 요도의 병리학적 문제를 찾아내기 위해 자세한 요역동학검사를 시행한다. 만약 수술치료를 고려한다면 조직을 삽입하여야 하므로 수주 동안 치골상부방광루를 통해 도뇨한다.

(1) 술기

환자에게 변형 쇄석위를 취하게 한 후 도뇨관과 치골상부도관을 유치한다. 그리고 누공의 위치를 확인하여 전질벽을 역 U자 또는 J자 형태로 절개한다. 전질벽 피판으로 질상피와 그 밑의 방광주위와요도 주위근막 사이 박리면을 통해 방광경부까지 들어올린다. 깊게 박리하면 심한 출혈과 천공이 생길 수도 있다. 요실금에 대한 시술을 계획하고 있다면 슬링을 유치하고 봉합의 위치를 확보하기 위해 측면 박리로 내골반근막을 뚫어야 한다. 누공은 환상절개하고, 경계부는 3-0 또는 4-0 흡수성 봉합사를 사용하여 연속적인 고정봉합을 한다. 누공을 완전히 절제하면 실제로 결손이 더 커져 봉합하기가 더 어려워진다. 누공 경계 부위는 봉합선을 적절히 밀착시켜 긴장이 없게 하여야 한다. 적절한 질 피판과 중첩되는봉합선을 피하기 위해서는 질상피를 여유 있게 제거한다. Lembert술식과 3-0 흡수사를 사용하여 두 번째 층과 위를 덮고 있는 요도 주위근막을 결합시킨다. 봉합선이나 질조직 상태가 만족스럽지 못하면 조직삽입을 고려한다. 확실하게 복구하기 위해 중재조직을 사용할것을 추천하며, 비흡수성 봉합사로 연속적으로 봉합하여전방 질 피판을 전 봉합선에 밀착시키면 시술이 끝난다.

(2) 수술 후 관리

방광질루의 치료와 유사하게 수술 전후에 비경구용 항생제와 항콜린제를 처방한다. 배뇨중방광요도조영술을 시행하기 전 최소한 10일간 지속적인 도뇨관유치를 시행하여야 한다. 배뇨중방광요도조영술로 요누출이 발견된다면 치골상부도관을 1–2주 더 유지하여야 하며, 요도내재삽관은 시행하지 않는다.

(3) 합병증

요도재건술 후 잔뇨량의 증가 혹은 요저류가 있으면 배뇨장애가 있는 것이다. 만약 배뇨가 가능하지 않다면 간헐적도뇨를 시행하기 전 치골상부도관을 유치하여야 한다. 즉 술 후 8~12주에 요도에서 상피화가 완성될 때까지는 간헐적도뇨를 피하여야 한다. 요도재건술 후에 발생한 요실금은 요도누공의 재발이나 방광과 요도의 요인들로 나타날 수 있다. 게실의 수술에서처럼 요도협착은 새로운 요도 내강이 너무 좁을 때 발생한다. Blaivas(1989)는 요도재건술 후 90%의 요자제율을 보고하였다. 그러나 환자 10명 중 6명에서 1회의 수술이 필요하였고, 2명에서 요실금 때문에 반복적 치골질식슬링수술이 필요하였으며, 1명에서 방광질루가 발생하였다. Blaivas(1995)는 재발성 누공에는 치골상부로 도뇨하면서 재수술을 시도하기 전 2~3개월간 관찰하는 보존적인 치료를 권장하였다. 그는 요도나 방광경부의 1단계 질 피판을 시행한 여성 환자 49명에 대한 최근 경험을 보고하였다. 총 49명 중 42명(87%)에서 요자제력이 있었고, 실패한 환자 7명 중 6명에서 두 번째 수술치료를 성공하였다. 환자 41명에서는 슬링수술을 시행하였고, 5명에서는 방광경부현수술(이 중 3명에서 결과적으로 슬링수술이 필요하였음)을 시행하였다. 여성 47명에서 Martius피판이 쓰였고 1명에서 박근, 1명에서 전방 방광관(anterior bladder tube)이 각각 요도기능을 하게 되었다. Blaivas(1996)는 1단계의 피판술이 누공의 치료에 적합한 반면, 모든 환자에서부수적 요실금의 시술이 필요하다고 결론을 내렸다.

전체 참고문헌 목록은
배뇨장애와 요실금 웹사이트 자료실
(http://www.kcsoffice.org)에서
확인할 수 있습니다.

여성요도게실

Female urethral diverticula

조원진

1. 서론

요도게실이란 요도 점막이 요도 주위 조직으로 돌출되는 주머니 모양의 낭 구조물로, 소변이나 농양으로 채워져 있다. 여성 요도게실은 1805년 William Hey에 의해 처음 보고되었으며, 1938년에는 Hunner가 결석과 동반된 여성 요도게실 3례를 보고하면서 비교적 드문 질환으로 알려졌다(Hunner, 1938). 이후 1956년에 Davis와 Cian이 양압요도조영술(positive pressure urethrography)을 소개하면서 이전 보고 보다는 좀 더 흔한 질환으로 알려지게 되었으며(Davis et al, 1956), 이후 이중풍선카테터(double–balloon catheter)를 이용하여 요도조영술을 시행하는 이중풍선양압요도조영술(double–balloon positive pressure urethrography)을 개발하여 요도게실의 진단을 좀 더 용이하게 하였다(Davis et al, 1958).

여성 요도게실의 유병률은 0.02~6%로 보고되고 있는데(El–Nashar et al, 2014; Wittich, 1997), 이는 과거 진단 기술이 발전하지 못했기 때문에 다양하게 보고된 것으로 요도게실의 역사와 함께 유병률이 좀 더 높게 보고되고 있어, 현재 그 유병률은 좀 더 높을 것으로 여겨지고 있다(Levinson et al, 1979).

2. 여성 요도의 해부학적 구조

정상 성인 여성의 요도는 3~4 cm 정도 길이의 관 모양 구조물로, 요도골반인대(urethropelvic ligament)로 알려진 결합 조직판에 의해 골반 측벽 및 골반 근막에 매달려 있다. 요도골반인대는 양측 골반 측벽으로 연장되어 융합 골반 근막을 구성하는데, 복부 쪽과 질 쪽 근막으로 이루어지며, 요도는 이 두 근막사이에 위치하고 대부분의 요도게실 또한 이 부위에 위치한다.

요도 내강은 방광경부와 근위부 요도에서는 요로상

피로 되어 있으며, 원위부인 외요도구로 갈수록 중층 편평상피로 바뀌게 되며, 평활근과 골격근, 그리고 섬유탄력조직(fibroelastic tissue)으로 둘러싸여, 혈관이 풍부한 해면성 원통형을 이루게 된다. 원위부 요도에는 요도주위선(periurethral gland)이 존재하여 요도로 분비물을 배출하는데, 이 중 Skene선(Skene's gland)은 가장 크고, 가장 원위부에 위치하고 있다. 이러한 선에 병리적인 과정이 발생하여 진행되었을 때 요도게실이 발생한다고 하겠다.

요도에는 방광의 배뇨근에서 연속된 내종근(internal smooth muscle)과 외환상근(outer circular smooth muscle)으로 이루어진 평활근층이 있으며, 불수의적인 내요도괄약근을 형성하고, 요도의 중간 1/3 지점에서는 평활근 바깥에 환상근이 존재하여 수의근인 외요도괄약근을 형성한다. 근위부 요도는 주위 방광조직과 비슷하게 혈액공급을 받지만, 원위부 요도는 질의 상측방을 따라 주행하는 질동맥을 통해 혈액을 공급받는다. 신경지배는 음부신경을 통해 이루어지는데, 요도의 구심신경은 골반내장신경(pelvic splanchnic nerve)을 통해 요도로부터 주행한다.

3. 여성 요도게실의 원인

여성 요도게실의 원인에 대해서는 여러 가지가 보고되고 있는데, 크게 선천적 원인과 후천적 원인으로 나눌 수 있으며, 그 중에서도 후천적으로 발생한 요도주위선 조직의 감염이나 폐색이 가장 가능성 있는 원인으로 생각된다(Huffman, 1948). 요도주위선 조직은 요도의 후외측, 요도주위 근막 하방에 존재하며 원위부 요도로 개구하는데, 이 선 조직에 감염과 염증이 발생하면, 개구부가 폐쇄되고 농양이 형성되며, 이러한 과정이 반복되면서 결국 요도게실을 형성하게 되는 것이다. 선천성 원인의 경우, 과거 여자 신생아에서의 요도게실이 보고되면서 제시되었으며(Glassman et al, 1975), 선천성 Skene선 낭종(congenital Skene's gland cyst)도 보고되기도 하였으나(Lee et al, 1992), 임상적으로 극히 드물며, Gartner관 낭종(Gartner duct cyst)으로 개구하는 이소성 요관 등의 선천성 기형도 원인이 될 수 있다고 보고되었다(Boyd, 1993). 하지만 대부분의 여성 요도게실은 성인 여성에서 확인되고 있어 후천적인 원인에 의한 것으로 생각된다.

다른 후천적 원인으로 분만 중 발생한 이차적 요도주위 손상이 문제가 된다는 보고도 있는데(Ganabathi et al, 1994), 최근에는 분만 기술이 상당히 발전하여 손상의 발생이 현저히 감소하였을 뿐만 아니라, 여성 요도게실 환자의 20~30%에서는 분만의 경험이 없어 다소 논쟁의 여지는 있다. 그 외 다른 원인으로 방광출구폐색, 요도결석, 요도의 기계적 조작, 그리고 이전 전질벽 수술의 합병증으로 인한 고압성 배뇨가 제시되기도 하며, 복압성요실금의 수술적 치료로 빈번히 시행되는 중부요도슬링수술과 경요도 콜라겐 주사치료가 여성 요도게실과 관련이 있다는 보고도 있다(Chan et al, 2015; Kumar et al, 2011).

4. 여성 요도게실의 조직학적, 해부학적 구조

요도게실의 내부 표면은 요로상피, 편평상피, 원주

상피, 입방상피, 또는 복합상피로 다양하게 나타난다. 대부분의 요도게실은 양성의 조직학적 특성을 보이지만, 수술로 제거된 요도게실의 최대 10% 정도에서는 변질형성(metaplasia), 형성이상(dysplasia), 또는 악성으로의 변형을 보이기도 하여, 철저한 조직검사가 이루어져야 한다. 이런 경우 장기간의 추적관찰 및 추가적인 치료가 필요하다(Thomas et al, 2008).

요도게실은 일반적으로 다양한 크기의 주머니 모양에 근육층이 결여되어 있으나, 진성 게실은 근육층과 외막을 포함한 모든 구조물로 이루어져 있다. 여성 요도게실은 대부분 중부 또는 원위부 요도에서 발생하며, 전질벽으로 도출된다. 4~10%에서는 요도게실 내 결석이 발견되기도 한다(Romanzi et al, 2000).

5. 여성 요도게실의 임상증상

대부분의 여성 요도게실은 30대에서 60대에 발현하며, 임상증상은 매우 다양하다(Ganabathi et al, 1994; Rover, 2016)(표 56-1). 전형적인 3대 증상으로 배뇨통(dysuria), 성교통(dyspareunia), 그리고 요점적(dribbling)이 있으나, 도리어 빈뇨나 절박뇨 등의 저장 증상, 통증, 감염이 더 흔하게 나타난다(Leach et al, 1986; El-Nashar et al, 2016). 성교통의 경우 12~24%에서 나타나며, 요점적은 5~32%에서 나타난다고 보고된다. 감염의 경우 재발성 방광염 또는 요로감염의 형태로 1/3 정도 환자에서 관찰되는데, 이는 요도게실에 정체된 소변에 의한 것으로 알려져 있다. 질 부위에서 종물을 촉지하였을 때 압통이 있을 수 있으며, 이를 부드럽게 압박하면 게실 내에 정체된 소변이나 농성 분비물이 요도를 통해 배출되기도 한다. 질 내로 게실이 파열되는 경우는 매우 드물다고 알려져 있으나, 이러한 경우에는 요도질누공(urethrovaginal fistula)이 발생하게 된다(Nielsen et al, 1987). 요도게실의 크기는 증상과 큰 관련성은 없으며, 증상의 호전과 악화가 반복되는 것은 감염과 염증이 반복적으로 발생하기 때문이다. 주목할 점은, 20% 정도의 환자들은 무증상으로, 영상학적 검사나 신체검사 동안 우연히 발견된다. 이렇게 요도게실의 증상은 매우 다양하고, 비특이적이기 때문에 많은 환자들이 확진되기 전에 다른 치료를 받는 경우가 많은데(Aspera et al, 2002)(표 56-2), 첫 증상이 발현하고 요도게실로 진단되기까지 평균 5.2년이 걸리며, 이 동안 평균 9명의 의료진을 만난다고 보고되기도 하였다(Romanzi LJ, 2000). 요도게실은 임신 중에도 발견되기도 하며, 이런 경우 항생제, 주사 배액 등의 보존적 치료를 시행하고, 근본적인 치료는 출산 시 함께 시행하기도 한다(Moran et al, 1998).

표 56-1. 요도게실의 증상과 징후

증상	징후
• 질 또는 골반 종물	• 재발성 요로감염
• 골반 통증	• 혈뇨
• 요도 통증	• 질 또는 회음부 압통
• 배뇨통	• 요폐
• 빈뇨	• 질 종물
• 배뇨 후 요점적	• 전질벽 압박 시 요도로의 분비물 배출
• 성교통	
• 절박뇨	
• 요실금	
• 요주저	
• 질 또는 요도 분비물	
• 단속뇨	

표 56-2. **요도게실로 확인되기 전에 흔히 진단되는 질환과 치료**

진단	치료
만성 방광염	단기 또는 장기간 항생제 치료
복압성요실금	항요실금수술
절박성요실금 또는 과민성 방광	항콜린제
간질성방광염	방광수압확장술
만성골반통증후군	Dimethyl sulfoxide (DMSO) 주입, 삼환계항우울제
요도증후군	요도확장술
문전정염(vulvovestibulitis)	항곰팡이 또는 항생제 질크림
방광류	수술
정신신체장애	정신요법

6. 여성 요도게실의 진단

요도게실을 진단하기 위해서는 철저한 병력청취, 신체검사, 소변검사 및 배양검사, 방광과 요도에 대한 내시경 검사, 그리고 영상학적 검사가 필요하다.

병력청취의 경우 요도게실과 관련한 전형적인 증상은 없으나, 항요실금수술 등의 이전 골반 부위 수술력이 근본적인 치료계획을 수립하는데 매우 중요하다. 또한, 요실금의 유무 및 형태, 성기능 및 성교 동통 등의 병력은 동반치료 가능여부 뿐만 아니라 수술 이후 환자의 만족도를 향상시키는데 중요한 자료가 될 수 있다(Kumar et al, 2011).

신체검사 동안에는 전질벽에 나타나는 종물의 위치와 크기, 압통의 유무를 주의 깊게 확인한다. 대부분의 요도게실은 요도의 배부 중앙에 근위부 방향으로 위치한다. 경우에 따라서는 게실이 요도를 둘러싸는 형태로 나타나기도 하며, 게실의 크기가 크다면 방광경부까지 확장되기도 한다. 종물의 위치가 요도구와 가깝다면 Skene선에 발생한 낭종이나 농양을 의심해 볼 수도 있다. 게실이 단단하게 촉지된다면 게실 내 결석이나, 드물게는 악성 종양을 의심해 볼 수도 있다. 가장 중요한 신체검사는 게실을 부드럽게 압박하였을 때, 요도구를 통해 소변이나 화농성 분비물이 배출되는지 확인하는 것이다. 단, 이러한 소견은 모든 여성 요도게실 환자에서 확인되는 것은 아님을 주지해야 한다(Leach et al, 1987). 질의 상태도 함께 평가해야 하는데, 질 조직이 위축되어 있거나, 얇은 경우에는 요도게실 수술 전후로 에스트로젠 크림을 사용하거나, 대음순의 지방편(labial fat pad flap, Martius flap)을 이식한 후 봉합한다(Nezu et al, 2001).

소변검사 및 배양검사는 반드시 시행하여야 한다. 요도게실과 관련하여 동정되는 가장 흔한 세균은 대장균(Escherichia coli)이나, 기타 임균(Neisseria gonorrhoeae), 클라미디아(Chlamydia), 연쇄상구균(Streptococci), 포도상구균(Staphylococci)도 동정되기도 한다(Hoffman, 1965). 비록 배양검사에서 음성의 결과를 보이더라도, 대부분의 여성 요로게실 환자는 최근 항생제를 투여 받은 경우가 많으므로 세균에 의한 감염을 완전히 배제할 수 없음을 주지해야 한다.

방광경을 이용한 내시경 검사는 요도로 통하는 소공(diverticular ostium)을 확인할 수 있을 뿐만 아니라, 방광과 요도에 다른 병리적 소견을 확인할 수 있다. 연성 방광경을 이용할 수도 있으나, 0도나 30도 경성 방광경을 이용하는 것이 좀 더 도움이 된다. 요도게실의 소공은 중부 요도에서 후측면 방향, 즉 4시와 8시 방향에 주로 존재하나, 모든 환자에서 관찰되는 것은 아니며 검사 동안 게실을 가볍게 압박하면, 분비물의 배출을 통해 확인하는데 도움이 된다(Ganabathi et al, 1994; Leach et al, 1987).

요역동학검사는 모든 요도게실 환자에 필요한 것은 아니나, 요실금을 호소하거나 유의한 배뇨장애가 있는 경우에 고려될 수 있다. 최대 1/3의 여성이 요실금 증상을 가지고 있는데, 요도게실을 가지고 있는 여성의 최대 50%에서 요역동학검사 시 복압성요실금을 확인할 수 있다(Ganabathi et al, 1994; Bass et al, 1991; Summit et al, 1992). 여러 연구자들이 요도게실과 항요실금수술을 성공적으로 함께 시행한 결과를 보고하였는데, 요도 부식과 감염의 위험성을 낮추기 위해, 요즘 중부요도슬링수술에 흔히 사용하는 폴리프로필렌 메쉬(polypropylene mesh) 등의 합성물질은 사용하지 않아야 한다(Dmochowski et al, 2010). 비디오 요역동학검사도 시행할 수 있는데, 추가로 배설성방광요도조영술을 시행할 필요가 없는 장점이 있다.

영상검사는 요도게실의 해부학을 적절히 평가하고 주위 구조물과의 관계를 확인하는데 큰 도움이 되며, 진단 뿐만 아니라 적절한 수술을 시행하기 위해서는 반드시 시행하여야 한다. 배뇨중방광요도조영술(voiding cystourethrography; VCUG), 요도조영술, 초음파검사, 컴퓨터단층촬영, 자기공명영상 등의 다양한 영상검사법이 있으며, 각각의 검사법이 장단점을 가지고 있는 만큼 수술 전에 이를 적절히 시행하여야 한다.

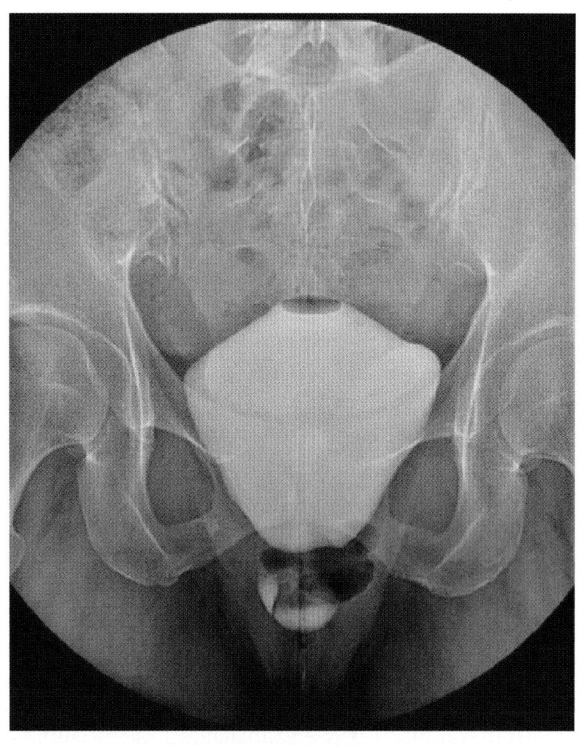

그림 56-1. **배뇨중방광요도조영술**

1) 진단적 방사선 촬영

가장 전통적인 방법으로는 요도조영술이 있으며, 1956년에 양압요도조영술이 소개되어 요도게실의 진단에 최적의 검사법으로 알려졌으며, 이후 이중풍선카테터를 이용한 요도조영술이 개발되어 진단을 좀 더 용이하게 하였다. 하지만 이 방법은 시술이 어렵고 침습적이라는 단점이 있다(Davis et al, 1956; Jacoby et al, 1999). 배뇨중방광요도조영술은 요도게실을 진단할 뿐만 아니라, 방광경부와 근위부 요도를 평가하는데 긴요하게 이용된다(그림 56-1). 검사의 민감도는 44~95%로 다양하게 보고되는데(Ganabathi et al, 1994; Jacoby et al, 1999), 검사 동안 환자가 요도 도관과 관련한 통증, 검사실 또는 검사자의 존재로 인한 심리적 억제반응 등으로 배뇨를 하지 못한다면, 방광으로 조영제를 주입한 후 화장실 등의 개인적인 공간에서 배뇨를 마치고, 촬영을 시행한다. 3차원 CT-VCUG도 시도된 보고가 있으나 아직까지는 크게 이용되지는 않는다(Kim et al, 2005). 정맥요로조영술(intravenous urography; IVU)은 상부요로의 상태를 명확히 하거나, 선천성 이소성 요관 등의 기형이 의심되는 경우에 고려될 수 있다. 일부 보고에서는 배뇨 후 영상을 얻는다면 요도게실을 진단하는데 도움이 될 수 있다고 하지만 현재 흔히 사용되지는 않는다.

2) 초음파 검사

초음파 검사도 진단율이 높은 것으로 보고되며, 특히 기존의 배뇨중방광요도조영술이나 이중풍선양압요도조영술로 게실의 위치나 개구부를 확인하지 못한 경우에 유용하다고 보고된다(Siegel et al, 1998). 검사는 경질(transvaginal), 경음순(translabial), 경치골(suprapubic), 경회음(transperineal), 경직장(transrectal) 등 다양한 방법으로 시행할 수 있으나, 경질 초음파 검사가 가장 유용하다. 수술 중 강 내 초음파 검사(endoluminal ultrasonography)가 도움이 된다는 보고도 있으나, 다른 방법에 비해 침습적이라는 단점이 있다(Chancellor et al, 1995). 초음파 검사는 비교적 덜 침습적이며, 환자가 방사선에 노출되지 않고, 배뇨중방광요도조영술처럼 환자가 배뇨해야 할 필요도 없지만, 요도게실의 세세한 구조를 파악하는 데는 제한이 된다.

3) 자기공명영상(그림 56-2)

요도게실에서 자기공명영상은 높은 진단율을 가지고 있을 뿐만 아니라, 높은 해상력을 통해 요도 주위

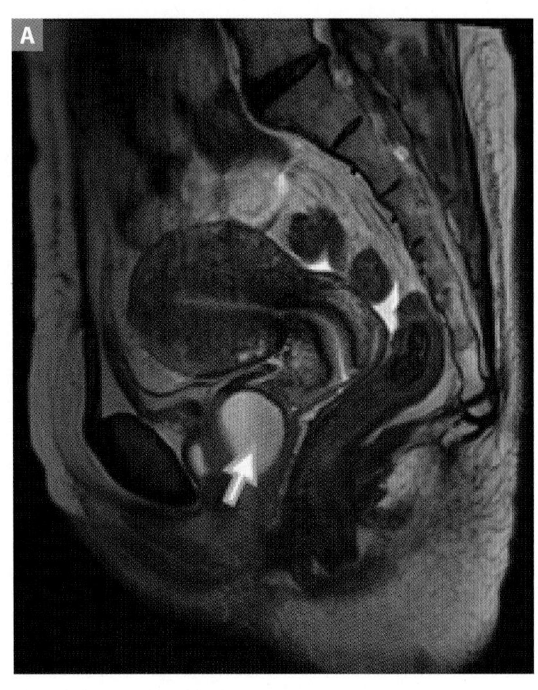

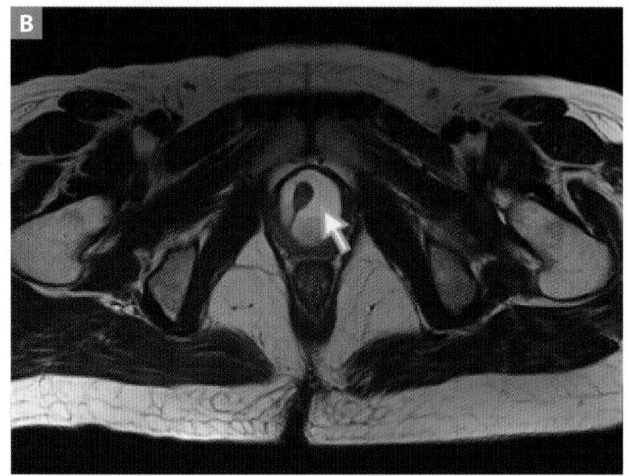

그림 56-2. **골반 자기공명영상**

의 병변을 구별하는데 매우 유용하다(Kim B et al, 1993). 요도게실은 T1 영상에서 주위 조직과 비교하여 감소된 신호강도를 보이며, T2 영상에서는 높은 신호강도를 보인다. 또한, 검사 동안 배뇨를 할 필요가 없으며, 방사선에 노출되지 않는 장점이 있다. 검사를 좀 더 정확히 시행하기 위해 관내 고리(endoluminal coli)을 이용한 관내 자기공명영상(endoluminal magnetic resonance imaging; eMRI)을 시행하기도 하는데, 고리는 질 내 또는 직장 내에 위치시킨다(Dwarkasing et al, 2011; Blander et al, 2001). 비록, MRI가 높은 진단율과 특이도를 가지고 있으나, 검사 결과와 수술 시 소견이 일치하지 않는 경우도 약 24%로 보고되기도 하며(Chung et al, 2010), 환자가 금속성의 이물질을 가지고 있거나, 폐쇄공포증이 있는 경우, 그리고 eMRI의 경우 관내 고리를 삽입할 수 없다면 검사가 제한이 된다.

7. 요도게실의 분류

1993년에 Leach 등은 여성 요도게시리을 분류하는 체계로 L/N/S/C3 체계를 제안하였다. L은 위치(location), N은 게실 수(number), S는 크기(size), C3는 형태(configuration); 교통(communication), 요자제(continence)의 유무와 유형을 나타낸다(Leach et al, 1993)(표 56-3). 위치는 근위부 요도와 바광경부 바로 아래, 근위부 요도, 중부 요도, 원위부 요도로, 게실 수는 하나인지 여러 개인지로 구분한다. 크기는 주로 센티미터로 표시하며, 형태는 다방형(multiloculated), 단낭형(simple), 안장형(saddle–shaped)인지로 구분한다. 교통부위는 근위부, 중부, 원위부 중 어디인지를 표시하고, 요실금은 없는지, 복압성요실금만 있는지, 절박성요실금만 있는지, 모두 존재하는 혼합성요실금인지를 표시한다. 이러한 분류체계는 요도게실의 올바른 수술 전 접근을 용이하게 하고, 각 시술자 간의 비교를 간소화할 수 있다.

8. 여성 요도게실의 감별질환

요도게실 이외 요도 주위 종물은 매우 다양하나, 자세한 병력청취와 신체검사만으로도 감별이 가능할 수 있다. 하지만, 명확한 진단을 위해서는 방광경뿐만 아니라 영상검사를 시행하는 것이 바람직하다.

표 56-3. **L/N/S/C3 분류체계에 따른 여성 요도게실의 분류 예시(Leach et al, 1993)**

위치(L)	수(N)	크기(S)	형태(C1)	교통(C2)	요자제(C3)
근위부 및 방광 경부하방(9)	하나	0.2×0.2cm -6.0×4.5cm	다방형(22)	근위부요도(16)	요실금 없음(26)
근위부요도(7)	여러 개		단낭형(41)	중부요도(35)	복압성요실금(30)
중부요도(36)			안장형(14)	원위부요도(12)	절박성요실금(3)
원위부요도(11)					혼합성요실금(4)

C1: configuration, C2: communication, C3: continence

1) 질 평활근종(Vaginal Leiomyoma)

질 평활근종은 질벽의 평활근 조직에서 발생하는 양성 중간엽 종양으로, 흔히 전질벽에 둥근 종물 형태로 나타난다. 질 평활근종은 과거에는 매우 드문 것으로 여겨졌으며, 2004년 Blaivas 등에 의한 요도 주위 종물관련 연구에서, 요도 주위 종물을 가지고 있는 79명의 환자 중 4명(5%)에서 질 평활근종이 확인되었다고 보고하였다(Blaivas JG et al, 2004). 대부분 4·50대에서 나타나며, 질 부위의 종괴감, 폐색, 통증, 그리고 성교통 등을 보이는데, 이러한 증상은 종물의 크기와 관련이 있다. 또한, 에스트로젠에 의존적이어서 폐경 후에는 증상이 완화되거나 크기가 감소하기도 하는데(Liu MM, 1988), 치료는 질을 통해 절제 및 적출을 시행하면 완치가 가능하다(Young et al, 1991). 그렇지만, 수술 이후에는 반드시 철저한 조직검사를 통해 악성의 유무를 확인하여야 한다.

2) Skene선 이상

Skene선의 이상으로는 낭종과 농양이 있다. 두 질환 모두 요도구의 외측 또는 하방외측에 작은 낭성 종물의 형태로 나타난다. Skene선 농양의 경우 심한 압통과 작열감을 보이며, 일부에서는 선 배출구를 통한 농성 분비물이 배출되기도 한다. 요도게실과는 대조적으로 요도 내강과의 교통은 없다. Skene선 낭종은 신생 여아에서 중년 여성까지 드물지 않게 나타나는데, 배뇨통, 성교통, 폐색, 그리고 통증을 일으킬 수 있다(Lee et al, 1992). 요도게실과의 감별은 신체검사만으로도 가능한데, 요도게실이 중부 및 근위부 요도에 발생하는 것과 다르게, 비교적 요도의 원위부에 위치하고, 요도구가 왜곡되어 있는 경우가 많기 때문이다. 치료는 주사기를 이용한 배액, 주머니형성술(marsupialization), 절개 및 배액, 단순 제거 등 다양하나 수술로 제거하는 것이 가장 효과적이다.

3) Gartner관 이상

Gartner관 낭종(Gartner duct cyst)은 중신관이 남아 생기는 것으로 질벽의 전측면에, 자궁경부부터 질입구 부위까지 나타날 수 있다. 남은 중신관에서 발생하므로, 중첩 요관에서 기능이 좋지 않거나 무기능의 상극 부위 이소성 요관이 개구하기도 한다. 따라서, 상부 요로계에 대한 평가가 필요하다. 치료는 증상의 정도와 이소성 요관과의 상관성에 따라 결정되며, 무증상이며 무기능 신극과 관련이 있다면 경과관찰이 가능하나, 주사 흡인 이후 5% 테트라사이클린 주입으로 치료하기도 한다(Abd-Rabbo et al, 1991). 단순 절제나 주머니형성술도 시행해 볼 수 있으나, 만약 기능적 신극과 관련이 있다면, 환자의 상태에 따라 개별화하여 치료를 시행한다.

4) 질벽 낭종(Vaginal Wall Cyst)

질벽 낭종은 전질벽에 주로 무증상의 작은 종물 형태로 나타나는데, 크기가 커지면 하부요로증상이나 성교통을 일으킬 수 있다(Deppisch LM, 1975). Pradhan과 Tobon은 41명의 환자에서 제거된 43개의 질벽 낭종의 임상병리학적 특성을 보고하였는데, 뮐러낭종(Müllerian cyst)이 44%, 표피낭종(epidermoid cyst)이 23%, 그리고 중신낭종(mesonephric cyst)이 11%였다고 보고하였다(Pradhan et al, 1986). 치료는 증상이 심한 환자의 경우 일반적으로 단순 절제를 시행한다. 뮐러낭종은 뮐러 상피조직(Müllerian epithelium)이 편평상피세포로 대치되지 않고 남아서 발생하는 것으로, 질의 전외측에 존재한다. 드문 경우로 바르톨린선낭종(Bartholin's gland cyst)이 있는데, 바르톨린선은 남성의 요도구선과 상동기관으로, 반복적인 성적 자극으로 분비물이 쌓이면 크기가 증가될 수 있다. 일반적으로 질 외측에 무통성 낭종이 일측성으로 나타나는데, 치료로 단순절제를 주로 시행하지만, 기능을 보존하기 위해 주머니형성술을 시행하는 경우도 있다.

4) 요도점막탈출증 (Urethral Mucosal Prolapse)

요도탈출증은 요도구에서 요도 점막이 환상 형태로 탈출하거나 외번된 것으로, 탈출된 점막은 요도구를 둘러싸는 붉은 색의 우둥퉁한 도넛 모양으로 나타난다. 주로 사춘기 전과 폐경 여성에서 주로 발견되며, 무증상인 경우가 많으나 출혈, 통증, 또는 배뇨증상을 일으키기도 한다. 요도탈출증은 요도의 평활근층 사이의 결합이 느슨해져 발생한다고 보고되며(Lowe et al, 1986), 역학적인 면을 고려한다면 에스트로젠 결핍이 관련이 있을 것으로 생각되나 명확하지는 않다. 치료는 에스크로겐이나 항염증 크림을 도포하거나 좌욕 등 보존적 치료를 시행하며, 효과적이지 않다면 환상 절제를 시행한다(Rudin et al, 1997).

5) 요도카룬클(Urethral Caruncle)

요도카룬클은 원위부 요도에 발생하는 염증성 종물로 폐경 여성에서 흔하며, 주로 외요도구에 나무딸기 모양의 붉은색 외장성 종물의 형태를 보인다. 점막에 의해 덮여있으나, 혈전이 발생하면 변색된 요도 주위 종물 형태로 관찰되기도 한다. 무증상인 경우가 많으나, 반복적으로 자극이 되면 배뇨통, 성교통, 혈뇨, 그리고 속옷에 점출혈을 보일 수 있으며, 드물게 배뇨증상을 일으키기도 한다(Conces et al, 2012). 병리학적으로는 다수의 염증세포가 침윤된 결합조직으로 이루어져 있으며, 상피세포로 덮여있는 소견을 보인다. 치료는 초기 국소 에스크로겐 크림, 소염제, 그리고 좌욕 등의 보존적 치료를 시행하나, 증상이 심하거나 보존적 치료에 잘 반응하지 않는 큰 종물의 형태를 보인다면 절제술을 시행한다.

6) 기타

복압성요실금을 치료하기 위해 경요도 또는 요도주위로 콜라겐이나 실리콘 등의 팽창제를 주입한 경우에 전질벽에 낭성 종물을 일으키기도 한다(Clemens et al, 2001; Bridges et al, 2005; Castillo-Vico et al, 2007). 세심한 병력청취를 통해 그 가능성을 확인할 수 있는데, 요도와 교통은 없으며, 무증상인 경우가 대부분으로, 만약 증상이 있다면 수술로 제거한다(Kumar et al, 2011).

9. 여성 요도게실의 치료(Vasavada, 2015; Rover, 2016; Kobashi, 2017)

여성 요도게실의 치료에는 비수술적 치료와 수술적 치료가 있으나, 대부분의 요도게실은 잦은 감염이 동반되므로 수술로 제거하는 것이 근본 치료이다. 작은 요도게실의 경우에는 경과관찰, 배뇨 후 요도부위 압박, 주사기를 이용한 배액, 항생제 및 소염제 등 보존적 치료를 시행할 수 있다. 특히, 임신 중 요도게실이 확인된다면 분만 전까지 보존적 치료를 시행하여야 한다(Moran et al, 1998).

수술적 치료는 증상이 심하거나 보존적 치료에 잘 반응하지 않는 경우에 고려된다. 수술적 치료를 시행하기 전에는 수술 이후 발생할 수 있는 출혈, 감염, 재발, 요도질누공, 그리고 요실금에 대해 환자에게 자세히 설명해야 하며, 수술 전에 항생제를 충분히 투여하여야 한다.

1) 주머니형성술(Marsupialization)

1970년 Spence와 Duckett는 일반적인 요도구절개술(meatotomy)을 원위부 요도게실에서 시행할 수 있다고 보고하였다(Spence et al, 1970). 이 방법은 요실금이 발생할 수 있으므로 단지 원위부 요도게실에만 효과적이며, 방광경부와 근위부 요도는 잘 보존되어야 한다. 기본 수술법은 요도구에서 게실의 개구부까지 절개가위를 이용하여 한쪽 날은 요도에, 다른 쪽 날은 질에 위치시키고 절개를 가하여 게실을 개방한 후 변연을 다듬고 봉합하여 주머니 모양으로 만들어준다. 비록 간단하지만 이후 추가적인 보고는 없어, 현재에는 시행되고 있지 않다고 생각된다.

2) 내시경을 이용한 치료

요도게실에 대한 요도내시경적 치료는 최소 침습적 치료방법으로 개발되었다. 요도경 또는 소아용 절제경을 이용하여 게실 상부 부위의 요도를 절개하여 게실 내에 있는 내용물을 배출시키는 방법으로, 1979년 Lapides에 의해 처음 보고되었다. 하지만, 재발이 흔하여 현재에는 시도되고 있지는 않다. 다른 방법으로 경요도전기소작술(transurethral electrocoagulation)이 시행되기도 하였다. 방법은 요도게실 개구부를 통해 기구를 삽입하여 게실 주머니를 노출시킨 후 게실벽을 전기소작한다.

요도게실의 내시경적 치료는 경질 요도게실제거술(transvaginal diverticulectomy)에 비해 수술 시간이 짧고, 요도질누공 및 요실금의 합병증이 적다는 장점이 있으나, 요도게실이 근위부 요도에 위치하거나 개구부가 잘 확인되지 않는다면 시행하기 어려운 점이 있다.

3) 경질 요도게실제거술 (Transvaginal Diverticulectomy)

경질 요도게실제거술은 여성 요도게실의 수술적 치료에서 가장 흔히 시행되는 방법으로, 질벽을 피판으로 이용한다. 수술의 기본 원칙은 혈관이 잘 발달된 전질벽 피판을 이용하고, 요도 주위 근막을 잘 보존하며, 요도 게실의 개구부를 확인하여 제거하는 것이다.

또한, 가능한 요도게실 전체를 제거할 수 있도록 하고, 봉합시에는 흡수사를 이용하여 봉합선이 겹치지 않도록 하면서 여러 겹으로 사강이 생기지 않게 빈틈없이 봉합해야 한다. 마지막으로 요실금이 발생하지 않도록 주의해야 한다(Rover, 2016). 복압성요실금이 동반된 경우에는 항요실금 수술을 함께 시행할 수도 있는데, 합성물질을 이용한 술식은 합병증 발생의 가능성이 있어, 근막을 이용한 치골질슬링(pubovaginal sling) 등의 방법을 이용해야 한다(Dmochowski et al, 2010).

수술은 환자를 쇄석위에서 시행한다. 먼저 신체검진을 통해 요도구 및 질의 상태를 살피고, 방광요도경을 이용하여 요도내강을 확인한다. 이때 요도게실의 개구부를 확인하도록 한다. 14~16 Fr 도뇨관을 유치시킨 후 추질경(weighted vaginal speculum)과 Scott 링 견인기(Scott ring retractor)를 이용하여 질을 충분히 노출시킨다. 만약 질을 노출시키기 어려운 경우에는 질의 하방측면 부위에 회음절개를 가할 수도 있다. 추가로 치골상부에 도뇨관을 유치할 수도 있다. 게실이 있는 전질벽을 절개하기 전에 1:200,000 에피네프린이 섞인 생리식염수를 주사하면 박리와 지혈에 도움이 된다. 전질벽에 역 U자 형태의 절개를 시행하여 요도 주위 근막과 박리하는데, 근위부로 갈수록 넓게 절개를 해야 질 피판(vaginal flap)의 혈행을 잘 유지할 수 있다. 이때 요도 주위 근막을 잘 보존해야 부적절하게 요도게실로 진입되는 것을 방지하고, 추후 재발과 요도질누공을 예방하는데 도움이 된다. 요도 주위 근막이 노출되면 세심하게 가로 절개를 가하여 게실을 노출시키고 박리를 진행한다. 게실의 손상이 없는 상태를 유지하는 것이 박리를 용이하게 하는데 도움이 되는데, 주위 조직과 유착이 심하여 게실의 손상이 발생하거나 박리하기가 어려운 경우에는 소아용 도뇨관을 게실 내에 삽입하여 풍선을 부풀려 게실을 다시 팽창시키는 것도 도움이 될 수 있다. 박리는 요도게실의 개구부나 요도와의 연결부위까지 시행하는데, 요도와의 교통부위를 확인하기 위해 요도에 삽입된 도뇨관을 이용하여 요도내강으로 관류를 시행하면 도움이 된다. 교통부위가 노출되면, 요도와 접한 부위까지 포함하여 모두 절제한다. 만약 요도게실이 매우 크거나 근위부 요도에 너무 인접해 있다면, 방광삼각부를 손상시킬 위험이 있다. 이런 경우 방광기저부의 게실을 무리해서 박리하지 않고 가능한 부위만 최대한 절제한 후, 남겨진 게실낭의 일부분은 레이져나 전기로 소작하면 재발을 방지하고 방광 손상을 피할 수 있다(Nezu et al, 2001). 절제된 요도 부위는 전층을 4-0 흡수성 봉합사를 이용하여 요도를 따라 세로로 봉합한다. 이후에는 요도 주위 근막을 가로로 3-0 흡수성 봉합사를 이용하여 봉합한다. 만약 요도 결손 부위가 커서 긴장없이 봉합하기 어렵거나 게실 주위의 염증 등으로 요도 주위 근막을 구별하기 어렵다면, 방광질루의 수술적 교정시 이용하는 대음순의 지방편(labial fat pad flap, Martius flap)을 이식한다(Nezu et al, 2001). 또한, 질 피판이 얇거나, 요실금이 동반된 경우 추가로 Martius flap이나 항요실금수술을 시행하려 한다면, 요도 주위 근막을 봉합한 후 시행하도록 한다. 이후 U자 모양으로 절개된 전질벽을 그 위로 2-0 흡수성 봉합사를 이용하여 봉합하는데, 각각의 봉합선들이 겹치지 않도록 주의한다. 마지막으로 항생제나 에스트로젠 크림이 적신 거즈를 이용하여 질패킹을 한다.

수술 후에는 최소 24시간 동안 항생제 주사치료를 하고, 도뇨관을 제거할 때까지 약물을 경구투여한다. 방광의 경련을 예방하기 위해 항콜린제나 베타교감신경작용제를 함께 투여하는 것이 바람직하며, 질패킹은 수술 후 1일째에 제거한다. 수술 후 14~21일째에 배뇨중방광요도조영술을 시행한다. 만약 요도에서 조영제의 누출이 있다면, 재차 도뇨관을 삽입하거나, 치골상부도뇨관이 있는 경우에는 요도에 도뇨관을 재차 삽입하지 않고 7~14일간 유지하고 이후 재차 배뇨중방광요도조영술을 시행한다. 수술 후에 생길 수 있는 합병증으로는 요실금, 요도게실의 재발, 요도질누공, 요도협착 등이 있다(표 56-4). 특히, 요도게실이 재발하여 재차 요도게실제거술을 시행해야 하는 경우는 바뀐 해부학적 구조로 인해 매우 어려우며, 누공이나 재발의 합병증 발생률이 더 높다고 보고되고 있다 (Ljungqvist et al, 2007).

표 56-4. **경질 요도게실제거술의 합병증(Rover, 2012)**

합병증	발생률(%)
요실금	1.7~16.1%
요도질누공	0.9~8.3%
요도 협착	0~5.2%
요도게실의 재발	10~20%
재발성 요로감염	0~31.3%

10. 결론

1805년에 요도게실이 처음 언급되었지만, 1950년대에 들어와서야 적절한 검사방법의 개발로 이 질환에 대한 인식이 크게 늘어나게 되었다. 무증상 요도게실을 반드시 절제할 필요는 없지만, 증상이 있는 환자에서 요도게실이 의심된다면 불필요한 치료를 받기 전에 적절한 검사를 통해 확인하여야 한다. 무엇보다 수술의 원칙을 엄격히 준수하는 것이 최상의 결과를 얻는데 중요하다고 하겠다.

전체 참고문헌 목록은
배뇨장애와 요실금 웹사이트 자료실
(http://www.kcsoffice.org)에서
확인할 수 있습니다.

찾아보기

한글

ㄱ

가성게실 515
가성협조장애 501
간극연결 13, 31
간섭 중주파 전기 자극 213
간질성방광염 5, 615
간질성방광염/방광 통증 증후군 221
간질세포 8
간헐뇨 113, 505
간헐도뇨 132
간헐성요실금 479
간헐적도뇨 449, 507
간헐적자가도뇨 500
감각마비성신경인성방광 323
감각성 신경인성방광 101
감각 소실 332
감돈포경 528
강 내 초음파 검사 678
강한 배뇨 요의 163
개복전립선절제술 589
갱년기증후군 319
거대세포바이러스 다발성신경근병증 336
건궁 23, 383, 455
검사실검사 348
견인기전 431
결석 440
경요도극초단파온열치료 595
경요도방광경부절개술 495
경요도 방광전기자극 211
경요도전립선수술 453
경요도전립선전기기화술 595
경요도전립선절개술 584
경요도전립선절제술 495, 552, 584
경요도전립선절제술증후군 588
경요도주사법 435
경요도침소작술 595
경정맥요로조영술 314
경직장전립선초음파 563
경질 요도게실제거술 682
경질 전기자극 212
경추척수병증 322
경폐쇄공 중부요도슬링 431
경폐쇄공중부요도슬링 406
경피신경자극술 212
경피적신절석술 316
경피적전기자극 458
경피전기신경자극 133
경회음부초음파촬영술 403
고압만성요폐 537
고압방광 276
고어텍스 424
고염소성대사산증 278
고위중추 286
골다공증 279, 319
골반검사 136, 397
골반골절 513
골반근막 3, 382, 455
골반근막건궁 629, 631
골반림프절절제술 328
골반신경 27
골반신경얼기 27
골반신경총 80, 325
골반장기탈출 249
골반장기탈출 정량화 635
골반장기탈출증 496, 528, 629

골반저 383
골반저근 물리치료 610
골반저근운동 456
골반저근훈련 189, 456, 642
골반 죽상경화증 238
골반통증 603
골반하부근육수축반응 415
골반하부근육 전기자극치료 416
골반하부근육 훈련 414
골반횡격막 383, 645
골연화증 279
골절 483
공기뇨 113
과민성방광 113, 259, 339, 341, 345, 351, 477, 540
과민성 방광증후군 220
과민성 장증후군 226
과운동성 468
관내 자기공명영상 679
관절염 336
관해율 483
괄약근절개술 496
교감(sympathetic) 신경 26
교감신경섬유 325
교감신경성 요저장반사 47
교감신경작용약물 528
교감신경절제술 316
교감신경줄기신경절 27
교뇌 33, 38
교뇌배뇨중추 33, 34, 335, 505
교뇌상부손상 313
교상대뇌중추 297
교상 회로 305
교차 민감화 617
교차요관요관문합술 318
구부요도 459
구부요도협착 511
구부해면체근반사 326, 560
구부해면체반사 137
구상화 615, 618
구심성 C 신경섬유 311
구심성 신경 342
구심성신경 4, 309, 504
구심성신경섬유 30
구심성신경억제제 52
구요도해면체근 511
구해면체반사 288
국제요실금학회 84, 109, 615
국제요실금학회 분류법 105
국제요실금학회 잠정 노모그램 494
국제전립선증상점수 553, 558
궤양 소작술 625
그물침대이론 389, 468
근골격계 336
근막 423
근위 요도 382
근전도검사 127, 168, 456
근치적자궁적출술 328
근치적전립선절제술 453
글루탐산 67
금형 266
급박성 변실금 228
급성세균성전립선염 607
급성요폐 130, 527, 552
급성전립선염 559
급성횡단척수염 322
기능이상 455
기능이상성배뇨 106
기능자기공명영상법 38
기능장애 배뇨 126
기능장애성배뇨 493
기능적 방광용적 117
기능적 요도길이 165
기능적요실금 302
기능적 폐색 493
기립성저혈압 571
기마손상 509
기인대 328
기저세포 4

기질 8
기침검사 427
기침요누출압 165
긴장완화질강테이프수술 406, 419, 425

ㄴ

나선균 336
낙상 483
남성 378
남성갱년기증상설문지 613
남성 건강 235
남성 복압성요실금 453
남성슬링 시스템 468
남성호르몬 235, 259
남성호르몬보충요법 240
내골반근막 383, 432, 630
내요도괄약근 381, 454
내요도괄약근협조장애 309, 315
내인성요도괄약근기능부전 390, 410, 420
내장통증 603
내측시각교차앞구역 34
내폐쇄근 23
네부위 · 여섯부위현수술 648
노년기 257
노르아드레날린 27
노르아드레날린 수용체 7
노인 257, 360
노인성 질환 235
노화 235, 258
노화방광 53
뇌간 33
뇌교배뇨중추 286
뇌막염 336
뇌성마비 305
뇌실결 시상핵 36
뇌실주위핵 34
뇌염 336
뇌졸중 301
뇌 톡소포자충증 336
뇌혈관질환 161
누출압검사 164
뉴로트로핀 31
느린 연축골격근 섬유 454
능동적인 요자제 454
니코틴성수용체 6

ㄷ

다뇨 117
다뇨증 110
다발계 위축증 303
다발성경화증 222, 321
단계적 요도성형술 517
단단연결술 513
단섬유 폴리프로필렌메쉬 425
단속배뇨 84
단순전립선절제술 589
단순포진바이러스 334
단일절개슬링수술 433
담즙산의 흡수 감소 278
담창구 38
당김결손 513
당뇨 161
당뇨병성 방광병증 330
당화최종 부산물 331
대기치료 572
대뇌섬 38
대뇌피질 34
대사산증 273
대사성산증 277
대사증후군 236
대상포진방광염 333
대음순의 지방편 676
대장관장수술법 275
대장방광성형술 266

대퇴근막 423, 646
데스모프레신 200
도관 151
도뇨관 유치 535
도뇨관 제거 시도 532
동종이식 646
둘로세틴 418
듈록세틴 198
등용성배뇨근수축 505
등 쪽 얹기 514
디하이드로테스토스테론 239, 542, 543, 578
띠 459

ㄹ

라겐 8
라임병 336
레시니페라톡신 59, 624
로봇보조단순전립선절제술 590
로봇보조복강경하 방광질루 수술법 666
로봇 천골자궁고정술 651
루이소체 치매 300
리테스토스테론 260
립선-막양부요도를 감싸는 원통형의 횡문괄약근 454

ㅁ

마미 312
마미증후군 332
막양부요도 20, 509
만성골반통 603
만성 골반통증 증후군 115
만성골반통증후군 607
만성변비 225
만성비세균성전립선염 607
만성세균성전립선염 607
만성신경증상 336
만성요폐 130, 527
만성 위축성 말단혈관피부염 336
만성 저산소증 238
만성전립선염 607
말단회장 273
말초 신경 283
말초신경계 26, 258
말초신경계 손상 325
메쉬 471
메쉬의 질 노출 445
멜라토닌 491
면역세포의 활성화 616
면역억제제 623
모래시계 271
몸감각신경계 604
몸통증 603
무방광감각 121
무수축성배뇨근 125
무스카린길항제 52
무스카린성수용체 6
무스카린수용체 52
무스카린수용체작용제 507
무증상 반사이상 286
무증상세균뇨 317
무증상염증성전립선염 607
무해자극통증 604
뮐러낭종 680
미골근 23
미국국립보건원 만성전립선염 증상점수표 608
미오신 9
미오신 인산분해효소 52
미주신경 315

ㅂ

바닐로이드 59
바닐로이드 수용체 7
바르톨린선낭종 681

바이오피드백 190, 232, 610, 621
반근막건궁 638
반사성 배뇨근수축 310
반사성 신경인성방광 102
발기능지수 613
발기부전 235, 319, 588
발병률 483
발살바법 192
발살바요누출압 165
방광 3, 4
방광감각 120, 163
방광결석 277
방광경 426
방광경검사 349
방광경검사/수압방광확장술 605
방광경부 21, 381, 548
방광경부구축 589
방광경부성형술 495
방광경부재건술 670
방광경부 협착 594
방광골반인대 645
방광 과감각 120, 128
방광과팽창술 201
방광과활동성 95
방광근 과활동성 335
방광근 성형술 295
방광내시경 검사 144
방광내압 14, 120
방광내압측정술 119, 162, 408, 563
방광내압측정술상 최대방광용적 164
방광 내 약물 주입법 293
방광 내 전기치료 507
방광대체술 266, 271
방광류 397, 497, 638
방광 및 장 기능이상 85
방광 반사 유도 132
방광(배뇨근) 유순도 122
방광삼각부 3
방광수압확장술 625
방광수축력 저하 331
방광수축력지수 506, 567
방광연수방광 배뇨반사 43
방광-외요도괄약근 보호 반사 216
방광요관역류 3, 276, 314, 317
방광요관이행부 329
방광요도경검사 402
방광용적 91
방광유순도 96, 164, 283, 455
방광의 메쉬 천공 또는 노출 440
방광일지 116, 478
방광저활동성 96
방광조영술 411, 636
방광질루 657
방광척수방광 배뇨반사 43
방광천공 278, 429, 440, 593
방광축소술 208
방광출구재건술 207
방광출구저항 96
방광출구저항 감소 175
방광출구폐색 5, 126, 130, 359, 493, 540, 551, 553
방광출구폐색지수 126, 494, 567
방광 충만 감각 111
방광충전의 최초 감각 163
방광탈신경술 203
방광탈출증 629
방광통증 114
방광통증후군 5, 615
방광통증후군/간질성방광염 607
방광평활근 4
방광확대성형술 203, 205, 265, 266, 271, 370
방광 확대술 295
방광훈련 189, 352
방사선 치료 329
방사성 동위원소 신스캔 314
배근신경절 333
배근신경절절제술 316
배뇨 25, 78
배뇨근개방압 167

배뇨근과반사 102, 163, 309, 322
배뇨근과활동성 48, 77, 105, 121, 129, 157, 259, 298, 302, 333, 341, 455, 504, 540, 619
배뇨근과활동성 및 배뇨근저활동성 504
배뇨근과활동성 요누출압 124
배뇨근괄약근협동장애 41, 48, 101, 106, 126, 127, 291, 298, 322, 493
배뇨근무반사 102, 312, 313, 331
배뇨근무수축 106, 130, 159
배뇨근 방광경부 협동장애 221
배뇨근불안정 163, 425, 549
배뇨근수축력 503
배뇨근수축력 저하 549
배뇨근수축시간 503
배뇨근압 14, 120
배뇨근외요도괄약근협조장애 220, 313
배뇨근요누출압 124, 166, 291
배뇨근 요누출 용적 124
배뇨근저반사 322
배뇨근저활동성 106, 125, 130, 302, 455, 503
배뇨근촉진작용 311
배뇨근 활동성 283
배뇨기 75
배뇨 기능이상 129
배뇨기법 184
배뇨말지림 113
배뇨반사 83
배뇨반사궁 299
배뇨습관 184
배뇨시간일지 398
배뇨일지 288, 348, 395, 398, 562, 637
배뇨 조절이상 131
배뇨중방광요도조영술 144, 403, 510, 677
배뇨중배뇨근압 82
배뇨중추 343
배뇨증상 113, 137, 540
배뇨 증상군 283
배뇨통 113, 675
배뇨횟수배뇨량일지 116, 138, 398, 478
배뇨 후 잔뇨 119
배뇨 후 잔뇨량 90, 142, 398, 527, 562
배뇨 후 잔뇨량 측정 348
배뇨후점적 540
배뇨 후 증상 114, 137
배뇨훈련 83
배변 25
배변조영술 232, 636
배부음부 신경 자극 214
배쪽뿔 25
배 쪽 얹기 515
배쪽 피질척수로 25
배출기능부전 103, 104
배출기능이상 174
범람요실금 112, 302, 374, 535
범요도협착 511, 523
베타-3 작용제 198
베타네콜 199
베타 아드레날린성 탈신경 326
베타아드레날린수용체 7, 54
베타아드레날린수용체길항제 417
베타아드레날린수용체작용제 417
베타아드레날린작용제 52, 356
변비 183, 225
변실금 222, 227
병력청취 345
병태생리 381
보존적 치료 187
보툴리누스독소 61, 366, 496, 626
보툴리누스 독소 주입술 209
보툴리눔 독소 주사 173
보툴리눔 294
보행 요역동학검사 127
복강경을 이용한 천골질고정술 654
복강신경총 16
복식 천골질고정술 653
복압 14
복압도관 153
복압배뇨 505

복압상승요실금유발검사 397
복압상승유발검사 411
복압성요누출압 124, 409, 472
복압성요실금 43, 111, 116, 250, 302, 327, 374, 375, 381, 396, 589
복잡성방광질루 664
복직근막 423, 646
복합성요실금 43, 374, 428, 453
복합작용제 173, 357
복회음절제술 326, 327
볼점막 512
봉선핵 34
부갑상선호르몬관련펩티드 57
부교감신경 26
부교감신경섬유 325
부교감신경절이전신경세포 27
부분층피부이식편 522
부작용 353
부종 486
부티릴콜린에스테라제 6
부피형성 완하제 227
부해면체근 23
분만 251
분변 전환 233
분절성 탈수초화 330
불감성요실금 375
불면증 490
불수의적 배뇨 131
불수의적 배뇨근수축 95, 100, 163, 331
불수의적인 방광수축 286
브래디키닌 31
비뇨생식격막 387
비뇨생식동 3
비뇨생식열공 383
비디오요역동학검사 128, 168, 291, 498, 563
비만 181
비만세포 615
비스테로이드항염증제 490, 606
비실금형 266
비실금형 도뇨가능 스토마 271
비실금형 도뇨가능요로전환술 271
비실금형 피부요로전환술 267, 271
비억제성 신경인성방광 102
비이완성방광경부 291
비이완성요도괄약근폐색 106
비절단연결술 514
비절단확대연결요도성형술 517
비정상적인 천수징후 313
비타민 B12 323
비타민 B12 결핍증 279
비타민 B12 흡수감소 278
비타민 B12 흡수장애 273
비타민 D 178
비활성화 463
빈뇨 330, 345, 540

ㅅ

사구체 4
사이신경세포 25
산화질소 5, 42, 237
삼중내강도관 151
삼투성 완하제 227
삼환계항우울제 52, 63, 198, 359, 396, 606, 622
상검사 143
상부요로손상 322
상부요로확장 314
상부하복신경총 16
상전두회 38
상행결장 273
생리적충전속도 153
생체되먹임 301, 415, 456
생화학 수용체 258
생활방식교정 413
생활습관 177, 184, 188, 351
생활습관 변화 610
생활습관 조정 486

선천성 척수이형성증 270
선택적세로토닌재흡수억제제 606
선택적 전기자극술 213
선형수동적요도저항관계 565
설문지 138, 346
섬유성 성상세포 321
섬유질 185
성 신경계 26
성교요실금 375
성교통 675
성기능장애 235
성호르몬결합단백질 247
세뇨 330, 505
세로토닌 11, 59
세로 평활근 454
세통로꼭지 149
세포외기질 금속함유 단백분해효소 334
세포자멸사 544
소뇌충부 38
소마토스타틴 12
소변주저 113
소변-혈장 장벽 5
소수포 발진 333
소아 361
수도관주위회색질 34
수동적 변실금 228
수면위생 491
수면이상 484
수면 이후 각성 262
수면장애 483
수분섭취 181
수분섭취량 185
수분섭취제한 488
수분이뇨 488
수상돌기 28
수술치료 370
수술 합병증 439
수술 후 요폐 533
수신경조정술 215
수신증 317
수의근 25
수축장애 259
수핵탈출 332
스위치 펌프 459
스토마 교정수술 278
스토마협착 277
슬링수술 206, 271, 419, 422
시각교차앞구역 38
시각아날로그척도 289
시각화아날로그점수 619
시간배뇨 449
시간제 배뇨 188
시냅스 25
시상 38
시상하부 34, 38
식이섭취 177
신결석 316
신경 Behcet병 335
신경계 336
신경근 반사 소실 332
신경근 유출경로 25
신경근자극 214
신경매독 323
신경변성질환 300
신경병증통증 604
신경보렐리아증 337
신경생리검사 291
신경성 과민성방광 131
신경성 배뇨근과활동성 163
신경성 산화질소합성효소 7
신경성 하부 요로 기능 장애 283
신경인성 간헐적 파행증 333
신경인성방광 5, 283
신경인성하부요로기능이상 100, 308
신경전달물질 46
신경조정술 209, 211, 294, 368
신경차단술 202
신경퇴행성질환 222

신경펩티드 Y 12
신경학적 검사 312, 326, 397
신부전 527
신체활동 182
신초음파촬영술 314
실금성 요로전환술 475
실금형 요로전환술 272
실리콘 436
심리적 지지요법 610
심회음횡근 387
쏘팔메토 582

ㅇ

아데노신 7
아데닐레이트사이클라아제 51
아래운동신경세포 25
아랫배 신경총 454
아세트콜린 분해효소 57
아세틸콜린 5
아세틸콜린에스테라아제 억제제 300
아세틸콜린에스테라제 6
아편유사펩티드 67
아프타 335
악성빈혈 323
안드로젠 237, 539
안전성 360
알츠하이머병 300
알코올 178
알파1A수용체 549
알파1-아드레날린 길항제 571
알파1아드레날린수용체 54
알파교감신경차단제 396
알파 아드레날린성 459
알파 아드레날린성 탈신경 326
알파 아드레날린작용제 52
알파차단제 199, 293, 490, 495, 533, 545
압력곡선 155
압력수용체 315
압력요류검사 124, 167, 291, 494, 505, 539, 564
압력요류곡선 564
압력을 조절하는 풍선 459
압력전달비 165
액틴 9
야간 482
야간뇨 110, 299, 339, 345, 477, 540
야간다뇨 111, 117, 262, 477
야간다뇨지수 117, 481
야간방광용적 저하 484
야간 배뇨량 117
야간빈뇨 261
야간소변생성량 481
야간소변생성률 481
야뇨증 82, 375, 479
약물 197
약물치료 351
약용식물요법 582
양방향 상호 소통 617
양측 수신증 536
억제되지 않은 괄약근 이완 298
에스트라디올 260, 544
에스트로젠치료 447
에스트로젠 52, 199, 237, 243, 544
에스트로젠 수용체 243
엘라스틴 8
여성 376
여성 호르몬 243
역동적 자궁방광배변조영술 636
역학 376
역행성사정 594, 588
역행성요도조영술 144, 510
연관통증 603
연수 33
연수척수 억제경로 310
연축형 근섬유 19
열치료 594
염료 방광내주입 661

염분이뇨 488
염증성 탈수초화 질환 334
염화칼륨 방광투과성검사 605
영점조정 149
예방적 항생제치료 317
외부집뇨기구 196
외요도괄약근 26, 101, 454
외요도괄약근손상 327
외요도괄약근협조장애 315
외측섬유단 28
외측전두전엽 38
요검사 143
요관 4
요관방광재문합술 318
요관에스상결장문합술 268
요관주위집 19
요관질루 666
요누출압 124
요도 4, 18
요도 개방압 125
요도게실 497, 528, 673
요도경검사 510
요도고정술 420
요도골반인대 383, 645, 673
요도괄약근 20, 381, 387, 409
요도구 509
요도구절개술 682
요도내압검사 164, 410
요도내압측정 291
요도미란 429
요도 및 방광경부의 메쉬 천공 또는 노출 441
요도방광반사 42
요도사운드 501
요도성형술 511
요도압박근 387
요도의 과운동 389
요도의 미란 465
요도저항관계 564
요도점막탈출증 681
요도점막하주입 439
요도주변의 횡문근 458
요도주위근막 645
요도주위선 674
요도주위주사법 436
요도 지지 기전 382
요도질근 387
요도질루 668
요도천공 441
요도카룬클 497, 681
요도통증 114
요도판 517
요도폐쇄 123
요도하열 517
요도하지지 부전 389
요도해면체 509
요도협착 493, 528, 539, 589, 594
요도확장술 511
요로감염 316
요로상피 4
요로상피세포 4
요로상피암 318
요로상피의 기능이상 616
요로재건수술 265
요로전환술 265, 266, 295
요류 47, 118
요류검사 141, 348, 408, 498, 562
요배출 211
요배출장애 311, 328
요생식열공 23
요세포검사 349
요속 14
요속검사 89, 118
요실금 24, 301, 326, 373, 540, 594
요역동학검사 48, 91, 291, 312, 327, 349, 395, 401, 405, 534, 563, 637
요자제 47, 276, 381
요자제력 270
요저류 527

요저장 211
요저장기 72, 73
요저장기능 265
요저장장애 95, 311, 328
요절박 111, 330, 339, 341, 345, 540
요절박요실금 5, 43, 111, 116
요점적 675
요주저 326, 505
요천수신경근 16
요침사현미경검사 560
요폐 114, 310, 326, 329, 334, 425, 449, 493, 527
우산세포 4
우측 복측교뇌피개 38
우측 후외방전두전엽 38
운동 182
운동성 신경인성방광 101
운동신경 26
운동 신경세포 26
운동신경핵 34
울혈성 심부전 262
울혈성심부전 488
원발성다음증 487
원발성 방광경부폐색 498
원심성 25
원심성신경 309, 504
원인 374, 375
위상 배뇨근과활동성 122, 164
위상성 수축 382
위운동신경세포 25
유뇨증 112, 479
유도성 산화질소합성효소 7
유도철사 511
유럽간질성방광염연구회 605
유박반사배뇨 192
유발점 604
유발조작 153
유병률 482
유수 A 델타 신경섬유 60
유순도 4, 129
유전강직하반신마비 337
유즙분비호르몬 248
유치도뇨관 195
육주 549
음경 압박 기구 458
음경요도 509
음경요도협착 511
음경 진동 자극 요법 458
음낭통증후군 605
음부궤양 335
음부신경 24, 26
음부신경관 328
음부 신경 자극 214
음부신경포착에 대한 치료 610
음부운동 326
음수량 조절 413
음식 179
이노시톨삼가인산 51
이뇨제 200
이동식 요역동학검사 168
이미프라민 418
이상근 23, 384
이식편 512, 522
이완성근마비 309
이종개체이식 646
이중그물침대효과 383
이중배뇨 507
이중풍선양압요도조영술 673
이차사이신경세포 34
이후 이중풍선카테터 673
인공괄약근설치술 271
인공요도괄약근 207, 459
인공 요도괄약근 삽입술 294
인공요도괄약근수술 419
인공 장 괄약근 233
인디고카르민 659
인지장애 361
인지장애요실금 302
일류성요실금 310

임신 247, 529
임질 509

ㅈ

자가근막슬링 439
자가방광확대술 204
자가분비 5, 33
자가조직이식 646
자궁경부세포진검사 635
자궁난관조영술 668
자궁천골-기인대복합체 645
자궁천골인대 328, 384, 630
자궁천골인대현수술 652
자궁탈출증 640
자극성완하제 227
자기장자극 213
자기장 자극 요법 416
자율성 신경인성방광 102
자율신경 21
자율신경계 26
자율신경과반사 315
자율신경반사기능장애 48
자율신경반사이상 160, 291, 315
잔뇨량 119
잠액형성 277
장 265
장간막사이신경얼기 27
장골미골근현수술 653
장력조절형슬링 434
장류 397, 638
장막근층 방광성형술 274
장방광성형술 266
장벽요역동학적검사 637
장손상 444
장운동억제제 232
장 재활프로그램 232
장폐색 277
재발성 복압성요실금 428
저나트륨혈증 488
저방광유순도 312, 549
저압만성요폐 537
저압요도 410
저염소성대사알칼리증 278
저염소저나트륨고칼륨성대사산증 278
저장기능부전 103, 104
저장기능이상 128, 172
저장기능장애 187
저장증상 110, 137, 490, 540
저활동성방광증후군 503
적핵 34
전기자극 132
전기자극술 211
전기자극요법 458
전기침술치료 201
전두엽 병변 297
전립선 3, 17
전립선결석 560
전립선결핵 560
전립선동맥색전술 601
전립선마사지 610
전립선-막양부요도 454
전립선 부목 597
전립선비대 539, 551
전립선비대증 259, 360, 477, 493, 528, 530, 539
전립선 섬유증 261
전립선암 560
전립선외막 547
전립선요도 509
전립선질제술 후 요실금 453
전립선통증후군 605
전립선특이항원 553, 561
전립선폐색 551
전반적 다뇨 487
전방대상회 38
전방절제술 326
전부요도 509

전부요도벽지지 425
전신통증후근 613
전신홍반루푸스 335, 617
전질벽봉합술 647
전환되돌리기 273
절박성요실금 37, 250, 302, 339, 345, 374, 375, 396, 453, 540
절제 및 일차연결술 512
점막하주입법 318
점막하 콜라겐 주입 318
점탄성 72
정구 3, 18
정맥요로조영술 678
정상뇌압수두증 300
정상 방광기능 171
정위치 요로전환술 267
제어펌프 459
제왕절개 253, 254
종말 배뇨근과활동성 122, 164
종양 528
좌골결절 327
좌골치골가지 432
주간 다뇨 111
주간빈뇨 339
주름형성술 269
주머니형성술 682
주변분비 5, 33
주사요법 419
주수면시간 478
줄기세포 437
줄기세포치료 419
중간세포 4
중뇌 33
중부 요도 382
중부요도슬링 411, 425, 497
중부요도슬링수술 419, 439
중신낭종 681
중심성 탈수초화 337
중심후회 38
중엽 548
중증근육무력증 336
중추감작화 622
중추신경계 26, 258, 283
중추신경차단 203
지속성요실금 375, 479
지속양압호흡 488
지속적도뇨 195, 507
직시내요도절개술 511
직장간막전절제술 327
직장결장절제술 326
직장류 397, 629, 638
직장수지검사 231, 558
직장요도근육 455
직장질근막 631
진단 345
진성복압성요실금 428
질걸기술 421, 422
질내삽입 원추 414
질둥근천장 629
질둥근천장탈출증 640
질벽 낭종 680
질상피조직 646
질식방광경부현수술 424
질식 분만 251
질식질주위교정술 648
질원뿔 191
질천장 658
질 평활근종 680
질폐쇄술 654
짧은장증후군 274

ㅊ

처녀막 635
척수로 323
척수막염 336
척수사이신경세포 34

척수성 소아마비 323
척수손상 5, 161, 307
척수쇼크 288, 309
척수수막류 8
척수 신경절이전신경세포 34
척수절제술 316
척수 질환 307
척추강 협착증 332
척추봉합선폐쇄부전 157
천골신경뿌리 416
천골전근막 384
천골전부 근막 327
천극인대고정술 652
천수 26
천수배뇨중추 286, 312
천수배뇨중추 상부 310
천수부교감 27
천수부교감핵 33
천수신경절제술 316
천수신경조정술 369, 507, 626
천수신경총 16
천수중간회색질 27
천수 후근 신경절 333
청결 간헐 도뇨 193, 194, 292, 312, 329, 535
청반 34, 36
체성신경 21
체성신경반사활성 309
체외자기장신경조절요법 458
체외자기장자극법 368
체외충격파쇄석술 316
체위성요실금 374
체위요실금 112
체중감량 413
최대 배뇨근압 125
최대요도폐쇄압 164
최대요속 118, 142, 505
최대요속시배뇨근압 125, 167, 505
최초 배뇨 요의 163
추간판탈출증 161, 331
추궁절제술 332
추체로 25
축삭 25
축삭변성 505
축삭의 변성 330
출구저항 증가 174
출구폐쇄성배변질환 226
출산 392
출혈 450
충전감각 283
충전매질 151
충전물질 주입술 205
충전방광내압측정술 120, 146, 291
충전 속도 119
충전효과 435
치골방광인대 455
치골상부방광루 195, 510, 531
치골요도근 23
치골요도인대 383, 390, 425, 645
치골자궁경부근막 383, 631, 645
치골자궁경부인대 645
치골전립선인대 455
치골직장근 23
치골질근 23
치골질슬링 683
치골후방광경부현수술 419
치골후수술 420
치골후질주위교정술 648
치료 379
치매 300
치밀연결 616
치환요도성형술 514
침술 610
침술치료 201

ㅋ

카페인 177

칼륨민감성검사 8, 620
칼륨통로개방제 52, 63
칼슘통로차단제 52, 62
칼시토닌유전자관련펩티드 12, 56, 624
캅사이신 30, 59
커프 459
콘돔카테터 196
콜라겐 435
콜린성제제 533
큐팁 검사 635
크랜베리 179
크레아티닌 143, 562

ㅌ

타키키닌 56
탄성 72
탈신경화 341
태만방광증후군 84
테스토스테론 239, 260, 542
테트로도톡신 61
통각과민 604
통각수용기 73
통각수용성통증 604
통각수용체 603
특발성 배뇨근과활동성 163
특발성 비 폐색성 요폐 220

ㅍ

파킨슨병 298
파킨슨씨병 222
파킨슨증 298
패드검사 138, 401, 427
패드 테스트 117
팽창성 음경띠 507
팽창형 음경보형물 467
페사리 193, 642
편평상피세포암 318
편평상피화생 318
평가 379
평활괄약근 20
평활근 548
평활근이완제 52
폐경기 244
폐경기 여성 245
폐색후이뇨 532
폐쇄공 431
폐쇄성수면무호흡증후군 488
폐쇄신경 431
포경 528
포스포다이에스터분해효소 5 저해제 293
포스포디에스테라아제 54
포스포리파아제 C 51
포진바이러스감염 333
폴리오바이러스 323
폴리프로필렌 647
표피낭종 681
표피성장인자 621
퓨린 31
프로게스테론 243
프로스타글라디 합성억제제 52
프로스타글란딘 6, 57
프로스타글란딘E2 31
프로스타노이드 507
플랩벨브 기전 269, 272
피질척수로 25
핍지세포 321

ㅎ

하내장신경 27
하복부신경 80
하복부 신경총 327
하복신경 27

하복신경가지 328
하부요로기능이상 95, 99, 135, 265, 484
하부요로장애 48
하부요로재건수술 265
하부요로증상 110, 235, 341, 490, 539, 551, 558
하장간막신경절 80
하전두회 38
하지부종 486
하하복신경총 16
합성요실금 112
항갈글리오시드 항체 334
항무스카린 약물 293
항무스카린제 173, 197, 355, 360, 490
항문거근 3, 23
항문거근과미골근 385
항문거근들 630
항문거근 복합체 455
항문괄약근 560
항문 괄약근의 반사성 수축 288
항문압측정 231
항문외음부단순포진 334
항문저장낭 268
항문직장 초음파 231
항문직장 통증 증후군 115
항바이러스제 333
항역류수술 318, 329
항이뇨호르몬 262
항장간막 경계 274
항콜린제 52, 528
항히스타민제 622
해면체분리 513
해면체섬유화 509
해부학적요실금 411
해부학적 폐색 493
행동치료 172, 188, 351, 486
헤파린 624
헤파린 결합 상피성장인자 유사성장인자 616
헤파린결합표피성장인자 621
혈관 300
혈관계 336
혈관내피성장인자 546
혈관작용성장폴리펩티드 11, 56
혈괴 528
혈뇨-배뇨통 증후군 274
혈종 429
혈청 나트륨 측정 486
혈청 전립선 특이 항원 542
호르몬 보충요법 244
혼합성요실금 250, 411
홀뮴레이저를 이용한 경요도전립선적출술 592
확대연결요도성형술 515
활성화 464
황체호르몬 58
회맹장방광성형술 266
회맹장밸브 273
회맹장분절 273
회색질척수염 323
회음막 387
회음봉합술 655
회음요도루조성술 525
회음체 387
회장방광성형술 266
회장방광연결 273
횡문괄약근 20, 454
횡문괄약근협조장애 309
횡문근 46, 381
후경골신경자극 368
후과분극 11
후근신경절 29
후근신경절세포 311
후방교뇌피개 35
후복막 림프절절제술 41
후부요도 509
후부정강신경자극술 213
후부탈질 629
후질벽봉합술 654
후천성면역결핍증 336
후측신경근 333

휴대용 요역동학검사 91
흉요수 26
흡수제품 196
흡연 181
흰쥐의 방광근 절편에서 보이는 자발수축 양상 11

영어

A

abdominal leak point pressure 124, 472
abdominal sacrocolpopexy 653
abdominoperineal resection 326
abobotulinum 366
Abrams-Griffiths 노모그램 494, 564
Absent bladder sensation 121
absorbent products 196
acetylcholinesterase 6, 57
acetylcholinesterase inhibitors 300
AChEIn 300
Acontractile detrusor 125
acquired immunodeficiency syndrome 336
actin 9
activation 464
active continence 454
acupuncture 201, 610
Acute retention of urine 130
acute transverse myelitis 322
acute urinary retention 529
AD 48
adenylate cyclase 51
adhesion obstruction 277
adjustable sling 434
AdVance/AdVance XPTM 469
AdVanceTM sling 471
afferent 341
after-hyperpolarization 11
AG 34
aginal Vault Prolapse 640
AG number 565
AIDS 336
alcitonin gene-related peptide 12
Alcock's canal 328
Alfuzosin 575
allodynia 604
allograft 646
Alodolase-reducatae 330
alpha1 199
ALPP 472
Alzheimer disease 300
Ambulatory urodynamics 127
ambulatory urodynamic study 91, 168
amitriptyline 52, 63, 359
anal reflex 288
anogenital herpes simplex 334
Anorectal pain syndrome 115
anterior cingulate gyrus 38
anterior colporrhaphy 647
anterior or ventral corticospinal tract 25
anterior or ventral horn 25
anterior or ventral root 25
anterior resection 326
anterior urethral wall support 425
antiganglioside antibody 334
antihistamines 622
antimesenteric border 274
antimotility agent 232
antiprolierative factor 616
APF 616
aphtae 335
AquaBeam 596
arcus tendineus fasciae pelvis 629
arcus tendinous fasciae pelvis 638
arcus tendinus fascia pelvis 631
ArgusTM 469
Argus-TTM 469

arkinson disease 298
arthritis 337
artificial bowel sphincter 233
Artificial Urinary Sphincter 459
Asopa 술식 520
ATFP 631
atonic neurogenic bladder 101
ATP 5
Atropine 52
augmentation cystoplasty 266, 370
autoaugmentation 205
autocrine 5, 33
autograft 646
autologous fascial pubovaginal slings 439
autologous fascial sling 471
autonomic dysreflexia 48, 160, 315
autonomic hyperreflexia 315
Autonomous neurogenic bladder 101
aximum detrusor pressure 125
axonal degeneration 330
Aδ 신경섬유 29

B

Bacillus Calmette-Guerin 624
baclofen 64, 495
Barbagli 기술 520
baroreceptor 315
barrier device 233
barrier urodynamic study 637
Barrington 핵 35
Bartholin's gland cyst 681
basal cell 4
BCG 624
BCI 506
behavioral treatment 486
Behcet's disease 335
Behcet병 335
benign prostatic enlargement 540
benign prostatic hyperplasia 539
benzodiazepine 495
Bethanechol 199, 507
BFLUTS 401
BFLUTS-SF 401
bidirectional cross-talk 617
biofeedback 301, 415, 456, 610
biofeedback treatment 232
Bladder and Bowel Dysfunction 85
bladder capacity 91
bladder contractility index 506
Bladder covering by striated muscle 295
Bladder[detrusor] compliance 122
bladder diar 478
Bladder diary 116
bladder outlet obstruction 540
Bladder outlet obstruction 126, 130
Bladder Outlet Obstruction Index 126
bladder overdistention 201
Bladder oversensitivity 120, 128
Bladder pain 114
Bladder pain syndrome 615
Bladder reflex triggering 132
bladder replacement 266
Bladder sensation 120
bladder substitution 266
bladder-to-sphincter guarding reflex 216
bladder training 189
Blaivas-Groutz 노모그램 499
blocker 199
bone-anchored sling 469
BOO 126, 130, 540
Borrelia burgdorferi 336
Bors-Comarr 분류 99, 285
botulinum toxin 209, 626
bowel 265
BPE 540
BPH 539

brainstem 33
Bristol Female Lower Urinary Tract Symptom 140, 401
BTX 626
BTX-A 209
buccal mucosa 512
BuChE 6
Buck근막 519
bulbocavernous reflex 288, 326
bulbospinal inhibitory pathway 310
bulbospongiosus muscle 23, 511
bulbous urethra 459
bulcocavernous reflex 137
bulking effect 435
Burch 420
Burch 수술 411
Burch질걸기술 419, 421
Burch 치골뒤질걸이술 439
butyrylcholinesterase 6

C

Cajal-like interstitial cell 8
Cajal유사간질세포 8
calcitonin gene related peptide 624
calibration 148
capsaicin 52, 59, 293
carbamazepine 489
cardinal ligament 328
carnitine acetyltransferase 6
cauda equina 312
Cauda equina syndrome 332
celiac plexus 16
central diabetes insipidus 488
central organization 603
central sensitization 622
cerebella vermis 38
cerebral toxoplasmosis 336
cerebrovascular 300
cervical myelopathy 322
cGMP 56
CGRP 12, 56, 624
chlopromazine 316
cholecystokinin 12
cholinesterase억제제 507
Chondroitin sulfate 624, 625
chronic atrophic acroangiodermatitis 336
chronic neurological symptoms 336
Chronic pelvic pain 603
chronic pelvic pain syndrome 115
Chronic pelvic pain syndrome 607
Chronic prostatitis 607
Chronic retention of urine 130
CIC 193
clam technique 271
clean intermittent catheterization 193, 535
clonidine 65
coccygeous muscle 385
coccygeus muscle 23
Cochrane review 457
coital urinary incontinence 375
collagen 435
colocystoplasty 266
Colpocleisis 654
colposuspension 419
compliance 129
complicated SUI 406
compressor urethrae 387
Computer-assisted virtual UPP 410
congestive heart failure 488
connexin 8
CONTILIFE 401
continence 47, 270
continent anal reservoir 268
continent catheterizable channel 267, 276
continent cutaneous urinary diversion 267
continent urinary diversion 266

continuous incontinence 479
continuous positive airway pressure 488
continuous urinary incontinence 375
conus medullaris 311
cordectomy 316
corporal separation 513
corpus spongiosum 509
corticospinal tract 25
cough leak point pressure 165
CPAP 488
Crede maneuver 192
Crede법 192, 292, 507
Cromakalim 52
cross sensitization 617
cyclic guanosine monophosphate 56
Cyclosporine 623
cylindrical rhabdosphincter 454
cystocele 397, 629, 638
cystography 636
cystolysis 203
Cystometric capacity 121
cystometrogram 162
Cystometry 119
cytomegalovirus polyradiculopathy 336
C 신경섬유 29

D

darifenacin 53
dartos근막 519
deactivation 463
deep transverse perineimuscle 387
defecation 25
defecography 636
Dehydroepiandrostenedione -sulfate 248
dendritic bundles 28
denervation 203
Denonvilliers근막 17, 455
De novo urgency or urgency incontinence 450
desmopressin 355, 488
Detrusor acontractility 130, 159
detrusor areflexia 102
detrusor bladder neck dyssynergia 221
detrusor external sphincter dyssynergia) 220
detrusor facilitation 311
detrusor hyperactivity with impaired contractility 259
detrusor hyperreflexia 102, 163
detrusor instability 163
detrusor leak point pressure 124, 291
Detrusor leak point volume 124
detrusor opening pressure 167
detrusor overactivity 48, 77, 105, 129, 298, 341, 455, 619
Detrusor overactivity 121
Detrusor overactivity leak point pressure 124
Detrusor pressure 120
Detrusor pressure at maximum flow 125
detrusor pressure at Qmax 167
detrusor sphincter dyssynergia 41, 106, 291
detrusor-sphincter dyssynergia 126, 127, 298
detrusor-sphincter dyssynyergia 48
detrusor underactivity 125, 130, 455, 503
detubularization 274
dexterity 474
DHEA-s 248
DI-6 401
Dicyclomine 52
Diltiazem 52
Dimethyl sulfoxide 624
direct vision internal urethrotomy 511
distigmine 507
Diuretics 200
Diurnal polyuria 111
diverticular ostium 676
DMSO 52, 624
DO 48
dorsal genital nerve stimulation 214

dorsal nerve roots 333
dorsal pontine tegmentum 35
dorsal root ganglia 29, 333
dorsal root ganglionectomy 316
dorsolateral prefrontal cortex 38
double-balloon catheter 673
double-balloon positive pressure urethrography 673
double hammockeffect 383
doxazosin 65, 360, 574
DRG 29
dribbling 675
DSD 48, 126, 127, 291, 298
DU 503
duloxetine 66, 198, 418, 459
dutasteride 543, 578
DVIU 511
dynamic colpocystodefecography 637
dysfunctional voiding 106, 126
dyspareunia 675
dysuria 113, 675

E

econd-order interneuron 34
efferent 25
egel 189
EGF 621
elasticity 72
Electormyography 127
electrical stimulation 211, 458
electroacupuncture 201
electromyography 456
Electrostimulation 132
endoluminal magnetic resonance imaging 679
endoluminal ultrasonography 678
endopelvic fascia 383, 432, 630
enkephalin 12
enterocele 397, 629, 638
enterocystoplasty 266
enuresis 479
Enuresis 112
Ephedrine 52, 417
EPICONT 연구 254
epidermal growth factor 621
epidermoid cyst 681
ercutaneous posterior tibial nerve stimulation 213
erebral palsy 305
erotonin 59
ERα 수용체 243
ERβ 수용체 243
ESSIC 605
ESTIM 458
Estradiol 52
estrogen 199
European Society for the Study of Interstitial Cystitis 605
EUS 26
ExMI 458
external rhabdosphincter 46
external sphincter muscle 454
external urethral sphincte 454
External urethral sphincter 26
Extra-corporeal magnetic innervation 458
extracorporeal magnetic stimulation 368

F

failure to empty 103, 104
failure to store 103, 104
fascia lata 423, 646
Fecal diversion 233
fesosterodine 355
fibrous astrocytes 321
filling cystometry 120, 291
Filling rate 119
finasteride 543, 578

FINNO연구 483
first desire to void 163
first sense of bladder filling 163
flaccid muscle paralysis 309
flap valve mechanism 269, 272
Flavoxate 52
floppy iris syndrome 571
Flurbiprofen 52
fMRI 38
four-corner suspension 648
fractioned voiding 84
Frequency (PUF) Scale 619
frequency volume chart 138, 398, 478
Frequency-volume chart 116
Frontal Lobe Lesion 297
functional capacity 117
functional incontinence 302
functional magnetic resonance imaging 38
functional urethral length 165

G

GABA 11
GAG 5, 616
gamma-aminobutyric acid 11
gap junction 13, 31
Gartner duct cyst 497
Gartner관 낭종 501
Gartner관 이상 680
Geriatric lower urinary tract dysfunction 257
global polyuria 487
globus pallidus 38
glomerulation 615, 618
Glutamic acid 67
glycine 35
Glycopyrrolate 52
glycosaminoglycan 5, 616
glycosylation end products 331
gonorrhea 509
Gore-Tex 424
Gracilisurethromyoplasty 208
graft 512
GTP 238
Guanosine triphosphate 238
guarding reflex 42
guide wire 511
Guillain-Barré 증후군 334

H

Hald-Bradley 분류 99, 285
hammock hypothesis 389
hammock theory 468
HB-EGF 621
hematuria-dysuria syndrome 274
heparin binding-epidermal growth factor 621
heparin-binding epidermal growth factor-like growth factor 616
Hereditary Spastic Paraplegia 337
Herpes simplex virus 334
Hesitancy 113
Hinman syndrome 84
HIV 336
Hjalmas' formula 81
HoLEP 592
Hostility Score 320
hourglass 271
HSB 615
HSV 334
human immnunodeficiency virus 336
Hunner병변 32, 612, 615
Hyaluronic acid 624
hydralazine 160
hymen 635
hyperalgesia 604
hyperchloremic metabolic acidosis 278

hypermobility 468
hypersensitive bladder 615
hypochloremic hyponatremic hyperkalemic metabolic acidosis 278
hypochloremic metabolic alkalosis 278
hypogastric nerve 27, 80
hypogastric nerve rami 328
hypogastric plexus 327
hyponatremia 488
hysterosalpingography 668

I, J

IC 132
IC/BPS 221
ICIQ 401
ICS 84, 105, 109, 615
idiopathic detrusor overactivity 163
IIEF 613
IIQ-7 401
ileocecal valve 273
ileocecocystoplaty 266
ileocystoplasty 266
ileovesicostomy 273
iliococcygeus suspension 653
imidafenacin 355
imipramine 198, 359
Imipramine 52, 63, 418
immune cell activation 616
impaired awareness incontinence 302
incidence 483
Incontinence Impact Questionnaire 401
Incontinence Quality of Life Instrument 140
Incontinence Severity Index 401
incontinent urinary diversion 475
Indiana pouch 269
inducible nitric oxide synthase 7
Infection 610
inferior frontal gyrus 38
inferior hypogastric plexus 16, 454
inferior mesenteric ganglion 80
inferior splanchnic nerve 27
inflatable penile cuff 507
inflatable penile prosthesis 467
iNOS 7
inositol triphosphate 11, 51
insensible urinary incontinence 375
Inside out 경폐쇄공 중부요도슬링 432
insomnia 490
insula 38
integral theory 390, 425
interferential medium frequency current electrostimulation 213
intermediate cell 4
intermesenteric plexus 27
Intermittency 113
Intermittent catheterization 132
intermittent incontinence 479
internal obturator muscle 23
Internal urethral sphincter 454
International Continence Society 84, 105, 109, 615
International index of erectile function 613
International prostate symptom score 140
interneuron 25
Interstitial cystitis 615
interstitial cystitis/bladder pain syndrome 221
intravenous urography 678
Intravesical drug treatment 293
intravesical electrotherapy 507
Intravesical pressure 120
intrinsic sphincter deficiency 390, 420
intussucepted ileal nipple 269
involuntary detrusor contraction 163, 286
Involuntary voiding 131
IP3 11, 51
I-QOL 140, 401
ischial tuberosity 327

ischiopubic ramus 432
ISD 390, 420
Isoproterenol 52
isovolumetric detrusor contraction 505
IVS Tunneller 430
IVU 678
Jordan 피판 518

K

Kegel운동 457
Kelly plication 647
Kelly주름형성 647
KHQ 140
King's Health Questionnaire 140, 401
Kock pouch 269
Kock 비실금형요로전환술 269
Koff's formula 81
Kropp 술식 294
KTP 레이저 590
Kulkarni 술식 520

L

labial fat pad flap 676
laminectomy 332
laparoscopic sacrocolpopexy 654
Lapides분류 285
lateral funiculus 28
lateral prefrontal cortex 38
Latzko방법 664
lazy bladder syndrome 84
leak point pressure 124, 164, 472
levator ani complex 455
levator ani muscles 630
lewy body disease 300
lichen sclerosus 509
lifestyle modification 486, 610
Lifestyle Modification Interventions 413
linguistic validation 139
Liposomes 625
Lissauer's tract 29
lithium 489
LMN 25
locus ceruleus 34
locus coeruleus 36
longitudinal smooth muscle 454
lower moter neuron 25
lower urinary tract dysfunction 48, 135
lower urinary tract symptom 110, 539
lower urinary tract symptoms 339
LPFC 38
LUTS 110, 539
Lyme arthritis 336
Lyme carditis 336
Lyme disease 336
Lyme neuroborreliosis 336

M

MACE 275
Madersbacher 분류 285
magnetic stimulation 213, 416
main sleep period 478
MAINZ pouch 269
Male Sling System 468
male stress incontinence grading scale 472
Male stress urinary incontinence 453
Malone antegrade colonic enema 275
Marshall-Marchetti-Krantz 420, 421
Marsupialization 682
Martius flap 676
Martius피판술식 664
mast cell 615
matrix metalloproteinase 334

maximum cystometric capacity 121, 164
maximum urethral closure pressure 164
maximum urine flow rate 118, 142
mechanical failure 466
medial preoptic area 34
medula oblongata 33
melatonin 491
Men's health 235
mesh 471
Mesh perforation/extrusion at bladder 440
mesonephric cyst 681
micturition 25, 78
micturition reflux arc 299
micturition time chart 398
midbrain 33
Midodrine 52
mini sling 433
mirabegron 52, 356, 355
Mitrofanoff channel 271
Mitrofanoff principle 272
Mitrofanoff 술식 272
mixed incontinence 453
mixed urinary incontinence 43, 112, 374
MMK 420, 421
monofilament polypropylene mesh 425
motor neurogenic bladder 101
motor neuron 26
motor nuclei 34
MUI 112
Müllerian cyst 680
multimodal treatment 491
multiple sclerosis 321
Multiple systemic atrophy 298, 303
Myasthenia gravis 336
myogenic 341
myoinositol 330
myosin 9
myosin phosphatase 52

N

Naftopidil 576
Nd:YAG 레이저 590
nerve roots stimulation 214
Neuro-Behcet's disease 335
neuro-borreliosis 337
neurodegenerative disease 222, 300
neurogenic 341
neurogenic detrusor overactivity 163
neurogenic intermittent claudication 333
Neurogenic overactive bladder 131
neurokinin A 56
Neurology 610
neuromodulation 209, 211
neuronal nitric oxide synthase 7
neuropathic pain 604
neurophysiologic test 291
neurotransmitter 46
NIC 333
nifedipine 160, 315
Nifedipine 52
night-time 482
nipple valve mechanism 272
Nitric oxide 42
nNOS 7
NO 42, 237
nociceptive pain 604
nociceptive receptor 73
nocturia 110, 477
nocturnal enuresis 375, 479
nocturnal polyuria 111, 117, 477
nocturnal polyuria index 117, 481
nocturnal urine production rate 481
Nocturnal urine volume 117
non-continent urinary diversion 266
non-cycled system 474
nonrelaxing bladder neck 291

non-relaxing urethral sphincter obstruction 106
nonsteroidal anti-inflammatory drugs 490, 606
normal pressure hydrocephalus 300
NSAIDs 490, 606

O

OAB 540
OABq 140
OABSS 140, 340
OAB symptom score 340
obstructive sleep apnea syndrome 488
obturator foramen 431
obturator nerve 431
occlusive cuff 459
Ochoa syndrome 84
O'Conor방법 662
O'Leary-Sant IC Symptom Index and IC Problem Index 619
olyuria 110
onabotulinum 366
one incision sling 433
on-obstructive urinary retention 220
Onuf's nucleus 25
Onuf's 핵 25
opioid peptides 67
Orandi 술식 518
Organ specific 610
orsal onlay 514
orthotopic urinary diversion 267
OSAS 488
osteomalacia 279
osteoporosis 279
overactive bladder 113, 339, 540
Overactive Bladder Questionnaire 140
Overactive bladder symptom score 140
overactive bladder syndrome 220
overflow incontinence 112, 302, 535
overflow urinary incontinence 374
oxybutynin 8, 52, 358, 355, 361
Oxybutynin chloride 293

P

PACAP 56
Pad testing 117
panurethral stricture 511
pap smear test 635
paracrine 5, 33
paraphimosi 528
parasympathetic 26
parasympathetic preganglionic neurons 27
parathyroid hormone related peptide 57
paraventricular thalamic nucleus 36
Parkinsonism 298
Pathophysiology 381
Patient Perception of Bladder Condition measure 141
PDE 54
PDE5억제제 238, 293, 364, 495, 549, 581
pelvic diaphragm 383, 645
pelvic fascia 455
Pelvic Floor Muscle Electrical Stimulation 416
pelvic floor muscle exercise 456
pelvic floor muscle physiotherapy 610
pelvic floor muscle training 189, 414, 456
pelvic nerve 27
Pelvic Organ Prolapsed Quantification 635
Pelvic Pain and Urgency 619
pelvic plexus 27, 80
Penile Compression Devices 458
Penile Vibratory Stimulation 458
percutaneous nephrolithotomy 316
periaqueductal gray 34
perineal body 387
perineal membrane 382
perineal urethrostomy 525

perineorrhaphy 655
periureteral sheath 19
periurethral fascia 645
periurethral gland 674
periurethral injection 436
periventricular nucleus 34
pernicious anemia 323
PFMT 456
PG 57
phasic contractions 382
phasic detrusor overactivity 122, 164
phenothiazine 316
phenoxybenzamine 573
phentolamine 316
Phenylpropanolamine 52
phimosis 528
phosphodiesterase 54
Phosphodiesterase 5 Inhibitors 293
phosphoinositide 330
phospholipase C 11
physiological filling rate 153
Pippi Salle 술식 294
piriformis muscle 23, 384
pituitary adenylate cyclase activating peptide 56
plication 269
PMC 33, 505
Pneumaturia 113
poliomyelitis 323
Poliovirus 323
polypropylene 647
Polyuria 117
pons 33
pontine 286
pontine micturition center 33, 335, 343, 505
POPQ 635
postcentral gyrus 38
posterior colporrhaphy 654
posterior tibial nerve stimulation 368
postobstructive diuresis 532
postoperative urinary retention 533
post-prostatectomy incontinence 453
postural urinary incontinence 112, 374
Postvoiding symptom 114
post void residual 90, 119
potassium chloride permeability test 605
potassium sensitivity test 620
pouch 267
POUR 533
PPBC 141
PPS 622
prazosin 65, 574
preoptic area 38
presacral fascia 327, 384
Pressure-Flow studies 124
pressure flow study 291
pressure regulating balloon 459
pressure transmission ratio 165
prevalence 482
primary polydipsia 487
Prinacidil 52
ProACT/ACTTM 471
proctocolectomy 326
progesterone 58
Prolapse of Uterus 640
prompted voiding 188
Propantheline 52
propiverine 293, 355, 358, 360, 361
prostaglandin 57
prostate massage 610
Prostate stent 597
Prostatic urethral lift 598
prostato-membranous urethra 454
proteoglycan 8
provocative procedure 153
PSA 542
pseudodiverticulum 515
pseudodyssynergia 501
Pseudoephedrine 52

pseudo-incontinence 465
psychological support 610
psychometric validation 139
Psychosocial 610
PTHrP 57
pubocervical fascia 383, 631, 645
pubocervical ligament 455, 645
puborectalis muscle 23
pubourethralis muscle 23
pubourethral ligament 425, 645
pubovaginalis muscle 23
pubovaginal sling 683
pubovesical ligament 455
pudendal motor 326
pudendal nerve 26
pudendal nerve entrapment therapy 610
pudendal nerve stimulation 214
PUF 619
PVS 458
pyramidal tract 25

Q

Q-tip 136, 427, 635
Q-Tip 검사 397
Qualiveen 289

R

raphe nucleus 34
Ras homolog family member A 238
reconstructive ladder 511
rectocele 397, 629, 638
rectourethral muscle 455
rectovaginal fascia 631
rectus fascia 423, 646
red nucleus 34
reduced nocturnal bladder capacity 484
Reflex neurogenic bladder 101
Remeex System 434
RemeexTM 469
remission rate 483
resiniferatoxin 52, 59, 293, 624
rethral opening pressure 125
re-training program 232
retrograde urethrography 144, 510
retropubic sling 469
retropubic suspension 420
Rezum 596
RGU 510
rhabdosphincter 454
RhoA 238
RhoA/Rho-kinase 238
Rho kinase 52
rinary retention 114
robot sacrocolpopexy 654
ROCK 238
roflowmetry 118
RTX 59, 624

S

SA 298
sacral 286
sacral cord signs 313
sacral dorsal root ganglia 333
sacral intermediate gray matter 27
sacral neurectomy 316
sacral neuromodulation 215, 369, 507
sacral parasympathetic nucleus 27, 33
sacrospinous ligament fixation 652
salt diuresis 488
Schäfer 노모그램 494, 506, 565
SEAPI-QMN 401
segmental demyelinization 330

selective nerve stimulation 213
selective serotonin reuptake inhibitor 606
Sensory neurogenic bladder 101
Seromuscular cystoplasty 274
serum sodium check 486
Sex Hormone Binding Globulin 247
SHBG 247
short bowel syndrome 274
side squeeze method 464
sildenafil 581
silent dysreflexia 286
silicon polymers 436
Silodosin 576
Sjögren증후군 617
Skene's gland 674
skene's gland abscess 497
Skene선 674
Skene선 농양 501
Skene선 이상 680
SLE 335
sleep disorder 484
sleep disturbance 483
slow twitch skeletal muscle fiber 454
Sodium Pentosan polysulfate 622
solabegron 357
solifenacin 53, 355
somatic 26
somatic nerve reflex activity 309
somatic pain 603
somatosensory nervous system 604
somatostatin 12
SPARC sling system 430
spatulation 512
sphincterotomy 496
sphincter urethrae 387
spinal cord 307
spinal dysraphism 157
Spinal shock 288
spinal stenosis 332
spirochetes 336
SPN 27, 33
spongiofibrosis 509
squamous metaplasia 318
SSLF 652
SSRI 606
staged urethroplasty 517
standing cough test 472
stomal stenosis 277
Storage dysfunction 128
storage symptoms 110, 540
straddle injury 509
Straining to void 113
stress urinary incontinence 111, 116, 374, 381
striated peri-urethral musculature 458
stroma 8
strong desire to void 163
subcoeruleus 34
submucosal injection therapy 318
substance P 12, 56
SUI 111
SUIQQ 401
superior frontal gyrus 38
superior hypogastric plexus 16
suprapontine cerebral centers 297
suprapotine circuitry 305
suprapubic cystostomy 510
Surgical complications 439
suspension mechanism 431
Swinney-Johanson 술식 522
switch pump 459
sympathectomy 316
sympathetic 26
sympathetic chain ganglia 27
sympathetic storage reflex 47
sympathomimetic drug 528
synthetic mesh mid-urethral slings 439
systemic lupus erythematosus 335
systemic pain syndrome 613

T

tabes dorsalis 323
tachykinin 56
tadalafil 581
Tamsulosin 360, 575
telocyte 8
Tenderness 610
tendinous arc 23, 383
tendinous arch 455
TENS 212, 458
tension-free vaginal tape 419, 425
terazosin 316, 574
Terbutaline 52
terminal detrusor overactivity 122, 164
terminal dribbling 113
tetrodotoxin 61
thiazide 489
thickness skin graft 522
ThuLEP 594
tight junction 616
timed voiding 188
TME 327
toilet training 83
tolterodine 52, 53, 355, 360, 361
tolterodine tartrate 293
TOMSTM 469
TOMUS 연구 406
TOT 406
total mesorectal excision 327
transcorporeal cuff placement 465, 467
transcutaneous electrical nerve stimulation 133, 212, 458
Transient receptor potential 31
transobturator sling 469
transureteroureterostomy 318
transurethral electrical stimulation 211
transurethral incision of bladder neck 495
transurethral resection of bladder neck 495
transurethral resection of prostate 495
Transvaginal Diverticulectomy 682
transvaginal electrical stimulation 212
trial without catheter 532
tricyclic antidepressants 359
triggered reflex voiding 192
trigger point 604
triple lumen catheter 151
trospium 355, 361
trospium chloride 293
TRP 31
TTX 61
TVT 406, 425
TVT-O 수술 432
TVT transobturator system 433
twitch-type 19
TWOC 532
T세포 617

U

UDI 401
UISS 401
umbrella cell 4
UMN 25
underactive bladder syndrome 504
undiversion 273, 475
Uninhibited neurogenic bladder 101
uninhibited sphincter relaxation 298
University of Wisconsin IC Scale 619
UPOINT 610
upper motor neuron 25
upper urinary tract function 474
UPS 141
ureterosigmoidostomy 268
urethral bulking agent 473

urethral caruncle 497, 681
Urethral closure 123
urethral cuff erosion 465
Urethral Mucosal Prolapse 681
Urethral pain 114, 517
urethral pressure measurement 291
urethral pressure profile 164
urethral sound 501
urethropelvic ligament 383, 645, 673
urethropexy 420
urethroplasty 511
urethrovaginalis 387
urgency 111
Urgency Perception Scale 141
urgency urinary incontinence 374, 453
Urgency urinary incontinence 111, 116
Urinary 610
urinary diversion 266, 295
Urinary Incontinenc Score 401
urinary lissosphincter 19
urinary reservoir 267
urine flow 47, 118
urine-plasma barrier 5
urodynamic study 637
Urofacial syndrome complex 84
uroflowmetry 89
Urogenital Distress Inventory 401
urogenital hiatus 23, 383
urogenital sinus 3
Urolift 598
Uroplakin 5
urothelial dysfunction 616
USLS 652
uterosacral and cardinal ligament complex 645
uterosacral ligament 328, 384, 630
uterosacral ligatment suspension 652
UUI 111

V

Vaginal cone 414
vaginal epithelium 646
vaginal fornix 658
Vaginal Leiomyoma 680
Vaginal mesh exposure 445
vaginal vault 629
Vaginal Wall Cyst 680
Vagino-obturator shelf 422
vagus nerve 315
valproate 489
Valsalva leak point pressure 165
Valsalva maneuver 192
Valsalva법 292, 507
VALUE trial 405
vamicamide 53
vanilloid 7, 59, 293
varicella-zoster virus 333
varitensor 434
VAS 289, 619
vasoactive intestinal polypeptide 12
vasopressin 488
VCUG 510, 677
ventral onlay 515
ventral pontine tegmentum 38
Verapamil 52
verumontanum 18
Vesico-Bulbo-vesical Micturition Reflex 43
vesicopelvic ligament 645
Vesico spinal vesical micturition reflex 43
vesicular eruption 333
Videourodynamics 128
video urodynamic study 291
Vincents' curtsey sign 87
VIP 12, 56, 57
visceral pain 603
viscoelasticity 72
visual analogue scale 289, 619

voiding cystourethrography 144, 510, 677
voiding diary 637
Voiding Dysfunction 129
Voiding dysregulation 131
Voiding symptoms 113
voluntary muscle 25
VOS 422
VZV 333

W, X, Y

wakefulness after sleep onset 262
Waldeyer 집 3
Wallerian degeneration 330
Waller 변성 330
WASO 262
water diuresis 488
Watts factor 15, 506
xenograft 646
yohimbine 65
Young-Dees-Leadbetter 294

기호

β3-Adrenergic Receptor Agonist 293
β3 아드레날린수용체 작용제 293

번호

3-way stopcock 149
4-glass test 605
4배분뇨법검사 605
5HT 59
5알파전환효소 239
5알파환원효소 542
5알파환원효소억제제 571
24-h polyuria 479
24시간 다뇨 479
24시간 패드 테스트 472